DEDICO O TERCEIRO VOLUME desta obra à minha amada esposa, Udemilta, a meus preciosos filhos Thiago e Mariana, à minha querida nora Renata e ao meu adorável neto Bento. Eles são minha alegria e coroa; meus amigos, intercessores e encorajadores.

HERNANDES DIAS LOPES

Sumário

Prefácio ... 9

Hebreus

Introdução ... 13
1. A superioridade do Filho em relação aos profetas (Hb 1.1-3) ... 18
2. A superioridade do Filho em relação aos anjos (Hb 1.4-14) ... 28
3. Uma solene advertência contra a negligência (Hb 2.1-4) ... 33
4. A necessidade da encarnação de Jesus (Hb 2.5-18) ... 44
5. Nossos privilégios em Cristo (Hb 3.1-6) ... 53
6. A ameaça da incredulidade (Hb 3.7-19) ... 60
7. O descanso de Deus (Hb 4.1-13) ... 69
8. Jesus, nosso grande Sumo Sacerdote (Hb 4.14-16) ... 78
9. Jesus, o nosso incomparável Sumo Sacerdote (Hb 5.1-10) ... 85
10. Crescimento espiritual, a evidência da maturidade (Hb 5.11–6.1-3) ... 94
11. O perigo da apostasia (Hb 6.4-8) ... 105
12. Uma segurança inabalável (Hb 6.9-20) ... 115
13. Jesus, nosso Sumo Sacerdote (Hb 7.1-28) ... 126
14. O ministério superior e a nova aliança (Hb 8.1-13) ... 138
15. A necessidade e os efeitos da nova aliança (Hb 9.1-14) ... 146
16. O mediador da nova aliança e Seu sacrifício perfeito (Hb 9.15-28) ... 156
17. A incomparável superioridade de Cristo (Hb 10.1-18) ... 165
18. Um solene apelo ao povo de Deus (Hb 10.19-39) ... 173
19. A fé que não retrocede (Hb 11.1-40) ... 182
20. A corrida rumo à Jerusalém celestial (Hb 12.1-29) ... 202
21. As evidências de uma vida transformada (Hb 13.1-25) ... 221

Tiago

1. Como transformar provações em triunfo (Tg 1.1-4)	249
2. Como viver com sabedoria (Tg 1.5-18)	256
3. Como saber se minha religião é verdadeira (Tg 1.19-27)	265
4. Como saber se minha fé é verdadeira ou falsa (Tg 2.1-26)	276
5. Como conhecer o poder da língua (Tg 3.1-12)	284
6. Como saber se sua sabedoria é terrena ou celestial (Tg 3.13-18)	294
7. Como viver em um mundo cheio de guerras (Tg 4.1-12)	302
8. Como conhecer a vontade de Deus para o futuro (Tg 4.13-17)	310
9. Como avaliar o poder do dinheiro (Tg 5.1-6)	315
10. Como compreender o poder da paciência (Tg 5.7-12)	323
11. Como usar a eficácia da oração (Tg 5.13-20)	329
12. Como entender a questão da unção com óleo (Tg 5.14)	334
Lições de Tiago para hoje	356

1 Pedro

1. Introdução à Primeira Carta de Pedro (1Pe 1.1,2)	363
2. Salvação, presente de Deus (1Pe 1.1-12)	375
3. O estilo de vida dos salvos (1Pe 1.13-25)	389
4. O crescimento espiritual dos salvos (1Pe 2.1-10)	402
5. Submissão, uma marca do povo de Deus (1Pe 2.11-25)	417
6. O relacionamento saudável entre marido e mulher (1Pe 3.1-7)	432
7. A vida vitoriosa do cristão (1Pe 3.8-22)	447
8. Como transformar o sofrimento em triunfo (1Pe 4.1-19)	467
9. Uma exortação solene à igreja de Deus (1Pe 5.1-14)	485

2 Pedro

Introdução	503
1. O crescimento no conhecimento de Deus (2Pe 1.1-11)	514
2. A transitoriedade da vida e a perenidade da Palavra (2Pe 1.12-21)	529

3. Os falsos mestres atacam a Igreja (2Pe 2.1-22)   541
4. A segunda vinda de Cristo, o grande Dia de Deus (2Pe 3.1-18)   558

1, 2, 3 João

Introdução   575
1. Jesus, a manifestação de Deus entre os homens (1Jo 1.1-4)   593
2. Como o homem pecador pode ter comunhão com o Deus santo (1Jo 1.5-10)   609
3. Jesus, o advogado incomparável (1Jo 2.1,2)   625
4. Como conhecer um cristão verdadeiro (1Jo 2.3-11)   638
5. Como podemos ter garantia de que somos cristãos verdadeiros (1Jo 2.12-17)   651
6. Quando a heresia ataca a igreja (1Jo 2.18-29)   666
7. Razões imperativas para uma vida pura (1Jo 3.1-10)   681
8. O amor, a apologética final (1Jo 3.11-24)   693
9. Como podemos conhecer um verdadeiro cristão (1Jo 4.1-21)   707
10. As certezas inabaláveis do crente (1Jo 5.1-21)   723

2João
Como viver à luz da verdade (2Jo 1-13)   741

3João
A liderança na igreja de Cristo (3Jo 1-15)   756

Judas

Introdução e comentário   775

Apocalipse

Introdução   807
1. A majestosa apresentação do Noivo da Igreja (Ap 1.1-20)   823
2. O Noivo da Igreja andando no meio da Igreja (Ap 2-3)   837
3. Uma mensagem do Noivo à Sua Noiva (Ap 2.1-7)   843

4. Como ser um cristão fiel até à morte (Ap 2.8-11) — 853
5. O perigo da igreja misturar-se com o mundo (Ap 2.12-17) — 863
6. Uma Igreja debaixo do olhar investigador de Cristo (Ap 2.18-29) — 872
7. Reavivamento ou Sepultamento (Ap 3.1-6) — 881
8. Igreja, olhe para as oportunidades e não para os obstáculos (Ap 3.7-13) — 891
9. Uma convocação urgente ao fervor espiritual (Ap 3.14-22) — 899
10. O trono de Deus, a sala de comando do universo (Ap 4.1-11) — 908
11. Para onde caminha a história? (Ap 5.1-14) — 917
12. A abertura dos sete selos (Ap 6.1-17) — 924
13. As glórias da igreja na glória (Ap 7.1-17) — 935
14. As trombetas começaram a tocar (Ap 8.1-13) — 943
15. A cavalaria do inferno (Ap 9.1-12) — 952
16. O Juízo de Deus sobre os ímpios (Ap 9.13-21) — 962
17. O prelúdio da sétima trombeta (Ap 10.1-11) — 970
18. A igreja selada, perseguida e glorificada (Ap 11.1-19) — 978
19. O dragão ataca a igreja (Ap 12.1-18) — 987
20. O anticristo, o agente de satanás (Ap 13.1-18) — 997
21. A glorificação dos salvos e a condenação dos ímpios (Ap 14.1-20) — 1008
22. A preparação para as taças da ira de Deus (Ap 15.1-8) — 1017
23. Os sete flagelos da ira de Deus (Ap 16.1-21) — 1024
24. Ascensão e queda da grande meretriz (Ap 17.1-18) — 1030
25. As vozes da queda da Babilônia (Ap 18.1-24) — 1038
26. Os céus celebram o casamento e a vitória do Cordeiro de Deus (Ap 19.1-21) — 1046
27. O milênio e o juízo final (Ap 20.1-15) — 1052
28. As bênçãos do novo céu e da nova terra (Ap 21.1-8) — 1065
29. O esplendor da Nova Jerusalém, a noiva do Cordeiro (Ap 21.9-22; 22.1-5) — 1073
30. Os desafios dos cidadãos da Nova Jerusalém (Ap 22.6-21) — 1080

Prefácio

O TERCEIRO VOLUME do *Comentário Expositivo do Novo Testamento* contém as Cartas Gerais e o livro de Apocalipse. A carta aos Hebreus é a chave hermenêutica do Antigo Testamento. O Antigo Testamento aponta para Cristo, e não podemos interpretá-lo sem as lentes desta preciosa epístola. Tudo era sombra, mas Cristo é a realidade. Ele é melhor do que os profetas, do que os anjos, do que Moisés, do que Arão, do que Josué. Seu sacrifício é superior aos sacrifícios judaicos. A nova aliança inaugurada em seu sangue é superior à velha aliança. Ele é sacerdote da ordem de Melquisedeque, uma ordem superior ao sacerdócio Aarônico. Hebreus é chamado, com justiça, de Quinto Evangelho. Se os Quatro Evangelhos anunciam o ministério terreno de Jesus, Hebreus aponta para o ministério celestial.

A Carta de Tiago é chamada de "o livro de Provérbios do Novo Testamento". É uma epístola endereçada às dez tribos que se encontravam na dispersão. Esta carta lida com as questões práticas da vida, e nos ensina a olhá-las na perspectiva de Deus.

A Primeira Carta de Pedro é endereçada aos crentes forasteiros da separação. A carta nos ensina a viver com alegria indizível e cheia de glória a despeito do sofrimento presente, uma vez que, mesmo pisando em solo juncado de espinhos, nossos olhos estão colocados em nossa recompensa eterna.

A Segunda Carta de Pedro é um alerta sobre os falsos mestres, que vivem de forma desordenada e distorcem as Escrituras para sua própria ruína. A epístola traz uma das mais vívidas descrições da Segunda Vinda de Cristo.

A Primeira Carta de João foi escrita para dar aos crentes segurança da vida eterna. Um crente verdadeiro tem sua envergadura moral, sua fidelidade doutrinária e e seu compromisso de amor ao próximo. A segunda epístola ao mesmo tempo que enfatiza a prática do amor, exorta sobre o perigo dos falsos mestres. A terceira epístola descreve o exemplo de Gaio e denuncia a postura arrogante de Demétrio.

A Carta de Judas é um brado de alerta contra os falsos mestres e um desafio aos crentes a terem compaixão por aqueles que estão prestes a perecer, assaltados pela dúvida.

A livro de Apocalipse foi escrito pelo apóstolo João da Ilha de Patmos, para encorajar a igreja sofredora, é a coroação e apoteose de toda a revelação bíblica. Este livro fala sobre os Sete Candeeiros, os Sete Selos, as Sete Trombetas e as Sete Taças da ira de Deus. Ainda desvela o quarteto do mal: o Dragão, o Anticristo, o Falso Profeta e a Grande Babilônia. O livro conclui com a derrota fragorosa de Cristo sobre o quarteto do mal. Jesus voltará em poder e glória e julgará vivos e mortos. Então, haverá apenas dois destinos: bem-aventurança e condenação eterna. Aqueles, cujos nomes foram encontrados no Livro da Vida do Cordeiro, esses entrarão com Cristo na glória eterna e reinarão com ele pelos séculos sem fim.

Minha ardente expectativa é de que esta obra traga luz à mente e fogo ao seu coração. Que o Eterno Deus ilumine os olhos do seu coração para contemplar as maravilhas da lei divina!

HERNANDES DIAS LOPES

Hebreus

A superioridade de Cristo

Introdução

A carta aos Hebreus é chamada de "o quinto evangelho". Os quatro evangelhos relatam o que Cristo fez na terra; Hebreus registra o que Cristo continua fazendo no céu. David Peterson diz que Hebreus é uma mina de ouro para aqueles que desejam cavá-la.[1]

Essa epístola apresenta com eloquência incomparável a superioridade de Cristo em relação aos profetas, aos anjos, a Moisés, a Josué e a Arão. O sacrifício que Cristo ofereceu foi melhor do que o sacrifício que os sacerdotes apresentaram. A aliança que Ele firmou é superior à antiga aliança. Jesus é um Sacerdote superior aos sacerdotes levíticos. Aqueles eram homens imperfeitos, que ofereciam sacrifícios imperfeitos, realizados por sacerdotes imperfeitos. Jesus é o sacerdote perfeito, que ofereceu a Si mesmo, um sacrifício perfeito, para aperfeiçoar homens imperfeitos.

Craig Keener diz que Cristo é superior aos anjos (1.1-14) que entregaram a lei (2.1-18). Ele é superior a Moisés e à terra prometida (3.1–4.13). Como um sacerdote segundo a ordem de Melquisedeque, Ele é maior que o sacerdócio do Antigo Testamento (4.14–7.28), porque está ligado a uma nova aliança (8.6-13) e ao culto do templo celestial (9.1–10.18). Thomas Watson diz que Jesus Cristo é a soma e a essência do evangelho. Ele é a maravilha dos anjos, a felicidade e o triunfo dos santos. O nome de Cristo é doce, é música aos ouvidos, mel na boca, calor no coração.[2]

Destacamos a seguir alguns pontos importantes para o nosso estudo.

O autor da carta

Diferentemente das demais epístolas do Novo Testamento, Hebreus não apresenta em seu preâmbulo o nome do autor, nem mesmo os

---

[1] PETERSON, David G., *Hebrews*. In: *New bible commentary*. Downers Grove, IL: Intervarsity Press, 1994, p. 1321.
[2] WATSON, Thomas, *A fé cristã*. São Paulo, SP: Cultura Cristã, 2009, p. 194.

destinatários. Alguns estudiosos são inclinados a crer que essa carta foi escrita por Paulo. Outros pensam que foi Lucas o seu autor. Há aqueles que defendem que foi Barnabé quem a escreveu, e outros ainda alegam que foi Apolo. Essas opiniões, entretanto, carecem de confirmação. Orígenes, ilustre pai da igreja, chegou a dizer que só Deus conhece quem foi o autor de Hebreus.[3]

Em Hebreus 2.3, o escritor indica que ele e os leitores dessa carta pertencem à segunda geração de seguidores de Cristo, ou seja, eles não tinham ouvido o evangelho do próprio Jesus. Kistemaker, com razão, escreve: "Esse fato exclui a possibilidade da autoria apostólica da carta aos Hebreus. Porque o autor afirma que ele e seus leitores tinham de confiar nos relatos dos seguidores diretos de Jesus". Estamos de acordo, portanto, à luz desse fato, que, não obstante haja muitas semelhanças com as cartas paulinas, dificilmente o apóstolo Paulo teria sido o autor dessa epístola. Até porque, em todas as epístolas do veterano apóstolo, ele se identificou como remetente e apontou seus destinatários.

Os destinatários

Embora não haja, de forma explícita, na carta, o nome dos destinatários, podemos concluir, à luz de um exame mais detido da epístola, que essa missiva foi enviada aos crentes judeus, que, sob perseguição, estavam sendo tentados a voltar para o judaísmo.

Através dessa carta, o autor encorajou os crentes a se firmarem na fé, em vez de retrocederem na fé. Exortou-os a considerar a obra de Cristo como consumação de todos os sacrifícios realizados na antiga aliança. Deixou claro que o judaísmo desembocava no cristianismo e que este era o cumprimento daquele.

Essa carta combina doutrina com exortação, exposição com advertência, ensino com admoestação. Por causa da severa perseguição aos cristãos, os crentes estavam sendo tentados a voltar para o judaísmo, virando as costas para a fé que haviam abraçado. É para essa igreja que o autor endereça sua carta.

---

[3] KISTEMAKER, Simon, *Hebreus*. São Paulo, SP: Cultura Cristã, 2003, p. 87.

A data em que a carta foi escrita

Essa informação também não é oferecida com precisão, mas podemos inferir, com certa garantia, que a carta foi escrita antes do ano 95 d.C., pois Clemente de Roma, em 95 d.C., faz referência a essa epístola. Também podemos imaginar que ela foi escrita antes da destruição de Jerusalém, no ano 70 d.C., pelo general Tito, pois não há nenhuma menção desse episódio tão dramático e que provocou efeitos tão devastadores, mormente para os judeus.

Augustus Nicodemus tem razão ao dizer que essa carta foi escrita, provavelmente, em meados da década de 60, pouco antes da destruição do templo de Jerusalém, porque aqui o autor faz menção das coisas do templo e dos sacrifícios, como se o templo e os sacrifícios ainda estivessem em vigor e funcionando; portanto, a data deve ser anterior à destruição, que aconteceu em 70 d.C.[4]

Visto que Timóteo havia sido libertado recentemente da prisão (13.23) e, ao que tudo indica, a obra foi escrita na Itália (13.24), podemos supor que Timóteo foi aprisionado durante a perseguição de Nero. Essa perseguição foi desencadeada em julho de 64 d.C., quando os crentes foram acusados de serem os responsáveis pelo incêndio de Roma.

As principais ênfases da carta aos Hebreus

O propósito do autor ao escrever essa epístola foi despertar nos leitores o desejo de ficarem firmes no cristianismo, em vez de voltar para o judaísmo.

Por ter como objetivo precípuo mostrar que o Novo Testamento é o cumprimento do Antigo Testamento, Hebreus é o livro do Novo Testamento que mais cita o Antigo Testamento. David Peterson diz que Hebreus parece ser um dos livros mais difíceis de ser entendido do Novo Testamento e um dos mais difíceis de ser aplicado no mundo moderno. Por outro lado, é o livro mais importante para entender o efeito pedagógico dos rituais do Antigo Testamento como preparação para o sacrifício perfeito de Cristo. Por causa de sua forte ênfase

---

[4]LOPES, Augustus Nicodemus. *Hebreus*. São Paulo, SP: Cultura Cristã, 2016, p. 80.

apologética, Craig Keener diz que essa carta se assemelha mais a um tratado que a uma carta normal, com exceção das saudações finais.

Warren Wiersbe trata a carta aos Hebreus como um livro de estimativas, exortação, exame, expectativa e exaltação. Vamos dar uma olhada nessas cinco áreas destacadas por Wiersbe.

Em primeiro lugar, **Hebreus é um livro de estimativas**. O verbete *superior* é usado 13 vezes nessa carta. Cristo é superior aos profetas, aos anjos, a Moisés, a Josué e a Arão. Ele trouxe uma esperança superior (7.19), pois é o Mediador de uma *superior aliança instituída com base em superiores promessas* (8.6). Turnbull, nessa mesma linha de pensamento, tratando da superioridade do cristianismo sobre o judaísmo, elenca oito razões para provar sua tese: 1) Jesus é melhor que os profetas (1.1-3); 2) Jesus é melhor que os anjos (1.4–2.18); 3) Jesus é melhor que Moisés e Josué (3.1–4.13); 4) Jesus é melhor que Arão (4.14–7.28); 5) Jesus é ministro de um melhor concerto (8.1-13); 6) Jesus presta um melhor serviço (9.1-12); 7) Jesus oferece um melhor sacrifício (9.13–10.28); 8) Jesus proporciona um motivo melhor de fé (10.19–12.3).[5]

Em segundo lugar, **Hebreus é um livro de exortação**. O autor chama a carta de *palavra de exortação* (13.22). A epístola tem várias exortações, fazendo a aplicação da doutrina (2.1-4; 3.12–4.3; 4.14-16; 5.11–6.8; 10.32-39; 12.14-17; 12.25-29). Turnbull menciona cinco sintomas de atrofia espiritual dos crentes hebreus: 1) Os leitores negligenciavam o culto público (10.25). 2) Sua fé primitiva se tinha enfraquecido muito (10.32). 3) Eles abandonaram ou relaxaram os seus esforços (12.12). 4) Havia uma tendência para darem ouvidos a novas e estranhas doutrinas (13.9). 5) Eles demonstravam um ar de falsa independência com relação a seus mestres (13.7,17,24).[6]

Em terceiro lugar, **Hebreus é um livro de exame**. O templo, os sacrifícios e a cidade de Jerusalém seriam abalados e deixariam de existir. Deus estava "abalando" a ordem das coisas (12.25-29), pois desejava que seu povo se firmasse sobre os alicerces sólidos da fé, em vez de

---

[5]Turnbull, M. Ryerson, *Levítico e Hebreus*. São Paulo, SP: Casa Editora Presbiteriana, 1988, p. 102.

[6]Turnbull, M. Ryerson, *Levítico e Hebreus*, p. 96.

firmá-los sobre coisas que desapareceriam. Num mundo que está desmoronando, nosso coração deve estar confirmado com graça (13.9). Temos um reino inabalável (12.28). A Palavra de Deus é firme (2.2), e firme também é a nossa confiança em Cristo (6.19).

Em quarto lugar, **Hebreus é um livro de expectativa**. A carta aos Hebreus lança luz sobre o futuro. O autor fala sobre *o mundo que há de vir* (2.5). Os cristãos estão ligados àquele que é o herdeiro de todas as coisas (1.2). Teremos parte na *promessa da eterna herança* (9.15). Como os patriarcas descritos em Hebreus 11, estamos olhando para a cidade vindoura de Deus (11.10-16,26). Aqui, somos estrangeiros e peregrinos (11.13).

Em quinto lugar, **Hebreus é um livro de exaltação**. A carta aos Hebreus exalta a pessoa e a obra de Cristo. Cristo é o Profeta e a mensagem. Cristo é o Sumo Sacerdote e o sacrifício. Cristo é o Rei dos reis e o servo. Ele é o Filho, o Criador, o Sustentador do universo, o Redentor, o Rei glorioso (1.1-3).

1

A superioridade do Filho em relação aos profetas

Hebreus 1.1-3

A CARTA AOS HEBREUS, com singular beleza e não menor profundidade, declara, de forma decisiva e peremptória, a existência de Deus. Por mais que os ateus neguem sua existência e os agnósticos acentuem a impossibilidade de conhecê-Lo, Deus existe. Deus não apenas existe, mas também Se revelou. O conhecimento de Deus não se dá por meio da investigação humana, mas pela autorrevelação divina. Só conhecemos a Deus porque Ele Se revelou a nós.

Deus Se revelou

Como Deus Se revelou? Deus Se revelou de forma natural na criação e de forma especial em Sua Palavra. A revelação natural é suficiente, mas não eficiente. Embora a obra da criação seja suficiente para o homem reconhecer a existência de Deus e tornar-se indesculpável diante dEle, não é eficiente para levar o homem a um relacionamento pessoal com Deus. O apóstolo Paulo escreve: *Porque os atributos invisíveis de Deus, assim o seu eterno poder, como também a sua própria divindade, claramente se reconhecem, desde o princípio do mundo, sendo percebidos por meio das coisas que foram criadas. Tais homens são, por isso, indesculpáveis* (Rm 1.20). Davi foi enfático ao dizer: *Os céus proclamam a glória de Deus e o firmamento anuncia as obras de Suas mãos* (Sl 19.1).

O universo vastíssimo e insondável, com mais de 93 bilhões de anos-
-luz de diâmetro, é o palco onde Deus reflete a glória de Sua majestade.
Vemos as digitais do Criador nos incontáveis mundos estelares, bem
como na singularidade de uma gota de orvalho. Tanto o macrocosmo
como o microcosmo anunciam a grandeza de Deus.

E mais, Deus Se revelou na consciência humana (Rm 2.15). O filósofo
alemão Immanuel Kant declarou: "Há duas coisas que me encantam: o
céu estrelado acima de mim e a lei moral dentro de mim". Deus colocou
dentro do homem um sensor chamado consciência. É uma espécie de
alarme que toca sempre que o homem transgride um preceito moral.
Essa consciência acusa-o e defende-o. Porém, em virtude do pecado, a
consciência do homem pode tornar-se fraca e até cauterizada, sendo,
portanto, insuficiente para revelar-lhe claramente a pessoa de Deus.

A carta aos Hebreus, diferentemente das demais epístolas do Novo
Testamento, não menciona em seu início o remetente nem o destinatário. Vai direto ao assunto, e isso com eloquência incomum. Simon
Kistemaker diz que o autor quer focalizar a atenção primariamente
na suprema revelação de Deus – Jesus Cristo, Seu Filho. O preâmbulo
da carta é considerado o texto mais erudito e refinado de todo o Novo
Testamento. Assim escreve William Barclay: "Esta é a peça oratória
grega mais eloquente de todo o Novo Testamento".[1]

Deus falou pelos profetas (1.1)

Deus Se revelou progressivamente pelas Escrituras proféticas (1.1).
Deus falou muitas vezes e de muitas maneiras aos pais pelos profetas. As palavras gregas *polumeros* e *polutropos*, traduzidas pela expressão *muitas vezes e de muitas maneiras*, servem como preparação para
a revelação perfeita no evangelho, que é uno e indivisível, porque é a
revelação de Deus em uma pessoa, que é o Filho.[2] Deus usou muitos
métodos e vários instrumentos para comunicar aos nossos antepassados

---

[1] BARCLAY, William. *Hebreos*. Barcelona: Editorial Clie, 1973, p. 17.
[2] WILEY, Orton H. *Comentário exaustivo da Carta aos Hebreus*. Rio de Janeiro, RJ:
Central Gospel, 2013, p. 45.

Sua lei e Sua vontade. A antiga dispensação foi dada ao povo de Deus pelo próprio Deus, por meio de seus servos, os profetas, e isso desde Moisés até Malaquias.

A antiga dispensação, porém, foi parcial, incompleta e fragmentada. Era preparatória, e não final. Henry Wiley diz que a revelação de Deus foi dada em estágios sucessivos – o primeiro por intermédio dos profetas, e o segundo mediante o Filho.[3] A lei nos foi dada não em oposição à graça, mas para nos conduzir à graça. O Antigo Testamento não está em oposição ao Novo. Ao contrário, aponta para ele e tem nele sua consumação. São bem conhecidas as palavras de Aurélio Agostinho: "O Novo Testamento está latente no Antigo Testamento, e o Antigo Testamento está patente no Novo Testamento". No Antigo Testamento, temos o Cristo da promessa; no Novo Testamento, temos o Cristo da história. Na plenitude dos tempos, Ele nasceu sob a lei, nasceu de mulher, para remir o seu povo de seus pecados e trazer-lhe a plena revelação de Deus (Gl 4.4). Concordo com Raymond Brown quando ele diz que, em Cristo, Deus fechou o maior abismo de comunicação de todos os tempos, aquele que existe entre o Deus santo e o homem pecador.[4]

Deus falou pelo Filho (1.1)

Deus Se revelou completamente em Seu Filho (1.1). Hebreus usa uniformemente a palavra *Filho* para referir-se a Cristo, ao passo que João usa a palavra grega *Logos*, traduzida por "Verbo". Em geral, *Logos* é usada para Cristo em seu estado pré-encarnado, enquanto *Filho* é usada para o Verbo encarnado.[5] O Filho é a última e completa revelação de Deus. Não há mais revelação por vir. No Filho, vemos o próprio Deus de forma plena. O apóstolo João diz que o Verbo divino Se fez carne e habitou entre nós, cheio de graça e de verdade, e vimos a Sua glória, glória como do unigênito do Pai (Jo 1.14). Ele é a exata expressão do

---

[3] WILEY, Orton H. *Comentário exaustivo da Carta aos Hebreus*, p. 47.
[4] BROWN, Raymond. *The Message of Hebrews*. Intervarsity Press: Downers Grove, Illinois, IL, 1984, p. 27.
[5] WILEY, Orton W. *Comentário exaustivo da Carta aos Hebreus*, p. 57.

ser de Deus. Nele habita corporalmente toda a plenitude da divindade. Ele é da mesma substância de Deus. Tem os mesmos atributos de Deus. Realiza as mesmas obras de Deus. Agora, nestes últimos dias, Deus nos falou pelo Filho. Portanto, Deus não tem mais nada a acrescentar em Sua revelação. Assim, o Novo Testamento não é apenas a sequência natural da revelação progressiva do Antigo Testamento, mas sua consumação plena e cabal. A lei não está em oposição à graça, mas tem nela a sua consumação. Cristo é o fim da lei (Rm 10.4). Agora a Bíblia está completa. Tem uma capa ulterior. E isso nos basta: ela é inerrante, infalível e suficiente. Concordo com Simon Kistemaker quando ele escreve: "A história da revelação divina é uma história de progressão até Cristo, mas não há progresso além dEle".[6]

A superioridade do Filho em relação aos profetas (1.2,3)

A carta aos Hebreus é considerada o quinto evangelho, pois, se os quatro evangelhos falam sobre o que Cristo fez na terra, Hebreus fala sobre o que Cristo continua fazendo no céu. Essa epístola enfatiza a superioridade de Cristo em relação aos profetas, aos anjos, a Moisés, a Josué e a Arão. Seu sacrifício foi melhor que os sacrifícios oferecidos pelos sacerdotes, e a nova aliança que Ele estabeleceu em Seu sangue é superior.

Logo no introito de Hebreus, o autor ressalta a grandeza incomparável de Jesus, elencando nove de Seus gloriosos predicados.

Em primeiro lugar, *Jesus é a última e final voz profética de Deus* (1.1). Raymond Brown diz que sem Jesus a revelação do Antigo Testamento é parcial, fragmentada, preparatória e incompleta. Deus falou em tempos diferentes, de diferentes maneiras. Ele usou muitos e vários caminhos. Mas, em Cristo, Ele falou completa, decisiva, final e perfeitamente.[7] Stuart Olyott corrobora dizendo: "Essa revelação não está fragmentada; é completa. Não é temporária; é permanente. Não é preparatória; é final. Não veio por diversos modos, mas está encerrada nAquele que é supremo".[8]

---

[6]KISTEMAKER, Simon. *Hebreus*, p. 44.
[7]BROWN, Raymond. *The Message of Hebrews*, p. 28.
[8]OLYOTT, Stuart. *A Carta aos Hebreus*. São Paulo, SP: Cultura Cristã, 2012, p. 15.

Raymond Brown diz que Ezequiel descreveu a glória de Deus (Ez 1.28; 3.23), mas Cristo a refletiu (1.3). Isaías falou sobre a natureza santa, justa e misericordiosa de Deus (Is 1.4,18; 11.4), mas Cristo a manifestou (1.3). Jeremias descreveu o poder de Deus (Jr 1.18,19; 10.12,13), mas Cristo o demonstrou (1.3).[9] Barclay argumenta que Jesus não era uma parte da verdade, era a verdade inteira; não era uma revelação fragmentada de Deus, mas Sua revelação completa. Sendo Deus, Jesus revelou Deus.[10] Donald Guthrie diz que, quando Deus falou aos homens pelo Filho, o propósito era marcar o fim de todos os métodos imperfeitos. A cortina finalmente desceu sobre a era anterior, e a era final agora tinha raiado.[11]

Em segundo lugar, *Jesus é o incomparável Filho de Deus* (1.1). O Deus que Se revelou pelos profetas aos pais, muitas vezes e de muitas maneiras, e de forma progressiva, agora Se revela completa e finalmente pelo Filho. Deus Se revelou pela palavra escrita, através das Escrituras, e agora Se revela pela palavra encarnada, através de Seu Filho. Sem a obra do Filho, não haveria salvação. Ele é Deus e homem, verdadeiramente Deus e verdadeiramente homem. Duas naturezas distintas, uma só pessoa. Thomas Watson diz que a natureza humana foi unida à divina: a humana sofreu, e a divina satisfez. A divindade de Cristo suportou a natureza humana para que não fraquejasse e atribuísse virtude aos Seus sofrimentos. O altar da natureza divina de Cristo santifica o sacrifício de sua morte e o faz de um valor incalculavelmente precioso.[12]

Em terceiro lugar, *Jesus é constituído por Deus como o herdeiro de todas as coisas* (Hb 1.2): *... a quem constituiu herdeiro de todas as coisas...* Esta passagem é uma citação de Salmo 2.8. É claro que o autor não está tratando de Seu estado eterno junto ao Pai, pois sempre teve glória plena antes que houvesse mundo (Jo 17.5). Ele fala, entretanto, sobre uma herança recebida como resultado de Seu sacrifício vicário. Em virtude de o Filho ter encarnado, morrido e ressuscitado para remir Seu

---

[9]BROWN, Raymond. *The Message of Hebrews*, p. 28.
[10]BARCLAY, William. *Hebreos*, p. 19.
[11]GUTHRIE, Donald. *Hebreus: introdução e comentário*, 1999, p. 59.
[12]WATSON, Thomas. *A fé cristã*, p. 207.

povo, a Ele são dadas, por herança, todas as coisas, não somente a terra, mas também todo o universo. Stuart Olyott diz, corretamente, que tudo o que pertence, por direito, a Deus, pertence a Cristo. Em especial, Cristo é a coroa, o clímax e a consumação da história. Todo o futuro pertence a Ele.[13] Vale destacar que os crentes desfrutam de sua herança, pois são herdeiros de Deus e coerdeiros com Cristo (Rm 8.17).

Em quarto lugar, *Jesus é o agente da criação do universo* (Hb 1.2). ... *pelo qual também fez o universo*. O universo não surgiu espontaneamente nem foi produto de uma evolução de milhões e milhões de anos. A matéria não é eterna. Só Deus é eterno e o Pai da eternidade. O universo foi criado, e isso a ciência prova. Mas, pela fé, entendemos que o universo foi criado por Deus, por intermédio de Seu Filho (11.3). Desde os mundos estelares até o ser humano, a obra-prima da criação, tudo veio a existir por intermédio do Filho. Desde os anjos até o menor dos seres vivos que rasteja pela terra, que voa pelo ar ou que percorre as sendas dos mares, tudo saiu das mãos do Filho de Deus. Tudo foi feito por intermédio dEle e sem Ele nada do que foi feito se fez (Jo 1.3) Ele criou todas as coisas, as visíveis e as invisíveis (Cl 1.16). Guthrie diz que Aquele que andou entre os homens foi o criador dos homens.[14] Do nada Ele tudo criou, com poder e sabedoria. Stuart Olyott diz que Cristo é o começo de todas as coisas. Cristo é o fim de todas as coisas. Cristo é tudo que está entre o começo e o fim.[15]

Em quinto lugar, *Jesus é o resplendor da glória de Deus* (1.3). *Ele, que é o resplendor da glória...* A palavra *apaugasma*, que ocorre somente aqui nas Escrituras, significa a irradiação de luz que flui de um corpo luminoso.[16] Em Jesus, concentram-se todos os raios da glória divina. Simon Kistemaker diz que, assim como o sol, como um corpo celeste, irradia a sua luz com todo o seu brilho e poder sobre a terra, Cristo irradia a luz de Deus.[17]

---

[13]OLYOTT, Stuart. *A Carta aos Hebreus*, p. 16.
[14]GUTHRIE, Donald. *Hebreus: introdução e comentário*, p. 61.
[15]OLYOTT, Stuart. *A Carta aos Hebreus*, p. 16.
[16]WILEY, Orton H. *Comentário exaustivo da Carta aos Hebreus*, p. 65.
[17]KISTEMAKER, Simon. *Hebreus*, p. 47.

Raymond Brown afirma que, para o povo hebreu, a glória de Deus era a expressão visível e a majestade externa da presença de Deus. Essa glória se manifestou no monte Sinai, na tenda da congregação, na arca da aliança, no templo e, sobretudo, e de forma plena, na pessoa de Cristo.[18] A glória não é um atributo de Deus, mas o somatório de todos eles, na sua expressão máxima. Jesus encerra em si mesmo todo o resplendor dessa glória divina. Ele é a manifestação plena e final de Deus. Nele habita corporalmente toda a plenitude da divindade. Vemos Deus em Sua face. Quem vê Jesus, vê a Deus, pois ambos têm a mesma essência, os mesmos atributos e realizam as mesmas obras.

Concordo com Olyott quando ele escreve: "Ninguém pode ver, jamais viu, ou jamais verá o Pai. Nós o enxergamos quando olhamos a gloriosa segunda pessoa da Trindade".[19] Nessa mesma linha de pensamento, Calvino declara que o fulgor da substância de Deus é tão forte que fere nossos olhos, até que ela nos seja projetada na pessoa de Cristo. Deus, em si e por si mesmo, será incompreensível à nossa percepção, até que sua forma nos seja revelada no Filho.[20]

Em sexto lugar, *Jesus é a expressão exata do ser de Deus* (Hb 1.3). *... e a expressão exata do seu Ser...* Deus é espírito, portanto não podemos contemplá-Lo. Deus é tão santo e glorioso que até os serafins cobrem o rosto diante de Sua majestade (Is 6.1-3). Jesus, porém, sendo Deus, fez-se carne e habitou entre nós, cheio de graça e de verdade, e vimos a Sua glória, glória como do unigênito do Pai (Jo 1.14). Se quisermos saber como Deus é, devemos olhar para Jesus. Se quisermos saber quão belo, quão santo e quão amoroso Deus é, devemos olhar para Jesus. Ele disse: *Quem me vê a mim, vê o Pai, pois Eu e o Pai somos um.* Jesus é a exegese de Deus.

Raymond Brown diz que todos os atributos de Deus se tornaram visíveis em Cristo.[21] Kistemaker diz que a palavra grega *charakter*, traduzida por *a expressão exata*, refere-se a moedas cunhadas que levam a

---

[18] BROWN, Raymond. *The Message of Hebrews*, p. 30.
[19] OLYOTT, Stuart. *A Carta aos Hebreus*, p. 17.
[20] CALVINO, João. *Hebreus*. São José dos Campos, SP: Fiel, 2012, p. 32.
[21] BROWN, Raymond. *The Message of Hebrews*, p. 31.

imagem de um soberano ou presidente. Refere-se a uma reprodução precisa do original. O Filho, então, é completamente o mesmo em seu ser como o Pai.[22]

Em sétimo lugar, *Jesus é o sustentador do universo* (Hb 1.3).... *sustentando todas as coisas pela palavra do seu poder...* Jesus não apenas criou o universo, mas sustenta todas as coisas, pela palavra do seu poder. É Ele quem mantém o universo em equilíbrio. É Ele quem mantém as galáxias em movimento. É Ele quem dá coesão, ordem e sentido a este vastíssimo e insondável universo com mais de 93 bilhões de anos-luz de diâmetro. É Ele quem espalha as estrelas no firmamento e conhece cada uma delas pelo nome. O universo não se mantém fora de Sua providência nem sobrevive sem Seu governo. Sem a providência de Cristo, o universo se desintegraria.

Citando Lindsay, Wiley diz que a preservação do universo requer o exercício contínuo da mesmíssima força e do mesmíssimo poder que lhe deram existência; e, se o braço mantenedor de Cristo fosse por um momento retirado, os inumeráveis sóis e galáxias que povoam o espaço ruiriam no pó e tornariam ao nada do qual surgiram.[23] Nessa mesma linha de pensamento, Raymond Brown diz que Cristo mantém os planetas em órbita por Sua autoritativa e eficaz Palavra de poder.[24] Olyott complementa, ao escrever:

> O que impede o mundo de se desintegrar ou deixar de existir? Que poder mantém coesos os átomos e moléculas? Momento após momento, ano após ano, século após século, o universo continua existindo. Qual a explicação? Sua existência contínua não é apenas algo que "acontece". A Palavra de Cristo o trouxe à existência; e é essa mesma palavra que mantém tudo coeso.[25]

Nas palavras de Paulo, *nEle tudo subsiste* (Cl 1.17). Concordo com Donald Guthrie quando ele diz que não há lugar aqui para a ideia

---

[22]Kistemaker, Simon. *Hebreus*, p. 48.
[23]Wiley, Orton H. *Comentário exaustivo da Carta aos Hebreus*, p. 69.
[24]Brown, Raymond. *The Message of Hebrews*, p. 31.
[25]Olyott, Stuart. *A Carta aos Hebreus*, p. 17.

deísta acerca de Deus, que o enxerga apenas como um relojoeiro que, tendo feito um relógio, deixa-o funcionar sozinho com seu próprio mecanismo.²⁶

Em oitavo lugar, ***Jesus é o Sumo Sacerdote que fez a purificação dos pecados*** (Hb 1.3). ... *depois de ter feito a purificação dos pecados...* Jesus é o grande Sumo Sacerdote que, sendo perfeito, ofereceu um sacrifício perfeito, o seu próprio sangue, para purificar-nos do pecado. Assim, Ele era simultaneamente o Sumo Sacerdote e o sacrifício, quando se ofereceu para a purificação dos pecados de Seu povo. Sozinho foi crucificado, sangrou e morreu na cruz, e por esse ato fez a purificação dos nossos pecados. Os animais mortos foram varridos do altar, porque Jesus ofereceu um único e eficaz sacrifício para remir-nos e purificar-nos.

O autor aos Hebreus destaca que o mesmo Cristo criador realizou a obra da redenção. Raymond Brown está correto em dizer que este se tornou o tema principal dessa epístola.²⁷ Fritz Laubach tem razão em dizer que a morte de Jesus na cruz, para o perdão de nossos pecados, é o auge, o alvo de seu envio à terra e a base de nosso relacionamento com Deus. Ninguém poderia encontrar perdão e paz, ninguém poderia tornar-se justo diante de Deus e chegar a Ele, se Jesus não tivesse morrido por nós. Sua morte na cruz do Gólgota é, por toda a eternidade, o evento central da história universal.²⁸

Portanto, o autor leva seus leitores a colocarem sua atenção não apenas em quem Cristo é, mas, sobretudo, no que Ele fez. Cristo é o irrepetível sacrifício e a provisão eficaz de Deus para o maior problema da humanidade: o pecado.²⁹

Em nono lugar, ***Jesus é o Rei que foi exaltado por Deus*** (Hb 1.3). ... *assentou-se à direita da Majestade, nas alturas.* Jesus é o Profeta por quem Deus encerrou Sua revelação. É o Sumo Sacerdote que ofereceu a si mesmo como sacrifício perfeito. É o Rei glorioso que está assentado à mão direita de Deus, de onde governa a igreja, as nações e o

---

²⁶GUTHRIE, Donald. *Hebreus: introdução e comentário*, p. 63.
²⁷BROWN, Raymond. *The Message of Hebrews*, 1988, p. 32.
²⁸LAUBACH, Fritz. *Carta aos Hebreus*, p. 39.
²⁹BROWN, Raymond. *The Message of Hebrews*, p. 32.

próprio universo, e de onde vai voltar, gloriosamente, para buscar Sua igreja (10.12-15). O Filho que foi humilhado na terra é entronizado no céu. Aquele que morreu, ressuscitou. Aquele que ressuscitou, foi elevado às alturas e glorificado. Oh, quão glorioso é o nosso Redentor!

Encerro este capítulo com as palavras de Wiley:

> Convém que se entenda que a exaltação e a autoridade de Cristo foram concedidas a Ele como recompensa por sua humilhação. Em sua natureza divina, o Filho não poderia ser exaltado, porque já era infinitamente superior em majestade, glória e poder; por outro lado, se o nosso Mediador não fosse divino, não poderia assim ter participado da glória e do reinado divinos. A elevação de Cristo, portanto, ao trono do poder soberano à destra do Pai só pode referir-se ao que se chamou "reinado intercessório", pois é descrito como resultado de Seu sacrifício expiatório.[30]

---

[30]WILEY, Orton H. *Comentário exaustivo da Carta aos Hebreus*, p. 71.

2

A superioridade
do Filho em relação aos anjos

Hebreus 1.4-14)

DEPOIS DE MOSTRAR A SUPERIORIDADE DO FILHO em relação aos profetas, o autor da carta aos Hebreus mostra a superioridade do Filho em relação aos anjos. Stuart Olyott diz, com razão: "Nenhum anjo, mesmo o mais exaltado de todos, se atreveria a sentar-se na presença de Deus, muito menos à Sua mão direita. Mas Cristo é mais elevado do que o mais elevado dos anjos".[1]

No texto em pauta, há sete citações do Antigo Testamento selecionadas pelo autor de Hebreus e dispostas progressivamente. Essas citações tratam do eterno relacionamento de Cristo com o Pai, sua vinda ao mundo, sua unção por Deus e seu reinado. Nós o vemos criando e consumando o mundo, assentado e reinando para sempre sobre Seus inimigos.[2] O texto apresenta quatro verdades essenciais: 1) Os anjos são apenas mensageiros: Cristo é o Filho (1.4,5). 2) Os anjos são meros adoradores: Cristo é o adorado (1.6). 3) Os anjos são meras criaturas: Cristo é o Criador (1.7-12). 4) Os anjos são meros servos: Cristo é o Rei (1.13,14).[3] Detalhamos um pouco mais essa sublime passagem a seguir.

---

[1] OLYOTT, Stuart. *A Carta aos Hebreus*, p. 18.
[2] OLYOTT, Stuart. *A Carta aos Hebreus*, p. 22.
[3] OLYOTT, Stuart. *A Carta aos Hebreus*, p. 19-21.

O Filho tem um **nome superior** (1.4,5)

Os anjos são mensageiros de Deus e foram poderosamente usados por ele como Seus arautos. Na própria vida de Jesus, os anjos foram arautos, tanto no começo de Seu ministério, em Sua tentação no deserto (Mt 4.11), como no final do Seu ministério, em Sua agonia, no jardim de Getsêmani (Lc 22.43). Os anjos foram enviados por Deus para libertar prisioneiros (At 5.19), para instruir pregadores (At 8.26), para encorajar crentes (At 10.3), para exercer julgamento sobre blasfemadores (At 12.23) e para ajudar viajantes (At 27.23-25). Mas os anjos jamais passaram de mensageiros. Esse é o significado de seu nome e a essência de sua função. Cristo, porém, tem um nome superior aos mais exaltados anjos. Ele é muito mais do que um mensageiro. Ele é o Filho de Deus.[4]

Wiley diz que a palavra *Filho*, conforme empregada em Hebreus 1.5, não se refere primordialmente ao Filho como segunda pessoa da Trindade, embora isso esteja implícito em cada uma das passagens citadas, mas ao Filho de Deus como homem. Tal característica abrange não somente a encarnação, em que o Filho assumiu a natureza humana, mas também todo o escopo e toda a dignidade do Deus-homem, depois manifesto na Sua ressurreição, ascensão e assentamento à direita do Pai. O argumento como é extraído desse texto inclui três passos importantes: o nome, a herança e o primogênito.[5]

O Filho tem uma **dignidade superior** (1.6)

As palavras deste versículo podem referir-se somente ao Cristo glorificado voltando ao mundo que redimiu e do qual chamou muitos filhos para a Sua glória, diz Wiley.[6] Nesse contexto, o escritor de Hebreus enfatiza mais uma vez a superioridade de Cristo sobre os anjos, pois estes foram mensageiros de Deus, e Cristo é o Filho de Deus. Os anjos são adoradores, e Cristo é Aquele a quem eles adoram.

---

[4]BROWN, Raymond. *The Message of Hebrews*, p. 40.
[5]WILEY, Orton H. *Comentário exaustivo da Carta aos Hebreus*, p. 78.
[6]WILEY, Orton H. *Comentário exaustivo da Carta aos Hebreus*, p. 85.

O Filho tem uma **natureza superior** (1.7)

Tendo falado do advento glorioso do Filho, o escritor de Hebreus mostra a majestade do seu Reino, citando o Salmo 104, conhecido como o *Oratório da Criação*, que diz: *Fazes a Teus anjos ventos e a Teus ministros, labaredas de fogo* (Sl 104.4). Da mesma maneira que os ventos e as labaredas de fogo servem a Deus no reino físico, os anjos servem a Deus no sentido espiritual. Concordo com Wiley quando ele diz que o propósito do texto em tela não é discutir a natureza dos anjos, mas exaltar a soberania do Filho e o ministério dos anjos em sujeição a Ele. A grandeza dos anjos, ágeis como os ventos na obediência e destruidores como labaredas de fogo, serve para exaltar a majestade do Rei e as forças poderosas ao Seu dispor.[7]

Os anjos adoram o Filho porque reconhecem que Ele é totalmente diferente deles e muito superior em natureza. Os anjos são servos que se tornam vento e chamas de fogo para atenderem ao Seu propósito, mas o Filho é o Deus eterno.

O Filho tem uma **posição superior** (1.8a)

O Filho é soberano. Seu trono é eterno. Ele não é apenas o Profeta que fala, nem apenas o Sacerdote que salva, mas é também o Rei que governa. O Filho tem um trono eterno, um cetro justo e um reino universal.[8] Mais uma vez, portanto, o escritor aos Hebreus traça um contraste entre o Filho e os anjos. O Filho tem um trono eterno; os anjos, nenhum. O Filho é seu Senhor; os anjos são Seus súditos.

O Filho tem um **exemplo superior** (1.8b,9)

O fato de que o Filho viveu entre nós como um homem, e não como um anjo, deveria encorajar-nos a olhar para as qualidades de Seu poderoso exemplo, bem como para as virtudes de Seu sacrifício vicário. Wiley está correto quando diz: "A glória do reinado de Cristo está no fato de

---

[7]WILEY, Orton H. *Comentário exaustivo da Carta aos Hebreus*, p. 87.
[8]BROWN, Raymond. *The Message of Hebrews*, p. 41.

que Ele é uma influência moral sobre os súditos. Ele é o fundador de um reino de justiça. Em todo o Seu Reino, onde quer que Ele empunhe o cetro, é cetro de justiça".⁹

O autor aos Hebreus falou sobre Cristo primeiro como o Rei eterno (1.8), depois como o Rei de justiça (1.8b,9a) e agora o apresenta como o Rei ungido com o óleo da alegria (1.9b). Concordo com Wiley quando ele escreve: "Cristo não foi ungido somente com o óleo da alegria acima de seus companheiros; foi ungido também para dar o óleo de alegria em lugar de pranto (Is 61.3)".¹⁰ O apóstolo Pedro, interpretando essa verdade magna, proclama no Pentecoste: *Exaltado, pois, à destra de Deus, tendo recebido do Pai a promessa do Espírito Santo, derramou isto que vedes e ouvis* (At 2.33). Assim, o dom do Espírito Santo é dádiva de Cristo para a igreja. Ele foi ungido com o óleo da alegria e, do mesmo modo, unge o seu povo, pois o Seu Reino é um reino de justiça, paz e alegria no Espírito Santo.

O Filho tem uma **obra superior** (1.10-12)

Os anjos são criaturas, criados por Deus para a realização de seus propósitos (1.7), mas Cristo não é uma criatura. Ele é o agente da criação, por meio de quem Deus fez o universo (1.2). Este universo vastíssimo e insondável veio à existência por intermédio dEle (Jo 1.3). Foi ele quem criou todas as estrelas do firmamento. Foi Ele quem mediu os céus a palmo. A presente ordem do universo criado perecerá, mas Cristo permanecerá para sempre. As obras da criação envelhecerão, mas o Seu Criador vive eternamente.

É claro que o texto não está se referindo ao aniquilamento da criação, mas apenas à ideia de que o céu e a terra passarão (Mt 5.18; Lc 21.33; 1Jo 2.17; Ap 20.11) e de que os elementos se desfarão abrasados (2Pe 3.12). Então, haverá novos céus e nova terra (Ap 21.1). Wiley resume esse ponto com clareza diáfana:

---

⁹Wiley, Orton H. *Comentário exaustivo da Carta aos Hebreus*, p. 89.
¹⁰Wiley, Orton H. *Comentário exaustivo da Carta aos Hebreus*, p. 90.

Assim como o mundo não foi criado por uma evolução natural, também não será transformado por um processo de exaustão. Como o corpo natural do homem há de transformar-se em um corpo glorificado pela ressurreição operada pelo Senhor, assim também a terra (da qual o corpo do homem foi criado) passará por uma transformação semelhante, envolvendo tanto o mundo físico, que será glorificado, como a ordem moral, pois na nova terra habitará justiça.[11]

O Filho tem um **destino superior** (1.13,14)

Essa citação final é do Salmo 110, a respeito do qual Lutero disse certa vez que era "digno de ser recoberto de pedras preciosas". Essa é uma alusão ao Filho encarnado, o qual, mediante a Sua encarnação, morte e ressurreição, voltou ao trono de Seu Pai; e no trono de honra, à destra do Pai, espera até que Seus inimigos sejam feitos estrado dos Seus pés no dia de Sua gloriosa aparição.[12] Paulo enfatiza essa mesma verdade quando escreve: *E, então, virá o fim, quando ele entregar o reino ao Deus e Pai, quando houver destruído todo principado, bem como toda potestade e poder. Porque convém que Ele reine até que haja posto todos os inimigos debaixo dos pés* (1Co 15.24,25). O Reino de graça hoje tornar-se-á, então, o Reino de glória!

Nenhum anjo foi colocado por Deus nessa posição de honra suprema, de aclamação e exaltação. Os anjos estão entre a exultante multidão que reconhece e proclama a suprema grandeza de Cristo, a singularidade de sua pessoa, sua obra consumada, sua eterna divindade. Eles também proclamam: *Digno é o Cordeiro* (Ap 5.11,12). Os anjos são diáconos que servem à igreja de Cristo, mas Cristo é o Salvador da igreja. Concluo com as palavras de Wiley: "A súmula do argumento, portanto, é que Cristo é maior do que os anjos, porque é o Filho de Deus encarnado; os anjos são apenas espíritos ministradores que refletem o cuidado providencial do Senhor para com os remidos".[13]

---

[11] WILEY, Orton H. *Comentário exaustivo da Carta aos Hebreus*, p. 93.
[12] WILEY, Orton H. *Comentário exaustivo da Carta aos Hebreus*, p. 94.
[13] WILEY, Orton H. *Comentário exaustivo da Carta aos Hebreus*, p. 95.

3

Uma solene advertência contra a negligência

Hebreus 2.1-4

OS CRENTES HEBREUS ESTAVAM ENFRENTANDO duras perseguições (10.34). Muitos perderam seus bens, e outros, a própria vida. Houve muitos mártires que selaram sua fé com o próprio sangue. Muitos foram queimados vivos ou jogados às feras. Outros, entretanto, retrocederam. Preferiram negar sua fé a morrerem por sua fé. Houve aqueles que renunciaram a Cristo para escapar da prisão ou da morte. A presente exortação tem como propósito exortar os crentes perseguidos a se manterem firmes, em vez de voltarem atrás. Muitos estavam de malas prontas para voltar para o judaísmo. A fé cristã exigia deles um preço muito alto. Então, o escritor aos Hebreus encoraja-os, mostrando a superioridade do cristianismo sobre o judaísmo.

No capítulo 1, o autor destaca a superioridade de Cristo sobre os profetas (1.1-3) e sobre os anjos (1.4-14). Agora, ele mostra que rejeitar o evangelho, trazido por Cristo, testemunhado pelos apóstolos e credenciado por Deus por meio de sinais, prodígios, milagres e distribuições do Espírito Santo, é lavrar a própria sentença de condenação.

O argumento usado pelo autor é que aqueles que negligenciaram a mensagem da lei, entregue a Moisés, por meio de anjos, no Sinai, sofreram terríveis castigos. Toda aquela geração, exceto Josué e Calebe, caiu morta no deserto depois de perambular por quarenta anos. A terra se abriu para engolir os rebeldes, Deus enviou serpentes abrasadoras, e eles não entraram na terra prometida. Muito mais severo será o castigo daqueles que negligenciarem a tão grande salvação trazida por Cristo. Augustus Nicodemus é enfático: "O evangelho é colocado como sendo o único meio de escape do inferno e da ira de Deus, do sofrimento eterno e da justa condenação pelos nossos pecados. Como vai escapar quem negligencia essa tão grande salvação se o único caminho é Jesus Cristo?"[1]

A expressão *por esta razão* liga o ensino do capítulo 1 a respeito da glória do Filho e sua suprema dignidade com a admoestação de *que nos apeguemos, com mais firmeza, às verdades ouvidas, para que delas jamais nos afastemos* (2.1), não apenas por causa da superioridade da própria revelação, mas também por causa da suprema grandeza do Revelador divino.[2]

Esta é a primeira advertência da epístola, avisando aos hebreus do perigo de serem arrastados pela forte correnteza do rio da apostasia. Isso significaria morte e destruição. A corrente que ameaçava esses crentes hebreus de serem levados naquele caudal eram os costumes e o ritual do judaísmo, a sua religião tradicional.[3]

Desde que Deus tem falado através do Filho (1.2), os homens devem apegar-se a essa mensagem (2.1). Essa é a primeira de cinco advertências encontradas em Hebreus (3.12–4.3; 4.14-26; 5.11–6.8; 10.339; 12.3-13; 12.14-17; 12.25-29). Warren Wiersbe diz que essas admoestações se tornam mais intensas ao longo da epístola, começando com um desvio da Palavra de Deus até chegar ao desafio à Palavra de Deus (12.14-29).[4]

A sequência do assunto torna-se clara pela expressão *por esta razão*. Esse modo de falar denota a estreita conexão com o que ele disse antes e com o que vai dizer agora. Também revela a estreita conexão entre doutrina e vida. Uma vez que o Filho é supremamente exaltado e apontado como o supremo profeta, por meio de quem a revelação de Deus chegou ao seu clímax; uma vez que o Filho, o Sumo Sacerdote perfeito,

---

[1]LOPES, Augustus Nicodemus. *Hebreus*, p. 44.
[2]WILEY, Orton H. *Comentário exaustivo da Carta aos Hebreus*, p. 99.
[3]TURNBULL, M. Ryerson. *Levítico e Hebreus*, p. 111.
[4]WIERSBE, Warren W. *Comentário bíblico expositivo*. Vol. 6, Santo André: Geográfica Editora, 2006, p. 363.

apresentou a si mesmo como o sacrifício perfeito; uma vez que o Filho, o Rei dos reis, se assentou à direita de Deus Pai, nas alturas; uma vez que o Filho, o Criador do universo, o sustentador de todas as coisas criadas, é a manifestação plena e final de Deus; uma vez que o Filho é maior do que os anjos e é adorado por eles, devemos apegar-nos com mais firmeza às verdades do evangelho.

Lightfoot diz que o argumento está na forma do "menor para o maior".[5] A primeira revelação, a lei, veio a Moisés, por meio de anjos; a segunda revelação, a graça, veio a nós por meio de Jesus. Se não se pode ignorar a revelação que veio por meio de anjos, muito menos se pode descuidar da que veio por meio do Filho de Deus.

William Barclay explica que, na passagem em apreço, o autor aos Hebreus mostra três formas em que a revelação cristã é única: 1) É única em sua origem. Ela provém do próprio Jesus. 2) É única pela sua transmissão. Ela chegou até nós de primeira mão, por meio dos apóstolos, ou seja, por meio daqueles que a ouviram dos próprios lábios de Jesus. 3) É única em sua eficácia. O evangelho traz salvação ao pecador.[6]

Destacamos a seguir algumas verdades essenciais do texto.

A suprema **importância do evangelho** (2.1)

Tanto o Antigo como o Novo Testamento nos foram dados por Deus. Porém, o Antigo é a sombra e o Novo, a realidade. O Antigo Testamento fala sobre a lei, o Novo fala sobre a graça. O Antigo Testamento foi dado por meio de anjos, o Novo nos foi dado por meio de Cristo. Tanto a lei como a graça vêm de Deus. A lei nos veio por intermédio de anjos, mas a graça nos vem através do Filho. Ambos, Antigo e Novo Testamentos, foram revelados por Deus, mas o Novo tem dignidade maior, e maior importância, pois é o cumprimento do Antigo. O papel da lei é nos conduzir a Cristo. Cristo é o fim da lei.

Raymond Brown destaca cinco características marcantes da revelação do evangelho: 1) Sua importância (2.1). Mesmo sendo tão importante,

---

[5]LIGHTFOOT, Neil R. *Hebreus*. São Paulo, SP: Editora Cultura Cristã, 1981, p. 78.
[6]BARCLAY, William. *Hebreos*, p. 28.

ela pode ser ignorada, desprezada ou esquecida. 2) Sua autoridade (2.2,3a). A lei foi dada por intermédio dos anjos, mas o evangelho foi dado por meio do Filho. 3) Sua exposição (2.3b). O evangelho foi declarado primeiro pelo Senhor. Aqui o autor introduz a vida terrena de Jesus. Depois dos evangelhos, ninguém tratou desse assunto com mais detalhes que o autor aos Hebreus. 4) Sua recepção (2.3b). O evangelho foi atestado pelos apóstolos que o ouviram em primeira mão de Jesus e o passaram para a segunda geração. 5) Sua eficácia (2.4). Deus confirmou a veracidade do evangelho demonstrando seu poder. Sinais, prodígios, milagres e dons do Espírito confirmaram a autenticidade do evangelho.[7]

Uma solene **advertência à igreja** (2.1)

Os crentes são exortados aqui positivamente e negativamente. Positivamente, eles devem se apegar com mais firmeza ao evangelho e, negativamente, devem estar atentos ao perigo de se desviarem. Vejamos esses dois pontos.

Em primeiro lugar, *apegar-se com mais firmeza* (2.1). Se o evangelho representa a última revelação de Deus, em Seu Filho, devemos dar mais atenção a ele do que nossos pais deram atenção à lei. Maiores privilégios implicam maiores responsabilidades. Kistemaker tem razão ao dizer: "Quanto mais alta posição uma pessoa tem, maior autoridade exerce, e mais ela exige atenção dos ouvintes".[8]

Em segundo lugar, *não se desviar* (2.1). O escritor de Hebreus usa aqui a imagem de um barco empurrado por uma forte correnteza, sendo varrido por forte vendaval. Stuart Olyott diz que, nessas circunstâncias, o mais frágil barco permanece seguro, desde que esteja fixo perto da costa. A escolha é entre permanecer ligado à margem ou perecer. Era de esperar que os crentes hebreus estivessem sempre verificando suas amarras, apertando mais o nó e fortalecendo o ancoradouro. Em vez disso, porém, esses crentes tinham a ideia de que estariam seguros do

---
[7] BROWN, Raymond. *The Message of Hebrews*, p. 46-49.
[8] KISTEMAKER, Simon. *Hebreus*, p. 83.

outro lado do rio, voltando para o judaísmo. Em vez de verificar suas cordas, eles as cortaram uma por uma. Porém, a única maneira de esses crentes ficarem firmes contra a correnteza que os levava ao naufrágio espiritual era permanecerem ligados a Cristo.[9]

Nessa mesma linha de pensamento, Lightfoot diz que a palavra grega *pararreo*, traduzida por *desviemos*, é frequentemente usada para referir-se a algo que se afasta, como uma flecha que escorrega da aljava, um anel que escorrega do dedo, ou uma ideia que escorrega da mente. É usada aqui no sentido de um barco sem rumo. Portanto, a advertência é no sentido de que, da mesma forma que um barco pode deslizar-se para além de seu ancoradouro, os cristãos também podem ser arrastados rio abaixo, afastando-se das verdades do evangelho.[10]

A notável **autoridade do evangelho** (2.2,3a)

A lei, falada por meio dos anjos (At 7.38; Gl 3.19), tornou-se firme a ponto de toda transgressão ou desobediência a ela ser passível de justo castigo. As palavras gregas *parabasis* e *parakon*, "transgressão" e "desobediência", respectivamente, significam cruzar a linha, transgredir, desertar e ouvir com desrespeito. O justo castigo foi para aqueles que cruzaram a linha, transgrediram, desertaram da fé e ouviram com negligência a palavra anunciada pelos anjos.[11]

Kistemaker escreveu: "Transgredir a lei divina resulta em retribuição justa. Cada violação é maligna; cada ato de desobediência é uma afronta a Deus".[12] O evangelho falado por Cristo e transmitido pelos apóstolos tem maior autoridade ainda, pois oferece maior salvação. Logo, o castigo para aqueles que o negligenciam é mais severo, pois, quanto maior a dádiva, maior é a responsabilidade. Fritz Laubach diz que quem se subtrai à Palavra de Deus, quem se rebela contra a vontade de Deus, quem transgride propositadamente a ordem de Deus, é atingido pelo castigo justo de Deus, num tempo e numa proporção que

---

[9]OLYOTT, Stuart. *A Carta aos Hebreus*, p. 22,23.
[10]LIGHTFOOT, Neil R. *Hebreus*, p. 77.
[11]WILEY, Orton H. *Comentário exaustivo da Carta aos Hebreus*, p. 103.
[12]KISTEMAKER, Simon. *Hebreus*, p. 85.

estão reservados exclusivamente ao arbítrio de Deus. O julgamento de Deus não precisa suceder imediatamente à transgressão do ser humano, mas com certeza o atingirá (Gn 15.13-16; 44.16).[13]

Calvino, nessa mesma trilha de pensamento, diz que, se a lei, que fora transmitida pelo ministério dos anjos, não podia ser recebida com desdém, e sua transgressão era visitada com severíssimos castigos, o que será daqueles que desprezam o evangelho, cujo autor é o Filho de Deus e cuja confirmação foi através de muitos e variados milagres? Ora, se a dignidade de Cristo é maior do que a dignidade dos anjos, então devemos prestar mais reverência ao evangelho que à lei. É a pessoa de seu autor que enobrece a doutrina.[14]

Stuart Olyott diz, com razão, que é a própria grandeza do evangelho que torna a apostasia um perigo. Dar as costas para qualquer outro sistema religioso é afastar-se de uma ideia humana. Mas com o evangelho não é assim. Deus falou! Sua Palavra final à humanidade se encerra em Seu Filho. Dar as costas, portanto, para o evangelho é desprezar a maior pessoa do universo, Jesus Cristo, o maior de todos os profetas, o grande Sumo Sacerdote, o Rei dos reis, o único em quem há salvação.[15]

A pergunta *Como escaparemos nós, se negligenciarmos tão grande salvação?* é irrespondível. Não existe possibilidade de fuga ou escape para aquele que negligencia ou rejeita a salvação trazida aos pecadores pelo Filho de Deus.

A grande salvação e o **perigo de negligenciá-la** (2.3a)

A salvação não é uma conquista do homem mediante a obediência à lei, mas é uma oferta da graça adquirida por Cristo na cruz. Essa salvação é grande porque é fruto do grande amor do Pai, é resultado do grande sacrifício do Filho e é aplicada mediante a grande obra do Espírito Santo.

A salvação é uma obra divina do começo ao fim. O autor aos Hebreus a chama de *tão grande salvação*. Nenhuma língua ou pena

---

[13] LAUBACH, Fritz. *Carta aos Hebreus*, p. 51.
[14] CALVINO, João. *Hebreus*, p. 49,50.
[15] OLYOTT, Stuart. *A Carta aos Hebreus*, p. 23.

poderia descrevê-la, pois não encontraria palavras mais precisas para isso. Portanto, tomo emprestadas as palavras de Wiley:

> Esta tão grande salvação é a resposta a todos os problemas humanos. Nasceu da majestade do Filho à destra do Pai; ocorreu mediante o sangue expiatório de Jesus e foi administrada na Igreja pelo Espírito Santo como o dom do Cristo glorificado. É o amor de Deus derramado no coração que lança fora todo o medo (1Jo 4.8). É a paz de Deus que excede a todo entendimento e que conserva o coração e a mente em Jesus Cristo (Fp 4.7). É a unção que em nós habita. Essa tão grande salvação é a resposta para o problema do afrouxamento e enfraquecimento na igreja, para a mornidão na experiência pessoal e para a falta de unção no ministério da palavra. Tem transformado cristãos fracos em torres de fortaleza. Tem dado esplendor aos semblantes e colocado alegria no coração dos que a recebem. Tem transformado seus ministros em chamas de fogo santo e inspirado aquela devoção a Jesus Cristo que fez dos mártires a semente da igreja.[16]

O grande alerta do autor aos Hebreus é que essa tão grande salvação pode ser não apenas rejeitada, mas também negligenciada. Há aqui dois graves perigos destacados no texto.

Em primeiro lugar, *o perigo da negligência* (2.3a). A palavra grega *amelesantes*, traduzida por *negligenciemos*, significa literalmente desviar-se, apartar-se ou errar o alvo, como um navio que, na violência das ondas, não consegue chegar ao porto.[17] A palavra "negligência" traz também a ideia de menosprezo. Aparece em Mateus 22.5, onde os convidados *não se importaram* com o convite para a festa do casamento do filho do rei. Que grande ultraje foi a rejeição da graça do rei por parte dos convidados! E aqui, do mesmo modo, quão inconcebível é o fato de os homens ignorarem seu único meio de libertação! O julgamento de Deus cairá sobre eles, e *horrível coisa é cair nas mãos do Deus vivo* (10.31).[18] Calvino chama a atenção para o fato de que não é só uma questão de rejeitar o

---
[16]WILEY, Orton H. *Comentário exaustivo da Carta aos Hebreus*, p. 105.
[17]WILEY, Orton H. *Comentário exaustivo da Carta aos Hebreus*, p. 101.
[18]LIGHTFOOT, Neil R. *Hebreus*, p. 79.

evangelho, mas até mesmo negligenciá-lo merece o mais severo castigo divino, em razão da grandeza da graça que é nele oferecida.[19]

Algumas pessoas acabam apostatando. E por quê? Por causa da negligência! Elas ouvem, conhecem e até professam por um tempo as verdades do evangelho, mas, por negligência, deixam de dar atenção, viram as costas e acabam rejeitando o que um dia professaram. Repetidamente o autor aos Hebreus adverte acerca do perigo de se desviar do Deus vivo (3.12). Ele afirma que é terrível coisa cair nas mãos do Deus vivo (10.31) e ainda diz que o nosso Deus é fogo consumidor (12.29). Os cristãos hebreus, em face da perseguição, estavam embarcando de volta para o judaísmo, o sistema religioso ao qual renunciaram para abraçar a fé cristã. O prelúdio dessa apostasia era a negligência, ou seja, abandonar aos poucos os hábitos de oração, meditação e adoração coletiva (10.25). Wiley chega a dizer que um número maior de almas se arruína ao desviar-se descuidada e inconscientemente de sua ancoragem do que aqueles que são tomados por súbitos conflitos satânicos.[20]

Será que o povo está negligenciando o cristianismo hoje? A resposta é um sonoro SIM! O liberalismo teológico devastou e está devastando igrejas no mundo inteiro. O sincretismo religioso está adentrando os arraiais evangélicos e introduzindo práticas estranhas à fé cristã. O secularismo se aninha nas igrejas. O materialismo consumista domina os corações. A judaização da igreja está arrastando muitos crentes aos rudimentos da fé. A teologia da prosperidade está seduzindo muitos a se apegarem mais à terra que ao céu. A negligência abre portas para muitas e perigosas novidades espirituais. Muitos ainda hoje estão retrocedendo!

Em segundo lugar, *o perigo da condenação* (2.3a). A salvação é apresentada como uma libertação de uma prisão. Negligenciar a salvação é viver prisioneiro para sempre. Donald Guthrie diz corretamente que o autor aos Hebreus vê a vida não cristã como uma vida de escravidão contínua.[21] Negligenciar a salvação é como uma sentença de morte. É impossível escapar. Turnbull ressalta que a lei falada pelos anjos

---
[19]CALVINO, João. *Hebreus*, p. 51.
[20]WILEY, Orton H. *Comentário Exaustivo da Carta aos Hebreus*, p. 102.
[21]GUTHRIE, Donald. *Hebreus: introdução e comentário*, p. 77.

trouxe juízo certo, inevitável, imediato e terrível. Que dirá o evangelho, falado pelo Senhor, confirmado também pelos homens e por Deus, aos que o rejeitam? É claro que constitui um pecado muito mais odioso negligenciar a graça do que negligenciar a lei.[22]

A **exposição da salvação** oferecida no evangelho (2.3b)

A salvação foi anunciada inicialmente pelo Senhor e, depois, foi confirmada pelos apóstolos que a ouviram do Senhor e a transmitiram à igreja e às gerações vindouras pela Palavra. O autor da epístola aos Hebreus não fazia parte do círculo apostólico original. Autor e leitores receberam o evangelho de outros. Nas palavras de Fritz Laubach, "através dos apóstolos, a Palavra de Cristo veio à segunda geração, e assim ela é passada adiante por meio de mãos fiéis, até o fim dos dias".[23]

Os anjos serviram como meros mensageiros de Deus quando estavam presentes no monte Sinai, mas o Senhor desceu do céu, fez-se carne e habitou entre nós. Sendo ele o mensageiro e a mensagem, o sacerdote e o sacrifício, trouxe a salvação em suas asas e a proclamou. Seus seguidores confirmaram essa mensagem pela palavra falada e escrita.

A poderosa **confirmação da palavra** do evangelho (2.4)

Calvino diz que Deus imprimiu o seu selo de aprovação na pregação por meio de milagres, como que por uma solene rubrica. Logo, aqueles que não recebem reverentemente o evangelho recomendado por tais testemunhas, esses desconsideram não só a Palavra de Deus, mas também suas obras.[24]

O testemunho dado por Deus era absolutamente convincente. A combinação "sinais e prodígios" é encontrada frequentemente no Novo Testamento: sinais indicando o significado interior do fato milagroso, e prodígios, o espanto provocado pela natureza extraordinária do fato. Os milagres, literalmente, "poderes", indicam a sua fonte

---

[22]TURNBULL, M. Ryerson. *Levítico e Hebreus*, p. 112.
[23]LAUBACH, Fritz. *Carta aos Hebreus*, p. 52.
[24]CALVINO, João. *Hebreus*, p. 53.

sobre-humana. Já as distribuições do Espírito Santo se referem aos dons espirituais que acompanharam a proclamação apostólica, mostrando que Deus estava presente com eles.[25] Nessa mesma linha de pensamento, Calvino diz que os sinais incitam a mente humana a atentar para algo mais elevado do que aparentam, os prodígios incluem o que é novo e inusitado, e os milagres apontam para uma marca especial do poder de Deus.[26]

A palavra é confirmada pelo próprio Deus que, operando milagres através dos apóstolos, confirmou a pregação deles (At 2.43; 4.30; 5.12; 6.8; 14.3; 15.18,19; 2Co 12.12). O evangelho não consistiu apenas em palavras, mas, sobretudo, em manifestação de poder (1Co 2.4; 1Ts 1.5). Jesus realizou muitos milagres e prodígios: os famintos foram alimentados, os paralíticos andaram, os cegos viram, os surdos ouviram, os mudos falaram, os leprosos foram purificados, os cativos foram libertados e os mortos ressuscitaram. Jesus demonstrou pleno poder sobre as leis da natureza, sobre os demônios, sobre as enfermidades e sobre a morte. Esses milagres foram sinais que atestaram sua messianidade. Já os milagres operados por intermédio dos apóstolos atestaram a veracidade de sua pregação. O livro de Atos registra muitos desses milagres operados por intermédio de Pedro e Paulo, tanto milagres de cura como de ressurreição. A conjunção grega *sun*, traduzida por *juntamente com*, significa que nós somos confirmados na fé do evangelho pelo testemunho conjunto de Deus e dos homens; pois os milagres divinos eram testemunhos a concorrerem com a voz dos homens.[27]

Concordo com o que escreveu Kistemaker: "No final das contas, Deus é aquele que testifica sobre a veracidade de Sua Palavra. O próprio Deus é o agente que usou esses poderes divinos para o propósito de selar a verdade do evangelho".[28]

A Palavra foi confirmada não apenas por milagres extraordinários, mas também por distribuições do Espírito Santo, segundo a Sua

---

[25]LIGHTFOOT, Neil R. *Hebreus*, p. 80.
[26]CALVINO, João. *Hebreus*, p. 53.
[27]CALVINO, João. *Hebreus*, p. 53.
[28]KISTEMAKER, Simon. *Hebreus*, p. 88.

vontade (1Co 12.11). Deus confirma Sua Palavra dando o melhor de todas as Suas dádivas, Seu próprio Espírito. Ele veio para ficar com a igreja, para conduzi-la à verdade, santificá-la, dando-lhe dons e poder. Concordo com Wiley quando ele diz que maior do que os sinais, as maravilhas e os diversos milagres é o dom do Espírito Santo, concedido à igreja no Pentecoste. O Filho assentou-se à destra de Deus e é o nosso Advogado lá do alto. O Espírito Santo tem o Seu trono na igreja e é o nosso Advogado interior.[29]

A expressão *segundo a Sua vontade* deixa claro que esses milagres não podem ser atribuídos a ninguém mais, senão unicamente a Deus, e que eles não se manifestam casualmente, e sim em seu propósito definido, a saber: com o fim de selar a veracidade do evangelho.[30] Donald Guthrie acrescenta que a ênfase dada aos dons remove toda a justificativa para o orgulho humano entre os cristãos primitivos, visto que a distribuição não dependia da capacidade do homem, mas, sim, da vontade soberana do Espírito (1Co 12.11).[31]

---

[29]WILEY, Orton H. *Comentário exaustivo da Carta aos Hebreus*, p. 109.
[30]CALVINO, João. *Hebreus*, p. 54.
[31]GUTHRIE, Donald. *Hebreus: introdução e comentário*, p. 78.

4

A necessidade da
encarnação de Jesus

Hebreus 2.5-18

O AUTOR AOS HEBREUS CONTINUA com a mesma temática tratada nos textos anteriores. Sua tese é demonstrar que Jesus é melhor do que os anjos. Ele deixou isso claro quando mostrou que Jesus é o Filho, e os anjos são servos (1.4-7); Jesus é o Rei, e os anjos são súditos (1.8,9); Jesus é o Criador, e os anjos são criaturas (1.10-12); Jesus é o Salvador da igreja, e os anjos são ministros que servem à igreja (1.13,14). E o autor ainda reforça sua tese quando evidencia que o juízo de Deus veio sobre os transgressores da lei dada pelos anjos. Portanto, mais severo castigo receberão aqueles que negligenciarem o evangelho dado pelo Senhor, confirmado pelos apóstolos e testificado pelo Pai com sinais e prodígios (2.1-4).

No capítulo 1 de Hebreus, o autor enfatiza a divindade de Cristo; no capítulo 2, ele enfatiza sua humanidade. No capítulo 1 de Hebreus, é destacada a exaltação de Cristo e, no capítulo 2, a sua humilhação. Quatro fatos devem ser colocados em relevo sobre sua humanidade. Primeiro, sua condição. Cristo esvaziou a si mesmo, assumindo a forma humana, e nesse sentido Ele foi feito um pouco menor do que os anjos. Segundo, sua intenção. Ele morreu para consumar a salvação do seu povo. Terceiro, seu resultado. Ele conduziu muitos filhos à glória e foi exaltado pelo Pai. Quarto, sua causa. Tudo foi feito pela graça de Deus.

Turnbull está certo quando diz que o propósito principal dessa passagem (2.5-18) está no versículo 9, a saber, a morte e o sofrimento de Cristo foram o caminho para Sua honra e Sua glória. O argumento fundamental está nos versículos 10 a 18, e o tema de seu argumento se encontra no versículo 10: *trazendo muitos filhos à glória*. Isso apresenta a nossa salvação como o processo de conduzir do mundo de pecado para a glória os que se tornam filhos de Deus.[1] Jesus Cristo em sua natureza divina e humana cumpriu o mandato dado originariamente a Adão. Cristo terá o domínio.[2]

Não é demais enfatizar que, depois de tratar da superioridade de Jesus sobre os profetas e os anjos e, depois ainda de fazer uma solene advertência à igreja para apegar-se com mais firmeza a essas verdades ouvidas, o escritor aos Hebreus retoma o assunto da relação de Jesus com os anjos. Agora, o objetivo é mostrar que, embora Jesus tenha sido feito um pouco menor que os anjos, enquanto viveu neste mundo, continua sendo superior a eles, pela obra que realizou e pela posição que ocupa. Na verdade, a superioridade de Cristo não é cancelada por Ele ter vindo a nós como homem (2.5-13), nem por Ele ter sofrido como homem (2.14-18).[3]

Concordo com as palavras de Stuart Olyott de que essa é uma tremenda passagem. Ele escreve:

> Essa passagem mostra que o Senhor Jesus Cristo tornou-se Filho do Homem para que pudéssemos ser filhos de Deus. Ele veio à terra para que pudéssemos ir ao céu. Carregou nossos pecados para que pudéssemos ser participantes de sua justiça. Tomou a nossa natureza para que pudéssemos ter a sua. Tornou-se homem a fim de restaurar-nos tudo o que havíamos perdido na queda de Adão.[4]

Por que Jesus precisou encarnar? Destacamos quatro solenes razões no texto em apreço.

---

[1] TURNBULL, M. Ryerson. *Levítico e Hebreus*, p. 114.
[2] TURNBULL, M. Ryerson. *Levítico e Hebreus*, p. 115.
[3] KISTEMAKER, Simon. *Hebreus*, p. 100.
[4] OLYOTT, Stuart. *A Carta aos Hebreus*, p. 26.

Jesus precisou encarnar para **restabelecer o domínio que o homem havia perdido na queda** (2.5-9)

O autor aos Hebreus cita o Salmo 8 para ressaltar a posição de honra que Deus conferiu ao homem na criação. Deus o fez à sua imagem e semelhança e o coroou de glória e de honra. Orton Wiley diz corretamente que ser coroado significa ser elevado à mais alta posição. A palavra "coroa" aqui não é *diadema*, mas *stéfanos*, que significa coroado como conquistador. Ser coroado de glória traz em si a ideia de verdadeira dignidade e esplendor externo; ser coroado de honra sugere a alta estima devida à excelência verdadeira. Por causa dessa coroação de glória e honra, Deus colocou o homem sobre todas as obras de suas mãos, dando, assim, o toque supremo à superioridade do homem sobre o mundo criado.[5]

Deus colocou o homem como gestor da criação e como mordomo da natureza (Gn 1.26-31). Deus o constituiu sobre todas as obras de Suas mãos. Sujeitou todas as coisas debaixo dos seus pés. O homem estava destinado a dominar tanto o mundo presente como o vindouro.

O homem, porém, caiu e perdeu esse domínio sobre a criação. Sua coroa jaz no pó, e sua honra está manchada. Os animais que lhe eram sujeitos tornaram-se feras perigosas. A terra benfazeja produziu cardos e abrolhos. Em vez de sujeitar a natureza, o homem passou a adorá-la ou depredá-la. Esse domínio foi perdido por causa do pecado, e hoje não vemos mais todas as coisas a ele sujeitas.

A imagem de Deus refletida no homem na criação foi desfigurada na queda. Raymond Brown declara corretamente que o homem não é o que Deus intentou que ele fosse.[6] Wiley está certo quando escreve: "A vontade do homem tornou-se perversa, o intelecto obscurecido e as afeições ficaram alienadas; e, em virtude do medo da morte, toda a sua vida ficou sujeita à servidão".[7] Mas, então, Deus envia ao mundo Jesus, o homem perfeito, o segundo Adão, para restaurar essa imagem. Jesus veio não só para restaurar essa imagem, mas também para dominar o

---

[5]Olyott, Stuart. *A Carta aos Hebreus*, p. 25.
[6]Wiley, Orton H. *Comentário exaustivo da Carta aos Hebreus*, p. 118.
[7]Brown, Raymond. *The Message of Hebrews*, p. 55.

mundo, tanto o presente como o futuro, e levar a humanidade a uma posição de domínio nunca antes experimentada.[8] O Salmo 8 foi interpretado messianicamente por Paulo (1Co 15.27; Ef 1.22). Embora a promessa não se tenha cumprido ainda (2.8b) e, a despeito do fracasso do homem, a promessa divina não fracassou: *Vemos* [...] *aquele Jesus* (2.9).

Warren Wiersbe diz que, quando aqui na terra, Jesus exerceu autoridade sobre os peixes (Mt 17.27; Lc 5.4-6; Jo 21.6), sobre as aves (22.34,60), sobre as feras (Mc 1.12,13) e sobre os animais domésticos (Mc 11.1-7). Como segundo Adão, Jesus recuperou o domínio que o homem havia perdido. Todas as coisas estão debaixo de Seus pés (Ef 1.20-23).[9]

Essa honra não foi dada aos anjos, mas a Jesus. Deus sujeitou o mundo, que há de ir a Jesus (2.5). A palavra *mundo* aqui não é *kosmos*, "universo", como em João 3.16, nem *aeon, eras,* como em Mateus 13.49, mas *oikonomen,* o mundo habitado, "dispensação".[10] O termo refere-se à era vindoura, quando Cristo, em seu retorno, estabelecerá seu domínio como o prometido rei davídico.[11] Mesmo que agora não possamos ver esse domínio de Jesus de forma plena (2.8b), podemos vê-lo em seu estado de humilhação na encarnação e em seu estado de exaltação na ressurreição e ascensão (2.9). Ele se tornou menor do que os anjos por causa do sofrimento da morte. Assim, sendo Jesus ao mesmo tempo Filho de Deus e Filho do Homem, Ele foi infinitamente superior aos anjos, pois ao assumir a forma humana, como nosso representante e substituto, Ele experimentou por nós a morte, para alcançar para nós a glória que Deus prometera ao homem. A morte que Jesus suportou por nós foi sacrificial, vicária e substitutiva. Ele provou a morte não apenas sorvendo parte do cálice, mas bebendo-o até a última gota.

Kistemaker é oportuno quando escreve: "Jesus experimentou a morte em seu maior grau de amargura, não como um nobre mártir

---

[8]WILEY, Orton H. *Comentário exaustivo da Carta aos Hebreus,* p. 120.
[9]BOYD, Frank M. *Gálatas, Filipenses, 1, 2 Tessalonicenses e Hebreus.* Rio de Janeiro, RJ: CPAD, 1996, p. 125.
[10]WIERSBE, Warren W. *Comentário bíblico expositivo.* Vol. 6, p. 365.
[11]WILEY, Orton H. *Comentário exaustivo da Carta aos Hebreus,* p. 114.

aspirando a um estado de santidade, mas como o Salvador sem pecado que morreu para libertar pecadores da maldição da morte espiritual".[12]

No entanto, ao provar Jesus a morte por todo homem, Deus o coroa de glória e de honra. O autor aos Hebreus combina duas ideias que parecem inicialmente ser opostas: *o sofrimento da morte* e *coroado de glória e de honra*. A glória e a honra outorgadas a Jesus são o resultado direto do sofrimento. A combinação entre as duas ideias, que é estranha ao pensamento natural, é, mesmo assim, central no Novo Testamento.[13] Estou de pleno acordo com Stuart Olyott quando ele diz que Jesus não morreu por todo homem no sentido de ser em favor de cada indivíduo sobre a face da terra. Isso resultaria numa salvação universal. Temos de lembrar que o autor está escrevendo aos crentes judeus e enfatizando que Cristo morreu pelos gentios tanto quanto pelos judeus.[14] O mesmo escritor ainda esclarece:

> De quem fala o escritor sagrado neste contexto? Ele se refere aos muitos filhos que serão conduzidos à glória (2.10), dos santificados que são um com o Santificador (2.11), daqueles que são chamados de irmãos de Cristo (2.12) e dos filhos que Deus deu a Ele (2.13). É isto que nos dá o escopo e a referência de "todos" pelos quais Cristo experimentou a morte. Na verdade, Cristo sofreu a morte no lugar de cada um dos filhos que virão à glória e por todos os filhos que Deus deu a Ele.[15]

Jesus precisou encarnar **para conduzir muitos filhos à glória** (2.10-13)

Agora Jesus é chamado de "o Autor da salvação" do Seu povo, o pioneiro que abriu o caminho para Deus a fim de levar muitos filhos à glória. Raymond Brown escreve: "Cristo não veio apenas para participar de nossa humanidade, mas também e sobretudo para transformá-la".[16]

---

[12]RIENECKER, Fritz; ROGERS, Cleon. *Chave linguística do Novo Testamento Grego*. Edições Vida Nova, São Paulo, SP, 1985, p. 495.
[13]KISTEMAKER, Simon. *Hebreus*, p. 99.
[14]GUTHRIE, Donald. *Hebreus: introdução e comentário*, p. 81.
[15]OLYOTT, Stuart. *A Carta aos Hebreus*, p. 27.
[16]BROWN, Raymond. *The Message of Hebrews*, p. 58.

A palavra grega *arquegos*, traduzida aqui por *autor*, significa mais que simplesmente cabeça ou chefe. Assim, Zeus era o cabeça dos deuses, e um general era o chefe de seu exército. Pode significar também "fundador" ou "originador". Nesse sentido, é usada para descrever o fundador de uma cidade, uma família ou uma escola filosófica. Também é empregada como fonte ou origem. Um bom governante nesse caso é o *arquegos* da paz, e o mau governante é o *arquegos* da confusão. Um *arquegos* é o que começa algo para que os outros possam ter acesso a isso. Por exemplo, ele inicia uma família para que outros possam nascer em seu seio; funda uma cidade para que outros possam habitá-la algum dia; inaugura uma escola filosófica para que outros possam segui-la. O *arquegos* é o autor de bênçãos ou maldições para os demais; é o que abre a porta para que outros entrem. Jesus é o *arquegos* da nossa salvação. Jesus é o pioneiro que abriu o caminho para Deus.[17]

Aquele que entrou no mundo como o Unigênito de Deus (Jo 3.16) agora retorna ao céu como o primogênito de Deus (1.6), pois leva à glória, como irmão primogênito, muitos outros filhos de Deus (2.10), a quem não se envergonha de chamar irmãos (2.11). O autor cita Salmo 22.2, um salmo messiânico, no qual Cristo se refere à igreja como sendo seus irmãos. De igual modo, o autor cita Isaías 8.17,18, em que aqueles que creem são chamados não apenas de *irmãos*, mas também de *filhos*. Augustus Nicodemus é claro em sua posição: "Jesus veio ao mundo para que sejamos uma família, sendo ele o nosso irmão mais velho".[18]

O capitão da nossa salvação conduz muitos filhos à glória por meio da santificação (2.11). Ele saiu do céu à terra solitário e volta da terra ao céu com a multidão dos seus santos. Ele não conduzirá ao céu somente aqueles que santificar na terra. O Deus santo não receberá pessoas ímpias. Essa cabeça viva não admitirá membros mortos nem os levará à posse de uma glória que não amam e da qual não gostam. Não é suficiente dizer que Cristo fez expiação por nós; necessitamos de Cristo em nós. Não é só o que Cristo fez na cruz por nós que nos salva;

---

[17]BARCLAY, William. *Hebreos*, p. 31,32.
[18]LOPES, Augustus Nicodemus. *Hebreus*, p. 53.

é também o que ele faz em nós. Ele não apenas morreu por nós, mas também vive em nós.[19]

Jesus precisou encarnar para **destruir o diabo e libertar os cativos** (2.14,15)

Jesus tornou-se totalmente humano. Ele é nosso parente de sangue. É um de nós. É nosso irmão. A encarnação de Cristo tem uma necessidade e um propósito. Foi necessária para tornar os homens seus irmãos (2.14a). Seu propósito foi aniquilar a autoridade daquele que tinha o domínio sobre a morte (2.14b) e libertar seus cativos (2.15).

Jesus, por se identificar com o pecador e assumir o seu lugar, como seu representante, fiador e substituto, precisou morrer, pois o salário do pecado é a morte. Mas, ao morrer, Jesus matou a morte, pois arrancou seu aguilhão. Ao morrer, Jesus destruiu, ou seja, desarmou, aquele que tem o poder da morte, a saber, o diabo. O verbo "destruir" não significa "aniquilar", pois satanás ainda está vivo e ativo. Significa "tornar inoperante, sem efeito". Satanás não está destruído, mas desarmado.[20] Embora o diabo ainda esteja presente, Jesus já decretou a sua derrota final. Satanás está perdido. Sua causa está perdida. Não há mais perspectiva de vitória para ele, porque Jesus destruiu o seu plano.[21]

É óbvio que a autoridade final sobre a morte não está nas mãos de satanás, e sim nas mãos de Deus e do seu Cristo (Dt 32.39; Mt 10.28; Ap 1.8). Satanás não pode fazer coisa alguma se Deus não o permitir (Jó 1.12; 2.6). Porém, uma vez que satanás é o autor do pecado (Jo 8.44), e que o pecado leva à morte (Rm 6.23), nesse sentido satanás exerce poder quanto à morte. Agora, porém, podemos clamar: *Onde está, ó morte, a tua vitória? Onde está, ó morte, o teu aguilhão?* (1Co 15.55). Nós sabemos que nada, nem mesmo a morte, pode *nos separar do amor de Deus que está em Cristo Jesus* (Rm 8.38,39). Jesus matou a morte com sua morte, pois ele é a ressurreição e a vida. No céu, para onde vamos, a morte não mais existirá (Ap 21.4).

---

[19]WILEY, Orton H. *Comentário exaustivo da Carta aos Hebreus*, p. 129,131.
[20]WIERSBE, Warren W. *Comentário bíblico expositivo*. Vol. 6, p. 366.
[21]LOPES, Augustus Nicodemus. *Hebreus*, p. 53.

Jesus, então, veio para destruir o diabo (2.14) e suas obras (1Jo 3.8). Ele veio também para livrar os prisioneiros do diabo, tirando-os da escravidão. A morte de Jesus não foi uma derrota, mas uma vitória retumbante, pois foi na cruz que Ele esmagou a cabeça da serpente (Gn 3.15), despojou os principados e as potestades e publicamente os expôs ao desprezo, triunfando deles na cruz (Cl 2.15). Concordo com Turnbull quando ele diz: "A cruz foi o Waterloo de satanás. Ela foi o golpe que arrebentou os grilhões dos corações, tornando-os livres".[22] Nessa mesma linha de pensamento, Raymond Brown escreve: "O Novo Testamento deixa claro que a vinda de Jesus foi o começo do fim do diabo".[23]

Jesus precisou encarnar para ser fiel e misericordioso sumo sacerdote (2.16-18)

Jesus não morreu para socorrer os anjos caídos. Para esses, não há esperança nem redenção. Ele morreu para socorrer a descendência de Abraão (2.16). Frank Boyd diz corretamente que a capacidade que Jesus tem para nos socorrer se deve não apenas à Sua divindade como Filho de Deus, mas também à sua humanidade, pela qual ele obteve a condição de condoer-se de nós (2.17).[24] Os descendentes de Abraão não são aqueles que têm o sangue de Abraão correndo em suas veias, mas aqueles que têm a fé de Abraão habitando em seu coração (Gl 3.6,7,29). Três verdades são destacadas aqui.

Em primeiro lugar, *Jesus morreu para socorrer a descendência de Abraão* (2.16). Não há redenção para os anjos caídos, mas para a descendência de Abraão. Jesus veio para buscar e salvar o que se havia perdido. Ele veio salvar pecadores. Ele veio para nos tirar da escravidão para a liberdade, da morte para a vida. Raymond Brown diz que a missão de libertação realizada por Cristo, aqui, é apresentada como uma urgente necessidade, um fato consumado e um contínuo processo.[25]

---

[22]TURNBULL, M. Ryeson. *Levítico e Hebreus*, p. 117.
[23]BROWN, Raymond. *The Message of Hebrews*, p. 69.
[24]BOYD, Frank M. *Gálatas, Filipenses, 1, 2 Tessalonicenses e Hebreus.*, p. 129.
[25]BROWN, Raymond. *The Message of Hebrews*, p. 65.

Em segundo lugar, *Jesus morreu para fazer propiciação pelos pecados do povo* (2.17). Jesus é o Sumo Sacerdote fiel a Deus e misericordioso a nós. Com sua morte, ele aplacou a ira de Deus contra nós. A tempestade da ira de Deus que deveria cair sobre a nossa cabeça foi desviada. Ele satisfez plenamente a justiça divina ao assumir o nosso lugar e cumpriu todas as demandas da lei ao morrer pelos nossos pecados. Por sua morte, somos declarados livres de condenação e reconciliados com Deus. É digno de nota que em nenhum outro livro do Novo Testamento Jesus é descrito como Sumo Sacerdote. Essa doutrina é plenamente desenvolvida nessa epístola (2.17,18; 3.1; 4.14-16; 5.1-10; 6.20; 7.14-19,26-28; 8.1-6; 9.11-28; 10).

Em terceiro lugar, *Jesus morreu para socorrer os que são tentados* (2.18). Ao encarnar, Jesus se identificou conosco. Ao assumir a natureza humana, foi tentado como nós e, por isso, pode compreender nossas fraquezas e nos socorrer quando somos tentados. Pois ele, mesmo sofrendo e sendo tentado, não caiu em tentação. Por isso, pode nos socorrer quando somos tentados.

Frank Boyd diz que a palavra *socorrer* é muito expressiva, sendo derivada do grego *boe*, "um grito", e *thesai*, "correr". O sentido completo então é "correr em atendimento a um grito". O crente clama a Deus pedindo socorro, e Deus o atende, correndo para o socorrer.[26]

Russell Champlin assevera: "Nenhum clamor deixará de ser ouvido, nenhuma tentação deixará de ser aliviada".[27] O apóstolo Paulo esclarece: *Não vos sobreveio tentação que não fosse humana; mas Deus é fiel, e não permitirá que sejais tentados além das vossas forças; pelo contrário, juntamente com a tentação vos proverá livramento, de sorte que a possais suportar* (1Co 10.13). Augustus Nicodemus diz que a boa notícia do evangelho é que temos um homem assentado à direita de Deus, intercedendo por nós. Um membro da raça humana foi exaltado, glorificado e, tendo feito o pagamento pelos nossos pecados, é o nosso representante.[28]

---

[26]BOYD, Frank M. *Gálatas, Filipenses, 1, 2 Tessalonicenses e Hebreus*, p. 129.
[27]CHAMPLIN, Russell Norman. *Novo Testamento Interpretado Versículo por Versículo*. Vol. 5, São Paulo, SP: Editora Hagnos, 2014, p. 646.
[28]LOPES, Augustus Nicodemus. *Hebreus*, p. 55.

5

Nossos privilégios em Cristo

Hebreus 3.1-6

NOS CAPÍTULOS 1 E 2, o autor aos Hebreus prova que Jesus é maior que os profetas e que os anjos. Agora, ele mostra que Jesus é, também, maior que Moisés. Mesmo que isso pareça um anticlímax, é preciso destacar que Moisés era a personagem mais reverenciada pelo povo judeu. É o nome da personagem veterotestamentária mais mencionada no Novo Testamento, ou seja, cerca de 85 vezes.

Cristo veio como um segundo Moisés. Os paralelos entre Moisés e Cristo são numerosos. Moisés levantando a serpente é um tipo de Cristo sendo levantado na cruz (Jo 3.14). Moisés deu o maná no deserto, mas Cristo dá o verdadeiro pão do céu (Jo 6.31). As palavras proféticas de Moisés em Deuteronômio 18.15 são aplicadas a Cristo em Atos 3.22; 7.37.[1]

Se os anjos foram os mediadores para entregar a lei no Sinai, Moisés foi o recebedor da lei e o transmissor dela ao povo. Moisés foi o maior líder de Israel, o homem que tirou o povo da escravidão do Egito e o conduziu por quarenta anos no deserto.

O propósito do autor da carta aos Hebreus é mostrar que, não obstante os judeus tivessem o mais alto conceito sobre Moisés, pois com ele

---

[1]LIGHTFOOT, Neil R. *Hebreus*, p. 97.

Deus falava face a face (Nm 12.6,7), Jesus era superior ao patriarca (3.3). Moisés serviu com fidelidade na casa de Deus, mas Jesus constituiu a casa. Moisés era um servo na casa, mas Jesus é o Filho. Moisés é um enviado de Deus e embaixador de Deus, mas Jesus é o Apóstolo. Moisés intercedeu pelo povo, mas Jesus é o Sumo Sacerdote. Moisés, como nós, fazia parte da família de Deus, mas Jesus edificou e é o dono da casa.

Portanto, voltar do cristianismo para o judaísmo é sair da realidade para a sombra e da consumação para a promessa. Para evitar esse retrocesso, os crentes precisavam *considerar atentamente o Apóstolo e Sumo Sacerdote da nossa confissão, Jesus* (3.1). A palavra grega *katanoien*, "considerar", tem um significado mais profundo do que apenas olhar algo superficialmente. É mirar com a máxima atenção. É observar atentamente. Barclay diz que é fixar a atenção em algo ou em alguém de tal maneira que seu significado profundo e a lição que traz possam ser assimilados.[2] Orton Wiley diz que a palavra "considerar" é um termo usado na astronomia, derivado da raiz latina *sidus*, que significa estrela ou constelação, e dela temos *sideral*, o que pertence aos astros ou ao céu. *Considerai* contém a ideia de que, assim como os astrônomos fitam longa e atentamente os céus a fim de obter informações sobre o sistema solar, também nós, como cristãos, devemos continuamente fitar Jesus Cristo com admiração e adoração.[3]

Stuart Olyott destaca que o autor aos Hebreus usa diversas armas diferentes do seu arsenal. No versículo 1, ele emprega a exortação. Nos versículos 2 a 6, ele passa ao ensino. Então, nos versículos 7 a 19, ele se dedica à admoestação.[4]

Quando lançamos esse olhar atento para compreender a verdade cristã, o que vemos? Vemos nossos privilégios em Cristo.

Somos participantes de uma **vocação celestial** (3.1)

O nosso chamado não é apenas para uma jornada na terra, mas para uma caminhada rumo ao céu. Nosso chamado veio do céu, e nosso

---

[2]BARCLAY, William. *Hebreos*, p. 34,35.
[3]WILEY, Orton H. *Comentário exaustivo da Carta aos Hebreus*, p. 158.
[4]OLYOTT, Stuart. *A Carta aos Hebreus*, p. 31.

destino é o céu. Nossa vocação procede do céu, e nossa peregrinação é para o céu. Raymond Brown ressalta que "não somos apenas chamados a partir do céu, mas também somos chamados para o céu".[5] Donald Guthrie tem razão ao dizer que o escritor fala também do dom celestial (6.4), do santuário celestial (8.5), das coisas celestiais (9.23), da pátria celestial (11.16) e da Jerusalém celestial (12.22). Em todos os casos, o "celestial" é contrastado com o terrestre, e em todos os casos o celeste é o superior, a realidade comparada com a sombra.[6]

Moisés conduziu o povo por um deserto com vistas a conquistar Canaã. Nós somos conduzidos por Cristo para a Canaã celestial. Nossa pátria não está aqui. No céu deve estar o nosso foco. William Barclay é oportuno quando escreve:

> O chamado que recebe um cristão tem dupla direção. É um chamado desde o céu e para o céu; uma voz que vem de Deus e nos convoca para Deus; é um chamamento que exige uma atenção concentrada tanto por sua origem como por seu destino, tanto por sua fonte como por seu propósito. Não se pode mirar desinteressadamente um convite a Deus e da parte do próprio Deus.[7]

Fazemos parte da **família santa de Deus** (3.1)

O autor aos Hebreus chama os membros da igreja de *santos irmãos*. Somos santos porque fomos separados do mundo para Deus. Somos santos porque fomos purificados pelo sangue do Cordeiro. Somos santos porque o Espírito Santo habita em nós e nos transforma de glória em glória na imagem de Jesus.

Somos irmãos, porque, em Cristo, judeus e gentios foram reconciliados num só corpo. O muro de inimizade foi derrubado pelo sangue de Cristo. Somos uma só igreja, uma só família, um só rebanho, um só povo.

---

[5]BROWN, Raymond. *The Message of Hebrews*, p. 75.
[6]GUTHRIE, Donald. *Hebreus: introdução e comentário*, p. 91.
[7]BARCLAY, William. *Hebreos*, p. 35.

Temos Jesus como **Apóstolo e Sumo Sacerdote** da nossa confissão (3.1)

Jesus é o divino Apóstolo e o gracioso Sumo Sacerdote da nossa confissão. Como Apóstolo, Jesus Cristo representou Deus diante dos homens na terra; como Sumo Sacerdote, ele representa os homens diante de Deus no céu.[8] O que é a nossa confissão? É aquilo que declaramos diante do mundo. Dizemos ao mundo que Deus enviou Jesus para trazer-nos sua mensagem, dar sua vida por nós e interceder por nós.

Essa é a única vez no Novo Testamento que Jesus é chamado de Apóstolo. A palavra "apóstolo" tem aqui dois significados: primeiro, um enviado de Deus, com a autoridade de Deus; segundo, um embaixador de Deus, que fala em nome de Deus e representa seu país.

Moisés era enviado de Deus para libertar o povo de Israel e foi um embaixador de Deus para falar ao povo em nome de Deus. Jesus, porém, não é apenas um apóstolo; ele é *o* Apóstolo. Ele foi enviado por Deus para redimir um povo exclusivamente para Deus, zeloso de boas obras (Tt 2.14). Ele foi enviado para ser nosso Redentor. Foi enviado para dar Sua vida por Suas ovelhas. Foi enviado para comprar, com o Seu sangue, aqueles que procedem de toda tribo, raça, povo, língua e nação (Ap 5.9).

Se Moisés foi um intercessor do povo como sacerdote e se Arão foi chamado de sumo sacerdote, em muito maior grau Jesus é o nosso Sumo Sacerdote. Simon Kistemaker explica que, enquanto o termo *apóstolo* se relaciona por comparação a Moisés, a designação *Sumo Sacerdote* é rememorativa de Arão. As funções separadas desses dois irmãos são combinadas e cumpridas na pessoa única de Jesus. E, em Sua obra, Jesus é maior do que ambos, Moisés e Arão.[9]

A palavra latina para sacerdote é *pontifix*. Significa "construtor de pontes", mediador. Jesus é aquele que, sendo Deus e homem ao mesmo tempo, pode trazer Deus a nós e levar-nos a Deus. Ele pode ser o perfeito Mediador entre nós e Deus (1Tm 2.5). Ao morrer na cruz em

---
[8] WIERSBE, Warren W. *Comentário bíblico expositivo*. Vol. 6, p. 368,369.
[9] KISTEMAKER, Simon. *Hebreus*, p. 123.

nosso lugar, ele foi o sacerdote e o sacrifício, o ofertante e a oferta. Ele nos reconciliou com Deus e, agora, está à destra de Deus, de onde intercede por nós, fielmente, como nosso Sumo Sacerdote!

Temos Jesus como alguém **superior a Moisés** (3.2-5)

O autor aos Hebreus destaca a fidelidade de Moisés na casa de Deus e a fidelidade de Jesus. Os crentes devem considerar a fidelidade com que Cristo realizou Sua missão. Deus enviou Seu Filho com uma missão bem definida, muito específica: conduzir muitos filhos à glória. E, na realização da sua obra, Jesus foi fiel (Jo 4.34; 5.30; 6.38; 7.4).[10] Embora Moisés tenha sido a figura mais destacada no judaísmo, o autor ressalta a superioridade de Jesus sobre Moisés, usando três argumentos.[11]

Em primeiro lugar, *o construtor é maior do que a casa* (3.2-4). A palavra grega *oikos*, traduzida aqui por *casa*, não se refere a uma casa física, material, mas ao povo de Deus. Aqui o termo *casa* é um sinônimo para a família de Deus. Moisés foi fiel a Deus servindo à igreja, no deserto, durante a jornada dos quarenta anos, e Jesus é digno de muito maior glória porque Ele é o fundamento, o dono, o edificador e o protetor da igreja (Mt 16.18). Foi Jesus quem estabeleceu a igreja. Foi Ele quem a redimiu. Ele é Salvador da igreja e o seu noivo. Agora, a igreja é composta por judeus e gentios que se arrependem e creem no nome do Senhor Jesus Cristo. De ambos os povos, Deus fez um só povo, uma só igreja (Ef 2.14).

Em segundo lugar, *o Filho é maior do que o servo* (3.5a,6). Moisés foi um servo na casa de Deus, mas Jesus é o Filho. O autor aos Hebreus não usou a palavra *doulos* para servo, mas o termo *therepho*, que significa "servo livre".[12] Deus é o arquiteto da casa, e Jesus é o construtor da casa, mas Moisés foi apenas um servo na casa de Deus.[13] O Filho unigênito é da mesma substância do Pai. Concordo com o que diz William Barclay: "Moisés não criou a lei, foi apenas seu transmissor; não criou

---

[10]TURNBULL, M. Ryerson. *Levítico e Hebreus*, p. 120.
[11]WILEY, Orton H. *Comentário exaustivo da Carta aos Hebreus*, p. 162.
[12]WILEY, Orton H. *Comentário exaustivo da Carta aos Hebreus*, p. 163.
[13]KISTEMAKER, Simon. *Hebreus*, p. 125.

a casa, apenas serviu nela; nunca falou por si mesmo, pois tudo o que disse só apontava para as coisas maiores que Jesus Cristo faria. Em síntese, Moisés foi o servo, Jesus é o Filho; Moisés conheceu algo sobre Deus, Jesus era Deus".[14]

Em terceiro lugar, *a realização é maior do que seu símbolo* (3.5b). Moisés deu testemunho das coisas que haveriam de vir. Jesus tornou essas coisas realidade. Ele é a consumação daquilo que Moisés anunciou como sombra. Assim escreve Kistemaker: "Moisés teve a função de um profeta e foi um tipo de Jesus, o grande profeta (Dt 18.15,18). Ele testificou a respeito daquilo que seria dito no futuro, especialmente o evangelho que Jesus proclamou como a totalidade da revelação de Deus (Hb 1.2)".[15] Augustus Nicodemus corrobora dizendo: "Moisés falou em figuras e de coisas que ainda aconteceriam. Falou de Cristo, o alvo de sua mensagem (Jo 5.46; Lc 24.27). Jesus é o cumprimento do que Moisés anunciou, por isso é digno de maior glória e honra, razão pela qual devemos nos concentrar nEle".[16]

Somos a **morada de Deus** (3.6)

Como já afirmamos, o termo *casa* é uma referência ao povo de Deus, e não um edifício material. Moisés ministrou a Israel, o povo de Deus, sob a antiga aliança. Hoje, Cristo ministra à Sua igreja, o povo de Deus, sob a nova aliança.[17] Esse conceito da igreja como casa e morada de Deus é robustamente provado no Novo Testamento (1Co 3.16; 6.19; 2Co 6.16; 1Pe 2.5). Nós somos a casa de Deus, pois Deus habita na igreja. Agora, os crentes em Jesus Cristo, e não os judeus, constituem a família de Deus (Ef 2.19-22; 1Tm 3.15). Nós somos o santuário do Espírito, o templo da morada do Altíssimo, o corpo de Cristo.

Duas condicionais são apresentadas.

Em primeiro lugar, *se guardarmos até o fim a ousadia* (3.6). Os crentes judeus estavam sendo tentados a voltar para o judaísmo. O medo

---

[14]BARCLAY, William. *Hebreos*, p. 37.
[15]KISTEMAKER, Simon. *Hebreus*, p. 127.
[16]LOPES, Augustus Nicodemus. *Hebreus*, p. 62.
[17]WIERSBE, Warren W. *Comentário bíblico expositivo*. Vol. 6, p. 369.

da perseguição estava levando muitos deles de volta às sombras. A salvação é garantida àqueles que perseveram. A evidência da salvação é a perseverança ousada, apesar dos perigos. Certamente, o propósito do escritor era concitar seus leitores a permanecerem fiéis ao cristianismo (3.6,14; 4.14). Concordo com Stuart Olyott quando ele diz que, se alguém, já tendo professado a Cristo, o abandona para sempre, será porque sua profissão de fé nunca foi autêntica. A única garantia certa de que você é filho de Deus é que você continua, e continua, e continua na fé, a despeito de suas falhas. Se alguém não continuar na fé, perseverando até o fim, será porque não pertence a Cristo. Portanto, está perdido eternamente.[18]

Em segundo lugar, *se guardarmos até o fim a exultação da esperança* (3.6). A esperança cristã não é uma esperança vaga, mas uma certeza absoluta (Rm 5.5). Caminhamos neste mundo com os olhos fitos na recompensa. Aqui, enfrentamos tribulação e somos perseguidos. Aqui choramos, gememos e passamos por vales escuros, mas, a despeito das circunstâncias adversas, a jornada deve ser jubilosa e exultante, porque caminhamos para o céu, atendendo à nossa vocação celestial. O próprio autor de Hebreus corrobora: *Guardemos firme a confissão da esperança, sem vacilar, pois quem fez a promessa é fiel* (10.23).

---

[18]OLYOTT, Stuart. *A Carta aos Hebreus*, p. 34.

6

A ameaça da incredulidade

Hebreus 3.7-19

NA PASSAGEM EM TELA, o autor aos Hebreus avança da argumentação para a exortação.¹ Visto que Jesus é superior a Moisés, voltar a Moisés nessa época de perseguição seria um erro tão trágico quanto aquele que Israel cometeu quando a nação se voltou contra Moisés em Cades-Barneia.²

No texto anterior, vimos que Moisés foi fiel à missão que Deus lhe deu. Então, por que não introduziu Israel na terra de Canaã? A resposta encontra-se nessa passagem que, agora, vamos considerar. A passagem descreve a incredulidade manifestada por Israel, como a registram os capítulos 13 e 14 do livro de Números. Eles falharam em alcançar Canaã, não em virtude da infidelidade de Moisés, pois ele foi fiel, mas por causa da incredulidade do povo.³ O texto é claro: *Vemos que não puderam entrar por causa da incredulidade.*

Depois de provar que Jesus é maior do que Moisés e depois de demonstrar que aqueles que se levantaram contra Moisés pereceram no deserto, o autor aos Hebreus aponta que virar as costas para Jesus é um

---

¹LIGHTFOOT, Neil R. *Hebreus*, p. 102.
²HENRICHSEN, Walter A. *Depois do sacrifício.* São Paulo, SP: Vida, 1985, p. 34.
³TURNBULL, M. Ryerson. *Levítico e Hebreus*, p. 120.

pecado ainda mais grave e de consequências ainda mais devastadoras. Augustus Nicodemus, nesta mesma linha de pensamento, diz: "Se os que endureceram seu coração sob o ministério de Moisés foram castigados duramente, quanto mais aqueles que endureceram o seu coração sob Cristo, que é maior que Moisés".[4]

O autor da epístola aproveita o fato de Israel não ter entrado em Canaã como aviso solene, uma tremenda advertência a seus leitores. Para destacar a força dessa advertência, Turnbull faz um paralelo entre Israel e os leitores da epístola aos Hebreus: 1) Israel tinha sido escravo no Egito – seus leitores haviam sido escravos no judaísmo. 2) Israel tinha deixado o Egito cheio das mais altas esperanças – seus leitores haviam deixado o judaísmo e aceitado o cristianismo com zelo e entusiasmo reais e sinceros. 3) Israel vacilou em sua fé em virtude das dificuldades que se lhe depararam na jornada – seus leitores estavam vacilando na fé por causa das perseguições. 4) Israel tinha procurado voltar ao Egito (Nm 14.4) – seus leitores estavam pensando em voltar para o judaísmo. 5) Aquela geração de Israel pereceu no deserto por causa da sua incredulidade – seus leitores perder-se-iam se persistissem em sua incredulidade.[5]

Como fica claro, o autor, deixando a exposição, passa à exortação. Ele faz, no texto em apreço, várias exortações, que abordamos a seguir.

Ouça a **voz do Espírito** através da Escritura (3.7)

O autor aos Hebreus não menciona o nome de Davi, que escreveu o Salmo 95, citado nesse versículo, mas diz que o que Davi escreveu no Salmo 95 é a própria voz do Espírito Santo. Assim, ele entende que a Escritura é inspirada e ouvi-la é ouvir o próprio Deus. O Espírito Santo fala ao homem por meio da Palavra de Deus. Concordo com Simon Kistemaker quando ele diz: "Deus é o autor primário da Escritura, e o homem é o autor secundário por quem Deus fala".[6] Calvino tem razão

---

[4]LOPES, Augustus Nicodemus. *Hebreus*, p. 66.
[5]TURNBULL, M. Ryerson. *Levítico e Hebreus*, p. 120,121.
[6]KISTEMAKER, Simon. *Hebreus*, p. 131.

ao dizer: "O que encontramos nos livros dos profetas são as palavras de Deus mesmo, e não as dos homens".[7]

Sua exortação à igreja dos hebreus não procede dele mesmo; emana das Escrituras. Sua autoridade para exortar o povo de Deus não vem dele mesmo, mas do próprio Espírito Santo. Se queremos ouvir a voz do Espírito, precisamos nos voltar para as Escrituras, pois ela é a sua fonte e seu intérprete. Deus ainda nos fala, e nos fala por Sua Palavra. Nós somos conclamados a ouvir, a crer, a obedecer e a proclamar a Palavra de Deus.

Não endureça o seu coração (3.8-11)

O povo de Israel foi tirado do Egito com mão forte e poderosa. Deus quebrou o jugo do povo e o tornou livre. Deus desbancou as divindades do Egito. Deus abriu o mar Vermelho. Deus fez brotar água da rocha e fez chover maná do céu. Deus enviou codornizes para alimentar o povo e não permitiu que suas sandálias e vestes envelhecessem. Deus enviou uma coluna de fogo para aquecê-los do frio da noite e clarear o caminho pelo deserto e, também, enviou uma coluna de nuvem para refrescá-los no calor do dia. Deus derrotou diante deles os seus adversários e manifestou diante deles a Sua glória. Milagre após milagre foi realizado por Deus para suprir suas necessidades e cumprir suas promessas. A despeito de tudo isso, o povo de Israel insurgiu-se contra Deus. Duvidou de Sua presença entre eles. Murmurou contra Deus e provocou o Senhor à ira. Então, Deus jurou na Sua ira não permitir ao povo entrar na terra prometida. O povo rebelde perambulou pelo deserto por quarenta anos, e suas areias escaldantes tornaram-se o cemitério para sepultar seus mortos.

Agora, o autor aos Hebreus exorta a igreja a não incorrer no mesmo pecado. Há em Hebreus outras advertências similares, como em 6.4-8 e 10.26-31. Contudo, essas advertências não nos permitem deduzir que todos os crentes a quem ele se dirige eram nascidos de novo e justificados pela fé em Cristo.[8] O autor, obviamente, não está negando a

---
[7]CALVINO, João. *Hebreus*, p. 85.
[8]LOPES, Augustus Nicodemus. *Hebreus*, p. 67.

doutrina da perseverança dos santos. Ele não corrobora a ideia de que um salvo possa perder a salvação.

Stuart Olyott tem razão ao dizer que a apostasia é algo que acontece apenas com aqueles que aparentam ser verdadeiros crentes, pois todos nós conhecemos pessoas que pareciam ser cristãos de destaque, mas acabaram deixando de professar qualquer cristianismo e morreram nesse estado (1Jo 2.19).[9] Jesus, na conclusão do Sermão do Monte, falou a respeito dos falsos crentes (Mt 7.21-23). Ele também mencionou o solo duro, o solo rochoso e o solo cheio de espinhos, na parábola do semeador, onde a semente não frutificou (Mt 13.1-23). Judas Iscariotes, mesmo sendo um apóstolo, não era convertido, por isso não estava limpo (Jo 13.11,18). Ele era ladrão (Jo 12.6). Jesus chamou-o de filho da perdição (Jo 17.12). Demas, depois de ter sido cooperador do apóstolo Paulo, abandonou-o por ter amado o presente século (2Tm 4.10).

Destacamos a seguir alguns pontos.

Em primeiro lugar, *o pecado é uma ofensa contra Deus* (3.8,9). Não foram os egípcios nem os povos pagãos os acusados de dureza de coração, mas o povo de Deus. Orton Wiley diz que satanás nos aconselha a postergar para amanhã o que é para hoje, e a demora faz endurecer o coração. As palavras gregas *me skleroute, não endureçais*, são usadas em referência à ressecação ou ao enrijecimento por doença ou à rigidez fria daquilo que deveria ser maleável e macio.[10] Concordo com Warren Wiersbe quando ele diz que "o cerne de todo problema é o problema do coração".[11]

Os israelitas cometeram três pecados contra Deus, dos quais tratamos a seguir.

Provocação (3.8). Em Êxodo 17.7, o lugar da provação é chamado de Meribá, que é traduzido por *rebelião* (Nm 20.13). Donald Guthrie diz que a palavra grega *parapikrasmos*, usada para *rebelião*, ocorre no Novo Testamento apenas aqui e no versículo 15, e vem da raiz *pikros*

---
[9]OLYOTT, Stuart. *A Carta aos Hebreus*, p. 36.
[10]WILEY, Orton H. *Comentário exaustivo da Carta aos Hebreus*, p. 170.
[11]WIERSBE, Warren W. *Comentário bíblico expositivo*. Vol. 6, p. 371.

("amargo"); pode ter sido sugerida pelo incidente em Meribá, onde a água foi achada amarga.[12]

Tentação (3.8). Em Êxodo 17.7, o lugar da tentação é chamado de Massá, que é traduzido por *tentação*.

Puseram o Senhor à prova (3.9). Os israelitas não se rebelaram contra Deus apenas uma vez; depois da volta dos espias, eles colocaram Deus à prova dez vezes (Nm 14.22).

Em segundo lugar, **o pecado é uma ingratidão a Deus** (3.10). O povo provocou Deus à ira, tentou a Deus e o colocou à prova durante quarenta anos; ao longo dessas quatro décadas, Deus lhes mostrou as Suas obras. Deus realizou milagres para abençoá-los, e eles se rebelaram contra Deus. O Senhor lhes demonstrou o Seu cuidado, e eles se insurgiram contra Deus. O Senhor lhes revelou o Seu amor, e eles viraram as costas para Deus. O pecado é uma conspiração contra a bondade de Deus. É uma afronta à graça de Deus. É um gesto de profunda ingratidão à generosa providência de Deus (Êx 13.21; 16.4,5; 17.6; Dt 29.5). Deus disse a Moisés: *Até quando me provocará este povo e até quando não crerá em mim, a despeito de todos os sinais que fiz no meio dele?* (Nm 14.11).

Em terceiro lugar, **o pecado atrai a ira de Deus** (3.10,11). O pecado é maligníssimo, pois se insurge contra o Deus Todo-poderoso. Deus ficou indignado contra o povo. Sua ira se acendeu contra o povo. Então, Deus jurou na Sua ira que o povo não entraria em seu descanso. O descanso que Deus tinha para os israelitas era em Canaã; o descanso de um tempo de servidão no Egito e das exaustivas peregrinações no deserto (Dt 12.9). O Senhor chama *meu descanso* porque o prometera a Seu povo.[13]

Em quarto lugar, **o pecado é uma resistência deliberada e contínua contra Deus** (3.10b). Deus acusou o povo de Israel de sempre errar no coração e desconhecer os Seus caminhos. Pecar é errar o alvo. Pecar é tapar os ouvidos à voz de Deus e desobedecer-lhe. Pecar é desviar-se dos caminhos de Deus, em vez de andar neles.

---

[12]GUTHRIE, Donald. *Hebreus: introdução e comentário*, p. 98.
[13]WILEY, Orton H. *Comentário exaustivo da Carta aos Hebreus*, p. 176,177.

Não se renda à incredulidade (3.12-14)

Os pecados de Israel contra Deus foram uma expressão afrontosa de incredulidade. Eles não creram nas promessas de Deus. Eles duvidaram da Palavra de Deus. Esse mesmo perigo ainda hoje ameaça a igreja. Por isso, o autor aos Hebreus faz algumas exortações.

Em primeiro lugar, **acautele-se contra a incredulidade** (3.12a). *Tende cuidado, irmãos...* Kistemaker diz que, num sentido, Hebreus 3.12 pode ser chamado de resumo das exortações pastorais na epístola.[14] A palavra grega *blepete, tende cuidado*, está no imperativo presente, que expressa uma duração contínua. Precisamos vigiar constantemente. A incredulidade é um laço, uma armadilha insidiosa, que, como rede, nos apanha e nos torna prisioneiros. Nas palavras de Augustus Nicodemus, a incredulidade é a recusa obstinada de crer em Deus e nas suas promessas.[15] Precisamos, portanto, vigiar. Precisamos estar alerta. Nosso coração é enganoso, corrupto e inclinado a desviar-se de Deus. Precisamos ter cautela. Essa expressão *tende cuidado* aparece novamente em Hebreus 12.25 e, nos dois casos, Donald Guthrie diz que há uma questão séria envolvida: assim como os israelitas se tornaram presa da descrença, também seus sucessores, os cristãos, devem ter cuidado para não cair na mesma armadilha.[16]

Em segundo lugar, **a origem da incredulidade** (3.12b). *Tende cuidado, irmãos, jamais aconteça haver em qualquer de vós perverso coração de incredulidade*. A expressão grega *kardia ponera, perverso coração*, significa coração maligno. O coração maligno e pervertido é o laboratório no qual a incredulidade é criada. O coração perverso é o útero no qual a incredulidade é gestada. A incredulidade não vem de fora, mas de dentro, de dentro do próprio coração maligno.

Em terceiro lugar, **o efeito da incredulidade** (3.12c). ... *que vos afaste do Deus vivo*. A palavra grega *apostenai*, traduzida aqui por *vos afaste*, dá origem à palavra "apostasia", que sugere o fim terrível a que a descrença

---

[14]KISTEMAKER, Simon. *Hebreus*, p. 135.
[15]LOPES, Augustus Nicodemus. *Hebreus*, p. 67.
[16]GUTHRIE, Donald. *Hebreus: introdução e comentário*, p. 99.

em Deus conduz.[17] A incredulidade desemboca na apostasia, o desvio da verdade e o afastamento do Deus vivo. Afastar-se de Deus, a despeito do seu livramento, da sua providência e das suas obras extraordinárias, é uma conspiração contra seu amor. Apostatar de Deus é enveredar-se pelo caminho da morte.

Em quarto lugar, **a ameaça da incredulidade** (3.13b). ... *a fim de que nenhum de vós seja endurecido pelo engano do pecado*. O pecado é enganoso, pois oferece prazer e dá desgosto; oferece liberdade e escraviza; oferece vida e mata. O pecado sempre levará mais longe do que você gostaria de ir; reterá mais tempo do que você gostaria de ficar; e custará um preço mais alto do que você gostaria de pagar. O pecado é um embuste, uma farsa. Seu brilho é falso, suas ofertas são mentirosas, seu salário é a morte. O pecado tem a capacidade de calcificar o coração, anestesiar a consciência e destruir a vida. Neil Lightfoot corrobora essa ideia: "O pecado é enganoso por natureza. Atraente no exterior, é corrupto por dentro; parecendo sábio, cega os homens para a verdade; oferecendo promessas de ganhos, leva inexoravelmente à ruína".[18]

Em quinto lugar, **o antídoto contra a incredulidade** (3.13a,14). Três são os antídotos apontados pelo autor aos Hebreus contra a incredulidade.

A exortação mútua (3.13a). *Pelo contrário, exortai-vos mutuamente cada dia, durante o tempo que se chama Hoje...* O *Hoje* é estendido para representar a totalidade da presente era da graça.[19] A afeição fraternal leva à admoestação mútua, e esta mantém a integridade da família da fé. A igreja é uma comunidade de irmãos que se amam e que velam uns pelos outros. Precisamos ser exortados, confrontados e consolados uns pelos outros. Não podemos enfrentar o pecado sozinhos. Precisamos de cuidado dos membros da família da fé todo dia e o dia todo. Negligenciar isso é dar brechas ao endurecimento do coração. Kistemaker diz que, se a igreja for fiel a Jesus individual e coletivamente, o perigo da apostasia se retirará do seu perímetro.[20]

---

[17] WILEY, Orton H. *Comentário exaustivo da Carta aos Hebreus*, p. 179.
[18] LIGHTFOOT, Neil R. *Hebreus*, p. 104.
[19] GUTHRIE, Donald. *Hebreus: introdução e comentário*, p. 100.
[20] KISTEMAKER, Simon. *Hebreus*, p. 137.

A nossa união com Cristo (3.14a). *Porque nos temos tornado participantes de Cristo...* Estamos unidos a Cristo, como um membro do corpo à cabeça e como um ramo à videira. Somos membros do Seu corpo. Estamos enxertados nEle. Fomos crucificados com Ele. Morremos com Ele. Ressuscitamos com Ele. Estamos assentados nas regiões celestiais com ele. Nossa união com ele é orgânica e vital.

A perseverança na fé (3.14b). ... *se, de fato, guardarmos firme, até ao fim, a confiança que, desde o princípio, tivemos.* O paralelo entre Hebreus 3.6 e 3.14 é assaz estreito. Somente os crentes que continuam a professar com firmeza sua fé em Jesus são salvos. Deus não nos salva no pecado, mas do pecado. Os salvos são aqueles que perseveram até o fim. Stuart Olyott é enfático: "Nenhuma pessoa que professa ser crente entrará no céu se não perseverar na fé até o fim".[21]

Saiba que a incredulidade desemboca em **graves pecados** contra Deus (3.15-18)

O autor aos Hebreus retorna novamente ao Salmo 95 e, a partir daí, faz novas advertências sobre o perigo da incredulidade. Esse terrível pecado é a fonte da qual emanam outros pecados. Que pecados?

Em primeiro lugar, *a dureza de coração* (3.15). Quando Deus fala, ele é digno de ser ouvido e obedecido, em vez de ser resistido. Tapar os ouvidos à voz de Deus produz endurecimento do coração. Um coração de pedra, mesmo que seja alvo do gotejamento da sã doutrina, nada sente, pois está insensível. Um coração duro rejeita a oferta da graça e permanece rebelde mesmo diante da mais eloquente expressão de amor.

Em segundo lugar, *a rebeldia contra Deus* (3.16). O autor faz uma pergunta e ele mesmo responde. Os que ouviram e mesmo assim se rebelaram foram aqueles que saíram do Egito por intermédio de Moisés. Foi o povo a quem Deus libertou. Foi o povo de quem Deus cuidou. Foi o povo que viu os milagres de Deus. O Senhor deu a eles uma redenção poderosa, líderes consagrados, provisão extraordinária e livramentos portentosos, mas, diante de tudo isso, ainda se rebelaram contra Deus.

---

[21] OLYOTT, Stuart. *A Carta aos Hebreus*, p. 36.

Em terceiro lugar, *o pecado contra Deus* (3.17). Novamente o autor usa o expediente da pergunta e da resposta para dizer que o povo contra quem Deus se indignou por quarenta anos foi o que pecou contra Ele, cujos cadáveres caíram no deserto.

Em quarto lugar, *a desobediência contra Deus* (3.18). O autor ainda pergunta acerca daqueles contra quem Deus jurou que não entrariam no Seu descanso e responde que são os mesmos que foram desobedientes. A incredulidade desemboca em desobediência, e a desobediência provoca o juízo divino. Deus suspendeu a promessa e aplicou o juízo contra aqueles que desobedeceram à Sua Palavra. Augustus Nicodemus tem razão em dizer que a incredulidade levou o povo de Israel a buscar outros deuses, a murmurar, a reclamar de tudo e a desafiar o Altíssimo.[22]

Em quinto lugar, *a privação do descanso de Deus* (3.19). Os hebreus não puderam entrar na terra prometida, no descanso de Deus, por causa da incredulidade. Concordo com Kistemaker quando ele diz: "A descrença rouba Deus de Sua glória e rouba o descrente do privilégio das bênçãos de Deus".[23] O capítulo 3 de Hebreus se inicia com a fidelidade de Cristo e termina com a infidelidade de Israel.[24]

Fritz Laubach traz um lampejo de esperança na conclusão da passagem em apreço, quando escreve:

> Acima desse bloco de Hebreus 3.7-19, que nos propõe o quadro sombrio da incredulidade, da apostasia frente ao Deus vivo, brilha o reconhecimento de Hebreus 3.1-6: Jesus é maior que Moisés! Moisés não era capaz de proteger o povo de Israel contra a apostasia. Jesus, no entanto, pode conduzir Sua igreja, pode levar-nos até o alvo da glória. Ele pode resgatar-nos integralmente. Nada é capaz de nos arrancar de Sua mão (7.25; Jo 10.28). Em cada tentação que atravessamos, Ele também cria a possibilidade de subsistir (1Co 10.13). Por isso vigora na tribulação a palavra de consolo do apóstolo Paulo: *O Senhor é fiel, Ele vos fortalecerá e protegerá diante do mal* (2Ts 3.3).[25]

---

[22]LOPES, Augustus Nicodemus. *Hebreus*, p. 69.
[23]KISTEMAKER, Simon. *Hebreus*, p. 141.
[24]LIGHTFOOT, Neil R. *Hebreus*, p. 106.
[25]LAUBACH, Fritz. *Carta aos Hebreus*, p. 74.

7

O descanso de Deus

Hebreus 4.1-13

É SABIDO QUE, EM FACE DA PERSEGUIÇÃO À IGREJA, os crentes judeus estavam sendo tentados a voltar para o judaísmo. O propósito do autor dessa carta, como já acentuamos, foi exortar esses crentes que voltar para o judaísmo era abandonar a Cristo, e isso representa uma condenação inexorável.

Voltar para o judaísmo é deixar a realidade para voltar às sombras. É apostatar da fé. É negligenciar a tão grande salvação. É perder o descanso prometido por Deus. É retroceder. Concordo com Augustus Nicodemus quando ele diz que a religião judaica era preparatória, provisória e simbólica; quando Cristo veio, o judaísmo deveria se transformar em cristianismo, porque, na verdade, o cristão é um judeu consumado. É um judeu que alcançou o propósito do judaísmo. Nós somos os verdadeiros filhos de Abraão. A igreja é o Israel de Deus.[1]

Orton Wiley diz que é nesse capítulo da epístola aos Hebreus que o autor trata do "descanso da fé" como um aspecto importante e estrutural da vida de santidade. É descanso não apenas da culpa e do poder do pecado, mas também da presença do próprio pecado.[2]

---

[1] LOPES, Augustus Nicodemus. *Hebreus*, p. 80.
[2] WILEY, Orton H. *Comentário exaustivo da Carta aos Hebreus*, p. 189.

No capítulo anterior, vimos que o povo de Israel não pôde entrar no descanso de Deus, ou seja, na terra prometida, por causa da incredulidade (3.19). Seguindo a mesma toada, o autor continua advertindo sobre esse perigo no texto em tela. Destacaremos, aqui, cinco verdades importantes.

O descanso é uma **promessa** de Deus (4.1)

O primeiro imperativo endereçado à igreja é *temamos* (4.1). Se o povo de Israel não entrou na terra prometida por causa da incredulidade, retroceder agora é desqualificar-se e falhar também em tomar posse do descanso prometido por Deus. O que aconteceu com Israel deve servir de lição para a igreja. O que foi escrito tem o propósito de nos advertir para não incorrermos no mesmo erro. Rebelar-se contra a Palavra de Cristo é agir como a geração de Moisés. É incorrer no mesmo pecado. Kistemaker está correto quando diz que Deus cumpre Suas promessas somente naqueles que aceitam Sua Palavra pela fé e confiam, sejam Josué e Calebe, ou "a alma que descansa em Jesus". Ninguém entre os israelitas poderia completar a jornada no deserto e entrar na terra prometida, exceto aqueles que demonstraram uma fé verdadeira em Deus. E ninguém entrará no descanso eterno de Deus, a menos que sua fé seja colocada em Jesus, o Filho de Deus.[3]

O descanso só pode **ser apropriado** por aqueles que **perseveram na fé** em Cristo (4.2,3)

O autor aos Hebreus faz um contraste entre os israelitas que morreram no deserto e não entraram no descanso de Deus por causa da incredulidade e os crentes verdadeiros. Stuart Olyott diz que, não obstante os israelitas tivessem ouvido a Palavra de Deus, eles não acataram a Sua mensagem. Não creram nela. Resistiram a ela. Por isso, não entraram na terra prometida.[4]

Dois fatos nos chamam a atenção aqui.

---

[3]KISTEMAKER, Simon. *Hebreus*, p. 152.
[4]OLYOTT, Stuart. *A Carta aos Hebreus*, p. 38.

Em primeiro lugar, *as boas-novas a Israel não foram aproveitadas* (4.2). O povo de Israel ouviu as boas-novas. Deus falou com eles. Eles ouviram a Palavra e viram as maravilhas de Deus. Não obstante, rejeitaram a voz de Deus e, por incredulidade, deixaram de usufruir a promessa. Tapar os ouvidos à voz de Deus produz um resultado desastroso. O que aconteceu no passado é advertência para a igreja hoje.

Em segundo lugar, *as boas-novas à igreja precisam ser acompanhadas com fé* (4.2,3). Ouvir as boas-novas de Deus e não crer nelas implica a perda dos privilégios. Foi isso o que aconteceu com Israel no deserto. Porém, a igreja é o povo que responde às boas-novas do evangelho com fé. Ou seja, nós, que cremos, entramos no descanso prometido de Deus. Esse descanso é usufruído aqui e agora e ruma para uma consumação gloriosa, quando, então, desfrutaremos dele de forma completa e plena na eternidade. Note que o autor sagrado não usa o tempo futuro "entraremos", mas o presente *entramos*, para mostrar que a promessa de Deus se tornou realidade. Orton Wiley corrobora essa ideia quando diz que o descanso da fé é um repouso pessoal, espiritual, da alma em Deus, prometido como herança a todos os que são filhos de Deus.[5]

O descanso é a **bênção final e maior** concedida por Deus (4.4-10)

O autor aos Hebreus, em escala ascendente, fala sobre três tipos de descanso. Os dois primeiros são tipológicos e apontam para o terceiro.

Em primeiro lugar, *o descanso da criação* (4.4,5). Deus criou os céus e a terra pela palavra do seu poder, e também criou o homem e a mulher à sua imagem e semelhança, e descansou no sétimo dia. Esse é o descanso da criação. Concordo com Wiley quando ele diz que a palavra *descanso*, aqui, não significa folga para recuperação das forças físicas e mentais exauridas durante o trabalho, uma vez que Deus não se cansa nem se fatiga (Is 40.28).[6]

---

[5] WILEY, Orton H. *Comentário exaustivo da Carta aos Hebreus*, p. 196.
[6] WILEY, Orton H. *Comentário exaustivo da Carta aos Hebreus*, p. 198.

Vale destacar que, do primeiro ao sexto dia, houve manhã e tarde, mas não consta no registro de Gênesis que houve manhã e tarde no sétimo dia. Isso significa que o sétimo dia é um símbolo do descanso prometido por Deus ao Seu povo, um descanso que não tem limite de tempo, pois é eterno. Walter Henrichsen, nessa mesma linha de pensamento, explica que a tradição rabínica judaica ensina que a tarde não é mencionada no sétimo dia porque o descanso de Deus continua para sempre. Visto que o descanso de Deus foi concluído na criação, ao terminar Ele a sua obra, é um descanso perpétuo. É por isso que *resta um repouso para o povo de Deus* (4.9).[7]

Não é demais enfatizar que o termo *descanso* para Deus não tem o sentido de ociosidade, pois Jesus diz: *O meu pai trabalha até agora, eu trabalho também* (Jo 5.17). Deus não está inativo. Ele está presente na obra da criação. Ele não é apenas o Deus transcendente, mas também imanente. Ele não criou o universo e o deixou para lá, como um relojeiro que fabrica um relógio o deixa trabalhando sozinho. Deus intervém na obra da criação.

Wiley é oportuno quando diz que se associa a cada um dos membros da Trindade uma obra consumada e uma contínua. Com relação ao Pai, a obra consumada é a criação, e a contínua, a sua preservação e a providência para ela. A obra consumada do Filho é a expiação; a contínua, a intercessão pelos salvos. A obra consumada do Espírito Santo é a purificação da alma; a contínua é a sua presença constante como Consolador, Revelador de Cristo, Guia da verdade e da unção à igreja.[8]

Donald Guthrie reforça essa ideia quando escreve: "A glorificação do descanso (*katapausis*) não subentende que o trabalho é um infortúnio. O 'descanso' aqui não deve ser considerado como sinônimo de inatividade nem mesmo de repouso, mas de paz, alegria e concórdia".[9]

Em segundo lugar, *o descanso de Canaã* (4.6). O descanso da terra prometida seria o descanso das jornadas pesadas de dia e de noite pelo deserto, bem como o descanso do ataque de inimigos (Dt 12.10).

---

[7]Henrichsen, Walter A. *Depois do sacrifício*, p. 45.
[8]Wiley, Orton H. *Comentário exaustivo da Carta aos Hebreus*, p. 200, 201.
[9]Guthrie, Donald. *Hebreus: introdução e comentário*, p. 109.

Essa promessa foi cumprida literalmente quando Josué se dirigiu ao povo das tribos de Rúben e Gade e à meia tribo de Manassés: *Tendo o* S*enhor, vosso Deus, dado repouso a vossos irmãos, como lhes havia prometido, voltai-vos, pois, agora, e ide-vos para as vossas tendas, à terra da vossa possessão, que Moisés, servo do* S*enhor, vos deu dalém do Jordão* (Js 22.4). A entrada e a posse de Canaã eram um símbolo do céu, onde cessarão todos os nossos sofrimentos e todas as nossas fadigas.

Josué foi incapaz de subjugar a terra inteira (Js 13.1,2), portanto a promessa apontava para um descanso posterior a ser cumprido. Wiley está correto quando diz que, como o sábado do Decálogo, Canaã só poderia ser um símbolo daquele descanso espiritual que Deus preparou para seus filhos. Assim, o estabelecimento de Israel em Canaã é frequentemente considerado uma alegoria do descanso prometido por Deus para o seu povo.[10]

Em terceiro lugar, *o descanso do céu* (4.7-10). Stuart Olyott diz que o sétimo dia após a criação é um tipo do céu. Como o dia de descanso [*shabat*], assim é a paz de consciência que todo crente experimenta quando se converte a Cristo. Um tipo representa uma realidade espiritual, mas não é essa realidade. O próprio céu é um lugar onde não entramos ainda.[11]

O descanso que Josué deu ao povo de Israel não era perfeito nem pleno. Era apenas uma antevisão do descanso perfeito, o descanso espiritual, o descanso do pecado e do mal. Josué introduziu o povo na terra da promessa, mas Jesus, que é maior do que Josué, é quem introduz o povo no céu, no descanso final e pleno de Deus. Até aqui o autor aos Hebreus já provou que Jesus é maior do que os anjos e do que Moisés; agora, ele deixa claro que Jesus é também maior do que Josué. A palavra para descanso ou repouso que resta ao povo de Deus é *sabbatismos*, traduzida pela palavra "sábado". Portanto, o sábado não é um dia de sábado isolado, mas uma vida de sábado. É o próprio descanso em Deus, o deleite que desfrutamos em Sua presença. Concordo, portanto, com Kistemaker quando ele diz que, para o crente, o sábado não é meramente um dia de descanso

---

[10]W*iley*, Orton H. *Comentário exaustivo da Carta aos Hebreus*, p. 200.
[11]O*lyott*, Stuart. *A Carta aos Hebreus*, p. 40.

no sentido de cessação do trabalho; antes, é um descanso espiritual, uma cessação de pecar. Portanto, o dia de descanso é um emblema do descanso eterno![12] Stuart Olyott conclui dizendo que o descanso prometido de Deus é o feliz e perfeito prazer na presença de Deus.[13]

O descanso é dado aos que se esforçam na obediência (4.11)

Embora a salvação não seja recebida pelo esforço das obras, mas, sim, pela graça mediante a fé, aqueles que receberam a salvação precisam se esforçar para entrar no descanso de Deus. A palavra grega *spoudasomen oun*, traduzida aqui por *esforcemo-nos*, significa ser diligente, apressar-se, estar alerta.

É claro que o esforço aqui referido é o esforço da fé. A salvação é de graça, mas permanecer nela exige esforço. A batalha é do Senhor, mas devemos tomar a espada. Devemos desenvolver a nossa salvação com temor e tremor, diz a Escritura (Fp 2.12). Os salvos perseveram. Os salvos obedecem. Os salvos não retrocedem. Os salvos não capitulam à desobediência. Os salvos, na luta contra o pecado, resistem até o sangue (12.4). Kistemaker é enfático ao dizer que a descrença leva a uma desobediência voluntária, que resulta numa incapacidade de arrepender-se. O resultado é a condenação eterna.[14]

O descanso é para aqueles que permanecem firmes na Palavra de Deus (4.12,13)

O foco do autor nessa última seção é no poder da Palavra de Deus (4.12) e na incapacidade de o homem esconder-se dela (4.13).[15] Israel caiu no deserto e não entrou na terra prometida porque não creu na Palavra de Deus. Nós, porém, precisamos nos firmar mais e mais na Palavra, e isso por várias razões, como vemos a seguir.

---

[12]KISTEMAKER, Simon. *Hebreus*, p. 160.
[13]OLYOTT, Stuart. *A Carta aos Hebreus*, p. 39.
[14]KISTEMAKER, Simon. *Hebreus*, p. 162.
[15]KISTEMAKER, Simon. *Hebreus*, p. 165.

Em primeiro lugar, *a Palavra de Deus é viva* (4.12). A Palavra de Deus é viva e tem vida em si mesma. Ela é o sopro do próprio Deus, e não uma coletânea de doutrinas e preceitos. Nas palavras de Olyott, a Bíblia não é um livro morto, mas muito vivo. É ativa e poderosa. Cutuca, fere, corta e mata mais efetivamente que a melhor e mais cortante espada. Atinge onde mais nada consegue atingir. Separa até aquilo que é inseparável.[16] Nessa mesma linha de pensamento, escreve David Stern: "A Bíblia não fala meramente nos tons já mortos do passado, mas aplica a verdade viva às pessoas de hoje".[17] Ela tem vida em si mesma e age por si mesma. O próprio Jesus disse: *As palavras que vos tenho falado são espírito e vida* (Jo 6.63).

Em segundo lugar, *a Palavra de Deus é eficaz* (4.12). O termo grego *energes*, traduzido por *eficaz*, significa poder em ação, em contraste com poder em potencial.[18] A Palavra de Deus é poderosa e sempre cumpre os propósitos para os quais foi designada. A Palavra de Deus é o bisturi de um cirurgião que descobre os mais delicados nervos do corpo humano.[19]

Em terceiro lugar, *a Palavra de Deus é irresistível* (4.12). Ela é como uma espada de dois gumes, dá vida e mata, salva e condena, traz promessas e juízos. Ela corta a nossa dependência do pecado e o nosso apego ao mundo. Essa mesma metáfora é usada em Efésios 6.17 e Apocalipse 1.16. A Palavra de Deus é arma de ataque e também de defesa. A Palavra de Deus tem resistido aos ataques mais furiosos do inimigo. Tem saído vitoriosa das fogueiras da intolerância. O fogo não pode destruir a verdade. A Palavra de Deus tem saído sobranceira do ataque dos céticos. Drapeja a verdade desde o cume dos montes. Nada pode resistir a ela. Ela não pode falhar. Passam o céu e a terra, mas a Palavra de Deus jamais passará.

Em quarto lugar, *a Palavra de Deus é penetrante* (4.12). Quando a lemos, ela nos lê. Quando a examinamos, ela nos perscruta. Ela penetra até o ponto de dividir alma e espírito, juntas e medulas. Trata dos nossos

---

[16]OLYOTT, Stuart. *A Carta aos Hebreus*, p. 40.
[17]STERN, David H. *Comentário judaico do Novo Testamento*. Belo Horizonte, MG: Editora Atos, 2008, p. 733.
[18]WILEY, Orton H. *Comentário exaustivo da Carta aos Hebreus*, p. 216.
[19]KISTEMAKER, Simon. *Hebreus*, p. 167.

pensamentos e penetra até mesmo nossas intenções. Wiley emite o seu parecer ao dizer:

> A parte imaterial do homem é considerada pelo escritor da Epístola aos Hebreus de duas maneiras: a alma, que anima o corpo, e o espírito, que é a fonte de nossas relações com Deus. É isto que dá origem ao seu ensino sobre a tricotomia *funcional*, embora adote uma dicotomia *essencial*.[20]

Calvino afirma que o substantivo "alma" frequentemente significa o mesmo que "espírito", mas, quando ambos se associam (1Ts 5.23; Is 26.9), a primeira inclui todas as afeições, enquanto o último indica a faculdade a que chamam *intelectual*. Isso significa que a Palavra examina toda a alma de uma pessoa. Explora seus pensamentos e sonda sua vontade e todos os seus desejos.[21] Concordo com James Freerkson quando ele diz que essa frase aponta para o fato de que não existe nenhuma parte no homem que a Palavra de Deus não possa penetrar, seja imaterial, seja física.[22]

Em quinto lugar, **a Palavra de Deus é discernidora** (4.12,13). A Palavra de Deus é como os raios-X: ela perscruta o que está em nosso íntimo, devassa os corredores escuros da nossa alma e revela os segredos do nosso coração. Ela traz à luz o que está oculto. Nada fica escondido diante de sua sondagem. Um dia estaremos face a face com o reto e justo Juiz para prestarmos contas da nossa vida. Deus é inescapável. Ele olha desde os céus e vê todos os filhos dos homens (Sl 33.13,14). É impossível fugir de sua presença (Sl 139.7-10). Nas palavras de Severino da Silva, "Deus está em todas as coisas, dentro mas não enclausurado, fora mas não excluído, acima mas não levantado, embaixo mas não comprimido. Ele encontra-se inteiramente acima, presidindo, sustentando totalmente por dentro, preenchendo todo espaço".[23]

---

[20] WILEY, Orton H. *Comentário exaustivo da Carta aos Hebreus*, p. 217.
[21] CALVINO, João. *Hebreus*, p. 107,108.
[22] FREERKSON, James. "The Epistle to the Hebrews." In: *The Complete Bible Commentary*. Nashville, TN: Thomas Nelson Publishers, 1999, p. 1682.
[23] SILVA, Severino Pedro. *Epístola aos Hebreus*. Rio de Janeiro, RJ: CPAD, 2013, p. 77.

As palavras de Kistemaker são oportunas:

> Os livros devem ser examinados, todas as contas, pagamentos e recibos devem ser entregues para exame. O homem deve prestar contas de si mesmo diante de Deus, o auditor. Os livros da consciência do homem estão abertos diante dos olhos de Deus. Nada escapa a Ele. No último dia os pecadores podem clamar às montanhas e às rochas: *Caí sobre nós e escondei-nos da face dAquele que se assenta no trono e da ira do Cordeiro* (Ap 6.16). No julgamento final, todos devem prestar contas de si mesmos. Somente aqueles que estão em Cristo Jesus ouvirão a palavra libertadora: *absolvido!*[24]

Augustus Nicodemos resume essa passagem bíblica em cinco instruções: 1) o descanso é a bênção maior e final que Deus tem para o Seu povo; 2) o descanso é dádiva de Deus, e não resultado de nossos esforços; 3) a fé em Jesus é a condição para entrarmos nesse descanso; 4) esse descanso começa neste mundo; 5) a única maneira de nos assegurarmos de que estamos a caminho desse repouso é permanecendo firmes na Palavra de Deus.[25]

---

[24] KISTEMAKER, Simon. *Hebreus*, p. 170.
[25] LOPES, Augustus Nicodemus. *Hebreus*, p. 74-78.

8

Jesus, nosso grande Sumo Sacerdote

Hebreus 4.14-16

O AUTOR AOS HEBREUS FAZ UMA TRANSIÇÃO da Palavra de Deus para o Sumo Sacerdote providenciado por Deus. Nos versículos anteriores (4.12,13), ele deixou os leitores conscientes do julgamento divino. Agora, assegura-lhes que, apesar de Jesus vir na consumação de todas as coisas como nosso Juiz, agora Ele é o nosso Advogado, o nosso intercessor, o nosso Sumo Sacerdote.

Três verdades essenciais são destacadas no texto em tela.

A apresentação do Sumo Sacerdote (4.14)

O tema de Jesus como nosso Sumo Sacerdote foi apresentado em Hebreus 2.17. Aqui o autor recapitula o que disse em 2.5-18 e acrescenta que Jesus tem uma natureza humana semelhante à nossa, mas sem a mácula do pecado. Por isso, pode compadecer-se de nós. O Sumo Sacerdote que nos é apresentado tem algumas características singulares, como vemos a seguir.

Em primeiro lugar, ***Ele é grande*** (4.14). Aqui está um claro contraste entre o sacerdócio de Cristo e o sacerdócio de Arão. Jesus é grande tanto em relação à sua pessoa como à sua obra.[1] Jesus é maior que os

---
[1] GUTHRIE, Donald. *Hebreus: introdução e comentário*, p. 113.

profetas, que os anjos, que Moisés, que Josué e também que Arão. Jesus é grande porque ele realizou Sua obra redentora na terra e agora exerce o Seu ministério sacerdotal no céu.

Merrill Unger diz que Jesus é grande por causa de Sua obra consumada, uma vez que penetrou os céus; é grande ainda porque é o Filho de Deus, qualificado para representar o homem diante do trono de Deus, sendo compassivo com suas fraquezas; e, finalmente, é grande porque transformou o trono de Deus de justo julgamento contra os pecadores em trono da graça para os crentes.[2]

Estou de pleno acordo com o que diz Kistemaker ao afirmar que o adjetivo *grande* indica que Jesus está acima dos pastores e sumos sacerdotes terrenos. Ele é o grande Sumo Sacerdote, não como aquele que entrava no Lugar Santíssimo uma vez por ano e aspergia o sangue para expiar primeiro os próprios pecados e depois os pecados das outras pessoas. Jesus, como grande Sumo Sacerdote, excede os sumos sacerdotes terrenos.[3] Nessa mesma linha de pensamento, Severino da Silva diz que Jesus é o grande Sumo Sacerdote porque substituiu qualquer ordem ou casta sacerdotal da terra, não havendo mais necessidade de sumos sacerdotes. Em Jesus, o conceito sumo sacerdotal acha plena concretização, pois ele não é apenas um entre muitos, como foram os sacerdotes levíticos, ou um entre uma longa sucessão de sumos sacerdotes. Jesus é o fim e o cumprimento dessa sucessão.[4]

Em segundo lugar, ***Ele penetrou os céus*** (4.14). O sumo sacerdote podia, uma vez por ano, penetrar além do véu e entrar no Santo dos Santos, mas Jesus penetrou os céus e subiu à presença excelsa de Deus. O sumo sacerdote tinha de oferecer sacrifícios primeiro por si mesmo e depois pelo povo. Esse sacrifício precisava ser repetido ano após ano, mas Jesus ofereceu um único sacrifício, perfeito, completo e cabal. Ele consumou a nossa redenção e então foi exaltado por Deus sobremaneira (Fp 2.9), *mais alto que os céus* (7.26). Fritz Laubach diz que Ele adentrou o mundo invisível

---

[2]UNGER, Merrill G. *The New Unger's Bible Handbook*. Grand Rapids, MI: Baker Books House, 1984, p. 588.
[3]KISTEMAKER, Simon. *Hebreus*, p. 178.
[4]SILVA, Severino Pedro. *Epístola dos Hebreus*, p. 77,78.

de Deus a partir do nosso mundo terreno (1.3). Em lugar algum, uma placa de advertência lhe nega acesso.[5] Jesus atravessou não o véu, mas o céu, esse espaço que está entre nós e Deus. Arão jamais poderia ter feito isso. Nenhum sumo sacerdote poderia fazer isso. Ao morrer e ressuscitar, Jesus subiu aos céus e rompeu a barreira entre nós e Deus.[6]

Em terceiro lugar, **Ele é tanto homem como Deus** (4.14). Ele é Jesus, o Filho de Deus. Sendo Deus, fez-se homem, por isso o chamamos de Jesus. Mas, ao se fazer homem, Ele não deixou de ser Deus, por isso o conhecemos como Filho de Deus. Ele é perfeitamente homem e perfeitamente Deus. Nas palavras de Olyott, "Ele é o eterno Filho de Deus e ainda carrega o nome humano de Jesus".[7] Portanto, por ser homem, Jesus pode nos compreender e nos representar. Por ser Deus, Jesus pode fazer um sacrifício completo e cabal em favor de todos aqueles que o Pai lhe deu.

Em quarto lugar, **Ele é absolutamente confiável** (4.14). Porque Jesus, o Filho de Deus, é o nosso grande Sumo Sacerdote que penetrou os céus, devemos conservar firme a nossa confissão. Retroceder à lei, a Moisés, a Arão, ao judaísmo, é voltar aos rudimentos, retornar à sombra e abandonar a realidade. Em vez de claudicar em nossa confissão, devemos mantê-la inabalável. Aqueles que em face da perseguição retrocedem, esses apostatam da fé e fecham após si mesmos a porta da graça.

A compaixão do Sumo Sacerdote (4.15)

Três verdades são enfatizadas no texto em destaque.

Em primeiro lugar, **Jesus Se compadece de nossas fraquezas** (4.15). O nosso Sumo Sacerdote não é apenas grande, mas também gracioso, compassivo e misericordioso. Embora não tenha nenhuma fraqueza, Ele se compadece das nossas fraquezas. Ele conhece a nossa estrutura. Sabe da nossa fragilidade. Mesmo assim, não nos esmaga por causa das nossas fraquezas, mas delas Se compadece. Temos muitas fraquezas: fraquezas físicas, emocionais, morais e espirituais. Deixados à própria sorte, nenhum de nós pode sequer ficar de pé escorado no bordão da autoconfiança.

---

[5] LAUBACH, Fritz. *Carta aos Hebreus*, p. 84.
[6] LOPES, Augustus Nicodemus. *Hebreus*, p. 83.
[7] OLYOTT, Stuart. *A Carta aos Hebreus*, p. 41.

Em segundo lugar, *Jesus foi também tentado semelhantemente a nós* (4.15). Nosso Sumo Sacerdote desceu até nós desde os céus. Ele vestiu pele humana, calçou as sandálias da humildade e andou entre nós. Tornou-se um de nós, semelhante a nós: comeu o nosso pão, bebeu a nossa água, pisou o nosso chão, sentiu as nossas dores. Em tudo foi tentado semelhantemente a nós. Kistemaker diz, com razão, que Ele foi tentado em extensão e amplitude. Nada na experiência humana é estranho para Ele. O pecado é a única experiência humana pela qual Cristo não passou.[8] Suas tentações foram como as nossas e em todos os aspectos. Ele sentiu fome, sede, cansaço, fadiga, angústia. Foi acusado injustamente. Foi esbofeteado e cuspido. Foi levado para a cruz como uma ovelha é levada ao matadouro. Mas Ele não abriu Sua boca nem proferiu impropérios contra Seus malfeitores.

Em terceiro lugar, *Jesus triunfou sobre todas as tentações* (4.15). Mesmo sendo exposto a todas as provas e tentações, ele jamais sucumbiu ao pecado. Jamais cedeu às propostas sedutoras do tentador. Nunca deu guarida às vozes melífluas e insinuantes do diabo. Jamais se curvou ao poder sedutor do pecado. O apóstolo João chama os três tipos básicos de tentação de *concupiscência dos olhos, concupiscência da carne e soberba da vida* (1Jo 2.15-17). Adão e Eva sucumbiram diante dessas tentações no jardim do Éden (Gn 3.1-6), enquanto Jesus resistiu aos três tipos de tentação quando o adversário o tentou no deserto (Mt 4.1-11). Concordo com Donald Guthrie quando ele diz que a impecabilidade de Jesus é demonstrada para Seu povo não tanto como exemplo quanto como inspiração. Nosso Sumo Sacerdote é altamente experiente nas provações da vida humana.[9]

A exortação à igreja em virtude de termos Jesus como Sumo Sacerdote (4.16)

Essa mesma exortação é repetida em Hebreus 10.23,24. Destacamos alguns aspectos dessa exortação.

---

[8]KISTEMAKER, Simon. *Hebreus*, p. 181.
[9]GUTHRIE, Donald. *Hebreus: introdução e comentário*, p. 116.

Em primeiro lugar, ***devemos nos aproximar de Deus com confiança*** (4.16). A palavra grega *parresia,* traduzida aqui por *confiadamente,* significa "com ousadia, liberdade de expressão e ausência de medo".[10] Oh, nenhum temor deve ser encontrado em nós! O rosto do Pai nos é favorável. No tribunal de Deus, não pesa mais nenhuma condenação sobre nós, que estamos em Cristo. Fomos aceitos no Amado. O véu foi rasgado. Agora, temos livre acesso ao trono da graça. Calvino, falando sobre essa confiança, escreve:

> A base de tal confiança consiste em que o trono de Deus não é caracterizado por uma majestade visível a assustar-nos, mas se acha adornado com um novo nome, a saber: graça. Se volvermos nossa mente só para a glória de Deus, o efeito que ela produzirá em nós não será outro senão nos encher de desespero, tal é a sublimidade de Seu trono. Portanto, com o fim de auxiliar-nos em nossa carência de confiança, e com o fim de livrar nossa mente de todos os temores, o autor no-la reveste com a graça e lhe dá um nome que nos enche de coragem por sua doçura. É como se dissesse: Visto que Deus fixou em Seu trono como que, por assim dizer, uma bandeira de graça e de amor paternal para conosco, não há razão para Sua majestade afugentar-nos de Sua aproximação.[11]

Walter Henrichsen diz que, nos impérios do Oriente Médio durante os tempos bíblicos, só uma pessoa tinha permissão de entrar na presença do rei sem ser convidado: o filho primogênito, herdeiro do trono. A própria rainha não podia entrar na presença do marido sem convite. Aqui, portanto, o escritor sugere que temos os mesmos direitos do primogênito do rei e herdeiro do trono. O Rei dos reis e Senhor dos senhores estendeu-nos os mesmos privilégios de que Seu Filho desfruta. Entrando na presença de Deus, podemos receber misericórdia pelos nossos erros e uma porção generosa de Sua graça em tempos de necessidade.[12]

Em segundo lugar, ***temos livre acesso ao trono da graça*** (4.16). Jesus é o Filho de Deus, portanto Seu trono é trono de glória. Mas Ele é

---

[10]Guthrie, Donald. *Hebreus: introdução e comentário,* p. 117.
[11]Calvino, João. *Hebreus,* p. 115.
[12]Henrichsen, Walter A. *Depois do sacrifício,* p. 49.

também Filho do Homem, e Seu trono é trono de graça. Logo, o trono de Deus está repleto de graça aos que reconhecem suas fraquezas e buscam refúgio em Jesus. Augustus Nicodemus diz que essa figura remete ao antigo sistema de monarquia: se o rei estivesse assentado em Seu trono e alguém chegasse para lhe pedir um favor, tal pessoa se humilhava, abaixava a cabeça e, então, o rei estendia o cetro, dizendo: "Vou conceder o seu pedido". Deus está assentado no trono do universo, e nós podemos nos aproximar dEle confiadamente, pois sabemos que Ele estenderá em nossa direção o cetro da graça. Ao lado dEle, está o herdeiro que intercederá em nosso favor, dizendo: "Esse me pertence. Pode atendê-lo, Pai. Pode estender o cetro da graça, porque Eu morri por ele, sofri por ele, Eu o entendo e o conheço, e sei o que ele está passando, Pai. Conceda-lhe a graça que ele está pedindo".[13]

Em terceiro lugar, **recebemos graça e misericórdia da parte do trono** (4.16). Graça é o que Deus nos dá e não merecemos; misericórdia é o que Deus não nos dá e merecemos. Nada merecemos da parte de Deus, e Ele nos dá o Seu favor: isso é graça. Merecemos o juízo de Deus, e Ele não o aplica a nós: isso é misericórdia. Westcott faz uma importante distinção entre graça e misericórdia quando diz que o homem necessita de misericórdia por causa das falhas passadas e de graça para as obras presentes e futuras. Há também, segundo ele, uma diferença quanto ao modo de realização em cada caso. A misericórdia é para ser "tomada", pois é estendida ao homem em sua fraqueza; a graça é para ser "buscada" pelo homem de acordo com sua necessidade.[14]

O Sumo Sacerdote fiel e misericordioso convida o pecador fraco e sujeito à tentação a ir ao trono da graça. O pecador que vai ao trono da graça arrependido e com fé encontra a graça perdoadora de Jesus.[15]

Em quarto lugar, **encontramos socorro sempre que nos achegamos ao trono da graça** (4.16). A ocasião oportuna é aquela em que nos sentimos tentados e buscamos refúgio em Jesus, nosso grande Sumo

---
[13]Lopes, Augustus Nicodemus. *Hebreus*, p. 84,85.
[14]Westcott, B. F. *Commentary on the Epistle to the Hebrews*. Grand Rapids, MI: Eerdmans, 1950, p. 109.
[15]Kistemaker, Simon. *Hebreus*, p. 182.

Sacerdote. Deus providencia o livramento e os meios para uma saída de nossas tentações (1Co 10.13). Olyott escreve: "Não procure esconder de Cristo as fraquezas que possui – Ele está disposto a ajudar. Ele conhece todos os erros que você já cometeu e continua a cometer. Sabe quantas vezes você precisará voltar para Ele".[16]

---
[16]OLYOTT, Stuart. *A Carta aos Hebreus*, p. 41.

9

Jesus, o nosso **incomparável** Sumo Sacerdote

Hebreus 5.1-10

O AUTOR AOS HEBREUS ENTRA AGORA NO PONTO CENTRAL de sua epístola, mostrando-nos, com cores vivas, que o Jesus que é maior que os profetas, maior que os anjos, maior que Moisés, maior que Josué, é também maior que Arão. Ele é o nosso grande Sumo Sacerdote. Somente Hebreus se refere dessa forma a Jesus. Esse tema é o coração dessa carta. O ministério de Jesus como Sumo Sacerdote é o tema mais proeminente da carta aos Hebreus.

De acordo com Wiley, pode-se dizer que o sacerdócio é considerado principalmente nos capítulos 5, 6 e 7; o santuário, nos capítulos 8 e 9; e o sacrifício, no capítulo 10. Assim como Levítico 16 é o grande capítulo da expiação do Antigo Testamento, Hebreus 9 e 10 são os grandes capítulos neotestamentários da expiação: o capítulo 9 mostra Cristo como o Ofertante sumo sacerdotal, e o capítulo 10 mostra-o como a Oferta sacrificial.[1]

O autor destaca os privilégios do sacerdócio levítico, para então se concentrar no sacerdócio de Cristo segundo a ordem de Melquisedeque. Ele também compara e contrasta os dois ministérios, mostrando que Jesus segue os mesmos princípios do sacerdócio levítico, mas dele se

---
[1]WILEY, Orton H. *Comentário exaustivo da Carta aos Hebreus*, p. 237.

distingue por ser perfeito e definitivo. Estou de pleno acordo com o que escreve Donald Guthrie: "Os quatro primeiros versículos do capítulo 5 de Hebreus são históricos e dizem respeito à ordem de Arão. Se a epístola é dirigida a cristãos judeus, as declarações vêm como lembrança para servir de pano de fundo para a introdução de uma ordem superior (5.5-10)".[2]

As excelências do **sacerdócio araônico** (5.1-4)

O autor faz várias declarações solenes acerca do sacerdócio levítico, como nomeação, responsabilidade e obrigações, informando que tudo isso foi divinamente estipulado e, portanto, deve ser cuidadosamente observado. Algumas verdades importantes devem ser aqui destacadas.

Em primeiro lugar, *o sumo sacerdote é tomado entre os homens* (5.1). Ele não é tomado entre os anjos, mas entre os homens. Um sumo sacerdote precisa ser homem, pois lida com os pecados e as fraquezas humanas. Mas, no caso do sacerdócio levítico, deveria ser tomado também da família de Arão. Somente Arão e seus filhos tinham permissão para servir no altar.

Em segundo lugar, *o sumo sacerdote é encarregado de um trabalho espiritual* (5.1). Ele não é um agente social ou político. Ele é chamado para cuidar das coisas concernentes a Deus, ou seja, fazer propiciação pelos pecados do povo (2.17). É constituído para um trabalho em favor dos homens, e não contra eles. Seu ofício é oferecer dons e sacrifícios pelo pecado. Donald Guthrie diz que nesse caso os dons devem referir-se às ofertas de cereais, e os sacrifícios, às ofertas de sangue.[3] O sumo sacerdote era um intermediário entre Deus e o Seu povo. É bem verdade que, nos dias em que Cristo veio ao mundo, o sacerdócio estava corrompido e o sumo sacerdote ocupava também uma posição política, presidindo o Sinédrio, o tribunal dos judeus.

Em terceiro lugar, *o sumo sacerdote precisa ser um homem compassivo* (5.2). O sumo sacerdote era encarregado de apresentar-se a Deus, em

---

[2] GUTHRIE, Donald. *Hebreus: introdução e comentário*, p. 117.
[3] GUTHRIE, Donald. *Hebreus: introdução e comentário*, p. 118.

nome dos pecadores, para oferecer sacrifícios em favor dos que pecaram por ignorância e também em favor dos que pecaram por fraquezas. O reconhecimento de suas próprias fraquezas e da possibilidade de cair em tentação faz com que o sumo sacerdote seja moderado com os homens a quem representa na presença de Deus. Porém, é digno de nota que não havia provisão para os pecados deliberados. Não há perdão, a não ser para aqueles que, arrependidos, buscam o favor divino (Nm 15.22-31; Lv 22.14; Sl 95.7-11).

Em quarto lugar, *o sumo sacerdote precisa oferecer sacrifícios pelos pecados do povo e por seus próprios pecados* (5.3). O sumo sacerdote era um homem tirado dentre os homens, com as mesmas fraquezas dos demais homens, "embrulhado em fraqueza".[4] Portanto, era um homem imperfeito, oferecendo um sacrifício imperfeito, em favor de homens imperfeitos. Por ser fraco como os pecadores que representava, devia sentir compaixão pelos pecadores. A lei era meridianamente clara em afirmar que Arão deveria sacrificar uma oferta pelo pecado e queimar uma oferta pelo próprio pecado e pelo povo (Lv 9.7; 16.6,15,16). Fica aqui acentuada a superioridade de Cristo sobre Arão, uma vez que a diferença mais significativa é que Jesus não tem necessidade, como os sumos sacerdotes, de oferecer todos os dias sacrifícios, primeiro por seus próprios pecados e, depois, pelos do povo; porque Ele fez isso uma vez por todas quando a Si mesmo se ofereceu (7.27).

Em quinto lugar, *o sumo sacerdote precisa ser chamado por Deus* (5.4). Nenhum homem podia se autointitular sumo sacerdote. Trata-se de um chamado divino. É uma honra e um privilégio que não se compram com dinheiro nem se herdam por tradição familiar. Só Deus podia constituir um sumo sacerdote. Donald Guthrie tem razão ao dizer que a ordem araônica não fez disposição para a eleição democrática, mas somente para nomeações teocráticas autoritárias.[5] Aqueles que buscaram tomar para si o ofício sacerdotal, como, por exemplo, os filhos de Coré (Nm 16.1-40), depararam com o furor da ira e do juízo de Deus.[6] Warren Wiersbe,

---

[4]GUTHRIE, Donald. *Hebreus: introdução e comentário*, p. 119.
[5]GUTHRIE, Donald. *Hebreus: introdução e comentário*, p. 118.
[6]OLYOTT, Stuart. *A Carta aos Hebreus*, p. 44.

nessa mesma linha de pensamento, diz que nenhum homem tinha poder para nomear-se sacerdote muito menos sumo sacerdote. O rei Saul tentou desempenhar funções sacerdotais e perdeu o reino (1Sm 13). Coré e seus companheiros rebeldes tentaram ordenar-se sacerdotes e foram julgados por Deus (Nm 16). Quando o rei Uzias tentou entrar no templo para queimar incenso, Deus o feriu com lepra (2Cr 26.16-21).[7] Assim deve ser, ainda hoje, o ministério da Palavra. Sem um chamado divino, o ministério da Palavra torna-se um peso insuportável para o obreiro e para a obra, para o pastor e para a igreja.

As excelências do **sacerdócio de Cristo** (5.5-10)

Assim como o autor aos Hebreus enfatizou o ministério sacerdotal segundo a ordem levítica, destacando a figura de Arão, agora ele volta sua atenção para o sacerdócio de Cristo segundo a ordem de Melquisedeque. O sacerdócio levítico era uma preparação para o sacerdócio de Cristo. O sacerdócio de Cristo, segundo a ordem de Melquisedeque, é a consumação do sacerdócio levítico. Aquele era temporário e transitório; este é permanente e eterno. Aquele era sombra; este é a realidade.

Destacamos a seguir alguns aspectos do sacerdócio de Cristo.

Em primeiro lugar, *Cristo como Sumo Sacerdote foi constituído por Deus Pai* (5.5,6). À semelhança de Arão, Cristo não glorificou a Si mesmo para tornar-se sumo sacerdote. Ele foi constituído pelo Pai. Foi nomeado desde a eternidade. Realizou Seu ministério de acordo com um propósito eterno. Em João 8.54, Jesus deixa claro que não honra a Si mesmo, mas é honrado pelo Pai. Todo sumo sacerdote procedia da tribo de Levi e da família de Arão. Esse ministério era hereditário e sucessivo. Cristo, porém, não foi sacerdote da mesma ordem. Ele era da tribo de Judá. Por isso, não pertencia à classe sacerdotal levítica. Foi constituído sacerdote de uma ordem eterna, a ordem de Melquisedeque.

Wiley diz que as seguintes características a respeito de Melquisedeque ilustram o caráter de Cristo como o verdadeiro sacerdote daquela ordem divina: 1) Melquisedeque era sacerdote por seu próprio

---

[7] WIERSBE, Warren W. *Comentário bíblico expositivo.* Vol. 6, p. 375.

direito, e não em virtude de suas relações com os outros; 2) era sacerdote para sempre, sem substituto nem sucessor; 3) não foi ungido com óleo, mas com o Espírito Santo, como sacerdote do Altíssimo; 4) não ofereceu sacrifícios de animais, mas pão e vinho, símbolos da Ceia que Cristo instituiu; 5) uniu em si as funções sacerdotais e reais, coisa estritamente proibida em Israel, mas a ser manifestada em Cristo, Sacerdote no Seu Reino (Zc 6.13).[8]

O autor aos Hebreus deixa claro que, da mesma forma que Arão foi chamado e indicado por Deus (Êx 28; Nm 16 e 17) para servir como sumo sacerdote, *assim, também Cristo a si mesmo não se glorificou para se tornar sumo sacerdote*. Melquisedeque era rei de Salém. Portanto, surge aqui a ideia de que Cristo é sacerdote-rei (Gn 14.18). Essa mesma ideia aparece novamente em Salmo 110.1: *Assenta-te à minha direita, até que eu ponha os teus inimigos debaixo dos teus pés*. E, reforçando essa verdade, o texto de Salmo 110.4 é enfático: *Tu és sacerdote para sempre segundo a ordem de Melquisedeque*. Zacarias conclui esse pensamento ao escrever: *Ele mesmo edificará o templo do* SENHOR *e será revestido de glória; assentar-se-á no Seu trono, e dominará, e será sacerdote no Seu trono; e reinará perfeita união entre ambos os ofícios* (Zc 6.13). Cumprindo essa profecia, quando Jesus nasceu em Belém, os magos do Oriente o chamaram de *rei dos judeus* (Mt 2.2).

Em segundo lugar, **Cristo como Sumo Sacerdote foi verdadeiramente homem** (5.7). O sumo sacerdote representava o povo diante de Deus, por isso precisava ser homem. Jesus Se fez carne. Ele foi verdadeiramente homem sem deixar de ser verdadeiramente Deus. Ele foi em tudo semelhante a nós, exceto no pecado. Ele não se tornou sacerdote depois de sua ascensão, mas já durante sua vida na terra ofereceu orações e petições.

Em terceiro lugar, **Cristo como Sumo Sacerdote foi um intercessor** (5.7). Jesus como homem perfeito foi um homem de oração. Ele começou o Seu ministério com oração (Lc 3.20,21). Considerou a vida de oração mais importante que ensinar e curar (Lc 5.15,16). Para Ele, orar

---

[8] WILEY, Orton H. *Comentário exaustivo da Carta aos Hebreus*, p. 249,250.

era mais importante que o descanso (Mc 1.35) e mais importante que o sono (Lc 6.12). Jesus iniciou, continuou e concluiu Seu ministério terrestre com oração (Lc 23.34). Ele iniciou o Seu ministério celestial com oração (7.25; Rm 8.34; 1Jo 2.1).

Cristo ofereceu a Deus orações e súplicas, com forte clamor e lágrimas. Ele experimentou não apenas o sofrimento, mas o maior de todos os sofrimentos, o sofrimento vicário. Sendo santo, foi feito pecado por nós. Sendo bendito, foi feito maldição. Sendo o Amado do Pai, foi desamparado na cruz. Ele derramou sua alma na morte. Bebeu o cálice amargo da ira de Deus. Suportou em seu corpo o justo castigo que a lei impõe. Foi ferido e traspassado pelas nossas transgressões. No Getsêmani e na cruz, suportou angústia de morte e sofreu não apenas uma morte física, como se um mártir fosse, mas sofreu a morte eterna, uma morte vicária. Na verdade, ali no Calvário Ele desceu ao inferno ao suportar o castigo que nos traz a paz.

Jesus não apenas deu o grito da angústia, mas de seus olhos saíram torrentes de lágrimas. Ele não apenas chorou no Getsêmani, mas também sangrou. O Filho de Deus tingiu a terra com Suas lágrimas e com Seu sangue! Travou por nós a mais terrível batalha, a batalha de sangrento suor. Foi ali que Ele enfrentou a angústia do inferno rondando seu peito. Foi ali que o inferno lançou sobre ele todo o bafo de satanás. Foi ali que ele bebeu, sozinho, todo o amargo cálice da ira de Deus em nosso favor. Simon Kistemaker retrata esse momento dramático da seguinte forma:

> O que Jesus experimentou no Jardim do Getsêmani e na cruz foi a morte eterna. Seu brado, "Deus meu, Deus meu, por que me desamparaste?", refletiu uma completa separação de Deus. E essa é uma morte inimaginável. Nós não podemos compreender a profundidade da agonia de Jesus quando Ele experimentou a morte eterna. Nós concluímos dizendo que Jesus, em Sua separação de Deus, experimentou o próprio inferno.[9]

Em quarto lugar, **Cristo como Sumo Sacerdote foi ouvido em seu clamor por causa de sua piedade** (5.7). O sumo sacerdote representava o povo

---

[9] KISTEMAKER, Simon. *Hebreus*, p. 197,198.

diante de Deus, colocando-se na brecha em favor dele. Jesus endereçou ao Pai Suas orações tanto no Getsêmani como na cruz (Mt 26.39,42; Mc 14.36; Lc 22.42; 23.34,46). Jesus orou, clamou, chorou e sangrou no Getsêmani. Jesus foi ouvido por causa de Sua piedade. Ele pediu o afastamento do cálice, a morte eterna, resultado do juízo divino sobre o pecado. O Pai, porém, não o livrou da morte, mas do poder da morte pela ressurreição.

Assim proclamou o apóstolo Pedro em seu sermão: *Deus o ressuscitou, rompendo os grilhões da morte; porquanto não era possível fosse ele retido por ela* (At 2.24). Kistemaker diz que Jesus se submeteu totalmente à vontade do Pai para entrar na morte a fim de remover a maldição, cumprir a sentença pronunciada contra Ele e redimir Seu povo. Por causa da expiação de Cristo e da vitória sobre a morte e a sepultura, nunca conheceremos o peso do pecado, a severidade da maldição, a pena do julgamento ou o significado da morte eterna e do inferno. Fomos inocentados e libertos por causa de Jesus, nosso Sumo Sacerdote.[10] Fica, portanto, a pergunta: em que sentido Jesus foi atendido em Sua oração? A resposta inequívoca é: na sua perfeita aceitação da vontade do Pai! Nessa mesma linha de pensamento, Wiley declara que a oração de Jesus não é para ser isento da morte física, mas para dela ser libertado pela ressurreição. A oração foi respondida, pois, ao terceiro dia, Ele ressuscitou e surgiu a clamar: *Eis que estive morto, mas estou vivo pelos séculos dos séculos* (Ap 1.18). Assim, a morte foi o início de Sua glória.[11]

Em quinto lugar, **Cristo como Sumo Sacerdote aprendeu pelas coisas que sofreu** (5.8). Cristo, mesmo sendo Filho, aprendeu pelas coisas que sofreu. É claro que esse aprendizado não está relacionado à Sua divindade, pois, como Deus, Ele conhece tudo, sabe tudo e nEle habitam todos os tesouros da sabedoria. Mas, como homem, Ele cresceu em sabedoria, estatura e graça diante de Deus e dos homens (Lc 2.52). É óbvio também que Cristo não aprendeu no sentido do aprendizado pelo erro. Ele jamais errou. Nunca houve dolo em Sua boca. Ele foi tentado em tudo, mas jamais cedeu à tentação. Mas Seus sofrimentos

---
[10] KISTEMAKER, Simon. *Hebreus*, p. 198.
[11] WILEY, Orton H. *Comentário exaustivo da Carta aos Hebreus*, p. 256.

vicários O fizeram, como homem, conformar-Se com a vontade do Pai. Por isso, Ele foi obediente até a morte, e morte de cruz (Fp 2.8).

O resultado da obediência de Cristo é proclamado pelo apóstolo Paulo: *Porque, como, pela desobediência de um só homem, muitos se tornaram pecadores, assim também, por meio da obediência de um só, muitos se tornarão justos* (Rm 5.19). Segundo Wiley, não é dito aqui que o Filho aprendeu a obedecer, pois sempre foi obediente; tampouco lhe foi imposta uma lição de obediência por meio do sofrimento, pois a respeito dEle está escrito: *Deleito-me em fazer a Tua vontade, ó Deus Meu* (Sl 40.8; Hb 10.7). Portanto, aprender obediência é experimentar toda a extensão e profundidade daquele sofrimento que Ele, como Salvador, exigiu de Si mesmo e ao qual Se submeteu, a fim de assegurar a plena redenção do Seu povo.[12]

Em sexto lugar, ***Cristo como Sumo Sacerdote tornou-se o Autor da salvação*** (5.9). Cristo é a fonte da salvação para todos aqueles que a Ele obedecem. Nas palavras de Kistemaker, "Jesus é o capitão, o chefe, o originador e a causa da nossa salvação".[13] Não há salvação em nenhum outro nome dado entre os homens (At 4.12). Guthrie diz: "Aquilo que não vem através de Jesus não é nenhuma salvação verdadeira".[14] Nenhum sacerdote pode aproximar o homem de Deus, exceto Jesus. Todos os sacerdotes do sistema levítico apontavam para Cristo. Todos os sacrifícios oferecidos pelos sacerdotes apontavam para Cristo. Tudo era sombra da plena realidade que se cumpriu em Cristo. Ele foi o sacerdote perfeito. Ele ofereceu o sacrifício perfeito. Seu sangue nos purifica de todo pecado. Sua morte foi substitutiva. Ele abriu para nós um novo e vivo caminho para Deus. Agora, por meio de sua morte, fomos reconciliados com Deus e temos nEle o Autor da nossa salvação.

Em sétimo lugar, ***Cristo como Sumo Sacerdote foi nomeado por Deus segundo a ordem de Melquisedeque*** (5.10). Melquisedeque é mencionado em apenas duas passagens de todo o Antigo Testamento (Gn 14.18-24; Sl 110.4). Seu nome significa "Rei de Justiça", e ele

---

[12]WILEY, Orton H. *Comentário exaustivo da Carta aos Hebreus*, p. 258,259.
[13]KISTEMAKER, Simon. *Hebreus*, p. 201.
[14]GUTHRIE, Donald. *Hebreus: introdução e comentário*, p. 124.

também era "Rei de Salém [paz]". Portanto, Melquisedeque era rei e sacerdote. Somente em Jesus Cristo e em Melquisedeque, uma figura anterior à lei, é que esses dois cargos são unidos em uma só pessoa. Jesus Cristo é Rei e Sumo Sacerdote. Ele é o Sumo Sacerdote entronizado.[15]

A ordem levítica encerrou sua atividade. Era sombra da realidade que veio em Cristo. Um sacrifício perfeito e cabal foi realizado. O Cordeiro de Deus, que tira o pecado do mundo, foi imolado. Agora, uma nova ordem perpétua foi inaugurada. Cristo é sacerdote para sempre segundo a ordem de Melquisedeque. Ele morreu pelos nossos pecados segundo as Escrituras. Foi sepultado e ressuscitou segundo as Escrituras (1Co 15.3). Sua morte não foi um acidente nem Sua ressurreição foi uma surpresa. Ele está no céu intercedendo por nós, por isso pode salvar-nos totalmente (7.25). Donald Guthrie tem razão ao dizer que o sacerdócio de Jesus é para sempre porque nunca poderá ficar melhor do que já é. Sendo perfeito, nunca chega a ponto de ceder lugar a um melhor. Por ser da ordem de Melquisedeque, não tem sucessão como tinha a ordem de Arão.[16]

---
[15]WIERSBE, Warren W. *Comentário bíblico expositivo*. Vol. 6, p. 376.
[16]GUTHRIE, Donald. *Hebreus: introdução e comentário*, p. 121.

10

Crescimento espiritual, a evidência da maturidade

Hebreus 5.11–6.1-3

DEPOIS DE ENFATIZAR QUE JESUS É O NOSSO SUMO SACERDOTE pela ordem de Melquisedeque, o autor aos Hebreus passa a exortar os crentes, mostrando-lhes que esse não é um tema de fácil compreensão para aqueles que deixaram de crescer espiritualmente. Esse não era um dos temas mais familiares no judaísmo da época.[1] Concordo com Kistemaker quando ele diz que o assunto é difícil de explicar, não por causa da inabilidade do escritor, mas por causa da incapacidade de compreensão dos leitores.[2] No texto em tela, o autor subitamente interrompe sua reflexão para fazer uma exortação, uma vez que aquilo que o aflige é a preocupação ardente com o estado espiritual da igreja.[3]

Na vida cristã, há duas coisas fundamentais: nascimento e crescimento. Há algumas coisas na vida cristã que acontecem uma única vez e jamais precisam ser repetidas, como a regeneração, a adoção de filhos e a justificação. Porém, há outras que demandam crescimento e progresso, como a santificação, a plenitude do Espírito Santo e a maturidade.

---

[1] GUTHRIE, Donald. *Hebreus: introdução e comentário*, p. 126.
[2] KISTEMAKER, Simon. *Hebreus*, p. 211.
[3] LAUBACH, Fritz. *Carta aos Hebreus*, p. 91.

Além de alguns crentes, destinatários dessa epístola, estarem de malas prontas, por medo da perseguição, para embarcarem de volta para o judaísmo, alguns deles também estavam estagnados na vida espiritual. Augustus Nicodemus chama a atenção para o fato de que os judeus que se convertiam ao cristianismo no primeiro século estavam sujeitos a sofrer severa perseguição por parte dos seus compatriotas, podendo perder o emprego, ser excluídos da sinagoga, ser denunciados pelos próprios judeus às autoridades romanas, ser presos, perder seus bens, ser torturados e até mesmo mortos. A única alternativa a todo esse sofrimento, pensavam alguns, era abandonar a fé em Cristo, negá-Lo, deixar o cristianismo e voltar para o judaísmo.[4]

Além dessa possibilidade de voltar para o judaísmo, esses crentes já tinham tempo suficiente de carreira cristã para serem mestres, mas mostravam um crescimento retardado e não passavam de meninos imaturos na fé. Bebiam leite nos rudimentos da vida cristã, quando já deveriam se alimentar de comida sólida, demonstrando maturidade espiritual. O autor faz um duplo contraste para descrever essa realidade: menino *versus* adulto; leite *versus* alimento sólido.

A passagem que ora consideramos nos enseja algumas lições oportunas, que passamos a destacar a seguir.

A lentidão para **ouvir** (5.11)

Jesus nos é apresentado no Antigo Testamento como Profeta e Rei, e isso de forma robusta. Porém, a mesma ênfase não é dada ao seu ofício sacerdotal de uma nova ordem, a ordem de Melquisedeque. Esse era um tema que exigia maior esforço dos crentes para ser assimilado. O autor aos Hebreus diz que sobre esse assunto havia muita coisa a ser dita. Livros e mais livros já foram escritos, e jamais o assunto é esgotado. Na verdade, passaremos toda a eternidade conhecendo a Cristo, Sua pessoa, Sua obra, Sua glória, e jamais esgotaremos esse conhecimento. Ele é inesgotável em seu ser.

---

[4] LOPES, Augustus Nicodemus. *Hebreus*, p. 96.

Como já dissemos, aqueles crentes hebreus estavam sendo tentados não apenas a retroceder ao judaísmo, abandonando as fileiras de Cristo, mas também demonstravam uma lentidão em ouvir sobre Jesus como o Supremo Sacerdote. Para quem está indisposto a ouvir, as doutrinas referentes a Cristo tornam-se difíceis de explicar. Augustus Nicodemus diz que aqueles crentes tinham perdido o ânimo, a disposição e a vontade de aprender mais. Não formavam uma congregação ávida para aprender, crescer, mudar, desenvolver, progredir no conhecimento de Deus.[5] A palavra grega *nothros*, traduzida por *tardios*, significa "tardio de mente, torpe em entender, duro de ouvido, néscio e insensatamente esquecidiço". Aplica-se ao membro entorpecido de um animal enfermo e a uma pessoa que tem natureza de pedra, insensível e letárgica.[6] Severino da Silva tem razão, portanto, ao dizer que a incapacidade desses ouvintes não era natural, mas criada pela indiferença e pela preguiça. A incapacidade deles se devia ao fato de terem rejeitado as oportunidades. Era uma incapacidade cheia de culpa. Repousava sobre a negligência espiritual.[7]

O crescimento retardado (5.12)

O propósito de Deus é que todos os crentes sejam maduros na fé e alcancem a perfeita varonilidade, à medida da estatura da plenitude de Cristo (Ef 4.13). Os crentes hebreus já deviam ser mestres, mas ainda estavam na classe dos aprendizes. Deviam ser maduros na fé, e ainda estavam verdes. Deviam ser professores, mas não passavam de iniciantes. Nas palavras de Donald Guthrie, eles tinham o potencial de ensinar os outros, mas não tinham o entendimento básico necessário.[8] Isso fica claro pelo uso do verbo grego *opheilontes*, traduzido por *devíeis*, que subentende uma obrigação, e não apenas uma característica desejada.[9]

---

[5]LOPES, Augustus Nicodemus. *Hebreus*, p. 98.
[6]BARCLAY, William. *Hebreos*, p. 56.
[7]SILVA, Severino Pedro. *Epístola aos Hebreus*, p. 89.
[8]GUTHRIE, Donald. *Hebreus: introdução e comentário*, p. 126.
[9]GUTHRIE, Donald. *Hebreus: introdução e comentário*, p. 126.

Kistemaker acrescenta que os escritores dos catecismos na época da reforma incorporaram três documentos cristãos em seus ensinos: o Credo dos Apóstolos, os Dez Mandamentos e a Oração do Pai-Nosso, que foram considerados por eles o abecê da fé cristã. Se um crente soubesse como explicar as doutrinas básicas desses três elementos da crença cristã, ele poderia testificar de Cristo e ensinar a outros.[10] Os crentes hebreus, por sua vez, precisavam ainda ser ensinados por alguém sobre aquilo que já deviam estar ensinando a outrem. Eles perderam até aquilo que já sabiam, ou seja, seu entendimento dos princípios elementares. Precisaram lançar novamente os antigos fundamentos. Voltaram à estaca zero. Os princípios elementares da fé cristã precisavam ser ensinados novamente para eles, que revelavam um crescimento retardado.

A infância é uma linda fase da vida. Mas nenhum pai se sente feliz em ver seus filhos avançando em idade e permanecendo como crianças. Espera-se dos filhos crescimento e maturidade. O mesmo deve ocorrer na vida espiritual. A dieta de leite é para bebês. Um adulto precisa de alimento sólido. A censura do autor aos Hebreus é semelhante às severas observações de Paulo aos crentes de Corinto, descritas em 1Coríntios 3.1,2. Paulo chamou os crentes de Corinto de crianças e também de carnais. O autor dessa epístola, de igual modo, usa a palavra *crianças* para envergonhar seus leitores. Não tem medo de admoestá-los e orientá-los a um nível mais alto de desenvolvimento espiritual. Eles devem entender que o crescimento requer alimento sólido.[11]

Concordo com Donald Guthrie quando ele diz que o contraste entre *leite* e *alimento sólido* não visa torná-los mutuamente exclusivos, mas, sim, sugerir um desenvolvimento normal de um para o outro. A fase do leite é tão essencial quanto a fase do alimento sólido.[12]

É óbvio que um crente imaturo não é apenas um problema para si, mas também para os outros. Nas palavras de Augustus Nicodemus, eles "se tornam um fardo para a igreja".[13]

---

[10]KISTEMAKER, Simon. *Hebreus*, p. 211.
[11]KISTEMAKER, Simon. *Hebreus*, p. 211.
[12]GUTHRIE, Donald. *Hebreus: introdução e comentário*, p. 127.
[13]LOPES, Augustus Nicodemus. *Hebreus*, p. 100.

A inexperiência na Palavra da justiça (5.13)

Onde os ouvidos estão indispostos a dar guarida à Palavra de Deus e o crescimento se torna retardado, a inexperiência na Palavra da justiça é consequência inevitável. Crentes imaturos tropeçam na doutrina e na ética. Crentes instáveis como crianças vivem sempre discutindo os rudimentos da fé e jamais avançam rumo à maturidade. Claudicam no conhecimento e fracassam no testemunho. Sua superficialidade na Palavra desemboca na vulnerabilidade de suas atitudes.

A criança deve anteceder o homem. Ninguém quer permanecer criança perpetuamente. O apóstolo Paulo deixa isso claro em outra passagem: *Quando cheguei a ser homem, desisti das coisas próprias de menino* (1Co 13.11). Os homens feitos não são sustentados com uma dieta de leite.

As vantagens da maturidade (5.14)

O alimento sólido dos adultos não está em oposição ao leite das crianças. O alimento deve ser adequado para cada faixa etária. Dar uma dieta de alimento sólido para uma criança não é adequado, assim como não o é dar leite para um adulto. Espera-se que uma criança deixe o leite para alimentar-se de comida sólida à medida que avança rumo à fase adulta. Assim também se espera que um novo convertido amadureça na fé e deixe de ser um bebê espiritual. O contraste entre o cristão maduro e a criança, o alimento sólido e o leite, ocorre com frequência no Novo Testamento (1Co 2.6; 3.2; 14.20; Ef 4.13-16; 1Pe 2.2).

Duas coisas são mencionadas aqui.

Em primeiro lugar, *a maturidade é resultado não apenas do conhecimento, mas sobretudo da prática* (5.14). Um crente maduro não é necessariamente aquele que sabe mais, mas aquele que sabe aplicar o conhecimento que tem das Escrituras para viver de modo digno de Deus. O conhecimento sem a prática não produz maturidade espiritual. A expressão grega *dia ten hexin*, traduzida por *pela prática*, significa "pelo hábito". Essa palavra só ocorre aqui em todo o Novo Testamento. A maturidade espiritual não advém dos eventos isolados nem de uma grande explosão espiritual. Advém de uma aplicação regular da disciplina espiritual.[14]

Em segundo lugar, *a maturidade é demonstrada pelo discernimento espiritual* (5.14). Warren Wiersbe tem razão ao dizer que uma característica das crianças pequenas é sua falta de discernimento. Um bebê coloca qualquer coisa na boca. Um cristão imaturo ouve qualquer pregador e não é capaz de determinar se ele é fiel às Escrituras ou não.[15] Um crente imaturo não tem filtro espiritual. Não sabe identificar as falsas doutrinas. Não é cuidadoso em sua dieta. Ingere qualquer coisa. Não sabe identificar a morte na panela.

Só um crente maduro, que transforma conhecimento em prática de vida, tem suas faculdades exercitadas para discernir o bem e o mal. Walter Henrichsen está certo ao dizer que, cronologicamente, as pessoas descritas tinham idade suficiente para serem mestres, mas espiritualmente ainda se alimentavam de sopinha e leite morno. Na expressão *pela prática*, o autor da epístola põe o dedo na ferida. Os destinatários da carta eram assim porque haviam deixado de aplicar a Palavra de Deus à sua vida. O processo de estudar e aplicar a Palavra é precisamente aquilo de que se necessita para assegurar desenvolvimento e maturidade saudáveis.[16]

Augustus Nicodemus diz que o bem e o mal sobre os quais o autor fala não são, necessariamente, morais e éticos, mas bem e mal em termos teológicos e doutrinários.[17] Como já enfatizamos, crentes imaturos não possuem filtro espiritual. Não sabem distinguir sã doutrina de heresia. Não discernem a diferença entre o sagrado e o profano (Jr 15.19). Estou de acordo com o que afirma Fritz Laubach quando ele diz que "o bem e o mal", os quais nos compete discernir, sempre se referem simultaneamente à doutrina e à vida. Estão em jogo não somente conceitos éticos, mas também a capacidade e a séria responsabilidade de diferenciar entre doutrina benéfica e doutrina nociva.[18]

---

[14]GUTHRIE, Donald. *Hebreus: introdução e comentário*, p. 128.
[15]WIERSBE, Warren W. *Comentário bíblico expositivo*. Vol. 5, p. 381.
[16]HENRICHSEN, Walter A. *Depois do sacrifício*, p. 66.
[17]LOPES, Augustus Nicodemus. *Hebreus*, p. 100.
[18]LAUBACH, Fritz. *Carta aos Hebreus*, p. 94.

Uma jornada rumo à **perfeição** (6.1-3)

Kistemaker está correto ao dizer que, em vez de ensinar as verdades elementares da Palavra de Deus mais uma vez (5.12), o autor incentiva seus leitores a ir além dessas verdades.[19] William Barclay explica que a palavra grega *stoiqueia*, traduzida por *rudimentos*, tem uma variedade de significados. Na gramática, significa as letras do alfabeto, o abecê; na física, os quatro elementos básicos dos quais o mundo é composto; na geometria, os elementos de prova como o ponto e a linha reta; na filosofia, os primeiros princípios nos quais os estudantes são iniciados.[20] É claro que o autor aos Hebreus lamenta que, depois de tanto tempo de cristianismo, seus fiéis não tenham sequer passado a linha divisória das verdades elementares da fé cristã. Espera-se de um crente maduro na fé a atitude de colocar de lado os princípios elementares da doutrina de Cristo, para ser levado rumo ao que é perfeito. Enquanto alguns crentes consideravam a possibilidade de dar marcha a ré e voltar para o judaísmo, o autor os exorta a progredirem na vida cristã.

Muitos crentes estavam voltando às sombras depois de terem chegado à realidade. Estavam voltando à velha aliança depois da inauguração da nova aliança. Os rituais judaicos, os sacrifícios, as festas e tudo mais haviam passado, pois se cumpriam em Cristo. Ele é a consumação e o cumprimento de todas aquelas coisas. O judaísmo se consumaria no cristianismo. O cristianismo é a plenitude, a realidade, a consumação.

Uma pergunta essencial deve ser feita: aonde pretendemos chegar? Qual é o alvo do cristão? Para onde ele caminha? O nosso alvo é a perfeição (6.1). A palavra grega *teleiotes*, traduzida por *perfeição*, tem um significado técnico especial. Pitágoras dividia seus estudantes em *manthanontes*, "aprendizes", e *teleioi*, "maduros". Fílon separava seus estudantes em três classes diferentes: *arcomenoi*, "os principiantes", *prokoptontes*, "os que estão progredindo", e *teleiomenoi*, "os que começam a atingir a maturidade".[21]

---

[19]KISTEMAKER, Simon. *Hebreus*, p. 216.
[20]BARCLAY, William. *Hebreos*, p. 57.
[21]BARCLAY, William. *Hebreos*, p. 59.

O autor aos Hebreus diz que não podemos alcançar essa perfeição ou maturidade espiritual sendo tardios para ouvir ou demonstrando um crescimento retardado. Há muita coisa a ser feita, e para isso são necessários empenho, esforço e dedicação.

Para alcançar a perfeição, precisamos nos render ao propósito divino. O autor usa a expressão *deixemo-nos levar* (6.1), que está na voz passiva, significando que, embora haja a necessidade de nossa consciência e nossa participação nesse processo rumo à perfeição, é o próprio Deus que opera em nós e nos capacita.

Outra questão vital é: o que é necessário para alcançarmos a perfeição? O que precisa ser feito? Em resposta a essa pergunta, a primeira coisa a ser feita é colocar de lado os princípios elementares da doutrina de Cristo (6.1). Augustus Nicodemos diz que os destinatários dessa carta eram crentes judeus e consideravam o Antigo Testamento como o oráculo de Deus, a base de sua verdadeira religião. Tal base já fora lançada, esses oráculos apontavam para Cristo e já se haviam cumprido em Cristo, razão pela qual o crente deveria colocar isso de lado e prosseguir, não retrocedendo mais às cerimônias e aos ritos judaicos. Os crentes deveriam buscar somente Cristo, em vez de se deterem nesses princípios elementares.[22] Concordo com Walter Henrichsen quando ele diz que todo edifício precisa de alicerce, mas somente de um. Lance-o uma vez e lance-o bem. Havendo lançado o fundamento, não tente relançá-lo periodicamente. Vá em frente com a construção da estrutura. O fundamento de sua vida cristã suportará, pois está edificado sobre a promessa de Deus, e não sobre sua experiência pessoal.[23]

O autor aos Hebreus levanta três parelhas de dois e evidencia seis doutrinas em que eles ainda estavam patinando e precisavam avançar. F. F. Bruce salienta que os itens listados entre os ensinos elementares são tão judaicos como cristãos.[24] Stuart Olyott é da opinião que o primeiro par trata da salvação; o segundo, das ordenanças; e o terceiro, do

---

[22]LOPES, Augustus Nicodemus. *Hebreus*, p. 107.
[23]HENRICHSEN, Walter A. *Depois do sacrifício*, p. 67.
[24]BRUCE, F. F. "The Epistle to the Hebrews." In: *New International Commentary on the New Testament series*. Grand Rapids, MI: Eerdmans, 1964, p. 112,113.

estado final. Ou seja, o primeiro par se refere ao início da vida cristã; o segundo aborda a vida cristã diária; e o terceiro aponta para onde vai a vida cristã.[25] Vejamos esses três pares a seguir.

Em primeiro lugar, **arrependimento de obras mortas e fé em Deus** (6.1). O arrependimento é a grande mensagem das Escrituras do Antigo e do Novo Testamentos (At 2.38; 3.19). Envolve mudança de mente, tristeza pelo pecado segundo Deus e mudança de conduta. Atinge a razão, a emoção e a volição. O Antigo Testamento exigia o arrependimento, mas agora os crentes hebreus precisam compreender que esse arrependimento incluía a recusa de crer em Jesus como o Messias.

De igual modo, os judeus que estavam voltando para o judaísmo afirmavam crer em Deus, mas se recusavam a crer em Cristo como o Messias. Portanto, a fé que demonstravam era incompleta, imperfeita e insuficiente. Eles tinham de prosseguir para crer em Jesus também (Jo 14.1). Kistemaker diz que, para o escritor de Hebreus, a fé constitui uma confiança completa como a demonstrada por Josué, que pela fé entrou na terra que Deus havia prometido (4.8). Todos que põem sua fé no evangelho entram no descanso de Deus (4.2,3).[26]

Em segundo lugar, **ensino de batismos e da imposição de mãos** (6.2). A palavra *batismos* aqui retrata as muitas cerimônias de purificação, como a lavagem de objetos e pessoas. Todos esses rituais eram figuras da purificação definitiva que Jesus fez. Agora todas aquelas abluções cessaram e deixaram de existir. A realidade chegou em Jesus!

A questão da imposição de mãos está presente tanto no Antigo como no Novo Testamentos. Pedro e João impuseram as mãos sobre os samaritanos, e estes receberam o Espírito Santo (At 8.17). Ananias impôs as mãos sobre Saulo, e este recebeu tanto a visão como o Espírito Santo (At 9.17). Paulo impôs as mãos sobre alguns discípulos de João Batista em Éfeso, e estes receberam o Espírito Santo (At 19.6). A imposição de mãos foi usada para ordenação dos diáconos (At 6.6), para envio dos missionários (At 13.3) e para pastoreio da igreja (1Tm 4.14; 2Tm 1.6).

---

[25] OLYOTT, Stuart. *A Carta aos Hebreus*, p. 50,51.
[26] KISTEMAKER, Simon. *Hebreus*, p. 219.

A imposição de mãos também está relacionada à cura de enfermos (Mt 9.18; At 28.8). O Antigo Testamento ensina que, quando o animal era levado para ser sacrificado, o sacerdote impunha as mãos sobre ele e, ao declarar os pecados do ofertante, esses pecados eram transferidos para o animal. O animal era sacrificado, e os pecados eram perdoados. Essa imposição de mãos nos animais para o sacrifício era um símbolo de Jesus, o Cordeiro de Deus, que tira o pecado do mundo (Jo 1.29). Quando Jesus estava na cruz, o Pai lançou sobre ele a iniquidade de todos nós (Is 53.6). Jesus carregou no seu corpo, sobre o madeiro, os nossos pecados (1Pe 2.24). Ele, que não conheceu pecado, foi feito pecado por nós (2Co 5.21).

Em terceiro lugar, **ressurreição dos mortos e juízo final** (6.2). Os judeus acreditavam na ressurreição dos mortos (Sl 16.10; Is 26.19; Ez 37.10; Dn 12.2), mas agora precisavam entender que isso só era possível porque Cristo ressuscitou como primícia dos que dormem (1Co 15.23). Portanto, quando ele voltar, todos os mortos ouvirão a sua voz e sairão dos túmulos, uns para a ressurreição da vida e outros para a ressurreição do juízo (Jo 5.28,29). Nas palavras de Augustus Nicodemus, os crentes hebreus precisavam deixar os rudimentos para compreender que Cristo é a raiz, o centro, a origem, o objetivo e o fim de todas as coisas.[27]

Os judeus também acreditavam no juízo final. Sabiam que Deus julgaria os vivos e os mortos, mas agora precisavam entender que o Juiz que julgará a todos, nesse julgamento, será o Senhor Jesus Cristo (At 17.30,31). Tudo apontava para Jesus. Ele é a consumação de todas essas promessas. Kistemaker destaca que a promessa de que Cristo retornará para julgar vivos e mortos é um ensinamento básico, formulado nos três credos gerais da igreja: o Credo Apostólico, o Niceno e o Atanasiano.[28]

O autor faz a exortação e em seguida dá o encorajamento ao escrever: "Isso faremos, se Deus permitir". Calvino interpreta essa passagem

---

[27]LOPES, Augustus Nicodemus. *Hebreus*, p. 108.
[28]KISTEMAKER, Simon. *Hebreus*, p. 221.

da seguinte maneira: "É como se ele estivesse dizendo: Aqui não pode haver procrastinação, porque nem sempre haverá oportunidade de progresso. Não se acha no poder do homem arrancar-se do ponto de partida ao sabor de sua vontade. O avanço de nossa trajetória é dom especial de Deus".[29]

---

[29]CALVINO, João. *Hebreus*, p. 144.

11

O perigo da apostasia

Hebreus 6.4-8

DEPOIS DE EXORTAR OS CRENTES SOBRE O PERIGO da negligência espiritual e da falta de maturidade, ou seja, da necessidade de eles serem ensinados novamente sobre os rudimentos da fé, quando já deveriam ser mestres (5.12), o autor os adverte de um perigo ainda maior, o perigo da apostasia (6.4-8). O assunto é tratado em Hebreus 3.12-19 e volta a ser abordado em 10.26-31 e 12.25-29. Philip Hughes está certo ao dizer que o perigo da apostasia não é uma ameaça imaginária, mas real, pois, se assim não fora, essas admoestações seriam desnecessárias e até ridículas.[1]

A passagem em apreço é, certamente, um dos textos mais complexos de Hebreus e, por que não dizer, de todo o Novo Testamento. Muitos e acirrados debates têm sido travados no sentido de encontrar o verdadeiro significado dessa passagem. Estamos certos de que daqui para a frente novos confrontos virão. Não temos a pretensão de dar a última palavra sobre o assunto.

É claro que não existe consenso no meio cristão sobre o real significado da passagem em tela, e isso acontece desde os pais da igreja.

---

[1] HUGHES, Philip Edgcumbe. *A Commentary on the Epistle to the Hebrews*. Grand Rapids, MI: William B. Eerdmans Publishing Company, 1977, p. 206.

A grande questão é se um crente salvo pode cair da graça e perder-se eternamente. Estaria essa passagem na contramão de outros textos meridianamente claros, que ensinam a perseverança dos santos? Pode uma pessoa regenerada, selada pelo Espírito, justificada pela fé, habitada pelo Espírito, segura nas mãos de Cristo, escondida com Cristo em Deus nas regiões celestes, batizada pelo Espírito no corpo de Cristo, perder-se eternamente? Pode alguém que foi adotado na família de Deus ser lançado fora? Pode alguém ser filho de Deus pela manhã e filho do diabo à noite? Pode alguém estar a caminho do céu num dia e rumando para o inferno no outro? Pode alguém arrebatar das mãos de Cristo uma ovelha de Cristo, que recebeu dele a vida eterna? Pode alguém ou algo afastar uma pessoa salva do amor de Deus que está em Cristo Jesus? Pode alguém que recebeu vida eterna sofrer penalidade eterna? Será que essa passagem deita por terra todo o edifício da segurança dos salvos?

Não resta dúvida de que há uma clara distinção entre um membro da igreja visível e aquele que é membro da igreja invisível. Uma pessoa pode entrar para a igreja visível, ser batizada, ter comunhão com os crentes, pregar a Palavra, exercer ministério, ocupar posição de liderança na igreja e depois sair da igreja e morrer no pecado. Quando isso acontece, não questionamos a veracidade da doutrina da segurança dos salvos, mas a real experiência dessa pessoa. Judas Iscariotes era apóstolo de Cristo, mas não era convertido. Demas era cooperador de Paulo, mas amou o presente século e abandonou o veterano apóstolo. Simão, o mágico, foi batizado e tornou-se membro da igreja, mas estava em fel de amargura. O apóstolo João é enfático ao referir-se a esses apóstatas: *Eles saíram de nosso meio; entretanto, não eram dos nossos; porque, se tivessem sido dos nossos, teriam permanecido conosco; todavia, eles se foram para que ficasse manifesto que nenhum deles é dos nossos* (1Jo 2.19).

Como, então, interpretar o texto de Hebreus 6.4-8? É sabido que uma das leis da hermenêutica cristã é que a Bíblia interpreta a Bíblia e que uma passagem obscura deve ser interpretada à luz de textos claros, e não o contrário. Logo, vamos examinar essa passagem tendo em mente esses pressupostos hermenêuticos.

A quem o autor se refere nessa passagem? (6.4,5)

O escritor faz um alerta sobre o perigo real da apostasia, uma vez que muitos crentes professos estavam de malas prontas para voltar para o judaísmo. Por medo da perseguição, para poupar a própria vida, estavam negando a Cristo e voltando à fé judaica. Mas negar a Cristo não é poupar a vida; é cair nas teias da apostasia, e essa é uma queda sem volta, uma condenação inexorável. Raymond Brown diz que, ao descrever esses apóstatas, o texto menciona três características: eles desprezaram os dons de Deus (6.4,5), rejeitaram o Filho de Deus (6.6) e desistiram das bênçãos de Deus (6.7,8).[2]

Philip Hughes está correto ao dizer que a plena confiança do autor aos Hebreus expressa em Hebreus 6.9 e 10.39 fortalece a convicção de que a verdadeira obra do Espírito Santo havia sido eficaz no meio daquela igreja. Isso, contudo, não excluía a possibilidade de alguns membros serem rebeldes de coração, a ponto de atingirem uma irremediável apostasia.[3]

É preciso deixar claro também que existe uma profunda diferença entre queda e apostasia. Um salvo é passível de cair, mas um salvo nunca apostata. Apostasia é uma queda sem retorno. É um abandono deliberado. É voltar as costas para Deus e negar a Cristo consciente e deliberadamente. É renegar aquilo que um dia se professou. É calcar debaixo dos pés aquilo que um dia se defendeu. É deixar de crer naquilo que um dia foi o conteúdo de sua confissão. Um crente cai e levanta. Um salvo tropeça e é restaurado. Um apóstata, porém, vira as costas para Deus e jamais demonstra sinais de arrependimento. Apostasia é rebelião consumada contra Cristo. É endurecimento de coração. É cair sem a possibilidade de ser renovado para o arrependimento. Essa é a diferença, por exemplo, entre Pedro e Judas Iscariotes. Pedro caiu. Negou Jesus três vezes. Acovardou-se na luta. Escondeu-se. Porém, arrependido, voltou, foi perdoado e restaurado. Judas Iscariotes, entretanto, traiu Jesus e não demonstrou sincero arrependimento, por isso foi e enforcou-se.

---

[2] BROWN, Raymond. *The Message of Hebrews*, p. 110.
[3] HUGHES, Philip Edgcumbe. *A Commentary on the Epistle to the Hebrews*. 1977, p. 212.

Fica evidente, portanto, que o texto em tela não está falando sobre os salvos, pois o autor aos Hebreus, quando se refere a seus remetentes, no versículo 9, diz que a eles pertence a salvação (6.9). A mesma verdade é reafirmada mais adiante na epístola: *Nós, porém, não somos dos que retrocedem para a perdição; somos, entretanto, da fé, para a conservação da alma* (10.39).

Qual o **significado das experiências** descritas no texto? (6.4,5)

Nos versículos 4 e 5, o autor cita cinco experiências vivenciadas pelas pessoas que caíram. Elas:

- Foram iluminadas;
- provaram o dom celestial;
- tornaram-se participantes do Espírito Santo;
- provaram a boa Palavra de Deus;
- provaram os poderes do mundo vindouro.

Todas essas experiências foram vividas pelos israelitas rebeldes que pereceram no deserto (1Co 10.1-11). Agora, muitos crentes, membros da igreja que recebeu essa carta, estavam, por medo da perseguição, abandonando a Cristo e voltando para o judaísmo (3.12-19). Oh, quantas pessoas fazem parte da igreja visível sem terem seu nome arrolado no livro da vida! Essas não perseverarão. Podemos ver esse triste fato em toda a Bíblia. Há aqueles que abraçam a fé como Simão, o mágico, e são batizados, mas não são verdadeiramente convertidos (At 8.13), ou entram para a igreja e se tornam cooperadores, como Demas (2Tm 4.10), mas amam o presente século e abandonam a causa do evangelho. Ou mesmo exercem liderança na igreja como Judas Iscariotes, mas são filhos da perdição (Jo 17.12). Todos esses experimentaram essas realidades, porém não eram verdadeiramente convertidos.

Por que é impossível renovar essas pessoas que **caíram para o arrependimento**? (6.6)

Depois de afirmar que, não obstante essas experiências, essas pessoas caíram, o autor diz que é impossível renová-las para arrependimento (6.6). Para justificar sua afirmação, ele usa dois argumentos:

- De novo estão crucificando para si mesmos o Filho de Deus.
- Estão expondo o Filho de Deus à ignomínia.

Nos versículos 7 e 8, o autor ilustra seu argumento com uma analogia da terra que, ao receber chuva, produz erva útil, contra aquela que, mesmo recebendo chuva, produz espinhos e abrolhos. Dessa forma, ele contrasta o verdadeiro crente com o apóstata.

Muitos estudiosos debruçados sobre essa passagem buscaram interpretá-la. Eis algumas opiniões.

- Erasmo, no século XVI, substituiu a palavra "impossível" por "difícil" e a partir daí muitos passaram a acreditar que não deveríamos tomar a palavra "impossível" literalmente.
- Ambrósio, Tomás de Aquino, Wordsworth e Bengel, entre outros, tentaram explicar que a impossibilidade está nos homens, e não em Deus.[4]
- Lightfoot, cita o que diz Wuest e F. F. Bruce sobre o assunto: Wuest é da opinião que o escritor aos Hebreus está tratando apenas de um caso hipotético, e não de uma ameaça real.
- F. F. Bruce é categórico em dizer que o autor está, nessa passagem, fazendo uma advertência real contra um perigo real.[5]
- Calvino interpreta essa passagem, dizendo que o autor não se refere aqui a um pecado qualquer, como furto, perjúrio, homicídio, embriaguez e adultério. Sua referência é a uma apostasia irreversível do evangelho.[6]

---

[4]Hughes, Philip Edgcumbe. *A Commentary on the Epistle to the Hebrews.* 1977, p. 212.
[5]Lightfoot, Neil R. *Hebreus*, p 147.
[6]calvino, João. *Hebreus*, p. 145.

- Stuart Olyott ensina que essa passagem é uma espécie de aplicação da principal parábola de Jesus, a parábola do semeador (Mt 13.1-23; Mc 4.1-20; Lc 8.1-15), na qual três quartos da semente semeada não produziram frutos, embora a semente que caiu no meio das pedras e no meio do espinheiro tenha brotado e vicejado, mas não frutificou. A semente que caiu no terreno pedregoso e a que caiu no meio dos espinhos germinaram, estenderam raízes e cresceram rapidamente. Pela aparência, era impossível dizer que elas não frutificariam. Assim também não é possível discernir, nessa fase inicial da vida cristã, a diferença entre o verdadeiro crente e o futuro apóstata.[7]

Se a semente que caiu em boa terra produziu a 30, a 60 e a 100 por um, a semente que caiu no meio dos espinhos foi sufocada. No final, está estéril e sem frutos. Assim é o crente nominal que vivenciou todas as coisas vividas pelo verdadeiro crente. Por um tempo, ele deu indícios de ser um verdadeiro crente. Tinha viço, beleza, esplendor. Mas, depois, a fascinação das riquezas, os prazeres da vida ou o medo das perseguições suplantaram a boa semente, e esse crente virou as costas para Deus, afastando-se deliberadamente de Cristo e renegando-o. Não é assim, porém, com aquele que nasceu de novo. Ele é perseguido, sofre até reveses na vida, mas prossegue, persevera, sai da fase do leite e começa a alimentar-se de comida sólida. Deixa a meninice espiritual e torna-se adulto. Amadurece. Frutifica. É como uma terra na qual cai a chuva – a chuva da Palavra e do Espírito –, e essa terra produz fruto digno de Deus.

Fica aqui um alerta solene de Olyott:

> Embora uma doutrina correta seja vital, a prova de que alguém é verdadeiramente cristão não está no fato de crer em todas as coisas certas. Até mesmo o diabo poderia subscrever as grandes confissões de fé da reforma! A prova de que alguém é crente autêntico não está em ter vivido tais experiências, mas está em seu caráter verdadeiramente transformado. Isso se vê em seu crescimento no entendimento das coisas espirituais, em sua crescente semelhança a Cristo, em sua

---

[7] OLYOTT, Stuart. *A Carta aos Hebreus*, p. 55.

perseverança na fé até o fim. O fato é que o verdadeiro crente é salvo eternamente e todos os outros – não importa o que aparentem ser na vida – estão perdidos.[8]

À luz das considerações retromencionadas, na dependência do Espírito e buscando a coerência nas Escrituras, entendemos que a passagem em tela não nega a doutrina da perseverança dos santos, mas trata do pecado da apostasia, ou seja, daquele abandono ostensivo, deliberado e consciente; daqueles que, embora tenham estado na igreja, recebido seus sacramentos, ouvido e até pregado a Palavra de Deus, nunca nasceram de novo e por isso, em dado momento, revelaram toda a dureza do seu coração e viraram as costas para Deus, calcando aos pés a graça e negando o Senhor Jesus Cristo. Essas pessoas não podem ser restauradas porque jamais demonstram sincero arrependimento. Elas não têm o coração quebrantado. Não há nelas sinais de arrependimento sincero. Ao contrário, elas permanecem endurecidas para sempre e, por isso, são como a terra que, a despeito de receber a chuva, só produziu espinhos e abrolhos.

Essa realidade pode ser vista ao longo das Escrituras:

- O autor aos Hebreus fez referência à apostasia daqueles que saíram do Egito (3.7-19), mencionando Salmo 95.7,8.
- O que dizer do rei Saul que, mesmo sendo ungido rei de Israel, apostatou e foi procurar uma médium (1Sm 28)?
- Jesus falou, na parábola do semeador, que muitos parecem ser verdadeiros crentes, mas não são; aparentam ter uma genuína profissão de fé, mas não perseveram (Mt 13.1-23).
- Em Mateus 7.21-23, Jesus mencionou aqueles que profetizaram, expeliram demônios e fizeram milagres, mas não eram conhecidos por Ele.
- Em Marcos 3.29, Jesus fala sobre o pecado que não tem perdão, a blasfêmia contra o Espírito Santo; esse mesmo fato é registrado em Mateus 12.32. E também em 1João 5.16, o apóstolo cita o pecado para a morte.

---

[8] OLYOTT, Stuart. *A Carta aos Hebreus*, p. 57.

- Em João 15.1-8, Jesus falou sobre os galhos removidos e queimados.
- Em João 17.12, Jesus declarou que seus discípulos foram guardados por ele e nenhum deles pereceu, exceto Judas, o filho da perdição.
- Em Atos 8.9-13, há o registro acerca de Simão, o mágico, que, na cidade de Samaria, abraçou a fé, foi batizado, entrou para o rol de membros da igreja, mas não era convertido.
- Em 1Timóteo 4.1, o apóstolo Paulo afirma: *Nos últimos tempos alguns apostatarão da fé, por obedecerem a doutrina de demônios.*
- Em 2Timóteo 4.10, Paulo falou sobre Demas, que, tendo amado o presente século, o abandonou.
- Em 2Pedro 2.20,22, o apóstolo Pedro cita aqueles que não foram transformados e retrocederam.
- Em 1João 2.19, o apóstolo João menciona aqueles que saíram do meio da igreja, porque a ela não pertenciam verdadeiramente.

Qual é o verdadeiro significado da expressão "caíram"? (6.6)

O autor aos Hebreus é categórico em exortar a igreja sobre o risco dessa queda para a qual não há recuperação. Sobre que tipo de queda ele está falando? Não pode ser sobre uma queda resultante da fraqueza humana, pois os crentes constantemente precisam se voltar a Deus para confessar seus pecados e buscar refúgio no grande Sumo Sacerdote (4.14-16; Pv 28.13; 1Jo 1.5-10).

Essa queda não é aquela à qual os salvos estão sujeitos. Trata-se de uma queda para a qual não existe arrependimento, ou seja, não há reconhecimento do erro, não há tristeza segundo Deus, nem volta para Deus (2Co 7.10). Ao contrário, é um abandono definitivo e final da fé cristã. É uma rebelião consumada. É uma apostasia completa. Esse pecado é também chamado nas Escrituras de blasfêmia contra o Espírito Santo (Mc 3.28-30) e pecado para morte (1Jo 5.16). Quem comete esse pecado é réu de pecado eterno (Mc 3.29). Não terá perdão neste mundo nem no porvir (Mt 12.32).

Falando sobre a blasfêmia contra o Espírito Santo, Olyott afirma que os inimigos de Cristo atribuíram as obras de Cristo ao diabo. Chamaram de diabólico aquilo que estava claro ser divino. Denominaram trevas o que claramente era luz. Chamaram de erro aquilo que estava claro ser certo. Para eles, a santidade era má. Isso é blasfêmia contra o Espírito Santo, e é óbvio que alguém nessas condições jamais se aproximará de Cristo para a salvação, pois nem a deseja.[9] Por isso, as Escrituras declaram que, para esse pecado, não há perdão nem neste mundo nem no vindouro. Quem o pratica é réu de pecado eterno!

Resta claro que os apóstatas cometem o mesmo pecado. Tratam a verdade como se fosse falsa, e suas experiências como se jamais tivessem acontecido. Os salvos, porém, mesmo quando caem, voltam para o Senhor e por Ele são restaurados (4.16). Não é assim, obviamente, a queda dos apóstatas. Portanto, apostasia não é queda temporal, mas definitiva. Não é imaturidade espiritual (5.12-14), mas rebelião consumada. Concordo, portanto, com Olyott, quando ele diz: "O único sinal seguro de que você é verdadeiramente cristão é a continuidade, permanecer sempre na fé. Não há caminho seguro, a não ser andar adiante, em frente, para sempre (12.14)".[10]

Por que é impossível renovar novamente aqueles que caíram para o arrependimento? (6.6)

O autor aos Hebreus elenca dois motivos solenes em resposta a essa questão.

Em primeiro lugar, *porque essas pessoas novamente estão crucificando para si mesmas o Filho de Deus* (6.6). Aqueles que estavam deixando as fileiras do cristianismo e voltando para o judaísmo agiam como aqueles que bradaram diante de Pilatos: Crucifica-o!

Em segundo lugar, *porque essas pessoas estão expondo novamente o Filho de Deus à ignomínia* (6.6). Virar as costas para o sacrifício de Cristo e voltar para o judaísmo é expor novamente o Filho de Deus à ignomínia da cruz. É dizer que o Seu sacrifício não teve valor. É desprezar toda a Sua obra vicária.

---

[9]OLYOTT, Stuart. *A Carta aos Hebreus*, p. 57.
[10]OLYOTT, Stuart. *A Carta aos Hebreus*, p. 58.

Uma perfeita **ilustração** acerca dos resultados da apostasia (6.7,8)

O autor lança mão de uma imagem já conhecida nas Escrituras, a figura da terra que produz erva útil e da terra que produz espinhos e abrolhos. Nas palavras de Donald Guthrie, "os fenômenos naturais podem servir de analogias espirituais".[11] Sobre ambas as terras caiu a mesma chuva, que ambas absorveram, mas uma terra produziu frutos e a outra, espinhos. Assim é o coração do homem. Um ouve a palavra e produz bons frutos; o outro ouve a mesma palavra e produz espinhos. Um abraça o evangelho e persevera; outro o acolhe por um tempo e depois vira as costas e apostata!

---

[11] GUTHRIE, Donald. *Hebreus: introdução e comentário*, p. 137.

12

Uma segurança inabalável

Hebreus 6.9-20

DEPOIS DE FAZER UMA SEVERA ADVERTÊNCIA sobre o perigo da apostasia, o autor aos Hebreus, como um pastor zeloso, encoraja os destinatários de sua carta, os membros da igreja, chamando-os de *amados*. Essa é a única vez, nessa epístola, que seus leitores são assim chamados. Ele tempera advertência com encorajamento, revelando que não estava descrevendo-os, ao falar sobre a apostasia, mas apenas alertando-os sobre esse terrível perigo.

Calvino destaca: "Visto que as expressões precedentes ecoaram como trovões, e quem sabe atordoaram os leitores, tal aspereza carecia de ser amenizada".[1] Estou de acordo com o que escreve Donald Guthrie ao afirmar: "Deve ser levado em conta que nenhuma indicação é dada nesta passagem de que qualquer dos leitores tinha cometido o tipo de apostasia mencionada".[2] Nessa mesma trilha de pensamento, Kistemaker escreve: "Os destinatários da epístola não devem pensar que eles são os apóstatas descritos na passagem precedente. Ao contrário, o autor encoraja-os ao assegurar que eles receberão melhores coisas que pertencem à salvação deles".[3]

No texto em tela algumas verdades devem ser destacadas.

---

[1] CALVINO, João. *Hebreus*, p. 151.
[2] GUTHRIE, Donald. *Hebreus: introdução e comentário*, p. 136.
[3] KISTEMAKER, Simon. *Hebreus*, p. 235.

Uma convicção inabalável (6.9)

Aqui o autor aos Hebreus contrasta o destino miserável do apóstata com a herança gloriosa do crente.[4] A posição cristã verdadeira sempre estará do lado melhor em comparação com o pior. O escritor, como um amável pastor, está persuadido de que os crentes, para quem escreve, não são daqueles que caem sem recuperação e apostatam para a perdição (6.6), mas são amados, a quem pertence a salvação (6.9). Longe de ensinar a possibilidade da perda da salvação, o autor reafirma sua inabalável convicção de que os crentes, a quem ele se dirige, são pessoas salvas. Donald Guthrie esclarece: "Embora o escritor esteja expondo um caso extremo, tem confiança nos seus leitores".[5]

Uma evidência eloquente (6.10)

O trabalho e o amor que os crentes evidenciaram por Deus, traduzidos no serviço aos santos, são uma evidência de sua salvação, e não a causa de sua salvação. Uma vida transformada demostra amor, fruto do Espírito. Guthrie diz que aqueles que demonstram amor servindo aos santos estão exibindo os resultados das coisas que são melhores.[6] Fritz Laubach acrescenta acertadamente que "amor" e "trabalho" não podem se separar um do outro. O amor não se restringe a sentimentos, porém impele para a ação que ajuda o semelhante. O amor a Jesus busca a comprovação no serviço aos santos (Gl 5.6).[7]

Deus não os recompensa no sentido de pagar-lhes o que lhes é devido, mas, como fruto de sua generosidade, ainda os galardoa por aquilo que realizam pela força de Sua graça. Calvino é oportuno quando escreve: "Não são propriamente nossas obras em si que Deus considera, e sim Sua graça em nossas obras. Deus reconhece nelas a si próprio e a obra de Seu Espírito".[8]

---

[4]KISTEMAKER, Simon. *Hebreus*, p. 236.
[5]GUTHRIE, Donald. *Hebreus: introdução e comentário*, p. 137.
[6]GUTHRIE, Donald. *Hebreus: introdução e comentário*, p. 139.
[7]LAUBACH, Fritz. *Carta aos Hebreus*, p. 104.
[8]CALVINO, João. *Hebreus*, p. 152.

Portanto, estou de pleno acordo com Calvino quando ele diz que o texto não se refere expressamente à causa de nossa salvação e, portanto, não se deve extrair dessa passagem nenhuma conclusão referente aos méritos das obras, nem é possível determinar desse fato que as obras são uma dívida. Em toda a Escritura está evidente que não existe outra fonte de salvação além da graciosa misericórdia divina.[9]

A Bíblia nos ensina que Deus aceita como dádiva de nossa parte tudo o que fazemos em favor do nosso próximo (Mt 25.40; Pv 19.17). Ao mesmo tempo que Deus se esquece dos nossos pecados, ele se lembra dos atos de bondade que praticamos em prol do seu povo. Essas obras podem ser esquecidas por aqueles que a recebem, mas jamais serão esquecidas por Deus (Mt 25.40).

Uma diligência necessária (6.11)

Depois de expressar sua persuasão de que aos seus destinatários pertence a salvação, o autor os admoesta a mostrarem, diligentemente, progresso para a plena certeza da esperança. Precisamos desenvolver a nossa salvação com temor e tremor (Fp 2.12). O que recebemos por graça precisa ser desenvolvido com entusiasmo. O verbo grego *epithymoumen*, traduzido por *desejamos*, expressa mais do que um desejo piedoso. O forte desejo do escritor é que os leitores possam ter plena certeza da esperança. É possível que o conflito sobre a atração do judaísmo estivesse despojando-os da alegria dessa certeza. É possível os cristãos terem grande amor para com seus irmãos e ainda terem falta de certeza para si mesmos. Quem dera a diligência do amor transbordasse para a certeza![10]

A marca do verdadeiro convertido é a perseverança. Não basta entusiasmo inicial no serviço; é preciso continuidade. Não basta boa disposição para começar o labor cristão; é preciso avançar e perseverar até o fim. As lutas, as provas, as tentações e as perseguições podem nos levar ao cansaço de fazer o bem (Gl 6.9). Não podemos esmorecer. Augustus Nicodemus esclarece esse ponto:

---

[9]CALVINO, João. *Hebreus*, p. 152.
[10]GUTHRIE, Donald. *Hebreus: introdução e comentário*, p. 141.

A base para a certeza da salvação não pode ser o ter tido uma experiência, ter sido criado na igreja, batizado, ter professado a fé, cantar no coral, ser pastor ou pregador. A base é a obra constante e contínua da santificação do Espírito Santo em nosso coração, que é medida pela perseverança, pela continuidade no evangelho: *Aquele que perseverar até o fim, será salvo* (Mt 24.13).[11]

Calvino diz corretamente que não há nada tão difícil como manter nossos pensamentos fixos nas coisas celestiais, quando todo o vigor de nossa natureza nos arrasta para baixo, e quando satanás, usando de todo gênero de astúcia, nos mantém assombrados com as coisas terrenas. Por essas razões, o autor nos instrui a viver em constante alerta contra a indolência ou contra as deficiências.[12]

Uma imitação importante (6.12)

O escritor adverte os crentes sobre o perigo da indolência. Essa mesma palavra grega *nothroi* já foi usada para adverti-los da lerdeza em ouvir (5.11). A estagnação produz indolência. A falta de perseverança no serviço atrofia os músculos da alma, produz flacidez espiritual e desemboca em apatia espiritual. Longe de se acomodarem, os crentes deveriam olhar para os heróis da fé que, mesmo sob imensas pressões e gigantescas provas, tiveram paciência para confiar nas promessas feitas por Deus e saudá-las ainda que de longe (11.13).

Em vez de cogitarem a possibilidade de retroceder, os crentes deveriam olhar para a vida daqueles que, piedosamente, na história bíblica, andaram com Deus e, então, imitar o seu exemplo.

No versículo 10, o autor havia falado sobre o amor e, no versículo 11, sobre a esperança. Agora ele apresenta a fé à igreja. Fé, amor e esperança são os pilares básicos sobre os quais repousa a vida da igreja de Jesus e dos quais os crentes nunca podem se apartar (1Co 13.13). Fé sem amor é fé racional, fria e morta; amor sem fé brota do idealismo humano; esperança que não está enraizada na comunhão de fé com

---

[11]LOPES, Augustus Nicodemus. *Hebreus*, p. 127.
[12]CALVINO, João. *Hebreus*, p. 156.

Cristo e que não desagua na ação de amor que socorre o próximo é especulação egoísta e fanatismo.[13]

Uma promessa segura (6.13-17)

Como um perito escritor, o autor aos Hebreus, para aprofundar o tema da segurança da salvação, deixa de usar rebuscados argumentos teóricos para usar ilustrações práticas. Dessa forma, ele evoca a figura de Abraão para exemplificar o conceito de esperança (Rm 4.18). Calvino está correto ao dizer que o exemplo de Abraão é considerado não porque seja o único, mas porque é mais proeminente que os demais.[14]

Abrão tinha 75 anos quando Deus o chamou de Ur dos caldeus e prometeu que, nele, todas as famílias da terra seriam abençoadas (Gn 12.1-3). Mais tarde, Abrão diz a Deus que ainda não tinha descendência e que seu servo Eliezer é que seria seu herdeiro (Gn 15.1-3). Deus o fez, então, sair de sua tenda e contar as estrelas dos céus, dizendo: *Será assim a tua posteridade* (Gn 15.5). Ele creu no Senhor, e isso lhe foi imputado para justiça (Gn 15.6). Quando Abrão estava com 86 anos, Sara lhe sugeriu coabitar com sua serva Hagar e assim suscitar uma descendência. Abrão anuiu ao conselho de Sara, e nasceu Ismael (Gn 16.1-4,16). Quando Abrão completou 99 anos, Deus apareceu a ele e mudou seu nome para Abraão, explicando: *Abrão já não será o teu nome e sim Abraão; porque por pai de numerosas nações te constituí* (Gn 17.5). Tinha Abraão a idade de 100 anos quando lhe nasceu Isaque, o filho da promessa (Gn 21.5). Isaque casou-se aos 40 anos e esperou vinte anos até que Rebeca, sua mulher, fosse curada da esterilidade (Gn 25.26). Quando os netos de Abraão, Esaú e Jacó, nasceram, Abraão tinha 160 anos. Esse homem sabia o que era esperar, ainda que contra a esperança (Rm 4.18)!

Calvino tem razão ao dizer que, quando Deus prometeu a Abraão uma descendência inumerável, tal promessa parecia incrível. Sara fora estéril ao longo de sua vida; ambos haviam atingido a idade senil

---

[13]LAUBACH, Fritz. *Carta aos Hebreus*, p. 105.
[14]CALVINO, João. *Hebreus*, p. 157.

– estavam mais próximos do túmulo que do leito conjugal; não possuíam mais vigor para gerar filhos, e o ventre de Sara, que mesmo no período de sua vida em que deveria ser fértil, agora era sem vida. Quem poderia crer que de ambos nascesse uma raça, cujo número seria como as estrelas do céu e como as areias do mar? Tal coisa ia de encontro a toda e qualquer razão. Não obstante, Abraão atentou para tudo isso, sem medo de ficar desapontado, porquanto creu na palavra que Deus lhe falara.[15]

Isaque cresceu e tornou-se a própria materialização da promessa de Deus, quando o Senhor põe à prova a Abraão e lhe ordena: *Toma teu filho, teu único filho, a quem amas, e vai-te à terra de Moriá; oferece-o ali em holocausto, sobre um dos montes, que eu te mostrarei* (Gn 22.2). Abraão não questionou, não duvidou nem adiou, mas prontamente obedeceu. Deus, entretanto, providenciou um cordeiro substituto para Isaque e, então, disse a Abraão: *Jurei, por mim mesmo, diz o SENHOR, porquanto fizeste isso e não me negaste o teu único filho, que deveras te abençoarei e certamente multiplicarei a tua descendência como as estrelas dos céus e como a areia na praia do mar; a tua descendência possuirá a cidade dos seus inimigos, nele serão benditas todas as nações da terra, porquanto obedeceste à minha voz* (Gn 22.16-18).

Walter Henrichsen diz que, nos tempos bíblicos, antes da época dos advogados, dos registros de títulos e de outras instituições modernas, as pessoas resolviam suas pendências chegando a um entendimento mútuo, confirmando-o, a seguir, com um juramento. Tal juramento era definitivo em sua autoridade e o fim de toda contenda (6.16).[16] O autor aos Hebreus parte do argumento menor para o maior em sua exposição e diz que o homem, quando jura, precisa fazê-lo em nome de alguém maior do que ele. Porém, quando Deus faz juramento, não havendo ninguém acima dEle por quem jurar, então Ele jura por si mesmo. O homem precisa interpor sua palavra com juramento porque é passível de erro e engano, mas Deus não é homem para mentir. Sua Palavra é plenamente confiável. Mesmo assim, Deus prometeu a Abraão abençoar sua descendência e reforçou Sua Palavra, que já é digna de inteira aceitação, com

---

[15]CALVINO, João. *Hebreus*, p. 157,158.
[16]HENRICHSEN, Walter A. *Depois do sacrifício*, p. 71.

juramento. Deus mostra com tanta firmeza os seus imutáveis propósitos aos herdeiros da salvação que o faz com juramento (6.17).

Fritz Laubach diz que o juramento é a asseveração mais intensa e a última de uma declaração. Anula qualquer dúvida possível ou qualquer contradição. Deus confirma, por meio de um juramento, a inviolabilidade de sua vontade de conceder graça. Ele se apresenta como fiador de sua própria palavra.[17] Concordo com Calvino quando ele diz que a certeza da salvação é algo profundamente necessário; e, a fim de assegurá-la, Deus, que proíbe o juramento temerário, houve por bem confirmar sua promessa com juramento. Desse fato, podemos concluir quão grande importância ele atribui à nossa salvação.[18] A esperança da fé não é nenhuma fantasia, mas se apoia na promessa de Deus e em seu juramento, duas coisas imutáveis.[19]

O que caracterizou a esperança de Abraão? Foi o fato de que sua crença permaneceu sempre e sempre. Ele suportou com paciência, pois é assim que uma pessoa recebe o que foi prometido por Deus. Abraão perseverou porque a promessa era fiel (6.15).[20] O apóstolo Paulo diz que Abraão esperou contra a esperança (Rm 4.18). Os herdeiros da promessa, os filhos de Abraão, ou seja, não apenas aqueles que têm o sangue de Abraão em suas veias, mas sobretudo aqueles que têm a fé de Abraão no coração (Gl 3.7), podem igualmente confiar na imutabilidade do propósito de Deus, que avaliza sua própria palavra com juramento (6.17). Kistemaker diz que Deus faz a promessa de salvação e ao mesmo tempo se torna o intermediário que assegura que a promessa será cumprida.[21]

Duas coisas imutáveis (6.18a)

O autor aos Hebreus cita duas coisas imutáveis para dar-nos plena garantia da nossa salvação. Primeiro, o que Deus diz, a sua promessa; segundo, o que Deus jura, o seu juramento. A segurança da nossa

---
[17]LAUBACH, Fritz. *Carta aos Hebreus*, p. 106.
[18]CALVINO, João. *Hebreus*, p. 161.
[19]LAUBACH, Fritz. *Carta aos Hebreus*, p. 106.
[20]OLYOTT, Stuart. *A Carta aos Hebreus*, p. 63.
[21]KISTEMAKER, Simon. *Hebreus*, p. 248.

salvação não está fundamentada em quem somos ou no que fazemos, mas está alicerçada na promessa e no juramento de Deus. Ele prometeu e ainda chancelou sua promessa com juramento. As Escrituras, que não podem falhar (Jo 10.35), dizem: *Deus não é homem, para que minta; nem filho do homem, para que se arrependa. Porventura, tendo ele prometido, não o fará? Ou tendo falado, não o cumprirá?* (Nm 23.19).

Três ilustrações eloquentes (6.18 b-20)

Para reforçar a nossa convicção, são apresentadas três ilustrações: o refúgio da esperança, a âncora da alma e o precursor divino. Vejamos o que essas ilustrações nos ensinam.

Em primeiro lugar, ***o refúgio da esperança*** (6.18b). *... forte alento tenhamos nós que já corremos para o refúgio, a fim de lançar mão da esperança proposta.* Essa é uma alusão às cidades de refúgio em Israel, para as quais o responsável pela morte de alguém poderia fugir do vingador de sangue (Nm 35.11,12). Cristo é o nosso refúgio; quando corremos para Ele e nEle nos refugiamos, ficamos livres do vingador de sangue. Nele estamos a salvos. Nele temos plena e completa segurança.

Em segundo lugar, ***a âncora da alma*** (6.19). *A qual temos por âncora da alma, segura e firme e que penetra além do véu.* Esta é uma referência náutica, tirada da experiência da navegação. A palavra *âncora*, embora seja uma metáfora muito usada nos escritos gregos e romanos,[22] não ocorre nenhuma vez no Antigo Testamento; no Novo Testamento, só aparece aqui e na descrição do naufrágio de Paulo (At 27.29,40). Como a âncora pesada de ferro afunda nos grandes mares e fixa-se entre as rochas inabaláveis, mantendo o barco seguro e firme, assim a esperança é a âncora do cristão.[23]

A nossa segurança não está no fato de inexistirem problemas à nossa volta. A nossa vida não se desenrola numa estufa espiritual. A vida cristã não é uma sala *vip*. Não vivemos em uma colônia de férias nem em um parque de diversões. A vida cristã é como uma viagem por mares

---
[22] LIGHTFOOT, Neil R. *Hebreus*, p. 156.
[23] WILEY, Orton H. *Comentário exaustivo da Carta aos Hebreus*, p. 307.

revoltos, sob fortes rajadas de vento. Ondas encapeladas se atiram contra nós com fúria indomável. O que mantém o nosso batel seguro nessa terrível tempestade é a âncora que está bem firmada nos rochedos invisíveis nas camadas abissais do mar. O que mantém o navio fora do perigo de naufrágio é a âncora. Ela parece invisível, mas segura o navio. Embora não possa ser vista, constitui-se na segurança da embarcação.

Calvino, com palavras fortes, descreve essa realidade da seguinte forma:

> Enquanto peregrinamos neste mundo, não temos terra firme onde pisar, senão que somos arremessados de um lado para o outro como se estivéssemos em meio a um oceano atingido por devastadora tormenta. O diabo jamais cessa de acionar incontáveis tempestades, as quais imediatamente fariam soçobrar e submergir nossa embarcação, se não lançássemos nossa âncora, com firmeza, nas profundezas. Olhamos, e nossos olhos não divisam nenhum porto, senão que, em qualquer direção que voltamos nossa vista, a única coisa que divisamos é água; na verdade, só vemos ondas em gigantescos vagalhões a nos ameaçarem. Mas assim como se lança uma âncora no vazio das águas, a um lugar escuro e oculto, e, enquanto permanece ali, invisível, sustenta a embarcação que se encontra exposta ao sabor das ondas, agora segura em sua posição para que não afunde, assim também nossa esperança está firmada no Deus invisível. Mas há uma diferença: uma âncora é lançada ao mar porque existe solo firme no fundo, enquanto nossa esperança sobe e flutua nas alturas, porquanto ela não encontra nada em que se firmar neste mundo. Ela não pode repousar nas coisas criadas, senão que encontra seu único repouso no Deus vivo. Assim como o cabo, ao qual a âncora se acha presa, mantém o navio seguro ao solo de um profundo e escuro abismo, também a verdade de Deus é uma corrente que nos mantém jungidos a Ele, de modo que nenhuma distância de lugar e nenhuma escuridão podem impedir-nos de aderir a Ele. Quando nos sentimos unidos assim a Deus, mesmo que tenhamos de enfrentar as constantes tempestades, estaremos a salvo do risco de naufrágio. Eis a razão por que o autor nos diz que a âncora é uma esperança segura e firme. É possível que uma âncora se quebre, ou que um cabo se rompa, ou que um navio se faça em pedaços pelo impacto das ondas. Isso sempre sucede no mar. Mas o poder de Deus, que nos protege, é algo

completamente distinto, bem como também é a força da esperança e a plena estabilidade de Sua Palavra.[24]

Nossa âncora não está nas profundezas do mar, mas nas alturas do céu. Nossa esperança é como uma âncora que penetra além do véu e nos dá segurança na longa viagem rumo ao porto divinal. Severino Silva, nessa mesma linha de pensamento, diz que a diferença entre a âncora do navio e a âncora do cristão é que a âncora do navio aponta para baixo e, quanto mais os ventos sopram e as ondas movimentam o navio, tanto mais ela vai se enterrando no fundo e lhe oferecendo segurança. A âncora do cristão aponta para cima e, quanto mais as tempestades da vida lhe sobrevêm, tanto mais sua âncora (esperança) vai se fixando no trono de Deus, que lhe oferece uma proteção inabalável.[25] Uma âncora invisível está segura ao fundo do mar; nossa esperança invisível está nos altos céus.[26]

Em terceiro lugar, **o precursor divino** (6.19b,20). *... e que penetra além do véu, onde Jesus, como precursor, entrou por nós, tendo se tornado sumo sacerdote para sempre, segundo a ordem de Melquisedeque.* A palavra grega *prodromos*, traduzida por *precursor*, significa "batedor", "guarda avançada de um exército". Ela só aparece aqui no Novo Testamento e significa aquele que vai à frente, abrindo o caminho para que outros sigam seus passos.[27] Um precursor pressupõe outros para seguir.[28]

É óbvio que o autor abandona a metáfora da âncora para usar uma mais conhecida de seus leitores, a metáfora do precursor que entra além do véu. Eles conheciam bem a figura do tabernáculo e do templo. Sabiam que um véu separava o Lugar Santo do Lugar Santíssimo. Somente o sumo sacerdote podia atravessar esse véu uma vez por ano. Ele deixava as pessoas comuns do lado de fora daquele que era o próprio símbolo da presença de Deus.

---

[24] CALVINO, João. *Hebreus*, p. 164,165.
[25] SILVA, Severino Pedro. *Epístola aos Hebreus*, p. 111,112.
[26] KISTEMAKER, Simon. *Hebreus*, p. 251.
[27] LIGHTFOOT, Neil R. *Hebreus*, p. 157.
[28] GUTHRIE, Donald. *Hebreus: introdução e comentário*, p. 145.

Quando Jesus morreu, o véu do templo foi rasgado de alto a baixo (Mt 27.51). Agora podemos entrar livremente à santa presença de Deus. Ele, Jesus, como nosso Sumo Sacerdote, da ordem de Melquisedeque, como nosso precursor, entrou por nós, abrindo-nos um novo e vivo caminho para Deus (10.19,20). Ele mesmo é o caminho (Jo 14.6). Ele foi à frente, e nós o seguimos. Ele é o precursor, e nós seguimos suas pegadas. Jesus é o capitão da nossa salvação. Ele, sendo um sumo sacerdote perfeito, ofereceu um sacrifício perfeito e instituiu um culto perfeito, e, agora, todos nós podemos entrar além do véu, para desfrutar da própria presença de Deus. Um dia o nosso precursor virá buscar-nos para estarmos para sempre com ele (1Ts 4.17,18). Nesse dia, poderemos contemplar a glória de Deus e vê-Lo como Ele é (1Jo 3.2).

Wiley é oportuno quando escreve: "É significativo que o autor da epístola aos Hebreus, ao falar da entrada triunfal de nosso precursor nos céus, use a palavra *Jesus*, o nome humano de Cristo, e não o divino, *Senhor*. Aquele que foi o Deus--homem na terra é agora, em sentido real, o Homem-Deus nos céus, e assim é que temos um dentre nós mesmos sobre o trono intercessório".[29]

Com essas palavras de encorajamento e conforto, o autor estava exortando os crentes a não retrocederem, a não desviar os olhos de Cristo para embarcarem de volta para o judaísmo. Concluo com as palavras de Nicodemus, quando ele diz que a aplicação para os leitores era: "Não voltem atrás. Não abandonem Jesus por causa das perseguições, porque, no tempo de Deus, Ele cumprirá as promessas como fez com Abraão".[30]

---

[29]WILEY, Orton H. *Comentário exaustivo da Carta aos Hebreus*, p. 310.
[30]LOPES, Augustus Nicodemus. *Hebreus*, p. 135.

13

Jesus, nosso Sumo Sacerdote

Hebreus 7.1-28

O AUTOR AOS HEBREUS, depois de exortar seus leitores sobre a ameaça da apostasia e encorajá-los com a imutabilidade dos propósitos divinos, retoma o assunto do sacerdócio de Cristo, tópico introduzido em 2.17; 3.1; 4.14; 5.6,10. Agora, ele vai tomar-nos pela mão e percorrer conosco os corredores iluminados da verdade, mostrando-nos a grandeza singular de Jesus como nosso Sumo Sacerdote.

Kistemaker chega a dizer que a essência da seção doutrinária da epístola está na discussão do sumo sacerdócio de Cristo registrado no capítulo 7. Todo o material que antecede esse capítulo é introdutório.[1] Como já temos enfatizado, os leitores originais da carta aos Hebreus eram judeus. Eles tinham se tornado cristãos, mas no momento estavam pensando em renunciar ao cristianismo e voltar para o judaísmo do qual saíram. Para demovê-los desse pensamento, o autor argumenta que o sacerdócio de Cristo, segundo a ordem de Melquisedeque, é superior ao sacerdócio de Arão.

Warren Wiersbe diz que o sacerdócio de Jesus Cristo é superior ao de Arão porque a ordem de Melquisedeque é superior à ordem de

---
[1] KISTEMAKER, Simon. *Hebreus*, p. 260.

Levi.² Não há dúvidas de que a ênfase do capítulo 7 de Hebreus é que o sacerdócio de Cristo é superior em sua ordem. Em Hebreus 8, a ênfase é sobre a aliança superior de Cristo. Hebreus 9 enfatiza a superioridade de seu santuário. E Hebreus 10 conclui a seção argumentando em favor do sacrifício superior de Cristo. O capítulo em apreço apresenta-nos solenes verdades, as quais passamos a destacar a seguir.

A singularidade de **Melquisedeque** (7.1-3)

Melquisedeque é uma personagem importantíssima, porém enigmática. Philip Hughes diz corretamente que ele não é uma figura alegórica, mas tipológica.³ Como já declaramos, o nome de Melquisedeque só aparece nas Escrituras do Antigo Testamento duas vezes, ou seja, em Gênesis 14.17-24 e Salmo 110.4. Porém, ele foi o mais perfeito tipo do sacerdócio de Cristo. Wiley diz que esse salmo profético é o único elo entre o evento histórico em Gênesis e sua aplicação em Hebreus.⁴ Seguindo as pegadas de Raymond Brown, destacamos aqui cinco características desse rei-sacerdote.⁵

Em primeiro lugar, *a elevada posição de Melquisedeque* (7.1). Ele é chamado de sacerdote do Altíssimo. Não herdou esse *status* de sua família nem foi nomeado por homem algum. Recebeu seu sacerdócio das próprias mãos do Altíssimo e em seu nome o exerceu.

Em segundo lugar, *a destacada autoridade de Melquisedeque* (7.1). Ele abençoou Abraão e era maior do que Abraão, o pai da nação de Israel e o pai de todos os crentes. Logo, o sacerdócio de Melquisedeque, que precedeu o sacerdócio levítico, era superior ao sacerdócio levítico, uma vez que Levi era bisneto de Abraão e Abraão era maior que Levi.

Em terceiro lugar, *a dupla função de Melquisedeque* (7.1,2). Melquisedeque é sacerdote e rei. De acordo com seu nome, é rei de justiça e, de acordo com o nome de sua cidade, é rei de paz. Somente

---
²WIERSBE, Warren W. *Comentário bíblico expositivo*. Vol. 6, p. 387.
³HUGHES, Philip Edgcumbe. *A Commentary on the Epistle the Hebrews*, p. 247.
⁴WILEY, Orton H. *Comentário exaustivo da Carta aos Hebreus*, p. 316.
⁵BROWN, Raymond. *The Message of Hebrews*, p. 128.

nele e em Cristo, justiça e paz ficam juntas.[6] Melquisedeque é sacerdote do Altíssimo e também rei de justiça e rei de paz. Nenhum sacerdote da ordem levítica ocupou a função de rei, e nenhum rei de Israel exerceu o ministério sacerdotal. Warren Wiersbe está correto ao dizer que, no sistema do Antigo Testamento, o trono e o altar eram separados.[7] Melquisedeque é um tipo de Cristo, que é rei e sacerdote. Sacerdote para sempre e rei de justiça e de paz. Justiça e paz caminham de mãos dadas na história da redenção (Is 32.17; Sl 72.7; 85.10; Tg 3.17,18). A própria carta aos Hebreus traz essa mesma ênfase (12.10,11). Hughes diz que em Cristo nós vemos aparência do esperado rei eterno prometido da linhagem de Davi, sob quem a justiça floresce e a paz é abundante (Sl 72.7; 97.2; 98.3,9). Jesus é o príncipe da paz (Is 9.6).[8]

Em quarto lugar, *a singularidade de Melquisedeque* (7.3a). Melquisedeque aparece sem falar de onde veio e vai embora sem deixar rastro. Ele não tem predecessor nem sucessor.[9] De acordo com David Stern, o texto em tela não quer dizer que Melquisedeque não tinha pai, mãe, antepassados, nascimento ou morte, mas que a lei não contém o registro deles.[10]

A Bíblia não informa a genealogia de Melquisedeque. É óbvio que ele foi uma pessoa real, que viveu no tempo dos patriarcas, uma vez que abençoou Abraão e recebeu dele dízimos. Kistemaker está certo quando diz que tanto a narrativa de Gênesis quanto a da epístola aos Hebreus descrevem Melquisedeque como uma figura histórica que era um contemporâneo de Abraão.[11]

Estou de pleno acordo com Warren Wiersbe ao afirmar que Melquisedeque era um homem de verdade, um rei de verdade e um sacerdote de verdade em uma cidade de verdade. No que se refere aos registros, ele nunca nasceu nem morreu. Nada sabemos sobre sua

---

[6]WESLEY, John. "Hebreus." In: *The Classic Bible Commentary*. Grand Rapids, MI: Eerdmans Publishing Company, 1999, p.1450.
[7]WIERSBE, Warren W. *Comentário bíblico expositivo*. Vol. 6, p. 387.
[8]HUGHES, Philip Edgcumbe *A Commentary on the Epistle to the Hebrews*, p. 247.
[9]PETERSON, David G. *Hebrews*, p. 1337.
[10]STERN, David H. *Comentário judaico do Novo Testamento*, p. 739.
[11]KISTEMAKER, Simon. *Hebreus*, p. 260.

genealogia: seus pais, seu nascimento e sua morte. Nesse sentido, ele é um retrato do Senhor Jesus Cristo, o Filho eterno de Deus. É claro que nem Arão nem qualquer um de seus descendentes poderiam afirmar ser "sem genealogia" (7.3).[12] Concordo com Stuart Olyott quando ele escreve: "A realidade é Cristo; Melquisedeque é simplesmente figura do Filho de Deus que não herdou seu sacerdócio (porque o tem por direito) nem possui sucessor (porque é sacerdote para sempre)".[13] Nessa mesma linha de pensamento, Philip Hughes diz que, quando a Bíblia menciona que Melquisedeque não tinha princípio de dias nem fim de existência, isso apontava positivamente para Cristo, seu antítipo, e não para ele mesmo. Somente Cristo não tem começo nem fim. Só Ele é eterno. Melquisedeque era apenas uma figura, mas Cristo é a realidade.[14]

Em quinto lugar, *a perpetuidade de seu sacerdócio* (7.3b). O seu sacerdócio permanece para sempre. Isso significa que, por ser ele um tipo de Cristo, permanece para sempre em Cristo. Cristo é sacerdote para sempre segundo a ordem de Melquisedeque.

A superioridade do sacerdócio de Melquisedeque (7.4-11)

Depois de mostrar a singularidade de Melquisedeque, o escritor aos Hebreus nos fala sobre a superioridade de seu sacerdócio em relação ao sacerdócio levítico. Três são as verdades que devem ser destacadas.

Em primeiro lugar, ***Melquisedeque é grande porque recebeu dízimos de Abraão, o pai da nação de Israel*** (7.4,5). Se os sacerdotes, filhos de Levi, por meio de mandamento, recebem dízimos de seus irmãos, Melquisedeque recebeu dízimos de Abraão, o pai da nação de Israel, de quem os levitas procederam.

John Wesley diz que os levitas são maiores que seus irmãos, os sacerdotes são maiores que os levitas, o patriarca Abraão é maior que os sacerdotes, e Melquisedeque, um tipo de Cristo, é maior do que Abraão.[15] Abraão reconheceu Melquisedeque como representante de Deus e,

---

[12]WIERSBE, Warren W. *Comentário bíblico expositivo*. Vol. 6, p. 388.
[13]OLYOTT, Stuart. *A Carta aos Hebreus*, p. 67.
[14]HUGHES, Philip Edgcumbe *A Commentary on the Epistle to the Hebrews*, p. 248.
[15]WESLEY, John. "Hebreus", p. 1450.

portanto, ao dar a Melquisedeque o dízimo, ele deu o dízimo a Deus.[16] Fica evidente que o sacerdócio de Melquisedeque não é apenas anterior ao sacerdócio levítico, mas também superior a ele. Se os levitas receberam dízimos de seus irmãos, aquele que é da ordem de Melquisedeque recebe dízimos dos crentes, os filhos de Abraão.

Craig Keener explica que o dízimo já era um costume do antigo Oriente Médio antes que fosse designado no Antigo Testamento, e uma forma dele também é atestada na literatura greco-romana. Nesse versículo, o autor recorre a Gênesis 14.20, a primeira ocorrência de dízimo na Bíblia.[17]

O termo "dízimo" significa "um décimo". O povo de Israel deveria entregar o dízimo de suas colheitas, gado e rebanhos (Lv 27.30-32). Esses dízimos eram entregues aos levitas (Nm 18.21ss), no tabernáculo e, posteriormente, no templo (Dt 12.5ss). Se a viagem era longa demais para transportar cereais, frutos e animais, o dízimo poderia ser convertido em uma soma em dinheiro (Dt 14.22-27). Resta claro que a prática do dízimo não teve origem em Moisés, pois Abraão pagou o dízimo a Melquisedeque mais de quatrocentos anos antes de a lei ser dada.

Em segundo lugar, **Melquisedeque é maior do que Abraão porque recebeu dízimos dele e o abençoou** (7.6-8). Como já deixamos claro, o sacerdócio de Melquisedeque não vem de uma família sacerdotal. No entanto, ele recebeu dízimos de Abraão e o abençoou. Não resta dúvidas de que o inferior é abençoado pelo superior. Logo, Melquisedeque é superior a Abraão, que é maior que os levitas, seus descendentes. Os levitas que recebem dízimos de seus irmãos são homens mortais, mas aquele que recebeu dízimos de Abraão, por ser um tipo de Cristo, *não teve princípio de dias, nem fim de existência* (7.3), ou seja, é *aquele de quem se testifica que vive* (7.8).

Se Abraão, o pai dos crentes, pagou dízimos a Melquisedeque, nós, filhos de Abraão, devemos pagar os dízimos a Jesus, o sacerdote segundo a ordem de Melquisedeque. Os dízimos são santos ao Senhor. São um reconhecimento de nossa dependência de Deus e uma evidência de

---

[16] KISTEMAKER, Simon. *Hebreus*, p. 261.
[17] KEENER, Craig S. *Comentário histórico-cultural da Bíblia*, p. 769.

nossa fidelidade a Ele. Os dízimos foram pagos antes da lei, durante a lei e também no tempo da graça. A prática dos dízimos é ensinada nos livros da lei, nos livros históricos, nos livros poéticos, nos livros proféticos, nos evangelhos e nas epístolas. Essa prática não cessou com a caducidade do sacerdócio levítico, porque é anterior e posterior a ele.

Em terceiro lugar, **Melquisedeque é superior a Levi** (7.9,10). Quando Abraão pagou dízimos a Melquisedeque, Levi ainda não existia, pois seria seu bisneto. Mas, porque Levi é descendente de Abraão, em Abraão, ele também pagou dízimos a Melquisedeque. Logo, Melquisedeque é maior que Levi, o pai da tribo dos levitas e sacerdotes. Levi pagou dízimos a Melquisedeque como um maior e mais alto sacerdote que ele mesmo. Corroborando esse pensamento, Warren Wiersbe escreve: "Quando seu pai, Abraão, reconheceu a grandeza de Melquisedeque, a tribo de Levi também foi incluída. O povo de Israel acreditava firmemente em uma 'solidariedade racial'. O pagamento dos dízimos envolveu não apenas o patriarca Abraão, mas também as gerações não nascidas de seus descendentes".[18]

O fim do sacerdócio levítico e a **perpetuidade do sacerdócio de Cristo** (7.11-19)

Depois de provar a superioridade de Melquisedeque sobre Abraão e Levi, o autor aos Hebreus mostra a transitoriedade do sacerdócio levítico e a perpetuidade do sacerdócio de Cristo. Stuart Olyott tem razão ao dizer que o simples fato de que o Messias seria de outra ordem de sacerdócio era prova suficiente de que a ordem levítica não supria nem jamais poderia suprir as necessidades do pecador.[19] David Peterson acrescenta que a perfeição não era possível sob o sacerdócio levítico; por isso, o sacerdócio de Cristo substituiu todo o sistema de aproximação de Deus do Antigo Testamento, oferecendo aos crentes um perfeito relacionamento com Deus.[20]

---
[18]WIERSBE, Warren W. *Comentário bíblico expositivo*. Vol. 6, p. 388.
[19]OLYOTT, Stuart. *A Carta aos Hebreus*, p. 67.
[20]PETERSON, David G. *Hebrews*, p. 1336.

Concordo com Wiley quando ele diz que Arão simbolizou Cristo em sua humilhação, e Melquisedeque, em sua vida glorificada no céu. Arão era sacerdote da morte; Melquisedeque, da vida. Arão representava a cruz; Melquisedeque, o trono. Arão representava a expiação consumada de Cristo na terra; Melquisedeque, a sua intercessão contínua no trono dos céus. Arão não podia concluir ou aperfeiçoar sua obra por motivo da morte; Cristo, porém, tem um sacerdócio imutável – Ele é sacerdote para sempre, segundo a ordem de Melquisedeque.[21]

Seis verdades devem ser aqui destacadas.

Em primeiro lugar, *o sacerdócio levítico é transitório* (7.11). O sacerdócio levítico teve um começo e um fim. Ele foi apenas sombra de uma realidade, apenas um sacerdócio preparatório que apontava para o sacerdócio perfeito. Ele cumpriu o seu papel e saiu de cena. Chegou ao fim e deixou de existir.

Em segundo lugar, *o sacerdócio levítico é imperfeito* (7.11). Ele é imperfeito porque é exercido por homens imperfeitos, oferecendo sacrifícios imperfeitos, em favor de homens imperfeitos. Ele não pode aperfeiçoar os pecadores. Por isso, foi substituído por um sacerdócio superior, o sacerdócio de Cristo, segundo a ordem de Melquisedeque. Wiersbe escreve: "Melquisedeque não apenas é maior do que Arão, como também tomou o lugar de Arão".[22] Uma nova ordem, a ordem de Melquisedeque, foi estabelecida, anulando e substituindo a ordem levítica.

Em terceiro lugar, *o sacerdócio de Cristo não procede da ordem levítica* (7.12-14). Se uma mudança de lei tinha de ocorrer, o próprio Deus teria de fazer a mudança. E isso é exatamente o que Deus fez quando, séculos depois que a lei foi dada, ele disse por intermédio de Davi: *O Senhor jurou e não se arrependerá: Tu és sacerdote para sempre segundo a ordem de Melquisedeque* (Sl 110.4). Deus mudou a lei ao apontar Seu Filho como Sumo Sacerdote em outra ordem e confirmar a mudança com um juramento. Com a vinda de Cristo, a ordem sacerdotal foi transformada e transferida. Com Seu sacrifício único e válido para sempre, Cristo cumpriu a lei e tornou obsoleto o sacerdócio levítico.[23]

---

[21] WILEY, Orton H. *Comentário exaustivo da Carta aos Hebreus*, p. 323.
[22] WIERSBE, Warren W. *Comentário bíblico expositivo*. Vol. 6, p. 389.
[23] KISTEMAKER, Simon. *Hebreus*, p. 275.

Cristo não procede da tribo de Levi, a tribo sacerdotal, mas da tribo de Judá, da qual jamais procedeu qualquer sacerdote e da qual ninguém prestou serviço no altar. James Freerkson menciona o fato de que, quando o rei Uzias, da tribo de Judá, exerceu a função de sacerdote, Deus o puniu com lepra (2Cr 26.16-21). Enquanto perdurou, portanto, a lei mosaica, Jesus, sendo da tribo de Judá, jamais poderia exercer o sacerdócio.[24] Da mesma forma que um presidente brasileiro não poderia autoproclamar-se rei, uma vez que a Constituição do país não permite o sistema monárquico, assim também a lei de Moisés não permitia um sacerdócio procedente da tribo de Judá (7.14). Por isso, todo o sistema da lei cumpre-se em Jesus Cristo (Cl 2.13,14). Cristo é o fim da lei (1Co 10.4). Concordo com Wiersbe quando ele diz que esse novo sistema não significa que o cristão tem o direito de viver sem lei; antes, significa que somos livres para fazer a vontade de Deus (Rm 8.1-4). Obedecemos à lei não por uma compulsão exterior, mas por um constrangimento interior (2Co 5.14).[25]

Em quarto lugar, *o sacerdócio de Cristo é constituído por um poder superior* (7.15,16). O sacerdócio de Cristo não foi constituído conforme a lei de mandamento carnal, mas segundo o poder da vida indissolúvel. Ou seja, os sacerdotes eram procedentes da tribo de Levi e exerciam o Seu ministério por um tempo determinado. A morte punha fim ao seu sacerdócio. Mas a morte foi vencida por Cristo, e Seu ministério jamais é interrompido. Ele é sacerdote para sempre. David Peterson diz que essa última expressão é mais bem entendida como uma referência à Sua ressurreição e exaltação celestial. Jesus claramente exerceu o papel de sumo sacerdote da nova aliança sobre a terra, quando ofereceu a si mesmo como o perfeito sacrifício por nossos pecados. Mas foi trazido à vida novamente para exercer a função de sumo sacerdote para sempre, servindo no santuário celeste, à mão direita de Deus Pai (8.1,2).[26] Kistemaker, nessa mesma linha de pensamento, afirma que a expressão *vida indissolúvel* só aparece aqui em

---

[24]FREERKSON, James. *The Epistle to the Hebrews*, p. 1690.
[25]WIERSBE, Warren W. *Comentário bíblico expositivo*. Vol. 6, p. 389.
[26]PETERSON, David G. *Hebrews*, p. 1337.

todo o Novo Testamento. Embora Jesus se tenha oferecido como um sacrifício na cruz, Sua vida não acabou. Ele venceu a morte e vive para sempre, atualmente sentado à mão direita de Deus, nas alturas (1.3). Mediante Seu sacrifício único, Ele cumpriu as responsabilidades do sacerdócio araônico e, por meio de sua vida sem fim, assume o sacerdócio na ordem de Melquisedeque.[27]

Em quinto lugar, *o sacerdócio de Cristo é estabelecido por um juramento divino* (7.17). O escritor aos Hebreus cita Salmo 110.4 para explicar que o sacerdócio de Cristo não vem por um mandamento legal nem por uma esteira hereditária, mas por um juramento divino. Deus, não tendo ninguém maior que Ele mesmo por quem jurar, jura por si mesmo. Ele é o avalista de sua própria palavra. Ele garante o cumprimento de Seu próprio juramento. Deus deixou claro que esse juramento era irreversível, dizendo ao Filho: *Tu és sacerdote para sempre...* Não há uma terceira ordem. Não há possibilidade de o sacerdócio de Cristo ser substituído por outra ordem sacerdotal. Seu sacerdócio é perpétuo. Ele é sacerdote para sempre.

Em sexto lugar, *o sacerdócio de Cristo traz esperança superior* (7.18,19). A ordenança anterior é revogada por causa de sua fraqueza e inutilidade. Era apenas sombra. Era apenas um símbolo. Apontava para o sacerdote perfeito, para o sacrifício perfeito, para o sacerdócio de Cristo. A lei nunca aperfeiçoou coisa alguma, não porque a lei fosse fraca em si, mas porque o homem, sendo pecador, não pode cumprir suas exigências (Rm 8.3). O sacerdócio de Cristo, então, é introduzido, trazendo-nos esperança superior, pela qual nos achegamos a Deus. Cristo é o Cordeiro de Deus que tira o pecado do mundo (Jo 1.29). Por meio dEle, temos livre acesso à presença de Deus (4.14-16). Agora não há mais necessidade de irmos a um sacerdote humano para nos representar. Não há mais necessidade de sacrifícios de animais. Tudo isso era sombra; a realidade é Cristo. Nossa esperança está centrada em Cristo, nosso Salvador e Senhor. O que a lei não podia fazer, Jesus fez por nós. Nele temos eterna redenção e íntima comunhão com o Pai.

---

[27] KISTEMAKER, Simon. *Hebreus*, p. 278.

A superioridade do sacerdócio de Cristo (7.20-28)

Destacamos aqui sete verdades que enfatizam a superioridade do sacerdócio de Cristo.

Em primeiro lugar, **está baseado no juramento divino** (7.20,21). Kistemaker afirma que o sacerdócio araônico foi instituído por lei divina; o sacerdócio de Cristo, por juramento divino. Uma lei pode ser anulada; um juramento dura para sempre.[28] O sacerdócio de Cristo não vem de uma linhagem humana, mas do juramento divino. Os sacerdotes precisavam provar que pertenciam à tribo de Levi (Ne 7.63-65) e preencher os requisitos físicos e cerimoniais (Lv 21.16-24). O sacerdócio de Cristo, porém, foi estabelecido com base em Sua obra vicária na cruz, em seu caráter impoluto e no juramento de Deus (Sl 110.4).[29]

Em segundo lugar, *está fundamentado numa aliança superior* (7.22). Cristo é o fiador de uma nova aliança, a aliança firmada em Seu sangue. O termo *fiador* significa aquele que garante que os termos de um acordo serão cumpridos. Judá se dispôs a servir de fiador para Benjamim, a fim de garantir ao pai que o menino voltaria para casa em segurança (Gn 43.1-14). Paulo se dispôs a servir de fiador para o escravo Onésimo (Fm 18,19). Wiersbe é oportuno quando escreve:

> Como Mediador entre Deus e o homem, Jesus Cristo é o grande Fiador. Nosso Salvador ressurreto e eterno garante que os termos da lei serão cumpridos em sua totalidade. Deus não abandonará seu povo. Mas Cristo não apenas nos garante que Deus cumprirá sua promessa, mas, como nosso representante diante de Deus, também cumpre perfeitamente os termos da lei em nosso nome. Jamais seríamos capazes, por conta própria, de cumprir esses termos; mas, uma vez que cremos nEle, Ele nos salvou e garantiu que nos guardará.[30]

Em terceiro lugar, *é demonstrado pela sua atividade permanente* (7.23,24). Os sacerdotes da ordem levítica não eram apenas imperfeitos,

---
[28] KISTEMAKER, Simon. *Hebreus*, p. 284.
[29] WIERSBE, Warren W. *Comentário bíblico expositivo*. Vol. 6, p. 390.
[30] WIERSBE, Warren W. *Comentário bíblico expositivo*. Vol. 6, p. 390.

mas também tinham Seu ministério interrompido pela morte. Olyott diz que nenhum sacerdote em Israel viveu para sempre. Uma geração de sacerdotes dava lugar à próxima geração. Enquanto novos sacerdotes entravam, os mais antigos estavam se aposentando ou morrendo. Permanecia o sacerdócio, mas não havia um sacerdote específico de quem se pudesse depender o tempo todo.[31] O ministério de Cristo, porém, é perfeito e dura para sempre, pois ele morreu pelos nossos pecados, venceu a morte, ressuscitou para a nossa justificação, voltou ao céu e está à destra do Pai intercedendo por nós. Ele vive para sempre. Segundo Olyott, isso quer dizer que, quando nos aproximamos de Deus por meio dEle, Ele está sempre presente, sempre à disposição e jamais Se ausenta. Sendo Todo-poderoso, não há quem Ele não possa ajudar. Não importa o que, nem quantas vezes, tenhamos feito antes, ele jamais nos decepciona. Sua presença no céu como representante do pecador é garantia de que ninguém que nEle confia será rejeitado. É sempre bem-sucedida a sua intercessão em favor dos fracos e falhos pecadores.[32]

Em quarto lugar, *é demonstrado pelo seu ilimitado poder* (7.25a). O sacerdócio levítico não podia aperfeiçoar o pecador, mas Jesus pode salvar totalmente os que por Ele se chegam a Deus. A salvação não decorre da obediência do pecador, mas do sacrifício vicário do divino Fiador. Sua morte foi vicária, substitutiva. Ele não morreu para possibilitar a nossa salvação; morreu em nosso lugar, como nosso substituto, para nos salvar. A salvação não é sinergista, mas monergista, ou seja, não cooperamos com Cristo em nossa salvação. Nossa salvação foi planejada por Deus Pai, executada pelo Deus Filho e aplicada pelo Deus Espírito Santo. A salvação não é uma conquista das obras, mas uma oferta da graça. Não somos salvos por aquilo que fazemos para Deus, mas pelo que Cristo fez por nós. Ele e só Ele pode salvar totalmente!

Em quinto lugar, *é demonstrado pela sua permanente intercessão* (7.25b). Jesus, como nosso Sumo Sacerdote, vive permanentemente intercedendo por nós. Sua morte vicária foi consumada na cruz, mas Seu ministério sacerdotal continua no céu. Ele é o Advogado, o Justo

---

[31] OLYOTT, Stuart. *A Carta aos Hebreus*, p. 68.
[32] OLYOTT, Stuart. *A Carta aos Hebreus*, p. 68.

(1Jo 2.1). Nenhuma condenação prospera contra aquele que está em Cristo, pois Ele morreu, ressuscitou e está à destra de Deus, de onde intercede por nós (Rm 8.1,34,35).

Em sexto lugar, *é demonstrado pelo seu caráter inculpável* (7.26). Os sacerdotes levitas precisavam oferecer sacrifícios primeiro por si mesmos, pois eram pecadores. Mas Jesus é o sacerdote perfeito, santo, inculpável, separado dos pecadores. Ele é o sacerdote perfeito que não precisou oferecer oferta por si mesmo. Ele é a oferta perfeita e o ofertante perfeito. Nele, não havia pecado; ao contrário, Ele é o Cordeiro de Deus que tira o pecado do mundo.

Em sétimo lugar, é demonstrado pela sua perfeita oferta (7.27,28). Jesus não é apenas o sacerdote perfeito, mas ofereceu o sacrifício perfeito. Ele é a própria oferta. Ele é o próprio sacrifício. Ele entregou a Si mesmo, como oferta pelo nosso pecado. Sua oferta foi perfeita, completa e eficaz. Resta claro afirmar, portanto, que, sendo Jesus Cristo o nosso Sumo Sacerdote, nunca haverá um tempo em que, ao nos aproximarmos de Deus, seremos rejeitados. Consequentemente, desviar-se de Cristo é uma consumada tolice, e a apostasia, a mais incontroversa loucura.

14

O **ministério** superior e a **nova aliança**

Hebreus 8.1-13

DEPOIS DE MOSTRAR, NO CAPÍTULO ANTERIOR, que Jesus é o nosso Sumo Sacerdote, da ordem de Melquisedeque, o autor aos Hebreus afirma que o ponto principal de sua mensagem é que nós temos tal Sumo Sacerdote, superior aos profetas, aos anjos, a Moisés, a Josué, a Arão. De acordo com Raymond Brown, o presente capítulo trata da pessoa exaltada de Cristo, Seu eterno ministério e Sua presente obra, ou seja, quem Ele é, o que Ele faz e como Ele serve.[1] Turnbull diz que, nos capítulos 5 a 7 de Hebreus, vemos que Cristo, como sumo sacerdote, era melhor do que Arão, em sua ordem. Em Hebreus 8.1 a 10.18, o autor prova que Cristo é melhor do que Arão em Seu ministério.[2]

Destacamos a seguir alguns pontos importantes.

A superioridade de **Sua pessoa** (8.1,2)

Quanto à superioridade de Cristo, algumas características merecem destaque.

Em primeiro lugar, ***a dignidade superior de Sua pessoa*** (8.1). *Ora, o essencial das coisas que temos dito é que possuímos tal sumo sacerdote...*

---

[1] BROWN, Raymond. *The Message of Hebrews*, p. 142-146.
[2] TURNBULL, M Ryerson. *Levítico e Hebreus*, p. 136.

A expressão *tal sumo sacerdote* faz referência ao que o autor acabou de dizer sobre Jesus, ou seja, sua dignidade e a glória de sua pessoa. Ele é santo, inocente, imaculado, separado dos pecadores e mais sublime que os céus (7.26). Os sacerdotes da ordem levítica eram homens imperfeitos, realizando sacrifícios imperfeitos, em favor de homens imperfeitos. Mas Jesus, nosso Sumo Sacerdote, é perfeito, ofereceu um sacrifício perfeito, a fim de aperfeiçoar para sempre homens imperfeitos.

Em segundo lugar, **a dignidade superior de Sua posição** (8.1). *... que se assentou à destra do trono da Majestade nos céus.* Na ordem levítica, um sacerdote não podia exercer a realeza nem o rei podia assumir o papel de sacerdote. Altar e trono estavam separados. Jesus, segundo a ordem de Melquisedeque, é tanto rei como sacerdote. Como Sacerdote, Ele ofereceu a si mesmo na cruz, como o sacrifício perfeito, e, como Rei, Ele foi exaltado, entronizado e está à destra da Majestade nos céus. Olyott diz que Jesus não ministra no tabernáculo ou no templo, que são sombras terrenas da realidade celeste. Ele ministra na própria realidade celestial, na habitação do próprio Deus.[3] Jesus penetrou os céus (4.14), foi feito mais alto do que os céus (7.26) e assentou-se à destra do trono da Majestade nos céus (8.1). De acordo com Wiley, o sofrimento que Jesus experimentou e as lágrimas que Ele verteu quando encarnado, bem como a morte dolorosa que padeceu na cruz para a expiação do nosso pecado, tudo isso já havia terminado. Do Seu trono nos céus, Ele reina com autoridade para levar a efeito a salvação operada sobre a terra.[4]

Para Kistemaker, "sentar-se" era frequentemente uma característica de honra ou autoridade no mundo antigo: um rei se sentava para receber seus súditos; uma corte, para julgar; e um professor, para ensinar. O livro de Apocalipse, em particular, descreve Deus como assentado no trono (4.2,10; 5.1,7,13; 6.16; 7.10,15; 19.4; 21.5) e Jesus como compartilhando esse trono (1.4,5; 3.21; 7.15-17; 12.5). O trono de Deus e o santuário (o verdadeiro tabernáculo) colocam o Rei e o Sumo Sacerdote juntos no mesmo lugar.[5]

---

[3]OLYOTT, Stuart. *A Carta aos Hebreus*, p. 70.
[4]WILEY, Orton H. *Comentário exaustivo da Carta aos Hebreus*, p. 354.
[5]KISTEMAKER, Simon. *Hebreus*, p. 304.

Em terceiro lugar, *a dignidade superior de Seu ministério* (8.2). Como ministro do santuário e do verdadeiro tabernáculo que o Senhor erigiu, não o homem. Os sacerdotes da tribo de Levi ministravam numa tenda feita pelo homem, um tabernáculo terreno, sombra do verdadeiro tabernáculo celestial, erigido por Deus, e não pelo homem (9.24). Deus deu a Moisés uma cópia do tabernáculo verdadeiro (Êx 25.9,40; 26.30). A cópia estava na terra; mas o verdadeiro tabernáculo está no céu. O tabernáculo e o trono estão interligados. O profeta Isaías diz que viu *o Senhor assentado sobre um alto e sublime trono, e as abas de suas vestes enchiam o templo* (Is 6.1). Nenhum sacerdote jamais foi exaltado à destra de Deus nem se assentou no trono à mão direita de Deus Pai. Embora Jesus tenha consumado Sua obra de redenção na cruz, continua como nosso Advogado junto ao Pai. Concordo com Kistemaker quando ele diz: "Do tabernáculo de Deus fluem bênçãos que ultrapassam quaisquer bênçãos do sistema sacrificial judaico".[6]

A superioridade de Seu ministério (8.3-6)

O autor aos Hebreus continua com os contrastes entre o sacerdócio levítico e o sacerdócio de Cristo e oferece-nos algumas preciosas lições.

Em primeiro lugar, *Cristo ofereceu uma oferta melhor* (8.3). Os sucessivos sacerdotes levitas precisavam receber do povo os dons e os sacrifícios para oferecer ao Senhor. Esses dons e sacrifícios eram apenas sombra do verdadeiro sacrifício que Cristo ofereceu. Os sacerdotes ofereceram cereais e animais; Jesus ofereceu a si mesmo. Os cordeiros que eram imolados no altar simbolizavam Cristo, o Cordeiro de Deus que tira o pecado do mundo. Kistemaker tem razão ao dizer que há aqui um claro contraste entre as ofertas contínuas do sumo sacerdote em forma de "dons e sacrifícios" e a oferta única de Cristo.[7]

Em segundo lugar, *Cristo é sacerdote por uma ordem melhor* (8.4). Jesus não podia ser um sacerdote na terra, pois não procedia da tribo de Levi. Ele era da tribo de Judá. Nenhum sacerdócio procedeu dessa

---

[6]Kistemaker, Simon. *Hebreus*, p. 306.
[7]Kistemaker, Simon. *Hebreus*, p. 307.

tribo. Logo, Jesus exerceu o Seu sacerdócio por uma ordem superior, que antecedeu a tribo de Levi e que se perpetua eternamente após o fim do sacerdócio levítico. Jesus é sacerdote para sempre, segundo a ordem de Melquisedeque.

Em terceiro lugar, **Cristo é sacerdote das coisas celestiais** (8.5). Quando os sacerdotes levitas exerciam o Seu ministério no tabernáculo e depois no templo, oferecendo dons e sacrifícios, tudo isso era transitório, uma sombra do que havia de vir. O tabernáculo foi erigido por Moisés com prescrições precisas dadas pelo próprio Deus. Aquele tabernáculo levantado no deserto era apenas uma cópia do real, um símbolo do verdadeiro, uma sombra do real santuário celestial, o próprio céu, a habitação de Deus. A religião do Antigo Testamento era uma figura, e não a realidade; uma ilustração, uma sombra da realidade que chegou em Cristo. Augustus Nicodemus diz que a religião do Antigo Testamento era a sombra que projetava o Messias e, porque Cristo veio, não precisamos mais da sombra. Os sacerdotes ministravam dons e ofertas, mas aquilo tudo era sombra. Era figura de realidades espirituais que iriam acontecer.[8] Nas palavras de Kistemaker, "a estrutura do tabernáculo era somente uma cópia, e os sacrifícios eram somente uma sombra".[9] Concordo, entretanto, com Donald Guthrie, quando ele diz que o propósito do escritor não é reduzir as glórias da sombra, mas ressaltar a glória de sua substância.[10]

Em quarto lugar, **Cristo é Mediador de superior aliança** (8.6). O ministério de Cristo é mais excelente que o ministério dos levitas porque está baseado numa aliança superior e também fundamentado em promessas superiores. A aliança é superior porque a velha aliança prescrevia o que o povo devia fazer, mas não lhe dava poder para fazer. As promessas são superiores porque na antiga aliança elas enfatizavam as bênçãos temporais e terrenas, enquanto as promessas da nova aliança enfatizam as bênçãos celestiais e eternas.

---

[8]LOPES, Augustus Nicodemus. *Hebreus*, p. 160.
[9]KISTEMAKER, Simon. *Hebreus*, p. 308.
[10]GUTHRIE, Donald. *Hebreus: introdução e comentário*, p. 163.

A superioridade da **nova aliança** (8.7-13)

Antes de expormos o texto em tela, é importante explicar o que significa um pacto ou uma aliança. Na Bíblia, a palavra grega que sempre se usa para aliança é *diatheke*. Ordinariamente, um pacto é um acordo entre duas pessoas, no qual condições são estabelecidas para ambas as partes. Se alguém rompe essas condições, o pacto é anulado. Já a palavra grega para "acordo", no seu uso normal, é *syntheke*. Esse termo é usado para aliança matrimonial e para o acordo entre dois Estados. *Syntheke* é sempre usado para um acordo em termos de igualdade. Ou seja, as partes acordadas estão no mesmo nível e podem negociar em igualdade de condições.

No sentido bíblico, porém, não é isso o que ocorre. Isso porque Deus e o homem não se encontram em igualdade de condições. O pacto é um oferecimento que procede de Deus, no qual o próprio Deus vem ao homem, oferece-lhe uma relação consigo e estabelece os termos em que a relação se efetiva. O homem não pode negociar com Deus nem pode discutir os termos da aliança. Só pode aceitar ou rechaçar essa oferta, mas de modo algum alterar seus termos.

Fato digno de nota é que o termo *diatheke* significa não propriamente um acordo, mas um testamento. As condições de um testamento não se dão por igualdade das partes, mas de uma só pessoa, o testador; a outra parte não pode alterar o que foi estabelecido pelo testador. O testamento é feito por uma só pessoa. A outra parte só pode receber, mas não estabelecer condições. Essa é a razão pela qual nossa relação com Deus se descreve como *diatheke*, como um pacto entre partes, em que só uma parte é responsável. Nossa relação com Deus nos é oferecida por pura iniciativa e graça de Deus.[11]

Deus se aproximou do povo de Israel graciosamente e lhe ofereceu uma relação única e especial consigo. Mas essa relação dependia inteiramente de uma coisa: da observância da lei. Os israelitas aceitaram essa condição em Êxodo 24.1-8. Israel, porém, não cumpriu a sua parte. O argumento do autor aos Hebreus é, portanto, que esse antigo

---

[11] BARCLAY, William. *Hebreos*, p. 96,97.

pacto foi anulado e Jesus trouxe um novo pacto, uma nova relação com Deus.[12] Nessa mesma linha de pensamento, Donald Guthrie escreve: "Uma aliança normalmente envolve a plena cooperação das duas partes. Se uma parte contratante falhar, a aliança torna-se nula. Foi virtualmente isto que aconteceu com a antiga aliança. Os israelitas não continuaram na aliança".[13] Em face disso, Raymond Brown acrescenta que a antiga aliança Se revelou imperfeita, impotente e obsoleta.[14]

Destacamos aqui algumas importantes verdades.

Em primeiro lugar, *a antiga aliança demandava a necessidade de uma nova aliança* (8.7). A antiga aliança tinha defeitos não em si mesma. O problema não estava com Deus nem com a lei, mas com o povo (Rm 7.12-14). O povo era incapaz de obedecer às exigências da lei, por não ter a lei escrita em seu coração, e sim em tábuas de pedra.

Em segundo lugar, *a nova aliança foi prometida no bojo da antiga aliança* (8.8). A nova aliança não foi uma inovação, mas uma promessa. Não foi à revelia da antiga, mas se mostrou seu cumprimento. Não foi elaborada pelo homem, mas prescrita pelo próprio Deus. A nova aliança foi prometida em Jeremias 31.31-34.

Em terceiro lugar, *a nova aliança supre o que a antiga não pode cumprir* (8.9). Na antiga aliança, as exigências da lei não puderam ser cumpridas pelo homem. O problema não está na lei. Ela é boa, justa e espiritual, mas o homem é pecador. O povo de Israel não continuou na aliança e Deus não atentou para ele, substituindo-o por um novo povo, o novo Israel de Deus, a igreja.

Em quarto lugar, *as promessas superiores da nova aliança* (8.10,12). As promessas superiores da nova aliança são gloriosas.

Primeiro, quanto ao seu *alcance* (8.10). A casa de Israel é a igreja. O Israel de Deus é composto por judeus e gentios, ou seja, todas as pessoas em cuja mente Deus coloca suas leis e em cujo coração Deus as escreve. Kistemaker é enfático ao dizer que a era da antiga aliança, caracterizada pela exclusividade da nação de Israel, abriu

---

[12]BARCLAY, William. *Hebreos*, p. 97,98.
[13]GUTHRIE, Donald. *Hebreus: introdução e comentário*, p. 166.
[14]BROWN, Raymond. *The Message of Hebrews*, p. 149.

caminho para uma nova era na qual todas as nações estão incluídas (Mt 28.19).[15]

Segundo, quanto à sua *universalidade* (8.11). Não há mais classe sacerdotal em distinção aos demais membros da família de Deus. Agora todos são sacerdotes. Todos conhecem a Deus. Turnbull diz que na antiga aliança o verdadeiro conhecimento de Deus era restrito a uma pequena classe privilegiada. Como exemplo, veja o que disse o fariseu hipócrita: *Mas este povo que não conhece a lei é maldito* (Jo 7.49). Essa era uma das razões pelas quais acorriam as multidões, milhares e milhares de pessoas, para ouvirem Jesus falar a respeito de Deus. Eram realmente ovelhas sem pastor. Porém, sob o novo pacto, *todos Me conhecerão desde o menor até ao maior*.[16]

Terceiro, quanto à sua *oferta* (8.12). Na antiga aliança, os sacrifícios precisam ser repetidos e repetidos, mas agora, na nova aliança, um único e eficaz sacrifício foi feito e o perdão está garantido para sempre. Donald Guthrie diz que todas as garantias nesse sentido, antes da era cristã, eram baseadas na eficácia daquele sacrifício perfeito ainda a ser oferecido, do qual as ofertas levíticas eram apenas uma sombra.[17] Nessa mesma linha de pensamento, Turnbull arrazoa: Será que isso significa que os crentes sob o velho concerto não recebiam perdão de pecados? Que dizer de Moisés, Samuel e Davi? Deus não os perdoou? Certamente que o fez, mas não com base no velho concerto e seus sacrifícios. A única virtude que aqueles sacrifícios tinham em si mesmos era limpar as impurezas cerimoniais. Deus perdoava os crentes no velho concerto baseado na morte de Cristo para quem apontavam os antigos sacrifícios. Fora do novo concerto e do Seu Cordeiro, não havia perdão para os crentes da velha dispensação.[18]

Finalmente, em quinto lugar, **a antiga aliança tornou-se antiquada, envelhecida e desapareceu** (8.13). A palavra grega para *nova*, aqui, não é *neós*, um novo de edição, mas *kainós*, um novo qualitativo. O autor aos

---

[15]KISTEMAKER, Simon. *Hebreus*, p. 319.
[16]TURNBULL, M. Ryerson. *Levítico e Hebreus*, p. 138,139.
[17]GUTHRIE, Donald. *Hebreus: introdução e comentário*, p. 167.
[18]TURNBULL, M Ryerson. *Levítico e Hebreus*, p. 139.

Hebreus usa duas palavras para descrever o antigo pacto: *antiquado* e *envelhecido*. A palavra grega *pepalaioken*, traduzida por *antiquado*, está no presente perfeito, o que sugere que a primeira aliança já se tornara obsoleta, e o resultado disso ainda está evidente no presente.[19] A palavra grega *geraskon*, traduzida por *envelhecido*, traz o sentido não apenas de envelhecido, mas também de decadente. Já a palavra grega *afanismos*, traduzida por *prestes a desaparecer*, é usada em referência a arrasar uma cidade, abolir inteiramente uma lei. Dessa maneira, o pacto que Jesus introduz é novo qualitativamente e anula o antigo, eliminando-o de todo.[20]

Concluímos com a síntese apresentada por Raymond Brown, que destaca cinco características da nova aliança anunciada pelo profeta Jeremias.

Primeiro, ela é *conciliatória*. A casa de Israel e a casa de Judá não erguerão mais muros de separação, mas serão uma só casa.

Segundo, ela é *interior*. O antigo pacto era externo. As leis foram gravadas em tábuas de pedra, mas a nova aliança é gravada na mente e no coração.

Terceiro, ela é *universal*. A antiga aliança estava circunscrita ao povo de Israel, mas a nova aliança estende seu alcance a todos os povos.

Quarto, ela é *generosa*. Deus se apresenta como Aquele que tem misericórdia de nossas iniquidades, pronto a perdoar nossos pecados e deles não mais se lembrar.

Quinto, ela é *segura*. O antigo pacto era naturalmente limitado, temporário e parcial, mas o novo pacto é irrestrito em seu poder, eterno em sua duração e completo em seus efeitos.[21]

---

[19]GUTHRIE, Donald. *Hebreus: introdução e comentário*, p. 168.
[20]BARCLAY, William. *Hebreos*, p. 98.
[21]BROWN, Raymond. *The Message of Hebrews*, p. 149,150.

15

A necessidade e os efeitos da nova aliança

Hebreus 9.1-14

O TEXTO QUE VAMOS AGORA CONSIDERAR, o capítulo 9 de Hebreus, é o mais solene da epístola, o grande capítulo neotestamentário da expiação.[1] Aqui Cristo se oferece como um sacrifício único.[2] Nos versículos 1 a 10, o autor fala sobre o tabernáculo terrestre: seus utensílios e o serviço ali prestado. Já nos versículos 11 a 14, ele trata do santuário celeste, onde destaca um lugar superior, um sacerdote superior e um sacrifício superior.

O tabernáculo terrestre, a necessidade da nova aliança (9.1-10)

O santuário da antiga aliança era um santuário inferior. Inferior porque era um santuário terrestre (9.1); inferior porque era um tipo de alguma coisa maior (9.2-5); inferior porque era inacessível ao povo (9.6,7); inferior porque era temporário (9.8); inferior porque era externo, e não interno (9.9,10).[3]

---
[1]WILEY, Orton H. *Comentário exaustivo da Carta aos Hebreus*, p. 373.
[2]KISTEMAKER, Simon. *Hebreus*, p. 330.
[3]WIERSBE, Warren W. *The Bible Exposition Commentary*. Vol. 2. Colorado Springs, Colorado: Chariot Victor Publishing, 1989, p. 309,310.

Deus tomou a decisão de mandar Moisés construir um tabernáculo, a fim de vir habitar com o Seu povo (Êx 25.8). Todos os detalhes desse tabernáculo foram dados por Deus a Moisés, que cumpriu rigorosa e meticulosamente toda a prescrição divina para a construção. Concordo com Wiley quando ele diz que o escritor aos Hebreus se refere apenas ao tabernáculo original, cujo modelo foi revelado a Moisés no monte e no qual foram baseados os templos construídos depois. De modo algum, o autor procura diminuir-lhe a glória; ao contrário, admite-lhe a grandeza, a fim de, com maior destaque, apresentar a grandeza suprema do santuário celestial no qual Jesus entrou para comparecer diante de Deus por nós.[4]

O tabernáculo tinha três partes distintas: o pátio exterior, o Lugar Santo e o Santo dos Santos. O autor aos Hebreus menciona apenas duas partes, por não ser o seu propósito fazer uma descrição exaustiva do tabernáculo, mas apenas trazer à baila o contraste entre o primeiro e o segundo tabernáculos, realçando a nova aliança.

Na primeira parte do tabernáculo, ficava o pátio exterior. Nesse pátio, estavam o altar de bronze e a pia de bronze. Tudo ali era de bronze, pois bronze fala do juízo de Deus sobre o pecado. No altar de bronze, eram feitos os sacrifícios. Ali o juízo de Deus era manifestado. Esse altar de bronze aponta para a cruz, onde o juízo de Deus foi exercido, a justiça foi satisfeita e a lei foi cumprida. A pia de bronze representava a necessidade de constante purificação para todo aquele que entrava para adorar e prestar culto a Deus.

A segunda área do tabernáculo era o Lugar Santo. Ali ficavam a mesa dos pães da proposição, o candelabro e o altar de incenso. Ali tudo era de ouro, pois remetia à comunhão com Deus. A mesa com os pães da proposição aponta para Jesus, o pão da vida. O candelabro, com suas lâmpadas sempre acesas, aponta para Jesus, a luz no mundo. Defronte da cortina que separava o Lugar Santo do Santo dos Santos, ficava o altar de incenso, que representava as orações que sobem aos céus, à presença do próprio Deus. Assim, em Cristo, o altar se conecta com o trono.

---

[4]WILEY, Orton H. *Comentário exaustivo da Carta aos Hebreus*, p. 374.

O autor aos Hebreus coloca o altar de incenso no Santo dos Santos (9.3,4), mas não era assim a disposição dos utensílios no tabernáculo (Êx 30.6; 40.26). Muitas são as tentativas para explicar esse fato. Alguns acreditam que o autor aos Hebreus foi influenciado pela descrição do templo de Salomão, onde o altar pertencia ao santuário interior (1Rs 6.22). No templo pós-exílico, o altar ficava no Lugar Santo, pois Zacarias entrou no templo para queimar incenso, e ele não era sumo sacerdote (Lc 1.9-11). Outros pensam que a tradução *altar de incenso* deveria ser *incensário* (2Cr 26.19; Ez 18.11). Embora o pleno esclarecimento desse fato, para alguns estudiosos, ainda esteja inconcluso, é importante destacar que, no Dia da Expiação, o sumo sacerdote precisava tomar o incensário cheio de brasas de fogo, diante do Senhor, e dois punhados de incenso aromático bem moído e levá-los para dentro do véu (Lv 16.12). Nesse dia, uma vez por ano, o incensário se tornava a extensão do Lugar Santíssimo (Lv 16.13).

A terceira área do tabernáculo era o Santo dos Santos, onde ficava a arca da aliança. Nessa arca, havia três objetos: as tábuas da lei, representando Cristo como a palavra viva do Deus vivo; depois, o vaso com o maná, demonstrando Jesus como o verdadeiro pão que desceu do céu; e, finalmente, a vara seca de Arão que floresceu, apontando a vitória de Cristo sobre a morte. A tampa da arca, o propiciatório, tinha dois querubins da glória. Ali o sangue era derramado para a expiação dos pecados do sacerdote e do povo, uma vez por ano. Ali a glória de Deus era manifestada. Tudo no tabernáculo apontava para Cristo e era uma sombra dEle.

No átrio exterior, acontecia a aproximação de Deus. O altar de bronze (Êx 27.1-8) indicava o primeiro passo para o pecador aproximar-se de Deus. Esse era o altar do holocausto. Sua mensagem era: sem derramamento de sangue, não há remissão de pecados. Ninguém pode aproximar-se de Deus sem passar pela cruz. A cruz de Cristo é a porta de entrada para a presença de Deus. A justiça de Deus precisa ser satisfeita. O juízo de Deus sobre o pecado precisa ser aplicado. A bacia de bronze (Êx 30.17-21) ficava entre o altar de bronze e o Lugar Santo (Êx 40.30). Ensinava ao adorador que, para permanecer perto de Deus, para entrar em sua presença, é preciso estar lavado e purificado. Não se trata agora de expiação, mas de purificação. Sem santificação, ninguém verá o Senhor. Na bacia de bronze, os sacerdotes se lavavam antes de oficiar as coisas sagradas.

No Lugar Santo acontece o culto aceitável ao Senhor. O altar de incenso (Êx 30.1-7; 27.25-28) refere-se a Jesus como intercessor e nos ensina que uma vida de oração é imprescindível para agradar a Deus (Ap 5.8; 8.3). Duas vezes por dia, acendia-se sobre o altar o incenso, que ardia o dia todo. A oração precisa ser constante. A mesa dos pães da proposição (Êx 25.23-30; 17.10-16) aponta para Jesus, o pão da vida. Já o candelabro de ouro (Êx 27.20; 25.31-40; 37.17-24) mostra Jesus como luz do mundo e ainda indica que a igreja deve brilhar como luzeiro no mundo (Fp 2.15).

No Lugar Santíssimo ou Santo dos Santos, contemplamos a presença e a glória de Deus. Aqui era onde a glória de Deus se manifestava. Daqui Deus falava. Aqui estava o objeto mais sagrado do tabernáculo, a arca da aliança, símbolo de Jesus. Tudo na arca, desde sua tampa, o propiciatório, até todo o seu conteúdo, apontava para Jesus: a urna com o maná, a vara de Arão que floresceu e as tábuas da lei. Jesus foi o tabernáculo, o sacerdote, o altar, o candelabro, a arca, o propiciatório, o sacrifício. Com sua morte, Ele rasgou o véu. Agora todos temos livre acesso ao trono de Deus. Todos nós podemos ver a glória de Deus.

O autor aos Hebreus diz que os sacerdotes entravam continuamente no Lugar Santo para realizar serviços sagrados (9.6), mas o sumo sacerdote entrava uma vez por ano no Santo dos Santos para derramar o sangue da expiação pelos seus pecados e pelos pecados de ignorância do povo (9.7). O Espírito Santo, o inspirador das Escrituras, deixa claro que esse ritual era preparatório (9.8), uma espécie de parábola da época presente (9.9), o que não passava de ordenanças da carne (9.10).

Augustus Nicodemus diz que o Espírito Santo queria dar a entender quatro coisas: 1) o caminho do santo lugar não havia ainda se manifestado (9.8); 2) aqueles sacrifícios eram incompletos (9.9); 3) aquelas ordenanças eram apenas externas (9.10); 4) aquelas coisas eram provisórias (9.10b).[5]

Raymond Brown corretamente sintetiza esses dez primeiros versículos, afirmando que os rituais do tabernáculo terrestre ofereciam

---

[5]LOPES, Augustus Nicodemus. *Hebreus*, p. 181-183.

um acesso limitado, uma purificação parcial e um perdão limitado.[6] Vejamos esses três pontos a seguir.

Em primeiro lugar, **um acesso limitado** (9.6,7). Naquele tempo, o caminho para o santuário não estava aberto a todo o povo. Somente os sacerdotes podiam entrar no Lugar Santo, e somente o sumo sacerdote podia entrar uma vez por ano no Santo dos Santos. Uma grossa cortina separava o Lugar Santo do Santo dos Santos. O caminho que levava à presença de Deus ainda não estava aberto durante a época da antiga aliança (9.8). Em Cristo, porém, o caminho foi aberto a todos (10.19,20). Quando Jesus morreu na cruz do Calvário, *a cortina do templo se rasgou de cima a baixo* (Mt 27.51; Mc 15.38). O fato de a cortina ter sido rasgada significa que a separação entre Deus e o homem havia terminado.[7] O tempo do acesso limitado acabou para sempre. Donald Guthrie explica essa realidade da seguinte maneira:

> A despeito de todo o esplendor dos móveis do tabernáculo, a adoração segundo a ordem levítica era severamente limitada. Os israelitas não podiam aproximar-se diretamente; deviam vir através de seus representantes, os sacerdotes. Mesmo assim, somente um deles podia entrar anualmente no santo dos santos. A via de acesso certamente não estava aberta, conforme mais tarde veio a estar através de Cristo (10.19,20).[8]

Em segundo lugar, **uma purificação parcial** (9.8,9). Os rituais do tabernáculo não podiam lidar de forma plena com o pecado nem trazer plena purificação ao pecador. O sumo sacerdote uma vez por ano entrava no Santo dos Santos, com sangue, para oferecer sacrifícios por si e pelos pecados de ignorância do povo. Mas não havia sacrifício para os pecados deliberados nem purificação para a consciência. Tudo o que a velha aliança podia fazer, isso não trazia ajuda para o homem no ponto em que ele mais desesperadamente precisava de ajuda, ou seja, em sua consciência. A nova aliança, entretanto, trouxe purificação para a consciência (9.14).

---

[6]BROWN, Raymond. *The Message of Hebrews*, p. 153,154.
[7]KISTEMAKER, Simon. *Hebreus*, p. 341.
[8]GUTHRIE, Donald. *Hebreus: introdução e comentário*, p. 171.

Em terceiro lugar, *um perdão limitado* (9.6,7,10). Sob a velha aliança, a consciência do homem estava perturbada por causa dos muitos pecados que não podiam ser perdoados pelo sistema sacrificial. A provisão era apenas para os pecados de ignorância (9.7). Não havia expiação para os pecados deliberados. Os homens pecam não apenas inconsciente e involuntariamente, mas, também e sobretudo, voluntária e deliberadamente. O homem peca como um ato de rebeldia contra Deus. Na velha aliança, não havia provisão para esses pecados. Na nova aliança, porém, Deus promete perdão pleno para todos os pecados (8.8-12). Deus promete ser misericordioso, não se lembrar mais dos pecados do Seu povo e ainda arrolar seus nomes no céu (8.12; 12.23).

Wiley tem razão ao dizer que essas ofertas e esses sacrifícios ineficazes da dispensação levítica foram impostos ao povo até o tempo oportuno da reforma (9.10). O vocábulo grego *diorthoseos* significa "reconstrução" e, provavelmente, refere-se à nova *diatheke* ou aliança que Cristo administraria por intermédio do Espírito Santo, levando à perfeição aqueles que são santificados. A parábola do cerimonial levítico, então, acha cumprimento e anulação em Cristo, que administra a graça desde o santuário celestial.[9]

Em face da consumação da velha aliança na nova aliança, Augustus Nicodemus adverte sobre o perigo de a igreja contemporânea voltar-se para as práticas judaicas. Muitos crentes, equivocadamente, veem o pastor como um sacerdote, uma espécie de mediador entre Deus e os homens; consideram o púlpito como um altar e a oferta como um sacrifício. Há igrejas que introduzem os utensílios do tabernáculo no templo, como o candelabro, o *shofar* e a arca da aliança. Isso é trazer de volta aquilo que era apenas uma parábola, aquilo que já se cumpriu.[10]

O tabernáculo celeste, os efeitos da nova aliança (9.11-14)

Nessa parte central da carta, sua mensagem é exposta através de vários contrastes. A velha aliança é colocada lado a lado com a nova aliança,

---

[9]WILEY, Orton H. *Comentário exaustivo da Carta aos Hebreus*, p. 386,387.
[10]LOPES, Augustus Nicodemus. *Hebreus*, p. 184.

mostrando a caducidade da velha aliança e a superioridade da nova. A beleza e a dignidade do santuário terrestre são contrastadas com a glória e a majestade do santuário celestial (9.1-5; 9.24). A antiga aliança é meramente externa, enquanto a nova aliança é interna (9.10,13; 9.14). A velha aliança é somente temporária, operando apenas até o tempo da reforma de todas as coisas, em contraste com a nova aliança, que é eterna (9.9,10; 9.12). Na velha aliança, o sangue de involuntários animais é contrastado com o voluntário sacrifício do Filho de Deus (9.12-14). Os repetitivos sacrifícios são contrastados com a morte única e eficaz de Cristo (9.25,26). A promessa é contrastada com o cumprimento, e a expiação anual é contrastada com a expiação definitiva e o pleno perdão de Deus (10.3,17). Os sacerdotes que se apresentaram na presença de Deus no Lugar Santo e o sumo sacerdote no Lugar Santíssimo são contrastados com o eterno Sumo Sacerdote que está assentado à destra de Deus, depois de ter feito a purificação dos nossos pecados (1.3; 9.24,28).[11]

Vemos no texto em apreço três verdades importantes.

Em primeiro lugar, *um tabernáculo superior* (9.11). Os sacerdotes da ordem de Levi entravam no tabernáculo feito por Moisés, obra das mãos de homens, mas Cristo, o Sumo Sacerdote da ordem de Melquisedeque, entrou no santuário celestial não feito por mãos nem desta criação, ou seja, o próprio céu. O santuário terrestre era apenas uma cópia do santuário celeste. Concordo com Stuart Olyott quando ele escreve: "Cristo ministra na realidade espiritual da qual o tabernáculo antigo era apenas figura".[12]

Em segundo lugar, *um sacerdote superior* (9.11). Cristo é sacerdote de ordem superior, sacerdote dos bens já realizados, enquanto os sacerdotes da velha aliança eram apenas um tipo do sacerdócio de Cristo. Mais uma vez, Olyott tem razão quando diz que a velha dispensação falava sobre purificação, e não porque a concedia, mas porque as suas cerimônias deveriam preparar a mente para a purificação dada por Cristo. Ela manteve viva a fé durante os anos em que as pessoas aguardavam o Cristo

---

[11]BROWN, Raymond. *The Message of Hebrews*, p. 155,156.
[12]OLYOTT, Stuart. *A Carta aos Hebreus*, p. 79.

(Rm 3.25,26). Jesus trouxe o que o Antigo Testamento prometera. Por isso é um melhor sacerdote.[13] Ele é capaz de levar o homem a Deus.

Em terceiro lugar, *um sacrifício superior* (9.12-14). Cristo ofereceu, uma vez por todas, o sacrifício de si mesmo, para satisfazer a justiça divina e nos reconciliar com Deus. Nossa culpa foi transferida e imputada a Ele, que sofreu a penalidade que nós deveríamos sofrer. Ele eliminou o pecado pelo sacrifício de si mesmo. O sacrifício de Jesus difere dos sacrifícios de animais em quatro pontos: 1) O sacrifício de Jesus foi voluntário; 2) o sacrifício de Jesus foi espontâneo; 3) o sacrifício de Jesus foi racional; 4) o sacrifício de Jesus foi moral.[14] Nessa mesma linha de pensamento, Wiley diz que as contraposições podem ser assim sintetizadas: 1) Os sacerdotes da ordem de Arão serviam em um tabernáculo terreno, que era apenas imagem do verdadeiro; Cristo serviu no maior e mais perfeito tabernáculo, isto é, no próprio céu. 2) Os sacerdotes terrenos ministravam apenas as sombras ou imagens das coisas celestiais; Cristo ministrou a própria substância que lançava aquelas sombras – a vida e a luz eterna. 3) Os sacerdotes do tabernáculo terreno ofereciam o sangue de animais; Cristo ofereceu o próprio sangue. 4) Os sacerdotes terrenos entravam no santuário muitas vezes porque ofereciam o sangue de animais pelos pecados do povo; Cristo entrou de uma vez por todas porque ofereceu o seu próprio sangue. 5) O ministério dos sacerdotes terrenos era contínuo e insuficiente; o de Cristo foi único e obteve redenção eterna para nós. 6) Os sacrifícios terrenos eram isentos de mácula apenas física; Cristo entregou-se a si mesmo sem mancha a Deus, isento de toda mácula moral e espiritual. Ele não conheceu pecado. 7) As bênçãos advindas por meio do tabernáculo terrestre eram temporais; as que Cristo oferece são espirituais e eternas.[15]

O sacrifício de Cristo enseja-nos três gloriosas bênçãos.

Eterna redenção (9.12). O sangue de bodes e bezerros não podia purificar o povo de seus pecados, mas apenas lhes oferecer purificação cerimonial. Por isso, esses sacrifícios precisavam ser repetidos

---

[13]OLYOTT, Stuart. *A Carta aos Hebreus*, p. 79.
[14]BARCLAY, William. *Hebreos*, p. 111,112.
[15]WILEY, Orton H. *Comentário exaustivo da Carta aos Hebreus*, p. 393.

constantemente. Cristo, porém, ofereceu seu próprio sangue como sacrifício eficaz, para adquirir para Seu povo eterna redenção. Olyott capta o sentido dessa expressão quando diz: "Fomos trazidos de volta a Deus de maneira eficaz e verdadeira – para sempre!"[16] E, de acordo com William Barclay, "a eterna redenção" pressupõe que o homem estava sob o domínio do pecado e debaixo de escravidão. Da mesma forma que deve pagar-se um preço para libertar um homem da escravidão, assim também Cristo pagou alto preço para libertar-nos da tirania do pecado. O homem não podia libertar a si mesmo, mas Cristo, com Seu sacrifício, obteve para ele eterna redenção.[17]

Cristo foi moído na prensa de uvas da ira do Pai. Ele sofreu um eclipse duplo na cruz, um eclipse solar e um eclipse da luz da face de Deus. Ele sentiu as dores do inferno em sua alma. Ele sofreu em nosso lugar para cumprir as predições das Escrituras (Lc 24.46). Ele ofereceu Seu sangue para conduzir-nos favoravelmente a Deus. Thomas Watson diz que o sangue de Jesus não é chamado somente de sacrifício, pelo qual Deus é apaziguado, mas também de propiciação, pela qual Deus se torna gracioso e amigável com o homem.[18] Cristo morreu para selar o testamento com Seu sangue e comprar para nós mansões gloriosas. Ele foi pendurado na cruz para que pudéssemos nos assentar no trono. Sua crucificação é nossa coroação.[19]

Purificação da consciência (9.13,14). O sangue de bodes e touros e a cinza de uma novilha, aspergidos sobre os contaminados, podiam santificar o povo apenas cerimonialmente, quanto à purificação da carne, mas o sangue de Cristo, que, pelo Espírito eterno, a Si mesmo se ofereceu sem mácula a Deus, purifica a nossa consciência de obras mortas, para servirmos ao Deus vivo. Os sacrifícios da velha aliança não podiam tratar da purificação da consciência. Não podiam oferecer pleno perdão nem eterna redenção, mas o sacrifício único, irrepetível e eficaz realizado por Cristo oferece purificação interior e consciência inculpável.

---

[16] OLYOTT, Stuart. *A Carta aos Hebreus*, p. 79.
[17] BARCLAY, William. *Hebreos*, p. 110,111.
[18] WATSON, Thomas. *A fé cristã*, p. 208.
[19] WATSON, Thomas. *A fé cristã*, p. 209.

Augustus Nicodemus diz que a religião no mundo todo é a tentativa do homem de resolver esse problema da consciência. A culpa é universal. O homem tenta de tudo para aplacar sua consciência carregada de culpa. Desde os homens mais civilizados até os homens mais embrutecidos, todos lidam com o drama de uma consciência atormentada pela culpa. Há apenas uma coisa capaz de purificar a consciência humana: o sangue de Cristo derramado em nosso favor, como um pagamento completo, perfeito e absoluto. Essa é a resposta do cristianismo ao problema da consciência culpada.[20]

Serviço santificado (9.14). Somente aqueles cuja consciência foi purificada das obras mortas pelo sangue de Cristo podem servir ao Deus vivo. O sangue de Cristo nos purifica diante de Deus e purifica também nosso serviço para Deus. Nas palavras de Guthrie, "ninguém pode divorciar sua posição religiosa do seu serviço religioso".[21] Concordo com Wiley quando ele diz que a purificação da consciência não é só necessária para a comunhão com Deus, mas também para o serviço prestado a Deus. A consciência marcada pela culpa do pecado impede o acesso a Deus e, portanto, o serviço aceitável a Ele. A pregação sem unção, as orações sem fervor, o cântico sem entusiasmo e os testemunhos vazios ou outros serviços meramente formais, nada disso é aceitável a Deus.[22] William Barclay diz corretamente que o sacrifício de Jesus não contempla apenas o passado, mas também o futuro. Não faz apenas que o homem seja perdoado, mas também que seja instrumentalizado para fazer a obra de Deus. Não apenas paga sua dívida, mas também lhe concede vitória.[23]

---

[20]LOPES, Augustus Nicodemus. *Hebreus*, p. 191.
[21]GUTHRIE, Donald. *Hebreus: introdução e comentário*, p. 178.
[22]WILEY, Orton H. *Comentário exaustivo da Carta aos Hebreus*, p. 398,399.
[23]BARCLAY, William. *Hebreos*, p. 111.

16

O Mediador da nova aliança e Seu sacrifício perfeito

Hebreus 9.15-28

O TEXTO QUE AGORA VAMOS CONSIDERAR é uma das passagens mais difíceis de toda a carta aos Hebreus.[1] Nos sete primeiros capítulos de Hebreus, a ênfase recai sobre quem é o Senhor Jesus Cristo. A partir do capítulo 8, a ênfase passa de Sua pessoa para Sua obra, ou seja, de quem é Jesus para o que Ele fez.[2]

Quando o autor escreve *Por isso mesmo* (9.15), remete-nos aos versículos 13 e 14, em que se faz um contraste entre os sacrifícios da primeira aliança e o sacrifício de Cristo. Ambas as alianças foram ratificadas com sangue. A primeira aliança, firmada no Sinai, foi selada com o sangue de animais (Êx 24.1-8), e a nova aliança foi firmada com o sangue de Cristo (Mt 26.28; Mc 14.24; Lc 22.20; 1Co 11.25). A nova aliança nos proporciona uma nova posição perante Deus e um novo coração.

Stuart Olyott, examinando a passagem em tela, diz que podemos encontrar aqui três gloriosas verdades: o que Cristo fez no passado (9.15-23), o que Cristo está fazendo no presente (9.24-28a) e o que Cristo fará no futuro (9.28b).[3]

---

[1] BARCLAY, William. *Hebreos*, p. 112.
[2] OLYOTT, Stuart. *A Carta aos Hebreus*, p. 82.
[3] OLYOTT, Stuart. *A Carta aos Hebreus*, p. 82.

Vamos examinar com mais exatidão esses três pontos.

Olhando para o **passado** para contemplar o que **Cristo fez por nós** (9.15-23)

Há quatro verdades solenes que destacamos no texto em tela.

Em primeiro lugar, *Cristo é o Mediador da nova aliança* (9.15). Assim como Moisés foi o mediador da antiga aliança, Cristo, o profeta semelhante a Moisés, é o Mediador da nova aliança. A palavra grega *mesites, mediador*, revela o grande abismo que o pecado gerou entre Deus e o homem, e como o próprio Deus tomou a iniciativa de reconciliar-nos consigo mesmo por meio de Cristo (2Co 5.18-21). Nós, que estávamos longe, fomos aproximados. Nós, que estávamos perdidos, fomos achados. Nós, que estávamos mortos, recebemos vida. Em Cristo recebemos perdão, aceitação e vida eterna.

Vemos nesse versículo em apreço três verdades benditas.

Uma solene declaração (9.15). *Por isso mesmo, Ele é o Mediador da nova aliança...* A antiga aliança falava sobre vida eterna, perdão e purificação, mas jamais podia conceder tais coisas, porque o sangue de animais é simplesmente incapaz de prover verdadeira expiação pelo pecado. Warren Wiersbe diz que não havia final e completa redenção na antiga aliança. Aquelas transgressões eram cobertas pelo sangue de muitos sacrifícios, mas não foram purificadas até o sacrifício de Cristo na cruz (Rm 3.24-26).[4] Cristo, então, tornou-se o Mediador de uma nova aliança, oferecendo o que a antiga aliança não podia nos dar. Vale a pena destacar que a palavra *nova*, usada aqui, não é *neós*, que significa novo quanto ao tempo, mas *kainós*, que significa novo em qualidade ou caráter. A aliança é nova por causa da novidade e eficácia que Cristo lhe conferiu.[5]

Um solene propósito (9.15b). *... a fim de que, intervindo a morte para remissão das transgressões que havia sob a primeira aliança...* Na antiga aliança, o sangue de animais apenas purificava o povo cerimonialmente,

---

[4]WIERSBE, Warren W. *The Bible Exposition Commentary*. Vol. 2, p. 311.
[5]WILEY, Orton H. *Comentário exaustivo da Carta aos Hebreus*, p. 402.

mas não podia remover o pecado. Tratava apenas da purificação externa, mas não oferecia nenhum perdão definitivo. Aqueles sacrifícios apontavam para o sacrifício perfeito de Cristo (Rm 3.25,26). Era para Ele, o Cordeiro que tira o pecado do mundo (Jo 1.29), que os adoradores olhavam quando sacrificavam os animais. O sacrifício de Cristo, portanto, foi eficaz para aqueles que viveram antes dEle e também para nós, que vivemos depois dEle. Os que viveram na velha aliança foram perdoados olhando para a frente, para o Cristo da profecia; nós somos salvos olhando para o passado, para o Cristo da história. Olyott explica essa verdade da seguinte forma:

> Foi porque Cristo ofereceu um sacrifício tão superior que Ele pôde conduzir pessoas aos benefícios da Nova Aliança, tanto retrospectivamente quanto a partir do Calvário. Sim, havia gente salva nos tempos do Antigo Testamento, cada um deles, salvo por nosso Senhor Jesus Cristo, por Sua obra realizada na cruz.[6]

Uma solene oferta (9.15c). *... recebam a promessa da eterna herança aqueles que têm sido chamados.* O Cristo oferece terna herança não para todos sem exceção, mas para todos sem acepção, ou seja, para todos os que são chamados. Guthrie tem razão em dizer que essa herança é restringida não a determinada nação, mas a certa classe definida, ou seja, *aqueles que têm sido chamados.*[7]

Em segundo lugar, **Cristo é o Testador que tem preciosas riquezas para o Seu povo** (9.16). Um testador é aquele que escreve um documento voluntário, como expressão de vontade última, com validade legal, no qual distribui suas riquezas para os contemplados em seu testamento. Vejamos três aspectos desse testamento.

O conteúdo do testamento (9.16). A palavra grega *diatheke* usada no versículo 15 para *aliança* é a mesma palavra usada aqui para "testamento". É o contexto que define o seu uso correto. Um testamento é feito unilateralmente. O testador indica as pessoas contempladas e

---
[6]OLYOTT, Stuart. *A Carta aos Hebreus*, p. 83.
[7]GUTHRIE, Donald. *Hebreus: introdução e comentário*, p. 180.

estabelece as condições do testamento. Enquanto vive o testador, ele pode modificar tanto o nome das pessoas como alterar as cláusulas. Ele é soberano para fazer essas alterações.

A pessoa do Testador (9.16). Cristo é o Testador e ao mesmo tempo o executor do testamento, pois Ele morreu e ressuscitou. Ele mesmo distribui as riquezas destinadas a Seu povo em Seu testamento. Ele é Fiador e Mediador da nova aliança. Wiley pergunta: "Que maior segurança poderia ser concedida aos herdeiros da promessa do que o próprio Testador levantar-se dentre os mortos para fazer cumprir o Seu próprio Testamento?"[8]

A morte do Testador (9.16,17). A morte do Testador é absolutamente necessária para que as bênçãos prometidas no testamento sejam auferidas pelas pessoas nele incluídas. Olyott diz que essa é uma ilustração muito boa, porque a nova aliança não é tanto um contrato entre duas partes quanto uma doação. Jesus Cristo, cabeça de nossa aliança, fez com Deus Pai um pacto desde a eternidade de que nos salvaria mediante Sua morte em nosso lugar. Tudo o que Ele nos prometeu tornou-se nosso com a Sua morte. Foi pela Sua morte que os crentes receberam o perdão.[9] Cristo inaugurou a nova aliança em Seu sangue (Mt 26.28; Mc 14.24; Lc 22.20; 1Co 11.25). Raymond Brown diz que, em Cristo, temos um perdão que cobre o passado (9.22), um Mediador no presente e uma herança no futuro que ninguém pode tirar de nós.[10]

Em terceiro lugar, ***a primeira aliança foi sancionada com sangue*** (9.18-21). A nova aliança não poderia acontecer sem que o sangue de Cristo fosse derramado. Mas a antiga aliança também foi sancionada com sangue, o sangue de animais: Moisés aspergiu com sangue o livro da lei, o povo da aliança, o tabernáculo e todos os utensílios do serviço sagrado (Êx 24.1-8). Wiley diz que a primeira aliança não foi apenas inaugurada com sangue, mas, do início ao término, os cerimoniais se baseavam no sangue sacrificial.[11]

---

[8]WILEY, Orton H. *Comentário exaustivo da Carta aos Hebreus*, p. 402.
[9]OLYOTT, Stuart. *A Carta aos Hebreus*, p. 83,84.
[10]BROWN, Raymond. *The Message of Hebrews*, p. 167.
[11]WILEY, Orton H. *Comentário exaustivo da Carta aos Hebreus*, p. 406.

Quase todas as coisas, segundo a lei, se purificam com sangue, uma vez que há algumas coisas que são purificadas com água e com fogo. Porém, na antiga aliança, estava meridianamente claro que *sem derramamento de sangue, não há remissão* (9.22). Esta declaração está baseada em Levítico 17.11. Concordo com Guthrie quando ele diz que, dessa maneira, o escritor está edificando uma explicação acerca da necessidade da morte de Cristo.[12] Há, portanto, uma estreita conexão entre a velha e a nova alianças. Ambas são ratificadas com sangue: a primeira com o sangue de animais, e a segunda com o sangue de Cristo. A primeira era um emblema da segunda; a segunda, o cumprimento da primeira. A primeira apontava para a segunda; a segunda consumava a primeira.

Em quarto lugar, *a purificação na primeira aliança era feita com sangue* (9.22,23). Algumas coisas eram purificadas com água e fogo, mas o santuário e todos os seus utensílios precisavam ser purificados com sangue. Ninguém podia comparecer perante Deus para cultuá-lo sem estar debaixo do sangue. Nenhum mérito pessoal ou posição eclesiástica dava ao homem direito de comparecer perante Deus. Esse caminho era possível apenas por intermédio do sangue. Se as coisas do tabernáculo terreno precisavam ser purificadas com sangue de animais, o santuário celeste, superior ao terreno, precisava ser purificado com um sacrifício superior, o sacrifício de Cristo (9.23). O apóstolo escreve sobre os efeitos do sacrifício de Cristo: *E que, havendo feito a paz pelo sangue da Sua cruz, por meio dEle, reconciliasse consigo mesmo todas as coisas, quer sobre a terra, quer nos céus* (Cl 1.20).

Olhando para o **presente** a fim de contemplar o que **Cristo está fazendo por nós** (9.24-28a)

Donald Guthrie diz corretamente que a seção anterior (9.15-22) tinha a natureza de um parêntese, e aqui a sequência do pensamento retoma o tema anterior.[13] Matthew Henry elenca quatro razões pelas quais o sacrifício de Cristo é infinitamente superior aos sacrifícios da lei: 1) por

---

[12]GUTHRIE, Donald. *Hebreus: introdução e comentário*, p. 183.
[13]GUTHRIE, Donald. *Hebreus: introdução e comentário*, p. 184.

causa do lugar (9.24); 2) por causa dos próprios sacrifícios da lei que eram imperfeitos (9.25); 3) por causa da necessidade de repetição desses sacrifícios (9.25,26); 4) por causa da ineficácia daqueles sacrifícios e da eficácia do sacrifício de Cristo (9.28).[14]

Algumas verdades solenes são destacadas no texto em tela.

Em primeiro lugar, *Cristo compareceu por nós em um santuário superior* (9.24). Cristo nunca entrou no santuário feito por mãos. Ele não era da tribo de Levi, mas da tribo de Judá. Mas Ele entrou no santuário celeste, o santuário superior, do qual o santuário terrestre é apenas uma sombra. Kistemaker diz que sacrifícios de animais foram medidas temporárias; os sumos sacerdotes, mortais; e o santuário, uma cópia feita pelo homem. Em contraste, o sacrifício único e para sempre de Cristo é permanente; nosso Sumo Sacerdote, eterno; e o santuário celestial, o verdadeiro santuário.[15]

O sacrifício de Cristo teve um efeito cósmico: alcançou a terra e o céu (Cl 1.20). O verbo grego *eiselthen*, traduzido por *entrou*, está no tempo aoristo, indicando um fato decisivo. Jesus ministra no próprio céu, onde se apresenta perante a face de Deus. E faz isso em nosso favor.[16] Concordo com Guthrie quando ele diz que essa é a obra intercessora de Cristo.[17]

Em segundo lugar, *Cristo compareceu com uma oferta voluntária* (9.25a). Na antiga aliança, os animais iam para o altar a fim de serem imolados involuntariamente, mas Cristo ofereceu a si mesmo voluntariamente. O Pai o entregou por amor (Rm 5.8; 8.32), e Ele voluntariamente se entregou por amor a nós (Gl 2.20).

Em terceiro lugar, *Cristo compareceu com uma oferta definitiva* (9.25b,26a). Os sacerdotes precisavam fazer muitos e repetidos sacrifícios, mas Cristo se ofereceu uma única vez e fez um único sacrifício. Seu sacrifício foi perfeito, completo e definitivo. Não precisa ser repetido. É absolutamente eficaz.

---

[14]HENRY, Matthew. *Matthew Henry's Commentary*, p. 1920.
[15]KISTEMAKER, Simon. *Hebreus*, p. 369.
[16]OLYOTT, Stuart. *A Carta aos Hebreus*, p. 85.
[17]GUTHRIE, Donald. *Hebreus: introdução e comentário*, p. 185.

Olyott tem razão ao dizer que o sacrifício de Cristo é oferta suficiente pelos pecadores. É a expiação perfeita por seus pecados. Isso diz respeito até mesmo aos pecados dos crentes que viveram antes que o sacrifício ocorresse. É um sacrifício que não necessita de nenhum acréscimo, porque em nada é deficiente. Também não necessita de repetição.[18] Nessa mesma linha de pensamento, Kistemaker diz que o sacrifício de Cristo na cruz é tão eficaz que remove os pecados de todos os crentes do Antigo Testamento. Seu sacrifício é retroativo e vai até a criação do mundo, isto é, ao tempo em que Adão caiu em pecado. Assim, o sacrifício de Cristo é válido para todos os crentes, tenham vivido antes da vinda de Cristo ou depois. O Seu sacrifício é para todos os tempos.[19] Guthrie diz que a eficácia daquela oferta sempre está diante dos olhos do Pai.[20]

Em quarto lugar, **Cristo compareceu com um propósito superior** (9.26b). Cristo se manifestou uma vez por todas, para aniquilar, pelo sacrifício de si mesmo, o pecado. Os sacrifícios de animais não podiam remover pecados, mas o sangue de Cristo nos purifica de todo pecado. A penalidade do pecado foi quitada de forma completa e real. Nossa dívida foi paga. Nosso débito foi cancelado. Isso revela a completa suficiência do sacrifício de Cristo. A palavra grega *athetesis*, "aniquilar", envolve a anulação do pecado, ou seja, tratá-lo como se já não mais existisse.[21] O apóstolo João diz que Cristo se manifestou para tirar os pecados (1Jo 3.5).

Em quinto lugar, **Cristo realizou um sacrifício único, definitivo e eficaz** (9.28a). Cristo, diferentemente dos sacerdotes levitas, não precisou se apresentar várias vezes para sacrificar. Fez isso uma única vez. Seu sacrifício foi completo, definitivo e cabal.

Em sexto lugar, **Deus ordenou duas coisas ao homem** (9.27). Do mesmo modo que é certo que o homem morra uma só vez, e depois disso vem o juízo, é certo que Cristo morreu uma única vez como oferta

---

[18]OLYOTT, Stuart. *A Carta aos Hebreus*, p. 86.
[19]KISTEMAKER, Simon. *Hebreus*, p. 370.
[20]GUTHRIE, Donald. *Hebreus: introdução e comentário*, p. 186.
[21]GUTHRIE, Donald. *Hebreus: introdução e comentário*, p. 187.

pelo pecado. A diferença entre a morte de Cristo e as demais é que a dEle foi voluntária, ao passo que para os demais a morte é ordenada.[22] Há duas ordenanças divinas em relação ao homem, como podemos constatar a seguir.

A morte. David Stern diz que Deus organizou o universo de tal maneira que os seres humanos devem morrer uma vez, e não muitas vezes (9.27). Essa é a refutação bíblica para o conceito da reencarnação encontrado na maioria das religiões orientais.[23] A morte passa por todos os homens, porque todos pecaram. Morre o pobre e o rico, o doutor e o analfabeto, o rei e o vassalo, o velho e o jovem, o religioso e o ateu. Nenhum poder econômico ou político pode livrar o homem da morte. Ela é o sinal de igualdade na equação da vida.

O juízo. Todos os homens, sem exceção e sem acepção, terão de comparecer perante o tribunal de Deus no dia do juízo (5.27-29; 10.25b-29; At 17.31; Rm 2.5-16; 1Co 3.8-15; 4.5; 2Co 5.10; Ap 20.11-15). Ninguém escapará desse dia. Todos terão de prestar contas a Deus. Concordo com as palavras de David Stern, segundo o qual "a vida humana não se repete, as ações de alguém nesta vida são julgadas após a morte, e não existe oportunidade para reparações mais tarde".[24] Esse dia será de alegria para os salvos e de tormento para os ímpios. Será dia de luz para uns e dia de trevas para outros.

Olhando para o **futuro** a fim de contemplar o que **Cristo fará por nós** (9.28b)

Cristo não apenas veio até nós, morreu por nós, ressuscitou dentre os mortos e subiu ao céu para ser nosso Rei e Sacerdote, mas voltará para nós, a fim de nos trazer em suas asas a plenitude da salvação. Nós já fomos salvos da condenação do pecado na justificação. Estamos sendo salvos do poder do pecado na santificação, mas só na glorificação é que seremos salvos da presença do pecado. Cristo voltará para

---

[22]GUTHRIE, Donald. *Hebreus: introdução e comentário*, p. 188.
[23]STERN, David H. *Comentário judaico do Novo Testamento*, p. 761.
[24]STERN, David H. *Comentário judaico do Novo Testamento*, p. 762.

oferecer sua herança gloriosa aos que aguardam sua salvação. Mas ele virá também para exercer juízo sobre aqueles que negligenciaram sua tão grande salvação.

David Peterson tem razão ao dizer que há uma terrível expectação de juízo para aqueles que escarneceram do Filho de Deus e de Seu sacrifício (10.26-31). Mas, para todos aqueles que confiaram nEle e desejaram ardentemente sua vinda, há uma expectativa de salvação – livramento do juízo e alegria na promessa da herança eterna.[25]

Olyott diz acertadamente que o dia da volta de Cristo será a exibição final da superioridade da nova aliança sobre a antiga. A nova aliança não somente nos dá acesso agora a Deus, como também nos proverá um lar eterno em Sua glória celeste. Aquele glorioso dia será o clímax e a consumação da salvação de Deus.[26]

Encerro com as palavras de Warren Wiersbe:

> O santuário do crente está no céu. Seu Pai está no céu e seu Salvador está no céu e virá do céu. Sua pátria está no céu e seus tesouros estão no céu. Sua esperança está no céu. O verdadeiro crente anda pela fé, e não pelo que vê. Não importa o que acontece na terra, o crente pode ter confiança porque ele caminha para o céu.[27]

---

[25]PETERSON, David G. *Hebrews*, p. 1342.
[26]OLYOTT, Stuart. *A Carta aos Hebreus*, p. 88.
[27]WIERSBE, Warren W. *The Bible Exposition Commentary*. Vol. 2, p. 312.

17

A incomparável superioridade de Cristo

Hebreus 10.1-18

O AUTOR AOS HEBREUS NÃO APRESENTA CONTEÚDO NOVO nesse capítulo, mas aprofunda e alarga o que já tratou nos capítulos anteriores. Destaca ainda com mais eloquência a incomparável superioridade de Cristo. Olyott diz, com razão, que o que Cristo fez é infinitamente superior à aliança, ao sacerdócio e aos sacrifícios aos quais os leitores originais pensavam em retornar.[1]

Na passagem em apreço, o autor fecha o assunto sobre a ordem levítica ao destacar a completa ineficácia dos antigos sacrifícios, a completa eficácia do sacrifício de Cristo e um contraste entre os antigos sacrifícios e o sacrifício de Cristo. Concordo com Wiley quando ele diz que o capítulo 10 de Hebreus é o epílogo de um momentoso e ponderado discurso.[2] Vejamos mais a respeito nas seções a seguir.

A completa ineficácia dos antigos sacrifícios (10.1-4)

O sistema da lei era provisório. Tinha prazo de validade. Estava destinado a acabar. Três pontos são destacados aqui.

---

[1] OLYOTT, Stuart. *A Carta aos Hebreus*, p. 89.
[2] WILEY, Orton H. *Comentário exaustivo da Carta aos Hebreus*, p. 418.

Em primeiro lugar, *os antigos sacrifícios eram apenas sombras* (10.1). O escritor aos Hebreus diz que a lei tem sombra dos bens vindouros, e não a imagem real das coisas. Os sacrifícios oferecidos pelos sacerdotes apontavam para o sacrifício de Cristo. Eram sombras, representações e figuras terrenas, mas não a própria realidade. Prepararam o seu caminho, mas não eram sua consumação.

Wiley comenta que, como a sombra tem certo valor por indicar a existência da substância ou forma real, assim o judaísmo teve o seu valor como sombra daquilo que se tornou realidade em Cristo.[3] A palavra grega *skia*, traduzida por "sombra", significa um reflexo pálido e nebuloso, um mero contorno ou silhueta, uma forma sem realidade nem substância.[4] Por isso, Guthrie argumenta corretamente que, uma vez que a forma verdadeira tenha sido vista, a sombra se torna irrelevante.[5] De acordo com Augustus Nicodemus, Hebreus mostra que o cristianismo é o desenvolvimento e a consumação do judaísmo do Antigo Testamento. A lei anunciava uma realidade futura. Tinha um papel didático, simbólico, para que os israelitas confiassem no Salvador que haveria de vir.[6]

Em segundo lugar, *os antigos sacrifícios precisavam ser repetidos* (10.1b,2). Se os sacrifícios no sistema da lei fossem eficazes, não precisariam ser repetidos dia após dia, ano após ano. Esses sacrifícios não podiam purificar pecados. Não traziam alívio para a consciência nem pleno perdão para os pecadores. Tinham a finalidade de apontar para o perfeito sacrifício que Cristo realizaria na cruz.

Em terceiro lugar, *os antigos sacrifícios eram completamente ineficientes* (10.2b-4). O que os sacrifícios do sistema da lei podiam fazer era apenas recordar o pecado e mostrar a necessidade de purificação, mas eles não tinham o poder de purificá-lo. Não havia remissão. Não havia perdão. Não havia paz para a consciência atormentada do homem. A conclusão óbvia é que era impossível que o sangue de touros pudesse remover pecados.

---

[3]WILEY, Orton H. *Comentário exaustivo da Carta aos Hebreus*, p. 419.
[4]BARCLAY, William. *Hebreos*, p. 120.
[5]GUTHRIE, Donald. *Hebreus: introdução e comentário*, p. 189.
[6]LOPES, Augustus Nicodemus. *Hebreus*, p. 208,209.

Guthrie tem razão ao dizer que o sistema sacrificial do Antigo Testamento tinha validez somente porque prenunciava o sacrifício supremo e definitivo de Cristo.[7] Kistemaker é enfático ao afirmar que o sacrifício de Cristo põe fim aos sacrifícios estipulados pela lei do Antigo Testamento, uma vez que Ele é o fim da lei (Rm 10.4). Cristo é o fim dos sacrifícios da velha aliança. Ao oferecer-se como sacrifício, Cristo marcou o fim do sacerdócio levítico com seus sacrifícios e ofertas, e pôs fim à validade da primeira aliança.[8]

Warren Wiersbe acrescenta que os sacrifícios sob a antiga aliança traziam lembrança do pecado, mas não remissão do pecado. O sangue de Cristo, porém, tratou definitivamente com o problema do pecado. Consequentemente, se não existe mais necessidade de oferta pelo pecado, então não existe mais lembrança do pecado (10.17).[9]

A completa eficácia do sacrifício de Cristo (10.5-10)

A ineficácia dos sacrifícios da antiga aliança exigia, necessariamente, a chegada de uma nova aliança, com o sacerdote perfeito, oferecendo o sacrifício perfeito, para a completa remoção do pecado. É disso que o autor começa a tratar na passagem em tela. Quatro pontos devem ser aqui destacados.

Em primeiro lugar, *a promessa da vinda de Cristo para expiar os pecados* (10.5-7). O autor afirma que Deus não tem prazer nos sacrifícios da antiga aliança. Concordo, entretanto, com Warren Wiersbe quando ele diz que isso não significa que aqueles sacrifícios estavam errados ou que sinceros adoradores não obtiveram benefícios por obedecerem à lei de Deus. Mas isso significa que Deus não se deleitava nos sacrifícios oferecidos à parte da obediência dos adoradores. Sacrifícios não podiam substituir obediência (1Sm 15.22; Sl 51.16,17; Is 1.11,19; Jr 6.19,20; Os 6.6; Am 5.20,21).[10]

---

[7]GUTHRIE, Donald. *Hebreus: introdução e comentário*, p. 191.
[8]KISTEMAKER, Simon. *Hebreus*, p. 383.
[9]WIERSBE, Warren W. *With the Word*. Nashville, TN: Thomas Nelson, 1991, p.819.
[10]WIERSBE, Warren W. *The Bible Exposition Commentary*. Vol. 2, p. 314.

O autor sustenta que, na própria lei do Antigo Testamento, já fora profetizado que um dia aqueles sacrifícios e ofertas seriam substituídos por alguém que viria fazer a vontade de Deus e se entregar de uma vez por todas pelo pecado, encerrando definitivamente o primeiro sistema.[11] O autor cita ainda a profecia messiânica de Salmo 40.6-8, segundo a qual Cristo viria para fazer a vontade do Pai, oferecendo seu próprio corpo como sacrifício perfeito para remover de vez o pecado. Duas naturezas, a divina e a humana, foram unidas para sempre em sua pessoa, o Deus-homem. Esse corpo preparado, que representa toda a humanidade, tornou possível o Seu sacrifício expiatório exigido pela santidade de Deus.[12] Wiley explica esse ponto da seguinte maneira:

> Podemos dizer, então, que a vontade do Senhor expressa em Hebreus 10.8,9 era que fosse preparado para o *Logos* eterno um corpo, e neste ele voluntariamente deveria assumir tudo o que era exigido para a expiação dos pecados do homem. Para o autor de Hebreus, fazer a vontade do Altíssimo é um ato sacrificial que envolve Jesus em morte expiatória e vicária, livrando o homem de toda condenação.[13]

Em segundo lugar, *Cristo, ao vir ao mundo, declarou que Deus não se agrada de sacrifícios* (10.8). Todos aqueles sacrifícios da antiga aliança não eram um fim em si mesmos; eram apenas sombra, apenas um sinal. Apontavam para o sacrifício perfeito, completo e definitivo. É desse sacrifício perfeito que Deus se agrada. Mais uma vez, Wiley é oportuno quando escreve:

> Se Deus não queria nem se agradava dos antigos sacrifícios levíticos, indicando que desejava outra coisa, isto é, que o corpo de Seu Filho seria o sacrifício perfeito e completo e anularia todos os sacrifícios anteriores, então é evidente que remove o primeiro sistema de sacrifícios para estabelecer o segundo. O primeiro se refere a todas as ofertas judaicas de sangue e de manjares; o segundo, ao estabelecimento da vontade de

---

[11] LOPES, Augustus Nicodemus. *Hebreus*, p. 209.
[12] WILEY, Orton H. *Comentário exaustivo da Carta aos Hebreus*, p. 425.
[13] WILEY, Orton H. *Comentário exaustivo da Carta aos Hebreus*, p. 422.

Deus mediante aquela obediência que conduziu Jesus à crucificação, sacrifício em que Ele provou a morte no lugar do pecador.[14]

Em terceiro lugar, **Cristo veio para fazer a vontade de Deus e remover os antigos sacrifícios** (10.9). Cristo veio para cumprir a lei, encerrar o antigo sistema sacrificial e inaugurar a nova aliança, oferecendo a Si mesmo para fazer a vontade do Pai, expiar o pecado e remover para sempre os antigos sacrifícios. O Calvário baniu os animais do altar do sacrifício. Cristo fez a vontade do Pai e realizou o sacrifício perfeito, completo e cabal. Turnbull tem razão ao dizer que não foi Judas, nem os soldados, nem mesmo Pilatos, que levaram Jesus à morte; foi Ele próprio que Se entregou voluntariamente.[15]

Em quarto lugar, **Cristo entregou seu corpo como sacrifício aceitável a Deus** (10.10). Se o sacrifício de animais não podia agradar a Deus nem remover pecados, o sacrifício de Cristo, o Cordeiro de Deus que tira o pecado do mundo, foi uma oferta perfeita, pelo Sacerdote perfeito, que agradou a Deus perfeitamente e removeu o pecado de uma vez por todas. Olyott é oportuno ao dizer que a vontade de Deus para o Messias era que Ele fizesse plena expiação pelo pecado. Isso requeria um sacrifício com derramamento de sangue, e assim lhe foi preparado um corpo no qual pudesse sofrer. Em Seu sofrimento e morte, foi plenamente cumprida a vontade de Deus. Foi assim que a segunda e melhor aliança passou a operar.[16]

O contraste entre os antigos sacrifícios e o sacrifício de Cristo (10.11-18)

Depois de pontuar a ineficácia dos sacrifícios da antiga aliança e mostrar a eficácia do sacrifício de Cristo, o autor aos Hebreus contrasta um com o outro. Na passagem em apreço, seis fatos devem ser destacados.

Em primeiro lugar, *os antigos sacrifícios não serviam para tirar o pecado* (10.11). Os sacerdotes ofereciam os sacrifícios dia após dia e

---

[14]WILEY, Orton H. *Comentário exaustivo da Carta aos Hebreus*, p. 423.
[15]TURNBULL, M. Ryerson. *Levítico e Hebreus*, p. 148.
[16]OLYOTT, Stuart. *A Carta aos Hebreus*, p. 91.

jamais podiam parar de oferecê-los. E por quê? Porque esses sacrifícios eram absolutamente impotentes para remover pecados. Eles traziam apenas purificação cerimonial, mas não o perdão verdadeiro. Kistemaker diz que, literalmente, rios de sangue de animais fluíam porque os sacrifícios eram contínuos; e a sucessão de sacerdotes, que serviam em turnos e eram escolhidos por sorte (Lc 1.8,9), parecia ser interminável.[17]

Em segundo lugar, **Cristo ofereceu um único sacrifício para tirar o pecado** (10.12a). Cristo ofereceu a si mesmo, o seu próprio corpo, como único, perfeito e irrepetível sacrifício. Seu sacrifício foi o cumprimento de todos os sacrifícios da antiga aliança. Agora, todo o sistema judaico de sacrifícios deve cessar. Não existem mais sacerdotes. Não existe mais altar. Não existem mais sacrifícios pelo pecado. Cristo ofereceu o último, o único e o cabal sacrifício para tirar o pecado.

Em terceiro lugar, **Cristo terminou Seu trabalho e está entronizado** (10.12b,13). No santuário, a mobília incluía a mesa, a lâmpada, o altar do incenso, a arca, mas nenhuma cadeira; Cristo, porém, tendo concluído sua obra expiatória, assentou-se à direita da Majestade. Nenhum sacerdote podia assentar-se à destra de Deus. Mas Cristo, sendo Filho e tendo concluído sua obra sacrificial, foi entronizado, exaltado sobremaneira, acima de todo nome, reina soberano e aguarda até que Seus inimigos sejam colocados debaixo de Seus pés (1Co 15.23-25).

De acordo com Olyott, Cristo está assentado no lugar de maior autoridade. Ele não tem mais batalhas a travar, não tem mais tentações a suportar, nenhum Getsêmani a mais para sofrer, nem nova cruz onde ser pregado, nem outro túmulo para ser deixado. Terminaram todos os Seus conflitos. Ele está assentado em triunfo, aguardando o dia quando todos os Seus inimigos serão postos debaixo dos Seus pés (Sl 110.1; Fp 2.9-11).[18]

Wiley diz que o propósito do escritor de Hebreus aqui é salientar a exaltação de Jesus como Rei. Por Sua única oferta sacrificial, Jesus elevou nossa humanidade de sua condição perdida e pecaminosa até o trono de Deus. O Cristo é Rei e Sumo Sacerdote. Como Sumo Sacerdote, encontra-se à destra de Deus intercedendo por nós; como

---

[17] KISTEMAKER, Simon. *Hebreus*, p. 392.
[18] OLYOTT, Stuart. *A Carta aos Hebreus*, p. 91,92.

Rei, estabeleceu o Seu reinado inicial no coração dos homens que lhe pertencem (Rm 14.17).¹⁹

Em quarto lugar, *Cristo aperfeiçoou para sempre aqueles que foram separados para Deus* (10.14). Se os sacrifícios da antiga aliança não podiam aperfeiçoar, Cristo, com um único sacrifício, aperfeiçoou para sempre quantos estão sendo santificados. Não existe mais necessidade de novos sacrifícios. Ele varreu do altar todos os animais mortos. Toda a nossa salvação foi consumada no Calvário e não há mais nada que possa ser acrescentado ao que ali foi cabalmente realizado.

Em quinto lugar, *o Espírito Santo testifica as bênçãos da nova aliança* (10.15-17). O Espírito Santo, o autor último das Escrituras, mostra que, em virtude do sacrifício de Cristo, uma nova aliança foi firmada em Seu sangue, trazendo para o Seu povo uma mudança interior e o perdão pleno de seus pecados (Jr 31.33,34). Raymond Brown diz que o coração desse novo relacionamento é focado sobre o que nós escolhemos relembrar (10.15,16) e o que Deus escolher esquecer (10.17).²⁰

Kistemaker tem razão ao dizer que os crentes do Antigo Testamento experimentaram a graça perdoadora de Deus, pois Davi escreve: *Confessei-te o meu pecado* [...] *e tu perdoaste a iniquidade do meu pecado* (Sl 32.5). E ele menciona em outro lugar: *Quanto dista o Oriente do Ocidente, assim afasta de nós as nossas transgressões* (Sl 103.12). O que é novo na profecia de Jeremias, citado em Hebreus, é que Deus não se lembra mais dos pecados na era da nova aliança. Deus perdoou os pecados dos crentes pecadores mediante o único sacrifício de Cristo e, portanto, nunca mais se lembrará deles. Os pecados são perdoados e esquecidos.²¹

Em sexto lugar, *o sacrifício de Cristo é completo e não é necessária nenhuma outra oferta pelo pecado* (10.18). O pecado é um débito que requer perdão, uma escravidão que requer redenção e uma alienação que requer reconciliação. Porém, o sacrifício de Cristo pôs fim a todos os sacrifícios pelo pecado.²² O sacrifício de Cristo pôs um ponto final

---

[19] WILEY, Orton H. *Comentário exaustivo da Carta aos Hebreus*, p. 428.
[20] BROWN, Raymond. *The Message of Hebrews*, p. 180.
[21] KISTEMAKER, Simon. *Hebreus*, p. 396,397.
[22] KISTEMAKER, Simon. *Hebreus*, p. 397.

em todo o sistema de sacrifícios da antiga aliança. Acabou o sistema sacerdotal. Acabou a matança de animais e o derramamento de sangue. Tudo isso era apenas sombra. A realidade chegou, e as sombras foram dissipadas. Estou de pleno acordo com Olyott quando ele diz que o Calvário acaba com todos os sacrifícios instituídos no Antigo Testamento, tornando-os desnecessários. Eles serviram bem como sombras, apontando adiante e mostrando de modo ofuscado aquilo que viria no futuro. Mas não tinham outro valor além desse, porque não podiam apagar nem um pecado sequer. Seu tempo terminou.[23]

---
[23]OLYOTT, Stuart. *A Carta aos Hebreus*, p. 92.

18

Um solene apelo ao povo de Deus

Hebreus 10.19-39

A CARTA AOS HEBREUS PODE SER DIVIDIDA em duas grandes partes: uma dogmática (1.1–10.18) e outra prática (10.19–13.25). Depois de apresentar a superioridade de Cristo sobre os profetas, os anjos, Moisés, Josué e Arão; e, depois de mostrar que Cristo é o sacerdote melhor, que ofereceu um sacrifício melhor, no santuário melhor, o escritor aos Hebreus passa a fazer importantes aplicações, numa espécie de solene apelo ao povo de Deus. Num tom pastoral, o autor faz uma solene exortação (10.19-25), uma solene advertência (10.26-31) e um solene encorajamento (10.32-39). Vamos considerar esses três pontos.

Uma solene **exortação** (10.19-25)

Em virtude do perfeito, completo, cabal e final sacrifício realizado por Cristo, temos alguns privilégios que precisam ser plenamente usufruídos. O autor exorta os crentes a desfrutarem de sete privilégios.

Em primeiro lugar, *temos acesso irrestrito à presença de Deus* (10.19). Somente o sumo sacerdote podia entrar uma vez por ano no Santo dos Santos, mas nós, por causa do sangue de Cristo, podemos ter intrepidez para entrar livremente no Santo dos Santos, ou seja, na presença de Deus. A santidade de Deus não nos mantém do lado de fora. Podemos entrar porque a penalidade que merecíamos foi carregada por Cristo na cruz quando Ele padeceu e morreu por nós. Existe acesso irrestrito a todo aquele que foi lavado no sangue de Cristo. Augustus Nicodemus é oportuno quando escreve:

> É isso que todas as religiões do mundo desejam. Chegar a Deus. E elas inventaram toda sorte de método e de artifícios, sacrifícios humanos, práticas de boas obras, seguir determinados rituais. Tantas religiões há no mundo quanto há métodos de sistemas diferentes, para tentar se chegar a Deus. O cristianismo é a única religião em que Deus vem ao mundo em Seu Filho para morrer e levar o seu povo ao seu encontro. É nisso que cremos. Quando dizemos que somos cristãos, estamos afirmando que cremos que o acesso a Deus está aberto, mediante Jesus, para todo aquele que crê.[1]

Turnbull corrobora esse pensamento destacando que a velha dispensação com seu culto levítico dizia: "Afastai-vos, afastai-vos, para que não morrais". A dispensação cristã diz: "Cheguemo-nos, portanto, com confiança ao trono da graça". Que superioridade gloriosa! Cristo restaura o homem à comunhão com Deus, comunhão plena, livre e íntima.[2]

Em segundo lugar, **temos um novo e vivo caminho para Deus** (10.20). O caminho para a presença de Deus estava cercado por uma grossa cortina, por um espesso véu. Mas, com a morte de Cristo, o véu foi rasgado de alto a baixo, e o caminho para Deus foi aberto. Esse caminho é um novo e vivo caminho. Esse caminho não é um ritual, uma cerimônia ou uma liturgia, mas uma pessoa. O caminho é Jesus. Wiley apresenta esse assunto da seguinte forma:

> O rompimento do véu da carne de Cristo é uma alusão à morte física que Ele sofreu na cruz, significando, por um lado, o derramamento do Seu sangue como expiação vicária pelo pecado e, por outro, a inauguração de um novo e vivo caminho para o santo dos santos. Isto foi simbolizado, no tempo da crucificação, pelo rompimento do véu do

---

[1] LOPES, Augustus Nicodemus. *Hebreus*, p. 218.
[2] TURNBULL, M. Ryerson. *Levítico e Hebreus*, p. 145.

templo de cima a baixo, marcando o término da dispensação da lei e a inauguração de uma nova ordem espiritual.[3]

Kistemaker, nessa mesma linha de pensamento, acrescenta que o adjetivo *vivo* significa que o caminho que Cristo abriu para nós não é uma rua sem saída, mas uma rodovia que nos conduz à salvação, à própria presença de Deus. Pelo Seu sacrifício na cruz, Cristo removeu o véu entre Deus e o seu povo.[4]

Em terceiro lugar, *temos* **Cristo como nosso grande Sumo Sacerdote diante de Deus** (10.21). Os sumos sacerdotes do sistema judaico eram homens falhos e faziam sacrifícios imperfeitos, que não podiam remover pecados, mas Cristo, sendo o sacerdote perfeito, ofereceu o sacrifício perfeito para remover para sempre nossos pecados. Ele é o nosso grande sacerdote na casa de Deus. Guthrie diz que *casa de Deus* aqui significa tanto a igreja na terra quanto a igreja no céu.[5] Na antiga aliança, o sumo sacerdote entrava no Santo dos Santos apenas uma vez por ano e precisava logo sair, mas agora, na nova aliança, o acesso é aberto a todo crente, em todo tempo, em todo lugar.

Em quarto lugar, ***temos ousadia para entrar na presença de Deus*** (10.22). Esta exortação é semelhante à que se encontra em Hebreus 4.16. Não precisamos ter medo, mas plena certeza de fé, para entrar na presença de Deus. Não pesa mais sobre nós a culpa. Nossa consciência foi purificada, nosso corpo foi lavado, nossos pecados foram perdoados; estamos quites com a lei de Deus e com a justiça divina. A entrada à presença do Deus santo nos foi plenamente franqueada. Não há nada que nos exclua. Nossa consciência foi purificada. Nossos pecados foram perdoados. Nele fomos santificados.

Em quinto lugar, ***temos de permanecer firmes na nova aliança*** (10.23). Depois do que Cristo fez por nós, não podemos mais vacilar nem retroceder. Ao contrário, devemos ficar firmes na confissão da esperança, pois as promessas de Deus de pleno perdão dos pecados e

---

[3]WILEY, Orton H. *Comentário exaustivo da Carta aos Hebreus*, p. 443.
[4]KISTEMAKER, Simon. *Hebreus*, p. 402.
[5]GUTHRIE, Donald. *Hebreus: introdução e comentário*, p. 199.

de plena comunhão com Ele são confiáveis, pois quem prometeu é fiel. Augustus Nicodemus tem razão ao dizer que quem fez a promessa não foi um homem igual a nós. O homem se arrepende, volta atrás, geralmente quebra a palavra e não cumpre a promessa. Todos nós estamos acostumados a ser decepcionados e frustrados desse modo. Com Deus, porém, não é assim. Ele não é homem para que minta (Nm 23.19).[6] Por causa dessa inabalável realidade, Olyott registra: "Não é hora de afrouxar o pulso, vacilar na fé ou ceder à tentação de voltar atrás para as sombras do Antigo Testamento".[7]

Em sexto lugar, **temos de encorajar uns aos outros** (10.24). Nas provas da vida cristã, longe de ficarmos desanimados, precisamos considerar e estimular uns aos outros ao amor e à prática das boas obras. Kistemaker tem razão ao dizer que o amor é comunal. Para o homem, o amor se estende a Deus e aos vizinhos.[8] O apóstolo Paulo chama o mandamento de amar uns aos outros de *débito contínuo* (Rm 13.8). John Wesley geralmente relembrava aos primeiros metodistas as palavras de um amigo: "A Bíblia nada conhece acerca de uma religião solitária".[9]

Em sétimo lugar, **temos de buscar a comunhão uns com os outros** (10.25). A igreja é um corpo, um rebanho, uma família. Não podemos viver isolados. Não podemos ficar "desigrejados". Pertencemos uns aos outros e devemos congregar-nos para servir uns aos outros, exortar uns aos outros e ser bênção uns para os outros. Concordo com Wiley quando ele diz que o culto público é uma necessidade da vida cristã, e a comunhão entre os irmãos sempre foi considerada um dos principais meios pelos quais se manifesta a graça.[10] Nessa mesma linha de pensamento, Guthrie diz que o Novo Testamento não oferece apoio algum à ideia de cristãos isolados. A comunhão estreita e regular não é apenas uma ideia agradável, mas também uma absoluta necessidade para o encorajamento dos valores cristãos.[11]

---

[6]LOPES, Augustus Nicodemus. *Hebreus*, p. 222.
[7]OLYOTT, Stuart. *A Carta aos Hebreus*, p. 95.
[8]KISTEMAKER, Simon. *Hebreus*, p. 405.
[9]BROWN, Raymond. *The Message of Hebreus*, p. 186,187.
[10]WILEY, Orton H. *Comentário exaustivo da Carta aos Hebreus*, p. 452.
[11]GUTHRIE, Donald. *Hebreus: introdução e comentário*, p. 203.

Uma solene **advertência** (10.26-31)

Depois de exortar os crentes a considerarem o que eles têm em Cristo e o que precisavam fazer uns pelos outros, o autor passa a alertar os crentes para o terrível perigo da apostasia, o perigo de virar as costas para Cristo e voltar para o judaísmo. Quatro advertências são feitas.

Em primeiro lugar, *o perigo da apostasia* (10.26). O autor não está falando sobre os pecados de fraquezas que os crentes cometem, pois ele já nos ensinou que, nesses casos, temos de recorrer a Cristo como nosso amoroso Sumo Sacerdote (4.14-16). O autor está alertando para o abandono da fé, o abandono do cristianismo, para voltar para o judaísmo. Está alertando para o perigo de virar as costas para Cristo e negar aquilo que um dia professamos.

Nessa mesma linha de pensamento, Augustus Nicodemus diz que esse texto não se refere aos pecados que as pessoas cometem depois que se tornam crentes, porque, mesmo depois de professarmos a fé em Jesus, ainda tropeçamos em muitas coisas (Tg 3.2). O autor, porém, se refere ao pecado voluntário, deliberado, proposital de alguém que, depois de ter conhecido a verdade, abandona essa verdade. Não é o caso dos crentes que caem em pecado, se entristecem, se arrependem, se sentem mal, pedem perdão a Deus, se levantam e continuam.[12] O pecado da apostasia é muito pior. É o abandono deliberado e definitivo da verdade. Para esse tipo de pecado, não existe esperança de perdão.

Stuart Olyott capta o verdadeiro sentido dessa advertência quando escreve: "Se rejeitarem deliberadamente a cruz, não pensem que encontrarão expiação para seus pecados em algum outro lugar".[13] Wiley é ainda mais enfático: "Rejeitar aquele que é o único remédio para o pecado, oferecido pelo amor de Deus mediante o sangue derramado de Cristo, é excluir-se para sempre de toda esperança de salvação, nesta vida ou na eternidade".[14]

Em segundo lugar, *a penalidade da apostasia* (10.27). Aqueles que abandonam a Cristo por medo de perseguição ou mesmo porque

---

[12]LOPES, Augustus Nicodemus. *Hebreus*, p. 230.
[13]OLYOTT, Stuart. *A Carta aos Hebreus*, p. 96.
[14]WILEY, Orton H. *Comentário exaustivo da Carta aos Hebreus*, p. 453.

rejeitam a Sua pessoa e a Sua obra, ou porque querem permanecer em seus pecados, lavram sobre si mesmos uma sentença de juízo condenatório. O que resta a essas pessoas é uma expectação horrível de juízo e fogo vingador. Tornar-se inimigo de Cristo é entrar por um caminho de condenação irremediável e inexorável. Guthrie diz que, sem um sacrifício expiador no qual se possa confiar, tudo quanto permanece é juízo e fogo vingador.[15]

Em terceiro lugar, *a maior gravidade da apostasia* (10.28,29). Se na lei de Moisés havia penalidade severa para os transgressores, quanto mais severo será o castigo para aqueles que deliberadamente rejeitam a graça de Deus e escarnecem do sacrifício do Filho de Deus. O pecador que se rebela contra Deus na época da nova aliança rejeita a pessoa de Cristo, a obra de Cristo e a pessoa do Espírito Santo. E assim ele comete um pecado imperdoável.[16]

O autor aos Hebreus menciona três afrontas cometidas pelo apóstata: calcar aos pés o Filho de Deus, profanar o sangue da aliança e ultrajar o Espírito da graça. Portanto, a apostasia é um pecado contra o Deus triúno. O apóstata peca contra o Pai porque pisa no Filho de Deus, peca contra o Filho porque profana o sangue da aliança e peca contra o Espírito porque ultraja o Espírito da graça.

Guthrie diz que esses três aspectos da apostasia não somente colocam o homem numa posição de condenação, como também o deixam numa posição especificamente anticristã.[17] Wiley argumenta que o apóstata não apenas se desvia de Deus, mas também manifesta sua hostilidade de três maneiras: 1) Por um ato: "calcou aos pés"; 2) por um pensamento: "profanou"; 3) por uma investida direta: "ultrajou".[18] William Barclay corrobora a ideia alegando que o pecado não é a desobediência a uma lei impessoal, mas o naufrágio de uma relação pessoal. Pecar não é simplesmente ir contra uma lei, mas desafiar, ferir e violar o coração de Deus cujo nome é Pai.[19]

---

[15]GUTHRIE, Donald. *Hebreus: introdução e comentário*, p. 204.
[16]KISTEMAKER, Simon. *Hebreus*, p. 413.
[17]GUTHRIE, Donald. *Hebreus: introdução e comentário*, p. 206.
[18]WILEY, Orton H. *Comentário exaustivo da Carta aos Hebreus*, p. 457.
[19]BARCLAY, William. *Hebreos*, p. 133.

Em quarto lugar, *o juízo inevitável provocado pela apostasia* (10.30,31). Há muitos pregadores hoje que só falam do amor de Deus e nada mencionam sobre Sua ira e Seu juízo. O autor aos Hebreus não amenizou a mensagem para tornar-se politicamente correto. Aqueles que se mantêm rebeldes contra o Filho de Deus enfrentarão a ira do Cordeiro de Deus e o juízo divino. Virar as costas para Cristo e apostatar é enfrentar a vingança do próprio Deus. É cair nas mãos do Deus vivo, o reto e justo Juiz. O autor aos Hebreus é peremptório e dramático ao afirmar: *Horrível coisa é cair nas mãos do Deus vivo* (10.31). Olyott tem razão ao dizer que não existe cura para a condição de apostasia nem escape para seu castigo. Tudo o que aguarda tais pessoas é a santa vingança de Deus – a terrível expectativa de cair nas mãos do Deus vivo como um pecador não perdoado que deliberadamente o desprezou.[20]

Um solene **encorajamento** (10.32-39)

Depois de tocar a trombeta e fazer uma solene advertência acerca do perigo da apostasia, o autor agora traz um solene encorajamento ao povo de Deus, mostrando que, enquanto caminhamos neste mundo, temos provas, mas devemos manter os olhos fitos em Cristo, porque nossa recompensa é certa e segura. Sete pontos devem ser aqui destacados.

Em primeiro lugar, *lembrem-se de que o evangelho traz luz, mas também provas* (10.32). Para enfrentar os problemas que se interpõem em nosso caminho, precisamos muitas vezes olhar para trás. Precisamos puxar o fio da memória. Precisamos recordar quem éramos antes de Cristo e quem somos agora em Cristo. O evangelho nos trouxe luz, a luz da salvação, mas com ele também vieram as provas, grandes lutas e não pouco sofrimento. Não devemos estranhar as provas; devemos nos regozijar na luz.

O livro de Atos elenca várias perseguições sobre os cristãos: a perseguição que se seguiu ao martírio de Estêvão (At 8.1); a perseguição por ocasião da morte de Tiago e da prisão de Pedro (At 12.1-3); a expulsão dos judeus de Roma (At 18.2); e mais tarde, por volta do ano 64 d.C.,

---
[20]OLYOTT, Stuart. *A Carta aos Hebreus*, p. 97.

as terríveis perseguições do imperador Nero. Os cristãos foram oprimidos, crucificados, queimados vivos e lançados às feras.

Antes de um indivíduo ser convertido a Cristo, ele está mergulhado nas trevas, prisioneiro no império das trevas. O diabo o mantém em sua potestade. Mas, no momento em que ele recebe a luz do evangelho, o diabo reúne toda a sua corja para persegui-lo. Aí o mundo o odeia e o hostiliza.

Em segundo lugar, **lembrem-se de quantas perseguições devemos sofrer por causa de Cristo** (10.33). O autor aos Hebreus relembra àqueles irmãos como eles foram expostos em espetáculo, tanto de opróbrio como de tribulações. A palavra grega *theatrizomai,* traduzida por *espetáculo,* ocorre somente aqui no Novo Testamento, mas Paulo usa o substantivo cognato em 1Coríntios 4.9. Tanto o verbo quanto o substantivo derivam sua força da expressão de um espetáculo no teatro, e a ideia é que os cristãos foram usados como um alvo público para maus-tratos.[21] O autor ainda os faz lembrar de que, apesar dessas duras circunstâncias, eles ainda dedicaram atenção e cuidado a outros irmãos que estavam passando pelas mesmas provas.

A vida cristã não é indolor. Aqueles que quiserem viver piedosamente em Cristo serão perseguidos (2Tm 3.12). É na bigorna da aflição, porém, que os crentes são forjados à imagem de Cristo. A amizade do mundo é pior que a espada do mundo. A abundância afasta mais as pessoas de Deus que a escassez. Mais pessoas se acomodam na prosperidade que na adversidade. Concordo com William Barclay quando ele diz que, em certo sentido, é mais fácil resistir na adversidade que na prosperidade.[22]

Em terceiro lugar, **lembrem-se de que aquilo que temos é maior que aquilo que podemos perder por causa das perseguições** (10.34). Mesmo sofrendo tribulações, os crentes hebreus ainda se compadeceram dos outros crentes que foram presos por sua fé. Mesmo tendo seus bens e propriedades confiscados nessa saga de perseguição, eles não perderam a alegria da salvação. Esses crentes sabiam que possuíam um patrimônio superior e mais durável que aqueles bens que estavam sendo espoliados. O texto em tela revela que, muitas vezes, a fé cristã, longe de nos levar à prosperidade material, pode nos levar à perda dos bens,

---

[21]GUTHRIE, Donald. *Hebreus: introdução e comentário*, p. 208.
[22]BARCLAY, William. *Hebreos*, p. 134.

do emprego, do lucro. Nosso verdadeiro tesouro não está aqui. Nossa pátria não está aqui. Mesmo quando somos espoliados na terra, temos uma herança imarcescível no céu.

Em quarto lugar, **não abandonem a fé por causa das provas** (10.35). O sofrimento pode levar alguns a abandonar a confiança em Deus. Por isso, o autor exorta os crentes a permanecerem firmes na fé, apesar das provações. O autor aos Hebreus chega a dizer: *De fato, sem fé é impossível agradar a Deus* (11.6). Os crentes hebreus enfrentaram diversas provas. Eles passaram por um período de sofrimento quando receberam a luz do evangelho (10.32). Depois foram expostos a insulto público e perseguição (10.33). Também apoiaram outros crentes que sofriam abusos semelhantes (10.34). Por último, perderam suas propriedades, talvez numa época de instabilidade política ou religiosa (10.34). Nas provas, a ordem é clara: *Não abandoneis a vossa confiança* (10.35). O Senhor Jesus foi enfático ao se dirigir à igreja de Esmirna: *Sê fiel até à morte, e eu te darei a coroa da vida* (Ap 2.10).

Em quinto lugar, **não tirem os olhos de Cristo; perseverem** (10.36). A salvação não é dada àqueles que retrocedem, mas aos que perseveram até o fim. A perseverança é uma necessidade vital para o povo de Deus.

Em sexto lugar, *fiquem atentos, pois Jesus em breve voltará* (10.37). No sofrimento, precisamos olhar não apenas para trás a fim de avaliar o que recebemos em Cristo, mas também precisamos olhar para a frente a fim de aguardar a gloriosa vinda do nosso Redentor. Ele virá em breve pessoalmente, fisicamente, visivelmente, audivelmente, repentinamente, inesperadamente, vitoriosamente. E trará consigo nosso galardão. O apóstolo Pedro esclarece: *Ora, logo que o Supremo Pastor Se manifestar, recebereis a imarcescível coroa da glória* (1Pe 5.4).

Em sétimo lugar, **saibam que os justos vivem pela fé e não retrocedem** (10.38,39). O justo não vive pelas circunstâncias, não vive pelo que vê, nem vive pelo que sente. Ele vive pela fé (Hc 2.4; Rm 1.17; Gl 3.11). Deus não se compraz naqueles que retrocedem. Os que são de Deus não voltam atrás; eles perseveram até o fim. Assim, o autor aos Hebreus destaca duas classes de pessoas: "aqueles que retrocedem" e "aqueles que creem". O primeiro grupo perece; o segundo será salvo.[23]

---

[23]KISTEMAKER, Simon. *Hebreus*, p. 426.

19

A fé que não retrocede

Hebreus 11.1-40

DEPOIS DE DIZER AOS CRENTES HEBREUS que não somos daqueles que retrocedem para a perdição, mas somos da fé, para a conservação da alma (10.39), o autor dessa epístola introduz o mais longo capítulo da carta, falando sobre a fé que não retrocede (11.1-40). Ele faz uma retrospectiva histórica do povo de Israel desde os seus primórdios até seus dias, mencionando vários heróis da fé. Segundo Donald Guthrie, o propósito do escritor é ilustrar a continuidade entre os cristãos hebreus e os homens piedosos da Antiguidade. Suas proezas são vistas como um prelúdio apropriado para a era cristã (11.39,40).[1]

Walter Henrichsen destaca o fato de que nessa longa lista só se faz menção de um clérigo – Samuel – e apenas de passagem. Lavradores, políticos e empresários – são esses homens que Deus selecionou no Antigo Testamento para reconhecimento especial.[2] Concordo com Wiley quando ele diz que Hebreus 11 é um dos textos mais grandiosos da Bíblia, pois nele estão os heróis e os mártires que os judeus e cristãos se deleitam em honrar.[3]

---

[1] GUTHRIE, Donald. *Hebreus: introdução e comentário*, p. 211.
[2] HENRICHSEN, Walter A. *Depois do sacrifício*, p. 129.
[3] WILEY, Orton H. *Comentário exaustivo da Carta aos Hebreus*, p. 465.

Certamente a intenção do escritor era não apenas encorajar seus leitores a permanecerem firmes na fé, a despeito das perseguições, mas também dar a eles um substancioso relato da história do povo de Deus ao longo dos séculos. Os que são de Deus permanecem na fé; os que retrocedem, viram as costas para Deus e apostatam, esses jamais conheceram a Deus nem foram por Ele conhecidos.

É hora de entrarmos pelos corredores da história e nos posicionar nesse vasto salão, para contemplar os quadros mais famosos, na galeria dos heróis da fé. Vamos à exposição do texto.

A fé explicada – o **conceito** e o **alcance** da fé (11.1-3)

Aqui está a única definição de fé encontrada na Bíblia.[4] É bem verdade que essa não é uma definição completa, uma vez que a fé tem vários significados nas Escrituras. Ao mesmo tempo que o autor trata do que é fé, mostra seu reconhecimento por Deus e como essa fé influencia a nossa cosmovisão. Três verdades devem ser aqui destacadas.

Em primeiro lugar, *a fé se apoia na Palavra de Deus* (11.1). Raymond Brown diz que a fé é a resposta humana ao que Deus diz em Sua Palavra.[5] A fé é a certeza de coisas e a convicção de fatos; coisas que se esperam e fatos que se não veem. Concordo com Olyott quando ele diz que algumas coisas são invisíveis porque ainda não aconteceram, ou porque ainda não as alcançamos. Portanto, a fé não é a certeza do desconhecido, mas do invisível.[6] Henrichsen diz que a fé é a garantia e a prova do que é futuro e do que é invisível.[7] Augustus Nicodemus está certo quando diz que não vemos o próprio Deus nem o Senhor Jesus assentado à sua direita. Não vemos o Espírito Santo, não vemos o céu nem o reino de Deus, mas sabemos tudo isso porque o Deus invisível Se revelou a nós em Sua Palavra e em Seu próprio Filho que Se fez carne.[8]

---

[4]LAUBACH, Fritz. *Carta aos Hebreus*, p. 181.
[5]BROWN, Raymond. *The Message of Hebrews*, p. 197.
[6]OLYOTT, Stuart. *A Carta aos Hebreus*, p. 100.
[7]HENRICHSEN, Walter A. *Depois do sacrifício*, p. 138.
[8]LOPES, Augustus Nicodemus. *Hebreus*, p. 245.

Laubach está certo quando diz que a fé é a confiança inabalável de que um dia Deus cumprirá todas as suas promessas e profecias.[9] Portanto, a fé não lida com a dúvida, mas se apoia numa certeza inabalável. A fé não é pensamento positivo nem crendice. A fé tem Deus como seu objeto e a Palavra de Deus como seu fundamento. Porque Deus falou, nós cremos. Porque Deus prometeu, nós confiamos. Porque a Palavra de Deus não pode falhar, a fé ri das impossibilidades e descansa imperturbável nos braços das promessas de Deus. Promessa de Deus e realidade são a mesma coisa. Lightfoot diz corretamente que a fé é o título de propriedade de coisas que se esperam, o penhor da herança eterna do cristão. A fé dá realidade às coisas esperadas. Certamente as coisas que se esperam têm uma existência independente da fé – a fé não pode conceder-lhes a sua realidade.[10]

Concordo com Henrichsen quando ele escreve: "Fé sem promessas de Deus não é fé, de modo algum; não passa de mera presunção. Por outro lado, a promessa sem obediência também não é fé; é incredulidade".[11]

Em segundo lugar, *a fé alcança a aprovação de Deus* (11.2). Os nossos antepassados confiaram na Palavra de Deus, se firmaram nas promessas de Deus e obtiveram de Deus bom testemunho. A fé honra a Deus, e Deus honra a fé. Sem essa fé, o homem não pode agradar a Deus (11.6).

Em terceiro lugar, *a fé reconhece o poder de Deus* (11.3). A fé proporciona entendimento de acontecimentos que não podem ser plenamente elucidados racionalmente. O relato da criação, registrado nas Escrituras, não é formado por lendas antigas ou concepções mitológicas há muito ultrapassadas, mas é uma revelação confiável de Deus que, no entanto, é acessível somente à fé.[12] Por isso, entendemos que o universo vastíssimo e insondável não aconteceu simplesmente e nem sempre esteve aqui.

---

[9]LAUBACH, Fritz. *Carta aos Hebreus*, p. 182.
[10]LIGHTFOOT, Neil R. *Hebreus*, p. 248,249.
[11]HENRICHSEN, Walter A. *Depois do sacrifício*, p. 139,140.
[12]LAUBACH, Fritz. *Carta aos Hebreus*, p. 183.

O universo foi formado. A matéria não é eterna, como pensavam os gregos. O universo não veio à existência por geração espontânea. O universo não é produto de uma explosão cósmica. O caos não produz o cosmo nem a desordem dá à luz ordem. Uma explosão jamais poderia colocar em ordem este vasto universo com leis tão precisas. Nosso planeta, por exemplo, está rigorosamente no lugar certo. Se estivéssemos mais perto do Sol, morreríamos queimados. Se estivéssemos mais longe, morreríamos congelados. Se a lua não estivesse exatamente onde está, não haveria o fenômeno das marés e, se não houvesse esse fenômeno, as praias se encheriam de lixo e a vida seria impossível na Terra. Permanece a realidade incontroversa: o universo foi criado. Isso a ciência demonstra. Porém, nós cremos, pela fé, que este universo veio à existência pela Palavra de Deus (11.3) e pela ação do Filho de Deus (1.2). Lightfoot tem razão ao dizer que é por causa da fé e por meio dela que se obtém a verdadeira compreensão da ordem criada. Existe por trás de tudo uma força invisível que não está sujeita às investigações da ciência.[13]

Concordo com Augustus Nicodemus quando ele diz que a ciência não está contra a Bíblia. Ambas têm o mesmo autor. Na verdade, é o cientificismo do naturalismo filosófico que vai contra a Bíblia, porque os grandes cientistas, os fundadores da ciência moderna, como o grande Isaac Newton, eram teístas, acreditavam em Deus.[14] A Bíblia e a ciência caminham de mãos dadas. Ambas têm o mesmo autor. A Bíblia corretamente interpretada e a ciência corretamente entendida jamais entram em contradição.

A fé manifestada antes do dilúvio – **a obediência da fé** (11.4-7)

O escritor de Hebreus começa sua galeria dos heróis da fé com a primeira família da terra indo até o dramático tempo do dilúvio. Ele coteja entre os pioneiros três nomes: Abel, Enoque e Noé. Vejamos.

---

[13]LIGHTFOOT, Neil R. *Hebreus*, p. 250.
[14]LOPES, Augustus Nicodemus. *Hebreus*, p. 247.

Em primeiro lugar, **Abel, o sacrifício da fé** (11.4). Abel e Caim eram filhos de Adão e Eva, cresceram sob as mesmas influências, ouvindo as mesmas histórias. Ambos acreditavam em Deus e vieram para adorá-Lo. Abel e sua oferta foram aceitos por Deus, ao passo que Caim e sua oferta foram rejeitados (Gn 4.4,5). Tanto a oferta de Abel como sua motivação eram melhores. O texto nos chama a atenção para três fatos.

A oferta revela a natureza da fé do ofertante (11.4). Abel ofereceu mais excelente sacrifício que Caim, porque sua oferta foi de acordo com a Palavra de Deus. Por isso, ofereceu-a pela fé. Ele cultuou a Deus conforme a prescrição divina. Seus pais foram vestidos com peles de animais (Gn 3.21). Um animal foi sacrificado para que eles fossem cobertos. Já estava aí o prenúncio de que, sem derramamento de sangue, não há remissão de pecados (9.22). Abel ofereceu um sacrifício de sangue e recebeu o testemunho de ser justo, tendo a aprovação de Deus quanto às suas ofertas. Abel ofereceu o sacrifício certo, sob a orientação da prescrição certa, com a vida certa e a motivação certa.

A vida do ofertante é o fundamento de sua oferta (11.4). O texto de Gênesis 4.4,5 deixa claro que o Senhor Se agradou de Abel e de sua oferta, ao passo que não Se agradou de Caim e de sua oferta. O ofertante vem antes da oferta. Primeiro Deus aceita o adorador, depois a adoração. Primeiro Deus recebe o ofertante, depois a oferta. A vida de Abel estava certa com Deus. Ele era um homem justo (Mt 23.35), por isso prestou um culto aceitável a Deus. A vida de Caim estava errada com Deus, por isso sua oferta também foi rejeitada. Não podemos prestar culto aceitável a Deus à revelia das prescrições divinas, nem podemos ser aceitos por Deus quando trazemos para o altar um coração cheio de ódio. Caim estava cheio de ira. Caim era do maligno, e suas obras eram más (1Jo 3.12). Caim era um falso adorador. Sua vida e seu culto não foram aceitos por Deus.

A morte pode calar a voz do adorador, mas não pode apagar o testemunho de sua fé (11.4). Abel foi assassinado por seu irmão, Caim, mas, por meio de sua fé, ele ainda fala. Sua voz póstuma ainda ecoa nos ouvidos da história.

Em segundo lugar, **Enoque, o andar da fé** (11.5,6). Crer significa viver com Deus. Isso é mais que um ato regular de adoração num dia específico da semana, num lugar específico de reunião. Toda a nossa vida pertence a Deus. Enoque viveu no meio de uma geração perversa e má, mas escolheu andar com Deus e deleitar-se em Deus. Enoque viveu sublimemente acima da corrupção de seu tempo. Sua intimidade com Deus era tal que Deus o recolheu para si sem que ele passasse pela morte.

Enoque agradou a Deus em sua vida, exemplificando o princípio de que sem fé é impossível agradar a Deus (11.6). E isso por duas razões: primeiro, porque aquele que se aproxima de Deus precisa crer que Ele existe; segundo, porque quem se aproxima de Deus precisa crer que Ele é galardoador dos que O buscam. Ou seja, aquele que se aproxima de Deus precisa reconhecer dois grandes fatos acerca de Deus: Sua existência e Sua generosidade.[15] Ao buscar a Deus, o pecador recebe perdão; o moribundo recebe misericórdia; e o caído recebe restauração.

Em terceiro lugar, *Noé, o trabalho da fé* (11.7). Noé ouviu a Palavra de Deus sobre o juízo que viria sobre o mundo pervertido e prontamente agiu para construir a arca. Ele não apenas escutou a voz de Deus, mas imediatamente se colocou a trabalhar. A fé produz obras. A fé que não age é uma fé morta.

Noé demonstrou uma fé robusta, pois numa época em que a chuva ainda não havia caído sobre a terra, ele investiu cento e vinte anos para construir um imenso barco para salvar sua família e os animais. Noé não se deixou dissuadir pelas críticas dos oponentes. Porque levou a sério a Palavra de Deus, construiu um "Titanic" que resistiu a todos os *icebergs* das críticas desairosas. Ele ousou crer no impossível. Wiley diz, com razão, que Cristo é a arca da nossa salvação, na qual nos elevamos acima das ondas do dilúvio do mundanismo e do pecado.[16]

Durante o período antediluviano, Deus foi longânimo, e o Seu Espírito pelejou com os homens. Mas eles não deram ouvidos e continuaram no pecado até o dia em que Noé entrou na arca (Mt 24.38,39).[17] Noé enfrentou a zombaria dos homens por acreditar e agir de acordo

---

[15]BROWN, Raymond. *The Message of Hebrews*, p. 201.
[16]WILEY, Orton H. *Comentário exaustivo da Carta aos Hebreus*, p. 481.
[17]WILEY, Orton H. *Comentário exaustivo da Carta aos Hebreus*, p. 481.

com a Palavra de Deus. Agindo assim, ele condenou o mundo e se tornou herdeiro da justiça.

Calvino é enfático ao dizer que, quando o mundo inteiro se entregou aos prazeres sem recato e sem freio, crendo poder viver impunemente, apenas Noé levou em conta a vingança divina; fatigou-se ao longo de cento e vinte anos na construção de uma arca; permaneceu firme no meio da zombaria de uma multidão incrédula; e, no seio de um mundo inteiro em ruína, não duvidou de que seria salvo, confiando sua vida àquela espécie de túmulo, que era a arca.[18]

A fé demonstrada por Abraão e Sara – **a renúncia da fé** (11.8-12)

Depois de trabalhar três personagens que viveram antes do dilúvio, agora o autor introduz Abraão e Sara, os ancestrais da nação de Israel, destacando sua fé em Deus. O autor dispensa atenção especial a Abraão, conhecido como o pai da fé. A sua fé é sintetizada em quatro manifestações diferentes: 1) O chamado para a herança futura; 2) sua permanência na terra prometida; 3) a promessa de um herdeiro em quem seriam benditas todas as nações da terra; 4) a oferta de Isaque em sacrifício.[19]

Cinco verdades devem ser observadas no texto em tela.

Em primeiro lugar, *uma fé que responde ao chamado de Deus* (11.8). Abraão morava em Ur dos caldeus, na Mesopotâmia. Sua família era idólatra (Js 24.2,3) e vivia no meio de um povo pagão. Deus se revela a ele, convoca-o a sair de sua terra, do meio de sua parentela, para ir a uma terra distante, que o próprio Deus lhe mostraria, e Abraão, sem detença, atende ao chamado divino. Abraão não duvida, não questiona nem adia. Ele larga tudo para trás e atende à convocação divina. Abraão torna-se o pai dos que creem (Rm 4.16). Abraão creu porque sabia que a Palavra de Deus é revestida de absoluta autoridade, de decisiva importância, de imenso poder e de completa confiabilidade.[20] Calvino diz que a fé que

---

[18]CALVINO, João. *Hebreus*, p. 287.
[19]WILEY, Orton H. *Comentário exaustivo da Carta aos Hebreus*, p. 482.
[20]BROWN, Raymond. *The Message of Hebrews*, p. 203.

Abraão possuía foi claramente confirmada por essa dupla evidência: sua prontidão em obedecer e sua perseverança em agir.[21]

Em segundo lugar, *uma fé que se sacrifica para obedecer a Deus* (11.8b). Abraão não apenas deixou para trás sua terra, sua parentela, seus amigos, suas raízes, mas partiu sem saber para onde ia. Seu mapa de viagem era a Palavra de Deus. Sua única garantia era a promessa de Deus, a promessa de uma terra e a promessa de uma descendência. Olyott diz que Abraão deixou aquilo que as outras pessoas chamam de *certezas* pelo que tais pessoas chamam de *incertezas*, pois ele mesmo não via as coisas dessa forma.[22] Laubach, citando Lutero, diz: "É precisamente esta a glória da fé: não saber para onde vai, o que faz, o que sofre; render tudo, o sentimento e a razão, a capacidade e a vontade, seguindo meramente a voz de Deus".[23]

Em terceiro lugar, *uma fé que revela coragem para caminhar* (11.9). Abraão peregrinou na terra da promessa como em terra alheia, habitando em tendas com seu filho e neto, os herdeiros da promessa. Ele recebeu a promessa, mas não tomou posse dela. Ele pisou na terra apenas como peregrino, mas não como dono. Donald Guthrie diz corretamente que a fé transforma em realidade aquilo que nem sequer era aparente.[24]

Em quarto lugar, *uma fé que contempla a antecipação do futuro* (11.10). Abraão peregrinou na terra da promessa, armando tendas aqui e acolá, porque aguardava a cidade que tem fundamentos, da qual Deus é o arquiteto e edificador. Ele tinha os pés na terra, mas seus olhos miravam o céu. Ele vivia em tendas, mas aguardava as mansões celestiais. Concordo com Donald Guthrie quando ele diz que há aqui um contraste marcante entre as tendas em Canaã e a cidade que tem fundamentos antegozada pela fé de Abraão.[25]

Em quinto lugar, *uma fé que se apropria do milagre* (11.11,12). Tanto Abraão quanto Sara não tinham mais condições de gerar um filho. Além da idade avançada de ambos, Sara era estéril. O corpo deles

---

[21]CALVINO, João. *Hebreus*, p. 302.
[22]OLYOTT, Stuart. *A Carta aos Hebreus*, p. 103.
[23]LAUBACH, Fritz. *Carta aos Hebreus*, p. 188.
[24]GUTHRIE, Donald. *Hebreus: introdução e comentário*, p. 217.
[25]GUTHRIE, Donald. *Hebreus: introdução e comentário*, p. 217.

já estava amortecido. Porém, a despeito das impossibilidades humanas desse casal, nasceu Isaque, o filho da promessa, por meio de quem Deus suscitou uma numerosa posteridade como as estrelas do céu e a areia na praia do mar (Rm 4.18-21).

A fé revelada pelos patriarcas
– o antegozo da fé (11.13-16)

Os patriarcas Abraão, Isaque e Jacó peregrinaram na terra pela fé, armando tendas e olhando para a cidade celestial. Eles permaneceram na fé sem retroceder. Morreram na fé, honraram a Deus pela fé, e Deus não se envergonhou de ser o seu Deus. Cinco verdades devem ser aqui destacadas.

Em primeiro lugar, *a confiança dos patriarcas* (11.13a). Os patriarcas não foram homens perfeitos, mas viveram e morreram na fé. Mantiveram sua confiança inabalável em Deus até o fim. Todos eles morreram na fé.

Em segundo lugar, *o testemunho dos patriarcas* (11.13b). Os patriarcas confessaram que eram estrangeiros e peregrinos. Eles não obtiveram as promessas, mas as contemplaram com os olhos da fé. Os patriarcas não tomaram posse da terra, mas aguardaram a cidade celestial. Viveram em tendas e confessaram que eram estrangeiros e peregrinos, mas saudaram o cumprimento das promessas, quando então o povo de Deus tomará posse de sua herança gloriosa.

Stuart Olyott diz com razão que os patriarcas não chegaram a ver o Messias nem a testemunhar o melhor sacrifício, tampouco entraram na herança e habitação prometidas. Isso, porém, não altera o fato de que viram a distância todas essas coisas, sabendo que se cumpririam, colocando nelas o coração.[26] Calvino assim comenta esse fato:

> Ainda que Deus haja dado aos pais apenas uma antecipação de Seu favor, a qual é derramada generosamente sobre nós; e ainda que Ele lhes haja mostrado apenas uma vaga imagem de Cristo,

---
[26]OLYOTT, Stuart. *A Carta aos Hebreus*, p. 104.

como que a distância, o que agora é posto diante dos nossos olhos para que o vejamos, todavia ficaram satisfeitos e nunca decaíram de sua fé. Quão maior e mais justificável razão temos nós, hoje, para perseverarmos![27]

Em terceiro lugar, *a procura dos patriarcas* (11.14). Os patriarcas, como exilados, procuravam uma terra, mas a procura deles não era de uma terra neste mundo. O coração deles estava no céu, e não na terra onde peregrinavam.

Em quarto lugar, *o discernimento dos patriarcas* (11.15). Os patriarcas não apenas anteciparam o céu, mas também avaliaram as coisas da terra. Diferentemente dos destinatários primeiros da epístola aos Hebreus, eles não cogitaram em voltar à Mesopotâmia, a Ur dos caldeus. Eles não retrocederam. Tinham pleno discernimento para distinguir entre o bem o mal, o temporal e o eterno, o permanente e o perecível.

Em quinto lugar, *a segurança dos patriarcas* (11.16). Os patriarcas aspiravam a uma pátria superior, a pátria celestial. Os seus pés estavam na terra, mas o seu coração estava no céu. Eles honraram a Deus e, por isso, Deus não se envergonhou de ser chamado de o Deus de Abraão, Isaque e Jacó.

A fé praticada em tempos difíceis – **o sacrifício da fé** (11.17-22)

O escritor aos Hebreus volta sua atenção para a fé de Abraão, Isaque, Jacó e José, ou seja, pai, filho, neto e bisneto, evidenciando como a fé resplandece em tempos difíceis. Raymond Brown diz que encontramos aqui a submissão de Abraão, a percepção de Isaque, a antecipação de Jacó e a convicção de José.[28] Vejamos essas verdades.

Em primeiro lugar, *a submissão de Abraão* (11.17-19). Abraão esperou por vinte e cinco anos o cumprimento da promessa. Isaque nasceu e com ele veio a confirmação de que Deus não falha. Agora, Deus aparece

---
[27]CALVINO, João. *Hebreus*, p. 307.
[28]BROWN, Raymond. *The Message of Hebrews*, p. 211-213.

a Abraão com seu mistério inescrutável[29] e ordena que ele sacrifique seu filho amado, o herdeiro da promessa.

Abraão não questiona a Deus nem adia a obediência. Ele se dispôs a oferecer seu filho, porque acreditava que Deus poderia ressuscitá-lo. Sua confiança em Deus era inabalável. Sua convicção no cumprimento da promessa por meio de Isaque era imperturbável. Vale destacar que nesse tempo da história não havia sequer um registro de ressurreição. Mesmo assim, Abraão concluiu que era exatamente isso que aconteceria. Abraão tem plena certeza de que o Deus da promessa também é vitorioso sobre a morte. Contra toda esperança, ele creu com esperança (Rm 4.17,18).

Calvino chega a dizer que mil vezes teria Abraão desmaiado, não fora sua fé transportar seu coração para muito além deste mundo.[30] Pela fé, devemos sacrificar o que nos é mais caro; pela fé, devemos aceitar o que não entendemos; pela fé, podemos ter a garantia de que, na provação, Deus sempre nos providencia uma saída.

Em segundo lugar, *a percepção de Isaque* (11.20). Mesmo ao arrepio de sua vontade, Isaque abençoou Jacó e Esaú, no final de sua vida, acerca das coisas que ainda estavam por vir. Isaque queria mudar os planos de Deus, dando a bênção que Deus designara a Jacó para Esaú. Isaque sabia que Deus havia escolhido Jacó desde o nascimento (Gn 25.23). As Escrituras afirmam que Deus amou Jacó e aborreceu a Esaú (Rm 9.13; Ml 1.2). O autor de Hebreus chama Esaú de impuro e profano (12.16). Deus não permitiu a Isaque dar a bênção de Jacó a Esaú. Assim, antes de morrer, Isaque abençoa seus filhos, cumprindo o propósito divino. Concordo com Donald Guthrie quando ele diz que no presente contexto o autor aos Hebreus está ocupado somente com a fé que Isaque ativou, quando abençoou a Jacó e a Esaú, acerca de coisas que ainda estavam por vir. Não é mencionado o logro praticado por Rebeca, presumivelmente porque o próprio Isaque reconheceu que a bênção que dera a Jacó não poderia ser anulada.[31] Olyott é oportuno

---

[29]LAUBACH, Fritz. *Carta aos Hebreus*, p. 191.
[30]CALVINO, João. *Hebreus*, p. 311.
[31]GUTHRIE, Donald. *Hebreus: introdução e comentário*, p. 222.

quando diz que, geralmente, quando as pessoas se aproximam do fim da vida, passam o tempo olhando para trás, porque nada enxergam adiante. Mas Isaque estava olhando à frente. Sua mente se fixava nas "coisas que ainda estavam por vir".[32]

Em terceiro lugar, *a antecipação de Jacó* (11.21). No final de sua vida, escorado em seu bordão, Jacó abençoou os filhos de José, apontando-lhes os horizontes futuros. Jacó tinha somente uns poucos momentos na terra, mas ainda olhava à frente. Deus era real, e Sua Palavra era certa. O pai das tribos de Israel morreu na fé e deixou seu legado para suas futuras gerações.

Em quarto lugar, *a convicção de José* (11.22). José foi traído e humilhado por seus irmãos. Foi vendido como escravo para o Egito. Foi acusado falsamente durante muitos anos. Foi preso e esquecido na prisão, mas nunca perdeu a confiança em Deus. Tornou-se governador do Egito e salvador do mundo. Mesmo possuindo riquezas e honras, antes de morrer, profetizou o êxodo dos filhos de Israel, dando ordens para que seus ossos fossem levados embora do Egito (Gn 50.25). Quando o êxodo ocorreu, *Moisés levou consigo os ossos de José* (Êx 13.19).

Kistemaker diz corretamente que a ordem de José para enterrarem seus ossos em Canaã não foi um ato de nostalgia ou superstição, mas um ato de fé. Ele falou profeticamente sobre o êxodo. Ele cria que Deus cumpriria Sua Palavra.[33] José acalentou a promessa feita a Abraão, Isaque e Jacó e demonstrou sua própria confiança. Todos esses patriarcas viveram pela fé e morreram na fé.

Warren Wiersbe, nessa mesma linha de pensamento, diz que José não usou sua família, seu trabalho ou suas circunstâncias como uma desculpa para a descrença. Ele sabia no que cria e em quem cria.[34] Kistemaker conclui dizendo que, assim, a linha dourada da promessa liga os patriarcas na fé que transcende as gerações.[35]

---

[32]OLYOTT, Stuart. *A Carta aos Hebreus*, p. 106.
[33]KISTEMAKER, Simon. *Hebreus*, p. 468.
[34]WIERSBE, Warren W. *The Bible Exposition Commentary*. Vol. 2, p. 319.
[35]KISTEMAKER, Simon. *Hebreus*, p. 468.

A fé demonstrada por Moisés no êxodo – **a vitória da fé** (11.23-29)

O escritor aos Hebreus passa dos patriarcas para o tempo do êxodo, trazendo a lume a figura de Moisés, a personagem mais admirada e respeitada pelo povo de Israel. Raymond Brown, expondo o texto em apreço, destaca cinco verdades: a fé vence o medo, determina as decisões, direciona a visão, reconhece o livramento e vence as dificuldades.[36] Vamos examinar essas cinco verdades a seguir.

Em primeiro lugar, *a fé vence o medo* (11.23). Numa época em que não havia futuro para os meninos hebreus, os pais de Moisés, Anrão e Joquebede, viam as coisas de forma diferente e olhavam adiante.[37] Moisés nasceu num tempo de opressão política. Os anos se passaram. O povo de Israel se multiplicou na terra do Egito, e o faraó que se levantou passou a tratar o povo de Israel com tirania e crueldade. As crianças nasciam para a morte. Eram devoradas pelas espadas dos soldados ou lançadas no Nilo. Os pais de Moisés não aceitaram a decretação da morte do filho. Não se intimidaram com as ameaças do rei. Traçaram um plano para poupar a vida de Moisés, e esse filho foi levantado por Deus para ser o libertador do povo.

Em segundo lugar, *a fé determina as decisões* (11.24-26). A fé de seus pais tornou-se sua por experiência: Moisés recusou ser filho da filha do faraó (11.24). Moisés preferiu sofrer com o povo de Deus (11.25) e abandonou o Egito (11.27). Numa época em que não havia futuro fora da corte real no Egito, Moisés via as coisas de forma diferente. Via que, a longo prazo, o futuro estava com o povo de Deus e o reino de Cristo.[38]

Moisés buscou seus objetivos espirituais, ainda que essa busca tenha resultado em desdém, escárnio, insulto e desgraça. Moisés escolheu ir da abundância para a pobreza; preferiu a trajetória do sofrimento com o povo de Deus às glórias do Egito. Moisés recusou ser chamado filho da filha do faraó. Preferiu ser maltratado junto com o povo de Deus

---

[36] BROWN, Raymond. *The Message of Hebrews*, p. 214-219.
[37] OLYOTT, Stuart. *A Carta aos Hebreus*, p. 107.
[38] OLYOTT, Stuart. *A Carta aos Hebreus*, p. 107.

a usufruir de prazeres transitórios. Considerou o opróbrio de Cristo por maiores riquezas que os tesouros do Egito, porque contemplava o galardão.

Em terceiro lugar, *a fé direciona a visão* (11.27). Henrichsen diz com razão que uma fé inabalável deve ser edificada sobre convicções inabaláveis.[39] No tempo de provas, de nada adiantam as convicções alheias. A primeira pedra angular da nossa fé é ter uma experiência pessoal com Deus (11.24). A segunda é olhar para a recompensa final, e não para a imediata (11.26). A fé é a capacidade de olhar para o presente à luz da eternidade. Moisés deixou para trás as riquezas, o conforto, o poder e todas as vantagens do Egito. Mesmo sendo alvo da cólera do rei, ele saiu do Egito e permaneceu firme como quem vê aquele que é invisível. Seus olhos estavam em Deus.

Stuart Olyott diz que o Deus invisível era mais real para Moisés do que o ditador de uma superpotência terrena – e ele não demonstrou medo quando teve de confrontar esse ditador com a exigência de que os hebreus fossem libertados da escravidão. Homens e mulheres comuns baseiam os pensamentos quanto ao futuro naquilo que enxergam, esperam ou planejam, e naquilo que as pessoas comuns acham plausível ou factível. Não são assim os crentes. Todos os seus pensamentos quanto ao futuro são regulados pelas promessas de Deus. Eles veem tudo à luz do que ensina a Palavra de Deus. O futuro é tão brilhante quanto as promessas de Deus.[40]

Em quarto lugar, *a fé reconhece o nosso livramento* (11.28). Deus ordenou que Moisés celebrasse a Páscoa, e este instruiu o povo a sacrificar o cordeiro e a aspergir Seu sangue nos batentes das portas, para que o exterminador não matasse os primogênitos. Os primogênitos de Israel foram libertados da morte pelo sangue do cordeiro. Kistemaker diz corretamente que a festa da Páscoa se tornou o sacramento da Santa Ceia do Senhor. O cordeiro pascal no Novo Testamento era Jesus Cristo, que deu Sua vida como o Cordeiro de Deus que tira o pecado do mundo (Jo 1.29; 1Pe 1.19). Cristo Jesus *a Si mesmo Se deu em resgate*

---

[39]HENRICHSEN, Walter A. *Depois do sacrifício*, p. 133.
[40]OLYOTT, Stuart. *A Carta aos Hebreus*, p. 107,108.

por todos (1Tm 2.6).⁴¹ Os primogênitos hebreus não foram salvos porque eram melhores do que os primogênitos egípcios. Eles foram salvos pelo sangue (Êx 12.13).

Em quinto lugar, *a fé vence as nossas dificuldades* (11.29). Logo que saíram do Egito, o faraó e seus exércitos encurralaram o povo de Israel entre o mar e as montanhas. Eles estavam num beco sem saída, porém Moisés clamou a Deus, que lhes abriu um caminho no meio do mar, e eles passaram salvos e seguros. A fé não morre diante das dificuldades. A fé avança mesmo quando temos o mar à nossa frente e os exércitos inimigos às nossas costas.

A fé praticada na terra prometida – a conquista da fé (11.30,31)

O autor aos Hebreus passa do êxodo à conquista da terra prometida, de Moisés a Josué. Dois fatos são mencionados.

Em primeiro lugar, *a fé que derruba muralhas* (11.30). As muralhas inexpugnáveis de Jericó, a cidade mais antiga do mundo, ruíram pela fé. Essa é a fé da conquista, a fé que desconhece impossibilidades. A fé inabalável abala as estruturas mais sólidas da terra. A fé nas promessas de Deus ergue o brado de vitória e vê o impossível acontecer. Concordo com Donald Guthrie quando ele diz que cercar Jericó durante sete dias exigia uma alta qualidade de fé coletiva, porque parecia completamente fútil aos espectadores pagãos que não tinham ideia alguma daquilo que Deus poderia fazer no Seu poder. A fé frequentemente requer a convicção de que Deus pode realizar o que parece ser impossível.⁴²

Em segundo lugar, *a fé que recebe salvação* (11.31). Laubach tem razão ao dizer que o caminho da fé não apenas deve ser aberto para Israel, mas também para todo o mundo.⁴³ Raabe é gentia, pagã e prostituta, mas põe sua confiança em Deus e é salva com sua família. Seu nome aparece na galeria dos heróis da fé e refulge na linhagem do Messias (Mt 1.5).

---

⁴¹KISTEMAKER, Simon. *Hebreus*, p. 479.
⁴²GUTHRIE, Donald. *Hebreus: introdução e comentário*, p. 226,227.
⁴³LAUBACH, Fritz. *Carta aos Hebreus*, p. 195.

Wiley acrescenta que não existe prova mais clara da salvação pela fé do que esse acontecimento, que assinala que a salvação é para os gentios também. Raabe posteriormente se casou com Salmom e deu à luz Boaz, que se casou com Rute; o filho desta, Obede, foi o pai de Jessé, e Jessé foi o pai do rei Davi (Mt 1.5,6).[44]

Segundo Calvino, segue desse fato que aqueles a quem pertence a mais elevada excelência são de nenhum valor aos olhos de Deus, a não ser quando avaliados pelo prisma da fé; e, em contrapartida, aqueles que dificilmente teriam um lugar entre os incrédulos e os pagãos são adotados na companhia dos anjos.[45]

As proezas da fé – **o preço e a recompensa da fé** (11.32-40)

O autor aos Hebreus encerra esse glorioso capítulo sobre a fé tratando de três verdades solenes que ora vamos expor.

Em primeiro lugar, *a fé que experimenta o livramento sobrenatural de Deus* (11.32-35a). Depois de fazer um passeio por vários juízes de Israel, mencionando ainda Davi e Samuel, bem como vários profetas, o autor destaca como esses homens de fé subjugaram reinos, praticaram a justiça, obtiveram promessas, fecharam a boca de leões, extinguiram a violência do fogo e escaparam ao fio da espada, tirando força da fraqueza, fazendo-se poderosos em guerra e pondo em fuga exércitos. Ele menciona, ainda, como mulheres receberam, pela ressurreição, os seus mortos. Essa é uma descrição de uma fé que contempla os milagres, triunfa nas aflições e vê as intervenções soberanas e sobrenaturais de Deus, trazendo poderoso livramento ao seu povo.

Wiley, citando Wescott, classifica esse texto em três jogos de tríades, cada um assinalando um progresso dentro de si próprio e na sucessão dos grupos em direção àquilo que é mais pessoal. O primeiro trio descreve os amplos resultados que os crentes obtiveram: 1) Vitória material (subjugaram reinos); 2) êxito moral no governo (praticaram a justiça); 3)

---

[44]WILEY, Orton H. *Comentário exaustivo da Carta aos Hebreus*, p. 494.
[45]CALVINO, João. *Hebreus*, p. 325.

recompensa espiritual (obtiveram promessas). O segundo trio observa formas de libertação pessoal: 1) De animais ferozes (fecharam a boca de leões); 2) de poderes naturais (extinguiram a violência do fogo); 3) da tirania humana (escaparam ao fio da espada). O terceiro trio assinala a consecução de dons pessoais: 1) A origem da força (da fraqueza tiraram forças); 2) o exercício da força (fizeram-se poderosos em guerra); 3) o triunfo da força (puseram em fuga exércitos de estrangeiros).[46]

Com 300 homens, Gideão venceu os exércitos midianitas. Baraque, sob a inspiração de Débora, reuniu 10 mil jovens e derrotou os terríveis e superiores exércitos de Sísera e seus 900 carros de ferro. Sansão lutou sozinho e desbaratou os filisteus, vencendo-os em sua vida e em sua morte. Jefté, filho ilegítimo odiado pelos seus irmãos, escorraçado de casa, deserdado, pela fé se tornou um valente e libertou seu povo das mãos dos amonitas. Davi venceu um urso, um leão, um gigante e exércitos inimigos. Samuel foi fiel a Deus no meio de uma geração que caminhava galopantemente para a apostasia. Daniel viu Deus fechando a boca dos leões. Mesaque, Sadraque e Abede-Nego viram Deus extinguindo a violência do fogo. Elias escapou à ameaça da morte pelas mãos ímpias de Jezabel. Ezequias, da fraqueza, tirou forças, vencendo o poderoso exército de Rabsaqué. Eliseu afugentou os exércitos sírios. A viúva de Sarepta e a mulher de Suném receberam pela fé a ressurreição de seus mortos. Todos esses experimentaram milagres pela fé e viram o livramento de Deus.

A fé demonstrada pelos crentes do passado era uma reprovação à instabilidade espiritual de alguns crentes do presente. Calvino afirma: "Visto que a graça a nós concedida é mais rica, seria um absurdo que nossa fé fosse menor".[47]

Turnbull, imagina um tribunal armado diante dos destinatários dessa carta, que estavam sendo tentados a abandonar sua fé, convocando os heróis da fé para testemunhar diante deles. É como se dissesse:

> Abel, apresente-se diante do tribunal e diga aos meus leitores como a fé o ajudou a vencer. Noé, venha testificar quanto ao poder da fé

---

[46]WILEY, Orton H. *Comentário exaustivo da Carta aos Hebreus*, p. 495,496.
[47]CALVINO, João. *Hebreus*, p. 334.

na sua vida. Abraão, os meus leitores lhe tributam grande veneração; diga-lhes qual foi o segredo da sua vida extraordinária. Moisés, meus leitores estimam seu nome acima de qualquer outro ancestral; queira contar-lhes como a fé foi a força que o capacitou a realizar aquela obra sobre-humana em face de dificuldades insuperáveis. E seguindo aquela relação aparecem Gideão, Baraque, Sansão, Jefté, Davi, Samuel e os profetas – o autor deixa que esses antigos heróis testifiquem, na presença dos leitores da epístola, sobre o poder transcendente da fé.[48]

Em segundo lugar, *a fé que suporta o sofrimento atroz e o martírio sem vacilar* (11.35-38). Depois de destacar que alguns vivem pela fé, o autor aos Hebreus registra que outros morrem pela fé. No versículo 34, ele diz: *Pela fé escaparam do fio da espada* e no versículo 37: *Pela fé morreram pela espada*. Pela fé alguns escapam; pela fé alguns morrem. Deus livra uns da morte pela fé e leva outros mediante a morte também pela fé. As pessoas que receberam milagres não tiveram mais fé nem foram mais piedosas do que aqueles que foram torturados e morreram pela fé. Os dois grupos estão na mesma galeria dos heróis da fé.

O escritor passa a descrever como alguns são torturados pela fé. Outros ainda são escarnecidos e açoitados, suportando algemas e prisões pela sua fé. Há também outros que foram apedrejados, provados, serrados ao meio, mortos ao fio da espada, andando como peregrinos, necessitados, afligidos e maltratados pela fé. Esses homens, mesmo vivendo errantes pelos desertos, pelos montes, covas e antros da terra, são grandes aos olhos de Deus. Esses mártires da fé, humilhados na terra e considerados indignos de viver, são reconhecidos no céu, pessoas das quais o mundo não era digno. Concordo com Donald Guthrie quando ele diz que os homens do mundo, a despeito das suas posses e da sua posição, são tão inferiores que não são dignos de ser comparados com os homens de fé.[49]

É digno de nota que todos os apóstolos de Jesus foram mortos, e mortos pelo viés do martírio. O único que não foi martirizado foi o

---

[48]TURNBULL, M. Ryerson. *Levítico e Hebreus*, p. 154.
[49]GUTHRIE, Donald. *Hebreus: introdução e comentário*, p. 230.

apóstolo João, e mesmo assim, na velhice, ele foi banido para a ilha de Patmos por ordem do imperador Domiciano. A fé nem sempre nos livra do sofrimento. A fé nem sempre nos poupa da morte. A fé, porém, sempre honra a Deus, e Deus sempre honra os que vivem e morrem pela fé.

Em terceiro lugar, *a fé que espera a concretização da promessa* (11.39,40). Depois de fazer uma peregrinação pela história da redenção e mencionar os grandes heróis da fé, o autor diz que essas pessoas, embora tenham obtido bom testemunho por sua fé, não obtiveram, contudo, a concretização da promessa. Elas não viram o Messias. Não fizeram parte da nova aliança. Não entraram na gloriosa cidade que estavam buscando. Na verdade, nunca tiveram em mãos nenhuma das coisas que haviam firmado o coração. Precisaram aguardar-nos para que, juntos, pudéssemos, então, desfrutar com eles a bem-aventurança eterna. Há aqui um forte elemento de solidariedade por trás dessa ideia. Os fiéis da antiga e da nova alianças estão lado a lado. Quando Jesus voltar em glória, os mortos ressuscitarão e receberão um corpo imortal, incorruptível, poderoso, glorioso, semelhante ao corpo da glória do Senhor Jesus, e, então, todos nós, que estamos em Cristo, entraremos na glória junto com Abraão, Isaque e Jacó. Eles serão aperfeiçoados juntamente conosco e juntos entraremos no reino celestial, porque Deus tem somente um povo, um rebanho, uma família, uma igreja.

Wiley corretamente diz que o propósito de Deus, então, é reunir todas as coisas sob um só cabeça, ao mesmo tempo. Seu propósito é reunir um povo de todos os povos, de todas as línguas e de todas as nações; uma nova nação eleita, a Igreja dos Primogênitos.[50]

Recorro às palavras de Olyott para elucidar ainda mais esse momentoso assunto:

> Isso não lhes foi permitido porque tinham de esperar por nós. Aqueles tempos do Antigo Testamento não eram superiores aos tempos atuais (como parece que pensavam os leitores da carta aos Hebreus); eram inferiores. Não era a vontade de Deus que entrassem em tudo que ansiavam possuir e que nós, crentes neotestamentários, então aparecêssemos

---

[50] WILEY, Orton H. *Comentário exaustivo da Carta aos Hebreus*, p. 499.

como uma espécie de apêndice, como filhos de Deus de segunda classe. Temos visto aquilo que eles não viram. Mas nenhum de nós – quer crentes do Antigo Testamento quer do Novo – chegou a ver a cidade prometida. Entraremos nela juntos, ao mesmo tempo, sem que ninguém entre antes dos outros. Os crentes do Antigo Testamento tinham seu coração fixo no céu e nós também. Ali chegaremos de mãos dadas. Portanto, o que é necessário não é uma volta às cerimônias e rituais do Antigo Testamento (como pensavam os leitores originais), e sim que tenhamos fé autêntica. Somente pessoas de fé estarão no céu.[51]

Que lições podemos tirar do estudo desse extraordinário texto das Escrituras? Augustus Nicodemus destaca seis conclusões importantes: 1) É de extremo conforto para nós essas listas de heróis da fé mostrarem pessoas que não eram perfeitas; 2) boa parte desses heróis da fé são pessoas desconhecidas; 3) a fé que essas pessoas tiveram não era um salto no escuro ou um esforço feito para acreditar em algo que não sabiam ser verdadeiro, mas uma confiança firme em Deus e nas suas promessas, ainda que essas promessas apontassem para coisas futuras e invisíveis; 4) a fé nem sempre nos livra de problemas, angústias, sofrimentos e adversidades; 5) a fé, sendo verdadeira, sempre conduz a atitudes, ações e decisões práticas; 6) Deus tem apenas um povo cuja fé é nEle, nas suas promessas e na promessa da vinda do Messias.[52] Você, leitor, já possui essa fé?

---

[51] OLYOTT, Stuart. *A Carta aos Hebreus*, p. 109,110.
[52] LOPES, Augustus Nicodemus. *Hebreus*, p. 291-294.

20

A corrida rumo à Jerusalém celestial

Hebreus 12.1-29

DEPOIS DE ENCORAJAR OS CRENTES HEBREUS, apresentando-lhes a galeria dos heróis da fé, o autor aos Hebreus mostra que devemos seguir essas mesmas pegadas, pois estamos fazendo uma jornada rumo à Jerusalém celestial. Nessa viagem, temos uma corrida a fazer, obstáculos a vencer, orientações a seguir e ordens a obedecer.

Do mundo dos esportes, o autor toma por empréstimo a imagem dos espectadores, a roupa, a condição dos competidores e a própria competição.[1] Descreve a vida do cristão como a de um atleta que faz uma corrida numa vasta arena, apinhada de espectadores.[2]

É claro que o autor ainda está encorajando os crentes hebreus a não fazerem provisão para voltar para o judaísmo em razão do sofrimento e das perseguições. O único caminho seguro para um cristão é prosseguir e perseverar até o fim. O verdadeiro cristão vive e morre na fé.

William Barclay diz com razão que estamos diante de uma das grandes e eloquentes passagens do Novo Testamento.[3] Esse capítulo pode ser dividido em cinco partes: Uma carreira a percorrer, Uma disciplina

---

[1]KISTEMAKER, Simon. *Hebreus*, p. 512.
[2]HENRICHSEN, Walter A. *Depois do sacrifício*, p. 146.
[3]BARCLAY, William. *Hebreos*, p. 178.

a receber, Uma atitude a assumir, Um contraste a compreender e Uma decisão a tomar.

Uma carreira a percorrer (12.1-4)

O escritor lança mão de uma figura do atletismo muito popular tanto na Grécia antiga como na Roma dos césares. Os crentes estão num estádio repleto de testemunhas, para fazer a grande corrida da vida. Nos versículos em tela, segundo William Barclay, o autor nos dá um sumário da vida cristã: ela tem uma meta, uma inspiração, um obstáculo, uma condição, um exemplo e uma presença.[4]

Cinco verdades nos chamam a atenção no texto em apreço.

Em primeiro lugar, *o que devemos considerar* (12.1). *Portanto, também, visto que temos a rodear-nos tão grande nuvem de testemunhas...* A galeria dos heróis da fé não se restringe apenas aos crentes do passado, mas também deve incluir os crentes do presente. O autor coloca-se no mesmo nível dos leitores, pois faz parte da mesma maratona. Aqueles que venceram a corrida estão nas arquibancadas como uma nuvem de testemunhas, como exemplo para nos encorajar a prosseguir.

Concordo com Warren Wiersbe quando ele diz que essa nuvem de testemunhas não testemunha o que nós estamos fazendo, como se fossem nossos espectadores; em vez disso, dá testemunho para nós de que Deus pode ver-nos na corrida e nos fortalecer. Elas são um estímulo para nós. Deus deu testemunho delas (11.2,4,5,39), e elas agora dão testemunho para nós (12.1).[5]

Essas testemunhas estão ao nosso redor porque têm interesse em nossa vitória (11.40). Somos uma só equipe. Elas podem nos encorajar nas mais diversas circunstâncias da vida. Se você estiver enfrentando problemas com sua família, olhe para José do Egito e veja como ele lidou vitoriosamente com a situação. Se você estiver em conflito no seu trabalho, olhe para Moisés e veja como ele superou essas dificuldades. Se você estiver sendo tentado a retaliar, veja como Davi lidou com o

---

[4]BARCLAY, William. *Hebreos*, p. 178-180.
[5]WIERSBE, Warren W. *The Bible Exposition Commentary*. Vol. 2, p. 322.

problema. Essa nuvem de testemunhas serve de exemplo para nós de como correr vitoriosamente a carreira.

Em segundo lugar, *o que devemos rejeitar* (12.1). *... desembaraçando--nos de todo peso e do pecado que tenazmente nos assedia...* A palavra grega *ogkron*, traduzida por *peso*, significa "embaraço" ou "estorvo". Seu significado primordial é de volume, seja em tamanho, seja em peso.[6] Um corredor não pode ir para a pista de corrida carregando bagagem extra. Peso é tudo aquilo que serve de estorvo e obstáculo ao corredor. É qualquer coisa que o incapacita a correr com desenvoltura. Esse peso pode advir de vestimentas inadequadas para a corrida ou mesmo da falta de forma física do corredor. No caso dos crentes, esse peso pode significar os prazeres da vida, as vantagens do mundo e a fascinação pela riqueza. Henrichsen alerta sobre o fato de que esse peso pode ser o excesso de bagagem que acumulamos, pois, quanto mais possuímos, mais desejamos possuir. O que antes possuíamos, isso agora nos possui. Corremos o risco de transferir nossa dependência de Jesus para nossas posses.[7]

Jesus falou sobre o perigo da sobrecarga provocada por orgia, embriaguez e preocupações deste mundo (Lc 21.34). O apóstolo Paulo falou sobre a necessidade de nos despojarmos de ira, indignação, maldade, maledicência e linguagem obscena (Cl 3.8). Tiago deu ordens para que os crentes se livrassem de toda impureza e acúmulo de maldade (Tg 1.21), e o apóstolo Pedro falou sobre a necessidade de nos livrarmos de toda maldade, hipocrisia, inveja e de toda sorte de maledicência (1Pe 2.1). Augustus Nicodemus é oportuno quando diz que há amizades que são um fardo, assim como há ambientes que você frequenta, determinadas coisas a que você assiste e determinados hábitos que você cultiva. Tudo isso é sobrepeso de que você deve se desvencilhar a fim de poder correr com perseverança a maratona que lhe está proposta.[8]

Mas o maior obstáculo e o principal empecilho na corrida espiritual é o pecado. Calvino diz que o pecado é a carga mais pesada a embaraçar-nos.[9] Talvez um peso não seja necessariamente um pecado

---

[6] WILEY, Orton H. *Comentário exaustivo da Carta aos Hebreus*, p. 505.
[7] HENRICHSEN, Walter A. *Depois do sacrifício*, p. 147.
[8] LOPES, Augustus Nicodemus. *Hebreus*, p. 301.
[9] CALVINO, João. *Hebreus*, p. 337.

em si, mas pode tornar-se um estorvo em nossa carreira cristã. Mas o pecado é maligníssimo em sua essência: engana com suas propostas sedutoras, gruda em nós facilmente como fuligem e nos assedia tenazmente. O pecado é um embuste: doce ao paladar, mas amargo no estômago; promete prazeres, mas produz tormento; promete liberdade, mas escraviza; promete vida, mas acaba matando. É impossível agarrar-se ao pecado e ter boa desenvoltura na corrida!

Em terceiro lugar, **como devemos correr** (12.1). *... corramos, com perseverança, a carreira que nos está proposta.* A palavra grega *agona*, traduzida por *carreira*, da qual vem a palavra "agonia", dá a ideia de um esforço agonizante, ou seja, uma corrida que exige esforço até o ponto da agonia.[10]

A carreira da vida cristã não é uma escolha nossa. Foi proposta para nós pelo próprio Deus. Olyott diz com razão que é nosso Senhor quem nos inscreve na corrida da vida de fé, é Ele quem nos receberá na reta final e é Ele quem nos acompanha a cada passo da corrida.[11]

Não podemos desistir dessa corrida no meio do caminho. Precisamos seguir em frente com perseverança. Os obstáculos do caminho ou mesmo nossas fraquezas não podem nos tirar da corrida. A palavra grega *hypomone*, traduzida aqui por *perseverança*, traz a ideia de paciência triunfadora, que não apenas prossegue, a despeito das dificuldades, mas caminha celebrando um cântico de triunfo (Tg 1.2). Guthrie acrescenta que a palavra *perseverança* aqui enfatiza a ideia de persistência, de corrida firme até o fim, apesar das dificuldades.[12] Não importa quais sejam os obstáculos do caminho; não importa quantos opositores enfrentemos ao longo da estrada; não importa quão cansados estejamos da extenuante jornada, precisamos estar determinados a continuar, haja o que houver, venha o que vier!

Em quarto lugar, **para quem devemos olhar** (12.2,3). A galeria dos heróis da fé não se encerra no Antigo Testamento. O maior de todos os heróis, nosso máximo modelo e o técnico da nossa corrida é o Senhor

---

[10] LOPES, Augustus Nicodemus. *Hebreus*, p. 298.
[11] OLYOTT, Stuart. *A Carta aos Hebreus*, p. 115.
[12] GUTHRIE, Donald. *Hebreus: introdução e comentário*, p. 233.

Jesus. Ele venceu a corrida. Desceu do céu, esvaziou-Se, humilhou-Se até a morte, e morte de cruz. Ele enfrentou a oposição dos pecadores, a vergonha e o sofrimento da cruz, pela alegria de nos salvar.

Lightfoot afirma que, da mesma forma que o cristão tem diante de si a carreira proposta, Jesus teve diante dEle a alegria proposta.[13] Jesus venceu os obstáculos, derrotou o diabo, triunfou sobre a morte e está assentado à destra do trono de Deus (1.3; 8.1; 10.12; 12.2). É para Ele que precisamos olhar quando formos tentados a desistir. É nEle que precisamos cravar nossos olhos quando estivermos fatigados, prestes a desmaiar.

O autor aos Hebreus diz que devemos olhar firmemente para Jesus. A palavra grega *ophorontes*, traduzida por *olhando firmemente*, incorpora a ideia de tirar os olhos das coisas que estão perto e desviam a nossa atenção e, conscientemente, fixar os olhos em Jesus, o nosso grande alvo.[14] Essa palavra grega sugere, ainda, a impossibilidade de olhar em duas direções ao mesmo tempo.[15] Isso significa que os competidores empenhados na corrida não podem se distrair. Não devem desperdiçar tempo olhando ao redor ou para trás.

Jesus é o autor e consumador da nossa fé, o autor da nossa salvação (2.10), que, como precursor, entrou no santuário celeste (6.19,20) e abriu para nós *um novo e vivo caminho* que conduz ao santuário (10.20), à própria presença de Deus.

Embora a palavra grega *archegon* possa ter o significado de "fundador" ou "autor", também pode significar "líder" ou "pioneiro". Jesus é aquele que forneceu a inspiração para todos os santos da Antiguidade.[16]

O autor, como um pastor cuidadoso, exorta os crentes a não entrarem na caverna da introspecção, mas a considerarem atentamente Jesus, que, mesmo suportando imensa oposição dos pecadores, concluiu sua obra (12.3). Kistemaker diz corretamente que a introspecção causa cansaço e desencorajamento espiritual, mas olhar para Jesus renova a força cristã e aumenta a coragem. Quando o cristão entende

---

[13] LIGHTFOOT, Neil R. *Hebreus*, p. 280.
[14] WILEY, Orton H. *Comentário exaustivo da Carta aos Hebreus*, p. 508.
[15] GUTHRIE, Donald. *Hebreus: introdução e comentário*, p. 234.
[16] GUTHRIE, Donald. *Hebreus: introdução e comentário*, p. 234.

que Jesus enfrentou o ódio dos homens pecaminosos por sua causa, ele deve ter coragem. Assim, seus próprios problemas se tornam mais fáceis de suportar, e ele também será capaz de continuar a corrida que lhe está proposta.[17]

Laubach, nessa mesma linha de pensamento, diz que Jesus poderia ter permanecido junto do Pai na glória. O mundo da paz eterna e da alegria inexprimível era seu ambiente de vida. Mas Jesus empenhou tudo para a nossa remissão. Ele abandonou a existência na glória; fez-Se carne e morreu na cruz por nós.[18] Guthrie corrobora dizendo que a ligação de *alegria* com sofrimento em Hebreus 12.2 ecoa um tema constante no Novo Testamento. Até mesmo na véspera da sua paixão, Jesus falava sobre a Sua alegria e o Seu desejo de que seus discípulos dela participassem (Jo 15.11; 17.13).[19]

Em quinto lugar, **até que ponto devemos ir** (12.4). *Ora, na vossa luta contra o pecado, ainda não tendes resistido até ao sangue.* O autor vai de um esporte a outro, da imagem da corrida ao pugilismo, ou mesmo a uma competição de gladiadores. Ele argumenta com os crentes que as coisas não estavam tão ruins quanto podiam ficar. Eles ainda não haviam chegado a lutar contra o pecado até o sangue. No passado, alguns corredores foram passados ao fio da espada e até cerrados ao meio, e eles ainda não haviam chegado a essa condição.

Examinando esse versículo, Turnbull pergunta: o que levou esses hebreus a retardar a sua marcha na carreira cristã e a sentir saudades do judaísmo? Foi a perseguição que lhes sobreveio por causa da sua fé em Cristo. Por isso, diz o autor em Hebreus 12.4: *Ainda não tendes resistido até o sangue.* O que quer dizer que eles tinham sido severamente perseguidos, porém não até o martírio.[20] Lightfoot afirma que a pergunta implícita é esta: "Por que deveriam eles, quando outros sofreram tanto, render-se à menor pressão sobre a sua fé?"[21]

---

[17] KISTEMAKER, Simon. *Hebreus*, p. 518.
[18] LAUBACH, Fritz. *Carta aos Hebreus*, p. 206.
[19] GUTHRIE, Donald. *Hebreus: introdução e comentário*, p. 234.
[20] TURNBULL, M. Ryerson. *Levítico e Hebreus*, p. 157.
[21] LIGHTFOOT, Neil R. *Hebreus*, p. 283.

Uma disciplina a receber (12.5-11)

O escritor aos Hebreus passa da metáfora da corrida e do conflito de gladiadores para a serenidade do lar. O filho está agora na casa de seu pai, onde deve tirar proveito das sábias admoestações e da benigna correção de um pai que o ama.[22] A família é o lugar de treinamento com vistas à maturidade. Nessa corrida rumo à Jerusalém celestial, precisamos de maturidade, e maturidade só se alcança com exercício. A disciplina é uma necessidade vital para aqueles que precisam ter os músculos da alma tonificados. Concordo com Walter Henrichsen quando ele diz que ninguém gosta da mão pesada da disciplina, mas ela vem para o nosso bem, e não para o nosso mal.[23]

Três verdades são aqui destacadas.

Em primeiro lugar, *precisamos relembrar a Palavra de Deus* (12.5,6). Os crentes hebreus eram lentos em ouvir e rápidos em esquecer os preceitos da Palavra de Deus. O autor cita Provérbios 3.11,12 para mostrar que a disciplina não significa ausência de amor, mas uma demonstração de amor paternal. Nessa mesma linha de pensamento, Turnbull diz que o sofrimento deles, em vez de ser uma prova do abandono de Deus, era uma prova de que Deus os considerava como filhos e os estava tratando como tais.[24] Isso levou Calvino a declarar que aqueles que não suportam a disciplina de Deus para a sua salvação, ao contrário, rejeitam esse sinal de sua paternal benevolência, não passam de rematados ingratos.[25]

A disciplina é um privilégio que Deus estende àqueles a quem ama; a disciplina não é estendida aos que não pertencem a Deus. Eles recebem seu julgamento, e não sua disciplina.[26] Nas palavras de Guthrie, "disciplina torna-se sinônimo de filiação".[27]

É claro que disciplina não é castigo. Deus não pune Seus filhos, pois já puniu Seu Filho na cruz em lugar deles. A ira de Deus que devia cair

---

[22]WILEY, Orton H. *Comentário exaustivo da Carta aos Hebreus*, p. 512.
[23]HENRICHSEN, Walter A. *Depois do Sacrifício*, p. 148.
[24]TURNBULL, M. Ryerson. *Levítico e Hebreus*, p. 158.
[25]CALVINO, João. *Hebreus*, p. 341.
[26]KISTEMAKER, Simon. *Hebreus*, p. 524,525.
[27]GUTHRIE, Donald. *Hebreus: introdução e comentário*, p. 237.

sobre nossa cabeça foi derramada sobre Jesus na cruz. Ele foi feito maldição para sermos benditos eternamente. Deus nos disciplina para nos corrigir e nos fortalecer, em vez de nos punir para nos castigar. Deus é como o agricultor que poda a videira para que ela produza mais fruto ainda.

Em segundo lugar, *precisamos atentar para o cuidado paternal de Deus* (12.7-9). O autor faz uma comparação aqui entre a disciplina terrestre e a celeste. Os pais disciplinam os filhos porque os amam. Entregar os filhos à própria sorte ou vontade é arruinar a vida deles (Pv 13.24; 22.15; 23.13; 29.15). Calvino tem razão em dizer:

> Se não há entre os homens, pelo menos entre os prudentes e ajuizados, algum que não corrija a seus filhos, já que estes não podem ser guiados à real virtude sem disciplina, muito menos Deus, que é o melhor e o mais sábio dos pais, negligenciaria um antídoto tão eficaz.[28]

Se os pais que corrigem seus filhos por um breve tempo, e podem errar quanto ao tempo, à intensidade e à motivação da disciplina, fazem isso com amor e para o bem dos filhos, quanto mais o nosso Pai celeste, que nos corrige ao longo da vida, da forma certa, na proporção certa, com a motivação certa e com resultados certos. Nas palavras de Henrichsen, "nosso Pai celeste é sempre exato, consistente e visa o nosso melhor interesse".[29]

As adversidades que enfrentamos são bênçãos disfarçadas, porque por trás dessas dificuldades está nosso Pai amoroso que nos dá o que é melhor.[30] Precisamos sempre olhar além de nossos sofrimentos e entender que Deus está trabalhando por nós, e não contra nós. Concordo com Lightfoot quando ele escreve: "Para suportar corretamente a disciplina, é preciso suportar inteligentemente".[31]

Em terceiro lugar, *precisamos ter convicção do elevado propósito de Deus* (12.10,11). Os pais procuram o que é melhor para seus filhos,

---

[28]CALVINO, João. *Hebreus*, p. 342.
[29]HENRICHSEN, Walter A. *Depois do sacrifício*, p. 149.
[30]KISTEMAKER, Simon. *Hebreus*, p. 527.
[31]LIGHTFOOT, Neil R. *Hebreus*, p. 284.

mas frequentemente cometem erros. A capacidade deles para educar seus filhos é limitada. Mesmo com as melhores intenções, ainda falham quanto ao método e quanto ao propósito. Os pais frequentemente carecem de sabedoria, pois às vezes usam medidas corretivas severas demais ou, às vezes, as abandonam por completo. Deus, porém, sempre nos disciplina para aproveitamento, a fim de sermos participantes da sua santidade. Deus não desperdiça sofrimento na vida de Seus filhos.

Guthrie diz com razão: "Deus nunca aplicará disciplina em demasia nem a negligenciará".[32] Deus nunca erra, sempre disciplina em amor, ao mesmo tempo que nos conforta. Sua disciplina não termina quando chegamos à fase adulta. Por toda a nossa vida terrena, Ele nos ensina e jamais nos abandona. Sua paciência conosco parece ilimitada, apesar de nossa falta de progresso.[33]

Turnbull é oportuno quando escreve: "Por que teria de me revoltar quando o meu Senhor está abrindo sulcos profundos na minha alma? Eu sei que ele não é nenhum lavrador indolente. O propósito é conseguir uma boa colheita, arando, assim, a minha vida".[34] Lightfoot corrobora dizendo: "A disciplina de Deus não é uma pedra atirada arbitrariamente na vida humana, mas uma semente".[35]

Em Hebreus 12.11, o autor contrasta a disciplina do presente com os resultados futuros. É claro que, no momento em que a disciplina está sendo aplicada, ela não produz alegria, mas seus frutos são de justiça e paz. O sofrimento que você experimenta é doloroso, mas, quando o período de agonia termina, o resultado será um relacionamento certo com Deus e com os homens.[36] A combinação entre a paz e a justiça é natural, porque nenhuma paz verdadeira pode existir sem a justiça. A paz advém da justiça. Quando o homem fica de bem com Deus, seu coração encontra a paz.[37]

---

[32] GUTHRIE, Donald. *Hebreus: introdução e comentário*, p. 238.
[33] KISTEMAKER, Simon. *Hebreus*, p. 531.
[34] TURNBULL, M. Ryerson. *Levítico e Hebreus*, p. 158,159.
[35] LIGHTFOOT, Neil R. *Hebreus*, p. 286.
[36] KISTEMAKER, Simon. *Hebreus*, p. 532.
[37] GUTHRIE, Donald. *Hebreus: introdução e comentário*, p. 239.

Uma atitude a assumir (12.12-17)

A vara da disciplina pode produzir em nós atitudes de desânimo ou revolta. Por isso, o autor orienta os crentes a assumirem uma atitude certa ante a disciplina. Vejamos.

Em primeiro lugar, **devemos vencer o desânimo** (12.12,13). Há momentos em que, embora a corrida ainda não tenha terminado, ficamos cansados e extenuados, com as mãos descaídas (desânimo) e os joelhos trôpegos (desespero). Nessas horas, precisamos vencer o desânimo, e até mesmo o desespero, e prosseguir, pois essas dificuldades do caminho não são para nos derrotar, mas para nos fazer homens e mulheres maduros, conforme Deus quer.

É claro que de nada adianta fortalecer os joelhos fracos para andar em caminhos errados. Visto que os caminhos naturais usualmente são tortuosos, evitando as dificuldades em vez de enfrentá-las, um caminho certo precisa ser preparado, e isso com certo esforço.[38] Por isso, o autor encoraja os corredores a examinarem cuidadosamente a pista antes de começar a corrida, porque podem existir desníveis que os levem a quedas e acidentes. O corredor corre o risco de torcer o tornozelo e ser desqualificado para a corrida. Alguns corredores são deficientes. Há corredores mancos. Essa é uma expressão que pode ser entendida como duplicidade mental. Foi nesse sentido que o profeta Elias a usou para o povo de Israel (1Rs 18.21). Mesmo os mancos devem persistir, continuar e completar a corrida (12.13).

Vale destacar que não fazemos uma corrida de competição como nos Jogos Olímpicos, mas de cooperação. Somos um corpo, uma família, um só time. Devemos ter cuidado uns pelos outros. Essa é uma ênfase demonstrada em toda a epístola aos Hebreus (3.13; 4.1,11; 6.11).

Em segundo lugar, **devemos manter uma relação certa com Deus e com os homens** (12.14). *Segui a paz com todos e a santificação, sem a qual ninguém verá o Senhor.* Uma vez que Deus é o Deus da paz (13.20), que através do nosso Melquisedeque, o rei da paz (7.2), tem nos trazido da desarmonia para a paz e da alienação para a reconciliação, devemos, em

---

[38]GUTHRIE, Donald. *Hebreus: introdução e comentário*, p. 240.

nossos relacionamentos diários, lutar pela paz com todos os homens.[39] É bem verdade que muitos dos nossos problemas vêm das pessoas. Elas nos ferem, nos decepcionam, nos perseguem e testam nossa paciência até o limite. Devemos aproveitar esse tempo para aprender a viver em paz com essas pessoas (Rm 12.18). Não podemos permitir que os outros arranquem nosso coração e nos encham de ódio. Se permitirmos isso, eles terão nos derrotado. Não podemos permitir que os outros determinem como vamos reagir ao que eles nos fazem. Não podemos terceirizar nossos sentimentos. Não podemos caminhar bem quando estamos em guerra com os outros.

De igual modo, não podemos permanecer vitoriosamente na corrida quando nossa alma fica carregada pela fuligem do pecado. A santificação precisa seguir a paz. Olyott diz que na vida existem pensamentos, motivações, atitudes, hábitos, prioridades, amores, ódios, confiança, opiniões e muitas outras coisas que entristecem o Senhor. O progresso em santidade não é opcional, mas uma necessidade absoluta, pois sem ela ninguém verá o Senhor.[40]

Tanto a paz quanto a santificação precisam ser buscadas se quisermos completar nossa carreira. Essa paz requer esforço. A união entre paz e santificação aqui é uma advertência implícita de que não devemos buscar a paz a ponto de comprometer a santificação. O cristão busca a paz com todos, mas busca a santidade também, e esta não pode ser sacrificada por aquela.[41]

Em terceiro lugar, **devemos permanecer na graça de Deus** (12.15). Raymond Brown está correto quando diz que os crentes hebreus começaram sua vida de fé somente pela graça salvadora de Deus e somente pela graça poderiam continuar.[42] Um crente faltoso, porém, aparta-se da graça de Deus. Somos salvos pela graça e devemos continuar firmes na graça. A graça é o ambiente no qual se desenvolve nossa corrida. A graça de Deus representa aqui todos os benefícios que Deus tem fornecido ao Seu povo.

---

[39]HUGHES, Philip Edgcumbe. *A Commentary on the Epistle to the Hebrews*, p. 536.
[40]OLYOTT, Stuart. *A Carta aos Hebreus*, p. 120,121.
[41]WILEY, Orton H. *Comentário exaustivo da Carta aos Hebreus*, p. 518.
[42]BROWN, Raymond. *The Message of Hebrews*, p. 238.

Em quarto lugar, ***devemos nos prevenir contra a raiz de amargura*** (12.15b). Com essa imagem tomada da agricultura, o autor olha para a igreja e compara uma pessoa que perdeu a graça de Deus (e se desviou) a uma raiz amarga. Essa figura é tirada, sem sombra de dúvida, de Deuteronômio 29.18: *Para que, entre vós, não haja homem, nem mulher, nem família, nem tribo cujo coração, hoje, se desvie do* SENHOR, *nosso Deus, e vá servir aos deuses destas nações; para que não haja entre vós raiz que produza erva venenosa e amarga*. Essa pessoa que abandona a fé e passa a servir a outros deuses causa problemas no meio do povo de Deus ao perturbar a paz. Com palavras amargas, ela priva os crentes de santidade.[43] A amargura perturba quem a nutre e contamina as pessoas à sua volta. Concordo com Henrichsen quando ele diz que a pessoa amarga não só prejudica a si própria, mas o câncer se espalha pela vida dos outros, fazendo com que muitos sejam contaminados. Outras pessoas são atraídas ao problema e forçadas a tomar partido, semeando-se a discórdia entre os irmãos.[44]

É claro que a amargura se relaciona, também, ao ressentimento, à mágoa, ao congelamento da ira, ao desejo de vingança. Uma pessoa amargurada vive perturbada. Não tem paz. Está em conflito consigo mesma. Tudo ao seu redor fica cinzento. Há um breu em sua alma. Há um tufão em sua mente. Há uma tempestade em seu coração. Essa pessoa, além de viver perturbada pelo vendaval de seu próprio coração, ainda contamina as pessoas à sua volta. Ela *destila* o seu veneno. Espalha o seu mau humor. Deixa vazar pelos poros da alma todo o seu azedume.

Em quinto lugar, ***devemos valorizar os privilégios espirituais*** (12.16,17). Aquele que ama qualquer coisa mais do que a bênção do Senhor está liquidado, diz Olyott.[45] Esaú foi um homem impuro e profano (Gn 25.29-34; 27.30-40). A palavra grega *bebelos*, traduzida por *profano*, literalmente quer dizer franqueado à passagem, em contraste com consagrado a Deus. Significa ter as coisas santas por comuns ou irreligiosas.[46]

---

[43]KISTEMAKER, Simon. *Hebreus*, p. 542.
[44]HENRICHSEN, Walter A. *Depois do sacrifício*, p. 150.
[45]OLYOTT, Stuart. *A Carta aos Hebreus*, p. 121.
[46]WILEY, Orton H. *Comentário exaustivo da Carta aos Hebreus*, p. 520,521.

Esaú fez deliberadamente escolhas erradas que geraram consequências para ele e sua família. Ele se casou com mulheres cananeias, fonte de sofrimento para seus pais (Gn 26.35). Quando mais tarde percebeu o sofrimento dos pais, ele se casou ainda com Maalate, filha de Ismael, filho de Abraão (Gn 28.9), com o propósito de espicaçar ainda mais seus progenitores.

Esaú desprezou o seu direito de primogenitura, trocando-o por um prato de comida. Deu mais valor ao estômago que às realidades espirituais. Demonstrou total indiferença às promessas espirituais que Deus havia concedido a seu avô Abraão e a seu pai, Isaque.

Esaú também demonstrou um arrependimento tardio (12.17). Esse é um perigo para o qual a carta aos Hebreus sempre nos alertou. Desviar-se de Deus é assaz desastroso (3.12). Os israelitas rebeldes, por descrença, morreram no deserto (3.16-19). Alguns de seus próprios contemporâneos, mesmo fazendo parte da igreja visível, recebendo os sacramentos e desfrutando das benesses espirituais, se desviaram a ponto de seu retorno ser impossível (6.4-6; 10.26-31). Agora, o autor menciona o exemplo de Esaú, que desprezou os privilégios espirituais e cruzou aquela linha invisível do ponto sem retorno. De nada adiantava sentir remorso, pesar, verter lágrimas, fazer súplicas ou desejar aquilo que desprezara e perdera. Nada podia trazê-lo de volta.[47]

Concordo com Kistemaker quando ele destaca que, de acordo com Gênesis, Esaú não demonstrou sinal algum de penitência, somente raiva para com seu irmão, Jacó. Portanto, com suas lágrimas ele buscou somente a bênção, mas não o arrependimento. A descrença conduz ao endurecimento do coração e à apostasia.[48]

Um contraste a compreender (12.18-24)

Chegamos agora ao que podemos chamar de clímax dessa epístola. Nos versículos 18 a 24, o autor explica que o cristianismo é superior ao judaísmo e, nos versículos 25 a 29, enfatiza que, quanto mais altos os

---

[47] OLYOTT, Stuart. *A Carta aos Hebreus*, p. 121.
[48] KISTEMAKER, Simon. *Hebreus*, p. 544.

privilégios, maiores serão as responsabilidades.[49] Esse texto é o grandioso final da série de exortações que visa encorajar os cristãos a se manterem firmes em sua confissão.[50] Assim, mais uma vez, o autor retorna ao tema predominante de sua carta e mostra a grande supremacia das dádivas da nova aliança em relação àquilo que foi concedido a Israel.[51] O autor contrasta, aqui, o monte Sinai com o monte Sião, a lei com a graça, a antiga aliança com a nova aliança.

Duas verdades são aqui destacadas.

Em primeiro lugar, *devemos olhar para cima e contemplar a Jerusalém celestial* (12.18-24). Embora o nome do monte não seja aqui mencionado, sabemos que se trata do Sinai. Voltemos, portanto, nossos olhos para o monte Sinai (12.18-21). Esse relato pode ser visto em Êxodo (19.9-25; 20.18-21), e Deuteronômio (4.10-24; 5.22-27).

A descrição do Sinai flamejante enfatiza seu aspecto físico: o fogo, as trevas, a tempestade, o clangor da trombeta. Para Turnbull, o que mais impressiona nessa cena aterradora do Sinai fumegando é a absoluta majestade de Deus e a absoluta inacessibilidade de Deus. Ele Se encontra no cume do monte, no meio do fogo, da fumaça, da forte escuridão e do ruído aterrador, enquanto o povo, abalado pelo terror, nem sequer ousava tocar o pé do monte sob pena de morte. De que maneira mais dramática podia Deus ter indicado a sua inacessibilidade ao povo? Debaixo do velho concerto, diz o autor, a presença de Deus está cercada das mais tremendas ameaças, de modo que ninguém ousaria aproximar-se.[52]

Nas palavras de Henrichsen, "a lei do Sinai produziu um relacionamento de medo".[53] Duas coisas são destacadas nessa cena terrificante do Sinai: a voz divina era esmagadora, e a presença de Deus era inacessível.[54]

Wiley, citando Henry Cowles, faz uma descrição vívida desse cenário:

---

[49]OLYOTT, Stuart. *A Carta aos Hebreus*, p. 122.
[50]WILEY, Orton H. *Comentário exaustivo da Carta aos Hebreus*, p. 522.
[51]LAUBACH, Fritz. *Carta aos Hebreus*, p. 215.
[52]TURNBULL, M. Ryerson. *Levítico e Hebreus*, p. 160.
[53]HENRICHSEN, Walter A. *Depois do sacrifício*, p. 154.
[54]BROWN, Raymond. *The Message of Hebrews*, p. 243.

Naquele dia portentoso, quando todo Israel [...] postou-se em frente de sua vasta muralha de rocha escarpada e terrível precipício, ardia ele em fogo envolto em trevas e escuridão e tempestade – como se mil nuvens trovejantes estivessem condensadas numa só e esta cingisse a montanha terrível em suas dobras, trevas aterradoras interrompidas apenas pelo clarão do relâmpago; e o fragor contínuo da tempestade interrompido apenas pelo clangor mais terrífico e a voz mais terrível do Todo-poderoso pronunciando as palavras de Sua lei de fogo. Ali se postavam os homens aterrados por aquela voz jamais ouvida por mortais e suplicavam que não se lhes falasse mais.[55]

No Sinai, Deus falava com voz audível, inteligível, e o povo apavorado implorava que Ele passasse a falar somente através de um mediador. Até mesmo Moisés teve medo e tremeu. Até mesmo se um animal se aproximasse, seria morto![56]

Agora, em contraste, voltemos nossos olhos para o monte Sião (12.22-24). Enquanto o velho concerto impedia que o homem chegasse à presença de Deus, o novo concerto nos leva para dentro do próprio céu, à presença dos anjos e dos mortos bem-aventurados, à presença de Deus e do Seu Filho, cujo sangue possibilitou a nossa entrada (Ap 7.15-17; 21.2-4). Debaixo do velho concerto, temos o terror, o juízo, a completa separação da presença de Deus; debaixo do novo concerto, porém, temos a suprema manifestação da graça divina e a vida na imediata presença de Deus. Portanto, convinha-lhes romper com tudo quanto os prendia no judaísmo e aceitar o cristianismo de modo pleno e final. É assim que o autor argumenta com seus leitores.[57]

Olyott prossegue nessa mesma trilha de pensamento dizendo que o evangelho é terno e gracioso: convida-nos a chegar com intrepidez ao trono da graça (4.16) e aproximar-nos (10.22). Em contraste com as exclusões do Sinai, o evangelho nos fala de acesso. Em vez de uma voz aterrorizante, assegura-nos que Deus pode ser conhecido como Pai

---

[55]WILEY, Orton H. *Comentário exaustivo da Carta aos Hebreus*, p. 524.
[56]OLYOTT, Stuart. *Levítico e Hebreus*, p. 123.
[57]TURNBULL, M. Ryerson. *Levítico e Hebreus*, p. 160.

celestial.⁵⁸ Agora, Deus não é inabordável nem inspirador de temor. Ele habita no meio de uma sociedade de adoradores.⁵⁹

O texto em tela faz uma lista do que aguarda o cristão: 1) A Jerusalém celestial; 2) a incontável hoste de anjos; 3) a universal assembleia, ou seja, a igreja dos primogênitos; 4) Deus como juiz de todos; 5) os espíritos dos justos aperfeiçoados; 6) Jesus, o Mediador da nova aliança.

A Jerusalém celestial está acima da Jerusalém terrestre, porque o pecado e a morte são banidos eternamente do céu. Abraão já aguardava a cidade que tem fundamentos, da qual Deus é o arquiteto e edificador (11.10). Essa cidade é a habitação de incontáveis hostes de anjos (Ap 5.11). Essa cidade é a habitação dos remidos de Deus, daqueles que foram declarados justos pelo reto e justo juiz. Esta cidade é o lar de todos aqueles que já partiram desde Abel. Todos os crentes, tanto do Antigo como do Novo Testamentos, que morreram na fé, foram aperfeiçoados e entraram na glória.

Kistemaker elucida esse ponto ao mostrar a relação entre os santos da terra e os santos do céu. Os santos na glória foram aperfeiçoados, porque estão livres do pecado. A alma deles é perfeita; o corpo deles espera pelo dia da ressurreição. Em princípio, os crentes na terra compartilham da perfeição que Cristo dá a Seu povo. Eles se alegram na esperança de se unirem à assembleia dos santos no céu. Quando a morte ocorre, o crente obtém o cumprimento da obra expiatória de Cristo (2.10).⁶⁰

Olyott ainda esclarece:

> Quando viemos a Cristo, não fomos ao Sinai, mas a Sião. Fomos à própria habitação de Deus. Os judeus achavam que Jerusalém era o lugar onde se encontrava a presença de Deus, mas o autor aos Hebreus não estava falando de uma cidade terrena (12.22). Temos de nos lembrar que a Jerusalém do Antigo Testamento só tinha importância como retrato de uma realidade celestial. Se a peregrinação à Jerusalém terrena era feita com alegria, a procissão dos crentes em sua peregrinação

---

⁵⁸OLYOTT, Stuart. *A Carta aos Hebreus*, p. 123.
⁵⁹GUTHRIE, Donald. *Hebreus: introdução e comentário*, p. 245.
⁶⁰KISTEMAKER, Simon. *Hebreus*, p. 554,555.

espiritual é ainda muito melhor. Acompanhada e cercada de "multidão inumerável de anjos", consiste na vasta família daqueles cujos nomes estão escritos no céu, que têm Jesus como chefe da família e irmão primogênito. Ele é o Mediador da nova aliança (12.24), por meio de quem entramos naquilo que jamais poderíamos obter se, como os judeus, dependêssemos de uma aliança de obras. Viemos por Seu sangue, que não clama por vingança como o sangue de Abel, mas fala de perdão, absolvição, acesso e paz com Deus, fala-nos de boas-vindas.[61]

Em segundo lugar, **devemos olhar para a frente e aguardar o reino inabalável** (12.25-29). Chegamos agora à última e mais temível de todas as advertências contra a apostasia encontradas na epístola aos Hebreus.[62] Há um contraste direto entre a voz sobre a terra e a advertência dos céus.[63]

Em face do exposto, uma pergunta ainda se faz necessária: e se os crentes hebreus se recusarem a permanecer fiéis a Cristo, insistindo em voltar para o judaísmo, o que lhes acontecerá? A resposta está nos versículos sendo expostos (12.25-29). Quão terrível é esse aviso! Tapar os ouvidos à advertência divina é lavrar a própria sentença de derrota.

O povo de Deus sofreu severas consequências de sua rebeldia nas mãos de seus inimigos, culminando com a queda de Jerusalém. Esse foi o destino daqueles que foram avisados "sobre a terra", isto é, avisados da parte de Deus de cima do monte Sinai. Quão mais severo será o destino daqueles que dão as costas para aquele que *dos céus nos adverte*. A única esperança que restava para os crentes hebreus que estavam pensando em voltar para o judaísmo era permanecerem fiéis ao reino de Cristo, um reino inabalável, que não pode se mover, o único que subsistirá quando Deus abalar tanto a terra como o céu.[64]

Quando a lei foi dada no Sinai, a terra tremeu (Êx 19.18; Sl 68.8; 77.18; 114.7), mas chegará o dia em que não só a terra tremerá, mas Deus fará abalar também o céu (2.26; Ag 2.6; 2Pe 3.7-12). O dia de

---
[61]OLYOTT, Stuart. *A Carta aos Hebreus*, p. 123,124.
[62]WILEY, Orton H. *Comentário exaustivo da Carta aos Hebreus*, p. 531.
[63]GUTHRIE, Donald. *Hebreus: introdução e comentário*, p. 247.
[64]TURNBULL, M. Ryerson. *Levítico e Hebreus*, p. 160.

sua aparição será acompanhado de gigantescas catástrofes sísmicas (Mt 24.29; 2Pe 3.10; Ap 6.12; 8.5; 11.13; 16.18). Nesse dia, haverá a remoção dessas coisas abaladas, para que só as coisas inabaláveis permaneçam (12.27). Esse dia trará consigo a definitiva revelação visível da glória de Deus. Então haverá novos céus e nova terra (Ap 21.1). Nós, que recebemos esse reino inabalável (12.28), devemos reter a graça, pela qual devemos servir a Deus de modo agradável, com reverência e santo temor, porque o nosso Deus é fogo consumidor (12.29). Calvino tem razão ao dizer que, assim como o autor já nos apresentou a graça de Deus em sua doçura, ele agora declara sua severidade. A graça divina nunca nos é prometida sem ser acompanhada por ameaças.[65]

Uma decisão a tomar (12.25-29)

Essa passagem deve não apenas levar-nos a uma contemplação das coisas por vir, mas nos motivar, sobretudo, a uma resposta imediata de obediência, confiança e reverência. Vamos tratar, então, dessas três decisões.

Em primeiro lugar, *devemos ser obedientes* (12.25). Não podemos recusar aquele que fala desde o céu. Essa epístola começa dizendo que Deus existe e fala. Ele tem falado muitas vezes, de muitas maneiras, aos pais, pelos profetas. Agora, Ele nos falou finalmente pelo Filho (1.1). Deus continua falando, e Sua voz é poderosa. Sua voz despede chamas de fogo. Sua voz é irresistível. Não ouvi-la é insensatez. Ouvi-la e não obedecer é loucura.

Em segundo lugar, *devemos ser confiantes* (12.26,27). A descrição dos eventos do monte Sinai é aqui associada à profecia de Ageu 2.6 acerca dos últimos dias. Nos dias de Moisés, a montanha do Sinai foi abalada, mas, no grande dia da volta de Cristo, toda a terra e os céus serão abalados e removidos. O povo de Deus pertence a essa ordem daquilo que não será abalado nem removido (1.11,12). Os cristãos vivem num mundo abalado, mas não temem porque seus olhos estão no horizonte além, aguardando o reino inabalável. Mesmo conscientes de que vivem num mundo de instabilidade política, pressões sociais,

---

[65] CALVINO, João. *Hebreus*, p. 365.

crises econômicas, apostasia religiosa, sofrimentos físicos e decadência moral, eles não se desesperam. Sua confiança está em Deus, em quem eles permanecem firmes e inabaláveis.[66]

Em terceiro lugar, *devemos ser reverentes* (12.28,29). A confiança inabalável que temos em relação ao futuro não deve nos levar a uma postura de arrogância, mas de humildade, temor e reverência. Devemos viver numa atitude de grata adoração. Oh, quão glorioso amor é esse que levou o Deus santíssimo a se fazer conhecido de homens pecadores! O fogo do Sinai extinguiu-se e é uma coisa passada, mas o ardente fogo da santidade de Deus, bem como Seu zelo e Seu amor, jamais serão extinguidos. O crente sabe que, ante a santa presença de Deus, seus pecados são expostos, mas também se regozija porque, pela misericórdia divina, esses pecados são definitivamente apagados.[67]

---

[66] BROWN, Raymond. *The Message of Hebrews*, p. 246.
[67] BROWN, Raymond. *The Message of Hebrews*, p. 246,247.

21

As **evidências** de uma
vida transformada

Hebreus 13.1-25

O AUTOR ESTÁ CONCLUINDO SUA EPÍSTOLA E, nessa parte final, mostra como o verdadeiro cristianismo pode ser conhecido de forma prática. A sã doutrina sempre desemboca em vida transformada. A teologia é mãe da ética. O que cremos determina o que fazemos. Warren Wiersbe diz, acertadamente, que na Bíblia não há divisão entre doutrina e dever, entre revelação e responsabilidade. Elas caminham sempre juntas.[1]

Quais são as características de uma vida transformada?

Uma vida transformada é conhecida por sua **conduta exemplar** (13.1-6)

O autor destaca três áreas em que devemos demonstrar nosso testemunho como cristãos: no trato com o nosso próximo, no relacionamento conjugal e na maneira como lidamos com o dinheiro. Um cristão é alguém que cuida do próximo, respeita o cônjuge e se contenta com o que tem. Examinemos essas três áreas.

---

[1] WIERSBE, Warren W. *The bible exposition commentary*. Vol. 2, p. 326.

Em primeiro lugar, **em relação ao próximo** (13.1-3). Nosso amor a Deus deve ser provado por nosso amor ao próximo. O apóstolo João afirma: *Aquele que não ama a seu irmão, a quem vê, não pode amar a Deus, a quem não vê* (1Jo 4.20). Aquilo em que cremos precisa influenciar aquilo que praticamos. O autor destaca três áreas da nossa atitude exemplar em relação ao próximo:

Primeiro, *amor fraternal* (13.1). *Seja constante o amor fraternal.* A palavra *amor* usada aqui não é *agape*, mas *philadelphia*, "amor de irmão de sangue". Eles já tinham mostrado esse amor no passado, servindo aos santos e tendo compaixão pelos irmãos afligidos (6.10; 10.33,34). Esse mesmo tipo de amor é recomendado tanto por Paulo (Rm 12.10; 1Ts 4.9,10) como por Pedro (1Pe 1.22; 2Pe 1.7). O autor aos Hebreus está dizendo que devemos considerar-nos uns aos outros não apenas como santos irmãos (3.1), mas também como amados irmãos (13.1).

Raymond Brown escreve: "Se os crentes pertencem à mesma família, então o amor do Pai deve ser expresso em sua vida".[2] Isso porque a igreja não é uma organização nem um clube, mas uma fraternidade.[3] Calvino chega a dizer: "Não podemos ser cristãos sem que sejamos irmãos".[4] De que forma se manifesta o amor *philadelphia*? Amamos nossos irmãos de sangue como amamos a nós mesmos. Nosso amor por eles não é apenas por causa de seus méritos, mas apesar de seus deméritos; não apenas por causa de suas virtudes, mas a despeito de suas fraquezas.

O amor *philadelphia* precisa ser constante, e não apenas em algumas ocasiões ou circunstâncias especiais. É oportuna a recomendação de Raymond Brown: "O amor cristão não deve se degenerar em mera emoção piedosa, mas deve ser expresso em contínuo cuidado prático".[5] Por isso, Calvino alerta: "Nada evapora mais facilmente do que o amor, quando cada um pensa de si mesmo mais do que convém e quando pensa menos nos outros do que deveria".[6]

---

[2]BROWN, Raymond. *The message of Hebrews*, p. 249.
[3]OLYOTT, Stuart. *A carta aos Hebreus*, p. 128.
[4]CALVINO, João. *Hebreus*, p. 368.
[5]BROWN, Raymond. *The message of Hebrews*, p. 249.
[6]CALVINO, João. *Hebreus*, p. 367-368.

Segundo, *hospitalidade* (13.2). *Não negligencieis a hospitalidade, pois alguns, praticando-a, sem o saber acolheram anjos.* Onde há verdadeiro amor cristão, aí também há hospitalidade. O amor não se limita a palavras, mas demonstra sua realidade através de obras compassivas. Uma das expressões do amor fraternal é a hospitalidade. O cristão é alguém que tem o coração, as mãos, o bolso e a casa abertos. Donald Guthrie diz que, no Oriente Médio, a hospitalidade é um meio de amizade. Convidar uma pessoa para uma refeição é oferecer-lhe comunhão.[7] Por isso, Barclay afirma que o cristianismo deve ser a religião de portas abertas.[8]

Por que a hospitalidade era tão importante naquele tempo? Porque no primeiro século os cristãos foram perseguidos e muitos precisavam fugir de sua cidade (At 8.1; 18.2); outros perdiam seus bens (10.34) e andavam foragidos pelo império romano a fim de salvar a própria vida. Os irmãos crentes abriam suas casas a esses fugitivos, colocando em risco sua própria segurança. Os irmãos perseguidos precisavam de um lar hospitaleiro para acolhê-los tanto em seu deslocamento como em suas urgentes necessidades. Também os evangelistas e pregadores itinerantes dependiam da hospitalidade dos crentes para cumprirem sua agenda de pregação e pastoreio (3Jo 5-8). Outrossim, as pensões e hospedarias no primeiro século eram raras, caras, sujas e mal-afamadas.[9] Por essas razões, os crentes precisavam ter o coração aberto e a casa aberta para acolher irmãos que eles nem conheciam. A palavra grega *philoxenia*, traduzida por *hospitalidade*, significa literalmente "amor ao estrangeiro". A mesma ideia ocorre em Romanos 12.13. A hospitalidade é uma das qualidades requeridas do presbítero (1Tm 3.2; Tt 1.8) e das viúvas (1Tm 5.10). O apóstolo Pedro também recomendou a mesma prática (1Pe 4.9).

O autor ainda mostra que a hospitalidade abençoa não apenas quem é recebido, mas sobretudo quem recebe, pois alguns nessa prática, sem o saber, hospedaram anjos, como aconteceu com Abraão e Ló (Gn 18.1-5; 19.1-22). Quem pode saber quem será o nosso próximo

---

[7]GUTHRIE, Donald. *Hebreus: introdução e comentário*, p. 250.
[8]BARCLAY, William. *Hebreos*, p. 197.
[9]LIGHTFOOT, Neil R. *Hebreus*, p. 302.

hóspede ou que bênçãos resultarão dessa visita? Esses hóspedes podem trazer mais bênçãos espirituais que a ajuda material que receberam.

Concordo com Henrichsen quando ele diz que o escritor não está sugerindo que demos guarida a estranhos, na esperança de uma visita angelical, mas, sim, que abrindo nosso lar a estranhos podemos ser abençoados como o foram aqueles do Antigo Testamento que receberam a visita de anjos.[10] É digno de nota que aqueles que abrem sua casa para receber o forasteiro hospedam não apenas anjos, mas também o próprio Senhor Jesus (Mt 25.34-40). Por outro lado, os crentes precisam de discernimento para que, em nome da hospitalidade, não transgridam os preceitos divinos, recebendo em casa aqueles que são pregoeiros de falsas doutrinas (2Jo 10,11).

Terceiro, *compaixão* (13.3). *Lembrai-vos dos encarcerados, como se presos com eles, dos que sofrem maus-tratos, como se, com efeito, vós mesmos em pessoa, fôsseis os maltratados.* Agora, o autor passa da ideia de abrir a casa a fim de receber forasteiros e itinerantes, para sair de casa a fim de visitar os encarcerados e os que sofrem maus-tratos, colocando-se no lugar deles e levando, assim, não apenas simpatia, mas também ajuda. Vale destacar que, naquele tempo, os crentes já estavam sofrendo por causa de sua fé (10.34). Ainda hoje, irmãos em muitas nações fechadas ao evangelho estão presos e sofrem torturas por causa de sua fé. Não podemos nos esquecer dessas pessoas!

O apóstolo Paulo dá o seu testemunho, mostrando como em suas várias prisões, por causa do evangelho, ele recebeu o cuidado e ajuda de irmãos e amigos, que cuidaram dele e supriram suas necessidades (At 24.23; 27.3; 28.10,16,30; Fp 4.12; 2Tm 1.16; 4.13,21).

A compaixão significa que devemos considerar os problemas alheios como nossos. Calvino reforça essa ideia quando escreve: "Não há nada que nos mova ao mais profundo senso de compaixão do que nos pormos no lugar daqueles que são afligidos".[11] O apóstolo Paulo escreveu: *Se um membro do corpo sofre, todos sofrem com ele* (1Co 12.26). A melhor maneira de lidar com o sofrimento do outro é permitindo que ele lateje

---

[10]HENRICHSEN, Walter A. *Depois do sacrifício*, p. 161.
[11]CALVINO, João. *Hebreus*, p. 369.

debaixo de nossa própria pele e sentindo-o como se estivesse dentro da nossa própria família. Olyott assim expressa essa ideia:

> Se hoje eu soubesse que meu irmão de sangue está preso, o que eu faria? Imediatamente pensaria em como ele se sentiria. Pensaria no que estaria precisando, fosse ajuda, cartas, uma visita, roupas, papel, livros, o que fosse. Pensaria em seguida em seus entes queridos – esposa, filhos, parentes próximos, amigos – e passaria a telefonar-lhes, visitá-los, suprir suas necessidades, passear com eles. Minha mente estaria cheia de pensamentos amáveis e práticos.[12]

Um dos maiores estímulos ao amor prático demonstrado na assistência a um enfermo, prisioneiro ou necessitado é que, ao socorrermos essas pessoas, estamos fazendo isso ao próprio Jesus (Mt 24.34-40).

Em segundo lugar, *em relação ao cônjuge* (13.4). *Digno de honra entre todos seja o matrimônio, bem como o leito sem mácula; porque Deus julgará os impuros e adúlteros.* O lar é o primeiro lugar onde o amor cristão deve ser praticado. Lealdade e pureza devem ser o oxigênio do casamento. No primeiro século, o casamento não era tido em alta conta, seja pela influência da cultura pagã, altamente rendida à depravação moral, seja pela influência do ascetismo, que motivava as pessoas a fugirem dos prazeres da vida.

Calvino entende que, quando o autor diz *digno de honra entre todos seja o matrimônio*, está deixando claro que não há nenhuma classe humana à qual se deva proibir o matrimônio. O que Deus permitiu à raça humana, universalmente, é lícito a todos, sem exceção.[13] O celibato compulsório não encontra amparo nas Escrituras.

É claro que o autor da epístola teve como objetivo transmitir uma advertência contra a depreciação do casamento pela imoralidade e também contra certa classe de gnósticos, os quais, por causa de suas tendências ascéticas, tinham o casamento em pouca estima ou o proibiam totalmente (1Tm 4.3).[14]

---
[12]OLYOTT, Stuart. *A carta aos Hebreus*, p. 128.
[13]CALVINO, João. *Hebreus*, p. 370-371.
[14]WILEY, Orton H. *Comentário exaustivo da carta aos Hebreus*, p. 539.

Os impuros e adúlteros são mencionados separadamente no texto porque a língua grega faz uma distinção entre ambos. Adultério (*moicheia*) indica infidelidade por parte de pessoas casadas, e impureza (*porneia*) é de natureza mais geral e inclui toda sorte de vícios e anormalidades sexuais.[15]

Hoje, mais que em qualquer outro tempo, vemos uma conspiração deliberada contra o casamento e a pureza sexual. A decadência moral chegou ao fundo do poço. A inversão de valores é gritante. Os heterossexuais estão se abstendo do casamento ou fugindo dele pelas largas portas do divórcio, enquanto os homossexuais lutam para legitimar o "casamento" homoafetivo. O casamento heterossexual, monogâmico e monossomático, conforme instituído por Deus (Gn 2.24), está sendo escarnecido e tratado como instituição ultrapassada. Nesse contexto de perversão moral sem precedentes, o imperativo divino é absolutamente oportuno: *Digno de honra entre todos seja o matrimônio, bem como o leito sem mácula; porque Deus julgará os impuros e adúlteros.*

Três verdades são ensinadas aqui.

O matrimônio é honroso. O autor diz que o casamento deve ser visto como algo honroso não somente para os cristãos, mas para todas as pessoas, indistintamente. O matrimônio não foi invenção humana, mas instituição divina. Não nasceu no coração do homem, mas no coração de Deus. Foi Deus quem disse: *Não é bom que o homem esteja só* (Gn 2.18).

O matrimônio exige um relacionamento sexual puro. O leito conjugal precisa ser sem mácula. O termo *leito* aqui vem de uma palavra grega que significa "coito", "relação sexual". Lightfoot corrobora essa ideia quando explica que *leito*, aqui, é um eufemismo para a intimidade física do casamento.[16] O que o texto está ensinando é que o relacionamento sexual é uma bênção a ser desfrutada no casamento, e não antes ou fora dele. Mais ainda, o texto deixa claro que marido e mulher não podem levar para sua intimidade sexual, no leito conjugal, nenhuma prática que destoe da santidade da relação sexual. Num tempo em que a pornografia despeja seu fétido esgoto na televisão, no cinema, no teatro

---

[15] LIGHTFOOT, Neil R. *Hebreus*, p. 304.
[16] LIGHTFOOT, Neil R. *Hebreus*, p. 304.

e na internet, e numa época em que cerca de 30% dos homens e não poucas mulheres se tornaram viciados em pornografia, esse alerta das Escrituras é absolutamente imperativo.

Deus julgará os impuros e adúlteros. A palavra usada aqui para *impuros* é um termo amplo que inclui não apenas os que praticam sexo antes do casamento, mas também outras formas pecaminosas de lidar com o sexo. Já a palavra usada para *adúlteros* especifica a relação fora do casamento. O texto é claro em afirmar que esses pecados, ainda que não conhecidos dos homens, não passarão impunes aos olhos de Deus. Laubach tem razão ao dizer que Deus sabe quantos pecados acontecem às escondidas, que jamais serão investigados por um tribunal humano. Ele, porém, tem o poder de julgar também os pecados ocultos, e o fará no seu devido tempo.[17]

Em terceiro lugar, **em relação ao dinheiro** (13.5,6). *Seja a vossa vida sem avareza. Contentai-vos com as coisas que tendes; porque Ele tem dito: De maneira alguma, te deixarei, nunca jamais te abandonarei. Assim, afirmemos confiantemente: O Senhor é o meu auxílio, não temerei; que me poderá fazer o homem?* Depois de falar a respeito dos perigos do sexo, o autor passa a falar sobre os perigos do dinheiro. Sexo e dinheiro são constantes ameaças a uma vida de santidade. A palavra *avareza* significa literalmente "amor ao dinheiro". O problema não é o dinheiro, mas o amor a ele. O problema não é ter dinheiro, mas o dinheiro nos ter. O problema não é possuir dinheiro, mas o dinheiro nos possuir. O problema não é carregar dinheiro no bolso, mas entronizá-lo no coração.

O antídoto contra o amor ao dinheiro é o contentamento (Lc 12.15). O apóstolo Paulo diz que o amor ao dinheiro é raiz de todos os males (1Tm 6.10), mas a piedade com contentamento é grande fonte de lucro (1Tm 6.6). O apóstolo Paulo diz que o contentamento é um aprendizado: *Digo isto, não por causa da pobreza, porque aprendi a viver contente em toda e qualquer situação* (Fp 4.11).

A cobiça é o desejo desmedido de ter mais, e nisso se consubstancia o descontentamento do mundo. Ela traz seu próprio castigo, pois o

---

[17]LAUBACH, Fritz. *Carta aos Hebreus*, p. 222.

coração que cobiça é amaldiçoado pela insatisfação, e o espírito descontente é amaldiçoado pela cobiça.[18] Por outro lado, o contentamento significa mais que uma aceitação passiva do inevitável. Envolve um reconhecimento positivo de que o dinheiro é relativo.[19]

Em vez de amar o dinheiro e pôr nossa confiança nele, devemos confiar no cuidado permanente de Deus. O dinheiro não pode nos trazer felicidade nem segurança, mas Deus é nosso auxílio permanente. O dinheiro pode nos faltar, mas Deus nunca nos desampara. Os homens podem tirar de nós nosso dinheiro, nossa liberdade e até nossa vida, mas não nos podem tirar nosso tesouro que está no céu. Deus jamais nos abandonará.

Lightfoot diz que as duas citações mencionadas em Hebreus 13.5,6 são calculadas para dar grande segurança aos leitores. Quando a perseguição viesse sobre eles, poderiam perder seus bens materiais, mas não seriam abandonados. Poderiam ser ameaçados de injúrias físicas, mas ninguém iria fazer-lhes mal se estivessem do lado do Senhor.[20]

Wiley compartilha uma bela ilustração da ousadia da fé quando registra o testemunho de João Crisóstomo, o pregador conhecido como "boca de ouro", que foi levado à presença do imperador, o qual lhe disse: "Vou desterrar-te". Crisóstomo respondeu: "Não podes fazê-lo, pois o mundo é a casa de meu Pai". "Matar-te-ei", disse então o imperador. De novo replicou o pregador: "Isso não está nas tuas forças, pois minha vida está escondida com Cristo em Deus". O imperador ameaçou-o: "Privar-te-ei de tudo o que possuis". Crisóstomo respondeu: "Isso também é impossível, pois o meu tesouro está no céu, e as minhas riquezas estão dentro de mim". "Vou separar-te, então, de todos os teus companheiros e não te restará um único amigo." Eis, então, a resposta do pregador: "Nem isso podes fazer-me, pois o meu Amigo divino jamais me deixará. Desafio-te, orgulhoso imperador. Não podes fazer-me mal algum".[21]

---

[18]WILEY, Orton H. *Comentário exaustivo da carta aos Hebreus*, p. 540.
[19]GUTHRIE, Donald. *Hebreus: introdução e comentário*, p. 252.
[20]LIGHTFOOT, Neil R. *Hebreus*, p. 305.
[21]WILEY, Orton H. *Comentário exaustivo da carta aos Hebreus*, p. 541.

Uma vida transformada é conhecida por sua **fidelidade inegociável** (13.7-9)

Esse capítulo menciona três atitudes que os crentes precisam ter em relação aos seus pastores, líderes e guias espirituais: 1) Devem se lembrar deles (13.7); 2) devem obedecer e ser submissos a eles (13.17); 3) devem saudá-los (13.24). Vamos tratar, no texto em tela, da fidelidade que os crentes devem demonstrar com seus guias, com Jesus Cristo, o Pastor supremo, e com a Palavra de Deus.

Três verdades devem ser aqui destacadas.

Em primeiro lugar, *a fidelidade a seus antigos líderes espirituais* (13.7). *Lembrai-vos dos vossos guias, os quais nos pregaram a Palavra de Deus; e, considerando atentamente o fim da sua vida, imitai a fé que tiveram*. Em face do perigo que alguns crentes estavam correndo de voltar para o judaísmo, o autor os exorta a se lembrarem de seus primitivos líderes espirituais, que pregaram a eles a Palavra de Deus. Eles eram líderes fiéis. Mesmo que esses líderes já tivessem partido para a glória, haviam deixado um legado digno de ser imitado. O verbo *mnemoneuete*, *lembrai-vos*, está no presente contínuo, e isso ressalta a continuidade da ação: isto é, "continuai a lembrar-vos".

Temos a tendência de esquecer o bem que recebemos de pessoas de Deus que passaram pela nossa vida. A Palavra de Deus não aprova a atitude de colocar líderes no pedestal e venerá-los, mas recomenda honrá-los por sua fidelidade (1Ts 5.12,13). Que tipo de líder deve ser relembrado e honrado? Como identificar um pastor verdadeiro? Para encontrar a resposta, três perguntas devem ser feitas.

É um pastor que prega a Palavra de Deus? (13.7). Há líderes que pregam a si mesmos, pregam doutrinas estranhas, pregam outro evangelho. Mas o verdadeiro líder espiritual é aquele que prega a Palavra de Deus com fidelidade.

É um pastor que vive a Palavra de Deus? (13.7). Os crentes devem olhar para esses guias espirituais e considerar atentamente o fim de sua vida: como viveram, como completaram a carreira e como guardaram a fé. Esses guias do passado pregaram a eles a Palavra de Deus. Concordo com Henrichsen quando ele diz que não podemos vincular-nos a um grupo que não honra as Escrituras. Usar a Bíblia como instrumento para justificar aquilo que se faz não é lealdade às Escrituras. Estão os próprios guias sob a autoridade da Bíblia e a ela se submetem?[22]

É um pastor digno de ser imitado? (13.7). A ordem é expressa: *Imitai a fé que tiveram*. Esses guias foram homens de Deus que viveram e morreram na fé, por isso servem de exemplo e modelo para os crentes. A pergunta que devemos fazer agora é: os líderes que nos governam estão andando em santidade? Estão empenhados em buscar em primeiro lugar o reino de Deus e a sua justiça? Estão comprometidos em cumprir a Grande Comissão? Vivem o que pregam? São padrão dos fiéis na doutrina e na conduta? Os leitores da epístola deveriam imitar a fé demonstrada pelos pastores que lhes pregaram a Palavra! Kistemaker, citando Bengel, diz que nós contemplamos e admiramos mais facilmente a morte feliz dos homens de Deus do que imitamos a fé por meio da qual eles a alcançaram.[23]

Em segundo lugar, *fidelidade a Jesus Cristo, nosso modelo imutável* (13.8). *Jesus Cristo, ontem e hoje, é o mesmo e o será para sempre*. Este versículo está entre a recomendação de líderes fiéis e a condenação de líderes falsos, ou seja, está posicionado entre os guias que deviam ser imitados (13.7) e os pregadores que disseminavam doutrinas novas e estranhas (13.9). Alguns dos crentes hebreus podem ter desviado os olhos de Jesus (12.2) apenas para desenvolver *ouvidos cheios de comichões* (2Tm 4.2) e dar guarida a essas novas e estranhas doutrinas (13.9). É nesse contexto que o autor relembra a seus leitores que Jesus Cristo é imutável. Ele é o nosso modelo supremo. Nunca precisará ser substituído. Sua preeminência é permanente, e sua liderança é eterna.

Ele é sempre o mesmo (1.11,12). No grande *ontem* da história, Jesus Cristo é o eterno Filho de Deus que desfrutou glória excelsa com o Pai antes mesmo da fundação do mundo, esvaziou-Se, fez-se carne, morreu na cruz para a nossa redenção e ressuscitou para a nossa justificação. *Hoje* ele é o Filho de Deus ressuscitado, que está entronizado como Sumo Sacerdote à direita de Deus e atua através do Espírito Santo nos fiéis, a fim de reunir e aperfeiçoar Sua igreja. O *futuro* é plenamente

---

[22]HENRICHSEN, Walter A. *Depois do sacrifício*, 1981, p. 164.
[23]KISTEMAKER, Simon. *Hebreus*, p. 580.

conhecido por Ele. Ele vive para sempre e voltará (10.37) para aqueles que aguardam sua vinda (9.28).

Lightfoot olha para essa mesma passagem com outra perspectiva:

> A ligação com a ideia precedente é que, quando os guias falaram a eles pela primeira vez a Palavra de Deus, o tema de sua pregação foi Jesus Cristo. O Jesus a quem pregaram, continua sendo o mesmo Jesus; o evangelho celeste que o anunciou é o mesmo evangelho. Jesus esteve no passado, continua imutável no presente e permanecerá o mesmo por todo o tempo e por toda a eternidade, para sempre.[24]

É para Jesus Cristo que precisamos olhar. Ele é o bom, o grande e o supremo Pastor da igreja. Os líderes da igreja são transitórios. Eles vêm e vão. Chegam e passam. Infelizmente, líderes espirituais fiéis podem ser sucedidos por líderes infiéis, que introduzem na igreja falsas doutrinas. Os guias podem desviar-se do curso e cometer erros, porém Jesus Cristo permanece imutável. Nossos olhos devem estar nEle. Ele nunca mudou. O mesmo que ontem desceu da glória, morreu, ressuscitou e está assentado à destra de Deus é aquele que agora intercede por nós e que voltará em glória. Nele não há mudança. Nele podemos confiar.

Warren Wiersbe é oportuno quando alerta: "Nunca construa sua vida sobre nenhum servo de Deus. Construa sua vida sobre Jesus. Ele jamais muda".[25]

Em terceiro lugar, *fidelidade à sã doutrina* (13.9). *Não vos deixeis envolver por doutrinas várias e estranhas, porquanto o que vale é estar com o coração confirmado com graça e não com alimentos, pois nunca tiveram proveito os que com isto se preocuparam.* Toda geração deve travar sua própria luta com a questão da doutrina pura. Para os leitores originais dessa carta o problema eram as restrições alimentares e dietéticas, ou seja, não comer determinados alimentos para buscar através dessa prática uma vida agradável a Deus. Essas coisas eram muito populares no primeiro século tanto entre os judeus como entre os gentios (9.10).

---

[24] LIGHTFOOT, Neil R. *Hebreus*, p. 306.
[25] WIERSBE, Warren W. *The bible expository commentary*. Vol. 2, p. 328.

Warren Wiersbe diz com razão que leis dietéticas nos impressionam como se fossem espirituais, mas são apenas sombras da realidade que está em Cristo (Cl 2.16-23).[26]

Para Raymond Brown, precisamos observar atentamente o ensino dessa carta sobre a primazia da Palavra de Deus e a supremacia do Filho de Deus, a fim de não sermos envolvidos nessas novas e estranhas doutrinas.[27] Os falsos mestres sempre querem se infiltrar na igreja como lobos devoradores, a fim de tirar a liberdade das ovelhas, oprimi-las e devorá-las (At 20.29,30).

Como já afirmamos, os falsos mestres estão aqui trazendo novamente a surrada heresia da abstinência de determinados alimentos como condição de santificação. Estão colocando a graça em contraste com a comida. Vale a pena destacar que o apóstolo Paulo já reprovou, de forma incontroversa, essa heresia em suas cartas (Rm 14.1-6,17; 1Co 8.8-13; Cl 2.16,17; 1Tm 4.1-5). Resta claro que aquilo que nos confirma diante de Deus não é o alimento que entra e sai de nosso estômago, mas a graça que alimenta o nosso coração.

Donald Guthrie diz que a dependência de Deus se fundamenta na graça, e não nos alimentos.[28] Corroborando esse pensamento, Barclay escreve: "O autor está convencido de que a verdadeira fortaleza do homem só provém da graça divina, e qualquer coisa que o homem coma não tem nenhuma relação com seu fortalecimento espiritual".[29] Kistemaker é ainda mais incisivo: "A comida vai para o estômago para fortalecer o corpo; mas somente a graça fortalece o coração, isto é, o centro vital do ser do homem e de sua personalidade e a fonte de sua conduta e caráter".[30]

Muitas foram as heresias que se infiltraram na igreja no passado, como legalismo, ascetismo e sincretismo. Hoje, novas heresias tentam se aninhar sorrateiramente na igreja, como o liberalismo, o ecumenismo, o misticismo, a teologia da libertação, a teologia da prosperidade e a teologia da confissão positiva. Muitas outras heresias tentarão perverter a

---
[26]WIERSBE, Warren W. *The bible expository commentary*. Vol. 2, p. 328.
[27]BROWN, Raymond. *The message of Hebrews*, p. 256-257.
[28]GUTHRIE, Donald. *Hebreus: introdução e comentário*, p. 255.
[29]BARCLAY, William. *Hebreos*, p. 202.
[30]KISTEMAKER, Simon. *Hebreus*, p. 584.

verdade e enganar os crentes nos anos por vir. Precisamos estar atentos. Não podemos nos tornar prisioneiros daqueles que torcem a verdade e querem tirar nossa liberdade em Cristo.

Voltando a Hebreus 13.9, o autor destaca três aspectos dessas falsas doutrinas.

Elas são várias e estranhas (13.9). A palavra grega *poikilos*, traduzida por *várias*, significa "multicolorida". As falsas doutrinas têm cores diferentes, mas a verdade é uma só e imutável. A palavra grega *xenais*, traduzida por *estranhas*, significa "forasteiro, estrangeiro, estranho". Assim como um estranho não apresenta uma face conhecida e desperta suspeita, precisamos nos acautelar contra as novidades do mercado da fé, que vêm para desviar os crentes da sã doutrina.

Elas desvalorizam a graça (13.9). Não há mais lugar no cristianismo para sacrifícios materiais, oferta de animais, refeições sagradas ou altares de sacrifício. Tudo isso se foi.[31] Não obstante, as falsas doutrinas sempre querem trazer de volta essas práticas, enfatizando coisas externas como comida, bebida, ritos e cerimônias. Nada disso confirma o coração com graça. Ao contrário, afasta as pessoas da perfeita obra de Cristo para mantê-las num cabresto apertado de pesado legalismo.

Elas não trazem proveito (13.9). As falsas doutrinas são sempre inúteis e nocivas. Aqueles que se agarram aos rudimentos de usos e costumes, leis dietéticas e rituais externos a fim de buscar uma vida de santificação, esses caem num legalismo hipócrita, sem nenhum proveito.

Uma vida transformada é conhecida por seu **culto centralizado** na pessoa de Cristo e seu **perfeito sacrifício** na cruz (13.10-14)

O autor aos Hebreus volta ao seu tema central, tratando pela última vez do sacerdócio de Cristo. Turnbull diz corretamente que esse é o seu último golpe contra a futilidade do sistema levítico. É um apelo final que faz aos seus leitores para se desligarem definitivamente do judaísmo.[32]

---

[31]BROWN, Raymond. *The message of Hebrews*, p. 257.
[32]TURNBULL, M. Ryerson. *Levítico e Hebreus*, p. 161.

Wiley diz que temos aqui uma declaração de privilégio, e não uma exortação do dever. O texto é apologético no sentido de que é a defesa do autor da epístola contra uma suposta deficiência da parte dos cristãos. Tanto os pagãos como os judeus censuravam os cristãos por estes não possuírem um serviço de culto aprimorado, com templo, altares e sacrifícios. O escritor da epístola se opõe a essas objeções dizendo que temos um altar.[33] Que altar é esse? Vejamos a argumentação do autor aos Hebreus.

Em primeiro lugar, *a cruz é o nosso altar* (13.10). *Possuímos um altar do qual não têm direito de comer os que ministram no tabernáculo.* No santuário do Antigo Testamento, havia dois altares: o altar de bronze do sacrifício e o altar de ouro da queima de incenso, mas o altar do novo concerto é Jesus. É por meio dEle que oferecemos sacrifícios espirituais a Deus (13.15). O altar referido aqui é o sacrifício de Cristo na cruz. Corroborando essa ideia, F. F. Bruce, diz que "altar" é usado aqui por metonímia para "sacrifício" e refere-se ao sacrifício de Cristo, cujos benefícios são eternamente acessíveis.[34] Nessa mesma linha de pensamento, Lightfoot registra: "Os cristãos têm um altar porque têm um sacrifício – o grandioso e único oferecimento que Cristo fez de si mesmo, de uma vez para sempre".[35] Os que permanecem no judaísmo ou voltam para ele não têm parte nesse sacrifício.

Como o corpo da vítima era queimado fora do acampamento, assim também foi Jesus crucificado fora das portas de Jerusalém. Para que nos tornemos participantes daquele sacrifício, devemos sair do arraial do judaísmo, mesmo que isso signifique levar o opróbrio de Cristo. É como se o autor dissesse: "Deveis fazer vossa escolha entre o cristianismo e o judaísmo. Não é possível amalgamar os dois. Ou escolhereis o ritual levítico, ou o único sacrifício de Cristo. Ambos se excluem mutuamente".[36]

Em segundo lugar, *o sacrifício da expiação era sombra de Cristo* (13.11). *Pois aqueles animais cujo sangue é trazido para dentro do Santo*

---

[33]WILEY, Orton H. *Comentário exaustivo da carta aos Hebreus*, p. 545.
[34]BRUCE, F. F. *Commentary on the epistle to the Hebrews*. London: New London Commentary, p. 399.
[35]LIGHTFOOT, Neil R. *Hebreus*, p. 308.
[36]TURNBULL, M. Ryerson. *Levítico e Hebreus*, p. 161.

dos Santos, pelo sumo sacerdote, como oblação pelo pecado, têm o corpo queimado fora do acampamento. Tudo naquela oferta pelos pecados apontava para nosso Senhor Jesus Cristo. Nosso interesse não está nos altares do Antigo Testamento, mas no altar do qual não têm o direito de se aproximar os que praticam apenas os atos exteriores da religião levítica. O nosso altar é Cristo. Laubach está correto quando diz que a ordem do Antigo Testamento sobre a prática do sacrifício era tão somente um ato simbólico e continha a referência direta ao caminho sacrificial de Jesus até a cruz.[37]

Warren Wiersbe esclarece esse ponto da seguinte maneira:

> Um judeu sob o antigo concerto poderia destacar o templo, mas o cristão tem um santuário celeste que jamais pode ser destruído. Os judeus estavam orgulhosos da cidade de Jerusalém, mas um cristão tem uma cidade eterna, a nova Jerusalém. Para cada item temporário e terreno do antigo concerto, o novo concerto tem outro item eterno e celestial.[38]

Em terceiro lugar, **Cristo sofreu fora da porta para santificar seu povo** (13.12). *Por isso, foi que também Jesus, para santificar o povo, pelo seu próprio sangue, sofreu fora da porta*. Chegamos, agora, ao clímax de toda a epístola, isto é, o alto e sagrado propósito de Jesus: santificar o povo com seu próprio sangue, para o que Ele sofreu fora do arraial (Jo 19.20).[39] Não foi dentro da Jerusalém terrena que Cristo sofreu, mas fora da cidade, deixando assim de lado todos os rituais levíticos que ocorriam dentro daquela cidade. A redenção foi realizada sem nenhuma referência a tais rituais.[40]

Laubach tem razão ao dizer que Jesus trouxe o verdadeiro cumprimento do sacrifício do Antigo Testamento e se submeteu integralmente às ordens da antiga aliança ao realizar a autoentrega. Contudo, a rendição voluntária de sua vida foi mais que todos os sacrifícios de animais ofertados em todos os templos. Ele morreu fora dos portões

---

[37]LAUBACH, Fritz. *Carta aos Hebreus*, p. 226.
[38]WIERSBE, Warren W. *The bible expository commentary*. Vol. 2, p. 329.
[39]WILEY, Orton H. *Comentário exaustivo da carta aos Hebreus*, p. 546.
[40]OLYOTT, Stuart. *Levítico e Hebreus*, p. 138.

da *cidade do grande Rei* (Mt 5.35; Lv 24.14; Nm 15.35). Ninguém, no entanto, pode receber perdão, purificação e santificação, isto é, ingressar na comunhão de vida com Cristo, se não quiser entrar também na comunhão de seus sofrimentos.[41]

Em quarto lugar, **encontramos Cristo fora da porta** (13.13a). *Saiamos, pois, a Ele, fora do arraial*... A pena capital no mundo antigo era sempre infligida fora da cidade; por isso, Jesus foi crucificado fora das portas de Jerusalém. Juntemo-nos, portanto, ao nosso Salvador, fora do arraial, não tendo mais ligação com os rituais e cerimoniais levíticos. Rompamos definitivamente com o judaísmo!

Lightfoot corrobora essa ideia dizendo que a exortação é para os leitores quebrarem todos os laços com o judaísmo. Desde que no Antigo Testamento o "arraial" representava a comunidade religiosa de Israel, sair do arraial significava afastar-se por completo do povo incrédulo de Israel. A exortação é para que os leitores cortem todos os elos que os prendem ao judaísmo. Sua glória desapareceu. Os que quiserem partilhar da verdadeira oferta pelo pecado devem abandonar a antiga religião.[42]

A igreja dos hebreus estava querendo voltar para dentro dos muros da religiosidade judaica, e o escritor aos Hebreus os exorta a não fazer isso, porque é fora da porta que se tem o encontro com Cristo. Jesus está do lado de fora do portão. Você pode encontrá-Lo na rua, na esquina, na vida, na escola, no trabalho, nas suas atividades, no vai e vem da vida. Jesus não pode ser encontrado apenas no templo. Ele é maior que o templo, a religião e as tradições religiosas. Isso desloca o eixo da espiritualidade para a mesa de reuniões, para a cozinha, para a cama conjugal. Saiamos, pois, a Ele fora do arraial. A santidade precisa estar presente não apenas dentro da igreja, mas também e, sobretudo, no lar, na faculdade, na empresa, na rua. Não podemos nos contentar com uma santidade intramuros, prisioneira do confinamento religioso.

Em quinto lugar, **sofremos por Cristo fora da porta** (13.13b).... *levando o Seu vitupério*. Assim como Jesus sofreu fora da porta, saiamos ao seu

---

[41]LAUBACH, Fritz. *Carta aos Hebreus*, p. 227.
[42]LIGHTFOOT, Neil R. *Hebreus*, p. 310.

encontro, levando o Seu vitupério. Soframos essa reprovação e identifiquemo-nos abertamente com nosso Senhor *fora do arraial*.

Henrichsen diz que todos nós nos encantamos com a ideia de juntar-nos a Jesus no Santo dos Santos, porém a ideia de unir-nos a Ele na cruz não nos atrai. O que significa levar Seu vitupério? Para os leitores originais da carta, simbolizava serem chamados a sofrer perseguição por sua fé.[43] Da mesma forma que Moisés *considerou o opróbrio de Cristo por maiores riquezas do que os tesouros do Egito* (11.26), eles também deveriam calcular sabiamente e estar dispostos a sofrer censuras pelo nome dEle.

Barclay acrescenta:

> Cristo havia sido crucificado fora da porta como proscrito, expulso pelos homens; foi acusado de ser um criminoso; foi contado entre os transgressores. Semelhantemente nós devemos sair para fora das portas e carregar sobre nós a mesma reprovação que carregou Cristo. Os cristãos devem estar preparados para suportar o mesmo tratamento do mundo que Cristo suportou.[44]

Fica evidente que o escritor aos Hebreus está dizendo que o lugar do nosso combate é do lado de fora do portão, e não do lado de dentro. Às vezes, perdemos um tempo enorme no combate interno, despendemos uma energia enorme em controvérsias do lado de dentro e não partimos para a luta do bem contra o mal, contra as forças malignas que dominam este mundo tenebroso. O que o escritor está dizendo é que devemos sofrer no combate certo e no lugar certo. É do lado de fora que precisamos levar o vitupério de Cristo.

Em sexto lugar, **somos peregrinos neste mundo** (13.14). *Na verdade, não temos aqui cidade permanente, mas buscamos a que há de vir*. Nós precisamos estar plenamente conscientes da transitoriedade da vida. Qualquer provação que suportarmos nesta vida logo passará. Não estamos na terra para sempre. Logo estaremos no céu. Nossa esperança não se limita a uma cidade terrena ou ao que acontece por aqui. Nossa

---
[43]HENRICHSEN, Walter A. *Depois do sacrifício*, p. 167.
[44]BARCLAY, William. *Hebreos*, p. 204.

esperança está na cidade celestial prestes a tornar-se visível. Essa cidade permanecerá quando tudo mais tiver passado.[45]

Lightfoot corrobora essa ideia dizendo que, se os cristãos, como Cristo, tiverem de ser lançados fora, o que importa? Nada material é de valor para os cristãos. Eles são párias e peregrinos; mas, como Abraão, aguardam *a cidade que tem fundamentos, da qual Deus é o arquiteto e edificador* (11.10).[46] Não há nada aqui de permanente. Nossas raízes não são daqui. Nascemos de cima. Nosso destino não é aqui. Nosso lar é o céu. Nossa pátria não é aqui. Somos cidadãos do céu. Nosso tesouro não está aqui, mas no céu. Nossa recompensa não será recebida aqui, mas no céu. Tudo aqui é provisório. Moramos numa tenda provisória. Aqui estamos de passagem. Caminhamos para uma Pátria superior.

Uma vida transformada oferece sacrifícios agradáveis a Deus (13.15,16)

Com Seu sacrifício singular, Jesus Cristo suspendeu toda a ordem sacrificial do Antigo Testamento. Através dEle, passa a vigorar um novo serviço de sacrifícios. Em outras palavras, depois de mostrar a inocuidade dos sacrifícios do sistema levítico, o autor passa a falar sobre os sacrifícios espirituais que agradam a Deus. Vejamos a seguir.

Em primeiro lugar, **sacrifícios de louvor a Deus** (3.15). *Por meio de Jesus, pois, ofereçamos a Deus, sempre, sacrifício de louvor, que é o fruto de lábios que confessam o Seu nome.* Os cristãos não fazem mais sacrifícios de animais nem abluções de sangue. Essa época já passou. Oferecemos hoje sacrifícios de louvor. Olyott tem plena razão ao dizer:

> O cristianismo não é uma religião de formas e cerimônias, ofertas e liturgias, sacerdotes e mistérios, ordens de faça isso e não faça aquilo, altares e velas, paramentos e placas, incensos e crucifixos, santos, ícones, sinos, sacrifícios ou qualquer outra coisa semelhante. Uma religião que dê atenção a essas coisas não é cristianismo, pois tal doutrina consiste no dom da graça de Deus no coração.[47]

---

[45] OLYOTT, Stuart. *A carta aos Hebreus*, p. 139.
[46] LIGHTFOOT, Neil R. *Hebreus*, p. 310.
[47] OLYOTT, Stuart. *A carta aos Hebreus*, p. 139-140.

Nossos sacrifícios agora são espirituais. Nós os oferecemos sempre a Deus por intermédio de Cristo. Que sacrifícios são esses? O sacrifício de louvor, que é o fruto de lábios que confessam o Seu nome. Esse sacrifício não é apenas música, mas sobretudo louvor, apesar das circunstâncias. Por isso, devem estar em nossos lábios sempre, ou seja, de forma ultracircunstancial. As Escrituras dizem que *a alegria do Senhor é a nossa força* (Ne 8.10). Paulo exorta que devemos nos alegrar sempre no Senhor (Fp 4.4). Esses sacrifícios de louvor são endereçados a Deus, e não aos homens. São por intermédio de Cristo, e não mediante algum outro mediador (1Tm 2.5). Esses sacrifícios são, acima de tudo, o testemunho ousado, mesmo em face do perigo, do nome de Jesus, o nome que está acima de todo nome. Enquanto somos atacados do lado de fora, brandimos a espada do Espírito, abrindo nossos lábios num sacrifício de louvor, confessando o nome de Cristo.

O próprio contexto imediato nos mostra muitos e eloquentes motivos para erguermos aos céus nosso preito de louvor. Temos louvado a Deus pela realidade do amor fraternal, que tem sido demonstrado a nós (13.1)? Temos dado graças a Deus pela generosa hospitalidade que geralmente temos recebido (13.2)? Temos louvado a Deus pelo cuidado compassivo de irmãos que nos assistiram em nossas dificuldades e aflições (13.3)? Temos dado graças a Deus pela bênção de um casamento regado de amor e cuidado (13.4)? Temos dado graças a Deus pela bondosa provisão divina, suprindo nossas necessidades materiais (13.5,6)? Temos rendido louvores a Deus pelos nossos líderes espirituais, pastores, presbíteros, diáconos, professores de escola bíblica dominical, que nos ensinam fielmente as Escrituras (13.7)? Temos oferecido a Deus sacrifícios de louvor, por Jesus Cristo, seu imutável Filho, por Sua morte salvífica, Seu presente cuidado e Seu futuro plano (13.8)? Temos rendido louvores a Deus pela bênção da sã doutrina compartilhada conosco por nossos guias passados e disponíveis para nós hoje nas Santas Escrituras (13.9)? Tudo isso, e muito mais, deveria inspirar nossa adoração e ações de graças.

Em segundo lugar, **sacrifícios de generosidade** (13.16). *Não negligencieis, igualmente, a prática do bem e a mútua cooperação; pois, com tais sacrifícios, Deus se compraz.* O escritor menciona mais dois sacrifícios espirituais que agradam a Deus: a prática do bem e a mútua cooperação. A palavra grega *koinonias*, traduzida aqui por *mútua cooperação*, significa principalmente comunhão espiritual, um povo reunido pelos laços da fé e do amor.[48]

O louvor dos lábios precisa ser confirmado com mãos generosas. O que fazemos no culto público precisa ser referendado por nossas ações fora dos portões. Precisamos procurar oportunidades para fazer o bem aos outros. Bob Pierson, fundador da Visão Mundial, orava: "Senhor, quebra-me o coração com as coisas que quebram o Teu coração". Veja o mundo através dos olhos de Jesus, sinta a necessidade das pessoas com o coração de Jesus e estenda suas mãos para socorrer os necessitados em obediência à Palavra de Jesus. Esse é um sacrifício agradável a Deus. Augustus Nicodemus está coberto de razão quando escreve: "Louvor de lábios que professam o nome de Cristo, sem mãos e pés que sirvam ao próximo, é um louvor que não agrada a Deus. Nossa vida inteira é um culto de louvor a Deus, não somente o que cantamos".[49]

Uma vida transformada demonstra uma obediência agradável a Deus (13.17-22)

A vida transformada é uma vida de obediência. Vejamos alguns aspectos dessa obediência.

Em primeiro lugar, **crentes fiéis obedecem à sua liderança espiritual** (13.17-19). Há aqui um grande equilíbrio. O autor está dizendo: saiam do confinamento, mas não se tornem autônomos; saiam para fora do portão, mas não se esqueçam de escutar seus líderes espirituais; não fiquem domesticados, mas ouçam seus líderes espirituais; venham para fora do portão, mas mantenham o coração e os ouvidos dependentes da Palavra de Deus.

Em Hebreus 13.7, o autor falou dos guias ou pastores passados, aqueles que levaram aos crentes o evangelho, mas esses já haviam passado. Novos guias agora os lideravam. Olyott trata do assunto em tela

---
[48]WILEY, Orton H. *Comentário exaustivo da carta aos Hebreus*, p. 555.
[49]LOPES, Augustus Nicodemus. *Hebreus*, p. 342.

dizendo que essa sucessão é natural: Moisés foi sucedido por Josué; Elias, por Eliseu; e Paulo por Timóteo. Ao lastimarmos a perda daqueles que nos deixaram, não podemos desprezar, de maneira nenhuma, os que Deus designou para substituí-los. Os líderes que morreram foram chamados para o seu tempo, e nossos líderes atuais são chamados *para conjuntura como esta* (Et 4.14). Assim como é nosso dever refletir sobre nossos líderes do passado, é também nosso dever ter uma atitude correta quanto aos líderes atuais.[50] Os crentes precisam prestar a eles obediência e submissão. Esses guias precisam ser relembrados (13.7), obedecidos (13.17) e saudados (13.24).

O autor fala sobre os líderes presentes e como os crentes devem tratá-los.

Como os crentes devem tratar seus guias espirituais? (13.17). *Obedecei aos vossos guias e sede submissos a eles...* O texto menciona duas atitudes: responsável obediência e respeitosa submissão. Obediência pelo que ensinam e submissão pela função que ocupam. Assim como o Novo Testamento não encoraja submissão subserviente, também não apoia insubmissão irreverente. Assim como a Bíblia reprova a atitude do pastor ditador (1Pe 5.3), também condena a atitude do crente desobediente aos seus guias espirituais.

Os pastores são chamados por Deus e constituídos pelo Espírito Santo como bispos para pastorearem o rebanho de Deus (At 20.28). O verbo *hupekeike*, traduzido por *sede submissos*, é usado com frequência na literatura clássica grega, mas, no Novo Testamento, ocorre apenas aqui. Parece expressar aquela entrega da própria vontade ao julgamento de outrem que reconhece a autoridade constituída, ao mesmo tempo que mantém independência pessoal. Já o verbo *peithesthe*, traduzido por *obedecei*, vem do radical que significa "persuadir", e é, pois, uma obediência mais por convicção que por ordem ou imposição.[51] Isso significa que esses pastores não designam a si mesmos pastores e líderes sobre o rebanho. Eles são divinamente constituídos como guias do rebanho, submissos ao Sumo Pastor, Jesus (At 20.28; 1Pe 5.1-4).

---

[50]OLYOTT, Stuart. *A carta aos Hebreus*, p. 133.
[51]WILEY, Orton H. *Comentário exaustivo da carta aos Hebreus*, p. 557.

Por que os crentes devem honrar seus guias espirituais? (13.17). *... pois velam por vossa alma, como quem deve prestar contas...* A palavra grega *agrypneo*, traduzida aqui por *velam*, era a mesma usada para o pastor que guardava o seu rebanho, sentinela que guardava a cidade e o centurião que prestava plena atenção aos seus soldados.[52] Os pastores têm um solene compromisso diante de Deus de velar pela alma de suas ovelhas. São chamados para apascentar as ovelhas, e não para as explorar. Para cuidar delas, e não para as devorar. Os pastores não só têm o dever de velar pela alma de suas ovelhas, mas deverão prestar contas de cada uma delas diante de Deus.

Embora todos devamos cuidar uns dos outros (3.13; 10.25), Cristo designou os presbíteros e os pastores para serem especialmente responsáveis por esse cuidado (At 20.28). No juízo final, eles prestarão contas de como desempenharam tal tarefa. Responderão ao Senhor pelo exemplo que deram, pelo ensino que ministraram na igreja e pelo cuidado que praticaram. Que tremenda responsabilidade a deles![53] Por isso, Calvino ressalta que o propósito do autor da epístola aos Hebreus é mostrar que, quanto mais pesada é a responsabilidade dos guias, maior honra eles merecem, pois, quanto mais alguém sofre por nossa causa, e quanto maior for sua dificuldade e maiores forem os riscos enfrentados por nós, maiores também serão nossas obrigações para com eles.[54]

O que os crentes precisam evitar no trato com seus guias espirituais? (13.17). *... para que façam isto com alegria e não gemendo; porque isto não aproveita a vós outros.* Há ovelhas que escoiceiam o pastor e resistem à sua liderança. Há aquelas que se rebelam contra o pastor e o seu ensino (2Tm 4.14,15). Há ovelhas que são um pesadelo na vida de seu pastor. Fazem da vida dele uma sinfonia de gemidos. Isso não traz proveito para a ovelha nem para o pastor. Calvino acrescenta: "Será algo completamente sem proveito para o povo provocar lágrimas e mágoas em seus pastores, movidos por ingratidão".[55]

---

[52]BROWN, Raymond. *The message of Hebrews*, p. 263.
[53]OLYOTT, Stuart. *A carta aos Hebreus*, p. 134.
[54]CALVINO, João. *Hebreus*, p. 382.
[55]CALVINO, João. *Hebreus*, p. 383.

Em segundo lugar, *líderes fiéis reconhecem a necessidade de oração* (13.18,19). *Orai por nós, pois estamos persuadidos de termos boa consciência, desejando em todas as coisas viver condignamente. Rogo-vos, com muito empenho, que assim façais, a fim de que eu vos seja restituído mais depressa.* O autor da carta, como um pastor do rebanho, demonstra aqui sua humildade e sua dependência de Deus, rogando as orações da igreja em seu favor. Não se julga autossuficiente. Não obstante ser um profundo conhecedor das Escrituras e usar uma argumentação irresistível em favor do evangelho, reconhece sua plena necessidade da ajuda divina por intermédio das orações da igreja.

O apóstolo Paulo tinha a mesma atitude de pedir oração da igreja em seu favor: *Rogo-vos, pois, irmãos, por nosso Senhor Jesus Cristo e também pelo amor do Espírito, que luteis juntamente comigo nas orações a Deus a meu favor* (Rm 15.30). Ao escrever à igreja de Éfeso, diz: *Com toda oração e súplica, orando em todo tempo no Espírito e para isto vigiando com toda perseverança e súplica por todos os santos e também por mim; para que me seja dada, no abrir da minha boca, a palavra, para, com intrepidez, fazer conhecido o mistério do evangelho* (Ef 6.18,19).

Barclay ilustra esse ponto dizendo que, quando Baldwin foi designado Primeiro Ministro da Grã-Bretanha, seus amigos se ajuntaram a seu redor para felicitá-lo. Sua resposta às felicitações foi: "Não é de vossas felicitações que necessito; é de vossas orações".[56]

Em seu pedido de oração, o escritor destaca alguns pontos.

Uma correta motivação (13.18). Ele ensinou e exortou a igreja de forma austera. Terçou a espada do Espírito como um destemido guerreiro, desferindo golpes mortais contra o perigo de abandonar o cristianismo e voltar para o judaísmo. Mas estava persuadido de que sua palavra de exortação havia sido dada com boa consciência.

Uma correta postura espiritual (13.18). Ele confessa seu desejo de, em todas as coisas, viver condignamente. Ele precisa de oração para que sua vida seja avalista de suas palavras e para que seu testemunho referende sua pregação e ensino.

---

[56]BARCLAY, William. *Hebreos*, p. 206.

Em terceiro lugar, **obediência a Deus** (13.20,21). O autor passa de seu pedido de oração à igreja para sua oração em favor da igreja. Sua oração, na verdade, é uma doxologia, na qual ele reúne os principais temas de Hebreus: a paz, a ressurreição de Cristo, o sangue da eterna aliança, a maturidade espiritual, a obra de Deus no crente e a pessoa de Cristo como pastor. Nessa doxologia, outrossim, ele apresenta a pessoa de Deus Pai e a pessoa de Deus Filho. Ele destaca quatro verdades sobre o Pai e quatro sobre o Filho.

Quem é o Deus Pai (13.20,21). Nessa sublime doxologia quatro verdades são apresentadas sobre Deus Pai: 1) Ele é o Deus da paz – Ele nos reconciliou consigo mesmo por intermédio de Cristo. Agora temos paz com Deus e a paz de Deus. 2) Ele é o Deus da vida – A ressurreição caracteriza o triunfo de Cristo sobre a morte e a aceitação do Seu sangue como expiação pelo pecado. 3) Ele é o Deus aperfeiçoador dos santos. 4) Ele é o Deus operador de todo bem na vida dos santos.

Quem é o Deus Filho (13.20,21). De igual forma, quatro verdades são apresentadas sobre o Deus Filho: 1) Ele é o nosso Senhor. 2) Ele é o grande pastor das ovelhas – Cristo é o bom, o grande e o supremo pastor. Como bom pastor, Ele morreu pelas ovelhas; como grande pastor, Ele vive pelas ovelhas; como supremo pastor, Ele voltará para as ovelhas. 3) Ele é o autor da eterna aliança – Cristo é o fiador da aliança e o ministro do santuário. Como o primeiro, Ele age na terra; como o segundo, ministra do Seu trono nos céus. 4) Ele é o recebedor da glória eterna.

Em quarto lugar, **obediência à palavra** (13.22). *Rogo-vos ainda, irmãos, que suporteis a presente palavra de exortação; tanto mais quanto vos escrevi resumidamente.* Essa epístola, que mais parece um tratado teológico do que uma carta, aqui é chamada pelo próprio autor de uma *palavra de exortação*. Ele prepara o caminho para a leitura da carta, pois sabe que foi enfático, firme, austero, e muitos crentes poderiam não suportar essa exortação. Ele roga aos crentes para acolherem a Palavra de Deus como uma mensagem exortativa. Sabe que o assunto é complexo e amplo, e que escreveu resumidamente, mas tem plena consciência da eficácia da Palavra de Deus.

Augustus Nicodemus assim explica esse ponto:

A carta aos Hebreus é o rompimento mais radical com o Antigo Testamento que se encontra no Novo Testamento. Na carta aos Gálatas, Paulo rompe com o judaísmo e, na carta aos Romanos, também, embora de maneira mais branda; mas a carta aos Hebreus é bastante radical quando diz que o templo, a lei, os sacrifícios são todos velhos e ultrapassados, não têm valor algum. E os leitores dele eram judeus que tinham se convertido a Jesus. Então, para quem é judeu recém-convertido a Jesus, receber uma carta dessas dizendo para não voltar atrás, porque nada daquilo tem valor mais, poderia ser um choque radical. Por isso, ele diz: "Suportem essa palavra de exortação".[57]

Wiley está certo quando escreve: "Nenhuma doutrina é bem compreendida antes de apelar à consciência, atingir o coração e afetar a conduta".[58] Nessa mesma linha de pensamento. Raymond Brown diz que a verdade não é apenas uma mensagem para ler, ou uma história para inspirar, mas uma exortação para observar e uma instrução para obedecer.[59]

Conclusão (13.23-25)

O autor conclui sua maiúscula epístola trazendo algumas informações, traçando alguns planos, fazendo algumas saudações e invocando a bênção de Deus sobre a igreja. Vejamos.

Em primeiro lugar, ***informações*** (13.23). *Notifico-vos que o irmão Timóteo foi posto em liberdade...* Tudo nos faz crer que esse Timóteo é o jovem Timóteo, filho na fé do apóstolo Paulo e seu principal cooperador. Timóteo devia estar preso e agora está livre. Essa informação traria conforto aos irmãos.

Em segundo lugar, ***planos*** (13.23b). *... com ele, caso venha logo, vos verei*. O autor da carta aos Hebreus faz planos de visitar os irmãos na companhia de Timóteo, caso ela venha logo. O pastor sente saudade do seu povo e deseja estar ao seu lado, sobretudo em tempos de provas. Pastor gosta de ovelhas e tem cheiro de ovelhas.

---

[57]Lopes, Augustus Nicodemus. *Hebreus*, p. 349.
[58]Wiley, Orton H. *Comentário exaustivo da carta aos Hebreus*, p. 563.
[59]Brown, Raymond. *The message of Hebrews*, p. 270.

Em terceiro lugar, **saudações** (13.24). *Saudai todos os vossos guias, bem como todos os santos. Os da Itália vos saúdam.* O autor da carta recomenda que os crentes se lembrem, obedeçam, se submetam e também saúdem seus guias. Não deixa nenhum deles de fora. Não tem ciúmes nem inveja. Sabe trabalhar em equipe e valorizar a liderança de outros homens de Deus. Sabe respeitar os outros colegas de ministério. Num tempo em que há tanta competição no meio evangélico entre pastores, essa exortação bíblica é assaz oportuna.

O escritor pode estar em alguma parte da Itália, escrevendo para Roma, ou pode estar em algum outro lugar, de onde envia saudações de italianos morando no estrangeiro. Mas, seja como for, faz pouca diferença para a maneira de compreender essa epístola.[60]

Em quarto lugar, **bênção final** (13.25). *A graça seja com todos vós.* A graça de Deus é a fonte da salvação, é melhor que a vida e a força suficiente do crente no sofrimento. Tendo a graça, a maravilhosa graça, cuja profundidade o homem não consegue sondar e cujas alturas o homem não consegue atingir, a igreja triunfa sobre as aflições e vive na fé sem olhar para trás, pois a graça é essa obra imerecida, interna, espiritualmente transformadora e pessoalmente fortalecedora. A graça é a fonte das águas vivas que flui através do deserto, o poder que nos capacita, não obstante as adversidades, a alcançar a terra prometida, o lugar do nosso descanso, a Jerusalém celestial.[61]

---

[60] GUTHRIE, Donald. *Hebreus: introdução e comentário*, p. 263.
[61] HUGHES, Philip Edgcumbe. *A commentary on the epistle to the Hebrews*, p. 594.

Tiago

Transformando provas em triunfo

Tiago

Transformando palaBras em truusto

1

Como transformar
provações em triunfo

Tiago 1.1-4

COMEÇAR O ESTUDO DE UM LIVRO DA BÍBLIA é como fazer uma viagem. Você deve decidir antes para onde vai e o que espera ver.

A carta de Tiago é um livro prático. Esse livro é considerado o livro de Provérbios do Novo Testamento.¹ Tiago é mais pregador que escritor.² É como se ele nos agarrasse pela lapela, fitasse-nos nos olhos e falasse conosco algo urgente. Um dos grandes problemas que a igreja estava enfrentando era colocar em prática aquilo que eles professavam. A vida estava divorciada da teologia. Esse também é o problema da igreja contemporânea. Daí, a pertinência e a urgência de estudarmos Tiago.

O tema central de Tiago é: o nascimento (1.13-19a), o crescimento (1.19b-25) e a maturidade (1.26 - 5.6) do cristão.³ Através das provas, pela paciência, recebemos a coroa. A primeira ênfase de Tiago é sobre o novo nascimento (1.13-19a). Embora a velha natureza permaneça ativa (1.13-16), o Pai nos trouxe ao novo nascimento pela Sua Palavra (1.17-19a). A segunda ênfase é sobre o crescimento espiritual

---
[1]GEORGE, Elizabeth. *Tiago – Crescendo em sabedoria e fé*. São Paulo: United Press, 2004, p. 54.
[2]MOTYER, J. A. *The Message of James*. Leicester, England: InterVarsity Press, 1985, p. 11.
[3]GEORGE, Elizabeth. *Tiago – Crescendo em Sabedoria e Fé*, 2004, p. 12.

(1.19b-25). Nós crescemos pelo ouvir (1.19), receber (1.21) e obedecer (1.22-25) a Palavra. A terceira ênfase é sobre a maturidade espiritual (1.26 – 5.6). Há três notáveis desenvolvimentos que são característicos da verdadeira maturidade cristã: 1) O controle da língua (1.26); 2) O cuidado dos necessitados (1.27a); 3) A pureza pessoal (1.27b).

Por que Tiago escreveu esta carta? Para resolver alguns problemas:

- Eles estavam passando por duras provações;
- Eles estavam sendo tentados a pecar;
- Alguns crentes estavam sendo humilhados pelos ricos, enquanto outros estavam sendo roubados pelos ricos;
- Alguns membros da igreja estavam buscando posições de liderança;
- Alguns crentes estavam falhando em viver o que pregavam;
- Outros crentes estavam vivendo de forma mundana;
- Outros não conseguiam dominar a língua;
- Outros estavam se afastando do Senhor;
- Havia crentes que estavam vivendo em guerra uns contra os outros.

Esses são os mesmos problemas que enfrentamos hoje. Para Tiago, a raiz de todos esses problemas era a imaturidade cristã.

Tiago fala-nos sobre algumas transformações que Deus opera em nós.

Transformados de incrédulos em **servos de Cristo** (1.1)

Quem é esse Tiago, autor dessa carta? O autor identifica-se como Tiago (1.1). Havia três deles: Tiago, apóstolo, filho de Zebedeu, irmão de João; Tiago, apóstolo, filho de Alfeu; e, Tiago, irmão de Jesus, filho de Maria e José (Mt 13.55). Essa carta não poderia ser do apóstolo Tiago, filho de Zebedeu, porque ele foi morto antes de a carta ser escrita (At 12.2). Tiago, filho de Alfeu, não exerceu nenhuma influência notória na igreja cristã. Essa carta, portanto, foi escrita por Tiago, irmão de Jesus. No começo, ele não cria em Jesus (Jo 7.2-5). Mais tarde, ele tornou-se um proeminente líder na vida da igreja.

Tiago foi uma das seletas pessoas para quem Cristo apareceu depois da ressurreição (1Co 15.7). Ele estava no cenáculo, com os apóstolos no Pentecostes (At 1.14). Paulo o chamou de pilar da igreja de Jerusalém

(Gl 2.9). Paulo viu Tiago quando foi a Jerusalém depois de sua conversão (Gl 1.19), bem como em sua última viagem a Jerusalém (At 21.18).

Quando Pedro saiu da prisão, falou para seus amigos contarem a Tiago (At 12.17). Tiago foi o líder do importante concílio de Jerusalém (At 15.13). Judas identificou-se simplesmente como o irmão de Tiago (Jd 1).

Tiago foi apedrejado em 62 d.C., pelo sinédrio. Embora amado pelo povo, Tiago era odiado pela aristocracia sacerdotal que governava a cidade. O sumo sacerdote Ananos levou Tiago ao sinédrio, sendo ele condenado e apedrejado, sobretudo pelas posições severas que tomara contra a aristocracia abastada que explorava os pobres, e à qual Ananos pertencia (Tg 5.1-6).

De incrédulo a crente, de crente a líder, de líder a servo de Cristo. Ele não se apresenta como irmão do Senhor, mas como seu servo. Ele é um homem humilde. Essa é a transformação que o evangelho produz! É impossível alguém ser um verdadeiro cristão sem primeiro ser humilde de espírito. Charles Spurgeon diz que Deus não deseja nada de nós, exceto nossas próprias necessidades. Não é o que temos, mas o que não temos que é o primeiro ponto de contato entre nossa alma e Deus.[4] Elizabeth George, citando um especialista da língua grega diz,

> A palavra grega *doulos* (escravo, servo) refere-se a uma posição de obediência completa, humildade absoluta e lealdade inabalável. A obediência era a tarefa, a humildade, a posição, e a lealdade, o relacionamento que um senhor esperava de um escravo... Não há maior atributo para o crente, que ser conhecido como servo de Jesus, obediente, humilde e leal.[5]

Transformados em um **povo especial, mas não em um povo isento** de aflições (1.1)

As doze tribos referem-se aqui aos judeus cristãos (2.1; 5.7,8) que possivelmente se converteram no Pentecostes e foram dispersos depois do

---

[4]SPURGEON, Charles H. *God Will Bless You*. New Kensington, PA: Whitaker House, 1997, p. 25.
[5]GEORGE, Elizabeth. *Tiago – Crescendo em sabedoria e fé*. p. 15.

martírio de Estêvão (At 8.1; 11.19). Por força ou por escolha, os judeus estavam vivendo por toda parte do império romano.[6] Eles são crentes, mas são perseguidos. Eles são cidadãos dos céus, mas vivem dispersos na terra. Eles são crentes, mas tiveram seus bens saqueados. Eles são crentes, mas são pobres e, muitos deles, estão sendo oprimidos pelos ricos (5.1-6). Eles são crentes, mas ficam enfermos (5.14). Eles são crentes, mas sofrem (5.13).

Vida cristã não é uma redoma de vidro, uma estufa espiritual, uma colônia de férias, antes, é um campo de batalha. Não somos poupados dos problemas, mas nos problemas. Hoje fazemos as mesmas perguntas: por que um crente fiel fica desempregado? Por que um crente fiel sofre com câncer? Por que um crente fiel enfrenta o luto e passa por duras e amargas provações?

Transformando **tribulações em triunfo** (1.2-4)

Tiago, falando sobre as provações da vida cristã, ensina-nos quatro verdades fundamentais:

Em primeiro lugar, *as provações são compatíveis com a fé cristã* (Tg 1.2). Por que os crentes sofrem? Por que um crente passa privações? Por que sofre prejuízos? Por que fica doente em cima de uma cama? Por que são injustiçados? Deus nos adverte a esperar as provações. A vida cristã não é um mar de rosas. Jesus advertiu: *No mundo tereis tribulações...* (Jo 16.33). O apóstolo Paulo disse: *... por muitas tribulações nos é necessário entrar no reino de Deus* (At 14.22). Ainda, Paulo disse: *... todos os que querem viver piamente em Cristo Jesus padecerão perseguições* (2Tm 3.12). O grande patriarca Jó disse: *... o homem nasce para a tribulação, como as faíscas voam para cima* (Jó 5.7). James Montgomery Boyce, interpretando Jó, disse: "É simplesmente a sorte de homens e de mulheres nascer em dor, causar dor, sofrer dor e morrer em dor".[7]

---

[6]GEORGE, Elizabeth. *Tiago – Crescendo em sabedoria e fé*. p. 16.
[7]BOYCE, James Montgomery. *Creio sim, mas e daí?*. São Paulo, SP: Editora Cultura Cristã, 1999, p. 18.

Somos um povo na dispersão, enfrentamos muitas provações. Somos peregrinos neste mundo. Nossa Pátria permanente não é aqui. Nosso lar permanente não é aqui. Nossa Pátria está no céu. As provações que enfrentamos aqui, rumo à cidade cujo arquiteto e fundador é Deus, porém, visam a nossa maturidade espiritual. As provações procedem: primeiro, de nossa humanidade. Pertencemos à raça humana sofremos doenças, acidentes, desapontamentos. Segundo, as provações procedem da nossa pecaminosidade. Criamos problemas com nossa língua, com nossas atitudes. Uma pessoa que morre de câncer, depois de ter fumado dezenas de anos, não pode culpar a ninguém por sua morte.[8] Muitas vezes, nosso sofrimento é resultado de nossas escolhas erradas. Terceiro, as provações procedem de nossa vida cristã. Muitas tribulações, nós as enfrentamos exatamente por sermos cristãos, pois satanás, o mundo e a própria carne lutam contra nós. Quarto, as provações visam trazer glória ao nome de Deus. João registra a cura de um homem cego de nascença. Ele nasceu cego para que nele fosse manifestada a glória de Deus (Jo 9.3).

Em segundo lugar, *as provações são variadas* (1.2). A palavra *várias* vem do grego *poikilos*. Esta palavra significa de diversas cores, multicolorido. As provações são policromáticas. Existem provações rosa claro, como esmalte de noiva; provações rosa choque; provações cinza; provações tenebrosas. Deus tece todas essas provações e faz um lindo mosaico. Todas as coisas cooperam para o bem daqueles que amam a Deus (Rm 8.28). Para cada cor de provação, existe a graça suficiente de Deus para sustentar-nos. A graça de Deus é multiforme (*poikilos*) (1Pe 4.10). Há provas fáceis e provas difíceis. Há provas que são maiores que nossas forças. Há provas que enfrentamos sozinhos, como Jesus no Getsêmani. Deus sabe o que está fazendo em nossa vida. Ele é como um escultor. Ele está esculpindo em nós a beleza de Jesus (Rm 8.29; 2Co 3.18).

Em terceiro lugar, *as provações são passageiras* (1.2). As provações não duram a vida inteira. Ninguém aguenta uma vida inteira de provas.

---

[8] Boyce, James Montgomery. *Creio sim, mas e daí?*. p. 19.

Ninguém aguenta uma viagem inteira de turbulência. Depois da noite, vem a manhã. Depois do choro, vem a alegria. Depois da tempestade, vem a bonança. Não vamos ficar estacionados na arena das provações. Estamos passando por elas: alguns passam de avião supersônico, outros de trem bala, outros de automóvel, outros de bicicleta, outros a pé, outros engatinhando, mas todos passam.

Em quarto lugar, *as provações são pedagógicas* (1.3,4). Nas provações da vida, nossa fé é testada para mostrar a sua genuinidade. Quando Deus chamou a Abraão para viver pela fé, ele o testou com o fim de aumentar a sua fé. Deus sempre nos prova para produzir o melhor em nós; satanás nos tenta para fazer o pior em nós. As provas da fé provam que, de fato, nascemos de novo.

As provações de nossa fé trabalham por nós, e não contra nós, visto que produzem perseverança. Deus está no controle de nossa vida. Tudo tem um propósito. Diz o apóstolo Paulo: *Sabemos que todas as coisas cooperam para o bem daqueles que amam a Deus...* (Rm 8.28). Paulo diz ainda que a nossa leve e momentânea tribulação produz para nós eterno peso de glória (2Co 4.17). Em Efésios 2.8-10, Paulo diz que Deus trabalha por nós, em nós e através de nós. Ele trabalhou em Abraão, José, Moisés antes de trabalhar através deles. É assim que Deus faz com você ainda hoje.

A perseverança visa nos levar à maturidade. Paulo diz em Romanos 5.3-5 que as tribulações são pedagógicas, levam-nos à maturidade. A palavra *hupomone* significa paciência com as circunstâncias, ou seja, coragem e perseverança em face do sofrimento e das dificuldades.[9] Os crentes imaturos são sempre impacientes. A impaciência pode acarretar graves consequências: Abraão coabitou com Agar, Moisés matou o egípcio, Sansão contou seu segredo para Dalila e Pedro quase matou Malco. Maturidade não se alcança apenas lendo um livro, é preciso passar pelas provas!

As provações visam a glória de Deus. Jesus disse que o cego de nascença nasceu cego para que nele se manifestasse a glória de Deus.

---

[9] CHAMPLIN, Russell Norman. *O Novo Testamento Interpretado – Tiago*. Vol. 6. São Paulo, SP: Hagnos, 2002, p.16.

De Lázaro, Jesus disse: *Esta enfermidade não é para morte, e sim para a glória de Deus...* (Jo 11.4). Depois de provado por Deus e restaurado por Ele, Jó disse: *Com os ouvidos eu ouvira falar de Ti; mas agora Te veem os meus olhos* (Jó 42.5).

Qual deve ser a atitude com que vamos enfrentar as provações da vida? Tiago responde: *... tende por motivo de grande gozo...* Em vez de murmurar, de reclamar, de ficar amargo, de enfiar-se em uma caverna, devemos nos alegrar intensamente. Essa alegria é confiança segura na soberania de Deus, de que Ele está no controle, de que Ele sabe o que está fazendo e sabe para onde está nos levando.

2
Como **viver** com **sabedoria**

Tiago 1.5-18

TIAGO ESCREVE ESTA CARTA PARA AJUDAR OS CRENTES dispersos a vencerem as provações a que estavam expostos, buscando, ao mesmo tempo, o alvo da maturidade cristã. Ele ensinou (1.2-4) que as provas são compatíveis com a fé cristã, são variadas, passageiras e pedagógicas. Agora, Tiago vai nos mostrar como viver com sabedoria neste mundo, no meio dessas provas. Champlin, citando Cícero, disse que a sabedoria era a "a princesa das virtudes", a fonte do conhecimento bem aplicado.[1] Elizabeth George comentando Tiago 1.5,6, diz que há três passos para conseguirmos essa sabedoria: o primeiro, é pedirmos; o segundo, é pedirmos a Deus; o terceiro, é pedirmos com fé.[2]

Como lidar de forma sábia com as **provações** (1.5-12)

O alvo de Deus em nossa vida é a maturidade cristã (1.2-4,12; Rm 8.29; Cl 1.28). À medida que somos provados, precisamos pedir a Deus para nos mostrar o que Ele está fazendo (1.5). Deus nos prova para nos fazer desmamar de atitudes infantis.

---

[1] CHAMPLIN, Russell Norman. *O Novo Testamento Interpretado – Tiago*. Vol. 6, p. 17.
[2] GEORGE, Elizabeth. *Tiago – Crescendo em sabedoria e fé*. p. 30,31.

Para alcançar esse alvo da maturidade, Deus faz três coisas (Ef 2.8-10): em primeiro lugar, há uma obra que Deus realiza por nós: a salvação. Em segundo lugar, há uma obra que Deus realiza em nós: a santificação. Em terceiro lugar, há uma obra que Deus realiza através de nós: o serviço.

Deus trabalhou 25 anos na vida de Abraão antes de lhe dar o filho da promessa. Deus trabalhou treze anos na vida de José antes de colocá-lo no trono. Deus trabalhou oitenta anos na vida de Moisés antes de usá-lo como líder do Seu povo. Jesus trabalhou três anos na vida dos apóstolos antes de enviá-los ao mundo.

Tiago nos ensina alguns princípios para lidarmos com as provações.

Em primeiro lugar, *quando somos provados precisamos pedir sabedoria* (1.5-8). Quando estamos sendo provados, precisamos de discernimento e sabedoria (1.5; 3.13-18). O que é sabedoria? É mais que conhecimento. Sabedoria é o uso correto do conhecimento. Conhecimento pode ser definido, nesse contexto, como conhecer bem a Bíblia. Sabedoria é usar bem a Bíblia. Sabedoria é olhar para a vida com os olhos de Deus. O sábio busca maturidade e não prazer. Há pessoas cultas e tolas. Há pessoas que têm erudição, mas não sabem viver a vida nem fazer escolhas certas.

Quando estamos sendo provados, precisamos de sabedoria para não desperdiçar as oportunidades que Deus está nos dando para chegarmos à maturidade. A sabedoria nos ajuda a entender como usar as provas para nosso bem e para a glória de Deus.

Em segundo lugar, *quando somos provados precisamos conhecer o caráter de Deus* (1.5). Tiago nos ensina três coisas sobre Deus neste versículo: é da natureza de Deus dar (1.5): Deus é a fonte da sabedoria. Ele é o doador. A generosidade de Deus é ilimitada. A generosidade de Deus não conhece limites na terra: é para todos. A generosidade de Deus não conhece limites no céu: Ele dá liberalmente. A acolhida de Deus é garantida (1.5): Deus não rejeita aquele que O busca (Sl 66.20).

Em terceiro lugar, *quando somos provados precisamos orar com fé* (1.6-8). Tiago compara o homem que ora a Deus, mas duvida, a três figuras: ele é como as ondas do mar (1.6), como uma pessoa que oscila entre fé e incredulidade, ânimo e desânimo, otimismo e pessimismo.

Ora está no alto, ora no vale. Um dia fervoroso, outro dia abatido. Ele é também como um homem que tem duas mentes em um só corpo (1.6). A palavra grega "duvidando", *diacrimonai*, significa duas mentes. É uma pessoa dividida entre duas mentes. A fé diz sim, mas a descrença diz não. Uma hora ele diz sim, outra hora ele diz não. Ele ainda é como duas almas em um só corpo (1.8). A palavra grega "dobre", *dipsychoi*, significa duas almas. Almas divididas.[3] É tentar andar em dois caminhos. É tentar servir a dois senhores.

Tiago fala de dois resultados negativos ao crente que ora, mas duvida: primeiro, fracasso na oração (1.6). Segundo, inconstância espiritual (1.8). Ele não vai chegar à maturidade, mas vai estar exposto aos ventos de doutrina (Ef 4.14). Há crentes que não se firmam na igreja.

Harold D. Foos ilustra bem a pessoa que ora, mas duvida, que oscila entre a fé e a incredulidade,

> O que duvida é como uma onda agitada pelo vento, para lá e para cá, para cima e para baixo, para frente e para trás, ao sabor do vento. Como um navio desorientado, como um homem sem direção e sem controle. Você conhece alguém assim? De um jeito hoje, de outro jeito amanhã, ontem por cima, hoje por baixo, à mercê das mais variadas circunstâncias, porque esse alguém não tem sua vida ancorada na Palavra de Deus e não busca a direção do Espírito de Deus. Deus não responde a alguém assim. E isso não ocorre por causa de uma falha no caráter de Deus ou uma falta de desejo da parte dEle... mas é a consequência de uma falha daquele que pede.[4]

Em quarto lugar, **quando somos provados precisamos nos alegrar com as riquezas espirituais** (1.9-11). Tiago aplica o princípio da sabedoria nas provas em duas circunstâncias específicas: cristãos pobres e cristãos ricos. Dinheiro e *status* eram problemas reais entre aqueles irmãos (2.1-7, 15,16; 4.1-3; 5.1-8). A Bíblia jamais ensina que a riqueza em si é um mal. O próprio Deus deu a Salomão tanto a riqueza como a

---
[3]Motyer, J. A. *The Message of James*. p. 40.
[4]Foos, Harold D. *Faith in Practice*. Chicago: Th e Moody Bible Institute, 1984, p. 34,35.

sabedoria (1Rs 3.12,13). Tudo depende de como a riqueza é adquirida, como é usada e qual o lugar que ela ocupa no coração de quem a possui.[5] O pobre deve gloriar-se pelo que tem permanente no céu. O rico pelo que não tem permanente na terra. O pobre deve gloriar-se em sua dignidade, o rico em sua insignificância. É conhecida a expressão do missionário, Jim Elliot, mártir morto pelos índios Aucas: "Não é tolo aquele que perde o que não pode acumular, para ganhar o que não pode perder". O pobre ao ser provado diz: mas quão rico eu sou. O rico ao ser provado pelas glórias do mundo diz: mas quão vulnerável eu sou. Cada um olha para a sua vida na perspectiva da eternidade.

No versículo 10 Tiago oferece uma comparação: o rico é como a flor. Ele é extremamente frágil. No versículo 11 ele faz uma explanação: *Pois o sol...* Ele é totalmente dependente. No versículo 11b, ele tira uma conclusão: *... assim murchará também.* Tiago mostra, assim, a instabilidade da riqueza.

Em quinto lugar, **quando somos provados precisamos estar de olho na recompensa** (1.12). Quando Deus nos prova é para o nosso bem, por isso somos bem-aventurados. Quando somos provados, desenvolvemos a paciência triunfadora. Quando somos provados somos aprovados por Deus. Quando somos provados somos galardoados por Deus. Quando somos provados temos a oportunidade de demonstrar nosso amor por Deus. A Bíblia diz que nossa leve e momentânea tribulação produz para nós eterno peso de glória (2Co 4.17). Como Lutero expressou no hino *Castelo Forte,* ainda que percamos família, bens, prazeres, Deus continua sendo nosso castelo forte. Herbert Lockyer narra uma história que lança luz sobre essa questão.

A história é contada por uma mulher piedosa que, tendo enterrado um de seus filhos, recolheu-se a sua melancolia. Contudo, quando leu o Salmo 18.4: 'Vive o Senhor', foi consolada. Então, outro filho morreu. Ainda assim, ela permaneceu calma e confiante, enquanto dizia: 'o consolo pode morrer, mas Deus está vivo'. Porém, o mais pesado golpe de todos ocorreu quando o seu amado esposo morreu, e ela quase foi

---

[5]MOTYER, J. A. *The Message of James.* p. 45.

subjugada pelo sofrimento. Mas sua filha que sobrevivera, observando como antes sua mãe falava para confortar-se a si mesma, perguntou-lhe, desconsolada: 'Deus morreu, mamãe? Deus morreu?'. Isso alcançou o dolorido coração daquela mulher, e a sua antiga confiança no Deus vivo retornou.[6]

O fato de sermos provados nos capacita, não apenas para recebermos recompensa futura, mas também nos equipa para sermos usados por Deus agora. Li algo maravilhoso que nos ajuda a entender esse princípio:

> O processo utilizado no passado para o cultivo das árvores que se tornariam os mastros principais dos navios militares e mercantes era assim: os grandes construtores de navios selecionavam as árvores localizadas no topo das altas colinas para, provavelmente, virem a ser o mastro de um navio. Então, eles cortavam todas as árvores que as circundavam e que protegeriam da força do vento as árvores escolhidas. Com o passar dos anos, e com os fortes açoites dos ventos contra aquelas árvores, elas cresciam e se tornavam mais fortes ainda, até que, finalmente, estavam suficientemente firmes para serem o mastro de um navio.[7]

Como lidar de forma sábia com as **tentações** (1.13-18)

Uma pessoa madura é paciente nas provas.[8] Uma pessoa imatura transforma provas em tentações. Warren Wiersbe diz que provas são testes enviados por Deus, e tentações são armadilhas enviadas por satanás.[9] Quando Deus nos prova é para que possamos passar no teste e herdar as bênçãos.

Quando passamos por dificuldades somos tentados a questionar o amor e o poder de Deus. Então, satanás oferece um caminho para escaparmos das provas. Essa oportunidade é uma tentação. Quando Jesus

---

[6] LOCKYER, Herbert. *A Devotional Commentary – Psalms*. Grand Rapids, Michigan: Kregel Publications, 1993, p. 63,64.
[7] DOWNING, Jim. *Meditations, the Bible Tells You How*. Colorado Springs: NavPress, 1976, p. 15,16.
[8] WIERSBE, Warren. *The Bible Expository Commentary*. Vol. 2. Colorado Springs, Colorado: Chariot Victor Publishing, 1989, p. 341.
[9] WIERSBE, Warren. *The Bible Expository Commentary*. Vol. 2, p. 341.

estava jejuando e orando no deserto, satanás o tentou, sugerindo a Ele que transformasse pedras em pães.

Há três fatos que devemos considerar se queremos vencer as tentações.

Em primeiro lugar, **olhe para frente e considere o julgamento de Deus** (1.13-16). Não culpe a Deus pela tentação, Ele é absolutamente santo para ser tentado e Ele é absolutamente amoroso para tentar.[10] Deus nos prova como provou a Abraão, mas Ele não nos tenta. A prova é para santificar-nos. A tentação é para derrubar-nos. Uma tentação é uma oportunidade de fazer uma coisa boa de maneira errada, como por exemplo: passar em uma prova é coisa boa, mas colar na prova para passar é uma coisa errada; o prazer sexual é uma coisa boa, mas o sexo fora do casamento é uma coisa errada. A provação visa a nosso fortalecimento; a tentação, a nossa queda.

Tiago vê o pecado não apenas como um ato, mas como um processo em quatro estágios: o primeiro estágio é o *desejo ou cobiça* (1.14). A palavra que Tiago usou para "desejo", *epithymia,* não necessariamente tem um sentido de desejo mau e impuro.[11] Podemos transformar um desejo legítimo em um desejo pecaminoso. A cobiça é a tentativa de satisfazer um desejo fora da vontade de Deus. Comer é normal, glutonaria é pecado. Dormir é normal, preguiça é pecado. Sexo no casamento é normal, sexo fora do casamento é pecado.[12] Os desejos devem estar sob controle, e não no controle. Devemos controlar os desejos, não estes a nós.

O segundo estágio é o *engano* (1.14). Tiago usa duas figuras para ilustrar o engano da tentação: a figura do caçador que usa uma armadilha (atrai) e a figura do pescador que usa o anzol com isca (seduz). Se Ló pudesse ver a ruína que estava por trás de Sodoma, e se Davi pudesse ver a tragédia sobre a sua casa quando se deitou com BateSeba, eles jamais teriam caído. Precisamos identificar a isca e a arapuca do diabo, para não cairmos na rede de seu engano.

---

[10]WIERSBE, Warren. *The Bible Expository Commentary.* Vol. 2, p. 342.
[11]MOTYER, J. A. *The Message of James.* p. 52.
[12]WIERSBE, Warren. *The Bible Expository Commentary.* Vol. 2, p. 342.

O terceiro estágio é *o nascimento do bebê chamado pecado* (1.15). Tiago muda a figura da armadilha e do anzol para a figura do nascimento de um bebê maldito, chamado PECADO.

O quarto estágio é *a morte* (1.16). A cobiça, depois de haver concebido, dá à luz o pecado; e o pecado, uma vez consumado, gera a morte. Vemos aqui a genealogia do pecado. A cobiça é a mãe do pecado e a avó da morte. O salário do pecado é a morte (Rm 6.23).

Em segundo lugar, ***olhe ao redor e considere a bondade de Deus***[13] (1.17). Quando satanás tentou Eva no jardim do Éden e Jesus no deserto, ele questionou o amor de Deus. A bondade de Deus é o grande escudo contra a tentação do diabo. Quando sabemos que Deus é bom, não precisamos cair nas armadilhas do diabo para suprir nossas necessidades. É melhor estar faminto dentro da vontade de Deus do que estar farto e cheio fora da vontade de Deus (Dt 6.10-15). Jesus foi categórico com satanás: ... *não só de pão viverá o homem, mas de toda palavra que sai da boca de Deus* (Mt 4.4). Uma coisa é ser tentado, outra coisa é ceder à tentação. Não é pecado ser tentado, mas sim ceder à tentação. Lutero costumava dizer: "Você não pode impedir que um pássaro voe sobre a sua cabeça, mas você pode impedir que ele faça ninho em sua cabeça".[14]

Tiago apresenta três fatos sobre a bondade de Deus: *Deus dá somente boas dádivas*. Tudo o que Deus dá é bom, até as provas. O espinho na carne de Paulo foi um dom estranho, mas foi uma grande bênção para ele (2Co 12.110). *Deus dá constantemente*. O verbo "descendo" é um presente particípio, cujo significado é: continua sempre descendo. Deus não dá seus dons apenas ocasionalmente, mas constantemente. *Deus não muda*. Deus não pode mudar para pior porque Ele é santo. Ele não pode mudar para melhor porque Ele é perfeito. O primeiro escudo contra a tentação é o julgamento de Deus. O segundo é a bondade de Deus.

Tudo o que Deus nos dá é bom. Toda boa dádiva procede das Suas mãos. Ele, muitas vezes, nos dá não o que pedimos, mas o que precisamos. Seríamos destruídos se Deus deferisse todas nossas orações.

---

[13] WIERSBE, Warren. *The Bible Expository Commentary*. Vol. 2, p. 343.
[14] TUCK, Robert. *The Preacher's Homiletic Commentary – James*. Vol. 29. Grand Rapids, Michigan: Baker Books, 1996, p. 493.

Muitas vezes pedimos uma pedra, pensando que estamos pedindo um pão; pedimos uma serpente, pensando que estamos pedindo um peixe. Deus, então, é tão bondoso, que não nos dá o que pedimos, mas o que necessitamos. Elizabeth George registra uma sublime mensagem sobre os paradoxos da oração,

> Pedi a Deus força, para que eu pudesse alcançar êxito. Fui enfraquecido, para que pudesse aprender a humildade para obedecer...
> Pedi saúde, para que eu pudesse fazer grandes coisas. Fiquei enfermo, para que pudesse fazer coisas melhores...
> Pedi riquezas, para que eu pudesse ser feliz. Foi me dada a pobreza, para que eu pudesse ser sábio...
> Pedi poder, para que eu pudesse ter o louvor dos homens. Recebi fraqueza, para que eu sentisse a necessidade de Deus... Pedi todas as coisas, para que pudesse desfrutar a vida. Foi me dada a vida, para que eu pudesse desfrutar todas as coisas... Não recebi nada do que pedi, mas tudo de que precisava. Quase que a despeito de mim mesmo, minhas orações não respondidas foram respondidas. Eu sou, dentre todos os homens, o mais ricamente abençoado.[15]

Tiago diz que: *toda boa dádiva e todo dom perfeito vem do alto, descendo do Pai das luzes, em quem não há mudança nem sombra de variação* (1.17). Os comentaristas Spence e Exell fazem a seguinte exposição:

> Nós adoramos, não as luzes, mas "o Pai das luzes". Considere algumas das luzes das quais Deus é o Pai: a luz do sol. O sol é uma grande obra de Deus. Todo o nosso mundo recebe toda a luz do sol. Mesmo a luz da lua e a luz das estrelas são reflexos da luz do sol. A luz da verdade. Esta nos dá a luz do conhecimento. Nós temos essa luz da verdade na Bíblia, "uma luz que alumia em lugar escuro", e no Salvador, "a luz do mundo", o querido Filho do "Pai das luzes". A luz celestial. A casa de Deus no céu é cheia de luz. No inferno, tudo são trevas, aqui na terra há um misto de luz e trevas; no céu há somente luz. "E ali não haverá mais noite". Deus e o Cordeiro serão a sua luz. E tudo no céu reflete essa luz: os muros são

---

[15] GEORGE, Elizabeth. *Tiago – Crescendo em sabedoria e fé*, p. 44.

de jaspe, os portões de pérola, as ruas de ouro, o rio de cristal, as vestiduras brancas. É a santidade que é a luz do céu. Tudo ali é puro. Quando um homem piedoso morre, a luz da graça faz com que ele resplandeça a luz da glória. E toda a santidade do céu transborda Daquele que é Santo, Santo, Santo – "O Pai das luzes".[16]

Em terceiro lugar, **olhe para dentro e considere a natureza divina dentro de você**[17] (1.18). Tiago usou o nascimento para falar do pecado e da morte. Mas ele também usou o nascimento para falar da nova vida. Vejamos as características desse novo nascimento: primeiro, a origem do novo nascimento: ele é divino e gracioso. Nicodemos pensou que precisaria voltar ao ventre materno (Jo 3.4-7). Mas o novo nascimento é o nascimento de cima, do alto, de Deus, do Espírito. Não depende de nossa vontade (Jo 1.13) nem de nossa participação (Jo 3.6). Não nascemos de novo por causa dos nossos pais, decisões ou religião. O novo nascimento é obra de Deus. Segundo, o meio do novo nascimento: ele é operado através da Palavra de Deus. Assim como o nascimento natural vem pelo relacionamento do pai e da mãe, o nascimento espiritual vem por meio da Palavra e do Espírito (1Pe 1.23).

Terceiro, o propósito do novo nascimento: ... *para que fôssemos como que primícias das suas criaturas* (1.18). Este é o mais nobre dos nascimentos. Somos as primícias das suas criaturas. O novo nascimento é o mais alto nascimento, para o mais alto tipo de vida.[18]

---
[16]SPENCE, H. D. M.; EXELL, Joseph S. *The Pulpit Commentary*. Vol. 21 - *James*. Grand Rapids, Michigan: William B. Eerdmans Publishing Company, 1978, p. 14,15.
[17]WIERSBE, Warren. *The Bible Expository Commentary*. Vol. 2, p. 343.
[18]MOTYER, J. A. *The Message of James*. p. 58,59.

3

Como saber se minha religião é verdadeira

Tiago 1.19-27

A ÊNFASE NESSE PARÁGRAFO É SOBRE O AUTOENGANO (1.22,26). Se um crente é enganado, porque o diabo o engana, é uma coisa; mas, se ele peca porque se engana a si mesmo, é uma coisa muito mais séria.[1] Muitas pessoas estão pensando que estão salvas, mas ainda não estão (Mt 7.22,23). Muitas pessoas pensam que são espirituais, mas não são (Ap 3.17). A verdadeira religião está centrada na Palavra de Deus. Quais são as evidências de um crente verdadeiro?

O crente verdadeiro tem sua **vida centrada na Palavra de Deus** (1.18,21,22-25)

Tiago enfatiza três verdades vitais aqui.

Em primeiro lugar, *o verdadeiro crente nasce da Palavra de Deus* (1.18). A Palavra de Deus é a divina semente. Quando ela é aplicada em nosso coração pelo Espírito Santo, acontece o milagre do novo nascimento. Nascemos, assim, de cima, de Deus, do Espírito. Recebemos, portanto, uma nova natureza, uma nova vida.

---

[1] WIERSBE, Warren. *The Bible Expository Commentary*. Vol. 2 , p. 345.

Em segundo lugar, *o verdadeiro crente acolhe a Palavra* (1.21). Há uma preparação própria para receber a Palavra: *Pelo que, despojando-vos de toda sorte de imundícia e de todo vestígio do mal...* A Palavra de Deus é comparada a uma semente, e o coração do homem, a um solo. Antes de lançarmos a semente precisamos preparar a terra. Jesus falou de quatro tipos de solo: o solo endurecido, o superficial, o congestionado e o frutífero (Mt 13.1-23). Antes de acolhermos a Palavra, precisamos remover a erva daninha da impureza e da maldade. Também é requerida uma atitude correta para receber a Palavra: *... recebei com mansidão a palavra em vós implantada...* A mansidão é o oposto da ira (1.19). É necessário adubar o terreno para que a semente frutifique. A Palavra deve ter raízes profundas em nossa vida. Aceitamos de bom grado a transformação que Deus opera em nós através da Palavra. Tiago fala ainda acerca do resultado da recepção da Palavra: *... a qual é poderosa para salvar as vossas almas.* Quando nascemos da Palavra, ouvimos a Palavra, recebemos a Palavra e praticamos a Palavra, podemos ter garantia da salvação.[2]

Em terceiro lugar, *o verdadeiro crente pratica a Palavra* (1.22-25). Não basta ouvir ou ler a Palavra, é preciso praticá-la. Não basta apenas o conhecimento da verdade, é necessário também a prática da verdade. Muitos crentes marcam sua Bíblia, mas a Bíblia não os marca.[3] Há grandes benefícios em se praticar a Palavra.

Primeiro, quem pratica a Palavra *conhece a si mesmo* (1.23,24). A Palavra aqui é comparada não com a *semente*, mas com o *espelho*. O principal propósito do espelho é o autoexame. Quando você olha para dentro da Palavra e compreende o que ela diz, você conhece a você mesmo: seus pecados, suas necessidades, seus deveres e suas recompensas. Ninguém olha no espelho e logo vai embora sem fazer nada. Você olha no espelho para saber se já penteou o cabelo, se já lavou o rosto ou se a roupa está bem passada. Você olha no espelho para ver as coisas como elas são. Quando você olha no espelho, você descobre que tipo de pessoa você é e como você está.

---

[2] Motyer, J. A. *The Message of James*. p. 66.
[3] Wiersbe, Warren. *The Bible Expository Commentary*. Vol. 2, p. 347.

Há alguns perigos quanto ao espelho que precisamos evitar: devemos evitar olhar apenas de relance no espelho. Muitas pessoas não estudam a si mesmas quando leem a Bíblia. Muitas pessoas leem a Bíblia todo dia, mas não são lidas por ela, não a observam. Muitos leem por um desencargo de consciência, mas não se afligem por não colocar sua mensagem em prática. Há sempre o perigo de você se ver no espelho e não fazer nada a respeito. Leia esta história:

Conta-se a história de um homem idoso, bastante míope, que tinha grande orgulho em atuar como crítico de arte. Um dia, ele visitou um museu com alguns amigos e, imediatamente, começou a fazer suas críticas sobre vários quadros. Parando diante de um quadro de corpo inteiro, começou a dar a sua opinião. Ele havia deixado seus óculos em casa e não podia ver a pintura com clareza. Com ar de superioridade, ele comentou: 'A constituição física desse modelo está simplesmente em desacordo com a pintura. O sujeito (um homem) é bastante rústico e está miseravelmente vestido. De fato, ele é repulsivo, e foi um grande erro para o artista selecionar esse modelo de segunda classe para pintar o seu retrato'. O velho camarada foi seguindo em seu caminho, quando sua esposa o puxou para o lado e sussurrou em seu ouvido: 'Querido, você estava se olhando no espelho'.[4]

Devemos tomar cuidado para não esquecermos o que vemos no espelho. Muitas vezes lemos a Bíblia tão distraidamente que nem conseguimos ver quem nós somos, como está a nossa aparência. Não temos convicção de pecado. Não sentimos sede de Deus. Não falamos como Isaías: "Ai de mim!" Não falamos como Pedro: "Senhor, aparta-te de mim, porque eu sou um pecador". Não falamos como Jó: "Eu me abomino no pó e na cinza".

Devemos nos acautelar para não fracassarmos em fazer o que o espelho mostra. Não basta ler a Bíblia, é preciso praticá-la. Não basta falar, é preciso fazer.[5] Reunimo-nos muito para conhecer e pouco para praticar. Gastamos os assentos dos bancos e pouco as solas dos sapatos.

---

[4]BOSCH, Henry G.; DEHAAN, M. R. *Our Daily Bread*. Grand Rapids, Michigan: Zondervan Publishing House, 1982, 29 de julho.
[5]WIERSBE, Warren. *The Bible Expository Commentary*. Vol. 2, p. 347.

Segundo, quem pratica a Palavra *torna-se verdadeiramente livre* (1.25). Por que Tiago chama a lei de Deus de *lei perfeita, lei da liberdade*? É porque quando a obedecemos, Deus nos liberta. Aquele que comete pecado é escravo do pecado (Jo 8.34). Disse Jesus: *Se vós permanecerdes na minha palavra, verdadeiramente sois meus discípulos; e conhecereis a verdade, e a verdade vos libertará* (Jo 8.31,32). Deus não deu a Sua lei como meio de salvação, mas a deu como um estilo de vida para os salvos, aqueles que haviam sido redimidos (Êx 20.2).

Terceiro, quem pratica a Palavra *torna-se bem-aventurado no que realiza* (1.25). Ouvir a Palavra sem praticá-la é enganar-se a si mesmo. É como se olhar no espelho, ver a roupa suja e não fazer nada. Ouvir a Palavra e não praticá-la é ter uma falsa religião. O fim é o engano, é a tragédia. Mas, quem obedece à Palavra é bem-sucedido em tudo quanto faz (Js 1.6-8).

O crente verdadeiro tem **relacionamentos governados pela Palavra** (Tg 1.19,20)

A comunicação é a chave para um relacionamento saudável. Dependendo da maneira como nos comunicamos, podemos dar vida ou matar um relacionamento. No século da comunicação virtual, estamos cada vez mais próximos das máquinas e mais distantes das pessoas. O verdadeiro crente deve saber se controlar tanto verbal quanto emocionalmente. Deve saber lidar com a palavra e também com a ira. Analisaremos o conselho de Tiago:

Em primeiro lugar, *ele deve ser pronto para ouvir* (1.19). O termo "pronto", no grego, é *táxys*, de onde vem nossa palavra táxi (rápido). O táxi é um carro de serviço. Ele deve estar sempre disponível. Seu objetivo é atender o cliente, sempre. Se vamos usar um táxi, é porque temos pressa. Não podemos esperar.

Assim ocorre também com a comunicação. Devemos ter rapidez para ouvir. Zenão, o pensador antigo, dizia: "Temos dois ouvidos, mas apenas uma boca; assim podemos escutar mais e falar menos".[6] Temos de

---

[6]Life Application Bible Commentary. *James*. Wheaton, Illinois: Tyndale House Publishers, 1992, p.30.

considerar ainda que nossos ouvidos são externos, mas nossa língua está amuralhada de dentes. É preciso que estejamos prontos para ouvir a voz de Deus, a voz da consciência, a voz de nosso próximo. Hoje estamos perdendo o interesse em ouvir, e o resultado disso é a família em desarmonia, é a sociedade fragmentada. Se nós estivéssemos prontos para ouvir, com a mesma disposição que estamos prontos a falar, certamente haveria menos ira e mais encontros abençoadores e saudáveis entre nós.[7]

As pessoas procuram os divãs dos psicanalistas porque sentem necessidade de falar. Não conseguimos armazenar no peito as pressões e decepções sem abrir o coração com alguém. Falar é uma necessidade básica, e ouvir é uma responsabilidade vital para aqueles que desejam construir relacionamentos saudáveis e maduros. Dale Carnegie diz que aprender a ouvir as pessoas é uma das maneiras mais eficazes de se fazer amigos. Todos gostam e precisam falar de si mesmos. Temos de ouvir com os ouvidos, com os olhos e com o coração. Precisamos disponibilizar tempo e atenção para os outros. As pessoas são mais importantes que as coisas. Devemos adorar a Deus, amar as pessoas e usar as coisas. Essa é a regra de ouro na comunicação interpessoal. Hoje, estamos substituindo relacionamentos por coisas. Os pais já não têm mais tempo para os filhos. Eles estão muito ocupados e não podem mais ajudar os filhos nos deveres da escola, nem ouvir o que os filhos têm a dizer sobre suas fantasias de criança ou suas angústias da adolescência. Os filhos parecem não ter com os pais o mesmo crédito que têm os amigos, o trabalho, o telefone. O diálogo está morrendo entre marido e mulher. Os casamentos estão acabando, o índice de divórcio está crescendo espantosamente, porque os cônjuges estão correndo atrás do urgente e deixando o que é importante de lado; estão valorizando coisas e não relacionamentos; estão substituindo pessoas por coisas.

Em segundo lugar, **ele deve ser tardio para falar** (1.19). Precisamos estar atentos sobre o que falamos, como falamos, quando falamos, com quem falamos e por que falamos. John MacArhur Jr. comenta sobre essa questão do muito falar:

---

[7] TUCK, Robert. *The Preacher's Homiletic Commentary – James*, p. 522.

É estimado que, em média, as pessoas falam 18.000 palavras em um dia, o suficiente para preencher 54 páginas de um livro. Em um ano, esse montante será suficiente para preencher 66 volumes de 800 páginas! ... Assim, em média, as pessoas passam um quinto de seu tempo de vida falando.[8]

A palavra "tardio", no grego, é *brádys*. Essa palavra dá a ideia de uma pessoa que tem dificuldades intelectuais para compreender logo de início o que lhe foi dito; e necessita, portanto, de tempo para reflexão. O que Tiago quer dizer é que devemos refletir primeiro, e não falar de imediato. É preciso saber a hora de falar e também o que falar. O que temos a dizer é verdadeiro? É oportuno? Edifica? Transmite graça aos que ouvem?

Geralmente falamos antes de pensar, de ouvir, de orar, de medir as consequências. Devemos ter muito cuidado com isso, pois: *A morte e a vida estão no poder da língua...* (Pv 18.21). As palavras podem dar vida ou matar.

Há um provérbio inglês que diz: "Tu és senhor da palavra não dita; a palavra dita é teu senhor". Por isso, Davi orava a Deus e pedia: *Põe, ó Senhor, uma guarda à minha boca; vigia a porta dos meus lábios!* (Sl 141.3). Sócrates dizia que precisamos sempre passar nossas palavras por três peneiras: é verdade?; é com a pessoa certa?; é oportuno?

Em terceiro lugar, **ele deve ser tardio para irar-se** (1.19). Novamente encontramos o termo *brádys*. Tiago está dizendo que a ira deve ser tratada com reflexos lentos. A maior demonstração de força está no autodomínio, e não no domínio sobre os outros. *Melhor é o longânimo do que o valente, e o que domina o seu espírito do que o que toma uma cidade* (Pv 16.32). Em geral, a ira humana é desgovernada, destruidora e pecaminosa. É obra da carne, e não opera a justiça de Deus.

Há dois perigos com respeito à ira: primeiro, a explosão da ira, ou seja, o temperamento indisciplinado. Segundo, a implosão da ira, ou seja, o temperamento encavernado. Uns atacam e quebram tudo à sua

---

[8]MACARTHUR, John Jr. *The MacArthur New Testament Commentary – James*. Chicago: Moody Press, 1998, p. 88.

volta quando estão irados. Outros guardam a ira e levam-na para o seu interior. Mas essa fera enjaulada destrói tudo por dentro: a saúde, a paz e a comunicação com Deus e com o próximo.

Precisamos aprender a lidar com nossos sentimentos. Um indivíduo temperamental provoca grandes transtornos na família, no trabalho, na igreja e na sociedade. Muitas pessoas tentam encobrir seus pecados dizendo que são sinceras, que não levam desaforo para casa e que, depois de explodirem, tudo volta à normalidade. O problema é que, na explosão da ira, elas jogam estilhaços para todos os lados. Alguém que não tem domínio próprio fere e machuca quem está ao seu redor. Por outro lado, o congelamento da ira é um mal terrível. Há muitos que ficam como um vulcão em efervescência. Estão em aparente calma, mas as lavas incandescentes lhes queimam por dentro. A mágoa produz grandes transtornos. Onde ela prevalece, reina a doença, e satanás acaba levando vantagem (2Co 2.11).

O crente verdadeiro tem suas **ações religiosas dirigidas pela Palavra** (Tg 1.26,27)

A religião pura e verdadeira vai muito além de doutrinas e ritos. Envolve prática, ação. Em seu livro intitulado *A Velhice*, o grande orador Cícero conta que um velho ateniense, entrando no teatro lotado, não encontrou ninguém que lhe cedesse o lugar. Quando, porém, se aproximava da bancada especial, em que se achavam os embaixadores da Lacedemônia, estes se levantaram e deram lugar ao velho, no meio deles. Toda a assembleia, então, se levantou e aplaudiu o gesto desses embaixadores.

É sempre assim, não falta quem reconheça o valor das ações nobres e se disponha a aplaudi-las. No entanto, entre aplaudir e praticar existe uma enorme diferença.

Hoje há um grande abismo entre o que professamos e o que vivemos; entre o que dizemos e o que fazemos; entre a nossa profissão de fé e a nossa prática de vida; entre o cristianismo teórico e o cristianismo prático. Esse distanciamento entre verdades inseparáveis, essa falta de consistência e coerência, dá à luz uma religião esquizofrênica e farisaica.

Tiago, homem de mente lógica e de espírito prático, toca, sem subterfúgios, o ponto nevrálgico do problema e aponta o sério risco de se viver uma religião descomprometida, mística, etérea, teórica, descontextualizada, sem praticidade e sem pertinência histórica. Tiago diz que não basta o ritual bonito, a liturgia pomposa, a exterioridade irretocável. É preciso celebrar a liturgia da vida. Para tanto, ele coloca o prumo de Deus em nós e questiona-nos: somos verdadeiros religiosos ou não? Como saber se somos? Aqui Tiago menciona dois aspectos negativos e um positivo.

Em primeiro lugar, **ele tem controle da sua língua** (1.26). Tiago alerta para o perigo de um temperamento doente e explosivo e de uma língua solta (1.19,26). Jesus disse que a pessoa que nutre raiva, cujo sentimento desemboca em ofensa ao próximo, é passível do fogo do inferno (Mt 5.22). Jesus disse: *Digo-vos, pois, que de toda palavra fútil que os homens disserem, hão de dar conta no dia do juízo. Porque pelas tuas palavras serás justificado, e pelas tuas palavras serás condenado* (Mt 12.36,37). Tiago compara a língua com um cavalo fogoso sem freios, com um navio sem leme que pode espatifar-se nas rochas, com uma fagulha que incendeia uma floresta, com uma fonte contaminada, com uma árvore que produz frutos venenosos, com um mundo de iniquidade ou com uma fera indomável. Jesus disse que é a língua que revela o coração (Mt 12.34-35). Uma língua controlada significa um corpo controlado (3.1), mas uma língua desgovernada provoca grandes tragédias. A maledicência é o pecado que Deus mais abomina (Pv 6.19). A palavra irrefletida, a conversa torpe, a mentira leviana, as acusações maldosas, as orquestrações urdidas na calada da noite para destruir a dignidade das pessoas são provas incontestáveis do grande poder destruidor da língua.

Se a língua é peçonhenta, má, afiada, ferina, suja e descaridosa, a religião então é oca, vazia, nula. Não podemos glorificar a Deus com a nossa língua e, ao mesmo tempo, destruir a vida de nosso próximo com ela. A língua não pode ser uma fonte amarga e doce ao mesmo tempo; um canal de vida e também um instrumento de morte. A Bíblia diz que a boca fala daquilo que o coração está cheio. A língua funciona como aferidora do coração. Ela é como uma radiografia que revela o que está em nosso interior. Não há coração puro se a língua é impura. Não há língua santa se o coração é um poço de sujeira. Não há cristianismo verdadeiro sem santidade da língua. Se o coração estiver certo, a língua mostrará isso.[9]

Em segundo lugar, *ele tem vida santa* (Tg 1.27b). A religião verdadeira não é um simples ritual, não é misticismo ou encenação, mas é ter uma vida separada para Deus. É guardar-se incontaminado do mundo, ou seja, do sistema de valores pervertidos, corruptos, sujos, imorais e inconsequentes. Esses desbastam os valores de Deus, corroem os absolutos da Palavra e instauram o relativismo, o conformismo, o imediatismo e o hedonismo que levam ao comprometimento com o pecado.

Ser religioso autêntico é inconformar-se com os conformismos do mundo, para conformar-se com os inconformismos de Deus. A religião que agrada ao Senhor é rechaçar o mal ainda que mascarado de bem. O mundo é atraente. Ele arma um cenário encantador para nos atrair. Contudo, o mundo jaz no maligno. James Boyce, corretamente afirma:

Nós vivemos, como Tiago, em uma época caracterizada por imundície moral. O perigo da contaminação pelo mundo por meio de suas diversões, revistas, livros e a vida do dia a dia, é algo que nós conhecemos muito bem. Tiago está dizendo que devemos nos manter livres de tudo isso e que não devemos ser contaminados com tais coisas.[10]

Não podemos amar o mundo nem ser amigos dele. Não podemos nos conformar com o mundo para não sermos condenados com ele. A Bíblia fala que Demas amou o presente século, o mundo, e abandonou sua fé (2Tm 4.10).

Fomos tirados do mundo e separados para Deus. Somos enviados de volta ao mundo, não para o imitarmos, não para cobiçarmos as coisas más que há nele, mas para sermos luzeiros. Estamos fisicamente no mundo, mas não espiritualmente nele (Jo 17.11-16). Não somos tirados do mundo, mas guardados do mal. Não somos do mundo, mas estamos no mundo. Estamos nele não para que ele nos contamine, mas para sermos nele instrumentos de transformação.

---

[9]MOTYER, J. A. *The Message of James*. p. 76.
[10]BOYCE, James Montgomery. *Creio sim, mas e daí?*. p. 32.

No mundo somos embaixadores de Deus, somos ministros da reconciliação; somos sal, luz e perfume de Cristo.

Em terceiro lugar, **ele tem compaixão dos necessitados** (Tg 1.27). Tiago não está enfocando a questão doutrinária, mas um assunto de prática cristã. O conteúdo da fé é a morte expiatória de Cristo e Sua ressurreição gloriosa. O cuidado dos necessitados não é o conteúdo do cristianismo, mas sua expressão. A preocupação prática da religião de uma pessoa é o cuidado pelos outros.[11] A religião é a prática da fé. É a fé em ação. Seremos julgados com base nesse aspecto prático da religião (Mt 25.34-46). Quando nos olhamos no espelho da Palavra, nós vemos a Deus, a nós mesmos e, também, o nosso próximo (Is 6.3-8). Palavras não substituem obras (2.14-18; 1Jo 3.11-18).

Visitar os órfãos e as viúvas nas suas aflições não é apenas cortesia pietista. Não é um desencargo de consciência. Trata-se de socorro, de envolvimento, de empatia, de compaixão manifestada na ajuda concreta e no suprimento das necessidades reais daqueles que carecem e sofrem.

Constatamos, portanto, que o verdadeiro religioso não é egocêntrico, não é narcisista, não vive só para si, não vive recuado só no seu mundo, só olhando para si. Ele sai do casulo, da caverna da omissão. Ele se levanta da poltrona da indiferença. Ele age. Tem mãos abertas, coração dadivoso e bolso generoso. Não é dado à verborragia, mas à ação. Não ama apenas de palavra, mas de coração. Abomina o sentimentalismo inócuo. Usa a razão, e por isso dá pão a quem tem fome. Ele celebra a liturgia da generosidade e evidencia a verdadeira religião.

No dia do juízo, teremos de prestar conta de nossa vida. Seremos julgados segundo nossas obras. Dar pão a quem tem fome, distribuir roupa para quem está nu, visitar os enfermos e os presos e abrigar os forasteiros são atos concretos de amor que Jesus espera e cobrará de nós. Deixar de fazer essas coisas aos homens é deixar de fazê-las ao próprio Senhor Jesus. Cristianismo, portanto, é ver Cristo na face de nosso próximo; é servir a este como se o fizéssemos ao próprio Senhor Jesus.

---

[11] BOYCE, James Montgomery. *Creio sim, mas e daí?*. p. 33.

Aquele que professa a verdadeira religião possui três benefícios gloriosos: primeiro, aceitação de Deus (1.27). Somos aceitos por Deus em Cristo para a salvação. Mas quando exercemos a nossa fé em obediência à Palavra, o nosso serviço é aceito por Deus como aroma suave (Fp 4.18). Quando Tiago diz que há uma religião pura e sem mácula aceitável diante de Deus, significa dizer que há uma religião que não é aceitável para Deus. Qual é ela? É aquela apenas de palavras, de uma fé que não tem obras. Segundo, bênção pessoal (1.25): ... *este será bem-aventurado no que fizer*. Você quer que Deus o abençoe? Então, leia a Palavra, descubra o que ela diz e viva de acordo com a Palavra. Terceiro, bênção para outras pessoas (1.27).

Tornamo-nos instrumentos de Deus para aliviar o sofrimento das pessoas necessitadas. Seremos, então, o sal da terra e a luz do mundo.

4

Como saber se minha fé é verdadeira ou falsa

Tiago 2.1-26

O CAPÍTULO 2 DA CARTA DE TIAGO é um dos textos mais importantes da Bíblia. Muitos estudiosos não conseguiram entendê-lo. Lutero pensou que Tiago estivesse contradizendo Paulo (Rm 3.28 – Tg 2.24; Rm 4.2-3 – Tg 2.21). Logo, Lutero chamou Tiago de carta de palha[1] e sentiu que a carta de Tiago não tinha o peso do evangelho.[2]

Mas será que Tiago está contradizendo Paulo? Absolutamente não. Eles se complementam.[3] Paulo falou que a causa da salvação é a justificação pela fé somente. Tiago diz que a evidência da salvação são as obras da fé. Paulo olha para a causa da salvação e fala da fé. Tiago olha para a consequência da salvação e fala das obras. Paulo deixa isso claro: *Porque pela graça sois salvos, por meio da fé; e isto não vem de vós, é dom de Deus; não vem das obras, para que ninguém se glorie. Porque somos feitura sua, criados em Cristo Jesus para boas obras, as quais Deus antes preparou para que andássemos nelas* (Ef 2.8-10).

Calvino diz que a salvação é só pela fé, mas a fé salvadora não vem só. Ela se evidencia pelas obras. A questão levantada por Paulo era:

---
[1]GIBSON, E. C. S. *The Pulpit Commentary – James*. Vol. 21. Grand Rapids, Michigan: Eerdmans Publishing Company, 1978 , p. 38.
[2]BOYCE, James Montgomery. *Creio sim, mas e daí?*. p. 55.
[3]BOYCE, James Montgomery. *Creio sim, mas e daí?*. p. 57.

"Como a salvação é recebida?" A resposta é: "Pela fé somente". A pergunta de Tiago era: "Como essa fé verdadeira é reconhecida?" A resposta é: "Pelas obras!" Assim, Tiago e Paulo não estão se contradizendo, mas se completando. Somos justificados diante de Deus pela fé, somos justificados diante dos homens pelas obras. Deus pode ver a nossa fé, mas os homens só podem ver as nossas obras.

A fé **testada** (2.1-13)

Tiago falou que nascemos da Palavra (1.18), ouvimos a Palavra (1.19), acolhemos a Palavra (1.21), mas devemos também praticar a Palavra (1.23). Ouvir a Palavra e falar a Palavra não substitui o praticar a Palavra. Apenas ter uma confissão de fé ortodoxa não substitui o praticar a Palavra.

Tiago mostra que a maneira como nos comportamos com as pessoas indica o que realmente nós cremos sobre Deus. Não podemos separar relacionamento humano de comunhão divina (1Jo 4.20). Nesse parágrafo, Tiago diz que nós podemos testar nossa fé pela maneira como nós tratamos as pessoas.

Tiago diz que a fé verdadeira é conhecida pelo relacionamento imparcial com as pessoas (2.1-4). Favoritismo e acepção de pessoas não são atitudes de um cristão.[4] Dois visitantes entram na igreja: um rico e outro pobre. Oferecer maiores privilégios ao rico e desprezar o pobre é negar a nossa fé no Senhor da glória. Jesus não valorizava as pessoas pela cor da pele, pela beleza das roupas, ou pelo dinheiro. Jesus não julgava as pessoas pela aparência (Mt 22.16). Ele, sendo o Senhor da glória, se fez pobre e não julgou as pessoas pela aparência. Jesus acolheu os ricos e os pobres; os religiosos e os publicanos; os doentes e as crianças; os israelitas e os gentios. Sua Palavra orienta-nos a não julgarmos as pessoas pela aparência (Jo 7.24). Abraão Lincoln disse certa feita: "Deus deve amar as pessoas simples, porque Ele fez muitas delas".[5]

A ênfase de Tiago agora é sobre a soberana escolha de Deus (2.5-7). A salvação não está baseada em mérito humano nem mesmo em nossas

---

[4] Lv 19.15; Dt 1.17; Pv 24.13; 28.21; Mt 22.16.
[5] BARCLAY, William. *The Letter of James and Peter*. Philadelphia: The Westminster Press, 1976, p. 66.

obras. A salvação não é comprada nem merecida (Ef 1.4-7; 2.8-10). Deus ignora diferenças nacionais (salvou Cornélio). Ele ignora diferenças sociais (salva senhores e escravos: Filemom e Onésimo). A escolha divina não está baseada no que a pessoa tem (1Co 1.26,27). É possível uma pessoa ser pobre neste mundo e rica no vindouro. Ser rica neste mundo e pobre no vindouro (1Tm 6.17,18). Devemos tratar as pessoas como Deus as trata, e não de acordo com o seu *status* social.

A essência da lei de Deus é o amor ao próximo como a nós mesmos (2.8-11). A questão não é quem é o meu próximo, mas para quem eu posso ser o próximo?[6] O amor é o cumprimento de toda a lei. Amar é tratar as pessoas como Deus nos trata. O sacerdote e o levita tinham uma fé ortodoxa. Eles serviam no templo. Mas eles falharam em viver a fé amando o próximo. A fé era ortodoxa, mas estava morta (Lc 10.31,32). Quem não ama é transgressor da lei. E se tropeçarmos em um único ponto, somos culpados da lei inteira (2.10).

Nossa fé será finalmente provada no dia do juízo (2.12,13). E o que será julgado? Primeiro, nossas palavras: palavras de acepção (2.3), palavras de desprezo (2.6), palavras frívolas (Mt 12.36). Segundo, nossas atitudes também serão julgadas. Quando não usamos de misericórdia com as pessoas, estamos negando nossa fé e atraindo sobre nossa cabeça o juízo de Deus (2.13). Precisamos estar seguros de que praticamos as doutrinas que defendemos. O profeta Jonas tinha uma maravilhosa teologia, mas ele odiou as pessoas e estava irado com Deus (Jn 4.1-11). Sua vida não estava de acordo com sua fé, sua ortodoxia estava em desarmonia com sua conduta.

A fé **morta** (2.14-17)

A fé é uma doutrina chave no cristianismo. O pecador é salvo pela fé (Ef 2.8,9), o justo vive pela fé (Rm 1.17). Sem fé é impossível agradar a Deus (Hb 11.6). Tudo o que é feito sem fé é pecado (Rm 14.23).[7]

Em Hebreus 11 encontramos a galeria da fé, em que homens e mulheres creram em Deus, viveram e morreram pela fé. Fé é a

---
[6] WIERSBE, Warren. *The Bible Expository Commentary*. Vol. 2, p. 352.
[7] WIERSBE, Warren. *The Bible Expository Commentary*. Vol. 2, p. 353.

confiança de que a Palavra de Deus é verdadeira, não importam as circunstâncias.

Qual é o tipo de fé que salva uma pessoa? Nem todas as pessoas que dizem crer em Jesus estão salvas (Mt 7.21). Quais são as características de uma fé morta?

Em primeiro lugar, *é uma fé que não desemboca em vida santa*. A fé morta está divorciada da prática da piedade. Há um hiato, um abismo entre o que a pessoa professa e o que a pessoa vive. Ela crê na verdade, mas não é transformada por essa verdade. A verdade chegou à sua mente, mas não desceu a seu coração. É um erro pensar que apenas recitar ou defender um credo ortodoxo faz de uma pessoa um cristão. Assentimento intelectual, apenas, não é fé salvadora. A fé que não produz vida, que não gera transformação, é uma fé espúria (Mt 7.21).

Certo pastor, ao ser confrontado em razão de seu adultério, respondeu: "E daí se eu estou cometendo adultério? Eu prego melhores sermões do que antes". Esse homem estava dizendo que enquanto ele acreditasse e pregasse doutrinas ortodoxas, não importava a vida que ele levava.[8] Mas Tiago ataca esse tipo de pensamento.

As igrejas estão cheias de pessoas que dizem que creem, mas não vivem o que creem. Isso é fé morta.

Em segundo lugar, *é uma fé meramente intelectual*. A pessoa consente com certas verdades, mas não é transformada por elas.[9] No versículo 14, Tiago pergunta: *Pode, acaso, semelhante fé salvá-lo?* Quando Tiago usa a palavra *semelhante*, ele está falando de um certo tipo de fé, ou seja, a fé apenas verbal em oposição à fé verdadeira. Ainda no versículo 14, ele pergunta: *Que proveito há, meus irmãos, se alguém disser que tem fé e não tiver obras?* A fé aqui descrita existe apenas na base da pretensão.[10] A pessoa diz que tem fé, mas na verdade não tem.

As pessoas com uma fé morta substituem obras por palavras.[11] Elas conhecem as doutrinas, mas elas não praticam a doutrina. Elas têm

---
[8]BOYCE, James Montgomery. *Creio sim, mas e daí?*. p. 56.
[9]BOYCE, James Montgomery. *Creio sim, mas e daí?*. p. 59.
[10]BOYCE, James Montgomery. *Creio sim, mas e daí?*. p. 59.
[11]WIERSBE, Warren. *The Bible Expository Commentary*. Vol. 2, p. 354.

discurso, mas não têm vida. A fé está apenas na mente, mas não na ponta dos dedos.

Em terceiro lugar, *é uma fé que não produz frutos dignos de arrependimento*. Essa fé é ineficiente, inoperante e não produz nenhum resultado. Ela tem sentimento, mas não ação. Tiago dá dois exemplos para ilustrar a fé morta (2.15,16). Um crente vem para a igreja sem roupas próprias e sem comida. Uma pessoa com uma fé morta vê essa situação e não faz nada para resolver o problema do irmão necessitado. Tudo o que ele faz é falar algumas palavras piedosas (2.16).

Comida e roupa são necessidades básicas (1Tm 6.8; Gn 28.20). Como crentes, devemos ajudar a todos e, principalmente, aos que professam a mesma fé (Gl 6.10). Seremos julgados por esse critério (Mt 25.40). Deixar de ajudar o necessitado é fechar o coração ao amor de Deus (1Jo 3.17,18). O sacerdote e o levita podiam pregar sobre sua fé, mas não demonstraram a sua fé (Lc 10.31,32). João Calvino diz: "Só a fé justifica, mas a fé que justifica jamais vem só".

Em quarto lugar, *é uma fé sem nenhum valor*. Ela é inútil. A fé sem obras é inoperante (2.20). Se, de forma geral a fé é inútil, ela também o é no caso da salvação![12]

Em quinto lugar, *é uma fé incompleta*. Tiago diz que a fé sem as obras está incompleta (2.22), visto que são as obras que consumam a fé. As obras são a evidência da fé.

Somos salvos pela fé para as obras (Ef 2.8-10). Se não tem obras, não tem fé!

Em último lugar, *é uma fé morta*. Tiago é claro em afirmar que a fé sem as obras está morta (2.17; 2.26), e uma fé morta não salva ninguém. Essa fé intelectual, inútil, incompleta e morta não salva ninguém. Ortodoxia sem piedade produz morte. James Boyce diz que não podemos ser cristãos e, ao mesmo tempo, ignorar as necessidades dos outros. Devemos reconhecer que, se há alguém com fome e nós temos os meios para socorrê-lo, não somos cristãos de verdade se não ajudarmos essa pessoa. Não podemos ser indiferentes às necessidades do próximo e ainda professar que somos cristãos.[13]

---

[12]BOYCE, James Montgomery. *Creio sim, mas e daí?*. p. 60.
[13]BOYCE, James Montgomery. *Creio sim, mas e daí?*. p. 61.

A fé dos demônios (2.19)

A fé morta é uma fé que atinge apenas o intelecto. A fé dos demônios atinge o intelecto e também as emoções. Os demônios têm um estágio mais avançado de fé que muitos crentes. A fé dos demônios não é apenas intelectual, mas também emocional. Eles creem e tremem!

Crer e tremer não é uma experiência salvadora. Você não conhece uma pessoa salva pelo conhecimento que adquire nem pelas emoções que demonstra, mas pela vida que vive (Tg 2.18).

No que os demônios creem? Warren Wiersbe responde a essa pergunta, dizendo:[14] em primeiro lugar, *os demônios creem que Deus é um só*. Os demônios creem na existência de Deus. Eles não são nem ateístas nem agnósticos. Eles creem na *shemma* judaica: "Ouve ó Israel, o Senhor nosso Deus é o único Senhor". Mas essa crença dos demônios não pode salvá-los.

Em segundo lugar, *os demônios creem na divindade de Cristo*. Os demônios corriam para ajoelhar-se diante de Cristo para adorá-Lo (Mc 3.11,12). Eles sabiam quem era Jesus. Eles se prostravam aos pés do Senhor Jesus.

Em terceiro lugar, *os demônios creem na existência de um lugar de penalidades eternas*. Eles sabem que o inferno foi criado para o diabo e seus anjos. Eles sabem que o inferno é destinado para todos aqueles cujos nomes não forem encontrados no Livro da Vida. Eles não negam a existência do inferno (Lc 8.31). Eles creem nas penalidades eternas.

Em quarto lugar, *os demônios creem que Cristo é o supremo Juiz que os julgará*. Os demônios sabem que terão de comparecer diante de Cristo, o supremo juiz. Eles creem no julgamento final. Eles creem que todo joelho se dobrará diante de Cristo. Entretanto, os demônios estão perdidos, eternamente perdidos. Uma fé meramente intelectual e emocional coloca-nos apenas no patamar dos demônios.

A fé salvadora (Tg 2.20-26)

A fé salvadora pode ser sintetizada em três palavras: *notitia* (conteúdo),

---

[14] WIERSBE, Warren. *The Bible Expository Commentary*. Vol. 2, p. 355.

assensus (concordância), *fiducia* (confiança): conteúdo, concordância e confiança.[15] A fé verdadeira inclui o intelecto, as emoções e a vontade. O conteúdo da fé é a verdade de Deus. Eu recebo essa verdade e confio nela e por ela sou transformado.

Como Tiago descreve a fé verdadeira? Warren Wiersbe responde a esta questão oferecendo vários pontos.[16]

Em primeiro lugar, *a fé salvadora está baseada na Palavra de Deus*. James Boyce diz que o primeiro elemento da fé salvadora é o conteúdo intelectual expresso como doutrinas básicas do cristianismo.[17] Tiago cita dois exemplos: Abraão e Raabe. Duas pessoas totalmente diferentes: Abraão, o amigo de Deus; Raabe, membro dos inimigos de Deus. Abraão, piedoso; Raabe, prostituta. Abraão, judeu; Raabe, gentia. O que tinham em comum? Ambos confiaram na Palavra de Deus. A questão não é a fé, mas o objeto da fé. Não é fé na fé. Não é fé nos ídolos. Não é fé nos ancestrais. Não é fé na confissão positiva. Não é fé nos méritos. É fé em Deus e em Sua Palavra. A fé está baseada em um conjunto de verdades. A fé está estribada em Deus e em Sua Palavra. Não é fé em subjetividades, mas fé na Palavra.

Em segundo lugar, *a fé salvadora envolve todo o ser humano*. A fé morta toca apenas o intelecto. A fé dos demônios toca o intelecto e também as emoções. Mas a fé salvadora atinge o intelecto, as emoções e também a vontade. A mente entende a verdade, o coração deseja a verdade, e a vontade age com base na verdade.

Em terceiro lugar, *a fé salvadora conduz à ação*. Tiago cita dois exemplos de fé que produziram ação: primeiro, o exemplo de Abraão. Gênesis 15.6 diz que Abraão creu e isso lhe foi imputado para justiça. Gênesis 22.1-19 mostra a obediência de Abraão ao oferecer o seu filho para Deus, crendo que Deus poderia ressuscitá-lo (Hb 11.19). Abraão não foi salvo por obedecer a esse difícil mandamento. Sua obediência provou que ele já era salvo. Abraão não foi salvo pela fé mais as obras, mas pela fé que produz obras.

---

[15] BOYCE, James Montgomery. *Creio sim, mas e daí?*. p. 62,63.
[16] WIERSBE, Warren. *The Bible Expository Commentary*. Vol. 2, p. 355.
[17] BOYCE, James Montgomery. *Creio sim, mas e daí?*. p. 62.

Como, então, Abraão foi justificado pelas obras, uma vez que já tinha sido justificado pela fé (Gn 15.6; Rm 4.2,3)? Pela fé, ele foi justificado diante de Deus, e sua justiça foi declarada. Pelas obras, ele foi justificado diante dos homens, e sua justiça foi demonstrada. A fé do patriarca Abraão foi demonstrada por suas obras.

Segundo, o exemplo de Raabe. Ela creu e agiu. Ela ouviu a Palavra de Deus e reconheceu que estava em uma cidade condenada. Ela não somente entendeu a mensagem, mas seu coração foi tocado (Js 2.11), e assim fez alguma coisa: protegeu os espias (Hb 11.31). Ela arriscou sua própria vida para proteger os espias. Mais tarde ela fez parte do povo de Deus (Mt 1.5) e tornou-se membro da genealogia de Cristo. Isso é graça que opera a fé salvadora.

O apóstolo Paulo diz que do mesmo jeito que somos destinados para a salvação, somos também destinados para as boas obras. Se a ordenação é determinativa no caso da salvação, também o é no caso das boas obras. A salvação é só pela fé, mas por uma fé que não está só. Uma fé viva se expressa por obras, ou seja, uma vida que traz glória a Jesus.

Paulo ainda nos exorta a um autoexame: *Examinai-vos a vós mesmos se permaneceis na fé; provai-vos a vós mesmos. Ou não sabeis quanto a vós mesmos, que Jesus Cristo está em vós? Se não é que já estais reprovados* (2Co 13.5). A fé salvadora precisa ser examinada: houve um tempo em que, sinceramente, reconheci meu pecado diante de Deus? Houve um tempo em que meu coração desejou fortemente fugir da ira vindoura? Houve um tempo em que compreendi que Cristo morreu pelos meus pecados e já confessei que não posso salvar-me a mim mesmo? Houve um tempo em que sinceramente eu me arrependi de meus pecados? Houve um tempo em que realmente depositei minha confiança no Senhor Jesus? Houve um tempo em que de fato houve mudança em minha vida? Desejo viver para a glória de Deus, pregar a salvação para os outros e ajudar os necessitados? Tenho prazer na intimidade com Deus? Se você pode responder a essas perguntas positivamente, então os sinais da fé verdadeira estão presentes na sua vida.

5

Como conhecer o
poder da língua

Tiago 3.1-12

CERTAMENTE VOCÊ CONHECE O PODER terapêutico da palavra. Provavelmente você já viu coisas lindas acerca de pessoas que foram levantadas e curadas, refeitas e reanimadas por uma palavra boa. A palavra boa é como medicina, ela traz cura. Uma pessoa está abatida, triste, desanimada, aflita, sem sonhos, e, de repente, alguém chega com uma palavra oportuna, apropriada; e essa palavra, como bálsamo do céu, traz um novo ânimo e um novo alento.

Entretanto, nós também somos testemunhas de pessoas, famílias e comunidades, que são minadas e destruídas por palavras insensatas. Há palavras que ferem mais que uma espada afiada. A Bíblia relata um exemplo dramático a esse respeito. Saul estava louco, possesso de ódio por Davi, seu genro. Davi não apenas tinha sido escolhido por Deus em seu lugar, mas também tinha sido escolhido pelo povo, como o herói nacional. Ao ser ungido pelo profeta Samuel para ser rei sobre Israel, Davi começou a ter muitos problemas. Sua unção não o levou ao trono, mas à escola do sofrimento e do quebrantamento. Em vez de Davi pisar os tapetes aveludados do palácio, pisou as areias esbraseantes do deserto. Em vez de subir ao palco da fama, sob as luzes da ribalta, precisou esconder-se nas cavernas. Em vez de Davi andar pelas ruas, em um carro alegórico, sendo aplaudido pelas multidões em festa, ele precisa perambular pelo deserto, esconder-se nas cavernas, e buscar refúgio até mesmo fora do território de Israel para salvar sua vida da fúria de um rei louco. Em uma dessas andanças, fugindo de Saul, ele chega à cidade de Nobe, onde morava uma comunidade de sacerdotes. Davi e seus homens chegaram ali com fome. O sacerdote disse que não havia alimento para eles, senão o pão da proposição, aquele pão que era colocado na mesa da proposição todos os dias, como símbolo do alimento espiritual.

O sacerdote deu aquele pão para Davi. Este pegou a espada de Golias, que lá estava guardada, e saiu. Mas, ali estava um homem que ouviu toda a conversa entre Davi e o sacerdote. Esse homem chamava-se Doegue, um aliado de Saul. Este homem, de forma irresponsável, inconsequente e demoníaca foi ter com Saul e distorceu os fatos, escamoteou a verdade, delatando o sacerdote, como se este estivesse mancomunado com Davi em um plano de conspiração.

Saul, envenenado pela mentira de Doegue, mandou chamar o sacerdote e responsabilizou-o por ter-se ajuntado com Davi para traí-lo. O sacerdote tentou se defender, revelando a veracidade dos fatos, mas Saul, contaminado por uma palavra torcida, diabólica, falsa, tendenciosa de Doegue, resolveu destruir o sacerdote e toda a comunidade de sacerdotes da cidade de Nobe. Saul deu uma ordem a seus homens para matar o sacerdote, bem como os outros 85 sacerdotes. Os homens de Saul recusaram-se a cumprir a ordem insana. Então, Saul obrigou o próprio Doegue, o delator, a lançar-se contra os sacerdotes para matá-los. Doegue passou ao fio da espada os homens, as mulheres, as crianças, as crianças de peito e até aos animais (1Sm 2.1-9; 22.619). Foi uma chacina, por causa de uma palavra mal colocada, que delatara o sacerdote e alterara a notícia, dando uma conotação de traição e conspiração contra o rei.

Isso nos mostra como a língua pode ser um instrumento de bênção ou de destruição. Salomão, em Provérbios 6.16-19, elenca seis pecados que Deus aborrece e um pecado que a alma de Deus abomina. Dos sete pecados, três estão ligados ao pecado da língua: a língua mentirosa, a testemunha falsa que profere mentiras e o que semeia contendas entre irmãos.

Tiago chegou a dizer, nessa carta, que ninguém pode se dizer religioso sem primeiro refrear sua língua (1.27). Tiago está dizendo que podemos ter um conhecimento colossal das Escrituras, podemos ter um invejável cabedal teológico, mas se não dominamos a nossa língua, a nossa religião é vã. Para Tiago, para ser um cristão verdadeiro não basta apenas a teologia ortodoxa, é preciso também uma língua controlada.

Vamos observar algumas coisas importantes em Tiago 3.1-12.

Tiago diz que se você quer ser um líder e um mestre precisa tomar um grande cuidado (3.1). Não que seja ilegítimo aspirar à liderança, sobretudo se Deus lhe deu essa capacidade. Mas saiba de uma coisa, o mestre terá um juízo maior. Quanto mais conhecimento e experiência você tem, mais responsável você se torna diante de Deus e dos homens. O critério do juízo vai ser mais rigoroso. E aí Tiago começa a colocar a questão da língua num aspecto muito interessante, que é a questão do tropeço. Nós tropeçamos em muitas coisas, aquele que não tropeça no falar é perfeito varão, é capaz de manter o controle de todo seu corpo (3.2).

Obviamente todos nós já falhamos, já tropeçamos em nossa própria língua. Quantas vezes já ficamos envergonhados de falar aquilo que não deveríamos ter falado, na hora em que não deveríamos ter falado, com a pessoa que não deveríamos ter falado, com a intensidade e o volume da voz que não deveríamos ter usado. Uma palavra falada é como uma seta lançada, não tem jeito de retorná-la. É como um saco de penas soltas do alto de uma montanha, não podemos mais recolhê-las.

Tiago, então, diz que se você controla sua língua, você controla o seu corpo inteiro, você domina sua vida. Nós tropeçamos, e a Bíblia diz que é um laço para o homem o dizer precipitadamente, pois além dos estragos provocados na vida de outros e na nossa própria vida, ainda vamos dar conta no dia do juízo por todas as palavras frívolas que proferimos. Pelas nossas palavras seremos inocentados, ou pelas nossas palavras seremos condenados.

Tiago enumera para nós algumas figuras importantíssimas no trato dessa importantíssima matéria. Warren Wiersbe diz que a língua tem o poder de dirigir, destruir e deleitar.[1]

---

[1] WIERSBE, Warren. *The Bible Expository Commentary*. Vol. 2, p. 358-362.

A língua tem o **poder de dirigir** (3.3,4)

Nós podemos conduzir uma multidão pela maneira como falamos, tanto para o bem como para o mal. Martin Luther King foi um pastor batista, cujo pai e avô também tinham sido pastores. Sua liderança foi fundamental para o sucesso do movimento de igualdade de direitos civis entre negros e brancos nos Estados Unidos, nos idos de 1960. Enquanto exercia Seu ministério em Montgomery, Alabama, relacionou-se com um grupo de militantes dos direitos civis e tornou-se conhecido ao liderar um movimento contra a segregação racial nos ônibus da cidade. Em agosto de 1963, a campanha antirracista atingiu o auge, quando mais de 200.000 pessoas participaram de uma concentração diante do monumento de Lincoln, em Washington. Na ocasião, Luther King pronunciou seu famoso discurso "Eu tenho um sonho". Ele disse à multidão presente, bem como aos pósteros: "Eu tenho um sonho, de que um dia, em meu país, os meus filhos sejam julgados não pela cor da sua pele, mas pela dignidade de seu caráter". Em 1964, ano em que Martin Luther King ganhou o Prêmio Nobel da Paz, o governo americano sancionou a lei dos direitos civis, favorável às minorias raciais. Martin Luther King foi assassinado por um atirador branco em Memphis, no Tennessee, em 4 de abril de 1968.[2] Ele tombou como mártir da sua causa, mas deixou depois de si, um país melhor, mais justo e mais humano.

Mas a língua também pode induzir as pessoas à prática do mal. Adolf Hitler era um orador que eletrizava as massas e conduzia multidões inteiras à loucura e às práticas extremamente cruéis e desumanas. Ele usou sua oratória para levar a Alemanha à guerra.[3] Suas ideias foram despejadas como ácido do inferno sobre a mente do povo alemão. Até hoje ficamos perplexos e atordoados ao vermos filmes como *O Holocausto*, *A Lista de Schindler* e *O Pianista*. Esses filmes retratam a realidade crua e perversa da destruição em massa do povo judeu nos campos de concentração nazistas.

---

[2]*Nova Enciclopédia Barsa*. Vol. 8. Enciclopédia Britânica do Brasil Publicações Ltda, 1998, p. 405,406.
[3]Boyce, James Montgomery. *Creio sim, mas e daí?*. p. 70.

A língua tem o poder de dirigir tanto para o bem como para o mal. Tiago usa duas figuras para mostrar o poder da língua: *o freio* e *o leme* (3.3,4). Para que serve um cavalo indomável e selvagem? Um animal indócil não pode ser útil, antes, é perigoso. Mas, se você coloca freio nesse cavalo, você o conduz para onde você quer. Através do freio a inclinação selvagem é subjugada, e ele se torna dócil e útil. Tiago diz que a língua é do mesmo jeito. Se você consegue controlar a sua língua, também conseguirá dominar os seus impulsos, a sua natureza e canalizar toda a sua vida para um fim proveitoso.

Tiago usa também a figura do leme. Um navio transatlântico é dirigido para lá ou para cá, pelo timoneiro, por meio de um pequeno leme. Imagine o que seria um navio sem o leme. Colocaria em risco a vida dos tripulantes, a vida dos passageiros e a carga que transporta. Isso seria um grande desastre. Sem leme, um navio seria um instrumento de morte, de naufrágio, de loucura. O leme, porém, pode conduzir esse grande transatlântico, fugindo dos rochedos, das rochas submersas e pode transportar em paz e segurança os passageiros, os tripulantes e a carga que nele está.

O que Tiago está dizendo é que se nós não controlarmos a nossa língua, nós seremos como um transatlântico sem leme e sem direção. Se não controlarmos nossa língua, vamos nos arrebentar nos rochedos, vamos nos destruir e vamos ainda destruir quem está perto de nós, porque a língua tem poder de dirigir para bem ou para o mal.

A língua tem o **poder de destruir** (3.5-8)

Tiago lança mão de outras duas figuras: *o fogo* e *o veneno* (3.5-8). Ele diz que uma fagulha pequena incendeia toda uma floresta. Você já parou para perceber que um incêndio de proporções tremendas pode ser causado por uma simples guimba de cigarro ou por um mero palito de fósforo? Aquela chama inicial é tão pequena que, se você der um sopro, ela se apaga. Mas o que adianta você soprar um fogo que se alastra por uma floresta? Aí não adianta mais. O fogo, depois que se agiganta e alastra torna-se indomável e deixa atrás de si grande devastação. Assim é o poder da língua.[4] Onde

---
[4] Provérbios 26.20; 16.27.

um comentário maledicente se espalha, onde a boataria medra e onde a fofoca se infiltra, como labaredas de fogo, vai se alastrando e provocando destruição. Assim como o fogo cresce, espalha, fere, destrói e provoca sofrimento, prejuízo e destruição, assim também é o poder da língua.

No dia 8 de outubro de 1871, às oito horas e trinta minutos da noite, durante uma campanha evangelística de Dwight Liman Moody, em Chicago, aconteceu um terrível incêndio. Mais de cem mil pessoas ficaram sem casas, dezessete mil e quinhentos prédios foram destruídos e centenas de pessoas morreram.[5] Aquele incêndio começou tênue e pequeno, mas atingiu proporções avassaladoras. Assim é o poder da língua, diz Tiago.

É do conhecimento geral o que aconteceu no ano 64 d.C. na cidade de Roma. O imperador romano Nero, em sua insanidade, pôs fogo em Roma, assistindo ao espetáculo horrendo das chamas lambendo a cidade com fúria e à destruição do alto da torre de Mecenas. Dos quatorze bairros de Roma, dez foram devastados e destruídos pelas chamas. O que Tiago está querendo nos alertar é que a língua tem o poder do fogo, o poder de destruir. Como o fogo destrói, também a língua destrói.

No final do século XIX, na cidade de Denver, Colorado, Estados Unidos, quatro repórteres aguardavam ansiosamente a chegada de um famoso político, um senador, que haveria de visitar a cidade. Os repórteres posicionaram-se para receber o dito senador, um homem de projeção no país. Entrementes, para a frustração deles, o senador não chegou, e eles ficaram tão decepcionados e desiludidos que resolveram ir para o *Oxford Hotel* e começaram a beber. Durante toda aquela noite, beberam em excesso. Depois de embriagados, eles resolveram escrever uma matéria para o jornal que pudesse chamar a atenção da população. De forma contundente, escreveram um artigo cuja manchete era: "A China anuncia a derribada de suas multisseculares muralhas".

A notícia chegou à China como uma bomba explosiva e provocou uma grande confusão. Os chineses reagiram furiosamente, abrigando um grande ódio pelos ocidentais. Os cristãos ocidentais que moravam na China passaram a ser perseguidos. Essa malfadada notícia provocou na China a sangrenta Revolução dos *Boxers*.

---

[5]WIERSBE, Warren. *The Bible Expository Commentary*. Vol. 2, p. 359.

Em maio de 1900 essa revolução se alastrou, provocando grandes tragédias e a perda de milhares de vidas. Foi preciso que os Estados Unidos, a Inglaterra, a Alemanha, a França e o Japão se unissem para defender os ocidentais. Dezenove mil soldados aliados capturaram Pequim no dia 14 de agosto de 1900, mas, naquele mesmo dia, 250 ocidentais foram assassinados naquela cidade. Só um ano depois é que o tratado de paz foi assinado. Contudo, os chineses expulsaram os estrangeiros da China. Esse fato medonho, provocado por uma mentira, foi o combustível para inflamar o nacionalismo chinês, encarnado na revolução comunista de 1949.

Aqueles quatro repórteres de Denver jamais poderiam imaginar que uma notícia inconsequente pudesse trazer transtornos, prejuízos e tragédias tão gigantescas, de proporções tão avassaladoras. Assim é a língua, diz Tiago.

Muitas vezes, faz-se comentários acerca de uma pessoa, ou de uma determinada situação, em um tom jocoso, em tom de brincadeira, mas não podemos imaginar o que uma palavra irrefletida, mal colocada, pode provocar na vida de uma pessoa. E, então, Tiago está nos alertando que a língua tem de igual modo o poder destruidor. Tiago diz no versículo 6 que a língua é fogo. Ele não disse que é como fogo, mas é fogo. Tiago faz uma afirmação categórica. Ele diz também que a língua é um mundo de iniquidade. A língua corrompe. Mais do que isso, a língua contamina, fermenta, joga uma pessoa contra a outra.

Tiago diz no versículo 6 que a língua está situada entre os membros do nosso corpo, e contamina o corpo inteiro, e não só põe em chamas toda a carreira da existência humana, como também ela mesma é posta em chamas no inferno. Ela não só leva à destruição, como também será destruída.

Três coisas precisam ser destacadas no pensamento de Tiago.

Em primeiro lugar, *a língua é perigosa* (3.6). Ela é mundo de iniquidade, ela é fogo, ela coloca em destruição toda a carreira da vida humana.

Em segundo lugar, *a língua é indomável* (3.7). O homem, com o seu gênio, consegue domar os animais do campo, os répteis, os voláteis e também os animais aquáticos. O homem doma todas as criaturas do ar, da terra e do mar. Porém, o homem não consegue domar a própria língua. Se o homem conseguisse domar sua língua, diz Tiago, então ele seria um perfeito varão. O apóstolo Paulo diz que antes de abrirmos a boca, precisamos avaliar se a nossa palavra é verdadeira, amorosa, boa e edificante (Ef 4.29).

Sócrates, o pai da filosofia, costumava falar sobre a necessidade de passarmos tudo que ouvimos por três peneiras. Quando alguém chegava para contar-lhe alguma coisa, geralmente perguntava o seguinte: "Você já passou o que está me contando pelas três peneiras?" A primeira é a peneira da verdade. O que você está me falando é verdade? Se a pessoa titubeasse, dizendo: "Eu escutei falar que é verdade". Sócrates, prontamente dizia: "Bom, se você escutou falar, você não tem certeza". A segunda peneira é: "Você já falou para a pessoa envolvida o que você está me falando?" A terceira peneira: "O que você vai me contar, vai ajudar essa pessoa? Vai ser uma palavra boa, útil, edificante para ajudar na solução do problema?" Se a pessoa não podia responder positivamente ao crivo das três peneiras, então, Sócrates era enfático: "Por favor, não me conte nada, eu não quero saber".

O que Tiago está dizendo é que a língua é indomável. Às vezes, nós conseguimos dominar o universículo, mas não conseguimos domar nossa língua. Benjamim Franklin costumava dizer que o animal mais terrível do mundo tem a sua toca atrás dos dentes, e Tiago diz que este animal indomável e venenoso é a língua. Esse animal feroz e venenoso é pior que um escorpião, pior que uma jararaca peçonhenta. A picada de um escorpião ou de uma cobra pode ser tratada, mas muitas vezes, o veneno da língua é incurável.

Em terceiro lugar, *a língua é incoerente* (3.9-12). Você não pode encontrar em uma mesma fonte água salgada e água doce. Você não pode colher figos de um espinheiro nem espinhos de uma figueira, mas você fala coisas boas e coisas más com a mesma língua. Tiago está enfatizando o mesmo que Jesus Cristo disse, que a boca fala daquilo que o coração está cheio. Se o seu coração é mau, a palavra que vai sair da sua boca é má. A incoerência da língua está no fato de que com ela você bendiz a Deus e também amaldiçoa a seu irmão, criado à imagem e semelhança de Deus.

A mesma língua que usamos para falar dos outros é a mesma língua que usamos para louvar a Deus no culto. A mesma língua que usamos para glorificar ao Senhor com nossos cânticos e orações, usamos também para ferir de morte uma pessoa criada à imagem de Deus. A língua não apenas é incoerente, mas também contraditória.

A língua tem o **poder de deleitar** (Tg 3.9-12)

Tiago disse que a língua tem o poder de dirigir e citou dois exemplos: o freio e o leme. Também disse que a língua tem o poder de destruir e exemplificou com o fogo e o veneno. Mas, agora, Tiago fala que a língua tem, também, o poder de deleitar e citou mais dois exemplos: uma fonte e uma árvore.

Na Palestina, região árida e seca, quando se fala em fonte, fala-se de um lugar muitíssimo precioso. A fonte é um lugar onde os sedentos, os cansados chegam e encontram alento, vida, força, ânimo e coragem para prosseguirem a caminhada da vida. A Bíblia fala de Agar perambulando no deserto com seu filho Ismael. A água acabou, a sede implacável a dominou e o desespero tomou conta dela e do seu filho. Sem esperança, sentou-se longe do seu filho para chorar, pois não tinha coragem de vê-lo morrer na ânsia da sede implacável. Mas, do céu o anjo de Deus lhe falou. Uma fonte começou a jorrar água perto de Ismael e a esperança brotou em sua alma, a vida floresceu em seu peito e o futuro sorriu para ela (Gn 21.15-21). Assim é uma palavra boa: traz alento em meio ao cansaço; traz esperança em meio ao desespero; traz vida no portal da morte.

Que bênção você poder usar sua língua como uma fonte de refrigério para as pessoas, para abençoá-las, encorajá-las e consolá-las. Como é precioso trazer uma palavra boa, animadora e restauradora para uma alma aflita.

A principal marca do cristão maduro é ser parecido com Jesus, o varão perfeito. Uma das principais características de Jesus era que sempre que uma pessoa chegava aflita perto dEle saía animada, restaurada, com novo entusiasmo pela vida. Quando as pessoas chegam perto de você, elas saem mais animadas e encantadas com a vida? Elas saem cheias de entusiasmo, dizendo que valeu a pena conversar com você? Você tem sido uma fonte de vida para as pessoas? Sua família é abençoada pelas suas palavras? Seus colegas de escola e de trabalho são encorajados com a maneira de você falar?

Tiago compara também a língua com uma árvore e seu fruto. A árvore fala de fruto e fruto é alimento. Fruto renova as energias, a força, a saúde e dá capacidade para viver. Nós podemos alimentar as pessoas com uma palavra boa, uma palavra vinda do coração de Deus, uma palavra de consolo. Fruto também fala de um sabor especial. Nós podemos dar sabor à vida das pessoas pela maneira como nos comunicamos.

6

Como saber se sua sabedoria é **terrena** ou celestial

Tiago 3.13-18

TIAGO FALOU NOS VERSÍCULOS 1 A 12 sobre o poder da língua: ela tem o poder de dirigir (freio e leme), o poder de destruir (fogo e veneno) e o poder de deleitar (fonte e fruto). Agora, Tiago fala sobre a sabedoria para lidar com as circunstâncias e com as pessoas. Assim como o rei Salomão pediu sabedoria para Deus, nós também podemos pedir.

O que é sabedoria? Sabedoria é o uso correto do conhecimento. Uma pessoa pode ser culta e tola. Hoje se dá mais valor à inteligência emocional do que à inteligência intelectual. Uma pessoa pode ter muito conhecimento e não saber se relacionar com as pessoas. Ela pode ter muito conhecimento e não saber viver consigo e com os outros.

Sabedoria é também olhar para a vida com os olhos de Deus. A pergunta do sábio é: em meus passos, o que faria Jesus? Como ele falaria, como agiria, como reagiria? Cristo não foi um mestre da escola clássica. Ele ensinou os Seus discípulos na escola da vida. Ensinar a sabedoria é mais importante do que apenas transmitir conhecimento.

Tiago está contrastando dois diferentes tipos de sabedoria: a sabedoria da terra e a sabedoria do céu.[1] Qual sabedoria governa a sua vida? Por qual caminho você está trilhando? Que tipo de vida você está

---

[1] Boyce, James Montgomery. *Creio sim, mas e daí?*. p. 78.

vivendo? Que frutos esse estilo de vida está produzindo? A sua fonte é doce ou salgada (3.12)?

Tiago mostra, também, que essa sabedoria se reflete nos relacionamentos (3.13.14). Sábio é aquele que é santo em caráter, profundo em discernimento e útil nos conselhos. Você conhece o sábio e o inteligente pela mansidão da sua sabedoria e pelas suas obras, ou seja, imitando a Jesus, que foi manso e humilde de coração (Mt 11.29). Warren Wiersbe, comparando a sabedoria de Deus com a sabedoria do mundo, faz três contrastes: quanto à sua origem, quanto às suas características e quanto aos resultados.[2]

O contraste sobre a **origem da sabedoria** (3.15-17a)

Há uma sabedoria que vem do alto e outra que vem da terra. Há uma sabedoria que vem de Deus e outra engendrada pelo próprio homem. A Bíblia traz alguns exemplos da tolice da sabedoria do homem: primeiro, a torre de Babel parecia ser um projeto sábio, mas terminou em fracasso e confusão (Gn 11.9). Segundo, pareceu sábio a Abraão descer ao Egito em tempo de fome em Canaã, mas os resultados provaram o contrário (Gn 12.10-20). Terceiro, o rei Saul pensou que estava sendo sábio quando colocou a sua armadura em Davi (1Sm 17.38,39). Quarto, os discípulos pensaram que estavam sendo sábios pedindo a Jesus para despedir a multidão no deserto, mas o plano de Cristo era alimentá-la por meio deles (Mt 14.15,16). Quinto, os especialistas em viagens marítimas pensaram que era sábio viajar para Roma e por isso não ouviram os conselhos de Paulo e fracassaram (At 27.9-11).[3]

A sabedoria da terra tem três características: terrena, animal (não espiritual) e demoníaca.

Em primeiro lugar, *ela é terrena* (3.15). É a sabedoria deste mundo (1Co 1.20,21). A sabedoria de Deus é tolice para o mundo e a sabedoria do mundo é tolice para Deus. A sabedoria do homem vem da razão, enquanto a sabedoria de Deus vem da revelação. A sabedoria do

---

[2]WIERSBE, Warren. *The Bible Expository Commentary*. Vol. 2, p. 363-366.
[3]WIERSBE, Warren. *The Bible Expository Commentary*. Vol. 2, p. 362.

homem desemboca no fracasso, a sabedoria de Deus dura para sempre. Augusto Comte é o pai do Positivismo. O Positivismo prega que o problema básico da humanidade é a educação. As pessoas são más, dizem, porque são ignorantes. Desde o Iluminismo francês do século XVIII, o homem começou a sentir orgulho de seu conhecimento, da sua razão, de suas conquistas. Embalado pelo otimismo do humanismo idolátrico, o homem pensou em construir um paraíso na terra com as suas próprias mãos. Mas esse sonho dourado transformou-se em pesadelo. No auge do otimismo humanista, o século XX foi sacudido por duas sangrentas guerras mundiais. A sabedoria terrena não conseguiu resolver o problema da humanidade. O homem tem conhecimento, dinheiro, poder, ciência, mas é um ser corrompido e mau, mais amante dos prazeres que de Deus. Entregue a si mesmo, o homem é apenas um monstro, ainda que bafejado de requintado conhecimento.

Em segundo lugar, *ela é animal ou não espiritual* (3.15). A palavra grega é *psykikos*. Essa palavra é traduzida por natural, (1Co 2.14; 15.44,46) como oposto de espiritual.[4] Em Judas 19, essa palavra é traduzida como sensual. Essa sabedoria está em oposição à nova natureza que temos em Cristo. É uma sabedoria totalmente à parte do Espírito de Deus. Essa sabedoria escarnece das coisas espirituais. O mundo está cada vez mais secularizado. As coisas de Deus não importam. A Palavra de Deus não governa a vida familiar, econômica, profissional, sentimental das pessoas.

Empurramos Deus para dentro dos templos.

Em terceiro lugar, *ela é demoníaca* (3.15). Essa foi a sabedoria usada pela serpente para enganar Eva, induzindo-a a querer ser igual a Deus e fazendo-a descrer de Deus para crer nas mentiras do diabo. As pessoas hoje continuam crendo nas mentiras do diabo (Rm 1.18-25). O diabo se transfigura em anjo de luz para enganar as pessoas. Pedro revelou essa sabedoria quando tentou induzir Cristo a fugir da cruz (Mc 8.32,33). Norman Champlin sintetiza esses três tipos trágicos de sabedoria da seguinte maneira:

---
[4]WIERSBE, Warren. *The Bible Expository Commentary.* Vol. 2, p. 363.

Essa sabedoria é "terrena" porque busca distinções terrenas e pertence a categorias terrenas. Além disso, ela é sensual, isto é, natural, porque é o resultado de princípios que atuam sobre os homens naturais, como a inveja, a ambição, o orgulho, etc. Finalmente, ela é demoníaca, porque, primeiramente, veio do diabo, constituindo a imagem mesma de seu orgulho, de sua ambição, de sua malignidade e de sua falsidade.[5]

Agora, Tiago fala sobre *a sabedoria do alto*. A verdadeira sabedoria vem de Deus, do alto, visto que ela é fruto de oração (1.5), ela é dom de Deus (1.17). Essa sabedoria está em Cristo: Ele é a nossa sabedoria (1Co 1.30). Em Jesus nós temos todos os tesouros da sabedoria (Cl 2.3). Essa sabedoria está na Palavra, visto que ela nos torna sábios para a salvação (2Tm 3.15). Ela nos é dada como resposta de oração (Ef 1.17; Tg 1.5).

Contraste sobre as **características** da sabedoria (3.13,14,17)

Desde que as duas sabedorias procedem de origens radicalmente opostas, elas também operam em caminhos diferentes.[6]

Qual é a evidência da falsa sabedoria?

Em primeiro lugar, *ela se manifesta por meio de uma inveja amargurada* (3.14,16). Essa ambição está ligada à cobiça de posição e *status*. Tiago alertou para o perigo de se cobiçar ofícios espirituais na igreja (3.1). A sabedoria do mundo diz: promova a você mesmo. Você é melhor do que os outros. Os discípulos de Cristo discutiam quem era o maior dentre eles. Os fariseus usavam suas atividades religiosas para se promoverem diante dos homens (Mt 6.1-18). A sabedoria do mundo exalta o homem e rouba a Deus da Sua glória (1Co 1.27-31). O invejoso, em vez de alegrar-se com o triunfo do outro, alegra-se com seu fracasso. Ele não apenas deseja ter como o outro, mas tem tristeza porque não tem o que é do outro. O invejoso é alguém que tem uma super preocupação com sua posição, dignidade e direitos.

Em segundo lugar, *a falsa sabedoria manifesta-se através de um sentimento faccioso* (3.14b,26b). Há grandes feridas nos relacionamentos

---

[5]CHAMPLIN, Russell Norman. *O Novo Testamento Interpretado – Tiago*. Vol. 6, p. 60.
[6]WIERSBE, Warren. *The Bible Expository Commentary*. Vol. 2, p. 363.

dentro das famílias e das igrejas. A palavra que Tiago usa, *erithia*, significa espírito de partidarismo. Subentende a inclinação por usar meios indignos e divisórios para promover os próprios interesses.[7] Era a palavra usada por um político à cata de votos. As pessoas estão a seu favor ou estão contra você. Paulo alertou em Filipenses 2.3 sobre o perigo de estarmos envolvidos na obra de Deus com motivações erradas: vanglória e partidarismo. Norman Champlin faz o seguinte comentário,

> As rivalidades entre os mestres logo criam rivalidades na igreja. Os homens esforçam-se por ser, cada qual, o líder mais poderoso; e aqueles que os apoiam adicionam combustível ao fogo, até que tudo é consumido pelas chamas devoradoras da carnalidade. Todos são "zelotes", mas não em favor de Cristo; são todos ambiciosos, mas somente em proveito próprio; todos estão consumidos de ardor, mas não do fogo celestial, e, sim, do fogo do inferno. As dissensões eclesiásticas sempre foram caracterizadas por situações assim, e quanto mais homens carnais são exaltados e transformados em heróis, ou se apresentam a outros como tais, maior é o desastre.[8]

Em terceiro lugar, *a falsa sabedoria está misturada com a mentira* (3.14c). A inveja produz sentimento faccioso. Este promove a vaidade, e a vaidade se alimenta da mentira (1Co 4.5).

Qual é a evidência da verdadeira sabedoria? Tiago elenca vários atributos da verdadeira sabedoria:

Primeiro, *mansidão* (3.13). Mansidão não é fraqueza, mas poder sob controle.[9] A palavra era usada para um cavalo domesticado, que tinha o seu poder sob controle. Uma pessoa que não tem controle pessoal ou domínio próprio não é sábia. Mansidão é o uso correto do poder, assim como sabedoria é o uso correto do conhecimento.

Segundo, *pureza* (3.17). A sabedoria de Deus é incontaminada, sem qualquer defeito moral e sem motivos ulteriores. Ela é livre de ambição

---
[7]CHAMPLIN, Russell Norman. *O Novo Testamento Interpretado – Tiago*. Vol. 6, p. 59
[8]CHAMPLIN, Russell Norman. *O Novo Testamento Interpretado – Tiago*. Vol. 6, p. 59
[9]WIERSBE, Warren. *The Bible Expository Commentary*. Vol. 2, p. 364.

humana e da autoglorificação.[10] "Primeiramente pura" mostra a importância da santidade. Deus é santo, portanto, a sabedoria que vem de Deus é pura. Ela é livre de impureza, mácula, dolo. A sabedoria de Deus nos conduz à pureza de vida. A sabedoria do homem conduz à amizade com o mundo.

Terceiro, *paz* (3.17). A sabedoria divina não é contenciosa nem facciosa e nem beligerante.[11] A sabedoria do homem leva à competição, rivalidade e guerra (4.1,2), mas a sabedoria de Deus conduz à paz. Essa é a paz produzida pela santidade e não pela complacência ao erro. Não se trata da paz que encobre o pecado, mas da paz fruto da confissão do pecado.

Quarto, *indulgência* (3.17). No grego temos o termo *piekes*, isto é, razoável, cheio de consideração, moderado, gentil, qualidades essas que os homens facciosos e por demais ambiciosos não possuem.[12] Essa característica da sabedoria do alto trata da atitude de não criar conflitos nem comprometer a verdade para manter a paz. É ser gentil sem ser fraco.

Quinto, *tratável* (3.17). A palavra grega *eupeithes* significa "facilmente persuadido"; o contrário de obstinado. Essa sabedoria é aberta à razão.[13] É ser uma pessoa comunicável, de fácil acesso. Jesus era assim: as crianças, os enjeitados, os leprosos, os doentes, as mulheres, os publicanos, as prostitutas, os doutores tinham livre acesso a Ele. A Bíblia, entretanto, fala de Nabal, um homem duro no trato, com quem ninguém podia se comunicar (1Sm 25.3,17).

Sexto, *plena de misericórdia* (3.17). A palavra misericórdia significa lançar o coração na miséria do outro. É inclinar-se para socorrer o aflito. É sentir ternura pelo necessitado e estender-lhe a mão, ainda que ele nada mereça. A parábola do bom samaritano nos exemplifica esse tipo de sabedoria: para um samaritano, cuidar de um judeu que o hostilizava era um ato de misericórdia.

---

[10]CHAMPLIN, Russell Norman. *O Novo Testamento Interpretado – Tiago*. Vol. 6, p. 60.
[11]CHAMPLIN, Russell Norman. *O Novo Testamento Interpretado – Tiago*. Vol. 6, p. 61.
[12]CHAMPLIN, Russell Norman. *O Novo Testamento Interpretado – Tiago*. Vol. 6, p. 61.
[13]CHAMPLIN, Russell Norman. *O Novo Testamento Interpretado – Tiago*. Vol. 6, p. 61.

Sétimo, *bons frutos* (3.17). As pessoas que são fiéis são frutíferas. Quem não produz frutos, produz galhos. A sabedoria de Deus é prática. Ela muda a vida e produz bons frutos para a glória de Deus.

Oitavo, *imparcial* (3.17). Uma pessoa que não tem duas mentes, duas almas (1.6). A palavra grega *adiákritos* significa "não dividido em julgamento".[14] Quando você tem a sabedoria de Deus, você julga conforme a verdade e não conforme a pressão ou conveniência.

Nono, *sem fingimento* (3.17). A palavra significa sinceridade, sem hipocrisia. O hipócrita é um ator que representa um papel diferente ao da sua vida real. Na sabedoria divina não existe jogo de interesse nem política de bastidor. A sabedoria não opera por detrás de uma máscara, supostamente para o bem de outros, mas, na realidade, visando apenas os seus próprios interesses.[15]

Contraste sobre os **resultados** (3.16,18)

A origem determina os resultados. A sabedoria do mundo produz resultados mundanos; a sabedoria espiritual, resultados espirituais.

A sabedoria do mundo *produz problemas* (3.16b). Inveja, confusão, e todo tipo de coisas ruins são o resultado da sabedoria do mundo. Muitas vezes, esses sintomas da sabedoria do mundo estão dentro da própria igreja (3.12; 4.1-3; 2Co 12.20). Pensamentos errados produzem atitudes erradas. Uma das causas do porquê deste mundo estar tão bagunçado é que os homens têm rejeitado a sabedoria de Deus. A palavra "confusão" significa desordem que vem da instabilidade.[16] Essas pessoas são instáveis como a onda (1.8) e indomáveis como a língua (3.8). Essa palavra é usada por Cristo para revelar a confusão dos últimos dias (Lc 21.9).

A sabedoria de Deus *produz bênçãos* (3.18). Tiago lista três coisas: primeiro, vida reta (3.13). Uma pessoa sábia é conhecida pela sua vida irrepreensível, conduta santa. Segundo, obras dignas de Deus (3.13).

---

[14]CHAMPLIN, Russell Norman. *O Novo Testamento Interpretado – Tiago*. Vol. 6. p. 61.
[15]CHAMPLIN, Russell Norman. *O Novo Testamento Interpretado – Tiago*. Vol. 6, p. 61.
[16]WIERSBE, Warren. *The Bible Expository Commentary*. Vol. 2, p. 365.

Uma pessoa sábia não apenas fala, mas faz. Terceiro, fruto de justiça (3.18). A vida cristã é uma semeadura e uma colheita. Nós colhemos o que semeamos. O sábio semeia justiça e não pecado. Ele semeia paz e não guerra. O que nós somos, nós vivemos e o que nós vivemos, nós semeamos. O que nós semeamos determina o que nós colhemos. Temos que semear a paz e não problemas no meio da família de Deus. Como poderemos conhecer uma pessoa sábia? Uma pessoa sábia é sempre uma pessoa humilde. Aquele que proclama as suas próprias virtudes carece de sabedoria.

Como poderemos identificar uma pessoa que não tem sabedoria? Suas palavras e atitudes provocarão inveja, rivalidades, divisão, guerras.

7

Como viver em um mundo cheio de guerras

Tiago 4.1-12

AS GUERRAS SÃO UMA REALIDADE DA VIDA, a despeito dos acordos de paz. Não há apenas guerras entre as nações, mas também entre as denominações, dentro nas famílias e dentro do nosso próprio coração. Tiago diz que o nosso verdadeiro problema não está fora de nós, mas dentro de nós (4.1; Mt 15.19,20).

A guerra do Peloponeso, que durou 27 anos, destruiu a Grécia no ápice da grande civilização que ela havia criado como resultado da Idade de Ouro de Atenas. Roma fez da guerra uma maneira de viver, mas, apesar disso, foi vencida e destruída pelos bárbaros. Na Idade Média, a guerra varreu a Europa, culminando com os horrores da Guerra dos Trinta Anos, terminada em 1648.

Essa guerra é considerada o episódio militar mais horrível na história ocidental antes do século XX. Cerca de 7 milhões de pessoas ou seja, 1/3 dos povos de língua alemã morreram naquela guerra. James Boyce disse que a guerra é o nosso principal legado.[1]

Na Primeira Guerra Mundial (1914-1918) aproximadamente 30 milhões de pessoas pereceram. Todos ficaram horrorizados. Mas dentro de vinte anos outra guerra foi travada no mesmo anfiteatro, pelos

---

[1] BOYCE, James Montgomery. *Creio sim, mas e daí?*. p. 84,85

mesmos participantes, por muitas das mesmas razões. A Segunda Guerra Mundial (1939-1945) resultou na perda de 60 milhões de vidas, enquanto os custos quadruplicaram da estimativa de 340 bilhões para 1 trilhão de dólares.[2]

Assistimos à guerra fria entre o comunismo e o capitalismo. Assistimos ao maior massacre da história contra os cristãos pelas mãos do comunismo entre os anos de 1917 a 1985. Assistimos a sangrentas guerras tribais na África, batalhas fratricidas na Irlanda, massacres no Oriente Médio. Hoje vemos o domínio bélico dos Estados Unidos sobre seus rivais.

Essas guerras são uma projeção da guerra instalada em nosso próprio peito. Carregamos uma guerra dentro de nós. Desejamos o nosso próprio prazer à custa dos outros (4.2). Em vez de lutar, Tiago diz que devemos orar (4.2,3).

Warren Wiersbe, comentando este texto, diz que Tiago fala sobre três tipos de guerras que enfrentamos: contra as pessoas, contra nós mesmos e contra Deus.[3]

Em guerra **contra as pessoas** (4.1,11,12)

O Salmo 133.1 diz: *Oh! quão bom e quão suave é que os irmãos vivam em união!* Certamente, os irmãos deveriam viver unidos, em harmonia, mas muitas vezes eles vivem em guerra. Os pastores de Ló entraram em contenda com os pastores de Abraão. Absalão conspirou contra o seu pai Davi. Os próprios discípulos geraram tensões entre si, perguntando para Jesus quem era o maior entre eles. Às vezes, os membros da igreja de Corinto entravam em contendas e levavam essas guerras para os tribunais do mundo (1Co 6.1-8). Na igreja da Galácia, os crentes estavam se mordendo e se devorando (Gl 5.15). Paulo escreveu aos crentes de Éfeso, exortando-os a preservarem a unidade no vínculo da paz (Ef 4.3). Na igreja de Filipos, duas mulheres, líderes da igreja, estavam em desacordo (Fp 4.1-3).[4]

---

[2]BOYCE, James Montgomery. *Creio sim, mas e daí?*. p. 85.
[3]WIERSBE, Warren. *The Bible Expository Commentary*. Vol. 2, p. 366-370.
[4]WIERSBE, Warren. *The Bible Expository Commentary*. Vol. 2, p. 366,367.

Tiago já havia denunciado a guerra de classes (2.1-9). Os ricos recebiam toda a atenção e os pobres eram ignorados. Tiago também denunciou a guerra entre patrões e empregados (5.1-6), quando os ricos estavam retendo com fraude os salários dos ceifeiros. Tiago denuncia ainda a guerra dentro da igreja (1.19,20). Os crentes estavam ferindo uns aos outros com a língua e com um temperamento descontrolado. Finalmente, Tiago denuncia uma guerra pessoal (4.11,12). Os crentes estavam vivendo em constante clima de hostilidade.[5] Os crentes estavam falando mal uns dos outros e julgando uns aos outros. Nós precisamos examinar primeiro a nossa própria vida e depois ajudar os outros (Mt 7.1-5). Não somos chamados para ser juízes. Deus é o nosso juiz.

O mundo vê essas guerras dentro das denominações, dentro das igrejas, dentro das famílias e isso é uma pedra de tropeço para a evangelização. Por isso Jesus orou pela unidade (Jo 17.21). Como podemos estar em guerra uns contra os outros se pertencemos à mesma família, se confiamos no mesmo Salvador, se somos habitados pelo mesmo Espírito? A resposta de Tiago é que temos uma guerra dentro de nós.

Tiago aborda aqui três coisas: primeiro, um fato: há guerra entre os irmãos. Essa guerra representa o contínuo estado de hostilidade e antagonismo. Segundo, uma causa: os prazeres que militam na nossa carne. Tiago diz que os nossos desejos são como um campo armado pronto para guerrear. Terceiro, uma prática: a cobiça.

Em guerra **contra nós mesmos** (Tg 4.1b-3)

A fonte de todas essas guerras está dentro do nosso próprio coração (4.1; 3.14,16). A essência do pecado é o egoísmo.[6] Eva caiu porque quis ser igual a Deus. Abraão mentiu porque queria se proteger (Gn 12.10-20). Acã causou derrota a Israel porque egoisticamente tomou o que era proibido. Somos como Tiago e João, queremos lugar especial no trono.

Desejos egoístas são coisas perigosas. Eles levam a ações erradas (4.2).[7] E eles levam a orações erradas (4.3). Tiago agora se move do

---

[5]MOTYER, J. A. *The Message of James*. p. 141.
[6]WIERSBE, Warren. *The Bible Expository Commentary*. Vol. 2, p. 367.
[7]WIERSBE, Warren. *The Bible Expository Commentary*. Vol. 2, p. 368.

relacionamento errado com outros irmãos para um relacionamento errado com Deus.[8] Quando as nossas orações são erradas, toda a nossa vida está errada. Nossas orações não são respondidas quando há guerras entre os irmãos e paixões dentro do coração.

Quando temos guerra com os irmãos, temos a comunhão interrompida com Deus. A oração seria a solução (4.2b), mas na prática, a oração não funciona (4.3a) porque ela está motivada pela mesma razão que provoca as contendas (4.3b).

"Não cobiçarás" é o décimo e último mandamento da lei. Por meio dele tomamos conhecimento da malignidade do nosso pecado (Rm 7.7). Ele descobre não nossos atos, mas nossos desejos e intenções. Ele tira uma radiografia do nosso interior. Quebramos toda a lei quando quebramos esse mandamento. Desejo egoísta e oração egoísta conduzem à guerra. Se há guerra do lado de dentro, haverá guerra do lado de fora.[9]

O nosso coração é o laboratório onde as guerras são criadas, a estufa onde elas germinam e crescem, o campo onde elas dão o seu fruto maldito. Observe esta dramática descrição:

> Esta é uma lista de "armas e estratégias usadas nas lutas e disputas da igreja". É quase tão verdadeira que chega a ser cômica! Essas armas aproximam-se, em muito, às mencionadas por Tiago.

- Mísseis – atacam os membros da igreja à distância.
- Táticas de guerrilha – armam emboscadas contra alguém que esteja desavisado.
- Franco atiradores – são os críticos com boa pontaria.
- Terrorismo – ninguém fica imune de ser atingido.
- Minas – seu uso assegura que outros falharão em seus esforços de servir a Deus.
- Espionagem – uso de amizades para se obter informações potencialmente danosas sobre outras pessoas.
- Propaganda – uso da intriga para difundir informações prejudiciais sobre outros.

---

[8]MOTYER, J. A. *The Message of James.* p. 143.
[9]WIERSBE, Warren. *The Bible Expository Commentary.* Vol. 2, p. 368.

- Guerra fria – "coloca em gelo" um oponente, ao se evitar ou se recusar a manter diálogo com a pessoa.
- Ataque nuclear – mantém o usuário desejoso de sacrificar a igreja se os alvos do seu grupo não forem atingidos. Tiago nos mostra a localização exata das usinas de fabricação de todas estas armas: o problema está em nós mesmos.[10]

Em guerra **contra Deus** (4.4-10)

A raiz de toda a guerra é rebelião contra Deus. Mas como um crente pode estar em guerra contra Deus? Cultivando amizade com os inimigos de Deus. Tiago cita três inimigos com quem não podemos ter amizade, se desejamos viver em paz com Deus. Tiago fala de tentações que estão fora de nós (o mundo e o diabo) e tentações que estão dentro de nós (a carne).

Em primeiro lugar, **Tiago fala do mundo** (4.4). A palavra *kosmos* foi empregada em um sentido ético, para indicar uma sociedade corrupta, ou o princípio do mal que opera sobre os homens.[11] O mundo aqui é a sociedade humana com seus valores, princípios e filosofia vivendo à parte de Deus.[12] Esse sistema que rege o mundo é anti-Deus. Se o mundo valoriza a riqueza, começamos a valorizar a riqueza também. Se o mundo valoriza o prestígio, começamos a valorizar o prestígio. Temos a tendência de assimilar esses valores do mundo.

Um crente pode tornar-se amigo do mundo gradativamente: primeiro, sendo amigo do mundo (4.4). Segundo, sendo contaminado pelo mundo (1.27). Terceiro, amando o mundo (1Jo 2.15-17). Quarto, conformando-se com o mundo (Rm 12.2). O resultado é ser condenado com o mundo (1Co 11.32). Assim, seremos salvos como que por meio do fogo (1Co 3.11-15). Amizade com o mundo é uma espécie de adultério espiritual. O crente está casado com Cristo (Rm 7.4) e deve ser fiel a Ele (Is 54.5; Jr 3.1-5; Ez 23; Os 1-2; 1Co 11.2). O mundo é inimigo de Deus e ser amigo do mundo é constituir-se em inimigo de Deus.

---

[10]Life Application Commentary – *James*. Wheaton. Illinois: Tyndale House Publishers, 1992, p. 92.
[11]CHAMPLIN, Russell Norman. *O Novo Testamento Interpretado – Tiago*. Vol. 6, p. 64.
[12]WIERSBE, Warren. *The Bible Expository Commentary*. Vol. 2, p. 368.

Não dá para ser amigo do mundo e de Deus ao mesmo tempo. Temos que tomar cuidado com as pequenas coisas. O mundo envolve as pessoas pouco a pouco. Ninguém se torna um viciado em álcool do dia para a noite. Ninguém se lança de cabeça nas aventuras loucas das drogas no primeiro trago ou na primeira picada. Ninguém começa uma vida licenciosa num primeiro flerte. A sedução do mundo é como uma fenda numa barragem, começa pequena, mas pode conduzir a um grande desastre. Luis Palau comenta:

> Quando a imensa represa Teton Dam, no sudeste de Idaho, desmoronou, em 05 de junho de 1976, todos ficaram aturdidos. Sem aviso prévio, sob céu claro, a imensa estrutura subitamente desmoronou, lançando milhões de litros de água para dentro da bacia do rio Snake. Uma catástrofe súbita? Um desastre instantâneo? Certamente parecia ser, pelo menos superficialmente. Mas, abaixo da linha da água, numa profundidade em que os engenheiros não podiam ver, ocorria a propagação de uma rachadura oculta que, de forma lenta, porém gradual, enfraquecia toda a estrutura da represa. Aquilo começou de forma bastante insignificante. Apenas um pequeno ponto frágil, uma pequena ponta de erosão. Ninguém vira e ninguém cuidara do problema. Quando a fenda foi detectada, já era muito tarde. Os empregados da represa tiveram apenas de correr para salvar suas vidas e de escapar de serem levados pelas águas. Ninguém vira a pequena rachadura, mas todos viram o grande desmoronamento.[13]

Em segundo lugar, ***Tiago fala da carne*** (4.1,5). A carne é a nossa velha natureza. A carne não é o corpo. O corpo não é pecaminoso. Warren Wiersbe diz que o Espírito pode usar o corpo para glorificar a Deus ou a carne pode usar o corpo para servir ao pecado.[14] Na conversão recebemos uma nova natureza, mas não perdemos a velha. Ela precisa ser crucificada. Essas duas naturezas estão em conflito (Gl 5.17). É isso que Tiago diz no versículo 1.

---

[13]PAULAU, Luis. *Heart After God.* Portland, Oregon: Multnomah Press, 1978, p. 68.
[14]WIERSBE, Warren. *The Bible Expository Commentary.* Vol. 2, p. 369.

Há paixões carnais que buscam nos colocar em guerra contra Deus. Devemos fugir dessas paixões (1Co 6.18; 2Tm 2.22). Fugir não é um gesto desprezível. José do Egito fugiu da mulher de Potifar. A única maneira de vencer as tentações da carne é fugindo, fugindo do lugar, das circunstâncias, das pessoas. Viver na carne significa entristecer o Espírito Santo que vive em nós (4.5; Ef 4.30). O Espírito de Deus habita em nós e anseia por nós com zelo (4.5), ele não nos divide com ninguém. Estamos casados com Cristo. Você levaria Cristo para uma sala de jogos, para uma boate, para um show do mundo, para uma intimidade sexual fora do casamento?

Em terceiro lugar, **Tiago fala do diabo** (4.6,7). O pecado predileto do diabo é a vaidade, o orgulho. Ele tenta as pessoas nessa área (4.6,7). Ele tentou Eva e tenta os novos crentes (1Tm 3.6). Deus quer que dependamos dEle enquanto o diabo quer que dependamos de nós. O diabo gosta de encher a nossa bola. O grande problema da igreja hoje é que temos muitas celebridades e poucos servos. Há tanta vaidade humana que não sobra espaço para a glória de Deus.

Como podemos vencer esses três inimigos? Tiago nos informa que Deus está incansavelmente do nosso lado (4.6). Ele sempre nos dá graça suficiente para vencer. Mas a graça de Deus não nos isenta de responsabilidade. Nos versículos 7-10 há vários mandamentos para obedecer. A graça não nos isenta da obediência. Quanto mais graça, mais obediência.

Tiago menciona quatro atitudes, segundo Warren Wiersbe, que podem nos dar vitória: submissão a Deus, resistência ao diabo, comunhão com Deus e humildade diante de Deus.[15]

Em primeiro lugar, *devemos nos submeter a Deus* (4.7). Essa palavra é um termo militar que significa fique no seu próprio posto, ponha-se no seu lugar. Quando um soldado quer se colocar no lugar do general ele tem grandes problemas. Renda-se incondicionalmente. Ponha todas as áreas da sua vida sob a autoridade de Deus. Por isso um crente rebelde não pode viver consigo nem com os outros. Davi pecou contra Deus,

---

[15] WIERSBE, Warren. *The Bible Expository Commentary*. Vol. 2, p. 369,370.

adulterando, mentindo, matando Urias e escondendo o seu pecado. Mas quando ele se humilhou, se submeteu e confessou, encontrou paz novamente com Deus.

Em segundo lugar, *devemos resistir ao diabo* (4.7). O diabo não é para ser temido, mas resistido. Somente quem se submete a Deus pode resistir ao diabo. A Bíblia nos ensina a não dar lugar ao diabo (Ef 4.27).

Em terceiro lugar, *devemos manter-nos perto de Deus* (4.8). Quanto mais perto de Deus ficamos, mais parecidos com Jesus nós nos tornamos. Comunhão com Deus é uma pista de mão dupla. Quando nos chegamos a Deus, Ele se chega a nós. Não podemos ter comunhão com Deus e com o pecado ao mesmo tempo (4.8b). Comunhão com Deus implica purificação (4.8b).

Finalmente, *devemos nos humilhar diante de Deus* (4.9,10). Temos a tendência de tratar o nosso pecado de forma muito leve e condescendente. Tiago exorta-nos a enfrentar seriamente o nosso pecado (4.9). A porta da exaltação é a humilhação diante de Deus (4. 10). Deus não despreza o coração quebrantado (Sl 51.17). Deus olha para o homem que é humilde de coração e treme diante da Sua Palavra (Is 66.2). Quando estamos em paz com Deus, temos paz uns com os outros e então, uma fonte de paz começa a jorrar de dentro de nós!

8

Como conhecer a **vontade** de Deus para o futuro

Tiago 4.13-17

TIAGO COMEÇA O CAPÍTULO 4 falando sobre uma guerra contra o próximo, contra nós mesmos e contra Deus. Ele disse que as guerras entre as pessoas são um desdobramento das tensões que temos dentro de nós mesmos. Ele disse que nessa luta contra Deus enfrentamos a sedução do mundo (4.4), as paixões da carne (4.5,6) e as ciladas do diabo (4.7).

Tiago nos versículos 11, 12 mostra o risco de declararmos guerra contra os irmãos, usando a língua para falar mal uns dos outros. Tiago corrige esse grave pecado mostrando algumas coisas: primeiro, como devemos considerar uns aos outros: como irmãos e como o próximo (v. 11,12). Segundo, somos irmãos, membros da mesma família, e Jesus é o nosso irmão mais velho. Como próximo, devemos cuidar uns dos outros e não falar mal uns dos outros. Terceiro, como devemos considerar a lei: Deus nos deu a lei para nos orientar a amar uns aos outros (2.8). Se falamos mal, nós quebramos o preceito da lei que devíamos obedecer. Se falamos mal, tornamo-nos juízes da lei e não observadores dela. Quarto, como devemos considerar a Deus: Deus é o legislador, o sustentador da vida e o juiz. Quando falamos mal do irmão pecamos contra Deus. Quinto, como devemos considerar a nós mesmos: quando falamos mal do irmão, colocamo-nos numa posição de superioridade (4.12).

Tiago, agora, nos versículos 13-17, vai falar sobre o risco da presunção. A presunção vem de um entendimento errado de nós mesmos e das nossas ambições.[1] A presunção é assegurar a nós mesmos que o tempo está do nosso lado e à nossa disposição.[2] Presunção é fazer os nossos planos como se estivéssemos no total controle do futuro. Presunção é viver como se nossa vida não dependesse de Deus.

A presunção é um sério pecado. Ela envolve tomar em nossas próprias mãos a decisão de planejar e comandar a vida à parte de Deus. A presunção olha para a vida como um contínuo direito e não como uma misericórdia diária.[3] A presunção atinge várias áreas: toca a vida - hoje, amanhã, um ano. Toca as escolhas – "... hoje ou amanhã iremos... passaremos um ano, negociaremos e ganharemos". Toca a habilidade – " negociaremos e ganharemos".[4] Obviamente Tiago não está combatendo a questão do planejamento, mas combatendo o planejamento sem levar Deus em conta.[5] É claro que a vida é feita de nossas escolhas. Precisamos ter alvos, planos, sonhos, mas não presunção.

Como nós podemos nos proteger da presunção?

Em primeiro lugar, **tendo consciência da nossa ignorância**: *No entanto, não sabeis o que sucederá amanhã* (4.14).

Em segundo lugar, **tendo consciência da nossa fragilidade**: *Que é a vossa vida? Sois um vapor que aparece por um pouco, e logo se desvanece* (4.14).

Em terceiro lugar, **tendo consciência da nossa total dependência de Deus**: *Em lugar disso, devíeis dizer: se o Senhor quiser, viveremos e faremos isto ou aquilo* (v. 15).

Quais são os perigos da presunção? A presunção envolve tomar em nossas próprias mãos o nosso destino (4.16). Também envolve uma declarada desobediência ao conhecido propósito de Deus (4.17).

Podemos afirmar que a vida humana está em certo aspecto sob o controle humano. Precisamos tomar decisões e somos um produto das

---

[1] MOTYER, J. A. *The Message of James*. p. 160.
[2] MOTYER, J. A. *The Message of James*. p. 160.
[3] MOTYER, J. A. *The Message of James*. p. 162.
[4] MOTYER, J. A. *The Message of James*. p. 160.
[5] BOYCE, James Montgomery. *Creio sim, mas e daí?*. p. 100.

decisões que fazemos na vida: quem queremos ser, com quem andamos, com quem nos casamos, o que fazemos. Por outro lado, a vida humana, não está em nosso controle. Nós não conhecemos o nosso futuro nem sabemos o que é melhor para nós. Devemos procurar saber quais são os sonhos de Deus para a nossa vida. A verdade incontroversa é que a vida humana está sob o controle divino. Se Deus quiser, iremos, compraremos, ganharemos.

Tiago passa em seguida a considerar a sublime questão da vontade de Deus (4.13-17). Warren Wiersbe fala sobre as três atitudes que uma pessoa tem diante da vontade de Deus: ignorá-la, desobedecê-la ou obedecê-la.[6]

Alguns ignoram a vontade de Deus (4.13,14,16)

Warren Wiersbe, ainda, apresenta quatro argumentos para revelar a tolice de se ignorar a vontade de Deus: a complexidade, a incerteza, a brevidade e a fragilidade da vida.[7]

Em primeiro lugar, vejamos *a complexidade da vida* (4.13). Pense em tudo o que envolve a vida: hoje, amanhã, comprar, vender, ter lucros, perder, estar aqui, ali. A vida é feita de pessoas e lugares, atividades e alvos, dias e anos.

Todos nós tomamos decisões cruciais dia após dia.

Em segundo lugar, *a incerteza da vida* (4.14a). Esta expressão é baseada em Provérbios 27.1: *Não te glories do dia de amanhã; porque não sabes o que produzirá o dia*. Esses negociantes estavam fazendo planos seguros para um ano, enquanto não podiam ter garantia de um dia sequer. Eles diziam: nós iremos, nós permaneceremos, nós compraremos e teremos lucro. Essa postura é a mesma que Jesus reprovou na parábola do rico insensato em Lucas 12.16-21. Aquele que pensa que pode administrar o seu futuro é tolo. A vida não é incerta para Deus, mas é incerta para nós. Somente quando estamos dentro da vontade de Deus é que podemos ter confiança no futuro.

---

[6]WIERSBE, Warren. *The Bible Expository Commentary*. Vol. 2, p. 371-374.
[7]WIERSBE, Warren. *The Bible Expository Commentary*. Vol. 2, p. 371.

Em terceiro lugar, *a brevidade da vida* (4.14b). Tiago compara a duração da vida com uma neblina. O livro de Jó revela de forma clara a brevidade da vida: 1) *Os meus dias são mais velozes do que a lançadeira do tecelão...* (Jó 7.6); 2) *...nossos dias sobre a terra são uma sombra* (Jó 8.9); 3) *...os meus dias são mais velozes do que um corredor* (Jó 9.25); 4) *O homem, nascido da mulher, é de poucos dias e cheio de inquietação. Nasce como a flor, e murcha; foge também como a sombra, e não permanece* (Jó 14.1,2). Moisés diz: *...acabam-se os nossos anos como um suspiro... pois passa rapidamente, e nós voamos* (Sl 90.9,10). Porque a vida é breve não podemos desperdiçá-la nem vivê-la na contramão da vontade de Deus.

Em quarto lugar, *a fragilidade da vida* (4.16). A presunção do homem apenas tenta esconder a sua fragilidade. O homem não pode controlar os eventos futuros. Ele não tem sabedoria para ver o futuro nem poder para controlar o futuro. Portanto, a presunção é pecado, é fazer-se de Deus. Em suma, qualquer tentativa para achar segurança longe de Deus é uma ilusão.[8]

Alguns desobedecem à vontade de Deus (4.17)

Conhecimento implica em responsabilidade. As pessoas conhecem a vontade de Deus, mas deliberadamente a desobedecem. Nosso pecado torna-se mais grave, mais hipócrita e mais danoso do que o pecado de um incrédulo ou ateu.[9] Mais grave porque pecamos contra um maior conhecimento. Mais hipócrita porque declaramos que cremos, mas desobedecemos. Mais danoso porque os nossos pecados são mestres do pecado dos outros.[10] O apóstolo Pedro diz: *Porque melhor lhes fora não terem conhecido o caminho da justiça, do que, conhecendo-o, desviarem-se do santo mandamento que lhes fora dado* (2Pe 2.21).

Por que as pessoas que conhecem a vontade de Deus, deliberadamente a desobedecem? Em primeiro lugar, por orgulho. O homem

---

[8]BOYCE, James Montgomery. *Creio sim, mas e daí?*. p. 97.
[9]BAXTER, Richard. *The Reformed Pastor*. Pennsylvania: The Banner of Truth, 1999, p. 76,77.
[10]SHAW, John. *The Character of a Pastor According to God's Heart Considered*. Morgan, Pennsylvania: Soli Deo Gloria Publications, 1998, p. 5,6.

gosta de considerar-se o dono do seu próprio destino, o capitão da sua própria alma. Em segundo lugar, pela ignorância da natureza da vontade de Deus. Muitas pessoas têm medo da vontade de Deus. Pensam que Deus vai fazê-las miseráveis e infelizes. Mas a infelicidade reina onde o homem está fora da vontade de Deus. O lugar mais seguro para uma pessoa estar é no centro da vontade de Deus.

O que acontece àqueles que deliberadamente desobedecem a vontade de Deus? Eles são disciplinados por Deus até se submeterem (Hb 12.5-11). Eles perdem recompensas espirituais (1Co 9.24-27). Finalmente, eles sofrerão consequências sérias na vinda do Senhor (Cl 3.22-25).

Outros obedecem à vontade de Deus (4.15)

A comida de Jesus era fazer a vontade do Pai (Jo 4.34). A vontade de Deus é que dirigia Sua vida. A vontade de Deus é que Seu povo se alegre, ore e dê graças em tudo (1Ts 5.16-18). Deus revela a Sua vontade para todos aqueles que desejam obedecê-la: *Se alguém quiser fazer a vontade de Deus, há de saber se a doutrina é dEle...* (Jo 7.17). Nós devemos procurar compreender qual é a vontade do Senhor. O apóstolo Paulo ordena: *Por isso, não sejais insensatos, mas entendei qual seja a vontade do Senhor* (Ef 5.17). Nós devemos experimentar a vontade de Deus (Rm 12.2). Nós devemos fazer a vontade de Deus de todo o nosso coração (Ef 6.6).

Quais são as recompensas daqueles que fazem a vontade de Deus? Eles se regozijam em profunda comunhão com Cristo (Mc 3.35), têm o privilégio de conhecer a verdade de Deus (Jo 7.17), têm suas orações respondidas (1Jo 5.14,15) e a garantia de uma gloriosa recompensa na volta de Jesus (Mt 25.34).

Qual é a nossa atitude em relação à vontade de Deus? Ignoramo-la? Conhecemo-la, mas deliberadamente a desobedecemos ou obedecemo-la com alegria? Quem obedece à vontade de Deus pode até não ter uma vida fácil, mas certamente terá uma vida mais santa, segura e feliz.

9

Como avaliar o **poder** do **dinheiro**

Tiago 5.1-6

O DINHEIRO HOJE DOMINA AS CASAS DE LEIS, os palácios dos governos e as cortes do judiciário. O dinheiro é o maior deus deste mundo. Por ele as pessoas roubam, mentem, corrompem, casam-se, divorciam-se, matam e morrem.

O dinheiro é mais do que uma moeda, ele é um espírito, um deus, ele é Mamom. Ninguém pode servir a Deus e ao dinheiro. Ele é o mais poderoso dono de escravos do mundo.

O problema não é possuir dinheiro, mas ser possuído por ele. O dinheiro é um bom servo, mas um péssimo patrão. Não é pecado ser rico. A riqueza é uma bênção. Davi disse que riquezas e glórias vêm de Deus (1Cr 29.12). Moisés disse que é Deus quem nos dá sabedoria para adquirirmos riqueza (Dt 8.18). O problema é colocar o coração na riqueza. A raiz de todos os males não é o dinheiro, mas o amor ao dinheiro (1Tm 6.10).

Vivemos hoje uma economia global. A máquina econômica gira numa velocidade caleidoscópica. Precisamos trabalhar mais e consumir mais. Os luxos do ontem se tornaram as necessidades do hoje. Mas o sistema pede não apenas mais do nosso dinheiro, mas também mais do nosso tempo. Coisas estão se tornando mais importantes do que pessoas. Estamos substituindo relacionamentos por coisas materiais.

Muitas pessoas estão construindo um patrimônio colossal, mas estão perdendo a família. Nenhum sucesso compensa o fracasso da família.

Os ricos estão se tornando cada vez mais opulentos e os pobres cada vez mais desesperados. Cinquenta por cento das riquezas do mundo estão nas mãos de apenas algumas centenas de empresas. Há empresas mais ricas que alguns países. A GM é mais rica que a Dinamarca. A Toyota é mais rica que a África do Sul. A FORD é mais rica que a Noruega. O Wal-Mart é mais rico que 161 países. Bill Gates, no ano 2000, teve uma renda líquida de 400 milhões de dólares por semana.

A corrupção está instalada na medula de nossa nação. Sentimos vergonha ao ver tanto escândalo financeiro, tantos esquemas de corrupção instalados nos corredores do poder, quando os recursos que deveriam vir para aliviar o sofrimento do pobre são saqueados pelas ratazanas que roem incansavelmente as riquezas da nação. Estamos sendo espoliados pelos dráculas que, insaciáveis, chupam o sangue do povo.

A palavra de Tiago é mais do que oportuna. Deveria ocupar as manchetes dos jornais. Deus observa o que está acontecendo. Tiago está falando do uso e do abuso das riquezas.[1] Ele está falando de salários retidos, luxo, vida nababesca e atos específicos do mal. É o efeito dominó. Uma coisa leva à outra.[2] Os ricos estão retendo o fruto do trabalho do pobre. Os ricos estão vivendo no luxo, em virtude de terem explorado os pobres. Os ricos estão oprimindo e matando os pobres. Tiago diz que isso está sendo visto por Deus. J. A. Motyer entende que essa descrição de Tiago não se refere aos ricos cristãos, visto que não existe nenhum chamado ao arrependimento. Também, o versículo 7, faz um contraste entre os ricos e a reação que os irmãos deveriam ter diante da exploração deles.[3]

Como a riqueza foi adquirida (5.4,6a)

A Bíblia não proíbe o homem de ser rico, se essa riqueza vem como fruto da bênção de Deus e do trabalho honrado (Sl 112; Pv 10.4).

---
[1]Motyer, J. A. *The Message of James*. p. 163.
[2]Boyce, James Montgomery. *Creio sim, mas e daí?*. p. 113.
[3]Motyer, J. A. *The Message of James*. p. 164.

Abraão e Jó eram homens ricos e também piedosos. O que a Bíblia proíbe é adquirir riquezas por meios ilícitos e para propósitos ilícitos.[4] Amós 2.6 condena o adquirir riquezas ilícitas e Isaías 5.8 condena o adquirir com propósitos ilícitos.

Não é pecado ser rico. Não é pecado ser previdente. Não é pecado usufruir as benesses da riqueza. O pecado está ligado à origem, ao meio e ao fim da riqueza.

Tiago fala que os ricos que ajuntaram riqueza ilícita enfrentarão a inevitabilidade do juízo de Deus (5.1). O luxo de hoje torna-se desventura amanhã (5.1). O primeiro pecado que Tiago condena é a atitude egoísta de acumular a riqueza para si. Tanto as vestes como o dinheiro estão sendo acumulados para o desperdício e não mais para o uso.[5] Esse espírito ganancioso é pura tolice. Ele leva a pessoa a pensar que a vida é só o aqui e agora.[6] Os ricos vivem como se não houvesse o céu para ganhar ou o inferno para fugir.[7]

A segurança do dinheiro é falsa. A alegria que ele proporciona é fugaz (5.1). O apóstolo Paulo retrata esse fato de forma contundente em 1Tm 6.6-10,17-19.

Tiago menciona duas formas pecaminosas como os ricos adquiriram suas riquezas: retendo o salário dos trabalhadores e controlando as coortes.[8] Vejamos a abordagem de Tiago:

Em primeiro lugar, *os ricos tornaram-se opulentos retendo o salário dos trabalhadores com fraude* (5.4). Os ricos não apenas estavam retendo o salário dos trabalhadores, mas estavam retendo o salário deles com *fraude*. Os ricos estavam sendo desonestos com os pobres. A origem da riqueza deles era fraudulenta.[9] Eles estavam ricos por roubar dos pobres (Pv 22.16,22). A lei de Moisés proibia ficar com o salário do trabalhador até à noite: *Não oprimirás o trabalhador pobre e necessitado, seja ele de teus irmãos, ou dos estrangeiros que estão na tua terra e dentro das*

---

[4]WIERSBE, Warren. *The Bible Expository Commentary*. Vol. 2, p. 374.
[5]MOTYER, J. A. *The Message of James*. p. 165.
[6]Mt 25.24-30; Lc 12.15-21; 1Tm 6.17-19.
[7] MOTYER, J. A. *The Message of James*. p. 168.
[8]WIERSBE, Warren. *The Bible Expository Commentary*. Vol. 2, p. 374,375.
[9]MOTYER, J. A. *The Message of James*. p. 166.

tuas portas. No mesmo dia lhe pagarás o seu salário, e isso antes que o sol se ponha; porquanto é pobre e está contando com isso; para que não clame contra ti ao Senhor, e haja em ti pecado (Dt 24.14,15). Prossegue Moisés: *Não oprimirás o teu próximo, nem o roubarás; a paga do jornaleiro não ficará contigo até pela manhã* (Lv 19.13). Os trabalhadores foram contratados por um preço, e fizeram o seu trabalho, mas não receberam. O crente precisa ser honesto para pagar suas dívidas e cumprir com os seus compromissos financeiros.

Além de roubar dos pobres, os ricos são condenados também por viverem regaladamente (5.5). Eles vivem em extravagante conforto, com o dinheiro que eles roubaram dos pobres famintos. Os ricos viviam além das fronteiras do conforto, eles viviam no território dos vícios, onde nunca negavam a si mesmos qualquer prazer.[10]

Em segundo lugar, **os ricos estavam cada vez mais opulentos controlando as coortes** (5.6a). A regra de ouro do mundo é que aqueles que têm o ouro é que fazem as regras.[11] Os ricos se fortalecem porque compram as sentenças, subornam os tribunais e assim oprimem ainda mais os pobres que não podem oferecer resistência. Tiago chama a vítima de "o justo". Os ricos roubam-lhe os bens, negam-lhe os direitos, abafam-lhe a voz. Os ricos compram os tribunais, torcem as leis, violam a justiça, oprimem os fracos e fecham-lhes a porta da esperança.

Nos versículos 2,3 e no versículo 5 há o uso egoísta da riqueza (acúmulo e luxúria), cada um dos versículos é seguido por uma condenação dessa prática (v. 4 e 6). Os ricos condenam os pobres nos tribunais (2.6 e 5.6). Na diáspora os crentes foram dispersos e perderam seus bens, propriedades, casas (1.1).

Judas vendeu Jesus por dinheiro. Os ricos compravam as sentenças contra os pobres por dinheiro e assim condenavam e matavam os justos (Am 2.6). Quando Deus estabeleceu Israel em sua terra, deu ao povo um sistema de cortes (Dt 17.8-13). Ele advertiu os juízes para não serem gananciosos (Êx 18.21). Os juízes não podiam ser parciais ao julgar entre os ricos e os pobres (Lv 19.15). Nenhum juiz podia

---

[10]MOTYER, J. A. *The Message of James*. p. 167.
[11]WIERSBE, Warren. *The Bible Expository Commentary*. Vol. 2, p. 375.

tolerar perjúrio (Dt 19.16-19). O suborno era condenado pelo Senhor (Is 33.15; Mq 3.11; 7.3). Amós denunciou os juízes que vendiam sentenças por suborno (Am 5.12,13). Os pobres não tinham como resistir os ricos. Eles controlavam as próprias cortes. Eles só podiam apelar para Deus, o justo juiz.

Como a riqueza foi empregada (Tg 5.3-5)

Já é uma coisa condenável adquirir riquezas de forma ilegal, imoral e pecaminosa, mas maior delito ainda é usar essas riquezas de forma também pecaminosa.[12] Tiago cita três formas pecaminosas de usar as riquezas:

Em primeiro lugar, *eles acumularam de forma avarenta as riquezas* (5.3). Não há nenhum pecado em ser previdente, fazer investimentos e em prover para si, para a família e para ajudar outros (2Co 12.14; 1Tm 5.8; Mt 25.27). Mas é pecaminoso acumular o que não é nosso. Eles ajuntavam o que deviam pagar aos trabalhadores. Anos depois, os romanos saquearam todos os seus bens e suas riquezas foram espoliadas.

É uma grande tragédia uma pessoa ajuntar tesouros para os últimos dias e não ajuntar tesouros no céu. Confiar na provisão e não no provedor é um pecado. Quem assim age, vive como se nossa pátria fosse a terra e não o céu (Lc 12.15-21). Confiar na instabilidade da riqueza ou na transitoriedade da vida é tolice (4.14; 1Tm 6.17). A vida de um homem não consiste na quantidade de bens que ele possui (Lc 12.15).

Em segundo lugar, *eles mantiveram os necessitados longe do benefício de suas riquezas* (5.4). Os ricos não apenas acumularam riquezas, guardando gananciosamente suas moedas ao ponto de ajuntar ferrugem, mas estavam armazenando também o salário dos ceifeiros. Eles não estavam sendo fiéis na mordomia dos bens. Eles estavam sendo fraudulentos. O roubo é pecado. Deixar de pagar salários justos e reter os salários ardilosamente é um grave pecado aos olhos de Deus.

Em terceiro lugar, *eles estavam vivendo na luxúria enquanto os pobres estavam morrendo* (5.5). A palavra luxúria (*triphao)* só é encontrada

---

[12]WIERSBE, Warren. *The Bible Expository Commentary.* Vol. 2, p. 375.

aqui em todo o Novo Testamento. Essa palavra significa extravagante conforto. A palavra prazeres (*spatalao*) significa entregar-se aos prazeres e aos vícios (1Tm 5.6). As duas palavras juntas significam uma vida sem autonegação, uma vida regalada, desenfreada, sedenta apenas dos prazeres e do conforto. Eles pecaram contra a justiça e contra a temperança. Jesus ilustrou essa atitude nababesca, falando sobre o rico que vivia regaladamente em seus banquetes sem se importar com o pobre ou mesmo com o destino da sua alma (Lc 16.19-31).

Qual é o **destino final** da riqueza? (Tg 5.1-4)

Tiago menciona as consequências do mau uso das riquezas. Warren Wiersbe, comentando o texto, fala sobre quatro dessas consequências: as riquezas acabam, elas destroem o caráter, elas atraem o juízo e elas revelam a perda de grandes oportunidades.[13]

Em primeiro lugar, *as riquezas mal usadas irão desvanecer* (5.2,3a). Nada daquilo que é material permanecerá para sempre neste mundo. As sementes da morte estão presentes em tudo aquilo que está neste mundo. É uma grande tolice pensar que a riqueza possa trazer estabilidade permanente. Assim diz o apóstolo Paulo: *Manda aos ricos deste mundo que não sejam altivos, nem ponham a sua esperança na incerteza das riquezas, mas em Deus, que nos concede abundantemente todas as coisas para delas gozarmos* (1Tm 6.17).

Além disso, a vida é passageira: *Sois um vapor que aparece por um pouco, e logo se desvanece* (4.14) e não podemos levar nada desta vida: *Porque nada trouxemos para este mundo, e nada podemos daqui levar* (1Tm 6.7). Jesus disse para o rico insensato: ... *insensato, esta noite te pedirão a tua alma; e o que tens preparado, para quem será?* (Lc 12.20).

Em segundo lugar, *as riquezas mal usadas destroem o caráter* (5.3). Diz Tiago: *O vosso ouro e a vossa prata estão enferrujados; e a sua ferrugem dará testemunho contra vós, e devorará as vossas carnes como fogo...* Este é o julgamento presente na riqueza. O veneno da riqueza infectou a pessoa e ela está sendo devorada viva. A cobiça leva a pessoa a transgredir

---

[13]WIERSBE, Warren. *The Bible Expository Commentary*. Vol. 2, p. 376,377.

todos os outros mandamentos. Ló, ao se tornar rico, pôs sua vida e família a perder-se. Diz Deus: ... *se as vossas riquezas aumentarem, não ponhais nelas o coração* (Sl 62.10). O bom nome é melhor do que as riquezas (Pv 22.1). A piedade com contentamento é grande fonte de lucro (1Tm 6.6). O casamento feliz é melhor do que finas joias.

Em terceiro lugar, **as riquezas mal usadas acarretam o inevitável julgamento de Deus** (5.1,3,5). Tiago viu não apenas o presente julgamento (as riquezas sendo devoradas e o caráter sendo destruído), mas também ele falou do julgamento futuro diante de Deus (5.1,9). Jesus é o reto juiz e Ele julgará retamente. Todos vão comparecer diante do tribunal de Cristo para dar conta de suas vidas.

Veja as testemunhas que Deus vai chamar nesse julgamento: Primeiro, as suas próprias riquezas enferrujadas e suas roupas comidas de traça vão testemunhar contra eles no juízo (5.3), revelando a avareza de seus corações. Há uma ironia aqui: os ricos armazenam suas riquezas para protegê-los e elas serão contra eles para condená-los. Segundo, o salário retido com fraude dos ceifeiros vai testemunhar contra eles (5.4). O dinheiro tem voz. Ele fala e sua voz chega ao céu, aos ouvidos do Senhor dos Exércitos. Deus ouviu o sangue de Abel e ouve o dinheiro roubado dos trabalhadores. Terceiro, os trabalhadores irão também testificar contra eles (5.4b). Não haverá chance de os ricos subornarem as testemunhas e o juiz. Deus ouve o clamor do Seu povo oprimido e o julga com justiça.

Em quarto lugar, **as riquezas mal usadas revelam a perda de uma preciosa oportunidade** (5.3). Pense no bem que poderia ter sido feito com essa riqueza acumulada de forma avarenta. Pobres poderiam ter sido assistidos, o reino de Deus expandido, o salário dos ceifeiros pago. O que esses ricos guardaram, perderam anos depois quando Roma começou a perseguir os judeus (64 d.C e 70 d.C.). O dinheiro não deve ser uma arma para controlar e dominar os outros, mas um instrumento para ajudar os necessitados. O que guardamos, perdemos. O que damos, retemos. Uma pessoa pode ser rica neste mundo e pobre no mundo por vir. Pode ser pobre aqui e rica no mundo vindouro (2Co 6.10). O dinheiro fala: o que ele irá testemunhar sobre você no dia do juízo?

Como você tem lidado com o dinheiro: ele é seu dono ou seu servo? Seu coração confia na provisão ou no provedor? Você é honesto no trato com o dinheiro? Você tem alguma coisa em suas mãos que não lhe pertence? Os bens que você tem foram adquiridos honestamente? Você tem usado seus bens para ajudar outras pessoas, ou você tem acumulado apenas para o seu deleite e conforto?

10

Como compreender o
poder da paciência

Tiago 5.7-12

TIAGO COMEÇA SUA CARTA COM UMA CHAMADA à perseverança sob as provações (1.2-4) e termina exortando os crentes a serem pacientes até à vinda do Senhor (5.7,8). As provas, e não as experiências místicas, são o caminho da santificação e do aperfeiçoamento (1.4).[1] Tiago se volta agora dos ricos para os pobres que estavam sendo oprimidos e dá-lhes uma palavra de encorajamento. Eles devem ser pacientes, sabendo que é a Deus que estão servindo e que de Deus é que vem a recompensa.[2] Os pobres são encorajados a confiar no provedor e não na provisão.

Tiago diz para os crentes da dispersão que a recompensa é a coroa da vida (1.12); agora, afirma que a recompensa é a vinda de Cristo (5.7,8). No começo, o caminho da perfeição é a oração (1.5) e no final da carta, ele volta ao mesmo tópico (5.13-18). No começo oramos por nós, no fim oramos pelos outros.

Tiago fala da segunda vinda de Cristo sob dois aspectos: como uma alegre esperança (5.7,8 e 10,11) e como uma temível expectativa (5.9,12).

---

[1] Motyer, J. A. *The Message of James*. p. 172.
[2] Boyce, James Montgomery. *Creio sim, mas e daí?*. p. 125,126.

Para os salvos, o Senhor vem trazendo compaixão e misericórdia (5.11); para os ímpios o Juiz vem trazendo julgamento (5.9,12).[3] Tiago diz que a vinda do Senhor está próxima (5.8) e o juiz está às portas (5.9). Ao mesmo tempo em que a vinda do Senhor será um dia glorioso para o Seu povo, será também o terrível dia do Senhor para os ímpios.

Certo fazendeiro zombava dos crentes, trabalhando em frente à igreja no domingo. Colheu mais que os crentes e mandou uma carta para o jornal explicando sua posição: "Enquanto os crentes iam para a igreja eu trabalhei. Colhi mais que eles. Deus não me castigou. O que vocês pensam disso?" O jornalista publicou a carta e colocou uma nota de rodapé: Deus não ajusta suas contas na colheita.[4] James Boyce ainda diz: "Nós podemos passar por perseguições, enfrentar problemas, atravessar períodos de angústia, ver os maus prosperando, enquanto nós estamos sofrendo. Mas isso não é tudo. Um dia Deus acertará as contas".[5]

A vinda do Senhor é um sinal de alerta sobre o perigo do mau uso da língua. Devemos ter cuidado para não nos queixarmos uns dos outros (5.9). Também devemos ter cuidado para não fazermos juramentos impróprios (5.12). É mais fácil fazer um voto do que cumpri-lo. Mas ao fazermos um voto, devemos cumpri-lo, porque Deus não gosta de tolos (Ec 5.4). É mais importante ser real do que dramático. Nosso sim deve significar sim e o nosso não deve significar não. Devemos ser íntegros em nossa palavra. Não podemos ser pessoas divididas internamente. Devemos nos livrar da mente dupla. Devemos ser íntegros com Deus e com os homens e praticar uma devoção à verdade, se é que ela habita em nós.

A vinda do Senhor está próxima (5.8), está às portas (5.9). Enquanto Jesus não volta não esperamos vida fácil neste mundo (Jo 16.33). Paulo nos lembra que é em meio a muita tribulação (At 14.22). Devemos ser pacientes até Jesus voltar.

Mas como podemos experimentar esse tipo de paciência até Jesus voltar? Tiago dá três exemplos de paciência para encorajar os crentes:

---

[3]MOTYER, J. A. *The Message of James*. p. 176.
[4]BOYCE, James Montgomery. *Creio sim, mas e daí?*. p. 126.
[5]BOYCE, James Montgomery. *Creio sim, mas e daí?*. p. 126.

A paciência do **lavrador** (5.7-9)

Se uma pessoa é impaciente, ela nunca deve ser um agricultor.[6] O agricultor planta a semente certa, no campo certo, no tempo certo, sob as condições certas. A semente nasce, cresce, floresce e frutifica. O agricultor não tem nenhum controle sobre o tempo. Muita chuva pode danificar a lavoura. Falta de chuva pode pôr toda a colheita a perder.

O agricultor na Palestina dependia totalmente das primeiras chuvas que vinham em outubro (para o plantio), e das últimas chuvas que vinham em março (para a colheita).[7] O tempo está fora do seu controle. Ele tem que confiar e esperar. É Deus quem faz a semente brotar, germinar, crescer e frutificar. Ele não pode fazer nada nesse processo (Mc 4.26-29).

Por que o agricultor espera? Porque o fruto é precioso (5.7). *E não nos cansemos de fazer o bem, porque a seu tempo ceifaremos, se não houvermos desfalecido* (Gl 6.9). Tiago descreve o crente como um agricultor espiritual que procura uma colheita espiritual. *Sede vós também pacientes; fortalecei os vossos corações, porque a vinda do Senhor está próxima* (5.8).

O nosso coração é o solo. A semente é a Palavra de Deus. Há estações para a vida espiritual, como há estações para o solo. Muitas vezes nosso coração se torna seco e cheio de espinhos (Jr 4.3). Então Deus manda a chuva da sua bondade e rega a semente plantada, mas devemos ser pacientes para esperar a colheita.

Deus está procurando frutos em nossa vida (Lc 13.69). Devemos produzir o fruto do Espírito (Gl 5.22,23). E o único meio de darmos frutos doces é sermos provados (1.2-4). Em vez de ficarmos impacientes, devemos saber que Deus está trabalhando em nós.

Você só pode se alegrar nessa colheita espiritual, se o seu coração estiver fortalecido (5.8). Um coração instável não produz fruto. Um agricultor está sempre trabalhando em sua lavoura. Deus está trabalhando em nós para tirar de nós uma colheita abundante. Um lavrador não vive

---
[6]WIERSBE, Warren. *The Bible Expository Commentary*. Vol. 2, p. 378.
[7]MOTYER, J. A. *The Message of James*. p. 180.

brigando com os seus vizinhos. Ele está cuidando da sua própria lavoura. Não devemos perder o foco e viver falando mal uns dos outros (5.9).

A paciência dos **profetas** (5.10)

Os profetas foram homens que andaram com Deus, ouviram a voz de Deus, falaram em nome de Deus, mas passaram também por grandes aflições. Eles trilharam o caminho estreito das provas e foram pacientes. Privilégio e provas caminharam juntos na vida dos profetas. Privilégio e sofrimento; sofrimento e ministério caminharam lado a lado na vida dos profetas.

Isaías não foi ouvido pelo seu povo. Ele foi serrado ao meio. Jeremias foi preso, jogado num poço e maltratado por pregar a verdade. Ele viu o cerco de Jerusalém e chorou ao ver o seu povo sendo destruído. Daniel foi banido da sua terra e sofreu pressões quando jovem. Sofreu ameaça e perseguição por causa da sua fidelidade a Deus, a ponto de ser jogado na cova dos leões. Ezequiel também foi duramente perseguido. Estêvão denunciou o sinédrio: *A qual dos profetas não perseguiram vossos pais? Até mataram os que dantes anunciaram a vinda do Justo, do qual vós agora vos tornastes traidores e homicidas* (At 7.52).

Jesus disse: *Bem-aventurado sois vós, quando vos injuriarem e perseguirem e, mentindo, disserem todo mal contra vós por minha causa. Alegrai-vos e exultai, porque é grande o vosso galardão nos céus; porque assim perseguiram aos profetas que foram antes de vós* (Mt 5.11,12). Quando você estiver enfrentando sofrimento, não coloque em dúvida o amor de Deus, pois pessoas que andaram com Deus como você, também passaram pelas aflições. Seja paciente!

O apóstolo Paulo diz: *E na verdade todos os que querem viver piamente em Cristo Jesus padecerão perseguições* (2Tm 3.12). Nem sempre a obediência a Deus produz vida fácil! Se a igreja for mais perseguida, será mais fiel? Não. Se ela for mais fiel será mais perseguida. Isso significa que Deus não nos poupa das aflições, mas Ele nos assiste nas aflições. Elias anunciou ao ímpio rei Acabe que a seca viria sobre Israel. Ele também sofreu as consequências da seca, mas Deus cuidou dele e lhe deu vitória sobre os ímpios.

A vontade de Deus jamais levará você onde a graça de Deus não possa lhe sustentar. A nossa paciência em tempos de prova é um poderoso testemunho do evangelho àqueles que vivem ao nosso redor. O apóstolo Paulo escreve: *Porquanto tudo que dantes foi escrito, para nosso ensino foi escrito, para que, pela constância e pela consolação provenientes das Escrituras, tenhamos esperança* (Rm 15.4). Quanto mais conhecemos a Bíblia, mais Deus pode nos consolar em nossas tribulações.

Como um agricultor, devemos continuar trabalhando e como os profetas, devemos continuar testemunhando.

A paciência de **Jó** (5.11,12)

Tiago diz: *Eis que chamamos bem-aventurados os que suportaram aflições...* (5.11). Mas você não pode perseverar a não ser que haja provas em suas vida. Não há vitória sem luta. Não há picos sem vales. Se você deseja a bênção, você tem que estar preparado para carregar o fardo e entrar nessa guerra.

Certa feita ouvi um cristão orar: "Ó Deus, ensina-me as profundezas da Tua Palavra. Eu desejo ser arrebatado até o terceiro céu e ver e ouvir as coisas maravilhosas que Tu tens lá". Embora a oração tenha sido sincera, ela partiu de um crente imaturo. Paulo foi arrebatado até o terceiro céu; ele viu e ouviu coisas gloriosas demais para contar. E como resultado, Deus colocou um espinho em sua carne para mantê-lo humilde (2Co 12.1-10). Tem que existir um equilíbrio entre privilégios e responsabilidades, bênçãos e provas.

O livro de Jó pode ser dividido assim: 1) As perdas de Jó (1-3); 2) As acusações contra Jó e sua defesa contra os ataques de seus amigos (4-31); 3) A restauração de Jó (38-42). As circunstâncias estavam contra Jó; os homens estavam também contra ele; a sua esposa, de igual forma, ficou contra ele; seus amigos estavam contra ele. Satanás estava contra ele. Ele pensou que Deus também estava contra ele. Mesmo assim, ele perseverou! Ele provou que um homem pode amar a Deus acima dos bens, da família e da própria vida. Jó derrubou todas as teses de satanás.

Jó era um homem piedoso, justo, próspero, bom pai, sacerdote da família, preocupado com a glória de Deus. O próprio Deus dá testemunho a seu respeito. Deus o constitui Seu advogado na terra. Satanás prova Jó com a permissão de Deus. Jó perdeu todos os seus bens, perdeu todos os seus filhos e perdeu também a sua saúde (Jó 1.22; 2.10). Jó perdeu o apoio da sua mulher. Jó perdeu o apoio dos seus amigos. Jó faz dezesseis vezes a pergunta: por quê? Jó expressa sua queixa 34 vezes. Mas no auge da sua dor, ele disse para Deus: *Ainda que Deus me mate, ainda assim, esperarei nEle...* (Jó 13.15).

Deus restaura a sorte de Jó, dando-lhe o dobro dos bens. Por que não deu o dobro dos filhos? Porque quando os animais foram embora, eles realmente foram. Eles não tinham almas imperecíveis. Mas quando os filhos foram fisicamente, eles na verdade não foram. Eles estavam com Deus no céu. Assim, agora, Jó tem dez filhos no céu e dez filhos na terra. Em tudo isso Jó triunfou.[8]

Jó esperou pacientemente no Senhor e Deus o honrou. Ele não explicou nada para Jó, mas apesar de Jó não conhecer os porquês de Deus, ele pôde conhecer o caráter de Deus (Jó 42.5). A maior bênção que Jó recebeu não foi saúde e riqueza, mas um conhecimento mais profundo de Deus. Isso é a própria essência da vida eterna (Jo 17.3).

O livro de Jó nos prova que Deus tem propósitos mais elevados no sofrimento do que apenas punir o pecado.[9] O propósito de Deus no livro de Jó é revelar-se como o Deus cheio de bondade e misericórdia (Jó 5.11). Jó passou a conhecer o Senhor de uma forma nova e mais profunda. O propósito de satanás era fazer de Jó um homem impaciente com Deus. Isto porque um homem impaciente com Deus é uma arma nas mãos do maligno. Mas o propósito de Deus em permitir Jó sofrer foi fortalecê-lo e fazer dele uma bênção maior para o mundo inteiro.

Tiago deseja encorajar-nos a sermos pacientes em tempos de provas. Como um agricultor, devemos esperar por uma colheita espiritual, por frutos que glorifiquem a Deus. Como os profetas, devemos procurar oportunidades para testemunhar mesmo no meio do sofrimento. Como Jó, devemos esperar para que o Senhor complete Seu amoroso propósito em nós, mesmo em meio ao sofrimento.

---

[8] BOYCE, James Montgomery. *Creio sim, mas e daí?*. p. 134.
[9] WIERSBE, Warren. *The Bible Expository Commentary*. Vol. 2, p. 380.

11

Como usar a **eficácia** da oração

Tiago 5.13-20

SETE VEZES NESTE PARÁGRAFO TIAGO MENCIONA A ORAÇÃO. Um cristão maduro é aquele que tem uma vida plena de oração diante das lutas da vida. Em vez de ficar amargurado, desanimado, reclamando, ele coloca a sua causa diante de Deus e Deus responde ao seu clamor.

Tiago escreve uma carta prática e, por isso, ele começa e termina esta carta com oração. Desperdiçamos tempo e energia quando tentamos viver a vida sem oração.

Neste parágrafo Tiago encoraja-nos a orar.

Devemos orar **pelos que sofrem** (5.13)

Tiago destaca três verdades fundamentais nesse versículo.

Em primeiro lugar, ***nos problemas não devemos murmurar, mas orar***. O sofrimento aqui é provado por circunstâncias adversas: saúde, finanças, família, relacionamentos, decepções. Em vez de murmurar contra Deus ou falar mal dos irmãos (5.9), devemos apresentar essa causa a Deus em oração, pedindo sabedoria para usar essa situação para a glória de Deus (1.5).

Em segundo lugar, ***Deus muda as circunstâncias pela oração***. A oração remove o sofrimento. Mas também a oração nos dá poder para enfrentar os problemas e usá-los para cumprir os propósitos de Deus. Paulo orou para Deus mudar as circunstâncias da sua vida, mas Deus lhe deu poder para suportar as circunstâncias (2Co 12.7-10). Jesus clamou ao Pai, com abundantes lágrimas, no Getsêmani, para passar dEle o cálice, mas o Pai lhe deu forças para suportar a cruz e morrer pelos nossos pecados.

Em terceiro lugar, *ao mesmo tempo temos pessoas chorando e outras celebrando na igreja*. Ao mesmo tempo há pessoas sofrendo e há pessoas alegres (5.13). Deus equilibra a nossa vida, dando-nos horas de sofrimento e horas de regozijo. O cristão maduro, entretanto, canta mesmo no sofrimento (Jó 35.10). Paulo e Silas cantaram na prisão (At 16.25). Josafá cantou no fragor da batalha (2Cr 20.21). Muitas vezes trafegamos dos caminhos floridos da alegria para os vales do choro num mesmo dia. Mas, mesmo que os nossos pés estejam no vale, nosso coração pode estar no plano (Sl 84.5-7). Pelo poder de Deus, podemos transformar os vales secos em mananciais, o pranto, em alegres cantos de vitória. Quando o diamante é lapidado é que ele reflete sua beleza mais fulgurante. Quando a flor é esmagada é que ela exala o seu mais doce perfume. A alegria mais poderosa é aquela que, muitas vezes, explode banhada pelas lágrimas mais quentes.

Devemos orar *pelos enfermos* (5.14-16)

Tiago fala sobre a atitude do enfermo, a atitude dos presbíteros e a atitude dos irmãos.

Em primeiro lugar, *vejamos o que o enfermo faz*. No caso em apreço, parece-nos que Tiago está dizendo que a pessoa está doente por causa do pecado (5.15b,16). Nem toda doença é resultado de pecado pessoal, mas o caso mencionado por Tiago parece-nos retratar uma doença *hamartiagênica*, ou seja, provocada por um comportamento pecaminoso.

O doente reconhece a autoridade espiritual dos presbíteros da igreja (5.14). O crente impossibilitado de ir à igreja chama os presbíteros da igreja à sua casa. O doente reconhece assim, que os presbíteros, e não um homem ou mulher que tem o dom de curar, é que devem orar por ele. J. A. Motyer faz um importante comentário acerca dessa questão da cura,

Mesmo quando vamos ao médico, nossos olhos continuam firmados no Senhor. Somente Deus tem o poder de curar. Não existe aquilo que se chama de cura não espiritual. Quando o doente toma uma aspirina, é o Senhor que faz a aspirina ser eficaz. Quando um cirurgião opera um paciente, é Deus quem realiza a cura. Todo dom perfeito vem lá do alto. Precisamos ter isso em mente quando examinamos essa convocação dos presbíteros para orar e ungir o enfermo. Tiago não nos diz se está recomendando um complemento ao trabalho do médico ou se o expediente é uma alternativa ao trabalho do médico. Não podemos assumir que Tiago esteja aqui desconsiderando ou desaprovando o trabalho do médico, pelo fato de não tê-lo mencionado. Na verdade, o que Tiago enfatizava é que há sempre uma dimensão espiritual na cura. Em nenhuma ocasião um cristão deveria procurar o médico sem procurar a Deus, visto que toda cura vem de Deus, pois é Ele quem sara todas as nossas enfermidades.[1]

Alguns estudiosos, conforme veremos no próximo capítulo, entendem que o uso do óleo consistia no uso dos melhores recursos médicos daquele tempo. Desta forma, o que Tiago estaria defendendo era a oração e o emprego da melhor medicina aceita e consagrada da época. Assim, Tiago estaria recomendando a oração e o remédio. Os dois expedientes devem estar sempre juntos.

Tiago enfatiza também a necessidade de o doente confessar os seus pecados (5.16). A confissão é feita aos santos e não a um sacerdote. Devemos confessar o nosso pecado a Deus (1Jo 1.9) e também àqueles que foram afetados por ele. Jamais devemos confessar um pecado além do círculo que foi afetado por aquele pecado. Pecado privado deve ter confissão privada. Pecado público requer confissão pública. É uma postura errada *lavar roupa suja* em público.

Em segundo lugar, **vejamos o que os presbíteros fazem: primeiro, eles oram pelo enfermo com imposição de mãos, a oração da fé** (5.14,15). Os presbíteros são bispos e pastores do rebanho. Eles velam pelas almas daqueles que lhes foram confiados. Eles oram com imposição de mãos, num gesto de autoridade espiritual. A oração da fé é a oração feita

---

[1] MOTYER, J. A. *The Message of James*. p. 193.

na plena convicção da vontade de Deus (1Jo 5.14,15). Segundo, eles ungem o enfermo com óleo em nome do Senhor (5.14). Não é a unção que cura o enfermo, mas a oração da fé. Quem levanta o enfermo não é o óleo, é o Senhor. O óleo é apenas um símbolo da ação de Deus.

Em terceiro lugar, **vejamos o que os irmãos fazem** (5.16). Os crentes confessam seus pecados uns aos outros e oram uns pelos outros. Há uma terapia divina quando há confissão, perdão e reconciliação. A oração não é uma prerrogativa apenas dos presbíteros nem é ela direcionada apenas aos enfermos, antes, é um privilégio de todos os crentes. A confissão não é a um sacerdote ou a todos indistintamente. A confissão deve ser feita a Deus e à pessoa ou pessoas diretamente implicadas. J. A. Motyer diz que a posição bíblica acerca da confissão de pecados deve ser resumida da seguinte maneira: "A confissão deve ser feita à pessoa contra quem pecamos, e de quem nós necessitamos e desejamos receber perdão".[2] A mágoa adoece, a confissão traz cura. O ressentimento produz prostração, o perdão restauração.

Devemos crer na eficácia da oração (5.17,18)

Quando a nação se desvia de Deus, os profetas de Deus devem orar e pregar. Israel se afastou de Deus, e Elias apareceu no cenário para confrontar o rei, o povo, e os profetas de Baal. Elias orou com instância para não chover e as comportas do céu foram fechadas. Depois de três anos e meio, orou, firmado na promessa de Deus, para chover e os céus prorromperam em abundantes chuvas. Os céus se fecharam e se abriram em resposta às orações de Elias. Ele não só falou aos homens, confrontando seus pecados; mas também falou com Deus, clamando por chuva restauradora.

Os crentes, embora sujeitos a fraquezas, podem ter vitória na oração. Elias era homem sujeito às mesmas fraquezas (teve medo, fugiu, sentiu depressão, pediu para morrer), mas era justo e a oração do justo pode muito em sua eficácia. O poder da oração é o maior poder no mundo. A história mostra o progresso da humanidade: poder do braço, poder

---

[2]MOTYER, J. A. *The Message of James*. p. 202.

do cavalo, poder da dinamite, poder da bomba atômica. Mas o maior poder é o poder de Deus que se manifesta através da oração dos justos.

Elias orou fundamentado na promessa de Deus. Em 1Reis 18.1 Deus disse que enviaria a chuva e em 1Reis 18.41-46, Elias orou pela chuva. Não podemos separar a Palavra de Deus da oração. Em Sua Palavra Deus nos dá as promessas pelas quais devemos orar.

Elias orou com persistência. Muitas vezes, nós fracassamos na oração porque desistimos muito cedo, no limiar da bênção.

Elias orou com intensidade. A palavra "instância" (5.17) significa que Elias orou de coração. Ele pôs o seu coração na oração. Devemos orar pela nação hoje, para que Deus traga convicção de pecado sobre o povo e um reavivamento para a igreja.

Devemos nos **esforçar pela restauração** dos desviados (5.19,20)

Há sempre o perigo de uma pessoa se desviar de verdade. *Por isso convém atentarmos mais diligentemente para as coisas que ouvimos, para que em tempo algum nos desviemos delas* (Hb 2.1). O resultado desse desvio é pecado e possivelmente a morte (5.20). O pecado na vida de um crente é pior do que na vida de um não crente.

Devemos ajudar os membros que se desviam da verdade. Essa pessoa precisa ser "convertida", ou seja, voltar para o caminho da verdade (Lc 22.32). Precisamos nos esforçar para salvar os perdidos. Mas também precisamos nos esforçar para restaurar os salvos que se desviam. Judas 23 usa a expressão "arrebatando-os do fogo".

Tiago, nesse parágrafo, deu sua última instrução: oração pelos que sofrem, pelos enfermos e cuidado e restauração para os que se desviam. Nosso coração deve estar cheio de compaixão pelos que sofrem, pelos enfermos e pelos que se desviam, para que nossas orações possam subir ao trono da graça em favor deles.

12

Como entender a questão da unção com óleo

Tiago 5.14

O AUMENTO DA ÊNFASE ATUAL sobre a relação entre religião e saúde tem despertado um maior interesse a respeito da cura espiritual.[1] Ao mesmo tempo que se agigantam os problemas que afligem a humanidade, deve crescer também a responsabilidade terapêutica da igreja. A questão da unção com óleo está profundamente ligada a essa sublime missão da igreja.

A unção com óleo é um assunto profundamente polêmico e controvertido.[2] Teólogos e eruditos têm debatido o significado desse rito por longo tempo. William MacDonald chegou a afirmar que "esta é uma das mais discutidas porções da Epístola de Tiago, e talvez de todo o Novo Testamento".[3] O conceituado escritor J. A. Motyer, na mesma linha de pensamento, disse que "esta passagem sobre a unção com óleo é a mais fascinante em toda a carta de Tiago e uma das que

---

[1] BOWMAN, Warren D. *Anointing for Healing*. IN Journal Bretheren Life and Thought. 3.54-62. 1950, p. 62.
[2] Moo, Douglas J. *The Letter of James*. England: Apollos Leicester, 1984, p. 278.
[3] MACDONALD, William. *Believer's Bible Commentary*. Naschville: THOMAS Nelson Publishers, 1995, p. 2240.

tem provocado o maior número de diferentes opiniões e não pouca controvérsia".[4]

Unção com óleo é uma prática antiga e quase universal. Esse rito tem rompido a fronteira das religiões e vencido a barreira do tempo. Ela é uma prática contemporânea.

Em virtude da diversidade de interpretações e práticas sobre o assunto, é mister definir com mais exatidão o seu real significado à luz da Bíblia.

Existem na igreja protestante prós e contras ao uso do óleo como um símbolo espiritual. Jay E. Adams, por exemplo, é um dos mais ardorosos defensores do uso terapêutico do óleo, em detrimento da sua simbologia espiritual. Meu entendimento, entretanto, é que o uso do óleo em Tiago 5.14 não é medicinal, mas um símbolo espiritual. Para consubstanciar essa tese, analisar o referido texto sob a perspectiva histórica, bíblica, exegética e teológica. Vejamos o significado da unção com óleo na história da igreja.

A unção com óleo **na igreja primitiva**

Vejamos, em primeiro lugar, a questão da unção com óleo na *igreja primitiva*. Duas passagens no Novo Testamento abordam a questão da unção com óleo. Marcos 6.13 reporta ao ministério de cura dos discípulos de Cristo: *e expulsavam muitos demônios, e ungiam muitos enfermos com óleo, e os curavam.* Tiago 5.14 esboça a prática da unção com óleo aos enfermos da igreja pelos presbíteros: *Está doente algum de vós? Chame os anciãos da igreja, e estes orem sobre ele, ungindo-o com óleo em nome do Senhor.*

Esse tema recebeu pouca atenção nos primórdios da igreja. Rituais para a unção de enfermos podem ser encontrados somente a partir do oitavo século.[5] Muitos creem que essa ausência de ênfase deve-se ao fato de a unção de pessoas enfermas ser uma realidade normalmente

---

[4]MOTYER, J. A. *The Message of James*, p. 189.
[5]SATTERLLE, Craig A. *The Pastoral Significance of Laying of the Hands and Anointing the Sick*. Columbus, Ohio: Th esis (S.T.M.) Trinity Lutheran Seminary, 1993, p. 98.

aceita no ministério da igreja, ao ponto da sua explanação ser desnecessária.⁶

Os dois exemplos mais antigos de unção, com base em Tiago 5.14 são: 1) O óleo da fé, e 2) A tradição apostólica de Hipólito. O *Óleo da Fé* é um texto aramaico do primeiro século, contendo uma série de longos textos que conectam o tema da cura com o perdão de pecados.⁷ Na tradição apostólica de Hipólito (c. 215) há duas notas concernentes ao ministério de cura: primeiro, o bispo era informado sobre a pessoa doente que ele devia visitar; segundo, o óleo precisava ser abençoado pelo bispo, antes de ser aplicado. Essa bênção do bispo colocou o óleo na categoria de um sacramento.⁸ Após a consagração sacerdotal, o óleo passou a ter um intrínseco poder de cura.

Tertuliano mencionou a cura pela unção. Também o imperador romano, Sétimo Severo, creu ter sido curado de uma enfermidade através da unção administrada por um cristão chamado Proculus Torpacion.⁹

Uma definição de cura através da unção pode ser encontrada também no *Sacramentário de Serapião*, onde o óleo é visto como medicinal e também um instrumento para o exorcismo.¹⁰

Outra questão levantada sobre o assunto era quem poderia administrar o óleo consagrado. O papa Inocêncio I, em sua carta ao bispo Decentius de Gubbio, em Úmbria, escreveu que os cristãos tinham o direito não apenas de serem ungidos pelos clérigos, mas também de usarem o óleo em si mesmos ou nos membros de sua família.¹¹

---

⁶SATTERLLE, Craig A. *The Pastoral Significance of Laying of the Hands and Anointing the Sick.* Columbus, Ohio: Th esis (S.T.M.) Trinity Lutheran Seminary, 1993, p. 98.
⁷RAHNER, Karl. *Sacramentum Mundi.* Vol. 1. New York: Herder and Herder, 1968, p. 37 e SATTERLLE, Craig A. *The Pastoral Significance of Laying of the Hands and Anointing the Sick*, p. 98,99.
⁸SATTERLLE, Craig A. *The Pastoral Significance of Laying of the Hands and Anointing the Sick*, p. 99,100.
⁹EXELL, Joseph S. *The Biblical Ilustrator- S. James.* Grand Rapids, Michigan: Baker Book House, 1973, p. 475-478.
¹⁰DAVIES, G. Henton. *Twentieth Century Bible Commentary.* New York: Harper & Brothers Publishers, 1979, p. 359.
¹¹SATTERLLE, Craig A. *The Pastoral Significance of Laying of the Hands and Anointing the Sick*, p. 101.

Trezentos anos mais tarde, na Inglaterra, quando o venerável Bede discutiu esse assunto na sua exegese sobre a Epístola de Tiago, ele sustentou a mesma prática para o seu povo, citando a carta de Inocêncio I como confirmação. Ambos, Inocêncio I e Bede, distinguiram dois tipos de unção: a leiga e a sacerdotal. Enquanto a litúrgica unção pelos bispos destinava-se à cura espiritual e física, a unção privada, aplicada pelos leigos em si mesmos ou em seus familiares, só visava a restauração da saúde física.[12] Nesse tempo, quando o óleo era aplicado por um leigo, a tendência era procurar alguém com uma reputação de santidade ou que possuísse o dom de cura.[13] Alguns eruditos católicos romanos, até hoje, chegam ao extremo de defender a ideia de que a cura em Tiago 5.14 não é carismática, mas hierárquica.[14]

Outra questão também discutida na igreja primitiva era onde o óleo da cura deveria ser aplicado. Segundo a tradição de Hipólito, o óleo podia ser aplicado externamente ou recebido internamente. Alguns textos sugerem que o óleo poderia ser aplicado onde a dor era mais intensa ou então, colocado nos lábios do enfermo.[15]

Possivelmente, o fator que mais contribuiu para a mudança do entendimento da igreja sobre o propósito da unção de enfermos foi a oficial tradução latina da Bíblia, feita por S. Jerônimo, *A Vulgata*, obscurecendo o significado da passagem de Tiago 5.14.

"Jerônimo, em sua famosa tradução, escrita por volta do ano 400 d.C., usou a palavra latina teológica *salvar* para traduzir tanto *salvar* como *levantar* em Tiago 5.14. Desta maneira, a atenção da igreja deixou de centralizar-se na cura, para focar-se no que a cura representa simbolicamente. Desde que a Vulgata foi a única tradução oficial usada pela igreja por mais de 1.500 anos, sua influência sobre

---

[12]SATTERLLE, Craig A. *The Pastoral Significance of Laying of the Hands and Anointing the Sick*, p. 102.
[13]GUSMER, Charles W. *Anointing of the Sick in the Church of England*. IN: Journal Worship. 46:262-272.1984, p. 19.
[14]O'BOYLE, Patrick A. *New Catholic Encyclopedia*. Philippines Copyright, 1967, p. 565-577.
[15]DAVIES, G. Henton. *Twentieth Century Bible Commentary*, p. 359.

o entendimento da questão da unção dos enfermos com óleo foi profunda e considerável".[16]

A unção com óleo **na reforma carolíngia**

A reforma carolíngia, que começou no século IX, estabeleceu o sacerdote como o ministro da unção, transformando-a de um rito para o enfermo num sacramento para a morte.[17] Em função da diminuição do número de curas nesse tempo, o rito da unção foi não apenas restaurado, mas reinterpretado, passando a receber um novo significado, tornando-se finalmente "extrema-unção", uma preparação para a morte, em vez da restauração para a vida.[18] Assim, a unção passou a ter mais relação com o perdão dos pecados do que com a cura física. O concílio de Chalon-Sur-Salone em 813 d.C., reservou a administração da unção somente para os sacerdotes; e, na prática, os receptores dessa unção tinham que estar no portal da morte.

A prática da **extrema-unção**

Por volta do décimo segundo e décimo terceiro séculos, a prática do adiamento da unção até o momento da morte foi incorporada na doutrina da Igreja Romana, como sendo o sacramento da extrema-unção. Esse sacramento passou a ser visto como um remédio espiritual, cujo efeito era a cura da enfermidade do pecado. Assim, o último propósito da unção do enfermo passou a ser a preparação para a morte em vez da cura para a vida.

Esse dogma católico romano está desprovido de qualquer base bíblica. Tiago está falando do crente enfermo e não do crente no limiar da morte.[19] A palavra grega *asthenei*, usada em Tiago 5.14, não tem a

---

[16] MACNUTT, Francis. *Healing*. Notre Dame, IN: Ave Maria Press, 1974, p. 280.
[17] SATTERLLE, Craig A. *The Pastoral Significance of Laying of the Hands and Anointing the Sick*, p. 104.
[18] RICHARDSON, Cyril C. *Spiritual Healing in the Light of History*. IN: Journal Pastoral Psychology. 5:16-20. 1954, p. 18.
[19] GUSMER, Charles W. *Liturgical Traditions of Christian Illness: Rites of the Sick*. IN: Journal Worship. 46:528-543. 1972, p. 531.

conotação de uma grave enfermidade.[20] Assim, o propósito da unção não é preparar a pessoa para a morte, mas restaurá-la para a vida. Tiago não está falando da cura da alma, mas da restauração do corpo.

O alto escolasticismo

Alberto, o Grande, Tomás de Aquino, Boaventura e Duns Scotto tiveram grande interesse em definir o significado e a quantidade dos sacramentos. Eles concluíram que havia sete sacramentos e que os mesmos tinham um efeito espiritual eficaz e infalível. Obviamente, essa conclusão da quantidade e do conteúdo dos sacramentos da Igreja Romana não possuem amparo nas Escrituras, visto que cinco sacramentos são falsos e dois foram alterados. Assim, a cura, como um infalível efeito da unção, só poderia ser interpretada no sentido espiritual.

Tomás de Aquino, olhando o texto de Tiago 5.14 pelas lentes da hermenêutica romana, entendia que a cura espiritual é o significado básico da unção com óleo. Para sustentar sua posição, ele citou Isaías 1.6 como exemplo.[21] O argumento de Aquino, contudo, é extremamente frágil, tendo em vista que a palavra *aleipho* não aparece na versão grega de Isaías.

O entendimento comum sobre a unção de enfermos no décimo terceiro século era que ela representava perdão de pecados e não cura física. Consequentemente, a influência das Escolas de Teologia Dominicana e Franciscana fortaleceu a ideia de que a pessoa só deveria ser ungida na hora da morte, e isto, não para a restauração da saúde, mas para a remissão dos pecados.[22]

A última tradição medieval culminou em 1439, quando o Concílio de Florença declarou que a pessoa precisa estar em perigo de morte para poder receber o sacramento da extrema-unção.[23]

---

[20]GUSMER, Charles W. *Liturgical Traditions of Christian Illness: Rites of the Sick.* IN: Journal Worship. 46:528-543. 1972, p. 530.
[21]COLLINS, C. John. *James 5.14-16a: What is the Anointing For?* IN: Journal Presbyterian. 23.79-91: 1997, p. 88.
[22]SATTERLLE, Craig A. *The Pastoral Significance of Laying of the Hands and Anointing the Sick*, p. 108,109.
[23]SATTERLLE, Craig A. *The Pastoral Significance of Laying of the Hands and Anointing the Sick*,p. 110.

A interpretação reformada

Os reformadores rejeitaram a doutrina da extrema-unção, considerando-a uma distorção e perversão do texto de Tiago 5.14. Calvino disse que essa passagem de Tiago foi ímpia e ignorantemente pervertida quando a extrema-unção foi estabelecida sobre a sua base.[24] Lutero, que negou o dom da cura para o seu tempo, viveu para ver o seu amigo Myconius ser milagrosamente levantado do leito de morte através de sua oração de fé.[25] Quando Lutero ouviu que seu amigo Myconius estava morrendo, ele caiu de joelhos e orou: "Ó Senhor, meu Deus, não! Não tomes agora o nosso irmão Myconius para Ti. Tua causa ainda precisa dele. Amém". Então Lutero levantou-se e escreveu: "Não há razão para temer, meu querido Myconius, o Senhor não permitirá que você morra agora". Essa carta levantou Myconius do leito da enfermidade de forma milagrosa.

A oração de Lutero foi a oração da fé, a oração que pede sem jamais duvidar. Em 1545 Lutero escreveu instruções sobre a oração por enfermos, mostrando a sua confiança no poder de Deus para curar.

João Calvino, tanto em seu Comentário de Tiago, quanto nas *Institutas*, refutou a doutrina católica romana da extrema-unção, mostrando que Tiago fala da cura do corpo e não da alma, da restauração para a vida e não da preparação para a morte.[26] Calvino entendia que a unção com óleo, descrita em Tiago, tem o mesmo significado do dom extraordinário de cura encontrado em Marcos 6.13. Porém, ele entendia que esse dom foi restrito ao tempo dos apóstolos. Segundo Calvino, se o dom de cura cessou, o seu símbolo, a unção com óleo, também deve cessar.[27] Hoje, tanto nas igrejas luteranas como nas reformadas há um movimento advogando a restauração da unção de enfermos.[28]

---

[24]CALVIN, John. *CALVIN's Commentaries*. Vol. 22. Grand Rapids, Michigan: Baker Book House, 1979, p. 355,356.
[25]HASTINGS, James. *The Speaker's Bible – James*. Grand Rapids, Michigan: Baker Book House, 1962, p. 206.
[26]CALVIN, John. *Calvin's Commentaries*. Vol. 22, p. 355,356.
[27]CALVIN, John. *Calvin's Commentaries*. Vol. 22, p. 356; Moo, Douglas J. *The Letter of James*. p. 242.
[28]MARTIN, James Ralph P. *Word Biblical Commentary*. Vol. 48. Waco, Texas: Word Books Publisher, 1960, p. 102.

A visão dos puritanos segundo Thomas Goodwin

Thomas Goodwin, considerado o mais puro representante do puritanismo inglês do século XVII,[29] por outro lado, entendeu a questão da unção com óleo de forma diferente da posição clássica da reforma. Para Goodwin, unção com óleo em Tiago 5.14 não era nem a extrema-unção, como ensinava a Igreja Católica Romana, nem um dom extraordinário e miraculoso, como entendia Calvino, mas uma instituição ordinária.[30] Para ele, Tiago 5.14 não tem o mesmo significado de Marcos 6.13, como entendia João Calvino. Enquanto Marcos fala de um dom miraculoso e extraordinário, Tiago está falando de uma instituição ordinária. Para sustentar sua tese, Goodwin enumera algumas razões:

Em primeiro lugar, *os administradores da unção*. Os presbíteros não necessariamente tinham o dom de cura[31] e eram eles que administravam o rito da unção.

Em segundo lugar, *os receptores da unção*. Os receptores da unção eram membros da igreja e não incrédulos, enquanto os milagres estendiam-se a toda sorte de pessoas. Via de regra, os milagres foram usados no Novo Testamento para os descrentes.

Em terceiro lugar, *a generalidade da unção*. A unção estendia-se a todas as pessoas doentes da igreja. Isso evidencia o caráter não extraordinário da unção, uma vez que os milagres nunca foram universalizados.

Em quarto lugar, *os limites do dom de cura*. O extraordinário dom de curar não estava limitado ao uso do óleo.[32]

Em quinto lugar, *os resultados da unção*. Se toda unção de enfermos tivesse um efeito eficaz de cura, os cristãos teriam encontrado uma forma de escapar da morte.

Seguindo a linha de Goodwin, Satterlle posiciona-se afirmando que a cura do cristão não está limitada a um dom especial, a um único

---

[29]Santos, Valdeci da Silva. *The Light Beyond the Light of Ordinary Faith:Thomas Goodwin's view on the Seal of the Holy Spirit*. Jackson, Mississippi: A Thesis Master in Theology, Reformed Theological Seminary, 1997, p. 11.
[30]Goodwin,Thomas. *The Works of Thomas Goodwin*. Vol. 11. Eureka, California: Tanski Publications, 1861, p. 458-462.
[31]1Coríntios 12.9,28.
[32]Atos 3.6.

carisma que Deus dá para certos indivíduos, mas tem se tornado a oficial ação da igreja através de seus líderes.[33]

A tradição **católica romana**

O Concílio de Trento, em 1551, reafirmou o dogma da extrema-unção, declarando que ele foi instituído por Cristo como um verdadeiro e próprio sacramento do Novo Testamento, visando preparar o enfermo para a morte.[34]

O Concílio Vaticano II restabeleceu a doutrina da unção, como unção de enfermos e determinou um re-estudo e renovação do sacramento. A palavra *extrema* foi removida, e o sacramento passou a ser chamado de *unção do enfermo*, deixando assim de ser aplicado apenas àquelas pessoas que estão à beira da morte.[35]

Hoje, o movimento carismático dentro da Igreja Católica Romana encoraja as pessoas a usarem o óleo em suas vidas diárias, ao passarem por dificuldades ou enfermidades.[36]

A tradição da **igreja da Inglaterra**

Quando os reformadores ingleses, sob a liderança de Thomas Cranmer, prepararam o primeiro Livro de Oração de Eduardo VI, eles incluíram um ofício de visitação aos enfermos. Esse livro regulamentou a questão da unção da pessoa enferma.[37] O entendimento desses reformadores era que a unção externa com óleo simbolizava a unção interna do Espírito,

---

[33]SATTERLLE, Craig A. *The Pastoral Significance of Laying of the Hands and Anointing the Sick*, p. 166.

[34]SATTERLLE, Craig A. *The Pastoral Significance of Laying of the Hands and Anointing the Sick*, p. 126-128; BOWMAN, Warren. *Anointing for Healing*. IN: Journal Bretheren Life and Thought. 3.54-62. 1959, p. 55.

[35]ATKISON, David J.; FIELD, David H. *New Dictionary of Christian Ethics & Pastoral Theology*, 1995 , p. 755.

[36]SATTERLLE, Craig A. *The Pastoral Significance of Laying of the Hands and Anointing the Sick*, p. 132.

[37]CHARLES W. GUSMER. *Anointing of the Sick in the Church of England*. IN: Journal Worship, 1973 , p. 262,263.

que trazia força, conforto, cura e alegria.[38] Martin Bucer, reformador alemão, vindo para a Inglaterra em 1549, referiu-se à unção de Tiago 5.14, à semelhança de Calvino, como um dom apostólico de cura, restrito ao tempo dos apóstolos.[39] Essa linha de argumentação, primeiro articulada por João Calvino e confirmada por Martin Bucer, foi mais tarde unanimemente adotada pela Igreja Anglicana do século XVI.

Em 1552 o rito da unção de enfermos foi retirado do Livro Comum de Oração, o Segundo Livro de Oração de Eduardo VI e jamais foi restaurado.[40] Essa decisão, porém, teve resistência. Nos séculos XVIII e XIX pessoas influentes na Igreja da Inglaterra advogaram a restauração do rito da unção de enfermos.[41]

A unção de enfermos na **atualidade**

Igrejas de linha reformada têm buscado uma definição para essa importante questão nos dias hodiernos, buscando resgatar o sentido bíblico dessa prática. A Igreja Presbiteriana do Brasil, na sua assembleia geral ordinária em 1998, na cidade de Brasília, aprovou o uso do óleo na unção de enfermos, deixando ao alvitre de cada conselho (pastores e presbíteros) orientar biblicamente o seu uso. É bem verdade que alguns pastores, por entenderem que a prática da unção com óleo não é mais contemporânea, ou mesmo por cautela, para fugirem dos exageros, preferem abolir completamente essa prática.

Não podemos negar, todavia, que a unção com óleo tem se tornado cada vez mais difundida atualmente, embora muitos segmentos evangélicos tenham caído em condenáveis excessos em seu *modus operandi*.

Muitas igrejas contemporâneas voltaram às práticas cerimoniais do Antigo Testamento, ungindo vestes, objetos, carros, carteiras e pessoas

---

[38]Charles W. GUSMER. *Anointing of the Sick in the Church of England*. IN: Journal Worship, p. 264.
[39]Charles W. GUSMER. *Anointing of the Sick in the Church of England*. IN: Journal Worship, p. 264,265.
[40]Charles W. GUSMER. *Anointing of the Sick in the Church of England*. IN: Journal Worship, p. 265.
[41]Charles W.GUSMER. *Anointing of the Sick in the Church of England*. IN: Journal Worship, p. 265.

de forma indiscriminada. Precisamos compreender que os rituais do Antigo Testamento eram sombras do que havia de vir (Cl 2.16,17). Esses rituais cessaram com o sacrifício perfeito e cabal do Senhor Jesus Cristo (Hb 10.11-14). Os únicos símbolos sacramentais que a igreja tem são a água do batismo e o pão e o vinho da Ceia do Senhor. A igreja cristã só tem dois sacramentos, o batismo e a Ceia do Senhor. Laboram em erro aqueles que colocam a unção com óleo como uma prática sacramental.

Há igrejas que ungem com óleo de forma generalizada, onde todas as pessoas que estão no templo entram numa fila e os pastores e presbíteros ungem as pessoas sem saber quem são, o que têm, e por que ali estão. Não vemos essa prática no Novo Testamento. Não vemos os apóstolos ungindo objetos, casas, bolsas e pessoas de forma indiscriminada. O que assistimos hoje é uma deturpação do ensino de Tiago 5.14. O que estamos assistindo é um misticismo sincrético forâneo às Escrituras. Compreendemos, entretanto, que a solução não é banir a unção com óleo por causa dos exageros daqueles que teimam em desobedecer às Escrituras. Paulo não baniu a Ceia do Senhor porque a igreja de Corinto estava cometendo excessos na celebração da Ceia (1Co 11.17-34). Não podemos jogar fora a criança junto com a água da bacia. Entendo que a inexistência dessa prática em alguns períodos da história não deve ser também o argumento decisivo para suspendermos a prática contemporânea. Nosso grande fundamento de fé é que a Bíblia é a nossa única regra de fé e prática. A pergunta que temos de fazer não é se os irmãos nossos do passado usaram ou deixaram de ungir os enfermos com óleo, mas sim se essa unção é uma prática legítima, bíblica, instituída pelo Senhor Jesus e ordenada por Tiago em sua carta inspirada.

Tiago não fala de enfermos sendo ungidos em culto público. Não existe rito de unção aos enfermos no culto público da igreja. Não existe unção com óleo às pessoas nem mesmo aos enfermos em culto público. A prática do Novo Testamento é que o crente, enfermo, deveria chamar à sua casa, não um presbítero, mas os presbíteros da igreja. Essa prática, a unção com óleo, deveria ser aplicada não a todas as pessoas da igreja ou da família, mas apenas aos enfermos, pelos presbíteros, no recesso da intimidade familiar. Os presbíteros deveriam não apenas ungir os enfermos, mas também impor sobre eles as mãos e fazer a oração da fé.

A unção com óleo para **fins cosméticos**

O uso do óleo como um cosmético possui um consenso unânime e universal. É um tema absolutamente incontroverso. Por essa razão, não vamos nos deter em sua análise. Até, porque, não é esse o enfoque de Tiago 5.14.

A unção com óleo com propósitos cosméticos é claramente vista tanto no Antigo Testamento (Rt 3.3; Ct 4.10), como no Novo Testamento (Mt 6.17; Lc 7.38). Certamente este é o objetivo mais difundido da unção com óleo, presente até hoje, tanto no Ocidente como no Oriente.

Os egípcios, os gregos, os romanos e outros povos antigos foram acostumados a ungir o corpo ou partes dele como parte da sua *toilette*. Entre os gregos e os romanos o óleo era usado também para lubrificar o corpo dos atletas nos jogos e depois do banho.[42] Entre os hebreus a unção com óleo era combinada com lavagem ou banho em água (Rt 3.3; Et 2.12; Ez 16.9).[43]

No mundo bíblico, o óleo de oliva era usado para vários propósitos, inclusive para cozinhar e comer. Ele era usado também como combustível para lâmpadas (Mt 25.3). Mas, principalmente, ele servia como substância de limpeza nos banhos e como produto cosmético. Ele era usado na cabeça do hóspede, como um gesto de hospitalidade. Também, para dar conforto ao corpo, além de expressar um gesto de alegria e festividade (Sl 23.5; Ec 12.9; Mt 6.17; 26.7; Lc 7.38,46; Jo 12.3).[44]

A unção com óleo para **fins medicinais**

É claro o ensino bíblico sobre os efeitos terapêuticos do óleo.[45] No Antigo Testamento o óleo foi usado para tratar úlceras e feridas (Is 1.6). No Novo Testamento essa prática aparece claramente na parábola

---

[42]MCLINTOCK, John; STRONG, James. *Cyclopedia of biblical, theological, and ecclesiastical literature.* Vol 1. Grand Rapids, Michigan: Baker Book House, 1968, p. 239-241.

[43]CANNEY, Maurice A. *An Encyclopedia of Religious.* New York: E. P. Dutton & Co, 1921, p. 23.

[44]SATTERLLE, Craig A. *The Pastoral Significance of Laying of the Hands and Anointing the Sick*, p. 187.

[45]O'BOYLE, Patrick A. *New Catholic Encyclopedia.* p. 565-577.

do Bom Samaritano (Lc 10.25-37). O óleo, ainda hoje, é usado no Oriente para fins medicinais. A mistura de óleo e vinho foi usada para curar a doença que atacou o exército de Elius Galus, e foi aplicada externa e internamente. Os médicos de Herodes, o Grande, o aconselharam a se banhar em um vaso cheio de óleo, quando ele estava à beira da morte. Celsus recomendou o óleo para o tratamento da febre e algumas outras enfermidades.[46]

Os estudiosos e eruditos diferem sobre se Tiago tem em mente uma unção ritual ou medicamentosa. Alguns postulam a cura física, levando em consideração o fato de que a palavra grega comum para unção, *aleipho*, é usada em vez da palavra cerimonial *chrio*. Mas, isso está longe de ser conclusivo.[47]

Frank Gaebelein, porém, reforçava a tese do aspecto medicinal do óleo, citando o seu antigo uso: "Philo, Plinio e o médico Galeno, todos se referem ao uso medicinal do óleo. Galeno descreveu o óleo como o melhor de todos os remédios para a paralisia".[48] Na mesma linha de pensamento Warren Wiersbe entende que a unção com óleo em Tiago 5.14 refere-se à medicina. Segundo ele, a palavra grega traduzida por *unção* é um termo medicinal que poderia ser traduzido por massagem.[49] Assim, o que Tiago estaria recomendando é remédio e oração para o tratamento da enfermidade.

Jay E. Adams é, talvez, o mais enfático na defesa do uso medicinal do óleo em Tiago 5.14. Para ele, Tiago não escreve sobre unção cerimonial, pois a palavra grega ungir *aleipho*, que Tiago usa, não significa unção cerimonial. Segundo Adams, a palavra comum para a unção cerimonial é *chrio*, um cognato de *Christos*, o Ungido. Em contrapartida, a palavra *aleipho*, segundo ele, significa friccionar ou aplicar. Essa palavra era usada para descrever a aplicação pessoal de unguentos, loções e perfumes,

---

[46]EXELL, Joseph S.. *The Pulpit Commentary*, Vol. 21, p. 475-478.
[47]ATKISON, David J.; FIELD, Davi H. *New Dictionary of Christian Ethics & Pastoral Theology*, p. 755.
[48]GAEBELEIN, Frank E. *The Expositor's Bible Commentary*. Vol. 12. Grand Rapids, MI: Zondervan Publishing House, 1982, p. 203,204.
[49]WIERSBE, Warren. *The Bible Exposition Commentary*. Vol. 2, p. 382,383.

que em geral tinha uma base de óleo. O termo *aleipho* relaciona-se com *lipos* (gordura). Ele era usado para esfregar ou aplicar óleo. *Aleiptes* era o treinador que massageava os atletas numa escola de ginástica. Também *aleipho* foi usado frequentemente nos tratados de medicina.[50] Segundo Adams, o que Tiago defendia era o emprego da melhor medicina aceita na época, acompanhada de oração, ou seja, oração e remédio.[51]

J. A. Motyer, porém, já empregou o termo *aleipho* no aspecto medicinal e espiritual,[52] enquanto James Adamson olhou para o texto apenas pelo ângulo psicológico. Segundo Adamson, o uso do óleo em Tiago 5.14 era apenas para produzir um forte efeito psicológico no paciente.[53] De forma semelhante, Denis J. Hughes aborda a questão da unção com óleo pelo prisma psicológico. Na sua interpretação, o símbolo da unção mostra que nós pertencemos ao Ungido, na comunidade dos ungidos; que nós fomos separados e marcados como filhos de Deus; que nossos pecados são perdoados; que nossas dores e doenças estão sob o cuidado de Deus e do Seu povo; que há um bálsamo de cura para as nossas doenças e um cuidado comunitário para a nossa solidão. Na sua visão, unção sempre e necessariamente inclui o elemento do toque, e o toque é um símbolo da transferência de poder terapêutico.

Outras abordagens foram feitas sobre esse importante tema. Sophie Laws, por exemplo, entendeu que a questão da unção com óleo em Tiago foi deixada indefinida.[54] Nessa mesma linha de pensamento, C. John Collins, depois de levantar várias questões no texto de Tiago 5.14, como: que tipo de doença ou fraqueza descreve a palavra *asthenei*? A doença é espiritual, física ou ambas? E se doença física, quão séria é? Que tipo de unção *aleipho* denota: medicinal, cerimonial ou ajuda para a fé? Finalmente, ele disse que Tiago não especificou o

---

[50]ADAMS, Jay E. *Competent to Counsel*. Phillipsburg, NJ: Presbyterian and Reformed Publishing Company, 1970, p. 105-108.
[51]ADAMS, Jay E. *Competent to Counsel*. Phillipsburg, NJ: Presbyterian and Reformed Publishing Company, 1970, p. 108.
[52]MOTYER, J. A. *The Message of James*, p. 195.
[53]ADAMSON, James B. *The Epistle of James*. Grand Rapids, Michigan: William Eerdmans Publishing Company, 1976, p. 198.
[54]LAWS, Sophie. *The Epistle of James*. Massachussets: Hendriksen Publishers, 1980, p. 227.

significado da unção com óleo, porque isso era de um entendimento comum entre o autor e sua audiência.[55]

Douglas Moo, porém, entendeu diferente e sintetizou esse processo de busca do significado da unção com óleo, afirmando que os teólogos e eruditos têm debatido sobre essa questão por longo tempo. A conclusão à qual ele chegou é que, a interpretação de Tiago 5.14 pode ser dividida em duas principais categorias: primeira, *o propósito prático*: medicinal e pastoral; segunda, *o propósito religioso*: sacramental e simbólico. A posição pessoal de Douglas Moo, porém, é que a unção de enfermos em Tiago 5.14 refere-se a uma ação física com um significado simbólico.[56]

Atualmente, sobretudo, há aqueles que olham o texto de Tiago 5.14 pelo ângulo pentecostal,[57] mostrando a relação entre pecado e doença, evidenciando que, se a doença tem a ver com o diabo, a cura provém de Deus.

A vertente pentecostal, via de regra, tem interpretado a unção com óleo não como um instrumento medicinal, mas como um sinal da cura divina.[58]

A unção como ato simbólico de **cura e consagração**

Há diferentes usos da unção nas Escrituras:

- Coroação de um rei (1Sm 9.16);
- Ordenação de um sacerdote (Êx 29.7);
- Instalação de um profeta (1Rs 19.16);
- Consagração de objetos do culto (Êx 30.22-29);
- Cura de feridas (Is 1.6);
- Cura de enfermos (Mc 6.13; Tg 5.14);
- Embalsamamento do corpo (Mc 16.1).

---

[55] COLLINS, John C. *James 5.14-16a: What is the Anointing For?*, p. 79-81.
[56] Moo, Douglas J. *The Letter of James*, p. 241-242.
[57] THOMAS, John Christopher. *The Devil, Disease and Deliverance*. IN: Journal of Pentecostal Theology, 2.25-50, 1993, p. 25-50.
[58] THOMAS, John Christopher. *The Devil, Disease and Deliverance*, p. 25-50.

A admoestação registrada em Tiago 5.14 demonstra que a unção de enfermos era evidentemente praticada na igreja primitiva.[59]

Quanto ao significado dessa unção em Tiago, vários eruditos como T. Manton, Gary S. Shogren, J. A. Motyer, D. J. Moo e Ralph Martin interpretam-na como um sinal da cura milagrosa.[60]

A questão exegética levantada por Jay E. Adams, de que a unção com óleo não é cerimonial, mas medicinal, não possui amplo consenso. Ralph Martin, refutando Adams, argumenta que ambas as palavras *aleipho* e *chrio* significam ungir. Por que razão, então, Tiago escolheu *aleipho*? É porque *chrio*, diz Martin, jamais é usado no Novo Testamento para um ato físico de unção, como o caso de Tiago 5.14 requer. *Chrio* é sempre usado num sentido metafórico (Lc 4.18; At 4.27; 10.38; 2Co 1.21; Hb 1.9).[61] Ralph ainda cita Josephus,[62] que demonstrou que os dois verbos gregos podem ser sinônimos, na descrição de um ato simbólico no Antigo Testamento.[63] Douglas Moo, nessa mesma linha, afirma que tanto na Septuaginta quanto em Josephus, *aleipho* e *chrio* são usados como sinônimos.[64] Leon McCune, ainda corrobora, afirmando que a Septuaginta regularmente traduz *aleipho* e *chrio* como palavras sinônimas respectivamente . Desta maneira, engrossa a fileira daqueles que defendem a tese de que a unção com óleo, em Tiago 5.14 não é medicinal, mas um símbolo espiritual.

Na verdade, o fundamental significado do óleo nas Escrituras foi o seu uso como um símbolo da graça de Deus (Sl 133). Ele é usado em conexão com a cura miraculosa.[65] Joseph Mayor foi mais enfático ao afirmar que não há a menor dúvida de que Tiago 5.14 está descrevendo uma cura miraculosa, seguida da oração da fé.[66]

---

[59]BOWMAN, Warren D. *Anointing for Healing*, p. 55.
[60]THOMAS, John Christopher. *The Devil, Disease and Deliverance*, p. 37.
[61]MARTIN, James Ralph P. *Word Biblical Commentary*, p. 208,209.
[62](Ant. 6:165,167)
[63]MARTIN, James Ralph P. *Word Biblical Commentary*, p. 208,209.
[64]Moo, Douglas J. *The Letter of James*, p. 241,242.
[65]KEDDIE, Gordon. *Practical Christian*. England: Evangelical Press, 1989, p. 211,212.
[66]MAYOR, Joseph B. *The Epistle of James*. Grand Rapids, Michigan: Kregal Publications, 1990, p. 542.

É abundante, portanto, a prova bíblica do uso religioso do óleo como um símbolo espiritual.[67] A unção com óleo definia a consagração de uma pessoa ou objeto para o serviço do Senhor.[68] No Novo Testamento, a unção é usada com um sentido carismático de cura,[69] que não pode ser confundido com nenhum encantamento, magia ou mesmo com a extrema-unção, uma vez que a unção é para a vida e não para a morte, é para o corpo e não para a alma.[70]

Joseph Exell interpretou a unção com óleo como um símbolo do poder divino, ao mesmo tempo que era uma ajuda para a fé da pessoa enferma. Foi com esse propósito que Jesus usou a saliva e o lodo em duas de Suas curas.[71] Exell enumera quatro razões para sustentar a sua tese:

Em primeiro lugar, o óleo não é medicinal aqui em Tiago porque o texto não diz que o óleo cura nem que o óleo mais a oração curam, mas que a oração da fé salvará o enfermo e o Senhor o levantará.

Em segundo lugar, são os presbíteros, autoridades espirituais e não sanitárias, que devem aplicar o óleo em nome do Senhor. Se a unção fosse medicinal, ela poderia ser feita por qualquer outra pessoa, sem a necessidade da convocação dos presbíteros.

Em terceiro lugar, a cura não vem como o efeito terapêutico do óleo, mas como um conjunto de fatores: imposição de mãos, unção com óleo, oração da fé, confissão de pecados e perdão.

Em quarto lugar, as palavras "em nome do Senhor" colocam os limites da cura. O poder está no nome de Jesus. A cura vem pelo poder do nome de Jesus e não pelo efeito terapêutico do óleo.[72]

Na verdade, o uso do nome do Senhor, no rito da unção, faz do ato um rito religioso e não uma prática medicinal.[73] Outro argumento que

---

[67]O'BOYLE, Patrick A. *New Catholic Encyclopedia*. p. 565-577.
[68]O'BOYLE, Patrick A. *New Catholic Encyclopedia*, p. 565-577.
[69]LEVINGSTONE, E. A. *The Oxford Dictionary of the Christian Church*. 3d. ed. Oxford, England: Oxford University Press, 1997, p. 73.
[70]CLARKE, Adam. *Clarke's Commentary*. Vol. 3. Nashville: Abingdon, n.d., p. 826.
[71]EXELL, Joseph S. *The Biblical Ilustrator- S. James*, p. 475-478.
[72]EXELL, Joseph S. *The Biblical Ilustrator- S. James*, p. 475-478.
[73]ALLEN, Clifton J. *The Broadman Bible Commentary*. Vol. 12. Nashville: Broadman Press, 1972, p. 136-138; DIBELIUS, Martin. *James*. Pennsylvania: Fortress Press, 1956, p. 252.

fortalece a tese da simbologia espiritual é que Tiago recomenda o óleo para todas as espécies de doenças, enquanto o óleo naqueles dias era usado apenas para alguns tipos de enfermidades.[74]

Argumentando a respeito da simbologia espiritual do rito prescrito em Tiago 5.14, William MacDonald diz que o poder da cura não está no óleo, mas o óleo simboliza o Espírito Santo em Seu ministério de cura (1Co 12.9,28).[75] Em momento nenhum Tiago atribui ao óleo qualquer poder intrínseco de cura.[76]

Gary S. Shogren manifestou sua frontal discordância de Jay Adams, quando este defendeu o uso medicinal do óleo, afirmando que o óleo era a melhor medicina do primeiro século. Para substanciar sua tese, Shogren enumera vários argumentos:

Em primeiro lugar, *o óleo não era uma panaceia*. Ele era útil para febre, dores de cabeça, feridas; mas não tinha nenhum valor medicinal para outras enfermidades tais como doença nos ossos, ataque cardíaco e enfermidades infecciosas, como a lepra. Nesses casos, o óleo não apenas não era a melhor medicina, como não era uma boa medicina. Ainda, o Talmude menciona toda sorte de remédios e o óleo é colocado como um dos menos importantes.

Em segundo lugar, *no texto de Tiago 5.14 é a oração da fé que "salva" o doente e não o óleo*. Não há qualquer menção do poder medicinal do óleo em Tiago 5.14.

Em terceiro lugar, *possivelmente a enfermidade descrita aqui em Tiago 5.14 é causada por problemas espirituais*. O próprio Jay Adams denomina essas doenças de *hamartiagênicas*,[77] ou seja, doenças geradas pelo pecado. O óleo não teria então, qualquer valor medicinal para uma doença de cunho espiritual.

Em quarto lugar, *a melhor medicina não pode explicar a passagem paralela de Marcos 6.13*, que usa a mesma palavra grega *aleipho*. Não

---

[74]BUTTRICK, George Arthur. *The Interpreter's Bible*. Vol. 12. Nashville: Abingdon Press, 1957, p. 70-77.
[75]MACDONALD, William. *Believer's Bible Commentary*, p. 2244.
[76]THOMAS, John Christopher. *The Devil, Disease and Deliverance*, p. 39.
[77]ADAMS, Jay E. *Competent to Counsel*, p. 105.

há dúvida de que a cura em Marcos 6.13 é miraculosa. Sendo que essas curas apostólicas foram miraculosas, deve-se perguntar: por que os apóstolos deveriam usar a melhor medicina, se eles estavam curando mediante o direto poder de Deus?

Em quinto lugar, *a unção de enfermos era para ser acompanhada pela invocação do nome do Senhor*, evidenciando que o óleo não tem efeito sem a intervenção do Senhor. Quando Jay Adams argumenta que sua tese é medicina e oração, deve-se perguntar: então, por que a medicina moderna cura aqueles que não oram?[78]

Gary S. Shogren, refutando ainda os postulados de Jay Adams, evoca o erudito em linguística Richard C. Trench, quando este afirma que *aleiphen* é usado indiscriminadamente para todo tipo de unção, enquanto *chrion* é absolutamente restrito à unção do Filho de Deus. Trench ainda declara que na Septuaginta *aleiphen* é usado como unção religiosa e simbólica duas vezes (Êx 40.13; Nm 3.3), exemplos que desaprovam "o secular" significado de *aleipho*. Concluímos, então, que *chrio* é usualmente restrito à unção religiosa, enquanto *aleipho* pode referir-se a qualquer unção.[79]

Podemos ainda observar, que a tese defendida pelo ilustre escritor Jay Adams, de que *aleipsantes* seria um indicativo do uso medicinal do óleo, é vulnerável quando se nota, por exemplo, que a mesma expressão *aleipsai* é utilizada em Marcos 6.17, onde o uso do óleo é claramente cosmético e em Marcos 16.1, onde *aleipsosin* é usado para uma espécie de mumificação do corpo de Cristo após sua morte.

B. H. Carroll esposou a mesma linha de Shogren, ressaltando que o óleo, embora eficaz para algumas enfermidades, não o era, todavia, para outras.[80] Além do mais, Tiago recomenda a unção para todas as doenças, enquanto o óleo só era usado para alguns tipos de enfermidade.[81]

---

[78]SHOGREN, Gary S. *Will God Heal Us – A Re-Examination of James 5.14-16a*. IN: Journal Evangelical Quaterly. 61:99-108. 1989, p. 102-104.
[79]SHOGREN, Gary S. *Will God Heal Us – A Re-Examination of James 5.14-16a*, p. 105,106.
[80]CARROLL B. H. *An Interpretation of the English Bible – James*. Grand Rapids, Michigan: Baker Books Housze, 1973, p.45-50.
[81]BUTTRICK, George Arthur. *The Interpreter's Bible*, p. 70-77.

O contexto de Tiago 5.14 favorece a ideia de que a pessoa enferma era apenas ungida, ou seja, simbolicamente tocada com o óleo e não massageada com óleo.[82]

O reformador João Calvino foi explícito em afirmar que não podia concordar com aqueles que acreditavam que a unção era medicinal. Para Calvino, essa unção era um símbolo da cura milagrosa, ou seja, possuía um caráter carismático.[83]

João Calvino, Lutero e outros eruditos como B. B. Warfield entenderam, porém, que a prática da unção, com o seguido poder de cura, foi limitada à idade apostólica.[84] Lutero teve uma experiência profunda com o que Tiago chama de "a oração da fé".[85] O grande avivalista e evangelista americano do século XIX, Dwight Limman Moody foi ungido, a seu próprio pedido, em sua última enfermidade, mostrando crer nessa prática.[86]

Martin Lloyd-Jones, um dos grandes herdeiros do puritanismo moderno, porém, embora faça críticas àqueles que nesciamente tentam agendar os milagres, entende que a oração da fé em Tiago 5.14,15 é colocada na mesma categoria dos milagres apostólicos. Ele ainda enfatiza que Deus pode fazer milagres hoje como Ele fez no passado.[87] Jones ainda adverte para o perigo de dois extremos: o de sermos infantilmente crédulos e o de sermos cegamente céticos, apagando o Espírito, tornando-nos, assim, culpados de reduzir o poder de Deus à medida do nosso entendimento.[88]

Martin Bernard, seguindo essa mesma linha de pensamento, defende a tese de que a imposição de mãos e a unção com óleo foram instituídas por Jesus Cristo como sinal do poder do Espírito Santo. Mais do que

---

[82]ALLEN, Clifton J. *The Broadman Bible Commentary*, p. 136-138
[83]CALVIN, John. *CALVIN's Commentaries*, p. 355,356.
[84]Moo, Douglas J. *The Letter of James*. p. 242.
[85]HASTINGS, James. *The Speaker's Bible – James*. Grand Rapids, Michigan: Baker Book House, 1962, p. 206.
[86]KRAHN, Cornelius. *The Mennonite Encyclopedia*. Vol. 1. Pennsylvania: Mennonite Publishing House, 1976, p. 128.
[87]JONES, MARTIN Lloyd-. *The Supernatural in Medicine*. Londres: Christian Medical Fellowship, 1971, p. 23,24.
[88]JONES, MARTIN Lloyd-. *The Supernatural in Medicine*, p. 23,24

um sinal de cura, diz Bernard, a unção implica também consagração a Deus. A conclusão de Bernard é que a unção com óleo é um ato contemporâneo.[89]

Finalmente, J. A. Motyer levanta algumas questões pertinentes no texto em estudo: primeiro, os presbíteros são chamados pela pessoa enferma, em vez de ela ir a eles. Segundo, são os presbíteros que oram e ungem. Terceiro, a pessoa doente não é ungida sob a base da sua fé pessoal para ser curada. Quarto, a pessoa doente estava confinada em sua cama, por isso os presbíteros oram sobre ela. Quinto, Tiago, portanto, não está falando de um culto público de cura. Os presbíteros vêm à casa da pessoa enferma, a pedido dela. Sexto, Tiago não está prescrevendo um rito para ser usado em pessoas semiconscientes ou inconscientes, pois deve haver uma interação entre os presbíteros e a pessoa enferma.[90] As conclusões deste prolífero escritor são de grande valor no sentido de orientar o *modus operandi* do rito da unção, sobretudo em nossos dias.

Vimos, ao longo desta análise de Tiago 5.14, como os estudiosos entenderam a questão da unção com óleo na sua perspectiva histórica, bíblica, exegética e teológica.

A bem da verdade, é preciso deixar claro também o que Tiago 5.14 não diz. Certamente o ensino geral das Escrituras não sustenta a tese de que a unção e a oração são instrumentos infalíveis para a cura de qualquer enfermidade, de qualquer pessoa, em qualquer tempo. O uso da unção com óleo não impede, certamente, pessoas crentes de ficarem doentes ou mesmo de morrerem. Também não podemos, baseados em Tiago 5.14, defender a tese de que sempre é da vontade de Deus curar. Paulo (2Co 12.7,8), Timóteo (1Tm 5.23) e Trófimo (2Tm 4.20) não foram curados, mesmo sendo pessoas piedosas.

Por outro lado, não podemos deixar de crer e obedecer o que Tiago 5.14 ensina. Esta é uma tremenda mensagem para a igreja contemporânea. Precisamos cuidar dos enfermos com intenso amor e profunda

---
[89]Bernard, MARTIN. *The Healing in the Church*. Richmond, Virginia: John Knox Press, 1960, p. 97-102.
[90]MOTYER, J. A. *The Message of James*, p. 195.

compaixão, como Jesus fez ao longo do Seu ministério. A igreja deve ser sempre uma comunidade terapêutica.

Concluindo, podemos sintetizar nossa posição nos seguintes pontos principais:

Em primeiro lugar, a unção com óleo não pode ser confundida com a profunda distorção do dogma católico romano da extrema-unção, nem mesmo com a nova roupagem que tentaram dar a ele no Concílio Vaticano II, denominando-o de "o sacramento da unção de enfermos".

Em segundo lugar, a unção com óleo não pode ser confundida com a prática mística, sincrética, tão vulgarizada hoje em muitos segmentos carismáticos, onde a unção com óleo tem sido feita em cultos públicos, ungindo-se pessoas e objetos, de forma indiscriminada, sem os devidos critérios bíblicos.

Em terceiro lugar, a unção com óleo não pode ser substituída apenas pelos recursos medicamentosos. Cremos firmemente que a medicina é dádiva de Deus. Cremos que ela deve ser usada como recurso legítimo, estabelecido pelo próprio Deus. Cremos que, em última instância, toda cura é divina, visto que é Deus quem sara todas as nossas enfermidades. Ele sempre foi, é e será o Jeová-Rafá, o Deus que nos cura. Um conceituado médico evangélico disse: "Deus cura sem os meios, com os meios e apesar dos meios".

Em quarto lugar, amparados por uma nuvem de testemunhas, que com fidelidade interpretaram o texto de Tiago 5.14, entendemos que a unção com óleo é um símbolo espiritual da cura divina.

E, por fim, entendemos que a unção, mais que simbólica, é contemporânea,[91] sendo assim, legítima no meio da igreja, quando usada segundo as balizas da própria Escritura.

---

[91] Em 1998, em Brasília, D.F., o Supremo Concílio da Igreja Presbiteriana do Brasil aprovou o uso da unção com óleo, cabendo a cada pastor e conselho orientar biblicamente a sua prática.

Lições de Tiago para hoje

DEPOIS QUE FICAMOS DIANTE DO ESPELHO desta Carta inspirada pelo Espírito de Deus, não podemos sair e esquecer as lições profundas e pertinentes que Tiago nos ensina. Importa-nos lembrar que o povo de Deus é peregrino neste mundo. É um povo em constante dispersão. Aqui não é nossa pátria, aqui não é o nosso lar. Neste mundo vamos ter aflições, mas devemos enfrentá-las com alegria, sabendo que embora variadas, elas são passageiras e nos instruem. Elas visam, em última instância, ao nosso bem, visto que o mesmo Deus que governa os céus e a terra também dirige o nosso destino.

Neste mundo, enfrentamos tentações internas e externas. Precisamos conhecer a Deus para, então, conhecermos a nós mesmos e o mundo que nos cerca. A força para a vitória nas tentações não vem de dentro, mas do alto; não vem de nós mesmos, mas de Deus. O segredo do sucesso não é a celebrada propaganda da autoajuda, mas a verdade insofismável da ajuda do alto. A primeira é humanista, a segunda procede de Deus.

Aprendemos no estudo desta preciosa carta de Tiago que existe uma religião verdadeira e outra falsa. A religião verdadeira, plantada no solo da verdade, frutifica abundantemente, e seus frutos são amor e santidade. Onde a intolerância prevalece, o amor inexiste. Onde o amor governa nossas ações, aí está uma marca indiscutível de que somos discípulos de Cristo. Se não refrearmos nossa língua nem nos guardarmos do mal, se não visitarmos os órfãos e as viúvas e não socorrermos os aflitos, nossa religiosidade não passará de uma propaganda enganosa. A religião verdadeira é mais do que dogmas, é vida!

Tiago descortina diante dos nossos olhos o grande tema da fé verdadeira e da fé falsa. A questão não é a fé, mas o objeto da fé. Muitos têm fé, mas ainda perecem, pois têm fé em ídolos, em si mesmos, nos seus méritos e obras, ou até têm fé na fé. Tiago falou da fé racional, da fé dos demônios e da fé morta. Uma fé apenas racional não pode nos salvar. Uma fé racional e emotiva não é melhor do que a fé dos demônios. Eles, os demônios, creem e tremem, ou seja, têm uma fé racional e emocional, mas estão perdidos para sempre. A fé que professa uma coisa e faz outra é morta, e por isso, inócua. A fé verdadeira crê na verdade, vive na verdade e proclama a verdade.

A carta de Tiago é um texto profundamente prático. É considerado com justiça, conforme já dissemos, o livro de Provérbios do Novo Testamento e o texto mais próximo do Sermão do Monte. Tiago tange a questão da língua de forma séria e criativa. Ele fala que a língua pode dar vida ou matar. A língua pode ser uma fonte de bênção ou um canal de morte. A língua é fogo, veneno e uma fonte que jorra águas amargas. Ela pode devastar e destruir como o fogo; pode matar como o veneno e pode tornar a vida amarga como fel. A língua, embora seja um órgão tão pequeno do corpo, governa-o ou destrói-o. A língua é como um leme ou freio. Pode dirigir-nos pelas águas plácidas ou empurrar-nos para os rochedos; pode levar-nos pelo caminho seguro, ou empurrar-nos para o abismo. Tiago descreve que o homem, como administrador e mordomo da Criação, domestica os animais do campo, as aves do céu e os peixes do mar, mas não consegue domar a sua própria língua. É capaz de dominar cidades e reinos, mas não consegue dominar a si mesmo.

Tiago também fala sobre o grande abismo que existe entre a sabedoria terrena e a sabedoria celestial. A sabedoria terrena pode ser ilustrada pelo utilitarismo: "O importante é levar vantagem". Vivemos em uma cultura de exploração, de egolatria, de ganância desenfreada. Os homens perversos e maus mentem, exploram, usurpam, corrompem, roubam e matam para acumular vantagens e tesouros. Usam o conhecimento, influência e poder apenas para prevalecer sobre os demais e não para ajudá-los. Buscam os próprios interesses e não o interesse dos outros. Vivem olhando para o próprio umbigo, embriagados pela soberba, aplaudindo a si mesmos, enquanto naufragam no mar de vaidades. É diferente a sabedoria celestial. Ela é altruísta e cheia de amor. Ela busca a glória de Deus e o bem do próximo, mais do que o enaltecimento de si mesmo.

Tiago faz uma radiografia da sociedade atual, quando trata das guerras que travamos contra o próximo, contra nós mesmos e contra

Deus. O ser humano é um ser em constante conflito. O pecado atingiu a essência do seu ser. Agora, o homem perdeu sua comunhão com Deus, com o próximo, consigo mesmo e com a natureza. A história da humanidade tem sido a história das guerras. A terra está cambaleante, afogada no sangue. As nações poderosas, muitas vezes, esmagam as mais fracas e pilham-nas para assentarem-se como as donas do mundo. A globalização é um fenômeno draconiano que esmaga as nações pobres e fortalece os braços dos poderosos.

Tiago, ainda, desmascara a arrogância daqueles que pensam que podem traçar planos e projetos para o futuro sem a dependência de Deus. Somos seres limitados em tempo, ação e poder. Sem a ajuda de Deus, não podemos dar um passo sequer. Se Ele cortar nossa respiração, pereceremos inapelavelmente. Nada podemos fazer sem Jesus. Por conseguinte, não deve haver espaço para a soberba no coração do homem. Sábio é aquele que reconhece a Deus e anda nos Seus caminhos humildemente e busca a Sua vontade para tomar as pequenas e grandes decisões no presente e no futuro.

A carta de Tiago denuncia com grande firmeza a ganância insaciável dos ricos. Ele enfrenta os poderosos, que de forma fraudulenta retiveram o salário dos jornaleiros para acumular suas riquezas. Ele ataca com argumentos irresistíveis aqueles que buscam segurança no dinheiro. Tiago revela que o dinheiro é mais do que uma moeda, ele é um ídolo, um deus, ele é Mamom. O dinheiro tem muitos escravos. E não são poucos os que vendem a consciência e a própria alma para chegar ao topo da pirâmide social, e quando alcançam o zênite desse zigurate econômico, descobrem que lá em cima não existe nem segurança nem felicidade. Ao contrário, aqueles que acumularam riquezas de maneira ilícita enfrentarão inexoravelmente o justo juízo de Deus. O dinheiro retido com fraude dos trabalhadores ergue-se ao céu com voz altissonante e a mão pesada de Deus desce velozmente para fazer justiça.

De forma criatiava, Tiago trata da questão da paciência no sofrimento. Ele ilustra essa paciência com a lida do agricultor, com a saga dos profetas e com o drama vivido por Jó. A paciência parece ser uma virtude em extinção no mundo contemporâneo. Queremos as coisas a tempo e a hora. Não temos paciência para esperar. Gostamos de comprar produtos de pronta-entrega e comer em restaurantes *fast food*. Vivemos espremidos pelo clamor das coisas urgentes. Mas, nesse contexto de impaciência na alma, no lar, na igreja, no trabalho, na sociedade, Tiago nos traz para o centro da reflexão de que devemos viver pacientemente, mesmo no meio do sofrimento até a volta de Jesus.

Finalmente, Tiago fala da eficácia da oração. Por ser um livro prático, Tiago inicia e termina com oração. Não há cristianismo sem oração. Não há maturidade espiritual sem oração. A oração não é um apêndice da vida cristã, mas a sua própria essência. Devemos levar nossas causas a Deus. Devemos orar uns pelos outros. Devemos crer na intervenção milagrosa de Deus através da oração. Deus levanta o enfermo por intermédio da oração. Se você crê no Senhor Jesus, é justo, e a oração do justo é eficaz. Tiago cita o profeta Elias, um homem poderoso na oração. Ele orava e o céu se fechava; ele tornava a orar, e o céu se abria. Ele orava e o azeite da viúva jorrava sem parar. Ele tornava a orar e a alma de um menino morto voltou a ele e o menino ergueu-se do leito da morte. Elias orava e o fogo do céu descia; ele orava novamente e as torrentes do céu visitavam abundantemente a terra seca. Tiago diz que o sucesso da oração de Elias não era devido aos seus predicados especiais, visto ser homem sujeito aos mesmos sentimentos. Deus o ouviu porque ele era justo. Em Cristo, também somos justos, por isso, devemos orar insistentemente, confiantes e perseverantemente.

Tiago não pode ser visto apenas como uma relíquia do passado. Ele é um texto atual, contemporâneo, vivo, pertinente, inspirado e infalível. Estudá-lo é entrar no âmago da nossa própria alma e colocarmo-nos diante do espelho da verdade revelada. Que ao contemplarmos a glória de Deus na face de Cristo sejamos transformados de glória em glória na sua própria imagem. Minha recompensa será ter a alegria de saber que sua vida foi edificada e consolada pelo Senhor Jesus, Aquele que transforma provas em triunfo.

1 Pedro

Com os pés no vale e o coração no céu

1

Introdução à
Primeira Carta de Pedro

1 Pedro 1.1,2

A PRIMEIRA CARTA DE PEDRO É CONSIDERADA uma carta católica ou geral. Diferentemente das cartas paulinas, foi endereçada a um grupo maior de cristãos, espalhados por diversas regiões da Ásia Menor. Edmund Clowney entende que esta carta é o mais condensado resumo da fé cristã e da conduta que ela inspira em todo o Novo Testamento.[1] Seu propósito principal está inconfundivelmente explícito: ... *vos escrevo resumidamente, exortando e testificando, de novo, que esta é a genuína graça de Deus; nela estai firmes* (5.12).

Vamos destacar nesta introdução alguns pontos importantes.

O autor da carta

Há um consenso praticamente unânime de que esta epístola foi escrita por Pedro. Assim atestaram os pais da Igreja, os reformadores e todos os estudiosos sérios das Escrituras desde as mais priscas eras. Somente alguns teólogos liberais, já no século XIX, colocaram em dúvida a autoridade petrina, em oposição às abundantes provas e às insofismáveis

---

[1] CLOWNEY, Edmund. *The Message of 1 Peter*. Downers Grove, IL: Inter-Varsity Press, 1988, p. 15.

evidências documentadas havia quase dois milênios. Já nos primórdios da história eclesiástica, os pais da Igreja, Policarpo, Irineu, Clemente de Alexandria, Tertuliano bem como o historiador Eusébio se referiram a esta epístola como a carta de Pedro.[2]

Werner Kummel, em oposição a essas evidências, diz que a linguagem de 1Pedro, além de ser vazada em um grego impecável, traz citações do Antigo Testamento originadas, sem exceção, na Septuaginta. Segundo esse escritor alemão, tais características são inconcebíveis para Pedro, o galileu.[3] Simon Kistemaker discorda do pensador retromencionado: tendo como base tanto as evidências internas quanto as externas, além das considerações históricas e estilísticas, aceita 1Pedro como um livro apostólico escrito por Pedro. Segundo Kistemaker, o ponto de vista tradicional parece ser mais razoável que qualquer hipótese alternativa.[4] Estou de pleno acordo com Edmund Clowney, que afirma que a maior segurança quanto à autenticidade de 1Pedro vem da própria carta. Sua mensagem é intimamente ligada aos discursos de Pedro, conforme registrados no livro de Atos.[5]

A Primeira Carta de Pedro foi o livro mais antigo e mais unanimemente aceito como autêntico. Sua veracidade e autenticidade de Pedro nunca foram contestadas. Tanto a evidência externa quanto a interna argumentam fortemente a favor da autoria petrina.[6]

Pedro foi um pescador galileu, da cidade de Betsaida, irmão de André, chamado por Cristo para ser discípulo. Seu nome é Simão, em aramaico Cefas, conhecido em grego como Pedro, cujo significado é "rocha" ou "fragmento de rocha". Pedro foi escolhido por Cristo como apóstolo, e seu nome ocupa sempre o topo dessa lista. Líder natural entre o colégio apostólico, desfrutou com Tiago e João lugar de intimidade ao lado do Senhor. Guilherme Orr diz que Pedro foi porta-voz

---

[2]KISTEMAKER, Simon. *Epístolas de Pedro e Judas*. São Paulo: Cultura Cristã, 2006, p. 12.
[3]KUMMEL, Werner G. *Introduction to the New Testament*. Nashville, TN: Abingdon, 1966, p. 297.
[4]KISTEMAKER, Simon. *Epístolas de Pedro e Judas*, p. 17.
[5]CLOWNEY, Edmund. *The Message of 1 Peter*, p. 20.
[6]NICHOLSON, Roy S. *A Primeira Epístola de Pedro*. IN: *Comentário bíblico Beacon*. Vol. 10. Rio de Janeiro: CPAD, 2006, p. 205.

dos doze e figura de proa na igreja primitiva. Enquanto o nome de Paulo é mencionado 162 vezes, e os nomes de todos os outros apóstolos juntos são citados 142 vezes, Pedro é citado nominalmente 210 vezes.[7]

Em virtude de um temperamento esquentado, Pedro algumas vezes falava sem pensar, oscilando entre coragem e covardia, entre avanços e recuos. Mesmo tendo negado a Cristo, foi restaurado e poderosamente usado por Jesus para abrir a porta do evangelho tanto a judeus como a gentios. Foi encarregado de apascentar o rebanho de Cristo e fortalecer a seus irmãos. Essa missiva é o cumprimento desse ministério que Cristo lhe confiou. Na mesma linha de pensamento, Myer Pearlman escreve: "Esta epístola nos oferece uma ilustração esplêndida de como Pedro cumpriu a missão que lhe foi dada pelo Senhor: *Tu, pois, quando te converteres, fortalece os teus irmãos* (Lc 22.32)."[8]

Os destinatários da carta

Pedro escreve aos forasteiros e dispersos do Ponto, Galácia, Capadócia, Ásia e Bitínia, cinco partes do império romano, todas elas localizadas na Ásia Menor (atual Turquia). Os cristãos que receberam essa carta eram gentios e judeus. Estavam espalhados e dispersos por uma região da Ásia diferente daquela que Paulo alcançou na primeira viagem missionária. Na segunda viagem missionária de Paulo, o apóstolo foi proibido de entrar nessa região e conduzido por Deus até a província da Macedônia. Agora, aquelas comunidades cristãs em toda a região da Ásia Menor ao norte e a oeste da cordilheira do Taurus recebem de Pedro uma carta de encorajamento. Simon Kistemaker arremata esse assunto: "Concluímos, portanto, que Pedro dirige sua carta ao "resto da Ásia Menor que não havia sido evangelizado por Paulo".[9]

Que eles eram na sua maioria gentios, depreende-se do fato que Pedro descreve a vida pretérita deles como de fútil procedimento e

---

[7]ORR. Guilherme W. *27 Chaves para o Novo Testamento*. São Paulo: Imprensa Batista Regular, 1976, p. 57,58.
[8]PEARLMAN, Myer. *Através da Bíblia*. Miami: Vida, 1987, p. 323.
[9]KISTEMAKER. *Epístolas de Pedro e Judas*, p. 26.

também assegura que não eram considerados "povo", mas agora eram "raça eleita".

Pedro usa três palavras diferentes para descrever seus destinatários:

Em primeiro lugar, o termo grego *paroikos*, cujo significado é **"exilados"**. Essa palavra descreve o morador de um país estrangeiro. Um *paraikos* é alguém que está longe do seu lar, em terra estranha, e cujos pensamentos sempre retornam à pátria. A residência estrangeira chama-se *paroikia*, de onde vem nossa palavra "paróquia".[10] Os cristãos, em qualquer lugar, são um grupo de pessoas cujos olhos se voltam para Deus e cuja lealdade está mais além: *Na verdade, não temos aqui cidade permanente, mas buscamos a que há de vir* (Hb 13.14). William Barclay diz que "o mundo é uma ponte; o homem sábio passará por ela, mas não edificará sobre ela sua casa, pois o cristão é um exilado da eternidade".[11] Na mesma linha de pensamento, Mueller explica que *paroikos* é um termo específico e técnico para designar uma classe da população que, embora residente em determinado lugar, não tinha plenos direitos de cidadania. Assim, a melhor maneira de traduzir *paroikos* seria "estrangeiros residentes".[12]

Em segundo lugar, o termo grego *diáspora*, cujo significado é **"dispersão"**. Essa palavra era atribuída aos judeus dispersos por entre as nações, em virtude de perseguição ou mesmo por interesses particulares. Agora, essa mesma palavra é atribuída aos cristãos, espalhados pelo mundo, devido aos ventos da perseguição. Só que a perseguição, porém, em vez de destruir a igreja, promoveu-a. O vento da perseguição apenas espalhou a semente, e cada cristão era uma semente que florescia onde estava plantado.

Em terceiro lugar, o termo grego *eklektos*, cujo significado é **eleitos**. Os cristãos foram eleitos por Deus desde a eternidade, antes da fundação do mundo. Foram eleitos em Cristo para a salvação, mediante a fé na verdade e a santificação do Espírito. Foram eleitos para a santidade e a irrepreensibilidade. Não fomos nós quem escolhemos a Deus, foi

---

[10]BARCLAY, William. *Santiago, I y II Pedro*. Buenos Aires: La Aurora, 1974, p. 193,194.
[11]BARCLAY, William. *Santiago, I y II Pedro*, p. 194.
[12]MUELLER, Ênio R. *I Pedro: Introdução e comentário*. São Paulo: Vida Nova, 2007, p. 30.

Deus mesmo quem nos escolheu. Não fomos nós que amamos a Deus primeiro, foi Ele quem nos amou e nos atraiu com cordas de amor. Nosso amor por Deus é apenas uma resposta ao amor de Deus por nós. Não fomos escolhidos porque cremos em Cristo; cremos em Cristo porque fomos escolhidos (At 13.48). Não fomos escolhidos porque éramos santos, mas para sermos santos (Ef 1.4). Não fomos escolhidos porque praticávamos boas obras, mas para as boas obras (Ef 2.10). A eleição divina é eterna e incondicional.

A data em que a carta foi escrita

Se a autoria de Pedro é matéria que desfruta de consenso entre os eruditos, a data é matéria de grandes debates. Alguns colocam a carta antes da perseguição deflagrada pelo imperador Nero, e outros a situam após o incêndio de Roma ocorrido em julho de 64 d.C. Robert Gundry, erudito estudioso do Novo Testamento, é categórico em afirmar: "O tema da perseguição aos cristãos, que percorre essa epístola toda, sugere que Pedro a escreveu por volta de 63 d.C., pouco antes de seu martírio em Roma, por ordens de Nero, o que sucedeu em 64 d.C.[13] Nessa mesma trilha de pensamento, Warren Wiersbe diz que mui provavelmente Pedro chegou a Roma depois que Paulo foi solto de seu primeiro encarceramento, por volta de 62 d.C. Sendo assim, Pedro teria escrito sua epístola em cerca de 63 d.C.[14] Edmund Clowney reforça essa tese uma vez que Pedro não cita Paulo em sua carta nem Paulo cita Pedro em suas epístolas da prisão.[15]

Simon Kistemaker dá seu parecer oportuno sobre a data em que a carta foi escrita:

> Aceitamos uma data de redação anterior a 68 d.C., quando Nero cometeu suicídio. De acordo com a tradição, Pedro foi crucificado nas

---

[13]GUNDRY, Robert H. *Panorama do Novo Testamento*. São Paulo: Vida Nova, 1978, p. 390.
[14]WIERSBE, Warren W. *Comentário bíblico expositivo*. Vol. 6. Santo André: Geográfica, p. 501.
[15]CLOWNEY, Edmund. *The Message of 1 Peter*, p. 23.

cercanias de Roma nos últimos anos do governo de Nero. Pelo fato de 1Pedro ter várias referências às epístolas de Paulo, presumimos que Pedro tenha escrito sua epístola depois de Paulo ter escrito as suas. Romanos foi escrito em 58 d.C., quando Paulo terminou sua terceira viagem missionária, e Paulo escreveu Efésios e Colossenses quando passou dois anos (61-63 d.C.) em Roma sob prisão domiciliar. Assim, devemos estabelecer a data para 1Pedro depois da elaboração dessas epístolas na prisão.[16]

Os leitores de Pedro estão passando por um tempo de prova e perseguição. Tal perseguição assumira forma de acusações caluniosas, ostracismo social, levantes populares e ações policiais locais.[17] O fogo da perseguição já se está espalhando hoje, e os cristãos deveriam estar preparados para enfrentar esses tempos difíceis. Na época, o simples fato de alguém se declarar cristão já era motivo para sofrer retaliações. Os cristãos, entrementes, deveriam suportar, com alegria o sofrimento por causa de sua fé. Roy Nicholson diz que, com um tom enérgico, Pedro insta os cristãos dispersos à coragem, paciência, esperança e santidade de vida diante dos maus-tratos dos seus inimigos.[18] Concordo com Edmund Clowney no sentido de que as mesmas tempestades de perseguição que rugiram no passado estão acontecendo hoje. Há muitos irmãos nossos que sofreram prisões e martírios nos países comunistas e ainda sofrem toda sorte de perseguição religiosa nos países islâmicos e entre os hindus.[19]

De **onde** Pedro escreveu a carta

Somos informados de que Pedro escreveu esta carta da Babilônia (5.13). A grande questão é saber a que Babilônia se refere Pedro. Havia naquela época três cidades com esse nome.

A primeira era uma pequena cidade que ficava no norte do Egito, onde se localizava um posto avançado do exército romano. Ali havia

---

[16]KISTEMAKER, Simon. *Epístolas de Pedro e Judas*, p. 29.
[17]GUNDRY, Robert H. *Panorama do Novo Testamento*, p. 390.
[18]NICHOLSON, Roy S. *A Primeira Epístola de Pedro*, p. 207.
[19]CLOWNEY, Edmund. *The Message of 1 Peter*, p. 15.

uma comunidade de judeus e alguns cristãos, mas é pouco provável que Pedro estivesse nessa região quando escreveu essa missiva.

A segunda Babilônia ficava no Oriente, junto ao rio Eufrates, na Mesopotâmia. Também nessa cidade havia grande comunidade de judeus e certamente nessa época os cristãos já povoavam a cidade. Calvino é de opinião que Pedro escreveu esta carta do Oriente, uma vez que Paulo não faz referência a Pedro em sua epístola aos Romanos nem cita Pedro nas cinco cartas que escreveu de Roma.[20]

A terceira Babilônia era Roma. Pedro teria usado o mesmo recurso que o apóstolo João empregou no livro de Apocalipse (Ap 17.4-6,9,18; 18.10), referindo-se a Roma por meio de um código, em linguagem metafórica. A maioria dos estudiosos, dentre eles os pais da Igreja, Eusébio e Jerônimo, entende que Pedro escreveu sua carta de Roma e, por se tratar de um tempo de perseguição, preferiu referir-se à capital do império por meio de códigos.[21] Robert Gundry afirma que os primeiros pais da Igreja entenderam que "Babilônia" era uma referência a Roma. Diz ainda que a tradição desconhece a existência de qualquer igreja em Babilônia da Mesopotâmia e nada sabe de alguma visita ali feita por Pedro; todavia, a tradição indica que Pedro morreu em Roma.[22] Por outro lado, Guilherme Orr ressalta que há escassa evidência para substanciar este ponto de vista.[23]

É quase impossível fechar questão nesse ponto. Melhor é deixar aberta a questão do local onde estava Pedro ao escrever sua epístola. Holmer chega a escrever: "Sobre a época e o local em que Pedro redigiu sua carta, paira uma incerteza impossível de eliminar".[24]

Características especiais da carta

A Primeira Carta de Pedro é considerada a mais pastoral e terna do Novo Testamento. A nota dominante é o permanente alento que Pedro

---

[20]Efésios, Filipenses, Colossenses, Filemom e 2Timóteo.
[21]NICHOLSON, Roy S. *A Primeira Epístola de Pedro*, p. 206.
[22]GUNDRY, Robert H. *Panorama do Novo Testamento*, p. 391.
[23]ORR, Guilherme W. *27 Chaves para o Novo Testamento*, p. 59.
[24]HOLMER, Uwe. *Primeira Carta de Pedro*. In: *Cartas de Tiago, Pedro, João e Judas*. Curitiba: Esperança, 2008, p. 5.

dá a seus leitores para que se mantenham firmes em sua conduta mesmo em face da perseguição.[25]

Myer Pearlman diz que a carta foi escrita para animar os fiéis a estarem firmes durante o sofrimento e levá-los à santidade.[26] De fato, trata-se de uma das mais comoventes peças da literatura do período da perseguição.[27] Pedro se dirige aos cristãos da Ásia como um verdadeiro pastor que cuida do seu rebanho, obedecendo ao desiderato recebido de Cristo (Jo 21.15-17).

Algumas características especiais podem ser notadas nessa epístola, como seguem.

Em primeiro lugar, *a carta tem o melhor grego do Novo Testamento*. A Primeira Carta de Pedro foi escrita num grego bastante culto.[28] Isso provocou sérias suspeitas acerca da autoria petrina. Alguns comentaristas chegam a rejeitar peremptoriamente a autoria de Pedro, uma vez que ele era um pescador galileu, homem iletrado e inculto que não teria condições de usar linguagem tão escorreita e imagens tão vívidas, no melhor grego da época.

Em face desse arrazoado, destacamos algumas ponderações.

- Pedro morava na Galileia, a região mais influenciada pelo helenismo, ou seja, pela cultura e pela língua grega. Consequentemente, os galileus falavam o grego e ainda estavam familiarizados com a Septuaginta, a versão grega do Antigo Testamento. Sendo assim, a autoria de Pedro não é de todo improvável. Reforçando esse pensamento, Mueller escreve: "A Galileia no tempo de Jesus era uma região mista e bastante cosmopolita. Certo é que a influência helenista lá se fazia sentir como em nenhuma outra parte da Palestina".[29] Mueller prossegue informando que o grego era linguagem corrente na Palestina no tempo de Jesus, o que valeria especialmente para

---

[25]BARCLAY, William. *Santiago, I y II Pedro*, p. 160.
[26]PEARLMAN, Myer. *Através da Bíblia*, p. 323.
[27]BARCLAY, William. *Santiago, I y II Pedro*, p. 160.
[28]MUELLER, Ênio R. *I Pedro: Introdução e comentário*, p. 19.
[29]MUELLER, Ênio R. *I Pedro: Introdução e comentário*, p. 21.

a Galileia, mais ao norte e mais aberta ao comércio e cultura, bem como a imigrantes gentios.[30] Holmer enfatiza que, para o império romano como um todo, a "Bíblia" não era o Antigo Testamento hebraico, mas a Septuaginta. Por essa razão, é provável que Pedro também estivesse familiarizado com ela, do mesmo modo que os destinatários da carta. Um missionário, porém, utiliza a Bíblia que é entendida na terra em que atua, nesse caso, a Septuaginta.[31]

- Pedro diz que escreveu esta epístola em parceria com Silvano (5.12), um dos homens "notáveis" da igreja primitiva (At 15.22). Esse Silvano foi o mesmo Silas que acompanhou Paulo na segunda viagem missionária. Ele era cidadão romano e também profeta (At 15.32). Bem poderia ser que Pedro fosse o autor da carta e Silvano o seu amanuense.[32] Barclay sugere que Silvano foi o agente ou instrumento de Pedro para escrever esta carta.[33]
- O mesmo Espírito que inspirou o conteúdo da carta poderia ter capacitado Pedro para escrevê-la de forma erudita e bela.

Em segundo lugar, *a carta destaca a chegada de um grande sofrimento*. Matthew Henry afirma que a principal intenção de Pedro em escrever esta carta foi preparar os cristãos para o sofrimento.[34] Pedro refere-se ao sofrimento em pelo menos quinze ocasiões ao longo da missiva, usando para isso seis termos gregos diferentes.[35] O tema "sofrimento" percorre toda a epístola. As pessoas para as quais Pedro escreve estão sofrendo múltiplas provações (1.6). Submetidos a uma prova de fogo (1.7), padecem uma campanha de difamação (2.12,15; 3.16; 4.4). A perseguição aos cristãos está crescendo (4.12,14,16; 5.9) e eles não devem ficar surpresos com o sofrimento (4.12). Ao contrário, devem estar preparados a sofrer por causa da justiça (3.14,17) e ser

---

[30]MUELLER, Ênio R. *I Pedro: Introdução e comentário*, p. 21.
[31]HOLMER, Uwe. *Primeira Carta de Pedro*, p. 134.
[32]GUNDRY, Robert H. *Panorama do Novo Testamento*, p. 390.
[33]BARCLAY, William. *Santiago, I y II Pedro*, p. 166.
[34]HENRY, Matthew. *Comentário Bíblico Atos-Apocalipse*. Rio de Janeiro: CPAD, 2010, p. 857.
[35]WIERSBE, Warren W. *Comentário bíblico expositivo*, p. 501.

coparticipantes do sofrimento de Cristo (4.13).[36] Em virtude do encorajamento que esta carta traz à igreja sofredora, Warren Wiersbe chega a descrever Pedro como o apóstolo da esperança, enquanto Paulo é o apóstolo da fé, e João é o apóstolo do amor.[37]

Os cristãos da Ásia, além de estarem espalhados pelas províncias romanas no continente asiático, ainda se sentiam sem pátria, sem chão, como peregrinos. A dispersão não era apenas geográfica. Agora, era impulsionada também pelos ventos furiosos da perseguição. A perseguição atingia os cristãos não porque eles praticavam o mal, mas porque praticavam o bem. Os cristãos eram perseguidos não porque eram rebeldes, mas porque eram cordatos. Ser cristão passou a ser ilícito no império. Os cristãos passaram a ser caçados, espoliados, torturados e mortos pelo simples fato de professarem o nome de Cristo. Esse fogo ardente da perseguição não atingia apenas os cristãos da Ásia, mas se espalhava por todo o mundo.

Em terceiro lugar, *a carta destaca a graça de Deus*. Warren Wiersbe tem razão quando afirma que somente quando dependemos da graça de Deus é que podemos glorificá-Lo em meio ao sofrimento. Pedro escreve: ... *vos escrevo resumidamente, exortando e testificando, de novo, que esta é a genuína graça de Deus; nela estai firmes* (5.12). A palavra "graça" é usada em todos os capítulos de 1Pedro (1.2,10,13; 2.19,20; 3.7; 4.10; 5.5,10,12).[38]

Em quarto lugar, *a carta destaca a glória de Deus*. Está coberto de razão Warren Wiersbe quando diz que tudo que começa com a graça de Deus que conduz à glória (5.10). Assim, sofrimento, graça e glória unem-se para formar uma mensagem de encorajamento para os cristãos que enfrentam tribulações e perseguições.[39] Esses temas são resumidos em 1Pedro 5.10.

Em quinto lugar, *a carta destaca a doutrina de Deus*. A doutrina de Deus é central na epístola de Pedro. O apóstolo enfatiza logo no início

---

[36]BARCLAY, William. *Santiago, I y II Pedro*, p. 184.
[37]WIERSBE, Warren W. *Comentário bíblico expositivo*, p. 502.
[38]WIERSBE, Warren W. *Comentário bíblico expositivo*, p. 502,503.
[39]WIERSBE, Warren W. *Comentário bíblico expositivo*, p. 503.

de sua epístola a doutrina do Deus Triúno: o Pai elegeu Seu povo de acordo com Sua presciência, Jesus Cristo verteu Seu sangue por esse povo, e o Espírito Santo o santificou (1.1,2).

Em sexto lugar, *a carta destaca a doutrina de Cristo*. Pedro enfatiza tanto a humanidade quanto a divindade de Cristo. Mostra Cristo como nosso exemplo (2.21), nosso substituto (2.24) que morreu pelos nossos pecados (3.18). Pedro apresenta Cristo como Senhor (1.3; 3.15).

Em sétimo lugar, *a carta destaca a doutrina do Espírito Santo*. Mesmo em esparsas referências, o apóstolo descreve de maneira ampla a obra do Espírito Santo. O Espírito santifica o povo de Deus (1.2) e orienta a pregação (1.12). Agiu na ressurreição de Cristo (3.18) e repousa sobre os cristãos que sofrem (4.14).

Em oitavo lugar, *a carta destaca a doutrina da igreja*. Embora a palavra *igreja* não apareça na carta, toda a epístola se refere a ela ao descrever o povo de Deus como "eleitos" e "forasteiros do mundo" (1.1,2); "raça eleita, sacerdócio real, nação santa, povo de propriedade exclusiva de Deus" (2.9).

Em nono lugar, *a carta destaca um chamado veemente à santidade em meio ao sofrimento*. O sofrimento pode trazer endurecimento de coração e decepção com a fé. Muitos, como a semente lançada entre os espinhos, sucumbem diante da dor. Outros se revoltam, como a mulher de Jó. Há outros que preferem a apostasia ao martírio, como Demas. Pedro escreve essa missiva para encorajar os cristãos à santidade em meio ao sofrimento.

Em décimo lugar, *a carta destaca a salvação como o fundamento da nossa alegria*. Os cristãos não tinham pátria permanente. Viviam dispersos pelos cantos da terra, mas podiam, mesmo nessas fugas constantes, alegrar-se na salvação. Essa salvação foi planejada pelo Deus Pai, executada pelo Deus Filho e aplicada pelo Deus Espírito Santo. A própria Trindade estava engajada nessa gloriosa salvação, e os cristãos, mesmo provando o fogo ardente da perseguição, deveriam exultar por causa de sua herança imarcescível e gloriosa.

Em 11º lugar, *a carta destaca as mesmas ênfases dos sermões de Pedro em Atos*. Citando C. H. Dodd, Barclay diz que a pregação da igreja primitiva estava baseada em cinco pontos principais:

1. O tempo do cumprimento tinha amanhecido; a idade messiânica havia começado. Esta é a última Palavra de Deus. Inaugurou-se uma nova ordem e os eleitos são chamados a unir-se à nova comunidade (At 2.14-16; 3.12-26; 4.8-12; 10.34-43; 1Pe 1.3,10-12; 4.7).
2. Essa nova era tinha chegado por causa da vida, morte e ressurreição de Jesus Cristo, em cumprimento das profecias do Antigo Testamento e como resultado do definido conselho e presciência de Deus (At 2.20-31; 3.13,14; 10.43; 1Pe 1.20,21).
3. Em virtude da ressurreição, Jesus foi exaltado à destra de Deus como o cabeça messiânico do novo Israel (At 2.22-26; 3.13; 4.11; 5.30,31; 10.39-42; 1Pe 1.21; 2.7,24; 3.22).
4. Esses acontecimentos messiânicos alcançarão pleno cumprimento com a volta de Cristo em glória e com o juízo dos vivos e dos mortos (At 3.19-23; 10.42; 1Pe 1.5,7,13; 4.5,10-18; 5.1,4).
5. Esses fatos são a base de um apelo ao arrependimento e do oferecimento do perdão, do Espírito Santo e da promessa da vida eterna (At 2.38,39; 3.19; 5.31; 10.43; 1Pe 1.13-25; 2.1-3; 4.1-5).[40]

Em 12º lugar, *a carta destaca a segunda vinda de Cristo, a consumação da nossa esperança*. A esperança da segunda vinda de Cristo, como a consumação de todas as coisas, tal qual um fio dourado, percorre toda a epístola (1.5,7,13; 2.12; 4.17; 5.1,4). Estamos no mundo, mas não somos do mundo. Nossa herança não está aqui. Nossa recompensa não está aqui. Nossa pátria permanente não está aqui. Aguardamos nosso Senhor que está no céu. Mueller diz que esta carta inteira respira essa perspectiva e os leitores são exortados repetidamente a fazerem dela a sua perspectiva de vida.[41]

---

[40] BARCLAY, William. *Santiago, I y II Pedro*, p. 163.
[41] MUELLER, Ênio R. *I Pedro: Introdução e comentário*, p. 42.

2

Salvação, presente de Deus

1Pedro 1.1-12

JÁ CONSIDERAMOS NO CAPÍTULO ANTERIOR a introdução desta epístola. Agora, prosseguiremos com sua exposição. De acordo com o modo antigo de se escrever, 1Pedro começa com a sequência: autor, destinatários, saudação.[1]

Vamos destacar quatro fatos importantes apresentados na introdução.

Em primeiro lugar, *o remetente da carta. Pedro, apóstolo de Jesus Cristo...* (1.1). Na época em que os livros eram escritos em rolos, o nome do remetente e dos destinatários era informado logo no início do documento, para que se soubesse com clareza de onde o texto procedia e a quem era enviado. Pedro se apresenta como apóstolo de Jesus Cristo. Sua autoridade não procede de si mesmo, mas é delegada pelo próprio Filho de Deus. Simon Kistemaker alerta que um apóstolo não transmite suas próprias ideias sobre a mensagem daquele que o envia.[2] Pedro fala da parte de Cristo, enviado por Cristo e com a autoridade de Cristo. Segundo Ênio Mueller, "o que vai se ler remonta para além do apóstolo, provindo em última instância do próprio Cristo".[3] Ninguém

---
[1] MUELLER, Ênio R. *I Pedro: Introdução e comentário*, p. 63.
[2] KISTEMAKER, Simon. *Epístolas de Pedro e Judas*, p. 46.
[3] MUELLER, Ênio R. *I Pedro: Introdução e comentário*, p. 64.

tem competência para constituir-se apóstolo, e nenhuma igreja ou denominação pode legitimamente constituir alguém apóstolo. Essa é uma prerrogativa exclusiva de Jesus Cristo.

Uwe Holmer diz acertadamente que a palavra *Cristo* não é um nome como entendemos hoje, mas um título que significa o Ungido, o Messias. Pedro é, portanto, um apóstolo do Messias Jesus. O Crucificado foi exaltado por Deus como Senhor e Messias (At 2.36).[4]

Em segundo lugar, **os destinatários da carta. ... aos eleitos que são forasteiros da Dispersão no Ponto, Galácia, Capadócia, Ásia e Bitínia** (1.1). Antes de Pedro nos dizer onde vivem os destinatários da missiva, ele os descreve espiritual, social e politicamente.[5] Esta carta é uma epístola geral, enviada a várias igrejas da Ásia Menor, aquela parte que Paulo não evangelizou, ou seja, as províncias localizadas no norte, leste, oeste e centro da Ásia Menor.

Esses cristãos são descritos como eleitos de Deus, mas estão dispersos pelo mundo. São forasteiros, vivem como estrangeiros na terra e exilados da eternidade, mas seus nomes estão arrolados no céu. Eles não têm aqui cidade permanente, mas caminham para a cidade santa. Vivem na terra, mas são cidadãos dos céus. Uwe Holmer descreve os cristãos como a "semeadura" de Deus que precisa ser disseminada. É assim que os cristãos se inserem na diáspora.[6]

Simon Kistemaker caracteriza os destinatários como segue:[7]

Espiritualmente, são eleitos de Deus. Os cristãos são o povo de Deus, escolhidos na eternidade, separados do mundo, padecendo o ódio do mundo e suportando sofrimento e perseguição, mas ao mesmo tempo proclamando as virtudes de Deus no mundo (2.9).

Socialmente são forasteiros no mundo. Os cristãos são moradores estrangeiros deste mundo (Hb 11.13). Aqui não é o seu lar, pois sua estada na terra é temporária (2.11). Sua cidadania é do céu (Fp 3.20). Portanto, sendo eleitos de Deus, vivem aqui na terra como exilados e

---

[4]HOLMER, Uwe. *Primeira Carta de Pedro*, p. 137.
[5]KISTEMAKER. Simon. *Epístolas de Pedro e Judas*, p. 47.
[6]HOLMER, Uwe. *Primeira Carta de Pedro*, p. 138.
[7]KISTEMAKER, Simon. *Epístolas de Pedro e Judas*, 2006, p. 47.

residentes temporários. William Barclay diz que o povo de Deus é o povo exilado da eternidade. Embora esteja no mundo, não é do mundo. Mesmo apartado do mundo, insere-se no mundo como sal e luz.[8]

Politicamente são dispersos. A palavra "dispersão" se refere ao exílio e a seus resultados. Após a morte de Estêvão, os judeus cristãos foram espalhados e tiveram que ir morar em outros países (At 8.1; 11.19; Tg 1.1).

Ênio Mueller observa que os cristãos têm a sua dispersão originada na eleição. O fato de serem eleitos por Deus, e assim separados do mundo, faz que o mundo todo seja diáspora para eles. Onde quer que estejam, encontram-se sob o signo da eleição de Deus, que os torna diferentes e os desarraiga do mundo, mesmo morando em seu próprio chão. Eles já não têm mais aqui uma pátria ou propriedades consideradas exclusivamente suas; experimentaram uma realidade qualitativamente diferente e aspiram agora pela estada definitiva em sua "nova pátria".[9]

Em terceiro lugar, *o plano eterno de Deus. Eleitos, segundo a presciência de Deus Pai, em santificação do Espírito, para a obediência e a aspersão do sangue de Jesus Cristo...* (1.2). Logo no início de sua missiva, Pedro deixa claro que a salvação é obra exclusiva do Deus Triúno, e não fruto do merecimento humano. Três verdades são afirmadas aqui.

1. *O Pai escolhe mediante sua presciência.* A eleição divina é um decreto eterno de Deus. O Senhor nos escolheu antes dos tempos eternos,[10] em Cristo,[11] pela santificação do Espírito e pela fé na verdade,[12] para sermos santos e irrepreensíveis[13] e praticarmos boas obras.[14] A presciência (*prognosis*) de Deus, ou seu conhecimento prévio, não significa meramente que Deus sabe quem será salvo, mas que está ativamente empenhado no processo, determinando antes do tempo a salvação de cada um de nós e concretizando-a, depois, no tempo e

---

[8]Barclay, William. *Santiago, I y II Pedro*, p. 193.
[9]Mueller, Ênio G. *I Pedro: Introdução e comentário*, p. 67,68.
[10]2Timóteo 1.9.
[11]Efésios 1.4.
[12]2Tessalonicenses 2.13.
[13]Efésios 1.4.
[14]Efésios 2.10.

no espaço.¹⁵ Concordo com Ênio Mueller quando ele diz que estamos diante de um paradoxo, que tem seu fundamento último na inapreensibilidade de Deus. Por um lado, a nossa salvação depende completamente da nossa decisão e somos pessoalmente responsáveis por ela. Por outro lado, contudo, a nossa salvação repousa totalmente na eleição prévia da parte de Deus, na sua incompreensível bondade para conosco em Jesus Cristo.¹⁶

2. *O Filho redime com Seu sangue.* A eleição eterna não dispensa o sacrifício de Cristo na cruz. O Deus que nos escolheu antes da fundação do mundo para a salvação, esse mesmo determinou salvar-nos mediante a morte vicária de Seu Filho. O sangue de Cristo vertido na cruz é a causa meritória da nossa salvação.

3. *O Espírito Santo santifica os eleitos redimidos.* O Pai escolhe, o Filho redime e o Espírito aplica a salvação nos eleitos e santifica-os para a vida eterna. Todos aqueles que são eleitos pelo Pai são redimidos pelo sangue de Cristo e santificados pelo Espírito Santo. A eleição divina, longe de ser um desestímulo à santificação, é seu maior encorajamento, uma vez que fomos eleitos e redimidos pela santificação e para a santificação.

Em quarto lugar, **a saudação apostólica.** ... *graça e paz vos sejam multiplicadas* (1.2b). A graça é a base da salvação, e a paz, seu resultado. A graça é a raiz, e a paz, seu fruto. A graça é a causa, e a paz, sua consequência. Não há graça sem paz nem paz sem graça. Ambas caminham juntas. A graça é o favor imerecido de Deus aos pecadores indignos, e a paz é o estado de reconciliação com Deus assim como a harmonia dela resultante.

A fonte e a natureza da salvação (1.3)

Num tempo de extrema perseguição, sofrimento e dor, o apóstolo Pedro inicia a sua carta com uma doxologia. Não começa com o

---

¹⁵MUELLER, Ênio G. *I Pedro: Introdução e comentário*, p. 69.
¹⁶MUELLER, Ênio G. *I Pedro: Introdução e comentário*, p. 71.

homem, começa com Deus. Não inicia com as necessidades humanas, mas com os louvores que Deus merece. Aqui Pedro mostra a fonte da salvação: *Bendito o Deus e Pai de nosso Senhor Jesus Cristo, que segundo a sua muita misericórdia..* Pedro começa louvando a Deus por sua salvação. A salvação é uma obra exclusiva de Deus. Ele deve ser exaltado por tão grande salvação. Seu nome deve ser magnificado por presente tão auspicioso.

Antes de apresentarmos nossas dores, nossas lutas, nossas lágrimas e nossas perdas neste mundo, devemos levantar os olhos ao céu e exaltar Aquele que nos amou, nos escolheu e providenciou todas as coisas para a nossa salvação. Quando exaltamos a Deus por quem Ele é e por aquilo que Ele tem feito por nós, sentimo-nos fortalecidos para enfrentarmos nossas leves e momentâneas lutas.

Pedro faz uma transição da fonte da salvação para a sua natureza, mostrando que o plano estabelecido na eternidade concretiza-se no tempo. Aquilo que foi planejado no céu realiza-se na terra. Duas verdades preciosas são aqui destacadas.

Em primeiro lugar, *a regeneração. ... nos regenerou...* (1.3). A regeneração é uma obra do Espírito Santo em nós. Ele muda nossas disposições íntimas, dando-nos um novo coração, uma nova mente, uma nova vida. Nascemos da semente incorruptível. Temos não apenas um novo *status* (justificação), mas também uma nova vida (regeneração). Tornamo-nos filhos de Deus, membros de Sua família. Ênio Mueller diz que o cristão renasce dentro de uma nova família (Ef 2.19), passando a ter com Deus uma relação de filho (Jo 1.12), e com Jesus, uma relação de irmão (Rm 8.29).[17]

Em segundo lugar, *a viva esperança. ... para uma viva esperança, mediante a ressurreição de Jesus Cristo dentre os mortos* (1.3). O apóstolo Paulo descreve o mundo pagão como sem esperança (Ef 2.12). Sófocles escreveu: "Não nascer é, inquestionavelmente, a maior felicidade. A segunda maior felicidade é, tão logo nascer, retornar ao lugar de onde se veio".[18] O cristianismo é a religião da esperança. Não caminhamos

---
[17] MUELLER, Ênio R. *I Pedro: Introdução e comentário*, p. 79.
[18] BARCLAY, William. *Santiago, I y II Pedro*, p. 198.

para um futuro desconhecido, marchamos para uma glória eterna. A regeneração nos leva a uma viva esperança. Somos regenerados para uma qualidade superlativa de vida.

Somos regenerados para a esperança, e essa esperança tem duas características: Primeiro, ela é viva. Segundo, ela é segura, pois está fundamentada na ressurreição de Jesus Cristo. Nossa esperança não é vaga e incerta, mas definida e garantida. Concordo com o parecer de Simon Kistemaker: "Sem a ressurreição de Cristo, nossa regeneração não seria possível e nossa esperança não faria nenhum sentido".[19]

A recompensa da salvação (1.4)

A salvação planejada na eternidade e realizada no tempo aponta para uma recompensa futura. Pedro escreve: *para uma herança incorruptível, sem mácula, imarcescível, reservada nos céus para vós outros* (1.4). Os eleitos de Deus, remidos pelo sangue, santificados pelo Espírito e regenerados para uma viva esperança, têm a promessa de uma herança gloriosa. Quais são as características dessa herança que está reservada nos céus para os salvos?

Em primeiro lugar, *é uma herança incorruptível*. A palavra grega *aftharton*, traduzida por "incorruptível", significa algo que não perece, não apodrece, não se deteriora. Roy Nicholson explica que *aftharton* pressupõe a ideia de não conter sementes de deterioração.[20] William Barclay acrescenta que essa palavra significava "não assolada por nenhum exército inimigo".[21]

Em segundo lugar, *é uma herança imaculada*. A palavra grega *amiantos*, traduzida por "sem mácula", significa algo absolutamente limpo, sem nenhum tipo de sujeira ou de contaminação que possa levar a uma posterior degeneração.

Em terceiro lugar, *é uma herança imarcescível*. A palavra grega *amarantos*, traduzida por "imarcescível", significa inalterável. É mais

---

[19]KISTEMAKER, Simon. *Epístolas de Pedro e Judas*, p. 58.
[20]NICHOLSON, Roy S. *A Primeira Epístola de Pedro*, p. 214.
[21]BARCLAY, William. *Santiago, I y II Pedro*, p. 200.

aplicada a coisas da natureza, representando na poesia "uma flor que nunca murcha nem perde a sua beleza". Em vez de murchar, ela permanece num frescor perpétuo, que nunca se deteriora quanto ao seu valor, graça e beleza.[22]

A segurança da salvação (1.5)

Como podemos saber que a salvação planejada na eternidade e executada no tempo não se perderá? Como ter certeza de que a salvação planejada pelo Deus Pai, executada pelo Deus Filho e aplicada pelo Deus Espírito Santo é segura? Que garantia temos de que aqueles que foram salvos permanecerão salvos para sempre? Qual é o alicerce da nossa certeza? O apóstolo Pedro nos dá a resposta com diáfana clareza. Destacamos três pontos importantes nesse sentido.

Em primeiro lugar, *a segurança de nossa salvação é garantida pelo próprio Deus*. *Que sois guardados pelo poder de Deus...* (1.5). A palavra que Pedro usa em grego é *frourein*, um termo militar. Significa que a nossa vida está guarnecida por Deus, que atua como sentinela de todos os nossos dias.[23] A segurança da salvação não está em nossas frágeis mãos, mas repousa sobre o poder de Deus. O mesmo Deus que nos salva também nos garante a segurança da salvação. Nada nem ninguém nos podem arrancar dos braços de Jesus. Nenhum poder no céu ou na terra nos pode afastar do amor de Deus que está em Cristo Jesus. Uma vez salvos, salvos sempre!

Em segundo lugar, *a segurança de nossa salvação é apropriada pela fé*. *... mediante a fé* (1.5). A fé não é a causa meritória da nossa salvação, mas a causa instrumental. Apropriamo-nos da salvação pela graça mediante a fé. A fé é a mão que se estende para receber o presente da salvação.

Em terceiro lugar, *a consumação da salvação se dará na segunda vinda de Cristo*. *... para a salvação preparada para revelar-se no último tempo* (1.5). Nossa salvação foi preparada para nós por Cristo por meio

---

[22]NICHOLSON, Roy S. *A Primeira Epístola de Pedro*, p. 214.
[23]BARCLAY, William. *Santiago, I y II Pedro*, p. 201.

de Sua obra expiatória. Ela será revelada de uma só vez no tempo de Deus. Todos verão a herança, mas apenas o cristão poderá possuí-la. O verbo "revelar", usado aqui, significa "tirar o véu ou cobertura". Jesus tirará o véu quando voltar para nos dar salvação gratuita e plena.[24]

Podemos afirmar à luz das Escrituras que já fomos salvos, estamos sendo salvos e seremos salvos. Com respeito à justificação, já fomos salvos. Com respeito à santificação, estamos sendo salvos. Com respeito à glorificação, seremos salvos. Fomos salvos da condenação do pecado na justificação. Estamos sendo salvos do poder do pecado na santificação. E seremos salvos da presença do pecado na glorificação. Agora temos o selo do Espírito, o penhor do Espírito, como garantia de que aquele que começou a fazer a boa obra em nós há de completá-la até o dia final. "Tempo" aqui é *kairós*, aquele que não é determinado cronologicamente. "No último tempo" denota aqui não o "tempo do fim", no sentido neotestamentário de todo o período que vai da primeira até a segunda vinda de Cristo, mas especificamente o período final dessa época, o "fim do fim".[25]

A alegria da salvação (1.6-9)

Vimos até aqui que, no passado, Deus ressuscitou Cristo e regenerou os seus eleitos; coloca diante deles um futuro aberto e glorioso; e, no presente, os guarda, mediante a fé que eles têm nEle.[26] Vejamos agora a alegria resultante dessa salvação.

Embora nossa salvação venha a ser consumada apenas na segunda vinda de Cristo, já começamos a desfrutar de sua alegria aqui e agora. Os sofrimentos desta vida não conseguem empalidecer as glórias benditas da nossa salvação. A cruz precede a coroa; o sofrimento é o prelúdio da glória. Antes de pisarmos as ruas de ouro da Nova Jerusalém, caminharemos por estradas juncadas de espinhos. Pedro menciona vários fatos acerca das provações que enfrentamos nesta vida, preparando-nos para a glória.

---

[24]KISTEMAKER, Simon. *Epístolas de Pedro e Judas*, p. 63.
[25]MUELLER, Ênio R. *I Pedro: Introdução e comentário*, p. 82.
[26]MUELLER, Ênio R. *I Pedro: Introdução e comentário*, p. 82.

Em primeiro lugar, *as provações são pedagógicas*. *Nisso exultais, embora, no presente, por breve tempo, se necessário, sejais contristados por várias provações* (1.6). A expressão "se necessário" indica que há ocasiões especiais em que Deus sabe que precisamos passar por provações para nossa disciplina (Sl 119.67) e nosso crescimento espiritual (2Co 12.1-9).[27]

Em segundo lugar, *as provações são variadas*. *... por várias provações* (1.6). A palavra grega *poikilos*, traduzida por "várias", significa "de diversas cores" ou "policromáticas". A mesma palavra é usada para descrever a graça de Deus (4.10). Warren Wiersbe acertadamente diz que, não importa a "cor" de nosso dia – seja cinzento ou negro –, Deus tem graça suficiente para suprir nossas necessidades.[28] William Barclay, nessa mesma linha de pensamento, escreve:

Nossos problemas e contratempos podem ser multicoloridos, mas também o é a graça de Deus. Não há cor na situação humana que a graça de Deus não seja capaz de enfrentar. Não importa o que nos esteja fazendo a vida, na graça de Deus encontramos forças para enfrentar essa situação e vencê-la. Há uma graça para enfrentar cada prova, e não há prova que não tenha a Sua graça.[29]

Em terceiro lugar, *as provações são dolorosas*. *... sejais contristados...* (1.6). A ideia subjacente é de dor ou tristeza profunda. A mesma palavra é usada para descrever a experiência de Jesus no Getsêmani (Mt 26.37) e a tristeza dos santos com a morte de um ente querido (1Ts 4.13).[30]

Em quarto lugar, *as provações são passageiras*. *... por breve tempo...* (1.6). Deus não permite que as provações durem para sempre. Warren Wiersbe diz que, quando Deus permite que Seus filhos passem pela fornalha, mantém os olhos no relógio e a mão no termostato.[31]

Em quinto lugar, *as provações são proveitosas*. *Para que, uma vez confirmado o valor da vossa fé, muito mais preciosa do que o ouro perecível, mesmo apurado por fogo, redunde em louvor, glória e honra na revelação*

---

[27]WIERSBE, Warren W. *Comentário bíblico expositivo*, p. 506.
[28]WIERSBE, Warren W. *Comentário bíblico expositivo*, p. 506.
[29]BARCLAY, William. *Santiago, I y II Pedro*, p. 204.
[30]WIERSBE, Warren W. *Comentário bíblico expositivo*, p. 506.
[31]WIERSBE, Warren W. *Comentário bíblico expositivo*, p. 507.

de Jesus Cristo (1.7). Pedro ilustra esta verdade referindo-se ao ourives. O ourives coloca o metal no cadinho o tempo necessário para remover as impurezas sem valor; em seguida, o derrama no molde e forma uma bela peça de valor. Para saber se o ouro é autêntico, o metal precisa ser derretido no fogo. Isso não afeta o ouro em nada, mas todas as impurezas são expulsas no processo, e aquilo que é autêntico, que realmente tem valor, se destaca com pureza.[32] Alguém disse que, no Oriente, o ourives deixava o metal derreter até ser capaz de ver seu rosto refletido nele. Da mesma forma, o Senhor nos mantém na fornalha do sofrimento até refletirmos a glória e a beleza de Jesus Cristo.

As provações enfrentadas hoje são um preparo para a glória futura. A glória da nossa salvação se tornará plena na segunda vinda de Jesus Cristo. Agora, a nossa fé é testada da mesma forma que o ouro é depurado, para que, na manifestação gloriosa de Cristo em Sua segunda vinda, isso redunde em louvor, glória e honra ao Senhor. Concordo com Ênio Mueller no sentido de que esta figura ilustra não só o propósito da provação, mas também a sua necessidade. O ouro, embora valiosíssimo, é também perecível. A fé provada, em comparação com ele, é muito mais preciosa. Depois de ambos passarem pelo processo de purificação, a diferença de valor é enorme. O ouro, além de não durar eternamente, sempre pode ser roubado ou perdido. A fé, por outro lado, garante o acesso a uma herança não sujeita às desgraças terrenas.[33]

Em sexto lugar, *as provações preparam para a glória futura, mas Jesus já concede glória no presente*. *A quem, não havendo visto, amais; no qual, não vendo agora, mas crendo, exultais com alegria indizível e cheia de glória, obtendo o fim da vossa fé: a salvação da vossa alma* (1.8,9). De acordo com Warren Wiersbe, a vida cristã não consiste somente na contemplação de um futuro distante. Antes, implica uma dinâmica presente que pode transformar o sofrimento em glória hoje.[34] Pedro apresenta quatro instruções para se desfrutar a glória hoje, mesmo em meio às provações:

---

[32]HOLMER, Uwe. *Primeira Carta de Pedro*, p. 149.
[33]MUELLER, Ênio R. *I Pedro: Introdução e comentário*, p. 88.
[34]WIERSBE, Warren W. *Comentário bíblico expositivo*, p. 507.

1. *Amem a Cristo* (1.8). Na fornalha da aflição, em meio ao fogaréu da prova, precisamos amar a Cristo, para que esse fogo nos purifique em vez de nos queimar.
2. *Creiam em Cristo* (1.8). O cristão é salvo pela fé, vive pela fé, vence pela fé e anda de fé em fé.
3. *Alegrem-se em Cristo* (1.8). O cristão não é masoquista nem estoico. Não se alegra por causa do sofrimento nem exulta por causa das provações, mas pelos seus benditos frutos. Essa alegria não pode ser traduzida em palavras, é indizível. Não é apenas terrena, é cheia de glória. Essa é a alegria dos tempos vindouros, que fez sua entrada no mundo para não mais dele sair, até que toda tristeza seja finalmente eliminada na vinda do Reino.[35] Trata-se de uma alegria maiúscula, superlativa e celestial. A palavra descreve gritos de alegria que não podem ser contidos. É uma alegria mergulhada em glória!
4. *Obtenham de Cristo* (1.9). A salvação é uma dádiva de Cristo. Nós a recebemos pela graça, mediante a fé. Embora o seu desfrute pleno vá ocorrer apenas na glória, já tomamos posse aqui e agora. Embora sua consumação esteja destinada apenas para o tempo do fim, já usufruímos seus benefícios imediatamente.

A expressão *salvação da vossa alma* (v. 9) tem sido interpretada de forma equivocada por alguns estudiosos. Concordo com Uwe Holmer quando ele diz que essa expressão foi emprestada apenas aparentemente da filosofia grega. Na realidade, corresponde à proclamação do Senhor, que proclamara em vista de perseguição e ameaça de morte: *Não temais os que matam o corpo e não podem matar a alma* (Mt 10.28). Isso por um lado soa como antropologia grega, mas por outro condiz, na realidade, inteiramente com a visão bíblica que é fundamentalmente diversa da grega.[36] Acompanhemos a explicação de Holmer:

> Os gregos consideravam a alma como única coisa valiosa no ser humano: pois a libertação da alma do cativeiro do corpo era o alvo

---
[35] MUELLER, Ênio R. *I Pedro: Introdução e comentário*, p. 90.
[36] HOLMER, Uwe. *Primeira Carta de Pedro*, p. 151.

mais importante, de modo que ansiavam por uma existência da alma dissociada do corpo. Também a Bíblia por um lado fala do valor incomparável da alma (Mt 16.26) e tem conhecimento da existência dela sem o corpo (3.19; Mt 10.28; Ap 6.9). Porém, segundo a Bíblia, o corpo não é de forma alguma cárcere da alma, mas forma, em conjunto com a alma e o espírito, o ser humano todo. A existência da alma fora do corpo é, conforme a Bíblia, nem de longe um ideal, mas é considerada como dolorosa condição de imperfeição (2Co 5.4; 1Ts 4.13). A igreja será perfeita somente quando tiver o novo corpo espiritual, a ser obtido na segunda vinda de Jesus. Portanto, não espera que a alma seja liberta do corpo, mas aguarda que seu corpo seja redimido (Rm 8.23). Assim a antropologia bíblica não é marcada pela filosofia grega, mas pela teologia e pela escatologia bíblicas.[37]

A antiguidade da salvação (1.10-12)

O apóstolo Pedro mostra a conexão entre o Antigo e o Novo Testamento. A salvação recebida pela igreja é a mesma anunciada pelos profetas. Trata-se de um plano antigo, feito realidade no presente. Ênio Mueller diz que temos aqui uma passagem eloquente sobre a unidade e a continuidade entre o Antigo Testamento e o Novo Testamento. Aquilo que lá havia sido buscado e anunciado, aqui se cumpre.[38] A salvação presente que a igreja possui já estava no campo de visão dos homens de Deus na antiga aliança.[39] Algumas verdades devem ser aqui observadas.

Em primeiro lugar, **os profetas questionaram acerca desta salvação**. *Foi a respeito desta salvação que os profetas indagaram e inquiriram, os quais profetizaram acerca da graça a vós outros destinada* (1.10). Os profetas de Deus no passado, movidos pelo Espírito Santo, indagaram e inquiriram acerca dessa salvação a nós destinada. Os profetas eram tidos em alta conta no meio do povo de Deus, e os membros da igreja estão agora posicionados num *status* ainda mais elevado: os profetas foram seus servos e ministraram o que era a eles destinado.[40]

---

[37]HOLMER, Uwe. *Primeira Carta de Pedro*, p. 151.
[38]MUELLER, Ênio R. *I Pedro: Introdução e comentário*, p. 92.
[39]HOLMER, Uwe. *Primeira Carta de Pedro*, p. 152.
[40]MUELLER, Ênio R. *I Pedro: Introdução e comentário*, p. 93.

Em segundo lugar, *os profetas investigaram o tempo e as circunstâncias da chegada desta salvação*. *Investigando, atentamente, qual a ocasião ou quais as circunstâncias oportunas, indicadas pelo Espírito de Cristo, que neles estava...* (1.11a). Quando o Espírito Santo inspirou os profetas para escreverem sobre o tempo e as circunstâncias do cumprimento desta salvação, não lhes retirou a capacidade de pesquisa nem anulou o estilo de cada um no registro dessas verdades pesquisadas.

Em terceiro lugar, *os profetas deram testemunho da humilhação e exaltação de Cristo*. ... *ao dar de antemão testemunho sobre os sofrimentos referentes a Cristo e sobre as glórias que os seguiriam* (1.11b). Note que os profetas usam tanto "sofrimentos" como "glórias" no plural. Isso significa que tanto a humilhação como a exaltação de Cristo passaram por vários estágios. Pedro enfatiza a magnitude e a variedade de dores e tristezas que Jesus suportou, tanto quanto a glória da ressurreição e da ascensão, assim como o esplendor da segunda vinda. Nessa mesma linha de pensamento, Uwe Holmer escreve:

> A glorificação decorre do sofrimento de Jesus, a exaltação, da humilhação. As duas palavras, *sofrimentos* e *glórias*, constam no plural. Isso indica que o padecimento de Cristo é múltiplo, que não se restringiu ao Calvário, mas já começou na estrebaria de Belém e se prolongou por toda a sua vida na terra, para finalmente se consumar na Sexta-Feira Santa. Mas também sua glorificação é múltipla e diversificada. A ressurreição é glória, assim como também a ascensão, a segunda vinda, a inauguração do reino messiânico, a execução do juízo mundial perante o grande trono branco e, finalmente, a consumação na Nova Jerusalém.[41]

Em quarto lugar, *os profetas apontam para uma salvação posterior à sua existência*. *A eles foi revelado que, não para si mesmos, mas para vós outros, ministravam as coisas que, agora, vos foram anunciadas por aqueles que, pelo Espírito Santo enviado do céu, vos pregaram o evangelho, coisas essas que anjos anelam perscrutar* (1.12). Os profetas receberam a revelação divina de que a salvação por eles anunciada se cumpriria não em

---

[41]HOLMER, Uwe. *Primeira Carta de Pedro*, p. 153.

seus dias, mas em tempos futuros. A mensagem vaticinada pelos profetas é a mesma recebida pela igreja, lá como promessa, aqui como cumprimento. O evangelho engloba a mensagem profética junto com o seu cumprimento. É a boa nova de que a salvação tão ansiosamente esperada é uma realidade, a partir da morte e da ressurreição de Cristo.[42]

Pedro diz que até mesmo os "anjos anelam perscrutar" a respeito desta salvação. Os anjos estão ao redor do trono de Deus, são mensageiros enviados por Ele para servir àquele que herda a salvação (Hb 1.14), regozijam-se quando um pecador se arrepende (Lc 15.7,10) e reúnem os eleitos no dia do julgamento (Mt 24.31). Apesar disso, seu conhecimento sobre a salvação humana é incompleto, pois desejam perscrutar os mistérios da salvação. O verbo *perscrutar* significa "olhar com o pescoço esticado". Os anjos saberão mais sobre a salvação por meio da igreja (Ef 3.10).[43] Se os próprios anjos estão tão interessados em nossa redenção, quanto mais nós deveríamos considerá-la gloriosa, com ainda maior fervor e entusiasmo!

---

[42]MUELLER, Ênio R. *I Pedro: Introdução e comentário*, p. 95.
[43]KISTEMAKER, Simon. *Epístolas de Pedro e Judas*, p. 80.

3

O **estilo de vida** dos **salvos**

1 Pedro 1.13-25

DEUS NOS SALVOU PARA A SANTIDADE. Salvou-nos *do* pecado, e não *no* pecado. Salvou-nos das paixões e da futilidade da vida, e não para vivermos outra vez nessas práticas. Aqueles que têm um encontro com Deus receberam uma nova vida e devem viver em novidade de vida. O apóstolo Pedro relaciona salvação e santidade. Após o louvor a Deus pelas bênçãos da salvação, Pedro volta sua atenção para as implicações da salvação. Em virtude do que Deus fez por nós, devemos viver de modo digno da nossa vocação. Concordo com Holmer quando ele diz: "Somente é possível desafiar pessoas para uma conduta consagrada se elas já renasceram antes".[1]

O texto em estudo nos apresenta três aspectos desse estilo de vida dos salvos: viver em santidade, viver com reverência e viver em amor.

Os salvos devem **viver em santidade** (1.13-16)

O apóstolo Pedro conecta a salvação com a santidade no versículo 13, quando inicia o parágrafo: *Por isso...* Em virtude do que Deus fez por nós, devemos viver de modo digno dessa salvação. A dádiva graciosa da

---
[1] HOLMER, Uwe. *Primeira Carta de Pedro*, p. 156.

salvação em Cristo deve levar-nos a uma conduta ajustada e compatível. A doutrina desemboca na ética. A teologia produz vida.

No propósito de perseguirmos a santidade, três verdades devem ser observadas.

Em primeiro lugar, *a preparação para a santidade* (1.13). A santificação é um processo que começa na conversão e termina na glorificação. Nessa jornada, três atitudes precisam ser tomadas:

1. *Prepare sua mente. Por isso, cingindo o vosso entendimento...* (1.13a). Holmer diz que essa expressão é quase incompreensível para a percepção moderna da língua. Corresponde ao pensamento oriental-metafórico. Na antiguidade, era necessário amarrar as vestes esvoaçantes. Do contrário, elas atrapalhariam o trabalho e estorvariam a batalha. Por isso, o ser humano antigo cingia as ancas, enfiando as pontas das vestes sob o cinto. Também nós somos facilmente prejudicados no trabalho e na vida por "ideias esvoaçantes".[2] O que Pedro está dizendo é: *Não permita que qualquer coisa atrapalhe seu entendimento.*[3]

Ênio Mueller diz que a palavra grega *dianoias*, "entendimento", é um pouco diferente de *nous*, normalmente usada para expressar o que entendemos hoje por "mente".

A primeira denota mais a mentalidade, aquilo que a mente produz. "Cingir o entendimento" significa, então, "pensar em algo e tirar as conclusões apropriadas". Em outras palavras, "tendo em mente o que foi dito, tirem as implicações para a vida".[4] Quem busca a santificação não pode dispersar-se com muitas preocupações e devaneios. Sua mente precisa ser firme na Palavra de Deus, para compreender os preceitos divinos. Concordo com William Barclay no sentido de que não podemos contentar-nos com uma fé medíocre e negligente, sem profundidade e sem reflexão.[5]

2. *Mantenha-se sóbrio. ... sede sóbrios...* (1.13b). Essa exortação foi repetida três vezes nesta epístola (1.13; 4.7; 5.8). A palavra grega

---
[2]HOLMER, Uwe. *Primeira Carta de Pedro*, p. 157.
[3]KISTEMAKER, Simon. *Epístolas de Pedro e Judas*, p. 81.
[4]MUELLER, Ênio R. *I Pedro: Introdução e comentário*, p. 98.
[5]BARCLAY, William. *Santiago, I y II Pedro*, p. 210.

nefontes significa domínio próprio, especialmente com relação à bebida alcoólica. É uma exortação dirigida contra qualquer embriaguez por álcool ou de modo geral contra qualquer tipo de êxtase dos sentidos.[6] Ser sóbrio é estar no pleno domínio de sua capacidade racional. Aqueles que se entregam à embriaguez não têm a mente disposta para Deus. Também significa ser calmo, estável, controlado; ponderar as coisas.[7] Simon Kistemaker realça que a mente deve estar livre de precipitação ou confusão; deve rejeitar a tentação de ser influenciada por bebidas e drogas intoxicantes. Deve permanecer alerta.[8]

3. *Espere na graça.* ... *e esperai inteiramente na graça que vos está sendo trazida na revelação de Jesus Cristo* (1.13c). Diante das perseguições e dos sofrimentos pelos quais os cristãos estavam passando, Pedro os encoraja a olharem para frente, para a recompensa futura, para a segunda vinda de Cristo, para a glória que os aguardava, a plenitude sua salvação. A palavra grega *elpisate* é uma forma verbal de *elpis*, "esperança". O objeto da esperança é a graça que nos está sendo trazida.[9] O salvo olha para o passado e contempla a cruz, onde seus pecados foram cancelados. Olha para o futuro e contempla a graça que está sendo preparada para a segunda vinda de Cristo. Na cruz fomos justificados; na segunda vinda seremos glorificados. Entre a cruz e a coroa, entre o sofrimento do Calvário e a glória da *parousia*, devemos esticar o pescoço e ficar na ponta dos pés esperando inteiramente na graça que nos está sendo trazida na segunda vinda de Cristo.

Warren Wiersbe diz que o cristão vive no tempo futuro; suas ações e decisões no presente são governadas por essa esperança futura.[10] Quando as circunstâncias ao nosso redor estiverem sombrias e tenebrosas, devemos olhar para o alto, pois as estrelas só aparecem quando está escuro. É precisamente porque o cristão vive na esperança que consegue suportar as provas e os sofrimentos desta vida, pois sabe que caminha para a glória.

---

[6] HOLMER, Uwe. *Primeira Carta de Pedro*, p. 158.
[7] WIERSBE, Warren W. *Comentário bíblico expositivo*, p. 510.
[8] KISTEMAKER, Simon. *Epístolas de Pedro e Judas*, p. 82.
[9] MUELLER, Ênio R. *I Pedro: Introdução e comentário*, p. 98,99.
[10] WIERSBE, Warren W. *Comentário bíblico expositivo*, p. 510.

Nos três versículos seguintes, Pedro adverte os cristãos a evitarem a conformidade com o mundo, insta-os a lutarem pela santidade e confirma suas palavras com uma citação do Antigo Testamento. Temos aqui, portanto, uma advertência, uma exortação e uma confirmação.[11]

Em segundo lugar, *o perigo à santidade*. *Como filhos da obediência, não vos amoldeis às paixões que tínheis anteriormente na vossa ignorância* (1.14). Aqui temos uma advertência. "Filhos da obediência" é um linguajar semita. Significa algo como "pessoas que são cunhadas integralmente pela obediência".[12] Fomos salvos para a obediência, por isso os salvos são filhos obedientes. Como os filhos herdam a natureza dos pais, precisamos viver em santidade, pois nosso Pai é santo.

Como filhos obedientes, não podemos retroceder nem cair nas mesmas práticas indecentes que marcavam nossa conduta quando vivíamos prisioneiros do pecado. Naquele tempo, os desejos e as paixões constituíam o esquema determinante da nossa vida e a nossa norma de conduta. É incoerente, incompatível e inconcebível um salvo amoldar-se às paixões de sua velha vida. O salvo é nova criatura. Tem uma nova mente, um novo coração, uma nova vida.

A vida no pecado é marcada pela ignorância. Mesmo aqueles que vivem untados pelo refinado conhecimento filosófico ainda estão imersos num caudal de ignorância (At 17.30).

Ênio Mueller diz que a expressão grega *Me syschematizomenoi*, "não vos amoldeis" significa uma exortação a não entrar no esquema. Originalmente, a palavra significava assumir a forma de alguma coisa, a partir de um molde de encaixe (Rm 12.2). Os cristãos são chamados a "mudar de esquema", a assumir o esquema de Deus. A nova vida em Cristo, transformando a pessoa por dentro, deve traduzir-se em novas expressões concretas de vida.[13]

Em terceiro lugar, *o imperativo da santidade*. *Pelo contrário, segundo é santo Aquele que vos chamou, tornai-vos santos também vós mesmos em todo o vosso procedimento, porque escrito está: Sede santos, porque Eu sou santo*

---

[11] KISTEMAKER, Simon. *Epístolas de Pedro e Judas*, p. 83.
[12] HOLMER, Uwe. *Primeira Carta de Pedro*, p. 159.
[13] MUELLER, Ênio R. *I Pedro: Introdução e comentário*, p. 101.

(1.15,16). Aqui temos uma exortação e uma confirmação. Três verdades são aqui destacadas:

1. *A santidade é imperativa porque o Deus que nos chama é santo.* O termo grego *hagios* referente a Deus traz a ideia de "separado". Fala sobre a singularidade divina em relação a todo o resto, a sua distinção como Aquele que é totalmente outro. Também expressa sua perfeição moral.[14] Deus nos chama para sermos Seus filhos e refletirmos Seu caráter. Não fomos destinados apenas para a glória, mas para sermos semelhantes ao Rei da glória. Fomos chamados para sermos coparticipantes da natureza divina.

2. *A santidade é imperativa porque precisa abranger todas as áreas da nossa vida.* Nenhum aspecto da nossa vida está excluído desse imperativo divino. Todo o nosso procedimento deve resplandecer o caráter de Deus, a santidade daquele que nos chamou do pecado para a salvação. Tornar-se santo inclui ambas as noções sobre santidade: o elemento de separação, em distinção ao profano, e o elemento ético ou moral.[15]

3. *A santidade é imperativa porque é uma clara exigência das Escrituras.* Pedro citou Levítico 11.44 para sustentar seu argumento: *Sereis santos, porque eu sou santo.* Mueller diz que o apelo à Palavra de Deus serve para ratificar com autoridade o que foi dito.[16] Pedro não baseia sua exortação em seus próprios pensamentos, mas na Palavra de Deus. Concordo com Warren Wiersbe quando diz que a Palavra revela a mente de Deus, de modo que devemos aprendê-la; revela o coração de Deus, de modo que devemos amá-la; e revela a vontade de Deus, de modo que devemos obedecê-la. O ser como um todo – a mente, o coração e a volição – precisa ser controlado pela Palavra de Deus.[17]

Os salvos devem **viver com reverência** (1.17-21)

O apóstolo Pedro passa da santidade dos salvos para a reverência que eles devem prestar a Deus, a segunda marca dos que receberam

---

[14]MUELLER, Ênio R. *I Pedro: Introdução e comentário*, p. 102.
[15]MUELLER, Ênio R. *I Pedro: Introdução e comentário*, p. 102,103.
[16]MUELLER, Ênio R. *I Pedro: Introdução e comentário*, p. 103.
[17]WIERSBE, Warren W. *Comentário bíblico expositivo*, p. 512.

a salvação. Deus é Pai, mas também Juiz. Somos filhos da obediência, porém isso não nos dá imunidade para vivermos desatentamente. Deus não é condescendente nem mesmo com os pecados de seus filhos. Holmer diz corretamente que Deus tem filhos, mas não favoritos.[18]

Vamos comparecer perante o tribunal de Deus para prestarmos conta da nossa vida. Seremos julgados segundo as nossas obras. Intimidade não anula responsabilidade. O mesmo Deus que firmou conosco relação tão íntima é também o Juiz, o Deus julgador da história.

A reverência a Deus deve ser observada por três razões.

Em primeiro lugar, **o julgamento de Deus**. *Ora, se invocais como Pai aquele que, sem acepção de pessoas, julga segundo as obras de cada um, portai-vos com temor durante o tempo da vossa peregrinação* (1.17). Notemos algumas verdades importantes aqui:

1. *O Juiz*. O Deus que julga é o mesmo a quem invocamos como Pai. Não há incompatibilidade entre a paternidade divina e a justiça divina. O fato de chamarmos Deus de Pai não nos dá direito de nos amoldarmos às paixões mundanas. O Pai e o Juiz são a mesma pessoa. Deus *não faz acepção de pessoas, nem aceita suborno* (Dt 10.17). *Porque para com Deus não há acepção de pessoas* (Rm 2.11). Como declara Wiersbe, "anos de obediência não compram uma hora de desobediência".[19]
2. *O caráter do Juiz*. Deus não faz acepção de pessoas. Seu julgamento é imparcial. Ele julga homens e mulheres, grandes e pequenos, doutores e analfabetos, com o mesmo critério de justiça. Deus não mostra favor por ninguém, seja rico ou pobre (Tg 2.1-9), judeu ou gentio (Rm 2.11), escravo ou senhor (Ef 6.9).
3. *O critério do julgamento*. Deus julga a cada um segundo as suas obras. Não há imunidade. Não há preferência. Deus não inocenta o culpado.
4. *As implicações do julgamento*. Tendo em vista que seremos julgados, precisamos portar-nos com temor durante nossa peregrinação no

---

[18]HOLMER, Uwe. *Primeira Carta de Pedro*, p. 161.
[19]WIERSBE, Warren W. *Comentário bíblico expositivo*, p. 513.

mundo. "Temor" aqui é aquela reverência e respeito devidos a Deus, e não uma sensação doentia de medo do castigo (1Jo 4.18). Mueller diz acertadamente: "Temor é a necessária antítese dialética à esperança cristã".[20] O termo grego *paroikia*, "peregrinação", revela que "estamos fora de casa". Somos apenas residentes estrangeiros, destituídos de muitos privilégios de um cidadão com plenos direitos. Aqui não temos cidadania permanente. Somos peregrinos. Estamos a caminho da nossa pátria. Precisamos ter cuidado para não plantarmos raízes neste mundo.

Em segundo lugar, *a redenção de Cristo* (1.18-20). O apóstolo Pedro escreve:

> *Sabendo que não foi mediante coisas corruptíveis, como prata ou ouro, que fostes resgatados do vosso fútil procedimento que vossos pais vos legaram, mas pelo precioso sangue, como de cordeiro sem defeito e sem mácula, o sangue de Cristo, conhecido, com efeito, antes da fundação do mundo, porém manifestado no fim dos tempos, por amor de vós* (1Pe 1.18-20).

O sangue de Jesus é o tema central da Bíblia. De Gênesis a Apocalipse, esse fio escarlata, o sangue de Jesus, é o tema principal. No Antigo Testamento, o sangue de Jesus é prefigurado no derramamento do sangue dos animais sacrificados nos holocaustos. No Novo Testamento, o sangue de Jesus é derramado para a nossa redenção. Você não é reconciliado com Deus por suas obras, méritos ou religiosidade, mas por meio do sangue de Jesus.

Edwin Blum diz que a palavra grega para "redenção" nos remete à instituição da escravatura no antigo império romano. Todas as igrejas cristãs do primeiro século tinham três tipos de membros: escravos, homens livres e homens libertados. Pessoas tornavam-se escravas de várias formas: por causa da guerra, de falência financeira, vendiam-se a si mesmas, eram vendidas por seus pais ou já nasciam escravas. Um escravo podia obter libertação após um tempo de serviço ou

---

[20]MUELLER, Ênio R. *I Pedro: Introdução e comentário*, p. 106.

principalmente mediante o pagamento de um preço de resgate. Esse preço deveria ser pago por outra pessoa. Portanto, uma pessoa libertada era alguém que já tinha sido escrava, mas agora estava livre.[21]

Algumas verdades devem ser aqui destacadas:

O preço do resgate (1.18a). Pedro fala do preço da redenção primeiro de forma negativa e depois de forma positiva. Negativamente, não fomos resgatados mediante coisas corruptíveis como prata e ouro, os mais importantes meios de pagamento na época. Embora esses metais sejam nobres e duráveis, desgastam-se com o tempo e corrompem-se. Podem ser úteis no comércio, mas são inúteis para o resgate espiritual. São insignificantes para nos libertarem da antiga vida e possibilitar a nova. Nem todo o ouro da terra seria suficiente para nos resgatar do pecado e da morte. Estávamos na casa do valente, no império das trevas, na potestade de satanás. Fomos arrancados da prisão do pecado, da escravidão do diabo e do terror da morte.

O sangue de Jesus é o fundamento da minha e da sua salvação. A sua salvação depende do sangue de Jesus. Se você não estiver debaixo do sangue de Jesus, não há esperança. Sem derramamento de sangue não há remissão de pecado. Suas obras não são suficientes para levar você ao céu. Sua igreja não pode levar você ao céu. Fora do sangue do Cordeiro de Deus, ninguém pode entrar no céu. O grande avivalista João Wesley sonhou que foi ao inferno e perguntou: Há metodistas aqui? Sim, muitos! Há presbiterianos? Sim, muitos! Há católicos? Sim, muitos! Sonhou também que foi ao céu. E perguntou: Há metodistas aqui? Não! Há presbiterianos? Não! Há católicos? Não! Aqui só há aqueles que foram lavados no sangue do Cordeiro!

A condição dos resgatados (1.18b). Fomos resgatados do fútil procedimento que nossos pais nos legaram. Éramos não apenas escravos, mas levávamos uma vida vazia, improdutiva e sem propósito, num estilo de vida que passava de geração a geração. Esse fútil procedimento inclui a vaidade e ilusão sem sentido, aquilo que constrói um mundo de aparências, em oposição à realidade, por isso significa o falso, sem sentido

---

[21] BLUM, Edwin A. *1 Peter. In: Zondervan NIV Bible Commentary.* Vol. 2. Grand Rapids, MI: Zondervan Publishing House, 1994, p. 1045.

e despropositado que se perpetua de geração em geração.²² A pessoa sem Cristo, mesmo cumulada de bens, é vazia. Não tem uma razão pela qual viver e morrer. Refletindo sobre essa condição humana antes da redenção, Mueller escreve:

> O homem, afastando-se de Deus, chegou a se tornar escravizado pelo pecado e pelas forças do mal, não tendo capacidade em si próprio para resistir a essa dominação interna e externa. Isso é o que, basicamente, desencadeia todo o processo de injustiça, de dominação e opressão que caracteriza a sociedade.²³

O sacrifício do resgatador (1.19). Pedro não apenas lembra a seus leitores quem eles eram como também lhes traz à memória o que Cristo fez. Jesus derramou Seu sangue precioso para nos comprar da escravidão da lei, do pecado, do diabo e da morte e para nos libertar para sempre. "Resgatar" significa "libertar mediante o pagamento de um preço". Um escravo no império romano podia ser resgatado pelo pagamento de uma quantia em dinheiro, mas nós só podemos ser resgatados do pecado mediante o sangue de Cristo. Pedro evoca a libertação de Israel do cativeiro no Egito. Naquela fatídica noite, um cordeiro pascal foi morto no lugar da cada família, Seu sangue foi aspergido nos batentes das portas e sua carne foi comida com ervas amargas. William Barclay observa que a figura do cordeiro pascal contém dois pensamentos gêmeos: ser emancipados da escravidão e ser libertados da morte.²⁴ O profeta Isaías, no capítulo 53 de seu livro, descreve esse Cordeiro mudo que foi imolado pelos nossos pecados, e João Batista aponta para Jesus como o Cordeiro de Deus que tira o pecado do mundo. Isaque perguntou: *Onde está o cordeiro?* (Gn 22.7) e João Batista respondeu, apontando para Jesus: *Eis o Cordeiro de Deus, que tira o pecado do mundo!* (Jo 1.29).

Holmer acertadamente registra: "No crucificado contemplamos o Cordeiro de Deus, no qual não apenas se realizou a profecia messiânica de Isaías 53, mas também se cumpriu o significado profético do

---

²²MUELLER, Ênio R. *I Pedro: Introdução e comentário*, p. 108.
²³MUELLER, Ênio R. *I Pedro: Introdução e comentário*, p. 107.
²⁴BARCLAY, William. *Santiago, I y II Pedro*, p. 212.

cordeiro pascal, bem como de todos os sacrifícios que foram oferecidos no templo de Jerusalém".²⁵ Jesus é o ofertante e a oferta, o sacerdote e o sacrifício. É o precioso sangue de Cristo que tem poder para libertar e transformar pessoas de tal maneira que toda a sua vida seja renovada.

O Cordeiro de Deus não podia ter nem uma mancha sequer, nenhum pecado, ao pretender colocar-se no lugar das pessoas, sacrificar-se por elas e redimi-las. Unicamente Jesus atende a essa condição. Somente Ele podia redimir a humanidade, o único puro e sem pecados. Ele entregou por nós Seu precioso sangue. Fez tudo para nos resgatar para a nova vida.²⁶

Simon Kistemaker conclui esse pensamento:

> Os autores do Novo Testamento ensinam que Cristo é aquele cordeiro pascal. João Batista aponta para Jesus e diz: *Eis o Cordeiro de Deus, que tira o pecado do mundo!* (Jo 1.29). Paulo comenta que nossa redenção foi efetuada por meio de Jesus Cristo, *a quem Deus propôs, no Seu sangue, como propiciação mediante a fé* (Rm 3.25). O autor aos Hebreus declara que Cristo não entrou nos Santo dos Santos por sangue de bodes e de bezerros, mas *pelo seu próprio sangue, entrou no Santo dos Santos uma vez por todas* (Hb 9.12). E, em Apocalipse, João registrou a nova canção que os santos no céu entoavam a Cristo: *Digno és de tomar o livro e de abrir-lhe os selos, porque foste morto e com o Teu sangue compraste para Deus os que procedem de toda tribo, língua, povo e nação* (Ap 5.9).²⁷

O plano eterno da redenção (1.20a). Jesus Cristo é o eterno propósito de Deus. Antes da fundação do mundo, Ele já foi predestinado para a obra da redenção. Pedro deixa claro que a morte de Cristo não foi um acidente, mas o cumprimento de um plano, pois Deus a determinou antes da fundação do mundo. Às vezes tendemos a pensar em Deus primeiro como Criador e depois como Redentor. Pensamos que Deus criou o mundo e depois, quando as coisas se complicaram com a queda, buscou alguma maneira de resgatar o mundo mediante Jesus Cristo. Mas aqui temos a majestosa visão de Deus como Redentor antes de ser

---

²⁵HOLMER, Uwe. *Primeira Carta de Pedro*, p. 164.
²⁶HOLMER, Uwe. *Primeira Carta de Pedro*, p. 165.
²⁷KISTEMAKER, Simon. *Epístolas de Pedro e Judas*, p. 92.

Criador.²⁸ O plano da redenção precedeu à criação do universo. Nosso resgate não foi uma decisão de última hora. Deus planejou nossa salvação nos refolhos da eternidade. O Cordeiro de Deus foi morto desde a fundação do mundo (Ap 13.8).

A manifestação do resgatador (1.20b). O Filho de Deus manifestou-se no fim dos tempos. Ele inaugurou esse tempo do fim em sua encarnação e consumará esse tempo em Sua segunda vinda.

O motivo da redenção (1.20c). Cristo veio ao mundo como Cordeiro substituto por amor de nós. Deus nos amou e não poupou o próprio Filho, antes por todos nós O entregou. Deus prova o Seu próprio amor para conosco pelo fato de ter Cristo morrido por nós, sendo nós ainda pecadores. Deus nos amou não por causa dos nossos méritos, mas apesar dos nossos deméritos. Éramos fracos, ímpios, pecadores e inimigos.

Em terceiro lugar, ***a fé em Deus***. *Que, por meio dEle, tendes fé em Deus, o qual O ressuscitou dentre os mortos e lhe deu glória, de sorte que a vossa fé e esperança estejam em Deus* (1.21). Deus não é uma entidade, um ser abstrato e indefinido, mas Aquele que atua com poder na história, aquele que ressuscitou a Cristo dentre os mortos (1.3) e Lhe deu glória (1.11).²⁹ Temos, por isso, motivos sobejos para depositarmos nossa confiança em Deus. A fé em Deus vem por meio de Cristo. Deus O ressuscitou e Lhe deu glória, confirmando e aprovando Sua obra redentora. A obra vitoriosa de Cristo nos dá confiança para colocarmos nossa fé em Deus com total e segura confiança. William Barclay afirmar que, por sua morte, Jesus nos emancipou do pecado e da morte; porém, por ressurreição, nos deu uma vida que é tão gloriosa e indestrutível como a sua própria vida. Por sua triunfante ressurreição, temos fé e esperança em Deus (1.21).³⁰

Os salvos devem **viver em amor** (1.22-25)

A terceira marca do salvos é o amor. Pedro nos dá duas razões eloquentes para a prática do amor. Por que devemos amar nossos irmãos ardentemente com amor fraternal?

---

²⁸BARCLAY, William. *Santiago, I y II Pedro*, p. 212.
²⁹MUELLER, Ênio R. *I Pedro: Introdução e comentário*, p. 112.
³⁰BARCLAY, William. *Santiago, I y II Pedro*, p. 213.

Em primeiro lugar, ***porque fomos purificados***. *Tendo purificado a vossa alma, pela vossa obediência à verdade, tendo em vista o amor fraternal não fingido, amai-vos de coração, uns aos outros ardentemente* (1.22). Os salvos foram não apenas redimidos da escravidão, mas também purificados pela obediência à verdade. A verdade nos banha, nos limpa e nos purifica. O propósito real da nova vida em Cristo é o amor fraternal. A palavra grega *filadelphia* representa o amor entre irmãos; os outros membros da igreja são assim incluídos "dentro da família", tornando-se irmãos no sentido próprio do termo.[31] O amor é a marca distintiva do cristão, o apanágio do crente, a prova insofismável do discipulado, a apologética final (Jo 13.34,35).

Em segundo lugar, ***porque fomos regenerados***. *Pois fostes regenerados não de semente corruptível, mas de incorruptível, mediante a Palavra de Deus, a qual vive e é permanente* (1.23). Se temos uma nova vida, temos uma nova natureza. Se somos coparticipantes da natureza divina e Deus é amor, então expressamos essa filiação quando imitamos nosso Pai. O amor é a marca do cristão, pois é a evidência mais eloquente da nossa salvação. Fomos gerados pela palavra. Antes de uma semente brotar, ela morre, mas a Palavra de Deus não tem em si a inclinação da morte. Ela é viva e vive. É permanente e conserva-se para sempre.

Em terceiro lugar, ***porque nossa vida é passageira***. *Pois toda carne é como a erva, e toda a Sua glória, como a flor da erva; seca-se a erva, e cai a sua flor* (1.24). Toda a raça humana está carimbada pela transitoriedade da vida. A humanidade está destinada à morte. Nossa vida aqui é passageira. Nossas glórias aqui são desvanecentes. O melhor da nossa beleza ou do nosso poder é tão vulnerável quanto a flor e tão perecível quanto a relva. O homem besuntado de orgulho imagina-se grande e poderoso, por sua força, beleza, cultura e ciência. No entanto, apesar de tudo isso, não passa de carne. Sua beleza é efêmera como a flor, e seu poder, fugaz como a relva que se seca.

Em quarto lugar, ***porque a Palavra de Deus é permanente***. *A palavra do Senhor, porém, permanece eternamente* (1.25a). A profecia de Isaías

---

[31]MUELLER, Ênio R. *I Pedro: Introdução e comentário*, p. 115.

citada por Pedro gira em torno da natureza perecível de toda a carne, em contraste com a natureza imperecível da Palavra de Deus. *Ora, esta é a palavra que vos foi evangelizada* (1.25b). É a palavra que não pode falhar, a palavra eterna, que nos orienta amar os irmãos ardentemente, de todo o coração. Essa palavra é sempre viva, atual e oportuna. Cabe-nos obedecer a ela sem detença e sem tardança.

4

O crescimento espiritual dos salvos

1Pedro 2.1-10

O APÓSTOLO PEDRO, APÓS FALAR SOBRE O ESTILO DE VIDA dos salvos, passa a tratar do crescimento espiritual dos que se converteram a Cristo. Por meio da conjunção *portanto*, o trecho se conecta ao anterior. Apoia-se nele, mas representa nitidamente um novo bloco com outro direcionamento.[1] A salvação será consumada na segunda vinda de Cristo. Nós, que já entramos no reino da graça, aguardarmos com vívida esperança o triunfo do nosso Salvador, quando Ele colocará todos os inimigos debaixo dos seus pés e nos levará para Seu Reino de glória.

Pedro elenca no texto os passos necessários para o crescimento espiritual. Vamos examiná-lo a seguir.

O despojamento do pecado é necessário (2.1)

O crescimento espiritual vem por meio da ruptura com práticas de pecado que marcaram nossa vida antes de nosso encontro com Cristo. Vivíamos uma vida vazia e fútil. Éramos escravos de nossas paixões. Andávamos num caminho de escuridão. Agora somos novas criaturas em Cristo e fomos gerados pela Palavra; não podemos mais continuar

---

[1] HOLMER, Uwe. *Primeira Carta de Pedro*, p. 171.

andando na prática dos mesmos pecados. Precisamos arrancar da nossa vida esses pecados como se fossem trapos imundos. Todos os cinco pecados alistados apresentam uma relação horizontal, ou seja, têm que ver com nossos relacionamentos interpessoais. Que pecados são esses dos quais precisamos despojar-nos?

Em primeiro lugar, *a maldade e o dolo*. *Despojando-vos, portanto, de toda maldade e dolo...* (2.1). A palavra "toda" é abrangente e não permite exceções. A palavra grega *apothemenoi*, traduzida por "despojando-vos", significa "deixando de lado", referindo-se ao gesto de tirar uma roupa.[2] O que deve ser deixado de lado é apresentado na forma de um pequeno "catálogo de vícios".[3] A maldade e o dolo não são compatíveis com a vida que temos em Cristo. Esses pecados são como roupas contaminadas e sujas que precisamos remover de nossa vida. A palavra grega *kakia*, traduzida por "maldade", é um termo bem amplo e parece abranger "toda a iniquidade do mundo pagão".[4] Os outros pecados mencionados nesse catálogo de vícios são ilustrações e manifestações dessa maldade. Kistemaker diz que "maldade" é o desejo de causar dor, mal ou sofrimento ao nosso próximo.[5] Já a palavra grega *dolos*, traduzida por "dolo", representa aquele espírito traiçoeiro que não hesita em usar meios questionáveis para sobressair-se ou obter vantagens.[6] O dolo assume a aparência de verdade para que o desavisado seja enganado.[7] William Barclay aponta que *dolos* é mostrar duas caras. É o vício do homem cujos motivos são sempre adulterados, nunca puros.[8] Poderíamos afirmar que maldade é a atitude intencional de fazer o mal contra o próximo, e dolo é a intenção de fazer o mal, ocultando isso nas palavras e nos gestos.

Em segundo lugar, **hipocrisias e invejas**. *... de hipocrisias e invejas...* (2.1). A palavra grega *hypokrisis* está ligada a *hypokrites*, que descrevia

---
[2]KISTEMAKER, Simon. *Epístolas de Pedro e Judas*, p. 109.
[3]MUELLER, Ênio R. *I Pedro: Introdução e comentário*, p. 120.
[4]MUELLER, Ênio R. *I Pedro: Introdução e comentário*, p. 120.
[5]KISTEMAKER, Simon. *Epístolas de Pedro e Judas*, p. 110.
[6]MUELLER, Ênio R. *I Pedro: Introdução e comentário*, p. 120.
[7]KISTEMAKER, Simon. *Epístolas de Pedro e Judas*, p. 110.
[8]BARCLAY, William. *Santiago, I y II Pedro*, p. 218.

o ator, alguém que o tempo todo está representando uma comédia, que sempre está ocultando seus verdadeiros motivos, que expressa sentimentos distintos dos que têm em seu interior, que se exprime com palavras que não correspondem a seus verdadeiros sentimentos.[9]

Hipocrisia é fingimento, ou seja, é colocar uma máscara e vestir um capuz para ocultar a verdadeira identidade. É fazer da vida um palco para representar um papel, buscando aplausos. O hipócrita finge ser aquilo que não é. Holmer destaca que existem muitas tentações para a hipocrisia. Há o risco de realizar, por exemplo, o jejum, a oração e as ofertas não por amor a Deus, mas por amor ao ser humano; não de coração, mas para usufruir uma imagem favorável perante as pessoas. A hipocrisia, ainda, pode ser identificada quando um ser humano alimenta secretamente um pensamento pecaminoso, mas por fora preserva a aparência devota. É por isso que Jesus alertou tão severamente contra a hipocrisia (Lc 12.1).[10]

A palavra grega *fthonos*, traduzida por "invejas", descreve o sentimento mesquinho de querer ocupar o lugar do outro. Até no grupo dos apóstolos a inveja subiu à cabeça. Quando Tiago e João levaram seu pedido a Jesus para ocuparem lugar de proeminência no Seu Reino, os demais ficaram tomados de inveja (Mc 10.41). Até mesmo na última ceia, os discípulos disputaram lugares de honra (Lc 22.24). Enquanto o ego permanecer ativo dentro do coração humano, haverá inveja.[11] Inveja corresponde ao desejo de ser quem o outro é, de ter o que outro tem. A inveja se expressa no desejo de possuir algo que pertence a outro. Uma pessoa invejosa é dominada por uma incurável ingratidão.

Em terceiro lugar, **maledicências**. ... *e de toda sorte de maledicências* (2.1). A palavra grega *katalalia*, traduzida por "maledicência", significa falar mal, quase sempre como fruto da inveja instalada no coração e normalmente quando a vítima não está presente para se defender.[12] Maledicência traz a ideia de um falatório maldoso a respeito da vida

---

[9]Barclay, William. *Santiago, I y II Pedro*, p. 218.
[10]Holmer, Uwe. *Primeira Carta de Pedro*, p. 172.
[11]Barclay, William. *Santiago, I y II Pedro*, p. 218,219.
[12]Barclay, William. *Santiago, I y II Pedro*, p. 219.

alheia. É fazer da língua uma espada afiada para ferir, um fogo mortífero para destruir e um veneno letal para matar. Maledicência não é apenas sentir e desejar o mal contra o próximo, mas afligi-lo e atormentá-lo com o azorrague da língua.

Pedro não instrui os seus leitores a lutarem contra esses males, mas a se livrarem deles. Precisamos livrar-nos deles como nos livramos de uma roupa suja e contaminada.

A dieta espiritual é importante (2.2,3)

Pedro passa daquilo que devemos despojar para o que devemos desejar. O crescimento espiritual decorre do que evitamos e também advém por meio daquilo com que nos alimentamos. Ênio Mueller diz que a ação deve seguir em duas direções: despojar-se do antigo e alimentar-se do novo.[13] O alimento é vital para o crescimento saudável. Tanto a inapetência quanto o alimento tóxico impedem o crescimento. A falta de apetite ou a ingestão de alimento contaminado provocam doenças, e a alimentação insuficiente e inadequada desemboca em raquitismo.

Pedro compara o cristão a um recém-nascido. Assim como um bebê anseia pelo leite materno, o cristão deve desejar ardentemente o genuíno leite espiritual. A palavra grega *epippothein* significa um desejo intenso, como da corça que anseia pelas correntes das águas. Para o cristão, estudar a Palavra de Deus não é um trabalho, mas uma delícia, porque ele sabe que ali encontrará o alimento pelo qual sua alma anseia.[14] Um bebê que saboreou o alimento não deseja parar mais até ficar saciado. O fato de ter degustado reforça seu desejo. A Palavra de Deus é leite, carne, mel e pão. É nosso alimento e por meio dela alcançamos crescimento saudável. Vamos destacar aqui três pontos.

Em primeiro lugar, *o alimento*. *Desejai ardentemente, como crianças recém-nascidas, o genuíno leite espiritual...* (2.2a). Os bebês recém-nascidos agem como se sua vida dependesse da próxima refeição. Assim

---

[13]MUELLER, Ênio R. *I Pedro: Introdução e comentário*, p. 119.
[14]BARCLAY, William. *Santiago, I y II Pedro*, p. 221.

também os cristãos devem mostrar sua ânsia pela Palavra de Deus.[15] Devemos ter fome da Palavra e desejá-la ardentemente. Assim como os bebês se alimentam com regularidade, nós também devemos beber regularmente o leite da verdade.

A expressão grega *gala logikos*, traduzida por "leite espiritual", tem um rico significado. *Logikos* é o adjetivo correspondente ao substantivo *logos*. Segundo William Barclay, há três significados possíveis para *logos:* 1. É a grande palavra estoica que significa a razão que guia o universo. 2. Quer dizer mente ou razão. 3. Equivale a "palavra". Pedro acabara de falar sobre Palavra de Deus que vive e permanece para sempre (1.23-25). Por isso, é a Palavra de Deus que Pedro tem em mente aqui ao mencionar o genuíno "leite espiritual".[16]

A palavra grega *brefos* usada por Pedro descreve o fruto do ventre, podendo referir-se tanto ao feto como ao bebê no primeiro período de vida, o lactente.[17] Uma criança saudável deseja ardentemente o leite materno. Disso depende sua saúde e seu crescimento.

Pedro caracteriza o leite de duas maneiras: deve ser racional (genuíno) e não falsificado (não contaminado), como informa a *ARC*. Denota uma ausência de fraude e engano. É alimento espiritual e não material. A palavra grega usada por Pedro é *adolos*, ou seja, ausente de dolo, sem a menor mescla de nada que possa ser nocivo. Descreve o cereal que está isento de resíduos.[18] A Palavra de Deus é pura. Não há crescimento espiritual onde a Palavra de Deus é sonegada ao povo. Não há saúde espiritual onde a sã doutrina não está no cardápio diário do povo. Alimentar o povo com a palha das falsas doutrinas em vez de nutri-lo com o trigo da verdade é como dar leite contaminado a um recém-nascido. Mata mais rápido que a fome. A Palavra de Deus tem a vida, dá a vida e sustenta a vida. É preciso ansiar pela Palavra de Deus como recém-nascidos famintos.

Em segundo lugar, *o propósito. ... para que, por ele, vos seja dado crescimento para salvação* (2.2b). A Palavra de Deus nos torna sábios para a

---

[15]KISTEMAKER, Simon. *Epístolas de Pedro e Judas*, p. 111.
[16]BARCLAY, William. *Santiago, I y II Pedro*, p. 220.
[17]MUELLER, Ênio R. *I Pedro: Introdução e comentário*, p. 121.
[18]BARCLAY, William. *Santiago, I y II Pedro*, p. 220.

Em segundo lugar, **Cristo é a pedra rejeitada**. *... rejeitada, sim, pelos homens...* (2.4b). Em duas linhas paralelas, é-nos dito agora como esta Pedra é considerada e avaliada, primeiramente por parte dos homens e depois por parte de Deus. Segundo os homens, ela é rejeitada. Segundo Deus, é eleita e preciosa.

Os construtores, ao erguer um edifício, aceitavam algumas pedras e recusavam outras. A palavra grega *apodedokimasmenon* significa "rejeitar depois de haver testado".[25] Como construtores insensatos, alguns recusaram a Cristo, a pedra principal do edifício. Seguramente o maior erro de avaliação que alguém pode cometer na vida consiste em, depois de avaliar quem é Cristo, ainda assim o rejeitar (Mt 21.42-45). Aqueles que rejeitam a Cristo edificam sem fundamento, constroem para a destruição. Eles tropeçarão nessa Pedra rejeitada, a qual os esmagará. Kistemaker diz que, embora Cristo seja uma fundação firme para qualquer um que coloque nEle a sua fé, é também uma pedra que esmaga aqueles que O rejeitam.[26]

Em terceiro lugar, **Cristo é a pedra eleita e preciosa**. *... mas para com Deus, eleita e preciosa* (2.4c). Cristo é o eleito de Deus, e nEle nós somos eleitos.[27] O sangue de Cristo é precioso (1.19), e Cristo é a pedra preciosa para Deus (2.4). É Seu Filho amado em quem ele tem todo o seu prazer. Cristo foi o eleito de Deus para nos redimir dos nossos pecados e nos fazer sacerdotes para Deus.

A nossa posição em Cristo é **orgânica** (2.5-8)

Pedro faz uma transição de quem Cristo é para quem nós somos nEle. Vejamos a descrição que o apóstolo faz da igreja.

Em primeiro lugar, *nós somos pedras que vivem*. *Também vós mesmos, como pedras que vivem...* (2.5a). Se Cristo é a pedra que vive, os que estão nEle são como pedras que vivem. Ele, o novo Homem, o novo Adão, transforma em homens novos aqueles que, por fé, se chegam

---

[25]MUELLER, Ênio R. *I Pedro: Introdução e comentário*, p. 126.
[26]KISTEMAKER, Simon. *Epístolas de Pedro e Judas*, p. 117.
[27]MUELLER, Ênio R. *I Pedro: Introdução e comentário*, p. 126.

a Ele.²⁸ Cada pessoa que se converte a Cristo e se torna membro da igreja do Deus vivo é uma pedra viva tirada da pedreira da incredulidade e acrescentada ao edifício da igreja. Os cristãos são as pedras que gradativamente compõem a estrutura dessa construção. Jesus está edificando Sua igreja. Deus está chamando aqueles que foram comprados com o sangue do Cordeiro e que procedem de toda tribo, raça, língua e nação, para formarem um povo exclusivamente seu, zeloso, de boas obras. William Barclay destaca que "pedras vivas" traz a ideia de que o cristianismo é uma comunidade. O "cristão independente", que se diz cristão, mas se julga muito superior para pertencer a uma igreja visível estabelecida sobre a terra, em qualquer de suas formas, é uma contradição de termos.²⁹

Em segundo lugar, *nós somos casa espiritual. ... sois edificados casa espiritual...* (2.5b). Somos não apenas pedras vivas, mas também casa espiritual, morada de Deus. Somos templo do Espírito, o Santo dos Santos onde a glória de Deus se manifesta. Concordo com Warren Wiersbe quando ele diz que todos os cristãos pertencem a uma só "casa espiritual". Existe uma unidade no meio do povo de Deus que transcende todos os grupos e congregações locais.³⁰

Em terceiro lugar, *nós somos sacerdócio santo. ... para serdes sacerdócio santo, a fim de oferecerdes sacrifícios espirituais agradáveis a Deus por intermédio de Jesus Cristo* (2.5c). Além de pedras vivas e santuário da habitação de Deus, somos sacerdotes santos que oferecem a Deus sacrifícios espirituais. Mueller aponta como significativo o fato de que todos os cristãos fazem parte desse sacerdócio, e não somente um grupo de clérigos institucionalmente ordenados ou alguma casta sacerdotal.³¹ Calvino expressa essa verdade com exultação: "É uma honra singular o fato de que Deus não apenas nos consagrou como templos para Ele, nos quais Ele habita e é adorado, mas também nos fez sacerdotes".³²

---

[28] MUELLER, Ênio R. *I Pedro: Introdução e comentário*, p. 127.
[29] BARCLAY, William. *Santiago, I y II Pedro*, p. 224.
[30] WIERSBE, Warren W. *Comentário bíblico expositivo*, p. 517.
[31] MUELLER, Ênio R. *I Pedro: Introdução e comentário*, p. 127,128.
[32] CALVIN, John. *Commentaries on the Catholic Epistles: The First Epistle of Peter*. Grand Rapids, MI: Eerdmans, 1948, p. 65.

Na antiga dispensação, apenas os sacerdotes podiam oferecer sacrifícios a Deus e apenas o sumo sacerdote podia entrar no Santo dos Santos uma vez ao ano com o sangue da expiação. No entanto, ao morrer na cruz, Jesus ofereceu o sacrifício perfeito. Verteu seu próprio sangue. O véu do santuário foi rasgado de alto a baixo. Agora, somos constituídos sacerdotes e temos livre acesso à presença de Deus. A palavra latina equivalente a sacerdote é *pontifix*, que significa "construtor de pontes". Cristo é a ponte que nos reconciliou com Deus e, agora, como sacerdotes, temos livre acesso a Deus.

Não precisamos mais levar ao altar o sangue de animais, pois o Cordeiro imaculado de Deus foi imolado e ofereceu um único, perfeito e irrepetível sacrifício (Hb 9.28). Agora, levamos a Deus sacrifícios espirituais. O que isso significa? Devemos oferecer a Ele nosso corpo como sacrifício vivo, santo e agradável (Rm 12.1); o louvor dos nossos lábios (Hb 13.15); as boas obras que realizamos em favor dos outros (Hb 13.16). O dinheiro e outros bens materiais que compartilhamos com outros no serviço de Deus também são sacrifícios espirituais (Fp 4.18). Até mesmo as pessoas que ganhamos para Cristo são sacrifícios para a glória do Senhor (Rm 15.16).[33]

Os sacrifícios precisam ser agradáveis a Deus. A palavra grega *euprosdektous*, traduzida por "agradáveis" na *ARA* e "aceitáveis" na *NVI*, pressupõe haver sacrifícios não aceitáveis a Deus como o sacrifício que Caim (Gn 4.5; Hb 11.4) e aqueles que o povo de Deus Lhe ofereceu algumas vezes (Is 1.10-17; Jr 6.20; Os 6.6). A adoração precisa ser verdadeira e sincera.

Pedro ressalta ainda que todos esses sacrifícios espirituais precisam ser oferecidos a Deus por intermédio de Jesus Cristo. Somos aceitos nEle e tudo o que fazemos para Deus precisa ser em Seu nome e por Seu intermédio. Nosso culto só é agradável a Deus quando relacionado com Cristo e por Ele mediado (Hb 4.14-16; 5.1-10; 7.20-28; 1Jo 2.1).

Em quarto lugar, **nós somos crentes em Cristo** (2.6-8). Assim está escrito:

---

[33]WIERSBE, Warren W. *Comentário bíblico expositivo*, p. 518.

> *Pois isso está na Escritura: Eis que ponho em Sião uma pedra angular, eleita e preciosa; e quem nela crer não será, de modo algum, envergonhado. Para vós outros, portanto, os que credes, é a preciosidade; mas, para os descrentes, a Pedra que os construtores rejeitaram, essa veio a ser a principal pedra, angular e: Pedra de tropeço e rocha de ofensa. São estes os que tropeçam na palavra, sendo desobedientes, para o que também foram postos (2.6-8).*

Pedro volta-se para as Escrituras a fim de contrastar crentes e descrentes (Is 28.16; Sl 118.22; Is 8.14; Êx 19.6; Is 53.20,21; Os 1.6,9; 2.3,25). Para os crentes, Cristo é a pedra angular, eleita e preciosa, a maior preciosidade. Holmer declara: "Crer nEle significa alicerçar-se nEle".[34] Os crentes colocam sua confiança em Cristo, creem nEle e, por isso, jamais serão envergonhados. Jesus Cristo, o objeto da nossa fé, honrará nossa dependência dEle. Jamais nos decepcionará e jamais permitirá que sejamos envergonhados.[35] No grande dia do julgamento, os crentes sairão vitoriosos rumo à glória eterna. Os descrentes, porém, como construtores loucos que rejeitam a Cristo, a principal pedra, a pedra angular, serão derrotados e envergonhados. Cristo será para eles pedra de tropeço e rocha de ofensa. Os descrentes tropeçam na palavra e continuam irremediavelmente no caminho largo da desobediência. Kistemaker alerta que a pedra causa embaraço, ofensa e dor para aqueles que se recusam a crer. Colocamos nossa fé em Jesus, a pedra fundamental, ou batemos com o nosso pé contra ela.[36]

Pedra de tropeço é aquela que faz o caminhante tropeçar, e rocha de ofensa refere-se especificamente às pedras que se soltam nas montanhas, rolando e caindo sobre os caminhantes. A figura é que Cristo está no caminho de todos. Para uns, torna-se bênção preciosa; para outros, tropeço do qual não mais conseguirão refazer-se. Aquele que poderia ser o Salvador torna-se assim o condenador.[37] Pedro deixa implícito que Deus destinou o povo desobediente à destruição eterna. As Escrituras ensinam que Deus escolhe e salva os homens (Rm 9.15,16).

---

[34]HOLMER, Uwe. *Primeira Carta de Pedro*, p. 178.
[35]KISTEMAKER, Simon. *Epístolas de Pedro e Judas*, p. 121.
[36]KISTEMAKER, Simon. *Epístolas de Pedro e Judas*, p. 124.
[37]MUELLER, Ênio R. *I Pedro: Introdução e comentário*, p. 133.

No entanto, o Senhor responsabiliza os descrentes por aquilo que eles fazem e o Senhor assegura que, por causa da incredulidade, eles estão destinados à perdição.

A nossa **identidade espiritual** é clara (2.9a)

Em contraste com os descrentes que rejeitaram a Cristo e nEle tropeçaram, nós, povo de Deus, somos identificados por Pedro como um povo escolhido por Deus para a salvação e também para uma missão especial no mundo. Vejamos.

Em primeiro lugar, *nós somos raça eleita*. *Vós, porém, sois raça eleita...* (2.9). Pedro toma emprestada a profecia de Isaías: *... ao meu povo, ao meu escolhido, ao povo que formei para mim, para celebrar o meu louvor* (Is 43.20b,21). Pedro vê os crentes como o corpo de Cristo, a igreja.[38] Assim como Deus escolheu Israel dentre as nações para ser Seu povo exclusivo, escolheu pessoas de entre todas as nações para formar Sua igreja. Somos uma raça escolhida por Deus dentre todos os povos da terra. Mueller diz que os cristãos formam uma nova raça, diferente tanto de judeus como de gentios.[39]

O Senhor não escolheu Israel porque era um grande povo, mas porque o amava (Dt 7.7,8). Assim também, Deus nos escolheu com base em Seu amor e em Sua graça. Jesus foi categórico: *Não fostes vós que me escolhestes a mim; pelo contrário, eu vos escolhi a vós outros* (Jo 15.16).

Em segundo lugar, *nós somos sacerdócio real. ... sacerdócio real...* (2.9). Somos não apenas sacerdotes na casa de Deus, mas sacerdócio real, porque servimos ao Rei dos reis e porque esse serviço é realizado em prol do reino de Deus. O adjetivo descritivo *real* dá a entender a existência de um reino e de um rei. O Messias é tanto sacerdote quanto rei, conforme a profecia de Zacarias: *Será revestido de glória; assentar-se-á no Seu trono e dominará, e será sacerdote no Seu trono* (Zc 6.13). Warren Wiersbe observa corretamente que, no tempo do Antigo Testamento, o povo de Deus possuía um sacerdote, mas agora é um sacerdócio. Todo

---

[38]KISTEMAKER, Simon. *Epístolas de Pedro e Judas*, p. 126.
[39]MUELLER, Ênio R. *I Pedro: Introdução e comentário*, p. 135.

cristão tem o privilégio de entrar na presença de Deus (Hb 10.19-25). Ninguém se achega a Deus por meio de alguma pessoa aqui na terra, mas pelo único mediador, Jesus Cristo (1Tm 2.5).[40]

Em terceiro lugar, ***nós somos nação santa****.... nação santa...* (2.9). Pedro retrata o povo de Deus como uma nação santa, o que significa que seus cidadãos foram separados para servir a Deus.[41] Deus nos escolheu para a salvação mediante a santificação e para a santificação. Deus nos salvou do pecado, e não no pecado.

Em quarto lugar, ***nós somos povo de propriedade exclusiva de Deus****. ... povo de propriedade exclusiva de Deus...* (2.9). Ao longo dos séculos, Deus tem tomado para si o seu próprio povo. Esse povo, diferente de todas as nações do mundo, é um bem precioso para Deus, a herança de Deus. Existe independentemente de laços nacionais, pois tem um relacionamento especial com Deus. Ele pertence a Deus, que o comprou com o sangue de Jesus Cristo.[42] Holmer tem razão em dizer que "nenhuma outra pessoa pode reclamar direitos de posse sobre o povo, senão unicamente Deus".[43] Assim como Deus não divide Sua glória com ninguém, também não nos reparte com ninguém. Somos dEle, só dEle. O nosso valor não é devido a quem nós somos, mas a quem Deus é. O valor não está na pessoa possuída, mas no possuidor. A grandeza do cristão está no fato de pertencer a Deus. Porque somos propriedade exclusiva de Deus, temos valor infinito!

A nossa **missão no mundo** é sublime (2.9b,10)

Depois de descrever os privilégios e atributos da igreja, Pedro fala sobre a missão da igreja. Fomos salvos pela graça para uma sublime missão. Fomos chamados do mundo para proclamarmos ao mundo uma mensagem imperativa, intransferível e impostergável. Destacamos aqui dois pontos importantes.

---

[40] WIERSBE, Warren W. *Comentário bíblico expositivo*, p. 517.
[41] KISTEMAKER, Simon. *Epístolas de Pedro e Judas*, p. 127.
[42] KISTEMAKER, Simon. *Epístolas de Pedro e Judas*, p. 127.
[43] HOLMER, Uwe. *Primeira Carta de Pedro*, p. 180.

Em primeiro lugar, ***o conteúdo da mensagem***. ... *a fim de proclamardes as virtudes dAquele que vos chamou das trevas para a Sua maravilhosa luz* (2.9). A palavra grega *aretes*, "virtudes", era um termo amplamente difundido na época e muito importante na concepção ética e religiosa do helenismo. Estão em vista as grandes obras de Deus na história do Seu povo. Esses feitos maravilhosos de Deus tratam da vida, morte e ressurreição de Jesus Cristo como a transformação libertadora do homem e do seu mundo.[44] Também estão em foco aqui as virtudes de Deus, como poder, glória, sabedoria, graça, misericórdia, amor e santidade. Por meio de sua conduta, os cristãos devem testemunhar que são filhos da luz, e não das trevas (1Ts 5.4).[45]

Somos embaixadores dos atributos de Deus e de Seus gloriosos feitos. Não podemos calar nossa voz. Não podemos guardar para nós essa mensagem. Precisamos proclamar em alto e bom som quem é Deus e o que Ele fez por nós em Cristo Jesus. Reforçando esse pensamento, William Barclay esclarece que a missão do cristão é contar aos outros o que Deus tem feito por sua alma. Por meio da própria vida e das próprias palavras, o cristão é uma testemunha do que Deus tem feito por ele, pela mediação de Cristo Jesus.[46]

Concluímos esse pensamento, com as palavras de Holmer:

> Quem experimentou a intervenção resgatadora de Deus em sua vida não pode silenciar a esse respeito, uma vez que sabe que foi arrancado do âmbito de poder das trevas e transferido para o senhorio libertador do Ressuscitado. *Trevas* significa distância de Deus, designa o que é diabolicamente mau. O ser humano distante de Deus vive nas trevas e realiza obras das trevas. Deus, porém, chama para fora das trevas – para dentro de Sua maravilhosa luz.[47]

Em segundo lugar, ***a motivação para a mensagem***. *Vós, sim, que, antes, não éreis povo, mas, agora, sois povo de Deus, que não tínheis alcançado*

---
[44]MUELLER, Ênio R. *I Pedro: Introdução e comentário*, p. 137.
[45]KISTEMAKER, Simon. *Epístolas de Pedro e Judas*, p. 127.
[46]BARCLAY, William. *Santiago, I y II Pedro*, p. 226.
[47]HOLMER, Uwe. *Primeira Carta de Pedro*, p. 180,181.

misericórdia, mas, agora, alcançastes misericórdia (2.10). Pedro faz aqui um forte contraste entre o passado dos cristãos e o seu presente. O que Deus fez por nós deve ser uma forte motivação para cumprirmos com zelo, fidelidade e urgência a missão que nos confiou. Não éramos povo, mas agora somos Seu povo de propriedade exclusiva. Estávamos perdidos, sem esperança no mundo, entregues à nossa própria desventura, mas agora Deus derramou copiosamente sobre nós sua misericórdia. Agora, somos filhos de Deus, morada de Deus, sacerdotes de Deus, para realizarmos a obra de Deus. William Barclay diz que a característica dominante das religiões não cristãs é o medo de Deus. O cristão, porém, descobriu em Jesus Cristo o amor e a misericórdia de Deus.[48]

---
[48]BARCLAY, William. *Santiago, I y II Pedro*, p. 227.

5

Submissão, uma marca do povo de Deus

1 Pedro 2.11-25

ATÉ AQUI PEDRO TRATOU DOS PRIVILÉGIOS recebidos pelo povo de Deus (2.1-10); a partir de agora, adverte-nos sobre nossos deveres (2.11-3.12). Pedro faz a ponte entre o que Deus concedeu aos cristãos e como isso deve agora se refletir no mundo, de forma que aproxime outras pessoas do mesmo Deus.[1]

Pedro aborda a questão da submissão no contexto do governo, do trabalho, da família e da igreja. Deus instituiu o lar, o governo humano e a igreja, e tem o direito de dizer como essas instituições devem ser administradas.[2] O mesmo Deus que salva Seu povo requer dele obediência em todas as áreas da vida. É bem conhecida a advertência de A. W. Tozer: "Para evitar o erro da salvação pelas obras, nós caímos no erro oposto, da salvação sem obediência".

Em meio às injustiças sofridas e ao fogo da perseguição crescente, Pedro mostra a importância da submissão na vida do cristão. A submissão é uma evidência da plenitude do Espírito (Ef 5.18-21) e uma prova da obediência a Deus. Os cristãos maduros, por causa da obediência

---

[1] MUELLER, Ênio R. *I Pedro: Introdução e comentário*, p. 141.
[2] WIERSBE, Warren W. *Comentário bíblico expositivo*, p. 520.

a Deus, submetem-se ao governo, aos patrões e uns aos outros. Pedro aplica o tema da submissão à vida do cristão como cidadão (2.11-17), trabalhador (2.18-25), cônjuge (3.1-7) e membro da igreja (3.8-12).[3]

O comportamento cristão (2.11,12)

Como pastor do rebanho (5.1), Pedro se dirige às ovelhas de Cristo em um tom paternal. Destacamos alguns pontos importantes aqui.

Em primeiro lugar, *os cristãos são amados por Deus. Amados...* (2.11a). Os cristãos são alvo do amor incondicional de Deus (2.11; 4.12). Foram chamados das trevas para a luz, do pecado para a santidade. O amor de Deus é incondicional. Nada podemos fazer para Deus nos amar menos ou mais. A causa do amor de Deus por nós está nEle mesmo.

Em segundo lugar, *os cristãos são peregrinos e forasteiros no mundo.* *...exorto-vos, como peregrinos e forasteiros que sois...* (2.11b). A expressão "peregrinos e forasteiros" retoma dois conceitos já abordados (1.1,17). Trata-se de dois grupos sociais distintos, mas aparentados dentro do espectro social: *paroikoi* (peregrinos) pode ser melhor traduzido por "estrangeiros residentes", uma classe de habitantes sem plenos direitos de cidadania. Refere-se a retirantes que residem sem pátria e cidadania em local estranho.[4] *Parapidemoi* são forasteiros visitantes, que se detêm num lugar por certo tempo, mas não se configuram como residentes.[5] Com isso, Pedro diz que precisamos ter consciência da interinidade de nossa existência terrena.

O povo de Deus não tem cidadania permanente aqui. Nascemos do Espírito, nascemos de cima, e nossa pátria está no céu (Fp 3.20). Estamos viajando para a cidade celestial (Hb 11.8-16). Estamos aqui de passagem e não temos casa permanente. Como afirmamos antes, palavra grega *paraikos*, "peregrinos", indica um estrangeiro residente, que não tem cidadania, enquanto a palavra grega *paredimós*, "forasteiros", retrata aqueles que habitam na terra apenas por um breve tempo, como

---
[3]Wiersbe, Warren W. *Comentário bíblico expositivo*, p. 520.
[4]Holmer, Uwe. *Primeira Carta de Pedro*, p. 182.
[5]Mueller, Ênio R. *I Pedro: Introdução e comentário*, p. 141.

visitantes, pois sabem que a sua pátria está no céu (Fp 3.20).[6] Esses termos foram usados para descrever os patriarcas, especialmente Abraão, que buscava a cidade cujo arquiteto e fundador é Deus (Hb 11.9,10).

Em terceiro lugar, *os cristãos são guerreiros espirituais*. ... *a vos absterdes das paixões carnais, que fazem guerra contra a alma* (2.11c). A vida cristã é um campo de guerra. Travamos uma batalha sem trégua contra o diabo, o mundo e a carne. Warren Wiersbe ressalta que a nossa verdadeira luta não é contra as pessoas que nos cercam, mas sim contra as paixões dentro de nós.[7] No texto, Pedro destaca a necessidade de nos abstermos das paixões carnais. Quais são essas paixões carnais? O próprio Pedro responde: *dissoluções, borracheiras, orgias, bebedices e... detestáveis idolatrias* (4.3). Na batalha espiritual, devemos resistir ao diabo, não nos conformar com o mundo, mas fugir das paixões carnais. O caminho da vitória sobre as paixões carnais não é o enfrentamento, mas a fuga e a abstinência. Essas paixões carnais incluem as obras da carne (Gl 5.19-21), mas vão além delas. Concordo com William Barclay no sentido de que essas paixões carnais compreendem também o orgulho, a inveja, a malícia, o ódio e os maus pensamentos que caracterizam a caída natureza humana.[8] Essas paixões guerreiam contra nossa alma a fim de contaminá-la e destruí-la.

Em quarto lugar, *os cristãos são exemplo de conduta irrepreensível num mundo hostil*. *Mantendo exemplar o vosso procedimento no meio dos gentios, para que, naquilo que falam contra vós outros como de malfeitores...* (2.12a). Os gentios aqui não são uma raça distinta dos judeus, mas os incrédulos, sejam eles gentios ou judeus. Os não salvos nos observam, falam contra nós (3.16; 4.4) e procuram desculpas para rejeitar o evangelho.[9] Os cristãos estavam sendo acusados injustamente por muitos delitos e crimes. Estavam debaixo de intensa hostilidade e sofrendo graves injustiças. Manter uma conduta irrepreensível quando somos aplaudidos e elogiados é fácil; o desafio é manter exemplar o procedimento mesmo quando somos alvos de maledicência.

---

[6]KISTEMAKER, Simon. *Epístolas de Pedro e Judas*, p. 131.
[7]WIERSBE, Warren W. *Comentário bíblico expositivo*, p. 520.
[8]BARCLAY, William. *Santiago, I y II Pedro*, p. 230.
[9]WIERSBE, Warren W. *Comentário bíblico expositivo*, p. 521.

Em quinto lugar, *os cristãos são o argumento irresistível de Deus no mundo. ... observando-vos em vossas boas obras, glorifiquem a Deus no dia da visitação* (2.12b). A vida dos cristãos é como uma cidade no alto de um monte; não pode esconder-se. Simon Kistemaker pondera que os cristãos estão vivendo numa vitrine; estão à mostra. Sua conduta, obras e palavras são constantemente avaliadas pelos não cristãos que querem constatar se os cristãos vivem aquilo que professam.[10]

O mundo olha para nós. Pode discordar de nós e até nos atacar, mas não pode deixar de reconhecer nossas boas obras. Essas boas obras, realizadas num ambiente hostil, diante de maledicentes, são uma mensagem evangelística eficaz, uma vez que tais pessoas serão impactadas e chegarão ao conhecimento da salvação para glorificar a Deus no dia da visitação. Esse dia, neste contexto, significa a ocasião de graça e misericórdia, na qual os não cristãos aceitarão a oferta da salvação e glorificarão a Deus em gratidão.[11]

Submissão no âmbito do governo (2.13-17)

Deus instituiu a família, a igreja e o governo. Ele não é Deus de confusão, mas de ordem. O princípio de autoridade e o dever de submissão são ensinos claros nas Escrituras. Mesmo num contexto turbulento como o império romano e mesmo tendo o insano imperador Nero no poder, Pedro não recua nem transige com a verdade. Destacamos aqui alguns pontos importantes.

Em primeiro lugar, *a abrangência da submissão. Sujeitai-vos a toda instituição humana...* (2.13a). Pedro aborda a submissão primeiro num âmbito mais geral. A magistratura certamente existe por direito divino, mas a forma particular de governo, o poder da magistratura, e as pessoas que devem executar esse poder são instituições humanas, governadas por leis e constituições de cada país particularmente.[12]

A palavra grega *hypotagete*, traduzida por "sujeitai-vos", significa "colocar-se debaixo de", "submeter-se". Os cristãos se colocam

---

[10] KISTEMAKER, Simon. *Epístolas de Pedro e Judas*, p. 132.
[11] KISTEMAKER, Simon. *Epístolas de Pedro e Judas*, p. 133.
[12] HENRY, Matthew. *Comentário bíblico Atos-Apocalipse*, p. 870.

voluntariamente sob a égide das autoridades públicas, prestando-lhes uma submissão cristã sem subserviência.[13] A submissão não é uma opção, mas um mandamento. Um cristão não pode ser anárquico nem rebelde. Pode e deve discordar de uma autoridade constituída sempre que ela exorbitar em suas funções e for além de sua competência, mas jamais pode insurgir-se contra o princípio de autoridade. Concordo com Ênio Mueller quando escreve: "O princípio da vida cristã redimida não deve ser a autoafirmação, ou a exploração mútua, mas a submissão voluntária aos outros".[14] A fé cristã nos ensina a honrar o próximo. Devemos colocar os interesses do próximo acima dos nossos interesses. Devemos ter mais alegria em dar que em receber, e mais alegria em servir que em ser servido.

Em segundo lugar, *a motivação para a submissão. ... por causa do Senhor...* (2.13b). Submissão não significa obediência cega nem subserviência. No projeto de Deus, não há espaço para o autoritarismo despótico nem para o absolutismo. Reis e governadores não têm o poder absoluto. O poder que exercem é outorgado por Deus (Rm 13.1-3). Por isso, são autoridades constituídas por Deus e devem governar sob a autoridade absoluta de Deus. Quando um governo se assenta no trono e arroga para si o título de "Senhor e Deus", como fizeram alguns imperadores romanos, está em completo desacordo com os preceitos de Deus. Nesse caso, a desobediência civil não é apenas uma possibilidade, mas uma necessidade, uma vez que importa obedecer a Deus mais que aos homens (At 5.29). Nossa obediência às autoridades constituídas decorre de nossa obediência a Deus. É por causa do Senhor que somos submissos às autoridades. Essa compreensão levou Matthew Henry a afirmar: "A verdadeira religião é o melhor amparo do governo civil; requer submissão, por amor do Senhor, e por amor à consciência".[15]

Ênio Mueller está coberto de razão quando afirma que a submissão "por causa do Senhor" já começa um processo de relativização e "desdivinização" das autoridades e instituições públicas. Não é por causa delas

---

[13]MUELLER, Ênio R. *I Pedro: Introdução e comentário*, p. 148.
[14]MUELLER, Ênio R. *I Pedro: Introdução e comentário*, p. 148.
[15]HENRY, Matthew. *Comentário bíblico Atos-Apocalipse*, p. 870.

(como se fossem divinas) que o cristão se submete, mas por uma causa externa a elas, Jesus Cristo.[16] Simon Kistemaker acerta em dizer que com a expressão "por causa do Senhor", Pedro deixa implícito que Deus é soberano em todas as áreas e está plenamente no controle de tudo.[17]

Em terceiro lugar, **os níveis de autoridade**. ... *quer seja ao rei, como soberano, quer às autoridades, como enviadas por ele...* (2.13c,14a). O que Pedro está dizendo é que, não importa o sistema de governo – monarquia, presidencialismo ou parlamentarismo –, devemos prestar obediência. Não importa se a autoridade é um rei, presidente ou primeiro-ministro, nosso dever é sujeitar-nos a ela. Esse respeito e essa obediência não são à pessoa, mas à função que ela ocupa. Simon Kistemaker ressalta que Pedro escreveu esta epístola nos últimos anos do perverso imperador Nero. Este subiu ao poder em 54 d.C., aos 17 anos de idade, e cometeu suicídio 14 anos depois, em 68 d.C. Durante o reinado desse imperador, o próprio Pedro sofreu o martírio. Por sua conduta, Nero não era digno do alto cargo de imperador romano. Mesmo assim, Pedro o reconhece como soberano e exorta os cristãos a honrá-lo.[18]

Pedro diz que a obediência do povo de Deus deve ser endereçada ao rei e aos governadores nomeados por ele. O Novo Testamento faz referências, por exemplo, aos governadores Pilatos, Félix e Festo. Aqueles que governam, não importa em que escalão, governam por concessão divina. Jesus disse a Pilatos: *Nenhuma autoridade terias sobre mim, se de cima não te fosse dada* (Jo 19.11). O apóstolo Paulo é enfático: *Aquele que se opõe à autoridade resiste à ordenação de Deus* (Rm 13.2).

Em quarto lugar, **o dever da autoridade**. ... *tanto para castigo dos malfeitores como para louvor dos que praticam o bem* (2.14b). A autoridade é instituída por Deus com um duplo propósito: promover o bem e coibir o mal. O Estado, com sua ordem e leis, é o ministro de Deus competente para promover a justiça social e o bem geral da sociedade; ao mesmo tempo, é investido de autoridade para refrear o mal, punindo exemplarmente os culpados. Quando as autoridades, porém, se tornam

---

[16]MUELLER, Ênio R. *I Pedro: Introdução e comentário*, p. 149.
[17]KISTEMAKER, Simon. *Epístolas de Pedro e Judas*, p. 136.
[18]KISTEMAKER, Simon. *Epístolas de Pedro e Judas*, p. 136.

omissas no cumprimento desses deveres ou se corrompem a ponto de promover o mal e coibir o bem, são passíveis de repreensão. Nesse momento, precisamos exercer nossa voz profética, denunciando abusos e desvios, ainda que isso nos custe a vida. Holmer diz que, quando a autoridade classifica o mal como bem e o bem como mal, quando se arroga o direito de controlar a consciência e a fé, vale a Palavra de Jesus: *daí, pois, a César o que é de César e a Deus o que é de Deus* (Mt 22.21).[19]

Em quinto lugar, ***o propósito da submissão***. *Porque assim é a vontade de Deus, que, pela prática do bem, façais emudecer a ignorância dos insensatos* (2.15). A obediência civil é expressa vontade de Deus para Seu povo, especialmente num contexto em que esse povo é caluniado, perseguido e despojado. Um exemplo vale mais que mil palavras. O testemunho irrepreensível é melhor que discursos eloquentes. A prática do bem é um argumento irresistível que tapa a boca daqueles que se insurgem contra a igreja.

Em sexto lugar, ***a natureza da submissão***. *Como livres que sois, não usando, todavia, a liberdade por pretexto da malícia, mas vivendo como servos de Deus* (2.16). Somos servos livres, pois a ética cristã começa na libertação de toda forma de escravidão.[20] A verdadeira liberdade promove o bem do próximo e a glória de Deus. Quanto mais servimos a Deus e ao próximo, mais livres somos. Kistemaker, citando Lutero, diz que um cristão é um senhor perfeitamente livre sobre todas as coisas, não estando sujeito a nenhuma delas. Um cristão é um servo perfeitamente obediente a tudo e sujeito a todos.[21]

A submissão cristã não equivale a escravidão nem a fraqueza. Significa liberdade e força. Usar a liberdade cristã como motivo para a anarquia e a desobediência civil é corromper a liberdade e insurgir-se contra a natureza da submissão. Transformar liberdade em libertinagem e submissão em insurreição é um pecado contra Deus e uma afronta às autoridades. Holmer adverte quanto ao risco de tentarmos encobrir a maldade com o pretexto da liberdade. Isso seria abusar da

---

[19]HOLMER, Uwe. *Primeira Carta de Pedro*, p. 187.
[20]MUELLER, Ênio R. *I Pedro: Introdução e comentário*, p. 153.
[21]KISTEMAKER, Simon. *Epístolas de Pedro e Judas*, p. 139.

liberdade. Porque a verdadeira liberdade é liberdade para o bem e para a obediência a Deus; é liberdade do pecado e da malícia.[22]

Pedro alerta que as paixões interiores podem sentir-se sem amarras que as limitem e, assim, liberadas, voltam a escravizar a pessoa. Por isso, a verdadeira liberdade supõe outra atitude: sermos "servos de Deus". William Barclay afirma corretamente que o cristão é livre porque é escravo de Deus. Nossa perfeita liberdade reside em servirmos a Deus.[23] Só somos verdadeiramente livres na medida em que somos servos de Deus.[24] É conhecido o adágio pronunciado por Agostinho de Hipona: "Quanto mais escravo de Cristo sou, mais livre me sinto".

Em sétimo lugar, *os limites da submissão*. *Tratai todos com honra, amai os irmãos, temei a Deus, honrai o rei* (2.17). Pedro nos dá quatro mandamentos aqui: 1. "Tratai a todos com honra". O cristão deve tratar a todos com o devido respeito, independentemente da sua posição na sociedade. Todo ser humano é digno de respeito por ser uma criatura feita por Deus. Num contexto como o império romano, que contava com 60 milhões de escravos, a palavra de Pedro é revolucionária, pois os escravos não tinham direitos. Eram vistos como coisas, não como gente. É como se Pedro estivesse dizendo: Deem aos escravos dignidade humana; não os tratem como coisas. 2. "Amai os irmãos". A igreja é a família de Deus. E o que identifica os verdadeiros filhos de Deus é o amor praticado uns pelos outros. 3. "Temei a Deus". O temor a Deus é o princípio da sabedoria e o caminho para uma vida feliz (Pv 1.7). Temor significa reverência e respeito à pessoa de Deus e a Sua Palavra. O temor a Deus é a base da piedade cristã. Concordo com a declaração de Holmer: "Quem deseja amar a Deus sem temê-Lo não tem diante de si o Deus da Bíblia. Até mesmo os mais altos anjos cobrem o rosto diante dAquele que é três vezes santo".[25] 4. "Honrai o rei". A submissão cristã não aceita a absolutização do Estado nem a divinização do rei. O rei deve ser honrado de tal modo que o amor pelos irmãos e o

---

[22]HOLMER, Uwe. *Primeira Carta de Pedro*, p. 187.
[23]BARCLAY, William. *Santiago, I y II Pedro*, p. 238.
[24]MUELLER, Ênio R. *I Pedro: Introdução e comentário*, p. 154.
[25]HOLMER, Uwe. *Primeira Carta de Pedro*, p. 188.

temor a Deus não sejam violados.²⁶ A mesma honra que prestamos ao rei, dedicamos a todas as outras pessoas, nem menos nem mais. Assim como devemos tratar com honra um escravo, um idoso, uma criança e um estrangeiro, também devemos tratar com honra o rei.

Submissão no âmbito do trabalho (2.18-20)

A submissão é um princípio espiritual que rege a vida do cristão tanto como cidadão quanto trabalhador. Destacamos aqui alguns pontos.

Em primeiro lugar, *a submissão, a despeito da perversidade*. *Servos, sede submissos, com todo o temor ao vosso senhor, não somente se for bom e cordato, mas também ao perverso* (2.18). A fé cristã não incitou os crentes à rebeldia nem a um levante. Ao contrário, orientou-os a se submeterem, com todo o temor, a esses patrões, ainda que sofrendo injustiça e crueldade. A palavra grega usada aqui para descrever "senhor" é *Despotes*, de onde vem nossa palavra "déspota". O termo deixa implícito o poder e a autoridade ilimitada do senhor. Alguns cristãos serviam a mestres que eram bons e cheios de consideração, mas outros tinham de suportar os caprichos de mestres injustos e inescrupulosos.²⁷

A palavra grega *oiketai*, "servos" (derivada de *oikos*, "casa"), designa moradores da casa, escravos domésticos ou escravos alforriados.²⁸ Portanto, Pedro se dirige aos "escravos domésticos ou da casa", aqueles que moravam e trabalhavam na casa de seus senhores. Na época, existiam mais de 60 milhões de escravos no império romano e estes eram maioria na igreja primitiva. Segundo a lei romana, o escravo não era uma pessoa, mas um objeto, uma "ferramenta viva" para o trabalho.

Os escravos convertidos, por causa da sua nova identidade em Cristo, poderiam revoltar-se contra os seus patrões. Pedro, porém, recomenda que eles fossem submissos aos senhores, independentemente de estes serem bons ou ruins. Trata-se de uma orientação que também foi dada por Paulo (Ef 6.5; Cl 3.22; 1Tm 6.1; Tt 2.9).

---

²⁶KISTEMAKER, Simon. *Epístolas de Pedro e Judas*, p. 141.
²⁷KISTEMAKER, Simon. *Epístolas de Pedro e Judas*, p. 144.
²⁸HOLMER, Uwe. *Primeira Carta de Pedro*, p. 189.

O motivo da submissão está no temor a Deus. Por causa disso, o escravo deveria sujeitar-se ao seu patrão (1Pe 1.17, 3.2,15). O cristianismo não aboliu as distinções sociais, mas introduziu um conceito revolucionário de relacionamento. Todos os cristãos eram irmãos em Cristo Jesus (Fm 16). Todo trabalho deveria ser feito como se fosse para o próprio Jesus e para a glória de Deus (Cl 3.17; 1Co 10.31).

Em segundo lugar, *a submissão, a despeito da injustiça. Porque isto é grato, que alguém suporte tristezas, sofrendo injustamente, por motivo de sua consciência para com Deus* (2.19). Muitos escravos eram castigados com trabalhos forçados e açoites rudes. Naquela época, um escravo não tinha direitos garantidos por lei. Eram apenas ferramentas vivas. Seus sentimentos e desejos não eram respeitados. Mesmo suportando tristezas e injustiças, deveriam manter sua consciência pura diante de Deus, trabalhando com dedicação e reverência. Foi essa atitude dos escravos cristãos que impactou o império e provocou a maior de todas as revoluções, a revolução do amor que tudo vence. Concluímos, portanto, que a gratidão a Deus por sofrermos injustamente é o segundo fator motivacional para a submissão. Quando oferecemos o bem àqueles que nos dirigem o mal, somos recompensados por Deus (Lc 6.32-35). Quando suportamos injustiças fazendo a vontade de Deus, Ele nos abençoa (Mt 5.11,12).

Em terceiro lugar, *a submissão, a despeito da aflição. Pois que glória há, se, pecando e sendo esbofeteados por isso, o suportais com paciência? Se, entretanto, quando praticais o bem, sois igualmente afligidos e o suportais com paciência, isto é grato a Deus* (2.20). O escravo não deveria jamais sofrer como rebelde insubmisso. Não há mérito algum em ser esbofeteado por ter sido flagrado no erro. O que agrada a Deus é o cristão sofrer por sua fé, por sua consciência limpa e pela prática do bem.

O exemplo máximo de submissão (2.21-25)

Depois de falar sobre a submissão em geral e sobre a necessidade de submetermo-nos aos governos e patrões, Pedro encoraja os cristãos oferecendo-lhes o modelo de Cristo, o maior de todos os exemplos de submissão. Pedro apresenta-nos três retratos de Cristo: Ele é nosso exemplo (2.21-23), morreu em nosso lugar (2.24) e é nosso Pastor atento no céu (2.25).²⁹ Pedro chama a atenção dos cristãos que sofrem injustamente neste mundo para o sofrimento de Cristo. Destacamos aqui alguns pontos.

Em primeiro lugar, *o sofrimento substitutivo de Cristo. Porquanto para isto mesmo fostes chamados, pois que também Cristo sofreu em vosso lugar, deixando-vos exemplo para seguirdes os seus passos* (2.21). Pedro encoraja seus leitores, que sofrem injustamente, a olharem para Jesus. Ao olharmos para Jesus, obtemos alento para suportar com paciência os sofrimentos da carreira cristã (Hb 12.1-3). Matthew Henry salienta que os sofrimentos de Cristo nos devem aquietar diante dos sofrimentos mais injustos e cruéis que enfrentamos no mundo. Se Ele sofreu voluntariamente não por si mesmo, mas por nós, com a máxima prontidão, com perfeita paciência, de todos os lados, e tudo isso apesar de ser Deus-Homem, não deveríamos nós, que merecemos o pior, nos submeter às leves aflições desta vida, que produzem para nós vantagens indizíveis?³⁰

Pedro recorre à profecia de Isaías 53, que trata do sofrimento e morte expiatória de Jesus, e aplica essa verdade doutrinária à vida do povo. Com isso, Pedro enfatiza que todo cristão foi chamado para uma vida de sofrimento. Concordo com Kistemaker quando diz que seguimos Cristo não no grau de angústia e dor, mas na maneira como Ele suportou o sofrimento.³¹

Jesus alertou aos discípulos que o servo não é maior que o seu Senhor e que, assim como o mundo O odiava e O perseguia, também eles seriam perseguidos (Jo 15.20). Todo cristão, por causa da sua identificação com Cristo, tem um chamado para o sofrimento (Fp 1.29). Não existe discipulado sem cruz.

Todo cristão deve seguir o exemplo deixado por Cristo. Pedro usa a figura educacional de uma criança que aprende a escrever utilizando um "caderno de caligrafia". A palavra grega *jypogrammos*, traduzida por "exemplo", se refere "aos contornos claros das letras sobre os quais os alunos que aprendiam a escrever faziam os seus traços, e também a um

---

²⁹WIERSBE, Warren W. *Comentário bíblico expositivo*, p. 524.
³⁰HENRY, Matthew. *Comentário bíblico Atos-Apocalipse*, p. 871.
³¹KISTEMAKER, Simon. *Epístolas de Pedro e Judas*, p. 150.

conjunto de letras escritas no alto da página ou outro texto qualquer para ser copiado pelo aluno no resto da página".[32] Devemos escrever a nossa vida copiando o modelo de Jesus.

Em segundo lugar, *o exemplo deixado por Cristo*. *O qual não cometeu pecado, nem dolo algum se achou em Sua boca* (2.22). Essa é a primeira citação direta à profecia messiânica de Isaías 53.9. Pedro cita essa passagem de Isaías para indicar a ausência total de pecado em Jesus. O ladrão crucificado à direita de Jesus afirmou acerca do Mestre: *... mas este nenhum mal fez* (Lc 23.41).

Jesus reprovaria as teses de John Locke, que afirmava ser o homem produto do meio. Jesus viveu num mundo caído, foi alvo das críticas mais perversas, dos ataques mais sórdidos, contudo jamais cometeu pecado e engano algum se achou em seus lábios. Embora não tenhamos condições de imitar a Cristo no sentido pleno, pois somos pecadores, devemos seguir suas pegadas, em busca de uma vida santa, mesmo sendo vítimas das mais profundas injustiças.

Em terceiro lugar, *a reação transcendente de Cristo. Pois Ele, quando ultrajado, não revidava com ultraje; quando maltratado, não fazia ameaças, mas entregava-se Àquele que julga retamente* (2.23). Os principais sacerdotes e anciãos acusaram Jesus de muitas coisas, mas Ele não retrucou (Mt 27.12-14). Sofreu na cruz sem murmurar (Mt 27.34-44). Não invocou a ira de Deus sobre Seus perseguidores nem exigiu retaliação, antes orou por Seus inimigos: *Pai, perdoa-lhes porque não sabem o que fazem* (Lc 23.43).

Jesus tinha poder para fulminar Seus inimigos com apenas um olhar. Poderia despejar sobre Seus inimigos toda a injúria que lançavam sobre Ele, mas preferiu ir para a cruz como uma ovelha muda. Preferiu rogar ao Pai perdão para Seus algozes, inclusive atenuando-lhes a culpa. A reação transcendente de Jesus serve de estímulo para o povo de Deus que está sendo perseguido e ameaçado no mundo. Matthew Henry destaca que a grosseria, a crueldade e a injustiça dos inimigos não justificam que os cristãos injuriem os inimigos e se vinguem deles. As razões

---

[32]BRUCE, F. F. *NIDNTT*. Vol. 2, p. 291.

para o pecado nunca podem ser grandes demais, pois sempre teremos razões mais fortes para evitá-lo.[33]

Em quarto lugar, **a morte vicária de Cristo**. *Carregando ele mesmo em seu corpo, sobre o madeiro, os nossos pecados, para que nós, mortos para os pecados, vivamos para a justiça; por Suas chagas, fostes sarados* (2.24). Pedro elucida aqui uma das mais importantes doutrinas da graça: a expiação. Cristo não morreu como mártir. Não foi para a cruz porque Judas O traiu nem porque Pedro O negou. Não foi pregado no madeiro porque os sacerdotes O entregaram nem porque Pilatos O sentenciou à morte. Jesus morreu pelos nossos pecados. Nossos pecados estavam sobre Ele. Jesus os carregou sobre o madeiro. Matthew Henry enfatiza que Jesus tira os nossos pecados e os remove de nós; da mesma forma que o bode expiatório carregava os pecados do povo sobre a cabeça e então os levava para muito longe (Lv 16.21,22), assim o Cordeiro de Deus carrega os nossos pecados no próprio corpo e com isso tira o pecado do mundo (Jo 1.29).[34]

Warren Wiersbe esclarece que o termo "carregar" significa "carregar como sacrifício".[35] Agora que Cristo morreu pelos nossos pecados, não podemos viver mais para eles. Devemos considerar-nos mortos para o pecado e vivos para Deus. As feridas de Cristo nos trouxeram cura espiritual. A morte de Cristo nos trouxe vida eterna.

Simon Kistemaker destaca três verdades importantes no versículo: 1. *A maneira*. Cristo carregou nossos pecados em Seu corpo no madeiro. Essa é a essência da profecia de Isaías 53: ... *tomou sobre si as nossas enfermidades...* (Is 53.4a); ... *as iniquidades deles levará sobre Si* (Is 53.11b) e ... *levou sobre Si o pecado de muitos* (Is 53.12b). 2. *A importância*. Cristo fez isso para que pudéssemos morrer para o pecado e viver para a justiça. 3. *A consequência*. A palavra "curados" significa "perdoados". Pedro está dizendo que o açoitamento de Jesus antes da crucificação e os ferimentos sofridos na cruz foram o castigo que Ele pagou para a redenção dos cristãos.[36]

---

[33]HENRY, Matthew. *Comentário bíblico Atos-Apocalipse*, p. 871.
[34]HENRY, Matthew. *Comentário bíblico Atos-Apocalipse*, p. 871.
[35]WIERSBE, Warren W. *Comentário bíblico expositivo*, p. 524.
[36]KISTEMAKER, Simon. *Epístolas de Pedro e Judas*, p. 154.

Em quinto lugar, *o cuidado pastoral de Cristo*. *Porque estáveis desgarrados como ovelhas; agora, porém, vos convertestes ao Pastor e Bispo da vossa alma* (2.25). Pedro usa aqui duas palavras muito ricas para descrever Jesus: Pastor e Bispo. O termo grego *poimen*, traduzido por "Pastor", aponta para o cuidado, a vigilância e o sacrifício do Senhor em nosso favor. Já o termo *episkopos*, traduzido por "Bispo", refere-se à sua supervisão e liderança.

Todo cristão era uma ovelha desgarrada encontrada por Jesus. Todo cristão é pastoreado por Jesus. Pedro chama Jesus por dois preciosos nomes: Pastor e Bispo da nossa alma. Pastor é o que cuida, e Bispo é o que supervisiona. Matthew Henry tem razão em dizer que os pecadores, antes da conversão, estão sempre desviados; sua vida é um erro constante. Jesus, porém, o Supremo Pastor e o bispo das almas, está sempre presente com o Seu rebanho e está sempre vigiando por ele.[37]

Jesus é o Pastor da nossa alma. A igreja é o rebanho pastoreado por Jesus. Na teologia do Antigo Testamento, o ofício de pastor, aquele que cuida do seu rebanho, é utilizado para ilustrar o cuidado de Deus com o povo de Israel (Sl 23.1; 79.13; 80.1). Deus é o Pastor de Israel (Ez 34.15). No Novo Testamento, Jesus se apresenta com o mesmo ofício divino de Pastor: *Eu sou o bom pastor. O bom pastor dá a vida pelas ovelhas* (Jo 10.11). Jesus, o bom Pastor, morreu para salvar as Suas ovelhas e constituir o Seu rebanho (Jo 10.26-28). Ele guia, protege, alimenta e vai atrás das ovelhas. É o bom Pastor que morreu pelas Suas ovelhas (Sl 22), o grande Pastor que vive para Suas ovelhas (Sl 23) e o Supremo Pastor que voltará para Suas ovelhas (Sl 24).

Jesus é também o Bispo da nossa alma, Aquele que cuida e supervisiona as ovelhas. William Barclay comenta que na língua grega esta palavra tem uma longa história com grandes significados, indicando "o protetor da segurança pública, o guardião da honra e da honestidade, o supervisor da correta educação e da moral pública, o administrador da lei e da ordem". Chamar Jesus de Bispo significa reconhecê-Lo como nosso Protetor, Supervisor, Guia e Diretor da nossa alma.[38]

---

[37]HENRY, Matthew. *Comentário bíblico Atos-Apocalipse*, p. 872.
[38]BARCLAY, William. *Santiago, I y II Pedro*, p. 249.

Concluímos com as palavras de Warren Wiersbe:

> Nesse capítulo 2, Pedro apresentou muitas imagens admiráveis do crente. Somos crianças que se alimentam com a Palavra; pedras do templo; sacerdotes no altar; geração escolhida; povo comprado; nação santa; povo exclusivo de Deus; forasteiros e peregrinos; discípulos que seguem o exemplo do Senhor; e ovelhas de quem o Pastor cuida. A vida cristã é tão rica e plena que são necessárias essas comparações e muitas outras para mostrar como ela é maravilhosa.[39]

---

[39] WIERSBE, Warren W. *Comentário bíblico Wiersbe Novo Testamento*. Santo André: Geográfica, 2009, p. 793.

6

O relacionamento saudável entre marido e mulher

1Pedro 3.1-7

APÓS TRATAR DA ESFERA MAIS AMPLA das relações sociais e políticas (2.13-17), tangendo também as relações mais estreitas do trabalho na comunidade doméstica (2.18-20), Pedro chega ao círculo mais íntimo do relacionamento conjugal (3.1-7). Encravado no meio dessa série de exortações, temos o supremo exemplo de Cristo, padrão de conduta para todos os cristãos, especialmente aos que mais sofrem (2.21-25). Esse fato é o fundamento para a ética cristã: não é uma série de regras a serem cumpridas, mas o seguimento de Jesus Cristo, pautando por Seu exemplo a nossa conduta.[1]

A família está no centro do palco da história, como um dos temas mais importantes da sociedade. É conhecida a expressão de Alvin Tofler, "a família é o principal problema da sociedade". Por isso, após abordar as relações entre súditos e reis, e entre servos e senhores, Pedro trata agora sobre a relação entre marido e mulher. O relacionamento saudável entre marido e mulher é o cimento que une a família.[2] A ética

---
[1]MUELLER, Ênio R. *I Pedro: Introdução e comentário*, p. 172.
[2]1Coríntios 7; 11.3-16; 14.33b-35; Efésios 5.22-33; Colossenses 3.18,19; 1Timóteo 2.9-15; Tito 2.3-5.

cristã rege nossos relacionamentos como cidadãos, patrões e empregados e também como cônjuges.

Vamos examinar, à luz do texto mencionado anteriormente, a conduta de marido e esposa no contexto do casamento. Pedro começa com as mulheres e dedica a maior parte do tempo a elas. Isso porque as mulheres enfrentavam mais dificuldades culturais que os homens, especialmente em casamentos mistos. A cultura prevalente (judaica, grega e romana) dava aos homens todos os privilégios e às mulheres todos os deveres. A fé cristã, entretanto, provocou uma verdadeira revolução nesse particular. A mulher não é uma coisa, mas uma pessoa; não é uma escrava, mas uma princesa livre; não é inferior, mas digna de toda honra.

Na cultura do primeiro século, a mulher seguia necessariamente a religião do marido.[3] Se o marido adotava a fé cristã, sua esposa também deveria fazê-lo. E, se a esposa se tornasse cristã, o marido a consideraria infiel a ele e à sua religião pagã. Isso causava tensão dentro do lar.[4] Por isso, Pedro orienta às mulheres recém-convertidas a Cristo a lidar sabiamente com um marido ainda não convertido. Vamos à exposição do texto.

As atitudes da mulher cristã (3.1,2)

A Palavra de Deus normatiza os princípios que devem reger o relacionamento conjugal. Pedro dá diretrizes claras às mulheres cristãs. Destacamos aqui algumas lições.

Em primeiro lugar, *a submissão da esposa ao marido é um mandamento. Mulheres, sede vós, igualmente, submissas a vosso próprio marido...* (3.1a). O que Pedro está ensinando não é uma submissão servil, própria de alguém sem caráter, mas um despojamento voluntário do eu.[5] A palavra "submissão" é um termo militar que significa "sob uma hierarquia".[6] Deus estabeleceu na criação vários níveis de autoridade: Deus é o cabeça de Cristo, Cristo é o cabeça de todo homem, e o

---

[3]MUELLER, Ênio. R. *I Pedro: Introdução e comentário*, p. 174.
[4]KISTEMAKER, Simon. *Epístolas de Pedro e Judas*, p. 162.
[5]BARCLAY, William. *Santiago, I y II Pedro*, p. 251.
[6]WIERSBE, Warren W. *Comentário bíblico expositivo*, p. 527.

homem é o cabeça da mulher (1Co 11.3; 1Pe 1.13,14). A ideia de submissão não é de inferioridade, competição ou rivalidade, mas de parceria. A mulher foi criada por Deus para ser auxiliadora idônea, ou seja, aquela que olha nos olhos e corresponde ao homem física, emocional e espiritualmente. O homem e a mulher foram feitos pelo Criador à sua imagem e semelhança. Homem e mulher são um em Cristo Jesus (Gl 3.28).

A submissão da esposa a seu marido é como ao Senhor e por causa do Senhor. Uma vez que a esposa é submissa a Cristo, ela se submete a seu marido. A autoridade do marido sobre a esposa é delegada a ele pelo próprio Deus. Assim, quando uma mulher insurge-se contra a autoridade do seu marido, está opondo-se ao próprio Deus.

Antes de prosseguirmos, precisamos dizer o que submissão não é.

Submissão não é inferioridade. O apóstolo Paulo deixa isso claro em 1Coríntios 11.3: *Quero, entretanto, que saibais ser Cristo o cabeça de todo homem, e o homem, o cabeça da mulher, e Deus, o cabeça de Cristo*. O Filho tem a mesma substância do Pai. Em nenhum lugar das Escrituras, a Bíblia fala que Jesus Cristo é inferior a Deus Pai. Contudo, na economia da redenção, Cristo submeteu-se ao Pai, sem jamais ser inferior ao Pai. Do mesmo modo, o marido é o cabeça da mulher; e nem por isso a mulher é inferior ao marido.

Submissão não é subserviência. A submissão da esposa a seu marido não é cega. Tem limites. A esposa não está obrigada a obedecer ao marido quando este se insurge contra os princípios de Deus. O preceito divino é: ...*Antes, importa obedecer a Deus do que aos homens* (At 5.29b).

Submissão não é status *de gênero*. Pedro diz que as mulheres devem ser submissas a seu próprio marido, e não a qualquer homem. O gênero feminino não é inferior ao gênero masculino.

Vale a pena ressaltar que esse tem sido um assunto extremamente delicado em nossos dias, por causa de dois extremos.

O primeiro extremo é o *machismo*. John Stott, erudito expositor bíblico, em seu livro *Cristianismo equilibrado*,[7] mostrou os perigos danosos de extremos e polarizações dentro da igreja. Destacou que uma

---

[7] STOTT, John. *Cristianismo equilibrado*. Rio de Janeiro: CPAD, 1982.

ação sempre provoca uma reação igual e contrária. Precisamos buscar o equilíbrio e, por equilíbrio, não estamos negando que a verdade seja absoluta; ao contrário, estamos opondo-nos às distorções dessa verdade. Uma área onde se vê um claro desequilíbrio hoje é sobre o machismo e o feminismo. Vejamos primeiro sobre o machismo.

Muitos líderes religiosos, brandindo a espada do Espírito, esforçam-se para reduzir a mulher a uma posição inferior àquela que Deus lhe deu. É importante destacar que a mulher foi criada à imagem e semelhança de Deus tanto quanto o homem (Gn 1.27). A mulher possui a mesma dignidade em Cristo que o homem, pois em Cristo não pode haver homem nem mulher (Gl 3.28). Hoje, em nome de Deus, tem-se negado às mulheres o privilégio de orar em público e pregar a Palavra de Deus. Mas o profeta Joel disse que Deus derramaria o Seu Espírito sobre toda a carne e, nesse tempo, os filhos e as filhas profetizariam (Jl 2.28). No Pentecostes, essa promessa foi cumprida e, todos os 120 discípulos que estavam no cenáculo foram cheios do Espírito Santo e começaram a falar sobre as grandezas de Deus (At 2.1-4). Entre esses 120 estavam Maria e outras mulheres (At 1.14). Vemos no Novo Testamento que as filhas do diácono Filipe eram profetisas (At 21.8,9) e o dom de profecia é exatamente o dom de anunciar a Palavra de Deus (Rm 12.6; 1Co 14.1-3; 1Pe 4.10,11; 2Tm 3.14-16).

A mesma Bíblia que estabelece a ordenação para os ofícios sagrados apenas para os homens também concede às mulheres o privilégio de pregar a Palavra. A história do cristianismo está repleta de relatos vívidos de santas mulheres que foram missionárias e contribuíram com o avanço do reino de Deus, colocando seus dons à disposição do Senhor para a edificação da igreja. Não podemos amordaçar as mulheres na igreja de Deus e reduzi-las ao silêncio quando Cristo as libertou e também as enviou ao mundo com a mensagem da reconciliação.

Os defensores dessa posição evocam os textos de 1Coríntios 14.34,35 e 1Timóteo 2.11-15 para fundamentarem seu argumento. O contexto, porém, revela que Paulo está proibindo as mulheres de exercerem autoridade sobre o marido.

Não podemos usar esses dois textos para impedir as mulheres de anunciar a Palavra de Deus, contrariando o ensino geral das

Escrituras. O profeta Joel deixou claro que as mulheres receberiam o Espírito e profetizariam: *E acontecerá, depois, que derramarei o meu Espírito sobre toda a carne; vossos filhos e vossas filhas profetizarão...* (Jl 2.28a). No cenáculo, homens e mulheres estavam reunidos em oração aguardando a promessa do Pai. *Todos estes perseveravam unânimes em oração, com as mulheres, com Maria, mãe de Jesus, e com os irmãos dEle* (At 1.14). No dia do Pentecostes, o Espírito Santo foi derramado sobre todos que estavam no cenáculo (homens e mulheres), e todos ficaram cheios do Espírito Santo. Vejamos o relato de Lucas: *Todos ficaram cheios do Espírito Santo e passaram a falar em outras línguas, segundo o Espírito lhes concedia que falassem* (At 2.4).

Paulo diz que as mulheres podiam profetizar no culto público: *Toda mulher, porém, que ora ou profetiza com a cabeça sem véu desonra a sua própria cabeça, porque é como se a tivesse rapada* (1Co 11.5). Em 1Coríntios 14.3, o apóstolo define bem o que significa profetizar: *Mas o que profetiza fala aos homens, edificando, exortando e consolando*. Paulo é categórico em assegurar que a profecia era a exposição da Palavra: *... se profecia, seja segundo a proporção da fé* (Rm 12.6b). A fé, aqui, é o conteúdo da verdade (Jd 3). Nesse mesma linha, o apóstolo Pedro diz: *Se alguém fala, fale de acordo com os oráculos de Deus...* (1Pe 4.11a). Para que não fique dúvidas de que a profecia era a pregação da Palavra de Deus, Paulo afirma: *Toda a Escritura é inspirada por Deus e útil para o ensino, para a repreensão, para a correção, para a educação na justiça, a fim de que o homem de Deus seja perfeito e perfeitamente habilitado para toda boa obra* (2Tm 3.16,17). As mulheres podiam profetizar, e profetizar é falar da parte de Deus, expondo a eles as Escrituras.

Muitos estudiosos confundem submissão com subserviência. Há aqueles que, inclusive, defendem que a submissão da esposa ao marido deve ser incondicional, uma vez que é o marido quem deve arcar com as consequências dessa obediência cega da esposa. Para dar legitimidade a seu arrazoado, citam o caso de Abraão que, no Egito, orientou Sara, sua mulher, a mentir, dizendo ser sua irmã e não sua esposa (Gn 12.10-13). Em virtude dessa orientação, Sara foi parar no harém de Faraó (Gn 12.14-18) e tornou-se sua mulher (Gn 12.19). Sara não agiu corretamente quando se tornou cúmplice do erro do seu marido.

Deveria ter confrontado Abraão em vez de obedecer cegamente. Tanto Abraão quanto Sara duvidaram da fidelidade de Deus para protegê-los. Preferiram relativizar a ética a confiar em Deus.

Em momento nenhum, as Escrituras nos ensinam a transigir com a verdade em nome da submissão. A submissão do cidadão ao magistrado, do empregado ao patrão, da esposa ao marido e dos filhos aos pais tem limites. É uma falsa interpretação das Escrituras dizer que a mulher deve sujeitar-se ao marido, mesmo quando ele está errado e mesmo quando exige da esposa aquilo que fere sua consciência iluminada pela verdade de Deus. É um mau uso da Bíblia exigir que a mulher peque contra Deus para se sujeitar a seu marido. O princípio bíblico nesses casos é claro: ... *Antes, importa obedecer a Deus que aos homens* (At 5.29). É uma distorção da verdade evocar o comportamento infeliz de Abraão e Sara no Egito para justificar a obediência servil da esposa ao marido. Não podemos aceitar essa tendência machista, que distorce a verdade, fere a dignidade da mulher, empalidece o casamento, enfraquece a família e conspira contra a igreja de Deus. Fujamos dos extremos. Eles são uma distorção da verdade e uma caricatura do verdadeiro cristianismo.

O segundo extremo é o *feminismo*. O movimento feminista vem na esteira do liberalismo teológico. Se o machismo retira das Escrituras o que Deus concedeu às mulheres, o feminismo acrescenta o que Deus não outorgou às mulheres. De acordo com R. C. Sproul, desde que o movimento feminista varreu o Ocidente, o machado tem sido colocado na raiz do significado deste texto. Argumentam que a interpretação tradicional do texto tem sido controlada pelo incurável chauvinismo que controla a mente dos eruditos. O movimento feminista quer libertar esse texto daquilo que chamam de tirania do domínio masculino. Argumentam ainda que tanto o ensino de Paulo (Ef 5.22-24) sobre o casamento como estas palavras de Pedro (3.1-6) refletem apenas a cultura da época e por isso não podem ser aplicadas aos nossos dias.[8]

Outro texto distorcido pelo movimento feminista é Gálatas 3.28: *Dessarte, não pode haver judeu nem grego; nem escravo nem liberto; nem*

---

[8] SPROUL, R. C. *1-2 Peter*. Wheaton, IL: Crossway, 2011, p. 90.

homem nem mulher; porque todos vós sois um em Cristo Jesus. Alega-se que as distinções culturais entre homem e mulher, judeu e grego, e escravo e liberto, foram canceladas em Cristo. Consequentemente, não há mais necessidade de as mulheres serem submissas a seu próprio marido. Obviamente, Paulo não ensinou isso. Quando Paulo tratou desse assunto em Gálatas 3.28, tinha a redenção em mente. Em termos de redenção, não há nenhuma diferença entre homem e mulher, judeu e grego, escravo e liberto. Todas essas barreiras foram derrubadas ao pé da cruz. Os homens são justificados pela fé assim como as mulheres o são. Os judeus são justificados pela fé somente assim como os gregos o são. Os patrões são justificados pela fé somente assim como os escravos o são. Esse é o claro ensino de Paulo, confirmado por dois mil anos de interpretação bíblica.[9]

Deus constituiu o homem como cabeça da mulher (1Co 11.3). Isso não é inferioridade; é apenas funcionalidade, uma vez que também Deus é o cabeça de Cristo e Cristo é coigual, coeterno e consubstancial com o Pai (Jo 10.30). A esposa deve ser submissa ao marido como a igreja é submissa a Cristo (Ef 5.22-24), e isso não é desonra, pois quanto mais a igreja obedece a Cristo mais gloriosa ela é. A submissão não é privação de liberdade, pois quanto mais a igreja é sujeita a Cristo mais livre ela se sente. O feminismo é uma linha de pensamento que conspira contra o projeto de Deus e quer ser mais sábio que Deus. Pensando estar em favor da mulher, promove sua ruína. O feminismo fragiliza a mulher, põe a família numa rota de colisão e ainda insurge-se contra Deus.

Em segundo lugar, ***a submissão da esposa ao marido é exclusiva***. ... *submissas a vosso próprio marido...* (3.1a). A mulher não se sujeita a qualquer homem, mas a seu marido. A exclusividade e a fidelidade conjugal são exigidas apenas para os casados. Submissão não é uma questão de inferioridade, mas de funcionalidade. A submissão não é uma questão de gênero. Pedro não ensina que todas as mulheres devem ser submissas a todos os homens. A esposa deve ser submissa a seu marido.

---

[9] SPROUL, R. C. *1-2 Peter*, p. 92.

Em terceiro lugar, *a submissão da esposa ao marido é exemplificada*. *sede vós, igualmente, submissas...* (3.1a). A palavra "igualmente" significa "também" ou "do mesmo modo" e remete ao exemplo de Jesus Cristo (2.21-25). Assim como Jesus foi submisso à vontade de Deus, a esposa deve seguir o seu exemplo. O maior, o mais nobre e o supremo exemplo de submissão é encontrado em Cristo.

Em quarto lugar, *a submissão da esposa ao marido é uma oportunidade*. *... para que, se ele ainda não obedece à Palavra, seja ganho, sem palavra alguma, por meio do procedimento de sua esposa, ao observar o vosso honesto comportamento cheio de temor* (3.1,2). À semelhança do apóstolo Paulo (1Co 7.13-16), Pedro não aconselha a mulher cristã a abandonar o marido não crente. Também não aconselha a esposa a polemizar com o marido, tentando ganhá-lo para Cristo à força ou mesmo por elaborados arrazoados. Ao contrário, Pedro recomenda um testemunho coerente. Holmer entendeu bem o que Pedro ensina ao escrever: "Copiosas palavras tão somente provocam discordância e endurecimento, sobretudo quando existe um abismo entre palavras devotas e comportamento sem amor e egoísta".[10] William Barclay tem razão em dizer que a pregação silenciosa de uma vida santa derruba as barreiras preconceituosas e hostis daqueles que ainda não são convertidos.[11]

A submissão da esposa ao marido é um testemunho eficaz; fala mais alto que eloquentes discursos. A vida exemplar é melhor que palavras. O mais eficiente método de evangelização dentro do casamento é o testemunho irrepreensível. Warren Wiersbe acrescenta que a expressão "sem palavra alguma" não significa "sem a Palavra de Deus", pois a salvação vem por meio da Palavra (Jo 5.24; 17.20; Rm 10.17). Antes, significa "sem conversa, sem muito falatório". A esposa ganhará o marido para Cristo por meio de sua conduta e de seu caráter; não pela argumentação, mas por atitudes como submissão, compreensão, amor, bondade e paciência.[12]

---

[10] HOLMER, Uwe. *Primeira Carta de Pedro*, p. 197.
[11] BARCLAY, William. *Santiago, I y II Pedro*, p. 251.
[12] WIERSBE, Warren W. *Comentário bíblico expositivo*, p. 527.

O verbo grego *epopteuein*, traduzido por "observando", traz a ideia de observar atenta e reflexivamente. Os maridos não crentes "observam" as obras da esposa cristã e por aí podem ser atraídos a Cristo. Já a palavra grega *hagne*, traduzida por "[comportamento] honesto", significa puro, limpo, englobando a fidelidade e a decência, revelando transparência tanto nas motivações como nas ações. Ênio Mueller conclui que essas vidas transformadas, mesmo caladas, são muito eloquentes no seu testemunho.[13]

A beleza externa da mulher cristã (3.3)

As mulheres do primeiro século não tinham participação na vida pública nem acesso ao trabalho fora do lar. As mulheres ricas gastavam seu tempo em coisas fúteis e muitas delas investiam toda a energia em cuidar da beleza exterior, relegando a uma posição de descaso o cultivo da beleza interior.

Pedro chama a atenção das mulheres cristãs para não imitarem esse modelo. É claro que, com isso, Pedro não está incentivando as cristãs a serem relaxadas com a apresentação pessoal. Deve haver um equilíbrio entre o cultivo da beleza interior e a manifestação graciosa do exterior. A mulher virtuosa de Provérbios 31 tinha bom gosto para se vestir e cuidava bem do corpo, mas entendia que a beleza interior precisa sobrepujar a beleza física, pois essa passará, enquanto aquela permanece para sempre: *Enganosa é a graça, e vã, a formosura, mas a mulher que teme ao Senhor, essa será louvada* (Pv 31.30). As mulheres cristãs precisam adornar sua alma mais que seu corpo, pois os enfeites do corpo são destruídos pela traça e deterioram com o uso; mas a graça de Deus, quanto mais usada, melhor e mais resplandecente se torna.[14]

Pedro orienta as mulheres cristãs sobre o perigo dos excessos. A ênfase não está na proibição, mas no senso adequado de valores.[15] Vejamos sua exortação: *Não seja o adorno da esposa o que é exterior, como*

---

[13]MUELLER, Ênio R. *I Pedro: Introdução e comentário*, p. 175.
[14]HENRY, Matthew. *Comentário bíblico Atos-Apocalipse*, p. 872,873.
[15]KISTEMAKER, Simon. *Epístolas de Pedro e Judas*, p. 165.

frisado de cabelos, adereços de ouro, aparato de vestuário (3.3). A palavra grega *kosmos*, traduzida aqui por "adornos", significa literalmente "cosmo" (o universo ordenado) em oposição ao caos. A palavra "cosmético" tem sua origem nesse termo. Pedro está orientando as mulheres cristãs a não colocarem toda a atenção nos adereços exteriores, mas a cultivarem a beleza interior.

Pedro oferece três exemplos de adornos externos: cabelo, joias e roupas. O apóstolo estabelece um contraste entre o exterior e o interior. Enquanto penteados, joias e roupas caras existem para serem exibidos, o interior do coração não pode ser visto. Vejamos esses três pontos.

Em primeiro lugar, **o *frisado de cabelos*** (3.3b). Naquela época as mulheres usavam penteados extravagantes para chamarem a atenção. As mais ricas introduziam em suas tranças joias caras e até pedras preciosas numa evidente ostentação. Com isso, atraíam os olhares dos admiradores. As mulheres romanas gostavam de seguir a última moda e competiam para ver quem tinha as roupas e penteados mais sofisticados.[16]

Em segundo lugar, ***os adereços de ouro*** (3.3b). A palavra grega *periteseos*, traduzida por "adereços de ouro", é tudo aquilo que uma mulher pode pendurar em seu corpo: colares, brincos e braceletes.[17] O problema destacado por Pedro não é o uso, mas o abuso. Não é a modéstia, mas o excesso.

Em terceiro lugar, ***o aparato do vestuário*** (3.3b). As mulheres da nobreza costumavam investir quantias enormes em um vestido para ostentarem riqueza, luxo e *glamour* na passarela da moda. Faziam disso a razão da vida. Pedro se coloca contra essa inversão de valores e orienta as mulheres cristãs a serem modestas e decentes quanto ao vestuário.

A beleza interna da mulher cristã (3.4-6)

Pedro faz um contraste entre o que o homem vê e o que Deus vê, entre o superficial e o essencial, entre a beleza exterior e a beleza interior. Depois de orientar a mulher cristã a não fazer da beleza exterior seu

---

[16] WIERSBE, Warren W. *Comentário bíblico expositivo*, p. 528.
[17] MUELLER, Ênio R. *I Pedro: Introdução e comentário*, p. 176.

alvo principal, dá diretrizes acerca de como buscar a beleza interior. Destacaremos aqui alguns pontos.

Em primeiro lugar, *a mulher cristã deve cuidar mais do coração que da aparência*. *Seja, porém, o homem interior do coração, unido ao incorruptível trajo...* (3.4a). Em vez de buscar apenas a beleza externa com penteados rebuscados, joias caras e roupas requintadas, a mulher cristã deve zelar pelo seu coração. Em vez de apenas tomar um banho de loja, a mulher cristã deve ser lavada e adornada pela Palavra. Em vez de valorizar apenas o que perece, a mulher cristã deve priorizar o trajo incorruptível de um espírito manso e tranquilo.

Em segundo lugar, *a mulher cristã deve cuidar mais daquilo que tem valor diante de Deus que daquilo que é valorizado pelos homens*. *... de um espírito manso e tranquilo, que é de grande valor diante de Deus* (3.4b). A mulher cristã está interessada em agradar mais a Deus que aos homens. Porém, ao agradar a Deus, torna-se uma bênção para o marido. Um espírito manso e tranquilo é melhor que vestes caras, joias raras e penteados rebuscados. O que se não vê tem mais valor que aquilo que se vê. Uma mulher equilibrada emocionalmente, que faz bem a seu marido todos os dias, é mais feliz e faz seu marido mais feliz que uma mulher ranzinza empetecada de ouro. É melhor morar num deserto que viver com uma mulher rixosa. Os adereços exteriores jamais podem segurar um casamento. Coisas não fazem cônjuges felizes. Concordo com Ênio Mueller quando ele diz que "a beleza interior de uma mulher tem muito mais valor que todas as joias, vestidos e maquilagem que ela possa ter".[18]

Em terceiro lugar, *a mulher cristã deve seguir o exemplo das santas mulheres do passado em vez de copiar o modelo de mulheres fúteis*. *Pois foi assim também que a si mesmas se ataviaram, outrora, as santas mulheres que esperavam em Deus, estando submissas a seu próprio marido, como fazia Sara, que obedeceu a Abraão, chamando-lhe senhor, da qual vós vos tornastes filhas, praticando o bem e não temendo perturbação alguma* (3.5,6). As santas mulheres do passado, embora não fossem pessoas perfeitas, deixaram um importante legado e um exemplo digno de ser imitado. Em vez

---

[18] MUELLER, Ênio R. *I Pedro: Introdução e comentário*, p. 177.

de copiar o modelo de beleza do mundo, a mulher cristã deve ataviar-se como as santas mulheres do passado. Quais eram as marcas dessas santas? Primeiro, elas *esperavam em Deus* (3.5). Tinham fé em Deus e confiavam no seu caráter e em suas promessas. Sabiam que Deus jamais as abandonaria, independentemente das circunstâncias. Segundo, eram *submissas a seu próprio marido* (3.5). A esposa que compreende seu papel de submissão, de acordo com as normas das Escrituras, encontra realização completa no marido.[19] Terceiro, elas seguiam *praticando o bem* (3.6). Quarto, seguiam *não temendo perturbação alguma* (3.6), ou seja, triunfavam sobre o medo. Segundo Matthew Henry, essas santas mulheres tinham menos conhecimento e menos exemplos que a encorajassem, mas em todas as épocas praticaram esse dever. Por isso, seu exemplo é obrigatório.[20]

As atitudes do marido cristão (3.7)

A ética cristã é recíproca no governo, no trabalho e na família. Não há dois pesos e duas medidas quando trata do papel do governo e do cidadão, do patrão e do empregado, do marido e da mulher, dos pais e dos filhos. Há um equilíbrio entre privilégios e responsabilidades, entre direitos e deveres (Ef 5.22-6.1-9).

A submissão da esposa não dá ao marido o direito de ser rude ou déspota. O uso do termo "igualmente", direcionado de semelhante forma aos maridos, revela que, longe a submissão da esposa ser uma plataforma confortável que lhe permite explorar a mulher, é um campo de serviço. Cristo, como Senhor da igreja, a serviu. Como cabeça da igreja, morreu por ela. Concordo com R. C. Sproul quando ele diz que é mais fácil uma mulher ser submissa a Cristo que o marido amar sua esposa como Cristo ama a igreja. Não há egoísmo no amor de Cristo pela igreja. Jesus jamais abusou, tiranizou, explorou ou envergonhou a sua noiva. O marido que espera a submissão da mulher deve estar pronto a dar sua vida por ela. Esse é o padrão de Deus. Porém, a Bíblia

---

[19] KISTEMAKER, Simon. *Epístolas de Pedro e Judas*, p. 171.
[20] HENRY, Matthew. *Comentário bíblico Atos-Apocalipse*, p. 873.

não diz ao marido para amar sua mulher apenas quando ela é submissa, nem diz à mulher para submeter-se ao marido apenas quando ele a ama como Cristo ama a igreja. Os maridos são orientados a amarem a esposa sendo ela submissa ou não. As mulheres são orientadas a se submeterem ao marido sendo ele amoroso ou não. O marido precisa estar preparado para dar a vida pela mulher, e a mulher precisa estar pronta para submeter-se ao marido.[21]

Pedro destaca quatro cuidados que o marido deve ter para com a esposa. Warren Wiersbe fala sobre quatro áreas de responsabilidade do marido no relacionamento conjugal.[22] Vejamos.

Em primeiro lugar, *o aspecto físico*. *Maridos, vós, igualmente vivei a vida comum do lar...* (3.7). A expressão "vivei a vida comum do lar" é a tradução do termo grego *synoikuntes*, que significa "vivendo juntos na mesma casa" como marido e mulher.[23] Matthew Henry entende que essa palavra significa coabitação, que proíbe separações desnecessárias e implica mútua comunhão de bens e pessoas, com prazer e harmonia.[24] Embora tenha uma abrangência maior, o relacionamento conjugal passa pela intimidade física. O casamento é, fundamentalmente, um relacionamento físico. ... *e se tornarão os dois uma só carne* (Ef 5.31; Gn 2.24). A primeira responsabilidade do marido é cuidar da esposa e do lar (Tt 2.4,5). Cabe-lhe a responsabilidade principal de ser o provedor (1Tm 5.8).

Em segundo lugar, *o aspecto intelectual*. ... *com discernimento...* (3.7a). O discernimento é fruto do conhecimento. Homem e mulher são dois universos distintos. Têm profundas diferenças físicas e emocionais. Essas diferenças, porém, complementam a relação. O marido cristão precisa conhecer as variações de humor, sentimentos, medos e esperanças da esposa. Precisa "ouvir com o coração" e falar a verdade em amor. Muitos homens que conhecem pouco as peculiares femininas. Tratam a mulher como se estivessem lidando com outro homem. Faltam-lhes conhecimento e tato.

---

[21] SPROUL, R. C. *1-2 Peter*, p. 95.
[22] WIERSBE, Warren W. *Comentário bíblico expositivo*, p. 529,530.
[23] MUELLER, Ênio R. *I Pedro: Introdução e comentário*, p. 181.
[24] HENRY, Matthew. *Comentário bíblico Atos-Apocalipse*, p. 873.

Em terceiro lugar, *o aspecto emocional*. ... *tendo consideração para com a vossa mulher como parte mais frágil...* (3.7b). O marido precisa tratar a mulher com cavalheirismo. Precisa ser romântico, carinhoso e amável no trato. Deve dirigir-se constantemente a ela, dizendo: *Muitas mulheres procedem virtuosamente, mas tu a todas sobrepujas* (Pv 31.29). Nada fere mais uma mulher que um marido casca-grossa e rude no trato. É óbvio que Pedro não está dizendo que a mulher é a parte mais frágil em termos mentais, morais ou espirituais, mas sim em termos físicos. A mulher é mais sensível na alma e mais frágil na força física. Dessa forma, como o mais forte dos dois parceiros no casamento, o marido deve carregar os fardos mais pesados, proteger a esposa e suprir suas necessidades. O marido deve tratar a esposa como um vaso caro, belo e frágil, que contém um tesouro precioso.[25] A expressão "ter consideração" significa que o marido respeita os sentimentos, os desejos e a maneira de pensar da esposa.

Em quarto lugar, *o aspecto espiritual*. ... *tratai com dignidade, porque sois, juntamente, herdeiros da mesma graça de vida, para que não se interrompam as vossas orações* (3.7c). William Barclay informa que as mulheres não participavam dos cultos gregos e romanos. Até mesmo às sinagogas judias as mulheres não tinham acesso. No cristianismo, porém, as mulheres têm iguais direitos espirituais.[26] E não apenas isso, mas a vida espiritual do marido está diretamente relacionada à forma com que ele trata sua mulher. Concordo com Holmer quando ele diz: "Quando cessam as orações ou quando são tão tolhidas que se resumem a mera formalidade, a vida espiritual e também o matrimônio correm perigo".[27]

O que Pedro está dizendo é que, se o marido falhar em amar, honrar e respeitar sua mulher, tal comportamento interromperá suas orações, pois "os suspiros da mulher maltratada se interpõem entre as orações do esposo e os ouvidos de Deus".[28] Concordo com o que diz Kistemaker: "Deus não aceita as orações que marido e mulher oferecem num

---

[25]WIERSBE, Warren W. *Comentário bíblico expositivo*, p. 529.
[26]BARCLAY, William. *Santiago, I y II Pedro*, p. 256.
[27]HOLMER, Uwe. *Primeira Carta de Pedro*, p. 201.
[28]BARCLAY, William. *Santiago, I y II Pedro*, p. 256.

ambiente de luta, briga e discórdia. Ele quer que se reconciliem, para que possam orar juntos em paz e harmonia e, assim, gozar as incontáveis bênçãos divinas".[29] Concluo com o conselho de Matthew Henry: "Todos os casados devem se empenhar em se comportar de forma tão amável e pacífica um com o outro que não atrapalhem, com suas brigas, as suas orações".[30]

---

[29]KISTEMAKER, Simon. *Epístolas de Pedro e Judas*, p. 172.
[30]HENRY, Matthew. *Comentário bíblico Atos-Apocalipse*, p. 873.

7

A vida **vitoriosa** do cristão

1 Pedro 3.8-22

O APÓSTOLO DEIXA DE FALAR A GRUPOS ESPECÍFICOS dentro da igreja para falar a todo o povo. Está concluindo seu assunto. Apresenta-nos os princípios para uma vida vitoriosa, tanto diante dos homens como diante de Deus. Conforme diz Warren Wiersbe, podemos experimentar as melhores bênçãos nos piores momentos.[1] Vamos destacar alguns pontos importantes na exposição desta passagem.

Nossos **relacionamentos** (3.8-12)

Pedro estava falando sobre relacionamentos entre governantes e governados, patrões e empregados, e maridos e esposas. Agora, fecha o assunto mostrando princípios gerais que devem governar o relacionamento com nossos irmãos.

Em primeiro lugar, *o relacionamento com os irmãos* (3.8). A verticalidade da nossa fé desemboca na horizontalidade dos nossos relacionamentos. A prova de nosso amor a Deus é nosso amor aos irmãos. Pedro destaca alguns aspectos desse relacionamento fraternal.

---

[1] WIERSBE, Warren W. *Comentário bíblico expositivo*, p. 531.

A unidade de pensamento. Finalmente, sede de igual ânimo... (3.8). A palavra "finalmente" aqui não significa que Pedro está concluindo sua epístola. Até agora, ele falou a várias classes de indivíduos, como servos, esposas e maridos. Agora, chegando ao clímax de seu argumento, dirige a palavra a todos os cristãos.² Portanto, a palavra "finalmente" neste ponto tem o sentido de "em resumo". Assim como a Lei toda se resume ao amor (Rm 13.8-10), também os relacionamentos humanos, como um todo, se cumprem no amor.³ A palavra grega *homofrones* só aparece aqui em todo o Novo Testamento. A ideia básica é de "unanimidade" (At 4.32; Fp 2.2).⁴ A unidade da igreja não é sinônimo de uniformidade, mas de cooperação em meio à diversidade. Concordo com a percepção de Warren Wiersbe: "Os cristãos podem discordar quanto à *forma* de certas coisas, mas devem concordar quanto ao *conteúdo* e à *motivação*.⁵ Somos um corpo com diferentes membros. Não competimos uns com os outros; cooperamos mutuamente. Entre os membros da igreja de Deus não deve existir partidarismo nem vanglória. Em vez de pensar apenas no que é propriamente seu, cada irmão deve pensar no que é do outro, em como honrá-lo.

É bastante provável que dentro de uma igreja não haja dois cristãos que pensem exatamente igual acerca de todas as coisas. A respeito de que unidade, então, Pedro está falando? Certamente o que Pedro está dizendo é que, com respeito a Cristo e sua obra, devemos ter a mesma convicção. Essa convicção nos é dada pela Palavra de Deus.

Kistemaker capta bem o entendimento do texto, quando escreve:

> Tendo em vista a variedade de dons e talentos que Deus deu ao Seu povo, existem as diferenças de opinião. Pedro, porém, quer que os cristãos sejam governados pela mente de Cristo, de modo que as diferenças não dividam, mas enriqueçam a igreja. Assim, ele exorta os crentes a "viver em harmonia".⁶

---

²MacDonald, William. *Believer's Bible Commentary*, p. 2269.
³Wiersbe, Warren W. *Comentário bíblico expositivo*, p. 531.
⁴Mueller, Ênio R. *I Pedro: Introdução e comentário*, p. 184.
⁵Wiersbe, Warren W. *Comentário bíblico expositivo*, p. 531.
⁶Kistemaker, Simon. *Epístolas de Pedro e Judas*, p. 174.

Jesus orou pela unidade da igreja (Jo 17.21-23). Sua oração foi atendida, pois todos os que creram tinham um só coração e uma só alma (At 4.32). Paulo diz que embora sejamos muitos membros, temos um só corpo (Rm 12.4). O mesmo apóstolo exortou os coríntios a terem uma só mente (1Co 1.10). Na verdade, em Cristo Jesus, as paredes divisórias são demolidas e tanto judeus como gregos são um (Ef 2.13,14). Os cristãos devem manter a unidade do Espírito no vínculo da paz (Ef 4.3-6). Poderíamos sintetizar esse ponto com a conhecida expressão: "Nas coisas fundamentais, unidade; nas coisas não essenciais, liberdade; e em todas as coisas, caridade".

A compaixão. ... compadecidos... (3.8). Compaixão é ver a vida com os olhos do outro e sentir as dores do outro latejando debaixo de sua própria pele. É mais que estar do lado; é estar dentro. A Palavra de Deus ensina a nos alegrarmos com os que se alegram e a chorarmos com os que choram (Rm 12.15). Diz ainda: *De maneira que, se um membro sofre, todos sofrem com ele; e, se um deles é honrado, com ele todos se regozijam* (1Co 12.26).

O amor fraternal. ... fraternalmente amigos (3.8). A expressão "fraternalmente amigos" no grego é uma palavra só, *philadelphoi*, que significa "amor entre irmãos".[7] O amor entre os membros da igreja deve ser o mesmo amor que existe entre os irmãos de sangue. Amamos nossos irmãos não por causa de suas virtudes, mas apesar de suas fraquezas. Não os amamos por causa de seus méritos, mas apesar de seus deméritos. A figura mais vívida da igreja que temos nas Escrituras é a da família. Todos temos Deus como nosso Pai, e Jesus como nosso irmão mais velho. Por isso, somos todos irmãos uns dos outros. William MacDonald, diz corretamente que o verdadeiro amor não se origina necessariamente das emoções, mas da vontade; não consiste naquilo que sentimos, mas naquilo que fazemos; não se prova pelo sentimento, mas pela ação; não se mostra por palavras doces, mas por ações nobres e obras abnegadas.[8]

A misericórdia. ... misericordiosos... (3.8). Misericórdia é inclinar o coração diante da miséria de outra pessoa, mesmo quando ela é desprovida

---

[7] MUELLER, Ênio R. *I Pedro: Introdução e comentário*, p. 184.
[8] MACDONALD, William. *Believer's Bible Commentary*, p. 2269.

de qualquer merecimento. Jesus tratou os publicanos e pecadores com gentileza. Não esmagou a cana quebrada nem apagou a torcida que fumega. Tocou os leprosos, abraçou as crianças, comeu com os pecadores. Não há cristianismo onde não existe misericórdia.

A humildade. ... humildes (3.8). Humildade é descer do pódio da vaidade e honrar o irmão, considerando-o superior a si mesmo. Humildade não é ser pequeno, mas considerar-se como tal. O apóstolo Paulo escreve: *que não pense de si mesmo além do que convém* (Rm 12.3). Os símbolos da humildade são a toalha e a bacia. Há um ditado popular que diz: "Lata vazia faz barulho". Um restolho chocho jamais se dobra, mas a espiga prenhe de grãos se curva. No reino de Deus a pirâmide está invertida. Ser grande é ser pequeno. Ser o maior é ser servo de todos. A humildade é o portal da honra.

Em segundo lugar, *o relacionamento com os inimigos* (3.9).

A reação transcendental. Não pagando *mal por mal ou injúria por injúria; antes, pelo contrário, bendizendo...* (3.9a). Os cristãos dispersos da Ásia Menor estavam sendo perseguidos e espoliados. Seus inimigos falavam mal deles e lhes faziam mal. Em vez de pagarem na mesma moeda, os cristãos deveriam pagar o mal com o bem; em vez de responder às afrontas com injúria, deveriam abençoar seus inimigos e bendizer a Deus pelo sofrimento. Os apóstolos ouviram de Jesus: *Amai os vossos inimigos e orai pelos que vos perseguem* (Mt 5.44b). Paulo já havia ensinado: *Não torneis a ninguém mal por mal* (Rm 12.17a) e dado seu testemunho: *... Quando somos injuriados, bendizemos...* (1Co 4.12b). Retribuir o bem com o mal é perversidade; retribuir o bem com o bem ou o mal com o mal é justiça; mas retribuir o mal com o bem é graça.

A bênção celestial. ... pois para isto mesmo fostes chamados, a fim de receberdes bênção por herança (3.9b). O sofrimento faz parte da vida do cristão, que foi chamado para enfrentá-lo. Aqueles que sofrem por causa da justiça recebem como herança bênçãos celestiais. Kistemaker diz acertadamente que o cristão não trabalha para ganhar as bênçãos; ele as recebe por herança.[9] Nessa mesma linha de pensamento, Ernest Best acrescenta que

---

[9] KISTEMAKER, Simon. *Epístolas de Pedro e Judas*, p. 177.

nunca se trabalha para receber uma herança. Trata-se de um presente. A herança que o autor tem em mente é a salvação, a salvação eterna, e não o gozo dessa salvação no presente.[10] Warren Wiersbe conclui afirmando que as perseguições que sofremos na terra hoje enriquecem a bendita herança de glória que desfrutaremos um dia no céu (Mt 5.10-12).[11]

Em terceiro lugar, **nossa postura diante da vida**. *Pois quem quer amar a vida e ver dias felizes refreie a língua do mal e evite que os seus lábios falem dolosamente; aparte-se do mal, pratique o que é bom, busque a paz e empenhe-se por alcançá-la* (3.10,11). Embora o cristão tenha os olhos fitos no céu, não vive de forma alienada na terra. Embora enfrente com galhardia o sofrimento, não aprecia sofrer nem aborrece a vida. Ele ama a vida e deseja viver feliz, pois a vida é um dom de Deus, e os dias felizes, uma expressão da sua bondade. O fato de lidar com o sofrimento não impede o cristão de ser feliz. O cristianismo é a religião da felicidade. O nosso problema não é buscar a felicidade, mas contentar-nos com uma felicidade pequena demais, terrena demais, quando Deus nos salvou para a maior de todas as felicidades: a felicidade de amá-Lo, glorificá-Lo e fruí-Lo. É na presença de Deus que encontramos a plenitude de Deus. É na destra de Deus que encontramos delícias perpétuas (Sl 16.11). Jesus veio para nos dar vida, e vida em abundância (Jo 10.10). Mueller, nessa mesma linha de pensamento, escreve:

A vida é dom de Deus, por isso deve ser amada. Isto não significa colocá-la acima do próprio Deus. Todo tipo de sofrimento imposto a outros, que os impeça de desfrutar a vida, é intrinsecamente mau. Assim, os cristãos não devem aspirar de forma masoquista ao sofrimento. Devemos aspirar por dias felizes, sendo que o louvor que neles se eleva não é menos santo do que o louvor do sofrimento.[12]

Pedro nos oferece quatro conselhos para experimentarmos a verdadeira felicidade. Os dois primeiros são negativos, ou seja, aquilo que precisamos evitar, o terceiro é uma ordenança negativa e uma e uma positiva, e o último é positivo, ou seja, aquilo que precisamos fazer.

---

[10]BEST, Ernest. *I Peter*. Oliphants, London: New Century Bible Series, 1971, p. 130.
[11]WIERSBE, Warren W. *Comentário bíblico expositivo*, p. 532.
[12]MUELLER, Ênio R. *I Pedro: Introdução e comentário*, p. 188.

1. *Refreia a língua do mal.* Uma língua carregada de maldade é um azorrague que traz sofrimento. Uma língua maldosa fere como espada, destrói como fogo e mata como veneno. Não apenas as palavras, mas também os atos de um cristão devem evitar até mesmo a aparência do mal (1Ts 5.22). Precisamos clamar como o salmista: *Põe guarda, SENHOR, à minha boca; vigia a porta dos meus lábios* (Sl 141.3).
2. *Não fale com dolo.* Falar dolosamente é esconder atrás das palavras macias uma intenção implacável. É dizer uma coisa e sentir outra. É bajular com a língua na frente e depois apunhalar traiçoeiramente pelas costas. O mal específico que Pedro tem em vista aqui é o engano. Satanás é o pai da mentira (Jo 8.44). Não há verdade nele. O cristão vive na luz e anda na verdade. Sua língua, longe de ser um instrumento de maldade e engano, deve ser uma fonte que traz glória ao nome de Cristo e edificação para os irmãos.
3. *Aparte-se do mal e pratique o bem.* Ninguém pode ser feliz no território da maldade. Onde a maldade habita, a felicidade arruma as malas e vai embora. Uma pessoa é verdadeiramente feliz quando se dedica à prática do bem.
4. *Busque a paz.* A paz não é automática; precisa ser buscada. Precisamos empenhar-nos até alcançá-la. A Palavra de Deus nos exorta, repetidamente, a vivermos em paz com todos (Rm 12.18; 14.19; 2Co 13.11; 1Ts 5.13; 2Tm 2.22; Hb 12.14). Foi o próprio Jesus quem proferiu a bem-aventurança: *Bem-aventurados os pacificadores, porque serão chamados filhos de Deus* (Mt 5.9). Obviamente, essa paz não equivale a acomodação e conivência com o erro. Não é paz a qualquer preço. Os falsos profetas diziam para o povo "Paz, paz" apenas para anestesiá-los em seus pecados (Jr 6.14). O mundo fala em paz, mas investe mais na guerra. As nações firmam tratados de paz, mas se rebelam contra o Príncipe da Paz.

Em quarto lugar, **nossa vida de oração**. *Porque os olhos do Senhor repousam sobre os justos, e os seus ouvidos estão abertos às suas súplicas, mas o rosto do Senhor está contra aqueles que praticam males* (3.12). Uma igreja perseguida precisa entender que Deus está atento às suas orações. Deus vê e ouve. Nossa causa não passa despercebida aos olhos daquele que a todos sonda. Aqueles, porém, que se entregam à prática da maldade terão de enfrentar a ira do Todo-poderoso. Kistemaker diz com razão que o contraste aqui é claro, pois Deus vê as obras do povo justo e vê aqueles que praticam o mal. Nada escapa de suas vistas. E que ninguém pense que Deus não se importa. Aqueles que se deleitam em fazer o mal não têm em Deus um amigo, mas um adversário.[13] Uma boa ilustração para este versículo se encontra em Atos 12. Pedro estava preso e Herodes se assentava garbosamente no trono. A igreja orava por Pedro e Herodes aguardava o fim da festa da Páscoa para matar Pedro. O anjo de Deus foi enviado para libertar Pedro e ferir mortalmente Herodes. Os olhos de Deus repousavam sobre Pedro e seus ouvidos estavam abertos às súplicas da igreja, mas o rosto de Deus estava contra Herodes.

Nossos **sofrimentos** (3.13-17)

Em primeiro lugar, *a prevenção contra o sofrimento*. *Ora, quem é que vos há de maltratar, se fordes zelosos do que é bom?* (3.13). Em situação normal, ninguém é maltratado por praticar o bem. As autoridades são ministros de Deus para promover o bem e coibir o mal (Rm 13.4). Quando alguém age com integridade deve receber os louvores da autoridade. A palavra "zelosos" tem a mesma raiz de "zelotes", extremistas políticos que se rebelavam contra o poder romano. Pedro, porém, não está exortando os leitores a se tornarem extremistas políticos, mas a investirem sua energia fazendo o bem.[14] De acordo com William Barclay, o que Pedro está dizendo é que devemos amar o bem com mesma paixão com a qual o fanático patriota ama seu país.[15]

Em segundo lugar, *a alegria no sofrimento*. *Mas, ainda que venhais a sofrer por causa da justiça, bem-aventurados sois. Não vos amedronteis, portanto, com as suas ameaças, nem fiqueis alarmados* (3.14). No tempo de Pedro, os cristãos começaram a sofrer por causa da justiça. Os pagãos falavam mal deles. Seus bens eram confiscados. Eles foram dispersos e perambularam pela terra como peregrinos e forasteiros. Mesmo

---

[13]KISTEMAKER, Simon. *Epístolas de Pedro e Judas*, p. 179.
[14]KISTEMAKER, Simon. *Epístolas de Pedro e Judas*, p. 181.
[15]BARCLAY, William. *Santiago, I y II Pedro*, p. 262.

passando por esse fogo ardente, os cristãos deveriam exultar, pois eram bem-aventurados. No passado, o mesmo havia acontecido com os profetas de Deus (Mt 5.12). Jesus foi categórico em afirmar: *Bem-aventurados os perseguidos por causa da justiça, porque deles é reino dos céus* (Mt 5.10). Quando fazemos o bem e recebemos o mal em troca, Deus nos fortalece, nos consola e nos alegra. Um garoto de 12 anos, durante a Segunda Guerra Mundial, recusou juntar-se a certo movimento na Europa. Os carrascos perguntaram-lhe: "Você não sabe que temos poder para lhe matar?" O jovem respondeu: "E vocês não sabem que eu tenho o poder de morrer por Jesus?" Quando Policarpo foi preso em Esmirna por causa de sua fé, o procônsul romano prometeu soltar-lhe se ele negasse sua fé e blasfemasse contra Cristo. Policarpo respondeu: "Há 86 anos tenho servido a Cristo e Ele jamais me desamparou. Como posso agora blasfemar contra o meu Rei e Salvador?" De fato, bem-aventurados são os perseguidos por causa da justiça, porque, embora tombem na terra como mártires, levantam-se no céu como príncipes.

Mueller coloca essa questão de forma clara:

> As bem-aventuranças que Jesus anunciou, e que Pedro está citando, revelam um novo conceito de "felicidade". Aqui, são os infelizes deste mundo que são "felizes", aqueles que anseiam por "dias bons", como vimos (3.10), mas que na sua luta pela paz (3.11) e pela justiça (2.24), não obtêm os que buscam, mas só a perseguição e o sofrimento.[16]

Nem sempre Deus nos livra do sofrimento, mas sempre nos capacita e nos instrumentaliza quando passamos pelo sofrimento. Não estamos dizendo com isso que o sofrimento é essencialmente bom ou que as circunstâncias que nos atingem, em si mesmas, são boas. O que estamos afirmando é que Deus transforma as circunstâncias doloridas da vida em ferramentas para o nosso bem. Do meio das lágrimas da dor brota a alegria de ver Deus glorificado em nossas experiências. Foi assim com José no Egito. Seus irmãos intentaram o mal contra ele, mas Deus o transformou em bênção (Gn 50.20).

---

[16] MUELLER, Ênio R. *I Pedro: Introdução e comentário*, p. 194.

Em terceiro lugar, *a oportunidade do sofrimento*. *Antes, santificai a Cristo, como Senhor, em vosso coração, estando sempre preparados para responder a todo aquele que vos pedir razão da esperança que há em vós* (3.15). A injustiça e o sofrimento não devem levar-nos à revolta e à murmuração, mas ao testemunho. O sofrimento é uma oportunidade para a defesa da fé cristã. Os cristãos não devem temer a seus inimigos, mas a Deus, submetendo-se ao senhorio de Cristo e dando explicações consistentes e eloquentes de sua fé. Santificar a Cristo é honrá-lo como Senhor, reconhecendo seu senhorio sobre o mundo e sobre as circunstâncias da vida, inclusive a perseguição e o sofrimento.[17]

Pedro adaptou essa citação de Isaías 8.13a, que diz: *Ao SENHOR dos Exércitos, a Ele santificai*. Em sua época, Isaías instruiu o povo a não temer os exércitos invasores assírios, mas adorar a Deus. Em sua epístola, Pedro traz a mesma mensagem de encorajamento. Muda, porém, as palavras, ao honrar a Cristo como Senhor Todo-poderoso no coração.[18]

O sofrimento produzido pela perseguição é uma porta aberta para o testemunho cristão. Os cristãos devem estar preparados. E não apenas dispostos, mas também habilitados para falar sobre Cristo. Precisamos conhecer a verdade para sermos obreiros aprovados. Devemos demonstrar habilidade de responder a todos que nos perguntam sobre nossa fé em Cristo (Cl 4.6).[19]

A disciplina da apologética cristã encontra sua clássica e bíblica fundamentação neste versículo. A palavra grega *apologia* é aqui traduzida como "responder". O papel da apologética é prover uma defesa intelectual da verdade proclamada pelo cristianismo. Quando consagramos num ato de devoção nosso coração ao senhorio de Cristo, ficamos preparados para dar uma explicação inteligente da nossa fé. Mente e coração, razão e sentimento caminham juntos nessa defesa da fé cristã.

Em quarto lugar, *a postura diante do sofrimento*. *Fazendo-o, todavia, com mansidão e temor, com boa consciência, de modo que, naquilo em que falam contra vós outros, fiquem envergonhados os que difamam o vosso bom*

---

[17] MUELLER, Ênio R. *I Pedro: Introdução e comentário*, p. 196.
[18] KISTEMAKER, Simon. *Epístolas de Pedro e Judas*, p. 184.
[19] KISTEMAKER, Simon. *Epístolas de Pedro e Judas*, p. 185.

procedimento em Cristo (3.16). Há uma postura adequada a esse testemunho. Numa situação de ansiedade e animosidade, palavras podem ser ditas de uma forma que dissipe a eficácia que poderiam ter. O cristão perseguido e preocupado com a sua vida e a vida de sua família, ou com seu patrimônio, facilmente pode deixar de dar testemunho ou então fazê-lo de forma indevida.[20] A apologética cristã jamais pode ser feita num ambiente de soberba e arrogância. Os cristãos devem dar razão da sua esperança com conhecimento, mansidão, reverência e piedade, pois o propósito não é ganhar uma discussão, mas ganhar uma alma. Somos testemunhas, e não advogados de acusação. E mais: nessa defesa da verdade, devemos ter boa consciência. A consciência é o árbitro interior que nos aprova ou nos censura. Uma "boa consciência" nos acusa quando pensamos ou fazemos algo errado, e nos aprova quando fazemos algo certo. A vida do cristão precisa ser coerente. Ele não pode dizer uma coisa e fazer outra. Não pode demonstrar uma santidade em público e viver no pecado em secreto. Sua vida deve ser o avalista de suas palavras.

Em quinto lugar, *o propósito do sofrimento*. *Porque, se for da vontade de Deus, é melhor que sofrais por praticardes o que é bom do que praticando o mal* (3.17). Nem sempre Deus nos livra do sofrimento e da injustiça humana. Porém, quando nos permite passar por essas circunstâncias, é porque tem um propósito elevado: amadurecer-nos e promover sua própria glória. Kistemaker diz que o cristão que sofre injustamente enquanto faz boas obras sabe que Deus está no controle e que a providência divina guiará sua vida até o seu destino final.[21] O próprio Pedro escreve: *Mas, se sofrer como cristão, não se envergonhe disso; antes, glorifique a Deus com esse nome* (4.16).

O sofrimento de Cristo (3.18a)

Pedro faz uma transição do sofrimento do cristão para o sofrimento vicário de Cristo. O sofrimento de Cristo é singular. Não tem paralelo, uma vez que ele sofreu e morreu vicariamente, como nosso representante e

---

[20]MUELLER, Ênio R. *I Pedro: Introdução e comentário*, p. 198.
[21]KISTEMAKER, Simon. *Epístolas de Pedro e Judas*, p. 188.

substituto. William Barclay destaca acertadamente que, quando o cristão se vê obrigado a sofrer cruel e injustamente por causa de sua fé, só está percorrendo o mesmo caminho que seu Senhor e Salvador percorreu.[22]

Com respeito à morte vicária de Cristo, destacamos três pontos importantes.

Em primeiro lugar, *a sua eficácia*. *Pois também Cristo morreu, uma única vez, pelos pecados...* (3.18a). Cristo é mais uma vez nosso exemplo. Foi nosso exemplo na submissão e agora é nosso exemplo no sofrimento. O sofrimento de Cristo, porém, é único e sem paralelos. O sofrimento de Cristo é vicário. Ele se humilhou até a morte, e morte de cruz. No entanto, sua morte não foi um acidente, mas uma agenda. Sua morte não foi uma derrota, mas a maior de todas as vitórias. Sua morte fez cessar todos os sacrifícios judaicos. Os sacrifícios sacerdotais no templo tinham de ser repetidos diariamente, mas Cristo fez o sacrifício perfeito e definitivo ao oferecer-se a Si mesmo (Hb 7.27). Cristo morreu como o Cordeiro de Deus que tira o pecado do mundo. Paulo diz que Cristo morreu pelos nossos pecados segundo as Escrituras (1Co 15.3). Pela morte na cruz, Ele cancelou o escrito de dívida que era contra nós e despojou os principados e potestades (Cl 2.14,15). Sua morte foi única e irrepetível. Jesus sofreu pelos pecados de Seu povo de uma vez por todas (Hb 7.27; 9.26,28; 10.10,14). Ele é a propiciação pelos nossos pecados (1Jo 2.2). Seu sacrifício foi perfeito e cabal. Segundo R. C. Sproul: "Desde que Deus requer a punição pelo pecado, ele recebeu satisfação não de nós, que somos injustos, mas de Cristo, o justo, a fim de que ele pudesse ser justo e justificador" (Rm 3.26).[23]

Em segundo lugar, *a sua forma*. *... o justo pelos injustos...* (3.18b). Mueller observa que estamos aqui numa situação em que toda a humanidade, sem exceção, está colocada de um lado, e Cristo está posto sozinho, do outro.[24] Cristo, que é justo, tomou sobre Si os pecados do povo injusto. Cristo sofreu não pelos justos, mas pelos injustos. O apóstolo Paulo diz que Cristo morreu por nós, sendo nós fracos, ímpios, pecadores

---
[22]BARCLAY, William. *Santiago, I y II Pedro*, p. 266.
[23]SPROUL, R. C. *1-2 Peter*, p. 124.
[24]MUELLER, Ênio R. *I Pedro: Introdução e comentário*, p. 204.

e inimigos (Rm 5.6-10). Diz ainda: *Aquele que não conheceu pecado, Ele O fez pecado por nós; para que nEle fôssemos feitos justiça de Deus* (2Co 5.21). Jesus foi nosso substituto e nosso fiador. Levou sobre si nossos pecados e foi traspassado pelas nossas iniquidades. O único fundamento da nossa justificação no tempo e na eternidade é a imputação do nosso pecado a Cristo e a imputação da justiça de Cristo a nós. Lutero chamou essa justiça de justiça alienígena, ou seja, a justiça que vem de fora de nós. Somente o perdão sem causa pode igualar o pecado sem escusa. O sofrimento de Cristo foi por nossa causa, e o mistério é que aquele que não merecia sofrer padeceu em nosso lugar aquilo que nós teríamos de sofrer.[25]

Em terceiro lugar, *o seu propósito. ... para conduzir-vos a Deus...* (3.18c). O propósito da morte de Cristo foi reconciliar-nos com Deus, abrindo-nos o portal da graça e dando-nos livre acesso ao Pai (Rm 5.2; Ef 2.18; 3.12). Com sua morte, ele inaugurou para nós um novo e vivo caminho até Deus. Ele é caminho que nos leva ao Pai. Jesus é a porta de acesso ao trono da graça. William Barclay esclarece:

A palavra grega *prosagein* significa "conduzir". No Novo Testamento se usa em três ocasiões o substantivo *prosagoge*. *Prosagein*, o verbo, significa "introduzir"; *prosagoge*, o substantivo, significa "o direito de acesso". Mediante Jesus Cristo temos acesso à graça (Rm 5.2). Mediante Ele temos acesso a Deus, o Pai (Ef 2.18). Através dEle temos a segurança de chegar confiadamente a Deus (Ef 3.12). Nas cortes reais havia um funcionário chamado *prosagogeus*, "o introdutor", o que dá acesso; sua função era decidir quem seria admitido na presença do rei a quem se devia impedir que chegasse até ele. Se poderia dizer que ele tinha as chaves de acesso. Assim, Jesus Cristo, mediante o que Ele fez, é quem leva os homens à presença de Deus, e quem outorga o acesso a Deus.[26]

A vitória de Cristo (3.18b-22)

A passagem bíblica que temos diante de nós é uma das mais difíceis de interpretar em toda a Bíblia. Kistemaker chega a dizer que não

---

[25] BARCLAY, William. *Santiago, I y II Pedro*, p. 267.
[26] BARCLAY, William. *Santiago, I y II Pedro*, p. 268.

podemos esperar unanimidade na interpretação dessa passagem; não temos como chegar a um acordo.[27] Vamos destacar alguns pontos.

Em primeiro lugar, **Cristo morreu e ressuscitou.** *... morto, sim, na carne, mas vivificado no espírito* (3.18c). Cristo morreu e ressuscitou. Venceu a morte e trouxe à luz a imortalidade. As palavras "vivificado no espírito" também podem ser traduzidas como "vivificado pelo Espírito", de tal forma que não há certeza se Pedro se refere ao espírito humano de Jesus ou ao Espírito Santo.[28] Kistemaker entende que a expressão "vivificado no espírito" se relaciona à esfera espiritual da existência de Cristo após a ressurreição, embora não se possa excluir a possibilidade de uma referência ao Espírito Santo, uma vez que a ressurreição de Cristo é obra do Deus Triúno (Jo 10.18; Rm 6.4; 8.11)".[29]

Em segundo lugar, **Cristo proclamou publicamente sua vitória.** *No qual também foi e pregou aos espíritos em prisão, os quais, noutro tempo, foram desobedientes quando a longanimidade de Deus aguardava nos dias de Noé, enquanto se preparava a arca, na qual poucos, a saber, oito pessoas, foram salvos, através da água* (3.19,20). R. C. Sproul, renomado apologista cristão, diz que esta passagem provoca uma série de perguntas preliminares: Que espírito está em foco aqui, o espírito humano ou o Espírito Santo? Quem são esses espíritos em prisão? O que essa prisão indica e onde fica? Quando essa pregação aconteceu? Por que essa pregação foi necessária? Cada uma dessas perguntas tem respostas diferentes segundo diferentes estudiosos da Bíblia.[30] Na verdade, este é um dos textos mais difíceis de interpretar em todo o Novo Testamento. Não há consenso entre os estudiosos acerca de seu significado. Alguns indivíduos têm usado o texto como pretexto para justificar a herética ideia do purgatório bem como da salvação universal.

Kistemaker afirma que, se tomarmos o pronome relativo *qual* como relacionado àquilo que o antecede imediatamente, entenderemos que se refere ao Espírito Santo. Por meio do Espírito Santo, depois

---

[27]KISTEMAKER, Simon. *Epístolas de Pedro e Judas*, p. 193.
[28]SPROUL, R. C. *1-2 Peter*, p. 125.
[29]KISTEMAKER, Simon. *Epístolas de Pedro e Judas*, p. 192.
[30]SPROUL, R. C. *1-2 Peter*, p. 125.

da ressurreição, Jesus Cristo "foi e pregou aos espíritos em prisão" (3.19b). Esse é o pensamento de Calvino.[31] Também podemos relacionar a expressão *no qual* com a palavra *espírito* sem letra maiúscula. Se interpretarmos a frase nesse sentido, seu significado é, na verdade, "em estado ressurreto". O pronome relativo, nesse caso, está relacionado ao estado espiritual de Cristo após a ressurreição.[32]

Nosso entendimento é que esses "espíritos em prisão" não poderiam ser espíritos humanos. Isso porque não há salvação depois da morte. Então, essa proclamação foi feita aos anjos caídos. Sendo assim, não foi uma proclamação para redenção, uma vez que não há salvação para anjos caídos. O termo traduzido por "pregou" significa, simplesmente, "anunciou como arauto, proclamou".[33] Logo, essa proclamação não se deu no período entre a morte e a ressurreição de Cristo, pois em nenhum lugar as Escrituras nos informam que Jesus desceu ao inferno.

Na busca do correto entendimento da passagem, muitas interpretações já foram publicadas. As cinco mais conhecidas são apresentadas a seguir.

Primeiro, *a posição de Clemente de Alexandria, de que Cristo desceu ao inferno*. Essa interpretação vem da expressão contida no credo apostólico: "Ele [Jesus] desceu ao inferno". Clemente de Alexandria, por volta do ano 200 d.C., ensinava que Cristo foi ao inferno em espírito proclamar a mensagem da salvação às almas dos pecadores que lá estavam presas desde o dilúvio.[34] Essa posição de Clemente fica comprometida por duas razões óbvias: as Escrituras nada dizem sobre o aprisionamento de almas condenadas por Deus nem sobre a possibilidade de conversão após a morte.[35] Para Calvino, a expressão do credo apostólico, "desceu ao inferno", estava fora de lugar e deveria ser mudada na sequência do texto, como segue: "[Jesus] sofreu sob o poder de Pôncio Pilatos e foi crucificado, desceu ao inferno, morreu e foi sepultado".

---

[31]CALVIN, John. *Calvin's Commentaries*. Vol. 22. Grand Rapids, MI: Baker Books, 2009, p. 113.
[32]KISTEMAKER, Simon. *Epístolas de Pedro e Judas*, p. 193,194.
[33]WIERSBE, Warren W. *Comentário bíblico expositivo*, p. 537.
[34]KISTEMAKER, Simon. *Epístolas de Pedro e Judas*, p. 198.
[35]KISTEMAKER, Simon. *Epístolas de Pedro e Judas*, p. 199.

No entendimento de Calvino, Jesus de fato desceu ao inferno, mas não depois de Sua morte ou entre Sua morte e a ressurreição, mas quando estava na cruz. A razão para isso é que na cruz Jesus deu um brado: *Está consumado!* (Jo 19.30). Portanto, não haveria nada mais a ser feito depois de Sua morte. E, além disso, a Bíblia deixa claro onde Jesus estava entre Sua morte e Sua ressurreição. Seu corpo foi sepultado e Seu espírito foi entregue ao Pai (Lc 23.46). Consequentemente, nem em Seu corpo nem em Seu espírito, Jesus desceu ao inferno entre Sua morte e Sua ressurreição.

Kistemaker tem razão em observar que nenhuma parte das Escrituras ensina que, após a ressurreição e antes da ascensão, Cristo desceu ao inferno. Além do mais, temos dificuldade em aceitar a explicação de que Cristo, em seu espírito, foi pregar aos contemporâneos de Noé.[36] Essa era a tese de Clemente de Alexandria (300 d.C.), de que Jesus foi ao inferno para pregar o evangelho a pecadores cativos para que se arrependessem e fossem salvos. Agostinho, porém, refutou tal ideia, uma vez que o Novo Testamento ensina que não há oportunidade de salvação depois da morte. *E, assim como aos homens está ordenado morrerem uma só vez, vindo, depois disso, o juízo* (Hb 9.27). Concordo com R. C. Sproul: "O protestantismo histórico não crê numa segunda chance depois da morte".[37]

Segundo, *a posição de Agostinho*. Por volta de 400 d.C., Agostinho afirmou que o Cristo preexistente proclamou a salvação por intermédio de Noé ao povo que viveu antes do dilúvio. O problema é que isso é um desvio das palavras de 1Pedro 3.19: *No qual também foi e pregou aos espíritos em prisão*. Agostinho fala sobre o Cristo pré-encarnado, não sobre Cristo que foi *morto, sim, na carne, mas vivificado no espírito* (3.18b). Poderíamos sintetizar a posição agostiniana assim: "Por meio de (Espírito Santo), Ele (Cristo), foi e pregou (por meio de Noé) aos espíritos (agora) em prisão (no Hades)".[38] Kistemaker diz que a posição de Agostinho predominou no cenário teológico durante séculos, até

---

[36]KISTEMAKER, Simon. *Epístolas de Pedro e Judas*, p. 195.
[37]SPROUL, R. C. *1-2 Peter*, p. 126.
[38]MACDONALD, William. *Believer's Bible Commentary*, p. 2272.

que o ponto de vista doutrinário de Belarmino, que veremos a seguir, tomou seu lugar na Igreja Católica Romana.[39]

Terceiro, *a posição do cardeal Roberto Belarmino*. Esse cardeal católico introduziu, na última metade do século VI d.C., a ideia que tem sido defendida por muitos católicos romanos: em espírito, Cristo foi libertar as almas dos justos que se arrependeram antes do dilúvio e que tinham ficado no limbo, ou seja, no lugar entre o céu e o inferno, onde, segundo Belarmino, ficavam as almas dos santos do Antigo Testamento. A interpretação de Belarmino foi amplamente rejeitada pelos protestantes, pelo fato de as Escrituras ensinarem que os santos do Antigo Testamento estão no céu (Hb 11.5,16,40; 12.23).[40] O princípio é que a obra de Cristo é aplicada por Deus tanto para trás com para frente. Os crentes do Antigo Testamento confiaram na promessa futura; nós confiamos no cumprimento da promessa.[41] Eles creram no Cristo da promessa; nós cremos no Cristo da história.

Quarto, *a posição de Friedrich Spitta*. Na última década do século XVIII, Spitta ensinou que, depois de Sua morte e antes de Sua ressurreição, Cristo pregou aos anjos caídos, também conhecidos como "filhos de Deus" que, no tempo de Noé, haviam se casado com as "filhas dos homens" (Gn 6.2; 2Pe 2.4; Jd 6). John MacArthur também interpreta o texto de Gênesis como indicando um intercasamento entre seres celestiais e seres terrenos.[42] A posição bíblica mais consistente é que "os filhos de Deus" se referem aos descendentes de Sete que mantiveram sua integridade, e "as filhas dos homens" se referem às descendentes da linhagem de Caim, que estavam cheias de corrupção.[43] A posição de Spitta tem inconsistências gritantes. A ideia de relacionamento sexual entre anjos e mulheres não tem nenhuma sustentação bíblica. Ao responder aos saduceus que lhe perguntaram sobre a ressurreição, Jesus afirmou que os anjos não se casam nem se dão em casamento (Mt 22.30). Logo, é absolutamente improvável que

---

[39]KISTEMAKER, Simon. *Epístolas de Pedro e Judas*, p. 199.
[40]KISTEMAKER, Simon. *Epístolas de Pedro e Judas*, p. 199.
[41]SPROUL, R. C. *1-2 Peter*, p. 127.
[42]SPROUL, R. C. *1-2 Peter*, p. 127.
[43]SPROUL, R. C. *1-2 Peter*, p. 127.

os anjos caídos, que são espíritos, se tenham casado e mantido relações sexuais com mulheres.[44]

Quinto, *a posição contemporânea*. Comentaristas contemporâneos ensinam que o Cristo ressurreto, quando ascendeu aos céus, proclamou aos espíritos em prisão sua vitória sobre a morte. O Cristo exaltado passou pelo reino onde são mantidos os anjos caídos e proclamou seu triunfo sobre eles. A Bíblia fala que os anjos de Deus e os demônios habitam nas regiões celestes (Ef 6.12; Cl 2.15). Francis Schaeffer ilustra isso com uma casa de dois andares. O primeiro é o andar onde vivemos. Aqui é o mundo visível. O segundo andar, as regiões celestes, é o mundo espiritual invisível, onde estão os seres angelicais. Cristo proclamou Sua vitória aos seres angelicais nessas regiões celestes. De acordo com Kistemaker, essa interpretação encontra reações favoráveis nos meios protestantes, e também entre os católicos romanos, e está em harmonia com o ensinamento da passagem de Pedro e o restante das Escrituras.[45] Na mesma linha de pensamento, Mueller escreve:

A tônica nessa passagem seria que as forças espirituais do mal foram julgadas por Cristo na morte e na ressurreição, e que Ele próprio proclamou-lhes a Sua vitória, ficando elas submetidas a Ele desde então, como soberano celeste, que governa à destra de Deus. A mensagem seria, assim, a mesma do quadro pintado em Colossenses 2.15, de uma procissão triunfal em que Cristo expõe "os principados e potestades" derrotados na cruz. Para os cristãos da Ásia Menor, aos quais 1Pedro foi escrita, certamente esta era uma mensagem de tremenda significação. A Ásia Menor era conhecida como uma região em que grassava todo tipo de artes mágicas e envolvimentos com forças ocultas. Como exemplo, pode-se ver Atos 19.19, que menciona os que praticavam artes mágicas em Éfeso, antes da sua conversão a Cristo, e como queimaram os livros de magia. Em Pérgamo, segundo Apocalipse 2.13, encontrava-se "o trono de satanás"; e em Tiatira muitos se gabavam de conhecer "as coisas profundas de satanás (2.24)... Numa situação como essa, o anúncio da vitória de Cristo sobre todas as forças do mal, na sua

---

[44]KISTEMAKER, Simon. *Epístolas de Pedro e Judas*, p. 200.
[45]KISTEMAKER, Simon. *Epístolas de Pedro e Judas*, p. 200.

morte e ressurreição é muito encorajador. Essas forças angélicas haviam se tornado objeto de culto por toda a Ásia Menor. Portanto, estar do lado de Cristo é estar do lado do Senhor do universo, do lado da vitória, da vida, sem se deixar intimidar por quaisquer forças malignas que se levantem contra aqueles que "em Cristo" (3.16) "passaram das trevas para a luz" (2.9).[46]

Em terceiro lugar, **Cristo instituiu o batismo**. *... enquanto se preparava a arca, na qual poucos, a saber, oito pessoas, foram salvos, através da água, a qual, figurando o batismo, agora também vos salva, não sendo a remoção da imundícia da carne, mas a indagação de uma boa consciência para com Deus, por meio de ressurreição de Jesus Cristo* (3.20b,21). Mais uma vez Pedro muda de assunto. Agora, passa a falar sobre o batismo. Destacamos aqui quatro pontos para nossa reflexão.

O histórico. Pedro evoca a história do dilúvio. Nesse tempo, enquanto Noé preparava a arca, tornou-se o pregador da justiça (2Pe 2.5). A população do mundo pereceu, e apenas oito pessoas foram salvas, através da água. A mesma água que afogou as multidões fez a arca boiar. A família de Noé entrou na arca e deixou para trás um mundo de iniquidade. Antes que o dilúvio de perversidade desse fim à família de Noé, Deus os salvou e deu continuidade à raça humana.[47]

O símbolo. O livramento de Noé das águas do dilúvio é visto como uma prefiguração e um símbolo salvífico do batismo. Concordo com Kistemaker quando ele diz que o texto pressupõe uma semelhança entre o dilúvio e o batismo, ou seja, da mesma forma que as águas do dilúvio limparam a terra da perversidade humana, assim também a água do batismo indica a purificação do ser humano dos pecados. Da mesma forma que o dilúvio separou Noé e sua família do mundo perverso da época, assim também o batismo separa os crentes do mundo perverso de nossos tempos. O batismo, portanto, assemelha-se ao dilúvio.[48]

O significado. O batismo é um símbolo. O batismo não salva nem a água do batismo purifica. O ensino romano acerca da regeneração

---

[46]MUELLER, Ênio R. *I Pedro: Introdução e comentário*, p. 217,218.
[47]KISTEMAKER, Simon. *Epístolas de Pedro e Judas*, p. 201.
[48]KISTEMAKER, Simon. *Epístolas de Pedro e Judas*, p. 202.

batismal não tem amparo nas Escrituras. O batismo não opera por si mesmo. O batismo não faz de um pagão um cristão. A Palavra de Deus é clara: *Não por obras de justiça praticadas por nós, mas segundo Sua misericórdia, Ele nos salvou mediante o lavar regenerador e renovador do Espírito Santo* (Tt 3.5). Somos salvos pela morte expiatória de Cristo na cruz e por Sua ressurreição (Rm 6.4). O batismo é um símbolo do sangue purificador de Cristo e o do lavar regenerador do Espírito. Pedro deixa claro que o sacramento do batismo em si mesmo não é eficaz para remover a imundícia da carne. Kistemaker esclarece esse ponto: "O batismo que salva a pessoa deve ser expresso por uma cerimônia externa desse sacramento e através da indagação de uma boa consciência para com Deus, que flui do coração do cristão".[49] Warren Wiersbe lança luz sobre nosso entendimento quando diz que a palavra "indagação", no versículo 21, é um termo legal para indicar "promessa, garantia". Quando uma pessoa assinava um contrato, costumava perguntar-se a ela: "Você promete obedecer e cumprir aos termos deste contrato?", ao que deveria responder: "Sim, prometo" a fim de poder assinar. Quando os convertidos eram preparados para o batismo, deveriam responder se era sua intenção obedecer e servir a Deus, rompendo com sua vida passada de pecado. Se houvesse alguma reserva em seu coração ou se eles mentissem deliberadamente, não teriam uma boa consciência e, sob a pressão da perseguição, acabariam negando ao Senhor. Assim, Pedro lembrava-os do testemunho que haviam dado no batismo, a fim de estimulá-los à fidelidade a Cristo.[50]

O instrumento. Pedro diz que a salvação recebida e testemunhada publicamente no batismo nos é concedida por meio da ressurreição de Cristo. A ressurreição de Cristo é o amém de Deus Pai ao grito de triunfo de Seu Filho na cruz: "Está consumado!" Um Cristo morto seria incapaz de salvar. A igreja não adora o Cristo que esteve vivo e está morto, mas o Cristo que esteve morto e está vivo. O apóstolo Paulo chega a dizer que, se Cristo não ressuscitou, *é vã a nossa pregação, e vã, a vossa fé* (1Co 15.14). Sem a ressurreição, o batismo não teria nenhum valor.

---

[49] KISTEMAKER, Simon. *Epístolas de Pedro e Judas*, p. 203.
[50] WIERSBE, Warren W. *Comentário bíblico expositivo*, p. 539.

Em quarto lugar, **Cristo ascendeu ao céu.** *O qual, depois de ir para o céu...* (3.22a). Jesus Cristo veio do céu, encarnou-Se, viveu, morreu, foi sepultado, ressuscitou e voltou ao céu. Sua ascensão pública (Lc 24.50,51; At 1.9-11) foi a garantia de que sua obra redentora foi vitoriosa.

Em quinto lugar, **Cristo está exaltado à destra de Deus Pai.** *... está à destra de Deus...* (3.22b). Jesus retornou ao céu para receber a maior honra imaginável. Ele está ao lado direito de Deus Pai. Tem em Suas mãos o livro da história. Governa o universo e dirige a igreja (Ef 1.20; Hb 1.3; 10.12; 12.2). William MacDonald diz que o lugar onde Cristo foi colocado representa: 1. poder (Mt 26.64); 2. honra (At 2.33; 5.31); 3. descanso (Hb 1.3); 4. intercessão (Rm 8.34); 5. preeminência (Ef 1.20,21); 6. domínio (Hb 1.13).[51]

Em sexto lugar, **Cristo está revestido de toda autoridade.** *... ficando-lhe subordinados anjos, e potestades, e poderes* (3.22c). O termo "anjos" inclui espíritos bons e maus. Tanto os anjos quanto os demônios são subordinados a Cristo. Essas mesmas potestades e poderes que hoje estão sob a autoridade de Cristo serão destruídas por Ele em Sua segunda vinda (1Co 15.24). Concluo, com as palavras de Mueller:

Cristo, após a sua vitória sobre estes poderes na morte (Cl 2.15) e sobre a própria morte na Sua ressurreição, é recebido agora nas esferas celestes, de onde o universo é governado, e entronizado como regente do universo, à destra de Deus Todo-poderoso. Por todos os cantos do universo é feita a proclamação: *o reino do mundo se tornou de nosso Senhor e do Seu Cristo, e Ele reinará pelos séculos dos séculos* (Ap 11.15). E todas as forças cósmicas deste universo são colocadas debaixo de Seus pés.[52]

---

[51]MacDonald, William. *Believer's Bible Commentary*, p. 2275.
[52]Mueller, Ênio R. *I Pedro: Introdução e comentário*, p. 224.

8

Como transformar o
sofrimento em triunfo

1 Pedro 4.1-19

O HEDONISMO FAZ DA FELICIDADE O FIM ÚLTIMO DA VIDA. O problema é que o hedonista contenta-se com uma felicidade pequena demais, terrena demais, superficial demais. Na verdade, Deus nos criou e nos salvou para a maior de todas as felicidades, a felicidade de amá-Lo, glorificá-Lo e fruí-Lo para sempre. A verdadeira felicidade não é uma iguaria no banquete do pecado, mas uma realidade encontrada na presença de Deus. É na presença de Deus que existe plenitude de alegria; e somente em sua intimidade nossa alma experimenta delícias perpetuamente.

Muitos cristãos entram em crise quando passam por sofrimento. Perguntam: por que um cristão sofre? Será que está em pecado? Será que Deus o está castigando? Ele não tem fé ou desconhece seus direitos?

Outros ainda indagam: se existe sofrimento, Deus existe mesmo? Se Deus é bom e também onipotente, por que não destrói o mal? Por que precisamos sofrer? Por que coisas más acontecem com pessoas boas?

O sofrimento é variado e atinge a todos. Há sofrimento físico e sofrimento emocional. Há dor amortecida e dor aguda. Mas muitas formas de sofrimento não se irradiam da dor física. O medo e a ansiedade podem produzir grande sofrimento. A humilhação, o desprezo, a solidão, a perda de um ente querido, o remorso, a destruição do casamento podem causar grande sofrimento. O sofrimento emocional pode ser tão profundo quanto a dor física.

O sofrimento é complexo: abrange a mente, as emoções, o físico e o espírito. A depressão profunda é uma terrível realidade para muitos. Há a dor do faminto, do desamparado, do órfão, da vítima, do enlutado, do perdido.

A Bíblia está repleta de relatos que dizem que Deus não nos poupa do sofrimento, mas caminha conosco pelo sofrimento (Is 43.1-3; Sl 23.4). Deus trabalha as circunstâncias dolorosas da nossa vida e as canaliza para o nosso bem (Gn 50.20; Rm 8.28). Deus transforma as circunstâncias adversas em benefício para nós (Fp 1.12; Sl 84.5-7). Mesmo que as circunstâncias não mudem, Deus mesmo é a razão da nossa alegria (Hc 3.17,18). Podemos alegrar-nos nas tribulações (Rm 5.3-5; Tg 1.2).

O apóstolo Pedro oferece alguns princípios para triunfarmos no meio do sofrimento.

Os propósitos de Deus no sofrimento do cristão (4.1-11)

Quatro verdades são destacadas pelo apóstolo Pedro nesta passagem.

Em primeiro lugar, *o sofrimento nos ajuda a vencermos o pecado* (4.1-3). O sofrimento faz o pecado perder o poder em nossa vida. Enquanto o sofrimento endurece o ímpio, amolece o coração do crente. O exemplo do sofrimento de Cristo ajuda o cristão a enfrentar o sofrimento com a mesma disposição. O cristão não é melhor do que o seu Senhor. Se o mundo perseguiu a Cristo, infligirá sofrimento a nós também. O sofrimento nos leva a entender que os prazeres do mundo e as paixões da carne não compensam. O sofrimento nos leva a desmamarmos do mundo.

Concordo com Willliam MacDonald quando ele diz que o cristão é confrontado aqui com duas possibilidades: pecado ou sofrimento. Se escolher viver como os ímpios à sua volta, refestelando-se em seus prazeres pecaminosos, evitará a perseguição. Mas, se viver de forma justa e piedosa, levando o opróbrio de Cristo, sofrerá nas mãos dos ímpios.[1]

O cristão deve ter três atitudes em relação ao pecado.

---
[1] MACDONALD, William. *Believer's Bible Commentary*, p. 2275, 2276.

Declarar guerra ao pecado. Ora, tendo Cristo sofrido na carne, armai-vos também vós do mesmo pensamento; pois aquele que sofreu na carne deixou o pecado (4.1). Pedro nos convoca a termos uma atitude militante contra o pecado. Precisamos ser como soldados que colocam seus equipamentos e se armam para a batalha.[2] Kistemaker diz que o cristão arma-se não para o combate físico, mas para um conflito espiritual.[3] Nessa guerra espiritual devemos tomar toda a armadura de Deus (Ef 6.11), sabendo que nossas armas não são carnais, mas poderosas em Deus para anularmos sofismas, destruirmos fortalezas e levarmos todo pensamento cativo à obediência de Cristo (2Co 10.4).

Por que devemos resistir ao pecado? Porque o pecado causou terrível sofrimento a Cristo (2.21; 3.18; 4.1). Warren Wiersbe é contundente ao perguntar: "Como ter prazer em algo que levou Jesus a sofrer e a morrer na cruz? Se um criminoso cruel esfaqueasse meu filho e o matasse, duvido que eu guardaria a faca em uma redoma de vidro na estante da sala".[4] O apóstolo João diz que aquele que permanece em Cristo não vive em pecado (1Jo 3.6). Diz ainda que todo aquele que pratica o pecado procede do diabo (1Jo 3.8).

Conhecer a vontade de Deus. Para que, no tempo que vos resta na carne, já não vivais de acordo com as paixões dos homens, mas segundo a vontade de Deus (4.2). Resistir ao pecado nos possibilita conhecer a vontade de Deus. A vontade Deus não é um fardo sobre nós; ao contrário, torna o nosso fardo leve. Kistemaker afirma que Pedro faz aqui um contraste gritante entre os "desejos humanos perversos" e a "vontade de Deus". Os dois são mutuamente excludentes, e os cristãos devem saber que não podem seguir a ambos (Rm 6.2,6,7; 1Jo 2.16,17).[5] Os cristãos preferem sofrer por Cristo a pecarem como os ímpios. Estão prontos a morrerem, não a pecarem.

Não ter saudade do passado. Porque basta o tempo decorrido para terdes executado a vontade dos gentios, tendo andado em dissoluções, concupiscências, borracheiras, orgias, bebedices e em detestáveis idolatrias (4.3).

---

[2]WIERSBE, Warren W. *Comentário bíblico expositivo*, p. 541.
[3]KISTEMAKER, Simon. *Epístolas de Pedro e Judas*, p. 212.
[4]WIERSBE, Warren W. *Comentário bíblico expositivo*, p. 541.
[5]KISTEMAKER, Simon. *Epístolas de Pedro e Judas*, p. 215.

Resistir ao pecado nos ajuda a lembrar da nossa cruel escravidão no passado, da grandeza da nossa redenção no presente e da gloriosa recompensa no futuro. O cristão não pode ter saudade do seu passado de escravidão ao pecado.

Há ocasiões em que é errado olhar para o passado, pois satanás pode usar essas memórias para nos desanimar. Mas Deus instou os israelitas a se lembrarem de que haviam sido escravos no Egito (Dt 5.15).[6]

Os substantivos usados por Pedro, no original, estão todos no plural:

- "Dissoluções": muitos atos incontidos de luxúria e iniquidade, ou seja, qualquer tipo de descontrole;
- "Concupiscências": desejos perversos, luxúria;
- "Borracheiras": transbordamento de vinho que aponta para o excesso de consumo da bebida e carateriza um beberrão;
- "Orgias": termo definido como uma procissão noturna e desordeira de pessoas semiembriagadas e festivas que, depois de jantar, desfilavam pelas ruas com tochas e músicas em homenagem a Baco ou alguma outra divindade, cantando e tocando diante das casas de seus amigos e amigas;
- "Bebedices": traz a ideia de uma festa em que se bebe não necessariamente em excesso, mas dando oportunidade para que isso aconteça;
- "Detestáveis idolatrias": a adoração de ídolos resultava em imoralidade e intemperança, por esse motivo Pedro chama as idolatrias de detestáveis.[7]

MacDonald diz que uma pessoa se torna semelhante àquilo que ela adora. Quando abandona o verdadeiro Deus, seus valores morais são automaticamente relativizados.[8]

Em segundo lugar, *o sofrimento nos ajuda a testemunharmos de Cristo* (4.4-6). Os amigos não salvos ficam surpresos quando o cristão

---

[6]WIERSBE, Warren W. *Comentário bíblico expositivo*, p. 542.
[7]KISTEMAKER, Simon. *Epístolas de Pedro e Judas*, p. 217,218.
[8]MACDONALD, William. *Believer's Bible Commentary*, p. 2276.

se recusa a participar das coisas que eles participam. Mesmo sofrendo, o cristão canta, louva, adora e agradece a Deus. Jó, mesmo depois de perder seus bens, seus filhos e sua saúde, e mesmo prostrado na cinza, ainda glorifica a Deus, dizendo: ... *o SENHOR o deu e o SENHOR o tomou; bendito seja o nome do SENHOR!* (Jó 1.21). Paulo e Silas, depois de terem sido açoitados em praça pública e jogados no interior de um cárcere imundo, cantam na prisão à meia-noite. Isso impactou os prisioneiros e trouxe salvação ao carcereiro e à sua família (At 16.25-34). O diácono Estêvão, mesmo sendo acusado injustamente, tem um brilho no rosto como se fosse um anjo; mesmo apedrejado, intercede por seus algozes (At 6.15-7.53). Jesus, mesmo pregado na cruz, tem palavras de amor nos lábios (Lc 23.34).

Três fatos são destacados por Pedro no texto.

O testemunho do cristão produz estranheza nos ímpios. Por isso, difamando-vos, estranham que não concorrais com eles ao mesmo excesso de devassidão (4.4). O mundo fica chocado quando o cristão não participa de sua conduta reprovável nem aprova sua devassidão incorrigível. Para o ímpio, falar palavrões, contar piadas imorais, embriagar-se, assistir a filmes pornográficos e ter um comportamento imoral faz parte da vida. O ímpio não consegue entender como um cristão não aprecia essas mesmas coisas.

Os ímpios terão de prestar contas a Deus. Os quais hão de prestar contas Àquele que é competente para julgar vivos e mortos (4.5). Os ímpios podem julgar-nos, mas, um dia, Deus os julgará. O julgamento final pertence a Deus. E Deus julga as obras de cada um de modo imparcial (1.17) e reto (2.23). Deus julga vivos e mortos (At 10.42; Rm 14.9; 1Tm 4.1). Jesus foi enfático: *Digo-vos que toda palavra frívola que proferirem os homens, dela darão conta no Dia do Juízo* (Mt 12.36). Nesse dia, grandes e pequenos, vivos e mortos, comparecerão perante o trono branco e serão julgados (Ap 21.11-13). Nesse, dia, os ímpios ficarão desesperados (Ap 6.15-17).

A morte não tem a última palavra na vida dos cristãos. Pois, para este fim, foi o evangelho pregado também a mortos, para que, mesmo julgados na carne segundo os homens, vivam no espírito segundo Deus (4.6). De acordo com Warren Wiersbe, não podemos interpretar 1Pedro 4.6 sem levar em consideração o contexto do sofrimento, pois, de outro modo, teremos a impressão de que se trata de uma segunda chance de salvação após a morte. Pedro está lembrando seus leitores acerca dos cristãos martirizados por causa da fé. Eles foram julgados falsamente pelos homens, mas, na presença de Deus, receberam o verdadeiro julgamento. Os inimigos dos cristãos pensavam que, ao persegui-los até a morte, estavam dando a eles um julgamento justo e uma derrota definitiva. Mas não sabiam que, aos olhos de Deus, esses cristãos continuavam a viver no espírito.[9] Nas palavras de MacDonald, a pregação do evangelho traz dois resultados para aquele que crê – a zombaria dos homens e a aprovação de Deus.[10]

Os "mortos" citados no versículo 6 são "os que estão mortos agora", ou seja, no tempo em que Pedro escrevia. O evangelho é pregado somente aos vivos (1.25), pois não há oportunidade de salvação depois da morte (Hb 9.27).[11] R. C. Sproul diz acertadamente que Pedro não se refere à pregação de Jesus a espíritos mortos; ao contrário, tratando da razão pela qual Cristo veio ao mundo. Jesus pregou o evangelho, e muitos daqueles que o ouviram e creram tinham morrido. Agora sua luta tinha terminado e sua vitória já havia sido conquistada. Sob o ponto de vista bíblico, só há duas situações em que as pessoas morrem: na fé ou em pecado (sem fé). Todos os dias somos julgados pelos homens. Porém, o julgamento feito a nosso respeito neste mundo – seja bom ou mal – não conta, pois é julgamento feito na carne. O único julgamento que conta é o julgamento de Deus. Portanto, devemos viver não de acordo com o julgamento dos homens, mas de acordo com o julgamento de Deus no Espírito.[12]

Mueller ressalta um paralelismo importante entre 1Pedro 3.18b, *... morto, sim, na carne, mas vivificado no espírito*, e 1Pedro 4.6b, *... mesmo julgados na carne segundo os homens, vivam no espírito segundo Deus*. A mesma oposição entre *carne* e *espírito* se encontra aqui. As duas passagens falam sobre a mesma coisa. Tal como Cristo morreu e ressuscitou, também os crentes que morreram ressuscitarão com Ele.[13]

---

[9] KISTEMAKER, Simon. *Epístolas de Pedro e Judas*, p. 224.
[10] MACDONALD, William. *Believer's Bible Commentary*, p. 2277.
[11] WIERSBE, Warren W. *Comentário bíblico expositivo*, p. 543.
[12] SPROUL, R. C. *1-2 Peter*, p. 144,145.
[13] MUELLER, Ênio R. *I Pedro: Introdução e comentário*, p. 233.

De acordo com Simon Kistemaker, os estudiosos oferecem pelo menos quatro interpretações deste versículo.[14]

Em uma primeira interpretação, "mortos" se refere ao fato de Cristo ter descido ao inferno para pregar o evangelho a todos os mortos que não tinham ouvido ou que haviam rejeitado as boas-novas enquanto estavam vivos. As Escrituras, porém, não ensinam em parte alguma a possibilidade de salvação após morte (Lc 16.26; Hb 9.27). O ensino bíblico, portanto, contradiz essa interpretação.

Na segunda interpretação, os "mortos" são os crentes do Antigo Testamento que, por não terem vivido durante os tempos do Novo Testamento, tiveram de esperar para que Cristo lhes proclamasse o evangelho. Essa interpretação também está prejudicada, pois as Escrituras indicam que a alma dos crentes do Antigo Testamento está no céu (Hb 11.5,16,40; 12.23).

Na terceira interpretação, Clemente de Alexandria (por volta do ano 200 d.C.), sugeriu que o texto se referia à pregação do evangelho àqueles que estavam espiritualmente mortos (Ef 2.1; Cl 2.13). Essa interpretação deu a Clemente muitos seguidores, entre os quais Agostinho e Lutero. A objeção a essa posição vem do contexto anterior (4.5). Se a explicação de Clemente está correta, o intérprete teria de provar que Pedro usa a palavra "morto" com dois sentidos diferentes nos versículos 5 e 6. Está evidente que as palavras do texto não apoiam essa interpretação.

Na quarta interpretação, estudiosos contemporâneos dizem que os "mortos" são aqueles cristãos que ouviram e creram no evangelho enquanto estavam vivos, mas depois faleceram. A versão *NVI* inseriu o advérbio *agora* para ajudar o leitor a entender melhor o relato. Nessa interpretação, a expressão "mortos", tem o mesmo sentido nos versículos 5 e 6. Concordo, portanto, com Kistemaker quando ele diz que esta última interpretação é a menos criticável e a que apresenta respostas a mais objeções.[15] Nessa mesma linha de pensamento, Mueller escreve:

> Estes mortos seriam aqueles cristãos que já morreram, que já foram "julgados na carne segundo os homens". A preocupação com o destino

---
[14]KISTEMAKER, Simon. *Epístolas de Pedro e Judas*, p. 222,223.
[15]KISTEMAKER, Simon. *Epístolas de Pedro e Judas*, p. 223.

destes aparece em 1Tessalonicenses 4.13-17 e 1Coríntios 15.12,29. O evangelho foi pregado a estes enquanto vivos, e eles o receberam. Depois, morreram. A especulação acerca do destino dos mortos estava bastante acesa em alguns lugares. A intenção de Pedro, então, seria dar alento aos leitores, face às perseguições que estavam sofrendo. Os que hostilizavam os cristãos, podiam dizer: "Morreram, e daí? Que adiantou tudo isso? Vão para o mesmo lugar de todos!" Há, porém, uma realidade que não se vê com os olhos humanos, mas que em Deus é absolutamente certa. Estes que morreram "em Cristo" estão destinados a "viver no espírito segundo Deus". O contraste é entre o que parece ser a sua situação aos olhos humanos e a realidade da sua situação na perspectiva de Deus.[16]

Em terceiro lugar, *o sofrimento nos motiva a aguardarmos a segunda vinda de Cristo*. Ora, *o fim de todas as coisas está próximo; sede, portanto, criteriosos e sóbrios a bem das vossas orações* (4.7). Os cristãos primitivos viviam como que na ponta dos pés, aguardando o retorno de Cristo e a transição do reino da graça para o reino da glória. Mueller diz que essa sensação de viver às portas do desfecho da história e de um novo começo radicalmente distinto é muito importante para a compreensão do cristianismo privimitivo e explica muito da sua vitalidade e da disposição dos cristãos de se desfazerem de tudo o que fosse obstáculo para essa virada na história.[17]

Pedro destaca aqui três verdades:

O futuro já chegou (4.7a). O intervalo entre a primeira e a segunda vinda de Cristo é o tempo do fim (At 2.16-21; 1Co 10.11). Mas o fim do fim está mais próximo hoje que já esteve no passado. Estamos às portas da eternidade. O dia final se aproxima. Esse era o entendimento dos escritores bíblicos. O apóstolo Paulo escreve: *Porque a nossa salvação está agora mais perto do que quando no princípio cremos* (Rm 13.11). O autor aos Hebreus afirma: ... *e tanto mais quanto vedes que o Dia se aproxima* (Hb 10.25b). Tiago alerta: *Sede vós também pacientes e fortalecei os vossos corações, pois a vinda do Senhor está próxima... Eis que o juiz está às portas*

---

[16]MUELLER, Ênio R. *I Pedro: Introdução e comentário*, p. 232,233.
[17]MUELLER, Ênio R. *I Pedro: Introdução e comentário*, p. 234.

afinal, Jesus Cristo morreu para que nossos pecados fossem cobertos com Seu sangue.²²

Abra sua casa para seus irmãos. Sede, mutuamente, hospitaleiros, sem murmuração (4.9). O termo grego traduzido por "hospitaleiros", *filoxenoi*, significa literalmente "amigo de estranhos". A hospitalidade na igreja primitiva era absolutamente vital tanto no aspecto da missão quanto da vida comunitária. Hospedar os missionários cristãos era tarefa sumamente importante e tecnicamente fundamental para que o cristianismo se espalhasse pelo mundo.²³ Como não havia templos, e todas as reuniões da igreja eram feitas em casas, a hospitalidade era também de importância fundamental para a vida comunitária.

O cristão abre não apenas seu coração, mas também sua casa. O cristão é alguém que tem o coração aberto e a casa aberta. Não basta abrir a casa aos irmãos; precisamos fazer isso com alegria e sem murmuração. O povo de Deus precisa ser hospitaleiro (Êx 22.21; Dt 14.28,29; Rm 12.13; Fm 22; Hb 13.2). Paulo ensinou que um dos requisitos do presbítero é ser hospitaleiro (1Tm 3.2; Tt 1.8). Também exortou as viúvas na igreja a mostrarem suas boas obras oferecendo hospitalidade (1Tm 5.10). A hospitalidade na igreja primitiva era uma necessidade vital para o avanço missionário da igreja. As pousadas ou hospedarias eram excessivamente caras, sofrivelmente sujas e notoriamente imorais. Sem hospitalidade os missionários itinerantes teriam sua atividade estancada. E mais: nos primeiros dois séculos da era cristã não havia templos. Por isso, as igrejas reuniam-se em casas (Rm 16.5; 1Co 16.19; Fm 2).²⁴

Em quinto lugar, *o sofrimento nos ajuda a colocarmos os dons que Deus nos deu a serviço do Seu povo* (4.10,11). Precisamos servir uns aos outros, de acordo com o dom que recebemos. Nossa vida deixa de ser egoísta. Nosso propósito é abençoar os outros e edificar o povo de Deus. Nosso alvo é a glória de Deus, a exaltação de Cristo e a edificação dos irmãos. Há cinco listas de dons espirituais no Novo Testamento

---

²²WIERSBE, Warren W. *Comentário bíblico expositivo*, p. 545.
²³MUELLER, Ênio R. *I Pedro: Introdução e comentário*, p. 237,238.
²⁴BARCLAY, William. *Santiago, I y II Pedro*, p. 290.

(Rm 12; 1Co 12; 1Co 14; Ef 4; 1Pe 4). No texto em apreço, Pedro menciona a diaconia da palavra e a diaconia da mesa, ou seja, o serviço e a pregação (At 6.2-4). Pedro destaca duas verdades aqui.

Abra suas mãos para servir a seu irmão. Servi uns aos outros, cada um conforme o dom que recebeu, como bons despenseiros da multiforme graça de Deus (4.10). O cristão é uma pessoa de coração aberto, de casa aberta e de mãos abertas para servir. O cristão é alguém que é discípulo de Jesus, o Senhor que se fez servo, e veio ao mundo não para ser servido, mas para servir (Mc 10.45), o Senhor que usou a bacia e a tolha como seus distintivos. A palavra grega *diakonuntes*, de onde vem o termo "diaconia", tem aqui um significado abrangente, incluindo todo tipo de serviço que se pode prestar a outros.[25]

A diaconia das mesas não é apenas um trabalho realizado pelos diáconos ordenados, mas um serviço que deve ser prestado por todos os salvos. Pedro ressalta aqui que somos *oikonomoi*, "despenseiros ou mordomos". Cada cristão deve colocar o dom que recebeu a serviço de todos, porque, ao receberem dons, os cristãos se tornam "despenseiros da graça de Deus". A *charis* (graça) é a fonte dos *charismata* (dons, carismas). Quem os recebe, recebe a graça de Deus. Ter um dom espiritual, portanto, é como ter um "depósito da graça", que deve extravasar (porque a graça é para ser doada).[26]

O *oikonomos*, "despenseiro ou mordomo", era uma função muito importante naquele tempo. Era o encarregado da casa do senhor, administrando os bens para atender às necessidades de toda a família. Cabia-lhe a responsabilidade de atender aos negócios da casa e, sobretudo, de servir à mesa. Devemos olhar para nossos irmãos como superiores a nós, a quem devemos servir com fidelidade. Pedro diz que somos "despenseiros da multiforme graça de Deus". A palavra *poikilos*, traduzida por "multiforme", significa "de diversas cores". Visualmente, seria como um cristal que reflete a luz em vários matizes com uma sempre e nova surpreendente combinação de cores e tons.[27] Assim como

---

[25]MUELLER, Ênio R. *I Pedro: Introdução e comentário*, p. 239.
[26]MUELLER, Ênio R. *I Pedro: Introdução e comentário.*, p. 239.
[27]MUELLER, Ênio. R. *I Pedro: Introdução e comentário*, p. 240.

existem "várias (*poikilos*) provações" (Tg 1.2), existe também "a multiforme (*poikilos*) graça de Deus" (4.10). Para cada provação da vida, a graça de Deus nos oferece uma saída.

Abra seus lábios para edificar a seu irmão. Se alguém fala, fale de acordo com os oráculos de Deus; se alguém serve, faça-o na força que Deus supre, para que, em todas as coisas, seja Deus glorificado, por meio de Jesus Cristo, a quem pertence a glória e o domínio pelos séculos dos séculos. Amém (4.11). O cristão deve ter o coração aberto, a casa aberta, as mãos abertas e os lábios abertos. Deve falar não o que pensa, mas de acordo com os oráculos de Deus, ou seja, de acordo com as Escrituras. O cristão não gera a mensagem; ele a transmite. O pregador é aquele que primeiramente escuta a Deus e depois fala aos homens. Certamente, a expressão "Se alguém fala" inclui todos os tipos de ministérios na igreja que primam pela comunicação da graça de Deus *em palavra* (pregação, ensino e literatura).

Finalmente, Pedro diz que tanto a diaconia das mesas (servir) quanto a diaconia da Palavra (falar) têm um único propósito: que Deus seja glorificado por intermédio de Jesus Cristo. Consequentemente, aqueles que pregam buscando glórias para si mesmos estão em total desacordo com o ensino do apóstolo Pedro.

As atitudes do cristão em relação ao sofrimento (4.12-19)

Pedro destaca algumas atitudes do cristão em relação ao sofrimento.

Em primeiro lugar, **não estranhe o sofrimento**. *Amados, não estranheis o fogo ardente que surge no meio de vós, destinado a provar-vos, como se alguma coisa extraordinária vos estivesse acontecendo* (4.12). Aprendemos, à luz deste versículo, algumas verdades importantes.

O sofrimento é compatível com a vida cristã (4.12). O cristão não pode estranhar o sofrimento como se fosse algo incompatível com a vida cristã. O cristão deve até mesmo esperar as provações. Se o mundo perseguiu a Cristo, perseguirá a nós também. A igreja não se torna fiel por ser perseguida; ela é perseguida por ser fiel. O apóstolo Paulo diz: *Ora, todos quantos querem viver piedosamente em Cristo Jesus serão perseguidos* (2Tm 3.12). O apóstolo João é enfático: *Irmãos não vos maravilheis se o mundo vos odeia* (1Jo 3.13). E Paulo foi novamente categórico: *... através* *de muitas tribulações nos importa entrar no reino de Deus* (At 14.22b). Jesus deixou isso claro: *No mundo, passais por aflições; mas tende bom ânimo; eu venci o mundo* (Jo 16.33).

O sofrimento é pedagógico (4.12b). O sofrimento vem para nos provar, e não para nos destruir. O fogo ardente é o fogo da fornalha. É o cadinho onde o metal é purificado. O fogo só destrói a escória, enquanto purifica o metal. No Antigo Testamento, este vocábulo se aplica a um forno para fundição de minérios, no qual o metal era derretido para ser purgado dos elementos estranhos. Em Salmo 66.10, encontramos: *Pois tu, ó Deus, nos provaste; acrisolaste-nos como se acrisola a prata*. Satanás quis destruir Jó com o sofrimento, mas Deus quis revelar-lhe Sua soberania. Satanás quis esbofetear o apóstolo Paulo com o espinho na carne, mas Deus quis quebrantá-lo para que não se ensoberbecesse. O diabo tenta, e Deus prova. O diabo tenta para nos destruir; Deus prova para nos purificar. Concordo com Kistemaker, quando diz: "Os cristãos devem entender que Deus deseja separar a verdadeira fé daquela que é mera imitação, e usa o instrumento do sofrimento para alcançar esse propósito".[28]

Em segundo lugar, **alegre-se no sofrimento** (4.13,14). Jesus ensinou: *Bem-aventurados sois quando, por minha causa, vos injuriarem, e vos perseguirem, e, mentindo, disserem todo o mal contra vós. Regozijai-vos e exultai, porque é grande o vosso galardão nos céus; pois assim perseguiram os profetas que vieram antes de vós* (Mt 5.11,12). O apóstolo Paulo demonstrou alegria apesar dos problemas (Fp 1.12). Paulo demonstrou alegria apesar dos difamadores (Fp 1.15-17). Paulo demonstrou alegria apesar da morte (2Tm 4.6-8). Ele cantou na prisão (At 16.22-33). Paulo se alegrava no sofrimento porque entendia que as coisas espirituais estão acima das materiais; e que o futuro tem mais valor que o presente e o eterno vale mais que o temporal (2Co 4.16-18). Paulo se alegrava porque sabia que Deus está no controle de cada situação (Rm 8.28). Tiago diz que devemos ter motivo de toda a alegria o passarmos por diversas provações (Tg 1.2-4). Pedro fala sobre uma alegria indizível e cheia de glória, ainda que atacada pela sofrimento (1.6,7).

---

[28] KISTEMAKER, Simon. *Epístolas de Pedro e Judas*, p. 236.

O sofrimento nos une profundamente a Cristo. Pelo contrário, alegrai--vos na medida em que sois coparticipantes dos sofrimentos de Cristo, para que também, na revelação de Sua glória, vos alegreis exultando (4.13). Destacamos aqui três pontos.

Primeiro, *para o cristão o sofrimento significa partilhar das suas aflições passadas*. Não somos coparticipantes do sofrimento vicário de Cristo. Este foi único, cabal. Mas, quando sofremos hoje, sofremos da mesma forma que Cristo sofreu, com o mesmo propósito com que Cristo sofreu. Os apóstolos consideram um privilégio sofrer por amor a Cristo (At 5.40,41). Paulo diz: *Porque vos foi concedida a graça de padecerdes por Cristo e não somente de crerdes nEle* (Fp 1.29). Kistemaker ainda lança luz sobre nosso entendimento quando escreve:

Os sofrimentos de Cristo não estão incompletos até que os cristãos também tenham sofrido. O sacrifício expiatório de Cristo é completo e nossa participação em seus sofrimentos não tem nada a ver com esse sacrifício. Cristo, porém, identifica-se com Seu povo e, quando este sofre por Sua causa, ele também sofre. Quando ensinam e pregam o evangelho, quando testemunham sobre Jesus e quando encontram aflições por amor a Ele, estão participando dos sofrimentos de Cristo.[29]

Segundo, *para o cristão o sofrimento significa comunhão com Cristo no presente*. Cristo está conosco na fornalha da aflição. Ele é o quarto homem que passeia no meio do fogo e nos livra da morte. Nas noites escuras da alma, Deus está conosco e nos segura pela mão (Is 41.10). Quando passamos pelas ondas, os rios e o fogo, Ele está conosco (Is 43.2). Jesus prometeu estar conosco todos os dias até a consumação dos séculos (Mt 28.20).

Terceiro, *para o cristão o sofrimento significa partilhar da Sua glória futura*. Deus não apenas substituiu o sofrimento pela glória; Ele transformou o sofrimento em glória. É como a mulher que sofre para dar a luz. O seu sofrimento é transformado na alegria de trazer ao mundo uma linda vida (Jo 16.20-22). Precisamos olhar para o sofrimento presente pela ótica da glória futura. O caminho para a glória é estreito. Há espinhos. Há cruz. Há dor. Mas ... *os sofrimentos do tempo presente*

---

[29]KISTEMAKER, Simon. *Epístolas de Pedro e Judas*, p. 237.

não podem ser comparados com a glória a ser revelada em nós (Rm 8.18b). *Porque a nossa leve e momentânea tribulação produz para nós eterno peso de glória, acima de toda comparação* (2Co 4.17). Paulo ainda escreve: ... *se com Ele sofremos, também com Ele seremos glorificados* (Rm 8.17b). No céu, nossas lágrimas serão enxugadas, nossa dor passará. Não haverá nem luto, nem pranto, nem dor (Ap 21.4). Esta é a grande esperança cristã. O céu explicará para nós todo o mistério do sofrimento.

O sofrimento por Cristo nos proporciona bem-aventurança. Se, pelo nome de Cristo, sois injuriados, bem-aventurados sois, porque sobre vós repousa o Espírito da glória e de Deus (4.14). O sofrimento destacado aqui não é físico, mas verbal. Quando enfrentamos o sofrimento sem amargura, sem murmuração e sem revolta, mas nos submetemos a Deus, o Espírito da glória repousa em nós e isso promove a glória do Senhor. MacDonald tem razão em dizer que o Espírito Santo habita no verdadeiro filho de Deus, mas descansa de forma especial sobre aqueles inteiramente consagrados à causa de Cristo. O mesmo Senhor blasfemado pelos perseguidores é glorificado pelos cristãos sofredores.[30]

Quando o povo de Deus canta no sofrimento, a glória de Deus se manifesta. O povo de Judá enfrentou os exércitos confederados de Edom, Amon e Moabe cantando (2Cr 20.22). Os apóstolos enfrentaram a fúria do Sinédrio, os açoites e as prisões alegrando-se. Paulo enfrentou as prisões romanas cantando. Os mártires do cristianismo enfrentaram as fogueiras cantando. William Cowper escreveu: "Por trás de toda providência carrancuda esconde-se uma face sorridente". José do Egito sofreu treze anos de amarga injustiça até ser colocado no trono do mais poderoso império do mundo. Davi suportou a fúria insana de Saul antes de ser proclamado rei de Israel. Os mártires caminhavam para a fogueira e para as bestas feras com cânticos de vitória. Os cisnes cantam mais docemente quando sofrem. As aflições de John Bunyan nos deram a excelente obra *O peregrino*.[31] As aflições de William Cowper nos deram belos hinos. As aflições de David

---

[30] MACDONALD, William. *Believer's Bible Commentary*, p. 2278.
[31] BUNYAN, John. *O Peregrino*. Rio de Janeiro: CPAD, 2008.

Brainerd nos deram *A vida de David Brainerd*,[32] publicação que tem inspirado missionários no mundo inteiro.

Em terceiro lugar, **avalie o sofrimento** (4.15-18). Nem todo sofrimento é da vontade de Deus (4.19) e nem todo sofrimento glorifica a Deus (4.16). Há sofrimentos provocados pelo próprio homem (4.15). O cristão não pode ser um provocador de problemas. Ele respeita a vida alheia, os bens alheios, a honra alheia e a privacidade alheia (4.15; 2Ts 3.11). O cristão precisa perguntar: por que estou sofrendo (4.15)? Estou envergonhando ou glorificando a Deus no meu sofrimento (4.16)? Estou procurando ganhar os perdidos, mesmo cruzando o vale escuro do sofrimento (4.17,18)? Destacaremos alguns pontos aqui.

O sofrimento por causa do pecado é vergonhoso. Não sofra, porém, nenhum de vós como assassino, ou ladrão, ou malfeitor, ou como quem se intromete em negócios de outrem (4.15). O cristão não pode ser uma pessoa violenta, desonesta ou bisbilhoteira. É vergonhoso para um cristão ser acusado e condenado num tribunal por esses pecados e crimes. O cristão não deve ser um transgressor da lei. Sua vida precisa ser o avalista de suas palavras.

O sofrimento pelo evangelho é honroso. Mas, se sofrer como cristão, não se envergonhe disso; antes, glorifique a Deus com esse nome (4.16). A questão não é o sofrimento, mas o motivo desse sofrer. Não há nenhuma vantagem se a causa do sofrimento provém de palavras e ações erradas. A palavra *cristão* só aparece três vezes no Novo Testamento (At 11.26; 26.28; 1Pe 4.16). Pedro, por medo de sofrer e por vergonha de Jesus, negou-O três vezes na casa do sumo sacerdote (Mt 26.69-75). Agora, esse mesmo Pedro insta seus leitores a glorificarem a Deus diante do sofrimento.

O juízo de Deus começa dentro da igreja. Porque a ocasião de começar o juízo pela casa de Deus é chegada; ora, se primeiro vem por nós, qual será o fim daqueles que não obedecem ao evangelho de Deus? E, se é com dificuldade que o justo é salvo, onde vai comparecer o ímpio, sim, o pecador? (4.17,18). O projeto de Deus é nos transformar à imagem do Seu Filho. Jesus aprendeu pelas coisas que sofreu. Ele nos disciplina porque nos ama. Ele nos corrige para nos educar. A igreja precisa dar exemplo na forma de se arrepender. Não podemos chamar o mundo ao arrependimento

---

[32]EDWARDS, Jonathan. *A Vida de David Brainerd*. São José dos Campos: Fiel, 2005.

se estivermos vivendo em pecado. Não podemos exortar os outros se nós mesmos não estivermos andando com Deus. Antes de tratar com o mundo, primeiro Deus trata com a igreja. Tendo em vista o julgamento de Deus sobre os justos e os injustos, Pedro faz aos seus leitores a seguinte pergunta: "Ora, se primeiro vem por nós, qual será o fim daqueles que não obedecem ao evangelho de Deus?"

Em quarto lugar, **confie em Deus no sofrimento**. *Por isso, também os que sofrem segundo a vontade de Deus encomendem a sua alma ao fiel Criador, na prática do bem* (4.19). Duas verdades devem ser destacadas aqui.

Devemos entregar-nos a Deus (4.19a). A palavra grega *paratithesthai*, "encomendar", é um termo bancário que significa "depositar em confiança ou depositar dinheiro nas mãos de um amigo fiel".[33] Pedro exorta a todos os cristãos que sofrem a entregarem a alma (vida) aos cuidados de Deus. Deus nos criou e é totalmente capaz de cuidar de nós. Pedro nos mostra neste texto que Deus não é apenas fiel, mas também soberano e, por isso, digno de toda confiança. Confie em Deus no sofrimento! Alegre-se nEle apesar das circunstâncias como fizeram Jó e o profeta Habacuque.

Devemos continuar praticando o bem (4.19b). O sofrimento não nos deve endurecer nem nos deixar apáticos. Ao contrário, nossa entrega a Deus leva-nos à ação. Devemos semear, ainda que com lágrimas. Devemos amar, ainda que rejeitados. Devemos abençoar, ainda que amaldiçoados. Devemos orar, ainda que perseguidos.

Como crentes em Cristo, precisamos acreditar que o sofrimento é uma prova de um Pai amoroso, e não um ardil para nos destruir. O sofrimento não é anormal nem estranho. É o caminho da glória, uma oportunidade para sermos bem-aventurados e glorificarmos a Deus. O sofrimento é uma oportunidade para nos entregarmos a Deus e fazermos o bem aos outros, dando testemunho da nossa fé.

Algumas vezes, vemos mais através de uma lágrima que através de um telescópio. A alma não teria arco-íris se os olhos não tivessem lágrimas.

Deus susurra conosco na hora da alegria e grita conosco na hora da dor.

O Calvário é a grande prova que Deus dá de que o sofrimento segundo a vontade divina sempre conduz à glória.

---

[33] BARCLAY, William. *Santiago, I y II Pedro*, p. 298.

9

Uma **exortação** solene à **igreja** de Deus

1 Pedro 5.1-14

O APÓSTOLO PEDRO ESTÁ CONCLUINDO SUA PRIMEIRA CARTA. Faz as últimas exortações à igreja. Tem ainda uma palavra específica aos líderes e aos jovens, para então oferecer uma aplicação geral a todos os cristãos.

Uma palavra à **liderança** (5.1-4)

O apóstolo Pedro faz um apelo veemente aos líderes. Mesmo tendo-se apresentado como apóstolo no início da epístola (1.1), agora, na conclusão, apresenta-se como presbítero (5.1). O apóstolo tem uma responsabilidade pela igreja universal, por todas as igrejas, ao passo que o presbítero tem uma responsabilidade mais restrita pelo grupo local de cristãos.[1] Antes de exortá-los, coloca-se como *sympresbyteros,* ou seja, copresbítero, na mesma posição dos exortados. Quão distante é a atitude de Pedro da posição em que o catolicismo romano o colocou! A declaração de que Pedro foi o primeiro papa, o bispo universal da igreja, o vigário de Cristo na terra, a pedra fundamental sobre a qual a igreja foi edificada, está em total desacordo com o ensino das

---

[1] MUELLER, Ênio R. *I Pedro: Introdução e comentário,* p. 254.

Escrituras. O cabeça, o bispo universal e a pedra fundamental sobre a qual a igreja está edificada é o Senhor Jesus Cristo. O vigário de Cristo na terra, ou seja, o substituto de Cristo na terra, é o Espírito Santo que foi enviado para estar para sempre com a igreja. Constitui-se um terrível engano colocar Pedro ou qualquer outro homem nessa posição que só pertence ao próprio Deus.

Voltemos ao texto para destacar aqui três pontos.

Em primeiro lugar, **os líderes são apresentados**. *Rogo, pois, aos presbíteros que há entre vós, eu, presbítero como eles, e testemunha dos sofrimentos de Cristo, e ainda coparticipante da glória que há de ser revelada* (5.1). Pedro faz um apelo à liderança da igreja. Em tempos de sofrimento e perseguição, os líderes precisam estar alertas. Precisam conduzir a igreja por esse vale de dor e ser modelos do rebanho nessa fornalha ardente.

A natureza do apelo. A palavra grega *parakalo*, "rogo", vem de *parákletos*, "consolador". Trata-se de um apelo intenso, veemente, urgente, regado de ternura. Em vez de mandar, Pedro prefere rogar, e rogar com senso de urgência.

Os destinatários do apelo. Pedro endereça sua palavra "aos presbíteros" que lideravam as igrejas. Esses homens eram os pastores do rebanho. Cabia a eles a responsabilidade de cuidar do rebanho. Deviam apascentar as ovelhas e protegê-las dos perigos. Onde quer que as igrejas primitivas fossem organizadas, presbíteros eram eleitos (At 14.23; 15.2,6,22; 20.17,18,28; Fp 1.1; 1Tm 5.17; Tt 1.5; Tg 5.14). Na verdade, os presbíteros eram os anciãos que lideravam as igrejas (At 20.17), os bispos que supervisionavam as igrejas e os pastores que apascentavam as igrejas (At 20.28). William MacDonald diz que o Novo Testamento pressupõe a pluralidade de presbíteros, e não um único presbítero sobre a igreja ou sobre um grupo de igrejas.[2]

O remetente do apelo. Pedro apresenta-se como um presbítero entre os outros presbíteros, e não acima deles. Na igreja de Deus não há hierarquia. Temos funções diferentes no corpo, mas não escalonamento de poder. Somos todos servos do mesmo Senhor. A posição de Pedro é extremamente relevante, porque, como dissemos antes, durante séculos

---

[2]MacDonald, William. *Believer's Bible Commentary*, p. 2280.

o catolicismo romano o tem considerado papa da igreja, o bispo dos bispos, o substituto de Cristo na terra. Pedro refuta essa ideia ao colocar-se no mesmo nível dos demais presbíteros, e não acima deles. Pedro ainda se apresenta como testemunha dos sofrimentos de Cristo e coparticipante da glória que há de ser revelada. Pedro viu o Pastor morrer pelas ovelhas, e a memória de tal amor constrangeu-o a cuidar das ovelhas como um fiel pastor auxiliar.[3] Kistemaker diz que o termo "testemunha" tem dupla conotação: ver alguma coisa que aconteceu e proclamar a mensagem do acontecimento. Pedro proclamou a mensagem da salvação porque foi testemunha ocular do sofrimento que Jesus enfrentou no Getsêmani, perante o Sinédrio, perante Pilatos e no Calvário.[4]

Em segundo lugar, *os líderes são exortados* (5.2-4). Depois de identificar-se com a liderança das igrejas dispersas, Pedro passa a exortar esses presbíteros mediante uma série de contrastes. Uma ordem expressa é dada: *Pastoreai o rebanho de Deus...* (5.2a). O grupo dos *eleitos* (1.1), o *povo de Deus* (2.9,10), a *casa de Deus* (4.17), é agora chamado de *rebanho* (5.2). Com respeito ao pastoreio do rebanho, três orientações práticas são oferecidas.

Não por constrangimento, mas espontaneamente. Pastoreai o rebanho de Deus que há entre vós, não por constrangimento, mas espontaneamente, como Deus quer... (5.2a). O presbítero é um pastor de ovelhas, e a igreja é o rebanho de Deus.[5] O presbítero não é o dono do rebanho. Deus nunca passou aos presbíteros o direito de posse das ovelhas. Cabe ao presbítero alimentar, proteger e conduzir as ovelhas de Deus. Pedro diz que a liderança na igreja não é algo imposto pela coerção, mas algo voluntário. Ninguém pode ser constrangido a ocupar uma posição de liderança na igreja. O presbiterato deve ser um ministério espontâneo (1Tm 3.1). O comissionamento divino não contradiz a aspiração humana.

Warren Wiersbe entende que Pedro está alertando aqui para o perigo da preguiça.[6] Há muitos pastores preguiçosos, que não suam a

---

[3]MacDonald, William. *Believer's Bible Commentary*, p. 2279.
[4]Kistemaker, Simon. *Epístolas de Pedro e Judas*, p. 255.
[5]Salmo 23; Salmo 100; Isaías 40.11; Lucas 15.4-6; João 10; Atos 20.28; Hebreus 13.20,21; 1Pedro 2.25; Apocalipse 7.17.
[6]Wiersbe, Warren W. *Comentário bíblico expositivo*, p. 554.

camisa nem se afadigam na Palavra (1Tm 5.17). Há muitos pastores que apascentam a si mesmos em vez de cuidarem do rebanho. Buscam as benesses do ministério em vez de se gastarem pelo ministério (2Co 2.17). Buscam glórias para si em vez de conhecerem o estado do seu rebanho. O profeta Ezequiel denunciou os pastores que apascentavam a si mesmos e comiam as carnes das ovelhas, vestindo-se de sua lã em vez de alimentar as ovelhas; pastores que não fortaleciam as ovelhas fracas nem curavam as doentes; pastores que não iam buscar as ovelhas desgarradas nem procuravam as perdidas (Ez 34.1-4).

Não por sórdida ganância, mas de boa vontade. ... nem por sórdida ganância, mas de boa vontade (5.2b). A liderança na igreja não é um posto de privilégio, mas de serviço. O presbítero deve visar a glória de Deus e o bem das ovelhas de Cristo, em vez de fazer a obra visando lucro. A igreja não é uma empresa cuja finalidade é o enriquecimento de seus líderes. A recompensa financeira jamais deve ser a motivação para alguém exercer o pastorado. Um espírito mercenário é incompatível com o exercício desse nobre ofício.[7] Exercer liderança na igreja por sórdida ganância é um grave pecado contra Cristo, o Senhor e dono da igreja. Se Pedro alertou para o perigo da preguiça na primeira exortação, agora alerta também para o perigo da cobiça. A palavra grega *ascrokerdeia* traz a ideia de ganância indigna e mesquinha, de lucro vergonhoso e desonesto.[8] Definia a classe de pessoas que nunca serve alimento suficiente às visitas para servir o dobro para si, ou que só vai a uma programação especial quando alguém lhe paga a entrada.[9] Trata de um indivíduo sovina, pão-duro e avarento.

Na igreja primitiva havia exploradores itinerantes que saíam percorrendo as igrejas, buscando os bens dos cristãos, em vez cuidar do povo. Paulo denuncia essa prática e dá o seu exemplo (At 20.33; 1Co 9.12; 2Co 12.14; 1Ts 2.9). A Palavra de Deus é meridianamente clara em dizer que é dever da igreja pagar ao pastor o seu salário (1Co 9.1,14; 2Co 11.8,9; 12.13; 1Tm 5.17,18). Aqueles, porém, que entram no

---

[7] MacDonald, William. *Believer's Bible Commentary*, p. 2280.
[8] Mueller, Ênio R. *I Pedro: Introdução e comentário*, p. 256.
[9] Barclay, William. *Santiago, I y II Pedro*, p. 302.

ministério visando lucro, movidos por sórdida ganância, cometem um horrendo erro. Paulo é categórico em dizer que o presbítero não deve ser avarento (1Tm 3.3) nem cobiçoso de torpe ganância (Tt 1.7). O pastor não deve envolver-se com negócios deste mundo para ganhar dinheiro, ainda que legítimos, se esses negócios o desviam de dedicação exclusiva ao ministério (2Tm 2.4).[10] Concordo com o que diz Selwyn: "O que é proibido não é o desejo de ter remuneração justa, mas o amor sórdido ao lucro".[11]

Não como dominadores, mas como modelos. Nem como dominadores do que vos foram confiados, antes, tornando-vos modelos do rebanho (5.3). Tendo denunciado o perigo da preguiça e da cobiça, Pedro agora alerta para o perigo da ditadura e da tirania.[12] Os presbíteros recebem autoridade diretamente do Supremo Pastor (5.4) por meio do Espírito Santo (At 20.28). Porém, não devem fazer mau uso dessa autoridade.[13] O presbítero deve ser um exemplo para a igreja, e não um ditador na igreja. Deve andar na frente do rebanho como modelo, e não atrás do rebanho para fustigá-lo e ameaçá-lo.[14] Jesus ensinou que liderança é serviço. Sendo Ele o Mestre e o Senhor, usou a bacia e a toalha como emblemas do Seu Reino (Jo 13.4,5). Na igreja de Deus, ser grande é ser servo de todos. O próprio Filho de Deus disse que não veio para ser servido, mas para servir (Mc 10.45). Não há espaço na igreja de Deus para um líder déspota e ditador. O papel do líder não é dominar o povo de Deus com rigor desmesurado, mas ser exemplo. Warren Wiersbe diz que o problema é que hoje temos celebridades demais e servos de menos.[15] "O satanás" de John Milton pensava que era melhor reinar no inferno do que servir no céu.[16] Aos seus ambiciosos discípulos, Jesus advertiu: *Sabeis que os que são considerados governadores dos povos têm-nos sob seu domínio, e sobre eles os seus maiorais exercem autoridade. Mas entre*

---

[10]WIERSBE, Warren W. *Comentário bíblico expositivo*, p. 555.
[11]SELWYN, E. G. *The First Epistle of St Peter*. London: Macmillam, 1946, p. 230.
[12]WIERSBE, Warren W. *Comentário bíblico expositivo*, p. 555.
[13]KISTEMAKER, Simon. *Epístolas de Pedro e Judas*, p. 260.
[14]MACDONALD, William. *Believer's Bible Commentary*, p. 2280.
[15]WIERSBE, Warren W. *Comentário bíblico expositivo*, p. 555.
[16]BARCLAY, William. *Santiago, I y II Pedro*, p. 303.

vós não é assim; pelo contrário, quem quiser tornar-se grande entre vós, será esse o que vos sirva; e quem quiser ser o primeiro entre vós será servo de todos (Mc 10.42b-44).

Em terceiro lugar, **os líderes são galardoados**. *Ora, logo que o Supremo Pastor se manifestar, recebereis a imarcescível coroa da glória* (5.4). Jesus é o bom, o grande e o Supremo Pastor das ovelhas. Como Bom Pastor Ele deu Sua vida pelas ovelhas (Jo 10.11); como Grande Pastor, Ele vive para as ovelhas (Hb 13.20,21); como Supremo Pastor, Ele voltará para as ovelhas (5.4). A palavra grega *archipoimenos*, traduzida por "Supremo Pastor", significa o primeiro e o maior pastor. Concordo com Mueller quando Ele diz que a Igreja tem um só Pastor, que guia todos os cristãos ao aprisco celeste.[17] Os presbíteros são pastores auxiliares sob a autoridade do Supremo Pastor. Os presbíteros que servem com fidelidade ao Senhor da igreja têm a promessa de que, quando Jesus voltar, em majestade e glória, receberão de Suas mãos a coroa da glória. No tempo de Pedro, havia diversos tipos de coroas. A mencionada pelo apóstolo é a coroa de um atleta, normalmente uma guirlanda de folhas ou flores que murchava rapidamente. A coroa do presbítero fiel é uma coroa de glória, uma coroa imarcescível. A Bíblia fala de coroa da alegria (1Ts 2.19), coroa da justiça (2Tm 4.8), coroa da vida (Tg 1.12; Ap 2.10) e coroa de glória (1Pe 5.4). Haverá ampla recompensa da parte de Cristo para aqueles que o servirem com fidelidade.

O presbítero precisa fazer a obra de Deus com a motivação certa. Warren Wiersbe aborda essa questão como segue:

> Hoje, um obreiro cristão pode trabalhar visando vários tipos de recompensa. Alguns se empenham para construir impérios pessoais, enquanto outros se esforçam para receber o louvor dos homens; outros, ainda, desejam ser promovidos de cargo dentro da denominação. Um dia, todas essas coisas desaparecerão. A única recompensa que devemos nos esforçar para obter é o "Muito bem!" do Salvador e a coroa incorruptível de glória que acompanha esse louvor. Que alegria enorme será colocar essa coroa aos pés do Senhor (Ap

---

[17]MUELLER, Ênio R. *I Pedro: Introdução e comentário*, p. 257.

4.10) e reconhecer que tudo que fizemos foi por Sua graça e poder (1Co 15.10) e para Sua glória (4.11).[18]

Os pastores não devem jamais se esquecer de que prestam contas diretamente a Jesus. Devem lembrar-se de que a igreja pertence a Jesus e de que servem ao Pastor Mestre até Sua volta. Como copastores de Jesus, eles guiam Suas ovelhas para os verdes pastos de Sua Palavra e dão a elas o alimento espiritual.[19]

Uma palavra à **juventude** (5.5a)

Depois de exortar especificamente os líderes, Pedro passa a exortar especificamente os jovens: *Rogo igualmente aos jovens: sede submissos aos que são mais velhos...* (5.5a). O apóstolo já admoestou os santos a serem submissos às autoridades governamentais (2.13-17), os escravos a serem submissos aos seus senhores (2.18-25) e as esposas a serem submissas ao marido (3.1-6). Agora, diz que os jovens devem acatar com mansidão não apenas a liderança dos presbíteros, mas também submeter-se aos outros irmãos mais velhos da igreja (5.5). Os jovens precisam ter a humildade para aprender com os mais velhos e respeitar a liderança dos presbíteros. Desacatar e desrespeitar os mais velhos não é uma atitude digna de um jovem cristão.

Não deve existir dentro da igreja conflito de gerações. É muito frequente os mais velhos resistirem às mudanças e os mais jovens desvalorizarem a herança do passado. Embora não devamos sacralizar a idade, devemos manter o princípio de honra aos mais velhos por parte dos jovens.

O termo grego *neoteroi*, literalmente "os mais moços", contrasta com os *presbyteroi*, literalmente "os mais velhos". Mueller sugere, portanto, que *neoteroi* representa aqui toda a comunidade, ou seja, os que não são presbíteros.[20] "Sede submissos" é a tradução de *hypotagete*, a mesma palavra que aparece em (2.13,18; 3.1). A submissão é uma característica

---

[18] WIERSBE, Warren W. *Comentário bíblico expositivo*, p. 556.
[19] KISTEMAKER, Simon. *Epístolas de Pedro e Judas*, p. 262.
[20] MUELLER, Ênio R. *I Pedro: Introdução e comentário*, p. 258.

do comportamento cristão, a decisão de se postar debaixo da liderança de outros, por amor à ordem e para a prática do bem.[21]

Uma palavra a toda a igreja
sobre relacionamentos (5.5b-7)

Depois de falar especificamente aos presbíteros e aos jovens, Pedro volta sua atenção novamente para toda a igreja. Agora, ele faz três abordagens acerca dos nossos relacionamentos.

Em primeiro lugar, *o relacionamento com os irmãos. ... outrossim, no trato de uns para com os outros, cingi-vos todos de humildade, porque Deus resiste aos soberbos, contudo, aos humildes concede a Sua graça* (5.5b). Pedro dá uma ordem, e em seguida, oferece a razão dupla pela qual os cristãos devem cumpri-la. Eles devem cingir-se de humildade, porque Deus resiste aos soberbos, mas dá graças aos humildes. A palavra *enkombosasthe* significa "vestir um avental", cingir-se bem firmemente com alguma peça de roupa; é uma figura para a disposição resoluta com relação a alguma coisa. O que é vestido é a humildade.[22] Se os jovens precisam ser submissos, todos os cristãos precisam vestir-se com a túnica da humildade. A humildade é o portal da honra, enquanto a soberba é a porta de entrada da queda. Deus declara guerra aos orgulhosos, mas concede Sua graça aos humildes (Pv 3.34). Warren Wiersbe diz que Deus resiste aos soberbos porque odeia o pecado do orgulho (Pv 6.16,17; 8.13). Foi o orgulho que transformou Lúcifer em satanás (Is 14.12-15). Foi o orgulho que instigou Eva a comer o fruto proibido.[23]

Kistemaker diz que a palavra *vestir* se referia a amarrar a si um pedaço de pano. Os escravos, por exemplo, costumavam amarrar um lenço branco ou um avental sobre suas roupas para se distinguirem dos homens livres. A sugestão é que os cristãos devem atar a humildade à sua conduta para que todos possam reconhecê-los. Pedro exorta os

---

[21]MUELLER, Ênio R. *I Pedro: Introdução e comentário*, p. 258.
[22]MUELLER, Ênio R. *I Pedro: Introdução e comentário*, p. 259.
[23]WIERSBE, Warren W. *Comentário bíblico expositivo*, p. 557.

leitores a amarrarem a humildade a si de uma vez por todas. Em outras palavras, ela deve acompanhá-los pelo resto de sua vida.[24]

Em segundo lugar, *o relacionamento com Deus*. *Humilhai-vos, portanto, sob a poderosa mão de Deus, para que ele, em tempo oportuno, vos exalte* (5.6). Depois de falar sobre a humildade no plano horizontal, Pedro menciona a necessidade de humildade no plano vertical. Aqueles que se humilham diante de Deus serão exaltados por Ele, mas os que se exaltam serão humilhados. Jesus ilustrou esse princípio com a parábola do fariseu e do publicano (Lc 18.9-14). Aquele que enalteceu suas próprias virtudes, dando nota máxima a si mesmo, e, assacou suas mais ferinas acusações contra o próximo, não alcançou misericórdia; mas quem se penitenciou diante de Deus saiu justificado. Os que se humilham serão oportunamente exaltados por Deus. Concordo com Warren Wiersbe no sentido de que a chave para a compreensão desta passagem é a expressão "em tempo oportuno". Deus nunca exalta uma pessoa até que ela esteja pronta para isso. Primeiro a cruz, depois a coroa; primeiro o sofrimento, depois a glória.[25]

Em terceiro lugar, *o relacionamento conosco mesmos*. *Lançando sobre Ele toda a vossa ansiedade, porque Ele tem cuidado de vós* (5.7). A ansiedade é uma espécie de autofagia. A palavra grega empregada para ansiedade significa "estrangulamento". Ansiedade é sufocar, apertar o pescoço, estrangular. Kistemaker, citando o linguista Thayer, diz que ansiedade significa também "ser atraído por diferentes direções".[26] Não temos força para carregar o peso da ansiedade. Esse peso é estrangulador. Precisamos tirar esse fardo de sobre nós e lançá-lo sobre Deus. O salmista recomendou: *Confia os teus cuidados ao SENHOR, e Ele te susterá* (Sl 55.22a). Jesus Cristo ensinou: *Não andeis ansiosos pela vossa vida* (Mt 6.25b). E Paulo ordenou: *Não andeis ansiosos de coisa alguma* (Fp 4.6).

A ansiedade é o mal do século. Atinge pequenos e grandes, ricos e pobres, doutores e analfabetos, religiosos e ateus. A ansiedade é inútil, pois não podemos acrescentar um côvado à nossa existência, por mais

---

[24]KISTEMAKER, Simon. *Epístola de Pedro e Judas*, p. 266.
[25]WIERSBE, Warren W. *Comentário bíblico expositivo*, p. 558.
[26]KISTEMAKER, Simon. *Epístolas de Pedro e Judas*, p. 269.

ansiosos que estejamos. Está provado que 70% os assuntos que nos deixam ansiosos nunca se concretizarão. Assim, sofremos inutilmente. E, se esses problemas vierem a se realizar, sofreremos duas vezes. A ansiedade é prejudicial, pois não nos ajuda a resolver os possíveis problemas do amanhã e ainda nos rouba as energias de hoje. A ansiedade é sinônimo de incredulidade, pois são os gentios que não conhecem a Deus que se preocupam com o que vão comer e beber. Nós, porém, devemos buscar em primeiro lugar o reino de Deus e a sua justiça, sabendo que as demais coisas nos serão acrescentadas.

Concordo com William MacDonald quando ele diz que a incredulidade é pecado porque nega a sabedoria de Deus, já que subentende que Deus não sabe o que está fazendo com a nossa vida; ela nega o amor de Deus, pois supõe que Deus não se importa com o que estamos passando; e nega, outrossim, o poder de Deus, pois presume que Deus não é suficientemente capaz de nos libertar de tudo o que nos causa preocupação.[27]

Pedro usa o termo *lancem,* e no grego fica implícito que lançar é um único ato que exige esforço no sentido de arremessar alguma coisa para longe de nós.[28] Pedro diz que devemos lançar sobre o Senhor *toda* a nossa ansiedade, e não apenas parte dela. Não devemos lançar a ansiedade sobre Ele aos poucos, retendo as preocupações que acreditamos sermos capazes de resolver por conta própria. Guardar "pequenas ansiedades" fará que elas logo se transformem em grandes problemas.[29]

Uma palavra sobre **batalha espiritual** (5.8,9)

Depois de mostrar como precisamos nos relacionar com Deus, com os irmãos e conosco mesmos, Pedro passa a tratar da batalha espiritual, ou seja, dos inimigos que estão à nossa volta nos espreitando. Chamamos a atenção para três pontos acerca dessa batalha espiritual.

Em primeiro lugar, ***a identidade do adversário***. ... *o diabo, vosso adversário...* (5.8b). O diabo não é uma lenda, um mito, um espantalho

---

[27]MACDONALD, William. *Believer's Bible Commentary*, p. 2281.
[28]KISTEMAKER, Simon. *Epístolas de Pedro e Judas*, p. 269.
[29]WIERSBE, Warren W. *Comentário bíblico expositivo*, p. 558.

para intimidar os místicos. É um anjo caído, um ser maligno, assassino, ladrão, destruidor. É a antiga serpente, o dragão vermelho, o leão que ruge. É assassino e pai da mentira. Veio roubar, matar e destruir. Temos um adversário real, invisível e medonho. Não podemos subestimar seu poder nem suas artimanhas.

Em segundo lugar, **as estratégias do adversário**. ... *anda em derredor, como leão que ruge procurando alguém para devorar* (5.8c). Três coisas aqui nos chamam a atenção.

O diabo espreita. Ele anda em derredor. Busca uma brecha em nossa vida. Vive rodeando a terra e passeando por ela (Jó 1.7; 2.2). O diabo não dorme nem tira férias. É incansável em sua tentativa de nos apanhar em suas armadilhas. O apóstolo Paulo diz que precisamos ficar firmes contra as ciladas do diabo (Ef 6.11). A palavra "ciladas" vem do grego *metodeia*, que significa "métodos, estratagemas, armadilhas". O diabo tem um grande arsenal de armadilhas. Pesquisa meticulosamente nossos pontos vulneráveis. Não hesita em buscar brechas em nossa armadura. Precisamos acautelar-nos!

O diabo intimida. O leão ruge não quando ataca a presa, mas para espantá-la. Seu rugido é para fazer a presa dispersar-se do bando. Quando uma presa se desprende do bando, o leão a ataca implacavelmente. É muito difícil uma presa escapar da investida de um leão quando esta se isola. O ataque é súbito, violento, fatal.

O diabo devora. O diabo não veio para brincar, mas para devorar. Ele mata. É homicida e assassino. Há muitas pessoas arruinadas, feridas e destruídas por esse devorador implacável. Ele é o Abadom e o Apoliom (Ap 9.11), conhecido como o destruidor.

Em terceiro lugar, **as armas de vitória contra o adversário**. *Sede sóbrios e vigilantes... resisti-lhe firmes na fé, certos de que sofrimentos iguais aos vossos estão se cumprindo na vossa irmandade espalhada pelo mundo* (5.8a,9). Pedro nos oferece quatro armas importantes para o enfrentamento dessa luta espiritual.

A sobriedade. A palavra grega *nepsate*, traduzida por "sede sóbrios", significa "domínio próprio", especialmente na área da bebida alcoólica. Um indivíduo que perde o equilíbrio, o siso e a lucidez é uma vítima indefesa na batalha espiritual. Quando o diabo consegue dominar a mente de uma pessoa, consegue destruir-lhe a vida. Há dois extremos perigosos nessa batalha espiritual. O primeiro é subestimar o diabo. Há indivíduos que escarnecem do diabo como se ele fosse uma formiguinha indefesa. A Bíblia diz que nem o arcanjo Miguel se atreveu a proferir juízo infamatório contra o diabo (Jd 9). O segundo extremo é superestimar o diabo. Há igrejas que falam mais no diabo que em Jesus. Há redutos em que o diabo tem até acesso ao microfone. Há pregadores que entabulam longas conversas com o diabo. Há escritores que recebem até mesmo revelações do diabo. Há aqueles que atribuem ao diabo qualquer dor de cabeça que uma aspirina resolveria. Essas atitudes não têm amparo nas Escrituras. Precisamos ter sobriedade nesse combate cristão.

A vigilância. A palavra "vigilantes" indica a atitude de esperar de olhos abertos, acompanhando o que se passa e sempre perscrutando o horizonte na expectativa da chegada do Senhor.[30] O diabo vive rodeando a terra e bisbilhotando a vida das pessoas. Não hesita em atacar uma pessoa sempre que encontra uma brecha. Precisamos manter os olhos abertos e os ouvidos atentos. O diabo é a antiga serpente. É astuto, sutil. Sua estratégia é falsificar tudo o que Deus faz. De acordo com a parábola do joio e do trigo, em todo lugar em que Deus planta um cristão, o diabo planta um impostor (Mt 13.24-30,36-43).[31] Precisamos agir como o governador Neemias, que, em tempo de ameaças, colocou metade de seus homens empunhando as armas e a outra metade trabalhando (Ne 4.16). Oliver Cromwell dava o seguinte conselho às suas tropas: "Confiai em Deus e mantende a pólvora seca".[32] Sintetizando essas duas primeiras armas (sobriedade e vigilância), Kistemaker escreve:

> A sobriedade é a capacidade de olhar para aquilo que é real com a mente clara, e a vigilância é um estado de observação e prontidão. A primeira característica descreve uma pessoa que luta contra sua própria disposição, enquanto a segunda mostra a prontidão para se responder às influências externas. Um cristão deve sempre manter-se alerta tanto

---

[30]MUELLER, Ênio R. *I Pedro: Introdução e comentário*, p. 262.
[31]WIERSBE, Warren W. *Comentário bíblico expositivo*, p. 559.
[32]BARCLAY, William. *Santiago, I y II Pedro*, p. 310.

contra forças internas como externas que desejam destruí-lo. Essas forças vêm do maior adversário do ser humano, satanás.[33]

A fé. Precisamos resistir ao diabo firmes na fé. A fé é um escudo contra os dardos inflamados do maligno (Ef 6.16). Não podemos acreditar nas mentiras do diabo nem dar crédito às suas falsas promessas. Warren Wiersbe diz que tanto Pedro como Tiago dão a mesma fórmula para o sucesso nessa batalha espiritual: *Sujeitai-vos a Deus; mas resisti ao diabo, e ele fugirá de vós* (Tg 4.7). Antes de se manter firme diante de satanás, é preciso curvar-se diante de Deus.[34] Kistemaker é oportuno quando diz que a palavra *fé* pode ser compreendida tanto no sentido subjetivo da fé pessoal e confiança em Deus, como no sentido objetivo, ou seja, referindo-se ao conjunto das doutrinas cristãs. Aqui, o contexto favorece o sentido objetivo.[35]

O *sofrimento*. Em tempos de prova, tendemos a pensar que estamos sozinhos nessa refrega e que ninguém está sofrendo como nós. Uma das armas do diabo para nos atingir é superdimensionar nossa dor e apequenar nosso consolo. Precisamos abrir os olhos e entender que existem outros irmãos passando pelas mesmas provações e enfrentando as mesmas batalhas. É errado imaginar que somos os únicos a travar esse tipo de batalha, pois nossa "irmandade espalhada pelo mundo" enfrenta as mesmas dificuldades.[36]

Uma palavra sobre o **cuidado de Deus** (5.10-14)

Pedro termina suas exortações dirigindo-se aos cristãos perseguidos da dispersão sobre o cuidado de Deus. Destacamos aqui cinco pontos.

Em primeiro lugar, **quem Deus é**. *Ora, o Deus de toda a graça...* (5.10a). Para uma igreja que estava sendo atacada por forças humanas e espirituais, perseguida pelos homens e pelo diabo, Pedro diz que sua vida está nas mãos do Deus de toda a graça. O próprio Pedro, que caiu

---

[33]KISTEMAKER, Simon. *Epístolas de Pedro e Judas*, p. 272.
[34]WIERSBE, Warren W. *Comentário bíblico expositivo*, p. 559.
[35]KISTEMAKER, Simon. *Epístolas de Pedro e Judas*, p. 274.
[36]WIERSBE, Warren W. *Comentário bíblico expositivo*, p. 559.

em terrível pecado, negando o seu Senhor, sabia quão gracioso é Deus, a ponto de colocar de pé aquele que um dia estivera prostrado no pó. Precisamos sempre trazer à nossa memória o fato de que Deus não lida conosco em virtude do nosso merecimento, mas de acordo com seu amor incondicional. Mesmo quando falhamos, Deus nos perdoa. Mesmo quando tropeçamos, Deus nos levanta. Mesmo quando passamos pela fornalha do sofrimento, Deus nos fortalece.

Em segundo lugar, *o que Deus fez*. ... *que em Cristo vos chamou à sua eterna glória*... (5.10b). Deus nos escolheu por Sua graça e nos destinou à Sua eterna glória. Deus dá graça e glória (Sl 84.11). A graça é a causa; a glória é o resultado. A graça é a raiz; a glória é o fruto. A graça é origem; a glória é o fim. Tudo o que começa com graça desemboca em glória!

Em terceiro lugar, *o que Deus permite*. ... *depois de terdes sofrido por um pouco*... (5.10c). O sofrimento humano, por mais agudo e prolongado, quando colocado sob a perspectiva da eternidade é pequeno, leve e momentâneo. O apóstolo Paulo expressa essa mesma ideia ao declarar: *Porque a nossa leve e momentânea tribulação produz para nós eterno peso de glória, acima de toda comparação* (2Co 4.17). Deus permite o sofrimento não por longo tempo, mas por breve tempo; não para nos destruir, mas para nos fortalecer; não para sonegar-nos a glória, mas para realçá-la.

Em quarto lugar, *o que Deus faz*. ... *ele mesmo vos há de aperfeiçoar, firmar, fortificar e fundamentar* (5.10d). As provações constroem o caráter cristão e fortalecem os músculos da alma. Os cristãos da Dispersão, que estavam perdendo bens, casas, terras e liberdades, mesmo mortos, não seriam vencidos pelo inimigo. Essa fornalha da aflição não tinha o propósito de destruí-los, mas de aperfeiçoá-los, firmá-los, fortificá-los e fundamentá-los.

A palavra grega *kartarizein*, "aperfeiçoar", é a mesma usada em Mateus 4.21 para "consertar as redes". Pelas provações, Deus repara nossas brechas. Essa palavra significa prover aquilo que falta, remendar o que está roto, repor uma parte que está faltando. Assim, o sofrimento, se aceito com humildade, pode prover aquilo que está faltando em nosso caráter.[37]

---

[37]BARCLAY, William. *Santiago, I y II Pedro*, p. 310,311.

A palavra grega *sterixein*, "firmar", significa fixar com firmeza, prender firmemente, tornar tão firme como um granito.[38] Deus permite as provas para que os cristãos tenham uma consistência granítica, e não gelatinosa. O sofrimento, quando acolhido com discernimento, é como o exercício corporal de um atleta: tonifica os músculos e aumenta o vigor.

A palavra grega *sthenoun*, "fortificar", significa encher de força.[39] Deus nos dá forças para lidar com aquilo que a vida exige de nós. Uma vida sem esforço e sem disciplina torna-se flácida moralmente e frívola espiritualmente.

A palavra grega *themelioun*, "fundamentar", significa colocar os fundamentos, lançar um alicerce sólido, ou seja, construir sobre a rocha firme.[40] Quando enfrentamos o sofrimento, somos cimentados no alicerce da fé. Satanás intentou contra a vida do patriarca Jó. Atacou seus bens, seus filhos e sua saúde. Mas, em vez de afastar Jó de Deus, o sofrimento o colocou a Seus pés. Antes do sofrimento, Jó conhecia Deus de ouvir falar; agora, Jó vê a Deus e prostra-se aos Seus pés.

Em quinto lugar, **o que Deus merece**. *A Ele seja o domínio pelos séculos dos séculos. Amém* (5.11). Mesmo quando a igreja é perseguida e o inimigo parece estar no controle da situação, Deus está no trono, governando sobre tudo e todos, controlando cada situação. A Ele pertence o domínio! Pedro termina sua carta não com um profundo lamento, mas com uma doxologia!

Na conclusão da epístola, Pedro faz quatro destaques:

Primeiro, *o amanuense da carta. Por meio de Silvano, que para vós outros é fiel irmão, como também o considero, vos escrevo resumidamente...* (5.12a). Pedro informa aos cristãos da Dispersão que Silvano, o mesmo Silas, profeta da igreja de Jerusalém e companheiro de Paulo em sua segunda viagem missionária, foi o secretário que escreveu essa missiva. Silas era não apenas um líder da igreja de Jerusalém (At 15.22,27), mas também profeta (At 15.32) e cidadão romano (At 16.19,25,29,37).

---

[38] BARCLAY, William. *Santiago, I y II Pedro*, p. 311.
[39] BARCLAY, William. *Santiago, I y II Pedro*, p. 311.
[40] WIERSBE, Warren W. *Comentário bíblico expositivo*, p. 560.

Segundo, *o tema da carta. ... exortando e testificando, de novo, que esta é a graça de Deus; nela estai firmes* (5.12b). Pedro relembra à igreja o conteúdo principal da carta, a graça de Deus, exortando os cristãos a permanecerem firmes nessa graça.

Terceiro, *as saudações da carta. Aquela que se encontra em Babilônia, também eleita, vos saúda, como igualmente meu filho Marcos* (5.13a). Pedro envia saudações da senhora eleita e de Marcos, seu filho na fé. A linguagem que Pedro usa nessa saudação é enigmática. A quem ele se refere? Não existe consenso acerca de quem seria essa "eleita". Alguns estudiosos dizem que se tratava de uma mulher proeminente na igreja; outros que era a própria mulher de Pedro que a acompanhava em suas viagens missionárias (1Co 9.5). Kistemaker observa ser pouco provável que Pedro estivesse referindo-se à própria esposa. A maioria dos estudiosos acredita que Pedro alude à igreja cristã onde ele residia. Portanto, Pedro está enviando as saudações da igreja eleita de Jesus Cristo aos cristãos da diáspora.[41] Concordo, entretanto, com William McDonald, que é impossível ter certeza de quem se trata.[42]

Quarto, *a recomendação final da carta. Saudai-vos uns aos outros com ósculo de amor. Paz a todos vós que vos achais em Cristo* (5.14). Pedro orienta os cristãos a saudarem uns aos outros com *filema*, o "beijo fraternal", traduzido como "ósculo de amor". O ósculo santo é mencionado em quatro cartas paulinas (Rm 16.16; 1Co 16.20; 2Co 13.12; 1Ts 5.26). Mas aqui Pedro recomenda "ósculo de amor". Uma igreja perseguida precisa exercer amor e experimentar a paz.

---

[41]KISTEMAKER, Simon. *Epístolas de Pedro e Judas*, p. 281,282.
[42]MACDONALD, William. *Believer's Bible Commentary*, p. 2282.

2Pedro

Quando os falsos profetas atacam a igreja

Introdução

A SEGUNDA CARTA DE PEDRO É UMA DAS EPÍSTOLAS GERAIS. Foi endereçada a igrejas e indivíduos.[1] Essa epístola, semelhantemente a Hebreus, Tiago, 1Pedro e 1, 2, 3João, circulava entre as igrejas.

Estudar essa epístola é um desafio. Primeiro, porque essa carta foi uma das mais cravejadas pelos críticos e uma das mais tardias em ser reconhecida, no cânon sagrado, como livro inspirado. Segundo, porque há abundantes questionamentos acerca da autoria petrina, até mesmo entre comentaristas conservadores. Terceiro, porque em questão de estilo, essa missiva difere da Primeira Carta de Pedro. O grego de 1Pedro é polido, culto, dignificado, um dos melhores do Novo Testamento. Já o grego de 2Pedro é grandioso; é um pouco semelhante à arte barroca, quase rude no seu caráter pretensioso e em sua expansibilidade. Na opinião de Jerônimo, Pedro deve ter empregado secretários diferentes.[2] Quarto, porque essa epístola não recebeu atenção dos estudiosos ao longo dos séculos.

Michael Green chega a dizer que 2Pedro e Judas são um canto muito obscuro do Novo Testamento. Que quase nunca se prega sobre esses escritos; comentários e artigos em revistas eruditas raramente tratam deles.[3] William Barclay ressalta que essa carta é um dos livros mais esquecidos do Novo Testamento.[4] R. C. Sproul afirma que há menos comentários escritos sobre essa carta do que qualquer outro livro do Novo Testamento, com a possível exceção de Judas.[5]

---

[1] KISTEMAKER, Simon. *Epístolas de Pedro e Judas*. São Paulo: Cultura Cristã, 2006, p. 287.
[2] GREEN, Michael. *II Pedro e Judas: introdução e comentário*. São Paulo: Vida Nova, 2008, p. 15.
[3] GREEN, Michael. *II Pedro e Judas*, p. 7.
[4] BARCLAY, William. *Santiago, I y II Pedro*, p. 321.
[5] SPROUL, R. C. *1-2 Peter*, 2011, p. 195.

Em 2Pedro há 57 palavras que se encontram somente nesta epístola, não ocorrendo em nenhum outro livro do Novo Testamento. O tema central de 1Pedro é o encorajamento durante os tempos de perseguição, 2Pedro, porém, trata acerca da ameaça da heresia gnóstica. R. C. Sproul diz, com razão, que o gnosticismo foi uma das maiores ameaças à igreja cristã a partir da segunda metade do século I e nos dois séculos seguintes. Pedro, já no seu tempo, entendeu que a maior ameaça ao bem-estar do povo de Deus era o falso ensino.[6]

Vamos agora nos dedicar ao estudo dessa epístola, fazendo uma análise introdutória que trará a lume esclarecimentos oportunos e necessários para compreendermos sua atual e pertinente mensagem. Mesmo com todas as lutas que essa carta enfrentou para ser aceita no cânon sagrado, temos plena convicção de que estamos lidando com um livro inspirado pelo Espírito Santo.

O autor da carta

Essa epístola leva o nome de Simão Pedro, porta-voz dos doze apóstolos, homem que ocupou o centro das atenções de Lucas nos dez primeiros capítulos de Atos. Simon Kistemaker aponta que, durante séculos, os estudiosos questionaram o fato de Pedro, ou outra pessoa que tomou o seu nome, ser o autor dessa carta. Na verdade, essa epístola tem sofrido negligência acadêmica tanto por parte dos que negam a autoria petrina como daqueles que a sustentam.[7] William MacDonald diz que há mais problemas em aceitar esse livro como autêntico do que qualquer outro do Novo Testamento. Porém, todos esses problemas não são suficientemente fortes para refutar a autoria petrina.[8]

As cartas escritas no século I começavam com o autor, porque eram escritas em rolos, o que facilitava a comunicação. O autor se apresenta como "Simão Pedro", o mesmo da primeira epístola. Não apenas cita seu nome, mas também sua identificação: *servo e apóstolo de Jesus Cristo*

---

[6]SPROUL, R. C. *1–2 Peter*, p. 200.
[7]KISTEMAKER, Simon. *Epístolas de Pedro e Judas*, p. 287.
[8]MACDONALD, William. *Believer's Bible Commentary*, p. 2285.

(1.1). A primeira palavra descreve sua humildade, e a segunda, sua autoridade. A Segunda Carta de Pedro é uma epístola que tem como origem a autoridade que Jesus concedeu aos Seus apóstolos. Pedro recebeu autoridade de Cristo, que o enviou como seu representante. Essa carta foi escrita com a autoridade divina.⁹ Isso está em oposição àqueles que hoje, indevidamente, utilizam o termo "apóstolo" e engrandecem a si mesmos, perdendo de vista que, no reino de Deus, aquele que quiser ser o maior, deve ser esse servo de todos.

Os destinatários da carta

Depois de apresentar-se, Pedro dirige-se a seus destinatários, denominando-os como *aos que conosco obtiveram fé igualmente preciosa na justiça do nosso Deus e Salvador Jesus Cristo* (1.1b). É muito provável que esses irmãos fossem os mesmos crentes dispersos, *eleitos que são forasteiros da Dispersão no Ponto, Galácia, Capadócia, Ásia e Bitínia* (1Pe 1.1). Esses crentes, mesmo perseguidos e dispersos, alcançaram uma fé preciosa. Fé na justiça de Cristo, o próprio Deus encarnado, nosso único Salvador. Pedro diz aos seus leitores que essa é a segunda carta que está escrevendo (3.1). A maioria dos comentaristas entende que se trata de uma referência à Primeira Carta de Pedro. Sendo assim, os destinatários da segunda carta devem, obviamente, ser as mesmas pessoas para as quais 1Pedro foi enviada, ou seja, os cristãos da Ásia Menor mencionados em 1Pedro 1.1.¹⁰ Os leitores parecem, também, estar familiarizados com as epístolas de Paulo (3.15,16), uma vez que algumas das cartas de Paulo foram enviadas aos cristãos da Ásia Menor.

O estilo da carta

A maioria dos estudiosos afirma que há grande diferença de estilo entre a Primeira Carta de Pedro e essa epístola. A primeira tem um

---

⁹KISTEMAKER, Simon. *Epístolas de Pedro e Judas*, p. 289.
¹⁰GREEN, Michael. *II Pedro e Judas*, p. 34.

grego erudito, enquanto essa, um estilo mais comum. Kistemaker diz que, em 1Pedro, a forma de apresentação é suave e polida. O mesmo já não é verdade na Segunda Epístola de Pedro, cujo estilo é abrupto, cujas palavras são formais e cujo significado é em muitas passagens obscuro.[11] Uma das explicações é que a primeira epístola foi compilada por Silas, profeta da igreja de Jerusalém (1Pe 5.12). Embora o conteúdo fosse de Pedro, o estilo era de Silas. Mas, na segunda carta é possível que Pedro não tenha recebido ajuda ou tenha usado outro secretário. Outra explicação plausível está no fato de o mesmo autor poder variar de estilo em cartas distintas, dependendo da natureza do assunto que está tratando.

Concordo com Kistemaker, quando diz que explicar a autoria apostólica de 2Pedro é mais fácil que desacreditá-la. Por essa razão, apesar dos problemas levantados contra a autoria petrina dessa carta, subscrevemos essa tese, considerando-a uma opção absolutamente viável.

William MacDonald lista oito evidências internas da autoria de Pedro, apesar dos tantos ataques que ela recebeu no passado e ainda recebe no presente:[12]

Primeiro, em 1.3 o escritor fala sobre os crentes que foram chamados para sua própria glória e virtude. Isso nos remete a Lucas 5.8, onde a glória do Senhor foi manifestada a Pedro e ele clamou: *Senhor, retira-Te de mim, porque sou pecador*.

Segundo, quando o escritor dá uma prescrição por meio da qual seus leitores jamais tropeçariam (1.5-10). Isso nos leva imediatamente à queda de Pedro e ao sofrimento que isso lhe provocou.

Terceiro, em 1.14 vemos algo marcante. O escritor sabe que sua morte está chegando, e ele mesmo havia sido alertado pelo Senhor Jesus de que em sua idade avançada morreria de forma violenta (Jo 21.18,19).

Quarto, em 1.13-15, as palavras "tabernáculo" (tenda) e "partida" (êxodo) foram as mesmas usadas por Lucas no relato da transfiguração

---

[11]KISTEMAKER, Simon. *Epístolas de Pedro e Judas*, p. 292,293.
[12]MACDONALD, William. *Believer's Bible Commentary*, p. 2286.

(Lc 9.31-33). Vale ressaltar que Pedro estava presente na cena da transfiguração.

Quinto, em 1.16-18 o escritor faz referência à transfiguração de Jesus, deixando claro que ele participou pessoalmente da insólita experiência. Estavam presentes no monte com Jesus apenas Pedro, Tiago e João (Mt 17.1). Essa carta (2Pedro) é reivindicada pelo próprio Pedro como sua epístola (1.1), porém não há nenhuma reivindicação semelhante de Tiago e João.

Sexto, em 2.14,18 o escritor usa o verbo "engodar", da palavra grega *deleago*, que significa "fisgar" ou "pescar com a sedução do engano". É vocabulário próprio de um pescador, e consequentemente, apropriado para Pedro.

Sétimo, em 3.1 o autor se refere à carta prévia, que provavelmente é 1Pedro. Também se refere a Paulo (3.15) em termos muito pessoais, como só um apóstolo poderia fazer.

Oitavo, em 3.17 o autor usa a palavra "firmeza", que vem da mesma raiz do verbo "fortalecer" empregado em Lucas 22.32.

Talvez uma das razões pelas quais ainda hoje essa carta tenha recebido tantas críticas é que o autor condena com muita veemência os falsos mestres. Mais importante que dar voz aos críticos, é abrir nossos olhos para as verdades solenes dessa epístola e abrir os ouvidos da nossa alma para escutar a Deus, através da voz apostólica.

A data em que a carta foi escrita

Desde que concluímos que a igreja estava certa ao reconhecer 2Pedro como canônica, tanto da perspectiva histórica como espiritual, devemos situar a data bem próximo à morte de Pedro.[13]

Chegamos a essa conclusão quando examinamos o que o apóstolo escreveu: *Também considero justo, enquanto estou neste tabernáculo, despertar-vos com essas lembranças, certo de que estou prestes a deixar o meu tabernáculo, como efetivamente nosso Senhor Jesus Cristo me revelou* (1.13,14; cf. Jo 21.18,19). Na opinião de Kistemaker, Pedro está escrevendo

---

[13]MacDonald, William. *Believer's Bible Commentary*, p. 2286.

uma espécie de testamento no qual expressa suas admoestações antes de partir.[14]

A data exata em que essa epístola foi escrita ainda está em aberto, porém o historiador da igreja Eusébio coloca a morte de Pedro na época da perseguição de Nero (64-68 d.C.).[15] Como Nero morreu em 68 d.C., é muito provável que 2Pedro tenha sido escrita por volta do ano 67 d.C.

O lugar da carta no cânon

A Bíblia é a biblioteca do Espírito Santo e não apenas um único livro. É uma coleção de 66 livros. Todos eles foram reunidos num único volume, que chamamos de "cânon das Sagradas Escrituras".[16] A palavra cânon é uma tradução do termo grego *kanon*, que significa "vara de medir". O desenvolvimento do cânon foi um processo. Na verdade, a igreja esteve engajada por trezentos anos em debate, discussão e análise de vários livros do século I com o propósito de estabelecer de uma vez por todas quais eram os livros verdadeiramente inspirados.

Em virtude do falso e herético cânon de Marcião ter se espalhado pela igreja, foi necessário um esforço redobrado para verificar com exatidão quais livros tinham autoridade apostólica.

Não há vestígio do reconhecimento de 2Pedro senão depois do ano 200 d.C., a epístola não está incluída no Cânon Muratoriano, que data de 170 d.C. e constitui a primeira lista oficial dos livros do Novo Testamento. Não figurava na antiga versão latina das Escrituras e tampouco existia no Novo Testamento da primitiva igreja da Síria. Os grandes eruditos de Alexandria não conheciam essa epístola ou tinham dúvidas quanto a ela.[17] O próprio reformador João Calvino expressou suas restrições quanto à autoria petrina, enfatizando, por outro lado, sua importância canônica.[18] Nessa mesma linha de pensamento, Michael

---

[14] KISTEMAKER, Simon. *Epístolas de Pedro e Judas*, p. 309.
[15] EUSÉBIO DE CESAREIA. *História eclesiástica*, II: 25,5.
[16] SPROUL, R. C. *1-2 Peter*, p. 195.
[17] BARCLAY, William. *Santiago, I y II Pedro*, p. 323.
[18] CALVIN, John. *Calvin's Commentaries*. Vol. 22, p. 363.

Green diz que essa epístola tem atravessado séculos em meio a tempestades. Sua entrada no cânon foi extremamente precária. Na reforma, Lutero a considerou Escritura de segunda classe, e ela foi rejeitada por Erasmo e olhada com hesitação por Calvino.[19]

Só no século III, é que Orígenes cita pela primeira vez 2Pedro como parte das Escrituras. Jerônimo, no fim do século IV, reconheceu que Simão Pedro escreveu duas cartas gerais. A igreja universal, apesar de reservas e dúvidas, reconheceu a canonicidade de 2Pedro. O Concílio de Laodiceia em 360 d.C. colocou 2Pedro entre os livros canônicos, assim como o Concílio de Hipona (393 d.C.) e o Concílio de Cartago (397 d.C.). R. C. Sproul afirma que a autoria petrina desta epístola foi fortemente afirmada por homens como Atanásio, Ambrósio e Agostinho. O testemunho interno do livro e o testemunho externo da história da igreja são eloquentes. Por isso, entraremos na exposição dessa carta com a firme convicção de que ela nos vem da autoridade apostólica de Simão Pedro.[20]

O propósito da carta

Se o foco da primeira carta foi preparar a igreja para enfrentar o sofrimento que se espalhava, o propósito desta epístola é alertar a igreja acerca dos falsos profetas. Assim como Paulo escreveu duas cartas tanto aos crentes de Tessalônica como aos crentes de Corinto, Pedro também escreveu duas epístolas para os crentes judeus e gentios da Ásia Menor. Nessa segunda carta, ele advertiu os crentes sobre os perigos dos falsos mestres que se infiltraram nas comunidades cristãs.[21] Michael Green diz que há uma concordância geral entre os comentaristas de que a heresia em mira é uma forma primitiva de gnosticismo.[22]

Myer Pearlman reforça esse pensamento quando destaca que a Primeira Epístola de Pedro trata do perigo fora da igreja: as perseguições. A Segunda Carta trata do perigo dentro da igreja: a falsa doutrina. A primeira foi escrita para animar; a segunda, para advertir. Na

---

[19]GREEN, Michael. *II Pedro e Judas*, p. 12.
[20]SPROUL, R. C. *1-2 Peter*, p. 202.
[21]KISTEMAKER, Simon. *Epístolas de Pedro e Judas*, p. 303.
[22]GREEN, Michael. *II Pedro e Judas*, p. 36.

primeira, vemos Pedro cumprindo a missão de fortalecer os irmãos (Lc 22.32); na segunda, cumprindo a missão de pastorear as ovelhas, protegendo-as dos perigos ocultos e insidiosos, para que andem nos caminhos da justiça (Jo 21.15-17). O tema da segunda carta pode ser resumido da seguinte maneira: o conhecimento completo de Cristo é uma fortaleza contra a falsa doutrina e contra a vida imoral.[23]

As ênfases teológicas da carta

A Segunda Carta de Pedro tem algumas ênfases bem nítidas:

Em primeiro lugar, *o combate aos falsos mestres*. Robert Gundry diz que os mestres heréticos, que mascateavam com doutrinas falsas e praticavam uma moralidade frouxa, começavam a lançar sérias investidas contra a igreja, penetrando no seu interior. A Segunda Epístola de Pedro é uma polêmica contra os tais, particularmente contra seu ensino, no qual negavam a realidade da volta de Jesus. Pedro assevera o verdadeiro conhecimento da fé cristã a fim de fazer frente àquela doutrinação herética.[24]

Pedro adverte os leitores acerca dos falsos profetas que aparecem com heresias destruidoras, a fim de corromper as pessoas (2.1,2,13,14). Assegura aos crentes que esses falsos profetas serão repentinamente destruídos (2.3,4). Pedro exemplifica essa destruição citando o dilúvio e a destruição de Sodoma e Gomorra (2.4-8). Compara os falsos profetas a Balaão (2.15,16). Alerta para o fato de esses mestres do engano estarem decididos a desviar os cristãos do caminho da verdade e da santidade, prometendo-lhes uma falsa liberdade que nada mais é que libertinagem (2.17-22).[25]

Os falsos mestres do capítulo 2 são, possivelmente, os mesmos escarnecedores do capítulo 3. Esses hereges haviam rompido com a fé cristã (2.1,20,21) para espalhar seu veneno letal e suas heresias perniciosas. O apóstolo Pedro fez uma lista de seus ensinamentos pervertidos: 1)

---

[23]PEARLMAN, Myer. *Através da Bíblia*, p. 327.
[24]GUNDRY, Robert H. *Panorama do Novo Testamento*, p. 395,396.
[25]KISTEMAKER, Simon. *Epístolas de Pedro e Judas*, p. 304.

rejeitam Jesus Cristo e o Seu evangelho (2.1); 2) repudiam a conduta cristã (2.2); 3) desprezam a autoridade (2.10a); 4) difamam autoridades superiores (2.10b); 5) são imorais (2.13,14); 6) falam de liberdade, mas são escravos da depravação (2.19); 7) ridicularizam a doutrina da volta de Cristo (3.4); 8) rejeitam o juízo final (3.5-7); 9) distorcem os ensinamentos das epístolas de Paulo (3.16); 10) vivem em pecado (3.16).[26]

William Barclay sugere que esses falsos mestres eram antinomianos, ou seja, usavam a graça de Deus como justificativa para pecar.[27] Muito provavelmente, como já afirmamos, esse grupo era uma semente daquela devastadora heresia chamada "gnosticismo". Os gnósticos defendiam a tese de que o espírito é essencialmente bom e a matéria é essencialmente má. O gnosticismo desembocou no ascetismo e na licenciosidade. Esses falsos mestres denunciados por Pedro alegavam que, não importava o que alguém fizesse com o corpo, pois os atos externos, segundo criam, não afetavam o homem. Consequentemente, levavam uma vida imoral e induziam as pessoas a fazer o mesmo.

Numa época em que a igreja cristã dá pouco valor ao estudo da doutrina, quando alguns incautos chegam até a afirmar que a doutrina divide em vez de edificar, precisamos atentar para o fato de que a maior ameaça à igreja não é a pobreza nem a perseguição, mas a heresia. O gnosticismo devastou a igreja nos três primeiros séculos. Esses mestres do engano ensinavam que a verdade, especialmente, a verdade última, não poderia ser alcançada pela mente, pelo uso da razão, nem mesmo pela investigação científica. O único caminho para conhecer a verdade de Deus era através da intuição mística que estava além das categorias da razão e do testemunho experimental. O gnosticismo tentou amalgamar o cristianismo com a filosofia grega e o dualismo oriental. Hoje, a Nova Era tem sido o principal veículo para espalhar as doutrinas do velho gnosticismo.[28]

Uwe Holmer define gnosticismo nos seguintes termos:

---

[26]KISTEMAKER, Simon. *Epístolas de Pedro e Judas*, p. 308.
[27]BARCLAY, William. *Santiago, I y II Pedro*, p. 322.
[28]SPROUL, R. C. *1-2 Peter*, p. 200,201.

Gnosticismo (do grego *gnosis* = conhecimento) é uma designação genérica para movimentos religiosos que fazem com que a redenção e a libertação do ser humano dependam do conhecimento sobre natureza, origem e destino do mundo, da vida humana e das esferas divinas. Por gnosticismo e gnose entende-se uma linha no judaísmo, helenismo e cristianismo do século I a.C., até o século IV a.C., que tentava chegar a um conhecimento de Deus e cujo alvo era a divinização das pessoas espirituais (pneumáticas) pela contemplação da divindade e, com frequência, pela unificação com ela pelo êxtase.[29]

Em segundo lugar, *a segunda vinda de Cristo*. Kistemaker afirma que, em 2Pedro são desenvolvidos os seguintes temas escatológicos: o julgamento divino, a destruição do mundo e a promessa de novos céus e nova terra. Especialmente no terceiro capítulo, Pedro se refere ao Dia do Senhor, que é o dia do julgamento, o dia de Deus (3.7,8,10,12). Enquanto 2Pedro dedica um capítulo para tratar da segunda vinda de Cristo e do julgamento, 1Pedro faz uma única alusão a esse dia (2.12).[30]

Nenhum outro livro do Novo Testamento possui detalhes tão claros acerca do fim do universo. Pedro anuncia a promessa de um novo céu e uma nova terra (3.13; Is 65.17; 66.22; Ap 21.1). Descreve o novo céu e a nova terra como lugares *nos quais habita justiça* (3.13). Os cristãos, que já são coparticipantes da natureza divina (1.4) e aguardam a entrada no reino eterno de nosso Senhor e Salvador Jesus Cristo (1.11), desfrutarão para sempre deste lar na nova criação de Deus. Kistemaker esclarece que os cristãos experimentam, portanto, em sua vida de fé, a tensão entre o "já" e o "ainda não"; o "agora" e o "então".[31] William MacDonald aponta que é no meio da trevosa escuridão da apostasia que essa pequena carta, sobranceira e confiantemente, olha para frente, para a vinda de nosso Senhor Jesus Cristo.[32]

Em terceiro lugar, *a supremacia da Palavra de Deus*. Tanto a primeira como a segunda carta de Pedro enfatizam a inspiração das

---

[29]HOLMER, Uwe. *Cartas de Tiago, Pedro, João e Judas*. Curitiba: Esperança, 2008, p. 253.
[30]KISTEMAKER, Simon. *Epístolas de Pedro e Judas*, p. 297.
[31]KISTEMAKER, Simon. *Epístolas de Pedro e Judas*, p. 305.
[32]MACDONALD, William. *Believer's Bible Commentary*, p. 2285.

Escrituras (1Pe 1.23-25; 2Pe 1.20,21). Pedro entendia que as Escrituras do Antigo Testamento foram inspiradas pelo Espírito Santo, ou seja, os escritores humanos não publicaram suas próprias ideias, mas a revelação de Deus.[33] Os escritores não eram a fonte da mensagem, mas seus portadores. As Escrituras não são palavras de homens, mas a Palavra de Deus enviada por intermédio de homens santos, inspirados pelo Espírito Santo. Essa palavra é inspirada, inerrante, infalível e suficiente. Ela não pode falhar.

Em quarto lugar, *o conhecimento de Deus*. Em sua primeira epístola, Pedro enfatizou a graça de Deus (1Pe 5.12); porém, na segunda, destacou o conhecimento de Deus. O termo "conhecer" ou "conhecimento" é usado pelo menos treze vezes nessa breve epístola.[34] Enquanto os gnósticos estribavam seu ensino num conhecimento místico, Pedro deixava claro que o verdadeiro conhecimento de Deus não vem por meio do êxtase, mas por meio de Cristo.

Em quinto lugar, *Jesus como Salvador*. Se a Primeira Carta de Pedro dá um destaque para o sofrimento, a morte, a ressurreição e a ascensão de Cristo, a Segunda Carta realça a sua transfiguração. Pedro mostra uma preferência pelo uso do termo "Salvador" para se referir a Jesus (1.1,11; 2.20; 3.2,18).

---

[33]KISTEMAKER, Simon. *Epístolas de Pedro e Judas*, p. 298.
[34]WIERSBE, Warren W. *Comentário bíblico expositivo*. Vol. 6, p. 563.

1

O crescimento no conhecimento de Deus

2Pedro 1.1-11

ESSA É A SEGUNDA CARTA QUE PEDRO ESCREVE. Na primeira, ele encorajava os crentes dispersos da Ásia Menor, em virtude da chegada do sofrimento; nessa, exorta os crentes em face do ataque dos falsos mestres. Vejamos alguns destaques:

Remetente, destinatários e saudação

Em primeiro lugar, *o nome do remetente é mencionado* (1.1a). *Simão Pedro*... Simão Pedro era natural de Betsaida, cidade às margens do mar da Galileia. Irmão de André e empresário na área de pesca, deixou as redes para seguir a Cristo, que fez dele um pescador de homens. Pedro tornou-se o líder do grupo apostólico e seu principal porta-voz. Depois do Pentecostes foi o grande líder da igreja de Jerusalém; Lucas dedica ao ministério de Pedro a primeira parte do livro de Atos. Kistemaker sugere que os pais de Simão lhe deram esse nome quando de seu nascimento; porém, quando Jesus chamou Simão para ser seu seguidor, deu-lhe o nome de Pedro, que na língua aramaica é Cefas.[1]

---

[1] Kistemaker, Simon. *Epístolas de Pedro e Judas*, p. 320.

Em segundo lugar, *as credenciais do remetente são oferecidas* (1.1b). *...servo e apóstolo de Jesus Cristo...* Depois de se identificar a seus leitores, Pedro apresenta suas credenciais. A associação de "servo" e "apóstolo" é maravilhosa. Como servo, ele demonstra sua humildade; como apóstolo, sua autoridade. Como servo, ele está a serviço do seu Senhor; como apóstolo, representa seu Senhor. Michael Green diz que "apóstolo" ressalta sua solidariedade com Cristo, e "servo", com seus leitores.[2] Nessa mesma linha de pensamento, Kistemaker informa que Pedro usa essa combinação para indicar que, como servo, ele está no mesmo nível de qualquer outro servo de Jesus Cristo, mas, como apóstolo, ele recebe plena autoridade de Jesus Cristo. Em sua pregação e escritos, Pedro transmite não apenas sua própria mensagem, mas também a mensagem do Senhor.[3]

O significado de "servo" precisa ser entendido dentro do contexto da escravidão no império romano. Havia mais de 60 milhões de escravos no império. A palavra grega *doulos*, usada por Pedro, denota que o escravo ou servo é uma pessoa que foi comprada por aquele que se torna seu senhor. O escravo existe para o seu senhor e é sua propriedade exclusiva. Vive para agradar a seu senhor. Ao mesmo tempo, esse termo revela grande honra, pois os homens mais distintos do passado, como Moisés, Josué e Davi, foram chamados de "servos de Deus".

Já o termo "apóstolo" é uma designação para os doze e para o apóstolo Paulo. Foram pessoas chamadas diretamente pelo Senhor Jesus, que testemunharam Sua ressurreição. Os apóstolos precisavam ser apresentados com as devidas credenciais (2Co 12.12). Os apóstolos e os profetas foram colunas da igreja. Não tiveram sucessores. Sendo assim, a designação do termo aplicada hoje a determinados líderes não tem amparo bíblico.

Em terceiro lugar, *os destinatários da carta são mencionados* (1.1c). ... *aos que conosco obtiveram fé igualmente preciosa na justiça do nosso Deus e Salvador Jesus Cristo*. Pedro não é explícito acerca dos destinatários, porque já havia deixado isso claro na primeira epístola (1Pe 1.1) e também porque está escrevendo sua segunda carta para o mesmo público (3.1).

---

[2] GREEN, Michael. *II Pedro e Judas*, p. 57.
[3] KISTEMAKER, Simon. *Epístolas de Pedro e Judas*, p. 321.

Nesta missiva, Pedro definiu seus destinatários apenas como crentes que obtiveram fé preciosa na justiça de Cristo, nosso Deus e Salvador, ou seja, o apóstolo não estava interessado no lugar em que esses crentes habitavam, mas nos bens espirituais que os leitores tinham em comum com o apóstolo.[4]

A fé, o bem comum entre os cristãos e o apóstolo, não tem origem no homem, mas em Deus. É obtida e não conquistada; é dádiva de Deus (Ef 2.8,9). Essa fé pode ser tanto objetiva (o conteúdo da verdade) quanto subjetiva (confiança em Deus). Essa fé é a mesma dos apóstolos. Os apóstolos estão no mesmo patamar de todos os crentes em Cristo Jesus. Embora haja diferença de funções na igreja de Deus, não há hierarquia no corpo de Cristo.

Michael Green diz que a fé é a confiança que traz a salvação ao ser humano quando este agarra a mão de Deus a ele estendida. A fé é a capacidade, dada por Deus, de confiar nEle, disponível igualmente aos judeus, gentios, apóstolos e cristãos do século XXI.[5] Pedro deixa claro que a fé salvadora é a fé no Cristo crucificado; o qual, por meio de Seu sacrifício, alcançou-nos a justificação.

Warren Wiersbe diz corretamente que, quando cremos em Jesus como Salvador, sua justiça passa a ser nossa justiça e nos tornamos justos diante de Deus (2Co 5.21).[6] O próprio Pedro ressaltou essa verdade em sua primeira carta, quando escreveu: *Pois também Cristo morreu, uma única vez, pelos pecados, o justo pelos injustos, para conduzir-vos a Deus...* (1Pe 3.18). Pedro diz ainda que *...Cristo sofreu em vosso lugar [...] carregando Ele mesmo em Eeu corpo, sobre o madeiro, os nossos pecados, para que nós, mortos para os pecados, vivamos para a justiça; por Euas chagas fostes sarados* (1Pe 2.21,24). A morte de Cristo foi substitutiva. Ele teve morte vicária. Somos justificados não por nossa própria justiça, mas pela justiça de Cristo imputada a nós.

Cristo que é a nossa justiça é também o nosso Deus e Salvador. Os cristãos primitivos estavam totalmente convictos da divindade de Jesus

---

[4]KISTEMAKER, Simon. *Epístolas de Pedro e Judas*, p. 321.
[5]GREEN, Michael. *II Pedro e Judas*, p. 57.
[6]WIERSBE, Warren W. *Comentário bíblico expositivo*. Vol. 6, p.563.

(Jo 20.28; Rm 9.5; Cl 2.9; Tt 2.13; Hb 1.8). Essa afirmativa de Pedro lança por terra todas as seitas que negam tanto a divindade de Jesus Cristo como a doutrina da Trindade. Deus é um só, mas subsiste em três pessoas distintas, de tal forma que o Pai não é o Filho nem o Filho é o Pai. O Espírito Santo não é nem o Pai nem o Filho. Embora a palavra "Trindade" não esteja presente na Bíblia, o seu conceito é amplamente encontrado.

Em quarto lugar, *a saudação é dada* (1.2): *Graça e paz vos sejam multiplicadas, no pleno conhecimento de Deus e de Jesus Cristo, nosso Senhor.* "Graça e paz" era a maneira mais comum de os apóstolos saudarem os crentes (1Co 1.3; 2Co 1.2; Gl 1.3; Ef 1.2; Fp 1.2; Cl 1.2; 1Ts 1.1; 2Ts 1.2; Tt 1.4; 1Pe 1.2). A paz flui da graça, e a graça é a fonte da paz. Graça é a raiz, e paz é o fruto. Graça é a causa, e paz é a consequência. Onde há graça, também há paz; e não há paz sem graça. A graça é o favor de Deus a pecadores indignos, e a paz é a condição daqueles que foram reconciliados com Deus.

A oração de Pedro é que Deus nos envie uma quantidade cada vez maior tanto de graça quanto de paz. Concordo com Kistemaker quando ele diz que a principal preocupação de Pedro é que os cristãos aumentem seu conhecimento pessoal de Jesus Cristo, seu Senhor e Salvador.[7] Esse conhecimento é tanto intelectual quanto experimental. Aumenta pelo estudo da Palavra e também pela oração. O conhecimento de Deus é uma das principais ênfases dessa epístola. E isso porque Pedro está combatendo a influência perniciosa dos falsos mestres, que diziam que o homem só pode chegar a Deus por intermédio de um conhecimento místico e esotérico. Pedro refuta os paladinos da heresia, afirmando que o conhecimento de Deus só é possível por meio de Jesus Cristo. Jesus é a exegese de Deus, a plenitude da divindade, a expressa imagem do Seu Ser. Ninguém pode chegar a Deus, exceto por meio de Jesus. Ninguém pode ver o Pai, senão olhando para Jesus.

A provisão divina para a piedade

Depois de saudar os crentes, Pedro começa a falar sobre a qualidade superlativa de vida que Deus concedeu a eles. Em contraste com os

---
[7] KISTEMAKER, Simon. *Epístolas de Pedro e Judas*, p. 325.

falsos mestres, Pedro deixa claro que os recursos para uma vida piedosa não vêm do esforço humano nem do conhecimento místico, mas da doação divina. Destacaremos algumas verdades sobre a provisão divina:

Primeiro, *a fonte da provisão divina* (1.3a): *Visto como, pelo seu divino poder, nos têm sido doadas todas as coisas...* Toda a provisão para uma vida piedosa e santa vem de Deus. O poder de Deus é um reservatório inesgotável do qual jorram os recursos celestes para vivermos uma vida digna dele. Na verdade, temos à nossa disposição toda a suprema grandeza do poder de Deus. O mesmo poder que ressuscitou Jesus dentre os mortos está à disposição da igreja. Não precisamos viver uma vida fraca e impotente, pois todas as coisas nos são doadas a partir do poder dAquele que é Onipotente!

Segundo, *o propósito da provisão divina* (1.3b): ... *que conduzem à vida e à piedade...* Deus não nos salvou *no* pecado, mas *do* pecado. E salvou-nos do pecado *para* a santidade. O propósito de Deus em nos alcançar com Sua graça é nos levar por caminhos de vida e de piedade. A piedade tem que ver com um correto relacionamento com Deus. Um cristão não pode viver nas sombras da morte, no território nebuloso do pecado, imiscuído em práticas escandalosas. Não podemos viver na impiedade, pois dela fomos resgatados. Não podemos viver no pecado, pois dele fomos libertos.

Terceiro, *a apropriação da provisão divina* (1.3c): ... *pelo conhecimento completo dAquele que nos chamou para a sua própria glória e virtude.* Os gnósticos alegam que o homem chega a Deus pelo conhecimento esotérico, mas Pedro diz que nos apropriamos da provisão divina na medida em que conhecemos plenamente a Cristo, a revelação suprema de Deus, aquele que nos chamou para sermos herdeiros da glória no futuro e nos capacita a vivermos de forma virtuosa no presente.

Jesus chama os homens para sua excelência moral, *arete* ("virtude"), e para o impacto da Sua Pessoa, *doxa* ("glória"). Warren Wiersbe argumenta que, assim como cada bebê possui estrutura genética definida que determina o modo como ele vai crescer, também o cristão é "geneticamente estruturado" para experimentar "glória e virtude".[8]

---

[8] WIERSBE, Warren W. *Comentário bíblico expositivo.* Vol. 6, p. 564.

Em 2Pedro 1.3,5 é usada a palavra grega *epignosis,* em vez de *gnosis,* para falar sobre o conhecimento. Michael Green mostra que a diferença entre essas palavras é que *gnosis* fala sobre um conhecimento abstrato e *epignosis* fala sobre um conhecimento particular e experimental.[9]

Quarto, *as bênçãos da provisão divina* (1.4a): *Pelas quais nos têm sido doadas as suas preciosas e mui grandes promessas...* Pedro é eloquente ao descrever as promessas de Deus. Tem o cuidado de adjetivá-las com grande ênfase. As promessas de Deus são preciosas e imensas. Ao que parece, Pedro gosta do adjetivo *precioso,* pois escreve sobre a *fé igualmente preciosa* (1.1; 1Pe 1.7), as *preciosas e mui grandes promessas* (1.4), o *precioso sangue* (1Pe 1.19), a *pedra preciosa* (1Pe 2.4,6) e o *Salvador precioso* (1Pe 2.7).[10] A fé cristã não é um caminho de sacrifício sem recompensa, mas uma estrada ladeada por promessas benditas, abundantes e gloriosas. A vida cristã não é uma jornada penosa e frustrante. Temos preciosas e mui grandes promessas. Aquele que fez as promessas é fiel para cumpri-las.

Quinto, *o alcance da provisão divina* (1.4b): *... para que por elas vos torneis coparticipantes da natureza divina...* Deus nos resgatou de uma grande condenação para uma grande salvação. Por intermédio das preciosas e mui grandes promessas de Deus, nascemos do Espírito, nascemos do alto, e passamos a fazer parte da família de Deus. Estamos sendo transformados de glória em glória à imagem de Cristo. Deus está esculpindo em nós o caráter de Cristo. Tornamo-nos coparticipantes da natureza divina. Como o bebê compartilha da natureza dos pais, a pessoa nascida de Deus compartilha da natureza de Deus.[11]

De acordo com Michael Green, Pedro não quer dizer que o ser humano é absorvido pela divindade; tal coisa dissolveria a identidade pessoal e, ao mesmo tempo, tornaria impossível qualquer encontro entre o indivíduo e Deus. O que Pedro está dizendo aqui é o mesmo que Paulo declara em Romanos 8.9 e Gálatas 2.20 e que João afirma em 1João 5.1. É também o mesmo princípio que o próprio Pedro anuncia

---

[9]GREEN, Michael. *II Pedro e Judas,* p. 59.
[10]WIERSBE, Warren W. *Comentário bíblico expositivo.* Vol. 6, p. 564.
[11]WIERSBE, Warren W. *Comentário bíblico expositivo.* Vol. 6, p. 564.

em 1Pedro 1.23.[12] Nós somos filhos de Deus por adoção e também por natureza. Como Juiz, Deus não apenas nos justificou, mas também nos adotou em sua família. Saímos do tribunal de Deus não como réus condenados, mas como filhos adotados. Aquele que nos deveria sentenciar à morte, esse nos adota como filhos. E isso por causa da justiça de Cristo, imputada a nós. No entanto, mais que isso, somos filhos também por natureza, pois nascemos da água e do Espírito. Recebemos uma nova natureza e um novo coração. Temos agora não apenas o nome do nosso Pai, mas também Sua natureza, Seu caráter e Sua semelhança.

Sexto, *a solene advertência da provisão divina* (1.4c): ... *livrando-vos da corrupção das paixões que há no mundo*. A salvação implica rompimento com a velha vida de pecado. As paixões do mundo corrompem, mas a obra de Deus em nós e por nós nos santifica. Concordo com Warren Wiersbe quando diz que a natureza determina o *desejo:* o porco quer chafurdar na lama e o cão deseja voltar ao seu vômito (2.22), mas as ovelhas anseiam por pastos verdejantes. A natureza também determina o *comportamento*: As águias voam e os golfinhos nadam porque é de sua natureza proceder desse modo. A natureza determina a escolha do *ambiente*: os esquilos sobem nas árvores, as toupeiras fazem tocas debaixo da terra e as trutas nadam na água. A natureza também determina a *associação*: os leões andam em bandos, as ovelhas em rebanhos, os peixes em cardumes. Se a natureza determina os desejos, e se temos dentro de nós a natureza de Deus, então devemos ansiar por aquilo que é puro e santo.[13] O próprio Jesus nos exortou: *Sede vós perfeitos como perfeito é o vosso Pai Celeste* (Mt 5.48).

O crescimento diligente **rumo à maturidade**

Pedro ensina que a vida cristã exige empenho, dedicação e esforço: *Por isso mesmo, vós, reunindo toda a vossa diligência...* (1.5a). Há duas coisas essenciais na vida: nascer e crescer. Onde há vida, precisa existir crescimento. Michael Green tem razão em dizer: "A falta de crescimento

---

[12]GREEN, Michael. *II Pedro e Judas*, p. 62.
[13]WIERSBE, Warren W. *Comentário bíblico expositivo*. Vol. 6, p. 564,565.

espiritual é um sinal de morte espiritual".[14] Esse crescimento espiritual, porém, não é automático. Requer diligência e disciplina espiritual. Paulo escreveu aos filipenses: *Desenvolvei a vossa salvação* [...]; *porque Deus é quem efetua em vós tanto o querer como o realizar* (Fp 2.12,13). Um crente displicente é uma contradição de termos, uma vez que a graça de Deus exige e também capacita que o crente seja diligente. Quais são os instrumentos divinos para nos levar a esse crescimento espiritual? Pedro selecionou uma lista de virtudes que devem ser encontradas numa vida cristã sadia.[15] Cada virtude dá origem à seguinte e a facilita.

Em primeiro lugar, *a fé e a virtude* (1.5b). ... *associai com a vossa fé a virtude*. Michael Green lança luz para entendimento desse assunto, quando nos oferece o histórico do verbo grego *epichoregein*, "associai". Essa palavra é fascinante. É uma metáfora tirada dos festivais atenienses de drama, em que um indivíduo rico, chamado de *choregos*, pagava as despesas do coro, juntando-se ao Estado e ao poeta para fazer e realizar as peças de teatro. Esta podia ser uma atividade dispendiosa, mas, mesmo assim, os *choregoi* competiam entre si na questão dos equipamentos e do treinamento dos coros. Logo, a palavra veio a significar cooperação generosa e dispendiosa. O cristão deve ocupar-se desse tipo de cooperação com Deus para produzir uma vida cristã que é para a honra dele.[16]

Pedro começa sua lista com a fé. A fé é a pedra fundamental sobre a qual estão erigidas todas as colunas da vida cristã. Kistemaker, citando Guthrie, diz que essas virtudes são inalcançáveis, até que se tenha dado o passo inicial de fé.[17] O crente é salvo pela fé, vive pela fé, vence pela fé e caminha de fé em fé. A fé não vem só; ela é acompanhada pela virtude e virtude tem a ver com excelência. A vida do cristão precisa refletir a excelência do caráter de Cristo. Nosso alvo é chegar à estatura de Cristo, à semelhança do Filho de Deus, o homem perfeito e excelente. Nessa mesma trilha de pensamento, Warren Wiersbe diz que a virtude

---

[14]GREEN, Michael. *II Pedro e Judas*, p. 68.
[15]GREEN, Michael. *II Pedro e Judas*, p 63.
[16]GREEN, Michael. *II Pedro e Judas*, p. 63.
[17]KISTEMAKER, Simon. *Epístolas de Pedro e Judas*, p. 335.

cristã não consiste em "lustrar" qualidades humanas, por melhores que sejam, mas em produzir qualidades divinas que tornam uma pessoa mais semelhante a Jesus Cristo.[18]

Em segundo lugar, *a virtude e o conhecimento* (1.5). A virtude deve ser associada ao conhecimento. A palavra grega *epignosis*, traduzida aqui por "conhecimento" (1.2,3,5) significa conhecimento pleno ou conhecimento crescente. Refere-se ao conhecimento prático ou discernimento. Tem que ver com a capacidade de lidar de forma certa e adequada com a vida.[19] Este conhecimento é obtido no exercício prático da bondade. Ressalto, mais uma vez, que Pedro está, com isso, rechaçando a heresia dos falsos mestres gnósticos, que ensinavam o povo a buscar um conhecimento místico e esotérico, com o fim de conduzi-lo a Deus. Esse conhecimento era apenas para os iniciados, para aqueles que se submetiam a determinados rituais místicos. O verdadeiro conhecimento de Deus não está no misticismo, mas em Cristo Jesus. Não deve ser buscado através de experiências esotéricas, mas nas Escrituras.

Em terceiro lugar, *o conhecimento e o domínio próprio* (1.6). O conhecimento deve ser associado ao domínio próprio. A palavra grega *egkrateia*, "domínio próprio", significa autocontrole, e esse autocontrole é fruto do Espírito e não esforço da carne (Gl 5.23). O livro de Provérbios dá grande destaque ao domínio próprio: *Melhor é o longânimo do que o herói da guerra, e o que domina o seu espírito, do que o que toma uma cidade* (Pv 16.32). O apóstolo comparou o cristão com um atleta que precisa ter disciplina e autocontrole para conquistar o prêmio (1Co 9.24-27; Fp 3.12-16; 1Tm 4.7,8). Domínio próprio significa controlar as paixões ao invés de ser controlado por elas. É a submissão ao controle de Cristo que habita no crente. Enquanto os falsos mestres gnósticos ensinavam que o conhecimento os libertava da necessidade de controle próprio (2.10; 3.3), Pedro enfatizava que o verdadeiro conhecimento leva ao domínio próprio. Qualquer sistema religioso que divorcia a religião da ética é fundamentalmente heresia.[20] O misticismo dos falsos mestres desaguava em

---

[18]WIERSBE, Warren W. *Comentário bíblico expositivo*. Vol. 6, p. 565.
[19]WIERSBE, Warren W. *Comentário bíblico expositivo*. Vol. 6, p. 565.
[20]GREEN, Michael. *II Pedro e Judas*, p. 65.

dois extremos perigosos: ascetismo e licenciosidade. Ambos são nocivos e incompatíveis com a vida cristã. O cristão não é um eremita nem um depravado. Cristo não nos tirou fisicamente do mundo, mas nos salvou do mundo e nos enviou como luzeiros a brilhar numa geração dominada pelas trevas. O cristão é alguém que tem domínio próprio, que não é governado por paixões internas nem por pressões externas.

Em quarto lugar, *o domínio próprio e a perseverança* (1.6). O domínio próprio deve ser associado à perseverança. A palavra grega *hupomone*, traduzida aqui por "perseverança", significa paciência triunfadora em circunstâncias difíceis. Warren Wiersbe explica que o domínio próprio ajuda a lidar com os prazeres da vida, enquanto a perseverança diz respeito principalmente às pressões e aos problemas da vida.[21] Michael Green vai além e ressalta que "perseverança" é a disposição mental que não é abalada pela dificuldade e pela aflição, e que pode resistir a duas agências satânicas: a oposição do mundo da parte de fora, e a sedução da carne da parte de dentro.[22]

A vida cristã, embora gloriosa, não é um mar de rosas. Não pisamos aqui em tapetes aveludados. Aqui ainda não é o céu. Aqui choramos e gememos. Aqui somos assolados por tempestades e navegamos por mares revoltos. Aqui cruzamos desertos tórridos e atravessamos vales escuros. Sofremos ainda ataques externos e temores internos. Para lidar com essas circunstâncias adversas, precisamos de *hupomone*, uma paciência triunfadora. Isso não é estoicismo. Não trincamos os dentes para enfrentar as lutas da vida. Não se trata apenas de ter paciência, mas uma paciência que exulta mesmo no vale da provação. O cristão tempera suas lágrimas com uma alegria indizível e cheia de glória. Vive com os pés no vale, mas com o coração no céu. Ergue a voz para louvar a Deus não apenas depois da vitória, mas a fim de alcançar a vitória. Gloria-se nas fraquezas, canta nas prisões e marcha resoluto mesmo que seja para o martírio!

Em quinto lugar, *a perseverança e a piedade* (1.6). A perseverança deve ser associada à piedade. O termo grego *eusebeia*, traduzido por "piedade", é a palavra primária para "religião", no uso pagão popular.

---

[21]WIERSBE, Warren W. *Comentário bíblico expositivo*. Vol. 6, p. 566.
[22]GREEN, Michael. *II Pedro e Judas*, p. 66.

Michael Green diz que se trata daquela consciência muito prática de Deus em todos os aspectos da vida.[23] Piedade é a virtude que descreve nosso relacionamento certo com Deus. É a qualidade do caráter que torna uma pessoa distinta. Ela vive acima das coisas mesquinhas da vida, das paixões e pressões que controlam a existência dos outros.[24] Num mundo que valoriza tanto o poder, o sucesso, a riqueza e a saúde, em detrimento dos valores espirituais, é preciso compreender que a nossa maior necessidade é de uma vida piedosa. O apóstolo chega a dizer que a piedade para tudo é proveitosa.

Em sexto lugar, *a piedade e a fraternidade* (1.7). A piedade deve ser associada à fraternidade. A palavra grega *philadelfia*, traduzida aqui por "fraternidade", significa amar o próximo como se ama a um irmão de sangue. Amamos os nossos irmãos de sangue não apenas por suas virtudes, mas apesar de suas fraquezas; não apenas por causa de seus méritos, mas apesar de seus deméritos. É assim que devemos amar uns aos outros na igreja de Deus. Pedro fala sobre o amor fraternal não fingido (1Pe 1.22). O autor de Hebreus enfatiza que deve ser constante o amor fraternal (Hb 13.1). Devemos amar nossos irmãos sejam quais forem suas diferenças de cultura, classe e afiliação eclesiástica. Isso acarreta levarmos os fardos uns dos outros.[25]

Em sétimo lugar, *a fraternidade e o amor* (1.7). A fraternidade deve ser associada ao amor. A palavra grega ágape significa amor sacrificial, incondicional. Foi o amor demonstrado por Jesus na cruz. Da mesma forma que Cristo nos amou e se entregou por nós, devemos amar uns aos outros e também entregar nossa vida (1Jo 3.16). Esse amor é a prova irrefutável de que somos discípulos de Cristo (Jo 13.34,35). O amor é a apologética final, o último e decisivo argumento de que, de fato, pertencemos à família de Deus. A causa desse amor não está no objeto amado, mas na pessoa que ama. Não amamos por causa dos méritos das pessoas, mas apesar de seus deméritos. Michael Green é oportuno quando escreve:

---
[23]GREEN, Michael. *II Pedro e Judas*, p. 66.
[24]WIERSBE, Warren W. *Comentário bíblico expositivo*. Vol. 6, p. 566.
[25]GREEN, Michael. *II Pedro e Judas*, p. 67.

Na amizade (*philia*) os parceiros buscam mútuo conforto; no amor sexual (*eros*), mútua satisfação. Nos dois casos, estes sentimentos foram despertados por causa daquilo que a pessoa amada é. No caso de ágape, a situação é inversa. O amor de Deus (ágape) é despertado não por aquilo que somos, mas, sim, por quem Deus é. Tem sua origem no agente, não no objeto. Não é que nós sejamos amáveis, mas, sim, que ele é amor.[26]

As implicações práticas do crescimento espiritual

Depois de falar sobre os degraus do crescimento espiritual, Pedro mostra as implicações práticas desse crescimento. Menciona três resultados práticos:

Primeiro, *uma vida frutífera* (1.8): *Porque estas coisas, existindo em vós e em vós aumentando, fazem com que não sejais inativos, nem infrutuosos no pleno conhecimento de nosso Senhor Jesus Cristo*. Um cristão estagnado é infrutífero e inativo. Não tem fruto nem obras. É ineficaz. Quem não cresce não faz nada de útil para o reino de Deus. A falta de crescimento sinaliza falta de vida. O pleno conhecimento de Cristo implica necessariamente uma vida ativa e frutífera. Obviamente, Pedro está mostrando mais uma vez que esse conhecimento não é apenas intelectual. Um teólogo de gabinete que caminha com desenvoltura pelos volumes mais densos da teologia, e que conhece com profundidade todas as vertentes teológicas, não tem automaticamente uma vida ativa e frutífera no reino de Deus. Não basta ter luz na cabeça. É preciso ter fogo no coração e obras que abençoam o próximo e glorificam a Deus.

Segundo, *uma visão clara* (1.9): *Pois aquele a quem estas coisas não estão presentes é cego, vendo só o que está perto, esquecido da purificação dos seus pecados de outrora*. Um crente estagnado não tem discernimento espiritual. Sua visão é embaçada e turva. Está cego, como estava cega a igreja de Laodiceia (Ap 3.17). É um míope espiritual. Mas, se um homem é cego, como pode ser míope? Se Pedro tinha em mente este significado, talvez quisesse dizer que tal homem estava cego às coisas celestiais, e

---

[26]GREEN, Michael. *II Pedro e Judas*, p. 67,68.

totalmente ocupado com as terrestres; não podia ver o que está longe, mas somente o que está perto.²⁷ Tal pessoa é capaz de ver as coisas da terra, que estão próximas a ela, mas não pode enxergar as coisas celestiais, que estão distantes. Ela é espiritualmente cega.²⁸

Pedro diz que o crente que não discerne a obra da redenção, não compreende a cruz e não atenta para a imensidão do amor de Deus, não tem ânimo para agradecer a Deus pela salvação ou entusiasmo para anunciar a salvação aos outros.

Terceiro, *uma segurança inabalável* (1.10,11): *Por isso, irmãos, procurai, com diligência cada vez maior, confirmar a vossa vocação e eleição; porquanto, procedendo assim, não tropeçareis em tempo algum. Pois desta maneira é que vos será amplamente suprida a entrada no reino eterno de nosso Senhor e Salvador Jesus Cristo.* Warren Wiersbe está correto quando diz que a prova de que o indivíduo é salvo não é sua profissão de fé, mas seu progresso na fé.²⁹ Vocação e eleição andam juntas. Ninguém pode sustentar que é um eleito de Deus e foi chamado por Deus se está vivendo na contramão da vontade do Senhor. Somente uma vida santa é evidência da vocação e eleição. Michael Green afirma que a eleição advém de Deus somente – mas o comportamento do homem é a prova ou a refutação dessa eleição.³⁰

A exortação de Pedro é assaz oportuna, pois muitos crentes rejeitam a doutrina da eleição e outros a torcem. A eleição é uma doutrina bíblica. Está presente no Antigo e no Novo Testamentos. Não fomos nós que escolhemos a Deus; foi Ele quem nos escolheu (Jo 15.16). Fomos escolhidos antes dos tempos eternos (2Tm 1.9). Fomos escolhidos antes da fundação do mundo (Ef 1.4). Fomos escolhidos desde o princípio (2Ts 2.13). Fomos eleitos para sermos santos e irrepreensíveis (Ef 1.4). Fomos escolhidos pela obediência do Espírito e fé na verdade (2Ts 2.13). Fomos escolhidos para a fé, e não por causa da fé (At 13.48). Fomos escolhidos para a santidade, e não por causa da

---

²⁷Green, Michael. *II Pedro e Judas*, p. 69.
²⁸Kistemaker, Simon. *Epístolas de Pedro e Judas*, p. 340.
²⁹Wiersbe, Warren W. *Comentário bíblico expositivo*. Vol. 6, p. 568.
³⁰Green, Michael. *II Pedro e Judas*, p. 70.

santidade (Ef 1.4). Fomos eleitos para as boas obras, e não por causa delas (Ef 2.10).

Porém, equivocam-se aqueles que se agarram à doutrina da eleição para justificar sua pretensa segurança, vivendo ao mesmo tempo em pecado. A única evidência da eleição é a santidade. Deus não nos escolheu para vivermos em pecado, mas para vivermos em santidade. Aqueles que vivem um arremedo de vida cristã e se julgam seguros por causa da eleição deveriam provar a si mesmos se estão de fato na fé.

De igual forma, estão enganados aqueles que usam a doutrina da eleição para assumir uma postura de acomodação em relação ao ímpeto evangelístico. A doutrina da eleição não deve ser um jato de água fria no impulso missionário da igreja, mas um fator de encorajamento. O Senhor disse a Paulo, em Corinto: *Fala e não te cales* [...], *pois tenho muito povo nessa cidade* (At 18.9,10). A eleição divina nos dá a garantia de que a evangelização é uma obra vitoriosa, pois as ovelhas de Cristo atenderão à sua voz. Aqueles que Deus predestina, a esses também chama, e chama eficazmente. Posso afirmar, com inabalável convicção, que aquilo que as pessoas rejeitam não é a doutrina da eleição, mas suas lamentáveis distorções.

Dois resultados advêm da confirmação da vocação e da eleição. Primeiro, *não tropeçareis em tempo algum* (1.10), ou seja, os crentes serão poupados de uma derrota desastrosa. Pedro tinha experiência nesse fato. Por não vigiar, negou a Jesus três vezes. Segundo, *vos será amplamente suprida a entrada no reino eterno de nosso Senhor e Salvador Jesus Cristo* (1.11). Só entrarão no reino eterno os que permanecerem fiéis até o fim (Ap 3.10). Aqueles que apenas têm aparência de salvos e, como as virgens néscias, estiverem sem azeite em suas lâmpadas, ficarão de fora naquele glorioso dia. Não há nada mais desastroso que a falsa segurança. Jesus concluiu o Sermão do Monte, afirmando que muitos, no dia final, clamarão: *Senhor, Senhor!* Essa é uma profissão ortodoxa e fervorosa. Eles justificarão sua profissão de fé, estadeando suas grandes realizações: *Porventura não temos nós profetizado em teu nome, e em teu nome não expelimos demônios, e em teu nome não fizemos muitos milagres?* (Mt 7.22). Fizeram obras espetaculares. Realizaram coisas extraordinárias. Impressionaram as pessoas pela grandeza de suas realizações.

Jesus não negará essas obras, mas lhes dirás: *Apartai-vos de mim, os que praticais a iniquidade* (Mt 7.23). Essas pessoas tiveram apenas um relacionamento nominal com Cristo, mas nenhuma intimidade com Ele. Possuíam apenas um conhecimento intelectual da verdade, mas não haviam sido transformadas por essa verdade. Faziam coisas sagradas, mas, ao mesmo tempo, viviam na prática da iniquidade. Os que entrarão no reino eterno de nosso Senhor e Salvador não são aqueles que fazem apenas uma profissão de lábios, mas aqueles que vivem de modo digno do Senhor.

2

A transitoriedade da vida e a perenidade da Palavra

2 Pedro 1.12-21

A MENSAGEM É MAIOR QUE O MENSAGEIRO. O mensageiro passa, a mensagem permanece. Pedro está nos portais da morte. O tempo de sua partida é chegado. Já está de malas prontas para mudar de endereço e sair de seu frágil tabernáculo rumo a seu lar permanente. Está indo para a "Casa do Pai". Porém, a Palavra de Deus precisa continuar sendo relembrada pelos crentes.

Vamos destacar na exposição do texto supracitado, algumas preciosas lições.

A necessidade da **repetição**

A repetição é uma das mais importantes leis pedagógicas e um dos mais eficazes recursos de aprendizado. O apóstolo Pedro foi incisivo em dizer: *Por esta razão, sempre estarei pronto para trazer-vos lembrados acerca destas coisas, embora estejais certos da verdade já presente convosco e nela confirmados* (1.12). Pedro não tem a pretensão de sempre pregar coisas novas. Ele repete aquilo que já ensinou. Reaviva a memória de seus leitores acerca de verdades que eles já conheciam e nas quais já estavam firmados. Mesmo que os cristãos tenham um conhecimento básico da verdade e já sejam plenamente doutrinados nas verdades do evangelho, Pedro acha necessário fazê-los lembrar. Por isso, o Espírito Santo foi dado à Igreja, dentre outros motivos, para lembrar os cristãos das lições já aprendidas (Jo 14.26).[1]

Pedro chega a dizer que o despertamento da lembrança de verdades conhecidas é uma atitude justa e necessária: *Também considero justo, enquanto estou neste tabernáculo, despertar-vos com essas lembranças* (1.13). Pedro sabe que, apesar de sua vida na terra chegar ao fim, sua epístola continuará sendo uma lembrança constante. Em suas epístolas, Paulo (Rm 15.15; Fp 3.1) e João também lembram aos leitores as verdades que ensinaram (1Jo 2.21). Eles deixaram documentos escritos que são a Palavra inspirada de Deus.[2] Pedro sabia que a nossa mente tende a se acostumar com a verdade e a deixar de dar-lhe o devido valor. Esquecemo-nos do que devemos lembrar e lembramo-nos do que devemos esquecer.[3]

Michael Green diz que Pedro dificilmente pode enfatizar em demasia a importância das lembranças. Aqui, acabara de lembrar seus leitores da chamada de Deus, da necessidade para o crescimento na graça, e do lar celestial que os aguarda. Em 1Pedro 2.11, lembra-os acerca da sua milícia cristã, tema que volta a mencionar em 2Pedro 3.1-18.[4] Calvino destaca que, através do exemplo de Pedro, aprendemos que, quanto menos tempo de vida nos resta, mais diligentes devemos ser ao executar nosso ofício.[5] Devemos pregar com senso de urgência, como se estivéssemos morrendo, a ouvintes que estão nos portais da morte!

Pedro usa a mesma metáfora que Paulo usou (2Co 5.1,4), "tabernáculo", para falar do seu corpo. Kistemaker diz que a ilustração é reveladora, pois uma casa oferece uma sensação de permanência, enquanto um tabernáculo é uma habitação temporária. Pedro não dá nenhuma indicação de que despreza o corpo e glorifica a alma. Ao contrário, sua figura de linguagem transmite uma ideia de temporalidade. Por causa da brevidade de tempo que ainda resta, Pedro quer que seus leitores

---

[1] KISTEMAKER, Simon. *Epístolas de Pedro e Judas*, p. 347.
[2] KISTEMAKER, Simon. *Epístolas de Pedro e Judas*, p. 348.
[3] WIERSBE, Warren W. *Comentário bíblico expositivo*. Vol. 6, p. 569, 570.
[4] GREEN, Michael. *II Pedro e Judas*, p. 75.
[5] CALVIN, John. *The Second Epistle of Peter*, p. 379.

estejam conscientes da autoridade e importância de seus ensinamentos. Assim, embora seja fisicamente capaz, dedica seu tempo a reavivar a memória dos crentes.[6]

A consciência da **chegada da morte**

Quanto mais Pedro tem consciência da aproximação de sua morte, mais pressa sente em refrescar a memória dos crentes acerca das verdades da fé cristã. Assim como Paulo, Pedro tinha convicção de que a hora de sua morte estava chegando. Ele escreve: *Certo de que estou prestes a deixar o meu tabernáculo, como efetivamente nosso Senhor Jesus Cristo revelou* (1.14). Jesus havia profetizado a morte de Pedro quando o restaurou no mar da Galileia (Jo 21.18,19). Pedro tinha consciência de que essa hora havia chegado. "Deixar o tabernáculo" é uma linguagem figurada para dizer que ele estava deixando o corpo para habitar com o Senhor (2Co 5.8).

Holmer pergunta: Como Pedro "sabe" que sua morte se aproxima e pode chegar repentinamente? Sua própria situação torna isso evidente. Afinal, ele se situa em Roma ou alguma região do império onde a perseguição está em ação. Lá se intensifica o perigo. E o Senhor lhe havia explicado pessoalmente com que tipo de morte ele haveria de exaltar a Deus. Será um fim realmente violento o desmonte da tenda em que ele ainda se encontra.[7] Morrer para o cristão é levantar acampamento, afrouxar as estacas da tenda temporária e ir para seu lar permanente.

Certa feita, um pastor foi visitar um membro da igreja que estava enfermo. O pastor perguntou-lhe: "Irmão, você está preparado para morrer?" O cristão respondeu: "Não, estou preparado para viver. A casa onde eu moro está desmoronando, mas já estou de malas prontas para me mudar para a Casa do meu Pai". Concordo com Kistemaker quando ele diz que Pedro não é guiado por uma premonição, mas por uma revelação clara dada a ele por Jesus Cristo.[8]

---

[6]Kistemaker, Simon. *Epístolas de Pedro e Judas*, p. 349.
[7]Holmer, Uwe. *Cartas de Tiago, Pedro, João e Judas.*, p. 266.
[8]Kistemaker, Simon. *Epístolas de Pedro e Judas*, p. 350.

O pregador morre, mas **a Palavra continua viva**

Em face da contingência da vida, da inevitabilidade da morte e de sua chegada iminente, Pedro se desdobra, com diligência para que em todo o tempo seus leitores continuem lembrando-se das verdades por ele pregadas, mesmo depois de sua morte. O pregador morre, mas a Palavra de Deus permanece para sempre. O pregador cessa a sua voz, mas a voz da Palavra de Deus continua ecoando nos corações. A vida do pregador é transitória, mas a Palavra de Deus que ele anuncia é perene. Leiamos o relato de Pedro: *Mas, de minha parte, esforçar-me-ei, diligentemente, por fazer que, a todo tempo, mesmo depois da minha partida, conserveis lembrança de tudo* (1.15). Pedro usa a palavra grega *exodus*, "partida", para referir-se à sua morte. O termo êxodo é também usado em referência à partida dos filhos de Israel do Egito para a terra prometida. Isso indica que Pedro vê a morte não como o fim da linha, mas como a entrada na terra prometida por Deus.[9] Essa palavra traz a ideia de que para o cristão a morte é uma libertação e também representa a entrada no reino eterno. Significa partir deste mundo de sofrimento e dor para entrar no lar celestial. Significa deixar uma tenda rota para habitar numa mansão feita não por mãos humanas, mas eterna, nos céus (2Co 5.1). Aqui, certamente há um contraste entre a tenda temporária e a moradia eterna.

Vale destacar que Lucas usou a mesma palavra *exodus* para descrever a morte de Cristo em Jerusalém (Lc 9.31). Warren Wiersbe diz, com acerto, que Jesus não considerou sua morte na cruz uma derrota, mas um êxodo: livraria seu povo da escravidão da mesma forma que Moisés livrara o povo de Israel do Egito.[10]

Grandes estudiosos entendem que Pedro faz aqui uma referência ao evangelho de Marcos, uma vez que Pedro foi a principal fonte de informação para o evangelista. Autores cristãos dos séculos II e III testificam que Marcos redigiu seu evangelho com a ajuda de Pedro. Por volta de 125 d.C., Papias, que era bispo de Hierápolis, na Ásia Menor, e antigo discípulo do apóstolo João, escreveu:

---

[9]BARCLAY, William. *Santiago, I y II Pedro*, p. 348.
[10]WIERSBE, Warren W. *Comentário bíblico expositivo*. Vol. 6, p. 570.

Marcos tornou-se intérprete de Pedro e escreveu precisamente tudo aquilo de que ele se lembrava – mesmo que não sequencialmente – sobre coisas ditas e feitas pelo Senhor. Por não ter ouvido o Senhor nem tampouco o seguido, porém, mais tarde, como disse, seguiu a Pedro, que costumava ensinar sempre o que era necessário.[11]

Aproximadamente sessenta anos depois, Ireneu, bispo das igrejas em Lião, também testificou sobre esse fato. Ao escrever sobre a morte de Pedro e Paulo, declara: "Porém, depois de sua morte, o próprio Marcos, também discípulo e intérprete de Pedro, deu-nos em seus escritos as coisas que eram pregadas por Pedro".[12]

A Palavra atestada por **testemunhas oculares**

Pedro deixa claro que seu ensino não é fruto de sua lucubração nem mesmo de fantasias inventadas, mas resultado de uma experiência pessoal com o próprio Senhor da glória. Pedro destaca três verdades importantes.

Em primeiro lugar, *a vinda de Cristo* (1.16). *Porque não vos demos a conhecer o poder e a vinda de nosso Senhor Jesus Cristo seguindo fábulas engenhosamente inventadas, mas nós mesmos fomos testemunhas oculares da Sua majestade.*

A experiência da transfiguração de Jesus é relatada por Mateus, Marcos e Lucas. Mas nenhum deles estava presente no monte com Jesus. Pedro estava e foi testemunha ocular do ocorrido. No monte da transfiguração, a figura central era o Senhor Jesus. Moisés, o representante da lei, e Elias, o representante dos profetas, conversaram com Cristo sobre sua partida para Jerusalém. Os apóstolos Pedro, Tiago e João viram a Sua glória. O Pai testemunhou desde o céu sobre a singularidade do Filho. Portanto, o evangelho é centrado na pessoa e obra de Cristo. O evangelho fala sobre a vinda de Jesus. O próprio Cristo é o conteúdo da mensagem. Essa mensagem não é uma especulação. Não foi criada no laboratório do engano. É fruto de uma experiência

---

[11] Eusébio de Cesareia. *História eclesiástica* III:39,15.
[12] Ireneu de Lião. *Contra as heresias*, III:1,1.

pessoal. Pedro e os demais apóstolos foram testemunhas oculares das verdades que partilharam.

Pedro usa a palavra grega *muthois*, traduzida aqui por "fábulas". Michael Green diz que esse termo pode significar também alegorias ou profecias fictícias.[13] Pedro chama os mitos ensinados pelos falsos mestres de *heresias destruidoras* (2.1) e *palavras fictícias* (2.3). Esses falsos mestres escarneciam da promessa da segunda vinda de Cristo (3.3.4). De acordo com Warren Wiersbe, agora podemos entender por que Pedro usa esse acontecimento em sua carta: para refutar os falsos ensinamentos de apóstatas, segundo os quais o reino de Deus nunca viria (3.3-9). Esses falsos mestres negavam a promessa da vinda de Cristo. No lugar das promessas de Deus, esses impostores anunciavam "fábulas engenhosamente inventadas", que privavam os cristãos de sua bendita esperança.[14]

Kistemaker chama a atenção para a mudança do singular *eu* para o plural *nós*. Pedro não é apenas o pastor que fala pessoalmente aos membros da igreja; ele também pertence ao grupo de apóstolos. Juntamente com os outros apóstolos, Pedro fala com autoridade sobre a veracidade do evangelho. Enquanto falsos profetas procuram distorcer o evangelho ou ensinar suas próprias fábulas e lendas, Pedro expressa sua posição apostólica.[15]

Um mito não está calçado com a verdade nem tem poder redentor. As Escrituras, porém, são originadas em Deus e divinamente inspiradas. A mensagem do evangelho redime o ser humano do pecado e glorifica a Deus.[16]

Pedro, Tiago e João tiveram uma visão antecipada da glória de Cristo, a glória que Ele demonstrará em Sua segunda vinda. Assim, Pedro usa a palavra *vinda* para referir-se à segunda vinda de Cristo. Aliás, no Novo Testamento, o termo *vinda* nunca é usado para descrever a primeira vinda de Jesus, mas sempre em referência à sua volta.[17] Desta

---

[13] GREEN, Michael. *II Pedro e Judas*, p. 77.
[14] WIERSBE, Warren W. *Comentário bíblico expositivo*. Vol. 6, p. 571.
[15] KISTEMAKER, Simon. *Epístolas de Pedro e Judas*, p. 354.
[16] KISTEMAKER, Simon. *Epístolas de Pedro e Judas*, p. 354.
[17] KISTEMAKER, Simon. *Epístolas de Pedro e Judas*, p. 355.

forma, a transfiguração de Jesus, observada pelos apóstolos, prefigura este glorioso acontecimento, quando Jesus manifestará o Seu poder ao derrotar Seus inimigos. Nas palavras de Holmer: "Na transfiguração sobre o monte, Pedro identificou a irrupção do futuro no presente".[18]

Em segundo lugar, *a glória de Cristo* (1.17). *Pois ele recebeu, da parte de Deus Pai, honra e glória, quando pela Glória Excelsa lhe foi enviada a seguinte voz: Este é o Meu Filho amado, em quem me comprazo.* E isso a despeito de, na sua vinda, Cristo ter-se despojado da glória que tinha com o Pai desde a eternidade, ter-se esvaziado e assumido a forma de homem, ter-se humilhado a ponto de tornar-se servo e ter descido o último degrau da humilhação, a ponto de sofrer morte e morte de cruz. Mesmo assim, Deus Pai revelou lampejos de Sua glória no monte da transfiguração e o exaltou sobremaneira em Sua ressurreição, dando-lhe o nome que está acima de todo nome, a fim de que diante de Jesus se dobre todo joelho no céu, na terra e debaixo da terra. No monte da transfiguração aconteceu uma antecipação da glória. Jesus foi transfigurado. Suas vestes tornaram-se brancas como a luz, e seu rosto brilhou como o sol no seu fulgor. Do meio da nuvem luminosa, o Pai declarou: *Este é o Meu Filho amado, em quem Me comprazo, a Ele ouvi* (Mt 17.5). Kistemaker tem razão em dizer que, por causa de Sua obra redentora, Jesus é o recipiente do prazer de Deus tanto em Seu batismo quanto em Sua transfiguração.[19]

Michael Green esclarece que, do *poder* e da *vinda* de Jesus na transfiguração, Pedro se volta para a *honra* e *glória* reveladas ali: honra, na voz que lhe falou; glória, na luz que dEle resplandeceu.[20] A glória é uma qualidade que pertence a Deus e é compartilhada por Cristo. A honra é o reconhecimento de alguém que chegou a determinada posição por meio de seu trabalho e realizações. A glória é externa e visível, mas a honra é abstrata e permanece desconhecida até que seja revelada. Jesus foi transfigurado em glória celeste e reconhecido honrosamente por Deus Pai.[21]

---

[18]Holmer, Uwe. *Cartas de Tiago, Pedro, João e Judas*, p. 267.
[19]Kistemaker, Simon. *Epístolas de Pedro e Judas*, p. 357.
[20]Green, Michael. *II Pedro e Judas*, p. 80.
[21]Kistemaker, Simon. *Epístolas de Pedro e Judas*, p. 356.

Em terceiro lugar, *as testemunhas de Cristo* (1.18). *Ora, esta voz, vinda do céu, nós a ouvimos quando estávamos com Ele no monte santo*. Pedro, Tiago e João subiram o monte da transfiguração com Jesus. O Filho de Deus subiu o monte com o propósito de orar. Enquanto orava, Seu rosto se transfigurou e Suas vestes resplandeceram. Apareceram em glória Moisés e Elias, falando com Jesus acerca de Sua partida para Jerusalém. Os apóstolos ficaram aterrados de medo, quando, de dentro de uma nuvem luminosa, ouviram do céu uma voz: *Este é o Meu Filho amado, em quem Me comprazo, a Ele ouvi* (Mt 17.5). Os três apóstolos foram testemunhas oculares dessa cena gloriosa. Apesar de os evangelhos relatarem que a voz veio de uma nuvem brilhante que os envolveu, para Pedro essa era a voz de Deus, o Pai no céu.

Concluo este tópico evocando as palavras de Warren Wiersbe ao lembrar seus leitores a respeito da transfiguração. Conforme esse autor, Pedro afirma várias doutrinas importantes da fé cristã: 1) Jesus Cristo é de fato o Filho de Deus; 2) O propósito da vinda de Cristo ao mundo foi morrer na cruz pelos nossos pecados. Sua morte não foi simplesmente um exemplo, como afirmam alguns teólogos liberais; foi um êxodo, uma realização redentiva; 3) A veracidade das Escrituras é reafirmada. Moisés representava a lei; Elias, os profetas; e ambos apontavam para Jesus Cristo (Hb 1.1-3). Ele cumpriu a lei e os profetas (Lc 24.27); 4) A realidade do reino de Deus. Na transfiguração, Jesus deixou claro que o sofrimento conduzirá à glória e que, em última análise, a cruz desembocará na coroa.[22]

A Palavra profética é inspirada

Pedro é categórico em afirmar que não está ensinando ao povo de Deus nenhuma novidade. Está repetindo as mesmas verdades já conhecidas. Está relembrando as palavras proféticas anunciadas desde a antiguidade. Essa é a terceira parte do tópico *revelação divina*. No primeiro segmento, Pedro se esforça para reavivar a memória de seus leitores (1.12-15). No segundo, na condição de testemunha ocular, ele relata a

---

[22]WIERSBE, Warren W. *Comentário bíblico expositivo*. Vol. 6, p. 572.

transfiguração de Jesus (1.16-18) e no terceiro, revela a certeza, a origem e a fonte das Escrituras (1.19-21). Para Pedro, as Escrituras são a revelação de Deus ao homem, e não uma descrição de Deus feita pelo homem.[23] A Palavra de Deus é, de fato, inerrante, infalível e confiável.

Destacamos três verdades importantes acerca da palavra profética:

Primeiro, *a Palavra profética é infalível* (1.19). *Temos, assim, tanto mais confirmada a Palavra profética, e fazeis bem em atendê-la, como a uma candeia que brilha em lugar tenebroso, até que o dia clareie e a estrela da alva nasça em vosso coração.* No segmento anterior, o enfoque de Pedro foi sobre a palavra falada de Deus, o Pai. Neste versículo, ele se concentra na palavra escrita da profecia, a saber, as Escrituras do Antigo Testamento.[24] Pedro, passando do testemunho ocular, volta-se agora para o Antigo Testamento, a fim de encontrar apoio para seus ensinos. Este versículo pode ser entendido, segundo Michael Green, de duas maneiras: A palavra crucial é *bebaioteron*, "mais confirmada". Sendo assim, duas interpretações são possíveis: as Escrituras confirmam o testemunho apostólico ou o testemunho apostólico cumpre, e, portanto, autentica a Escritura. A maioria dos comentaristas segue a segunda alternativa e entende que a voz ouvida na transfiguração torna ainda mais certas as profecias do Antigo Testamento acerca da vinda do Senhor Jesus. Logo, a transfiguração dá testemunho da validade permanente do Antigo Testamento.[25]

R. C. Sproul diz que os apóstolos não precisavam confirmar a palavra profética do Antigo Testamento a partir daquilo que eles aprenderam na era do Novo Testamento. Pedro, como todos os judeus de seus dias, estava convencido da plena autoridade das Escrituras do Antigo Testamento. Na verdade, não podemos compreender o Novo Testamento à parte do Antigo Testamento.[26] É como disse Agostinho de Hipona: o Novo Testamento está latente no Antigo, e o Antigo Testamento está patente no Novo.

---

[23]KISTEMAKER, Simon. *Epístolas de Pedro e Judas*, p. 360.
[24]KISTEMAKER, Simon. *Epístolas de Pedro e Judas*, p. 360.
[25]GREEN, Michael. *II Pedro e Judas*, p. 83.
[26]SPROUL, R. C. *1-2 Peter*, p. 233,234.

Concordo com Michael Green quando diz que é uma distorção da verdade afirmar que a transfiguração é uma demonstração de que o Antigo Testamento foi substituído pelo evangelho, pois o cumprimento do Antigo Testamento não significa sua abolição, mas, sim, sua vindicação como testemunha perpétua à supremacia de Cristo.[27] Calvino corrobora com esse pensamento, ressaltando que a questão não é se os profetas são mais fidedignos que os evangelhos, mas, visto que os judeus não tinham dúvida de que todos os ensinos dos profetas procediam de Deus, não é de se estranhar que Pedro afirme ser sua palavra mais segura.[28]

A Palavra profética é a Palavra de Deus. Não existe diferença entre a palavra escrita e a palavra profética. Por ser a Palavra de Deus confirmada, precisa ser atendida. Todos os profetas do Antigo Testamento, desde Moisés até Malaquias, falam em uma única voz.

Pedro compara a Palavra de Deus a um farol que brilha na escuridão. A Palavra aponta o caminho e mostra os perigos. A Palavra de Deus tem uma dupla finalidade: revelar-nos a vontade de Deus e levar-nos a uma experiência pessoal com Cristo, a estrela da alva. A expressão "estrela da alva" (ou "estrela da manhã") é a tradução do termo grego *phosphoros*. Jesus é essa estrela da alva (Nm 24.17; Ap 22.16). Pedro está falando sobre o dia em que Jesus se manifestará gloriosamente. Até esse dia, todo crente deve ter conhecimento subjetivo de Cristo e de Sua volta. Esse conhecimento é guardado pelo crente em seu coração enquanto ele espera pela aparição real e objetiva de Jesus Cristo.[29]

Holmer diz que o dia de Deus irrompe com a *parousia* de Jesus. Então a igreja experimentará algo inconcebivelmente grandioso. Todo o esplendor e toda a beleza do mundo atual, que de fato existem, parecerão como mera parcela da "noite", porque, afinal, tudo está deformado e obscurecido pelo pecado, sofrimento e morte. É somente sobre o novo mundo de Deus que repousa o brilho do dia radiante.[30]

Segundo, **a Palavra profética não é uma criação humana** (1.20). *Sabendo, primeiramente, isto: que nenhuma profecia da Escritura provém*

---

[27]GREEN, Michael. *II Pedro e Judas*, p. 83.
[28]GREEN, Michael. *II Pedro e Judas*, p. 83,84.
[29]KISTEMAKER, Simon. *Epístolas de Pedro e Judas*, p. 363.
[30]HOLMER, Uwe. *Cartas de Tiago, Pedro, João e Judas*, p. 268,269.

de particular elucidação. A Palavra de Deus tem sua origem no céu, e não na terra; procede de Deus, e não do homem. John Wesley disse que a Bíblia só poderia ter três origens: anjos e homens bons; demônios e homens maus; ou Deus. Não poderia ser escrita por anjos e homens bons, pois repetidamente se registra: *Assim diz o Senhor*. Não poderia ter sido escrita por demônios e homens maus, porque seu conteúdo exalta a santidade e reprova o pecado. Só nos resta uma opção: a Bíblia foi ideia de Deus.

Não só a origem das Escrituras está ancorada em Deus, mas também sua correta interpretação. As Escrituras não são dadas pelo homem (1.21) nem são por ele interpretadas corretamente (1.20). O Espírito realiza as duas tarefas.[31] Pedro introduz o assunto, pois logo em seguida falará sobre os falsos mestres que torcem as Escrituras. Os falsos mestres leem a Bíblia, mas não a interpretam de forma correta. Não têm uma compreensão adequada de sua doutrina nem de sua aplicação. Concordo com William Barclay, quando diz: "Ninguém pode ir à Escritura e interpretá-la conforme seus pontos de vista e opiniões pessoais; ninguém pode interpretar a Escritura e a profecia privadamente ou como lhe convém". [32]

Terceiro, *a Palavra profética tem sua origem em Deus* (1.21). *Porque nunca jamais qualquer profecia foi dada por vontade humana; entretanto, homens [santos] falaram da parte de Deus, movidos pelo Espírito Santo.* Este texto escrito por Pedro está alinhado com o que disse o apóstolo Paulo: *Toda a Escritura é inspirada por Deus e útil para o ensino, para a repreensão, para a correção, para a educação na justiça, a fim de que o homem de Deus seja perfeito e perfeitamente habilitado para toda boa obra* (2Tm 3.16,17). A Palavra de Deus é inspirada por Deus. É o sopro de Deus, e não o destilar dos pensamentos humanos. Os homens foram instrumentos usados para escrever as profecias, e não sua origem. Foi o Espírito Santo que os inspirou, revelando-lhes o conteúdo infalível.

Concordo com Michael Green quando diz que o mesmo Deus a quem os apóstolos ouviram falar na transfiguração falou também através

---

[31]GREEN, Michael. *II Pedro e Judas*, p. 86.
[32]BARCLAY, William. *Santiago, I y II Pedro*, p. 353.

dos profetas. Portanto, o argumento nos versículos 20 e 21 é uma condição consistente e realmente necessária do parágrafo anterior, isto é, podemos confiar nas Escrituras porque por trás dos seus autores está Deus. Os profetas não inventaram o que escreveram. Não o deslindaram arbitrariamente. Não tagarelaram suas invenções, feitas por conta própria ou de acordo com seu próprio julgamento.[33] No Antigo Testamento, o sinal de um falso profeta era que este falava de si mesmo, de forma privada, ou seja, não falava aquilo que procedia de Deus. Jeremias condena os falsos profetas: *Falam as visões do seu coração, não o que vem da boca do Senhor* (Jr 23.16). Ezequiel também alerta: *Ai dos profetas loucos, que seguem o seu próprio espírito sem nada ter visto!* (Ez 13.3).

Está claro, no texto supracitado, que a revelação divina não anulou a cooperação ativa dos homens santos que escreveram as Escrituras. Michael Green está coberto de razão em argumentar que a inspiração divina não implica uma substituição dos funcionamentos mentais normais do autor humano. O Espírito Santo não usa instrumentos; usa pessoas. O modo de Deus sempre é o da verdade através da personalidade.[34] Nessa mesma linha de pensamento, R. C. Sproul diz que Deus não escreveu os livros da Bíblia com o próprio dedo. Todos os livros da Bíblia foram escritos por homens que foram movidos e protegidos pela autoridade do Espírito Santo. O Senhor falou por intermédio de Jeremias, Isaías, Daniel, Ezequiel, Oseias, Joel, Habacuque, Naum, Moisés, Paulo, Pedro, Marcos, Mateus e Lucas, sem anular a humanidade de nenhum deles.[35]

Concluímos com as palavras de Warren Wiersbe ao afirmar que os homens morrem, mas a Palavra vive. As experiências passam, mas a Palavra permanece. O mundo escurece, mas a luz profética resplandece cada vez mais. Portanto, o cristão que edifica sua vida na Palavra de Deus e que espera a vinda do Salvador dificilmente será enganado por falsos mestres.[36]

---

[33] GREEN, Michael. *II Pedro e Judas*, p. 86.
[34] GREEN, Michael. *II Pedro e Judas*, p. 87,88.
[35] SPROUL, R. C. *1-2 Peter*, p. 239,240.
[36] WIERSBE, Warren W. *Comentário bíblico expositivo*. Vol. 6, p. 575.

3

Os falsos mestres atacam a igreja

2Pedro 2.1-22

O APÓSTOLO PEDRO FAZ UMA TRANSIÇÃO da veracidade das Escrituras para a falsidade dos mestres enganosos. Os falsos profetas alegavam dolosamente ser profetas ou profetizavam coisas falsas.[1] Já os falsos mestres ensinavam as doutrinas falsas dos falsos profetas. Jesus, no Sermão do Monte, alertou para o surgimento desses falsos mestres: *Vede que ninguém vos engane. Porque surgirão muitos em Meu nome, dizendo: Eu sou o Cristo, e enganarão a muitos* (Mt 24.4,5).

Ouvimos com muita frequência que a doutrina não é importante, que o cristianismo é relacionamento, e não um credo. Hoje há uma gritante indiferença em relação à doutrina, para não dizer hostilidade. Isso é extremamente perigoso e lamentável. R. C. Sproul destaca, com razão, que a maior ameaça ao povo de Deus no Antigo Testamento não foram os exércitos filisteus, assírios ou amalequitas, mas os falsos profetas dentro de seus portões.[2]

Vamos destacar alguns pontos importantes na análise do capítulo 2 de 2Pedro.

---

[1] GREEN, Michael. *II Pedro e Judas*, p. 89.
[2] SPROUL, R. C. *1-2 Peter*, p. 242.

A teologia e a ética dos falsos mestres

Assim como no Antigo Testamento há falsos profetas, no Novo Testamento há falsos mestres. O diabo sempre cria um simulacro do verdadeiro. O diabo cria falsos mestres, falsos crentes, falso evangelho, falsa justiça e um dia apresentará ao mundo um falso cristo. Os falsos mestres podem ser descritos como:

Primeiro, **os falsos mestres são promotores de falsas doutrinas** (2.1). *Assim como, no meio do povo, surgiram falsos profetas, assim também haverá entre vós falsos mestres, os quais introduzirão, dissimuladamente, heresias destruidoras, até ao ponto de renegarem o Soberano Senhor que os resgatou, trazendo sobre si mesmos repentina destruição.* Os falsos mestres surgem no meio do povo de Deus. Eles pousam como ministros do evangelho. É por isso que são tão perigosos.[3]

Pedro denuncia tanto a falsa doutrina como o método enganador. Pedro chama as falsas doutrinas pregadas pelos falsos mestres de heresias destruidoras, heresias que causam grandes desastres. Essas heresias, ou falsas doutrinas, não eram pregadas de forma escancarada, mas dissimuladamente. Michael Green diz que o ensino dos falsos profetas era recheado de bajulação; suas ambições eram financeiras; suas práticas eram dissolutas; sua consciência era amortecida; e seu alvo era o engano (Is 28.7; Jr 23.14; Ez 13.3; Zc 13.4).[4]

As heresias dos falsos mestres desembocavam numa negação peremptória do próprio Senhor Jesus. Por isso, esses falsos mestres não escapariam da destruição. Warren Wiersbe tem razão em dizer que os falsos mestres são mais conhecidos por aquilo que negam do que por aquilo que afirmam. Negam a inspiração da Bíblia, o caráter pecaminoso do ser humano, a morte vicária de Jesus Cristo na cruz, a salvação somente pela fé e até mesmo a realidade do julgamento eterno.[5]

Uma questão importante deve ser aqui levantada. Uma pessoa redimida por Cristo pode desviar-se e perder a salvação? Esses falsos

---

[3]MACDONALD, William. *Believer's Bible Commentary*, p. 2294.
[4]GREEN, Michael. *II Pedro e Judas*, p. 90.
[5]WIERSBE, Warren W. *Comentário bíblico expositivo*. Vol. 6, p. 577.

mestres foram salvos? Eles perderam a salvação, uma vez que trouxeram sobre si mesmos repentina destruição? Nossa resposta é que o fato de alguém confessar verbalmente o nome de Cristo não garante que esteja salvo. Muitos professam o nome de Cristo apenas de lábios. Jesus alertou que muitos dirão no dia do juízo: *Senhor, Senhor! Porventura, não temos nós profetizado em Teu nome, e em Teu nome não expelimos demônios, e em Teu nome não fizemos muitos milagres? Então, lhes direi explicitamente: nunca vos conheci. Apartai-vos de mim, os que praticais a iniquidade* (Mt 7.22,23). Por outro lado, as Escrituras são categóricas em ensinar que aqueles que foram eleitos pelo Pai, remidos pelo Filho e selados pelo Espírito Santo jamais perecerão (Rm 8.29-39; Ef 1.3-14). As ovelhas de Cristo jamais perecerão eternamente (Jo 10.28). De acordo com William MacDonald, a obra de Cristo foi suficiente para a redenção de toda a humanidade, mas é eficiente somente para aqueles que se arrependem, creem e o aceitam como Senhor.[6]

Segundo, *os falsos mestres são promotores de uma falsa conduta* (2.2). *E muitos seguirão as suas práticas libertinas, e, por causa deles, será infamado o caminho da verdade*. A teologia é mãe da ética. A conduta é filha da doutrina. Aquilo em que uma pessoa crê determina o que ela faz. Porque os falsos mestres pregavam uma falsa doutrina, viviam uma falsa vida. Essas práticas libertinas eram ensinadas e seguidas. E, por causa de seu falso discipulado, o evangelho era maculado e o caminho da verdade era infamado.

É conhecida a expressão: "O diabo nunca é tão satânico como quando carrega uma Bíblia". A expressão "práticas libertinas" é a tradução do termo grego *aselgeia*. Refere-se a uma imoralidade sem pudor. Aplica-se a alguém que perdeu completamente a compostura e nem sequer tenta esconder suas práticas libertinas ou manter as aparências. Esses falsos mestres tinham um comportamento sexual excessivamente desregrado. William Barclay diz que a palavra *aselgeia* descreve a atitude da pessoa que perdeu a vergonha e não dá importância alguma à sua própria reputação. Não se preocupa com o juízo de Deus nem com

---

[6]MACDONALD, William. *Believer's Bible Commentary*, p. 2295

o juízo dos homens.⁷ Estou de pleno acordo com que escreveu Edwin Blum: "A verdadeira doutrina deve resultar em verdadeiro viver".⁸

Terceiro, **os falsos mestres são movidos pelo amor ao dinheiro** (2.3a). *Também, movidos por avareza, farão comércio de vós, com palavras fictícias...* Tanto a falsa teologia como a falsa moralidade dos mestres enganosos eram governadas pela avareza. A palavra "avareza" é a tradução do vocábulo grego *pleonexia*. Significa o desejo de possuir mais. Equivale à ânsia de possuir aquilo que o homem não tem o direito de desejar, muito menos de tomar para si.⁹ Os falsos mestres estavam interessados nos bens das pessoas, e não na salvação delas. Eram exploradores, e não pastores do rebanho. Agiam como mercenários, e não como obreiros fiéis. O amor ao dinheiro era o vetor que motivava esses obreiros da iniquidade. Usavam o ministério para fazer dinheiro, e não para fazer a obra de Deus. Jesus há havia alertado: *Acautelai-vos dos falsos profetas que se vos apresentam disfarçados em ovelhas, mas por dentro são lobos roubadores* (Mt 7.15). Essa mesma realidade é vista ainda hoje. Há muitos pregadores inescrupulosos e fraudulentos pregando falsas doutrinas com fins gananciosos. Homens cheios de cobiça, que distorcem a verdade, apenas para enganar as pessoas e arrancar delas benefícios financeiros. O templo se transforma, algumas vezes, em esconderijo de ladrões.

Os falsos mestres usavam "palavras fictícias". O termo grego é *plastos*, de onde vem a palavra *plástico*. Palavras de plástico! Palavras que podem significar qualquer coisa. Satanás e seus ministros usam a Bíblia não para esclarecer, mas para enganar.¹⁰ Temos visto florescer no Brasil e no mundo muitas igrejas que são verdadeiras franquias, cujo propósito final não é a proclamação do evangelho, mas a arrecadação de dinheiro. Essas igrejas precisam dar lucro, ou suas portas são fechadas. Pregadores movidos pelo amor ao dinheiro, que é a raiz de todos os males, especializam-se na "arte" de tirar o último centavo do bolso dos

---

⁷Barclay, William. *Santiago, I y II Pedro*, p. 360.
⁸Blum, Edwin A. 2 Peter. In: *Hebrews-Revelation*. Vol. 12. The Expositor's Bible Commentary. Grand Rapids, MI: Zondervan, 1981, p. 277.
⁹Barclay, William. *Santiago, I y II Pedro*, p. 360.
¹⁰Wiersbe, Warren W. *Comentário bíblico expositivo*. Vol. 6, p. 576,577.

fiéis. Chantageiam o povo com ameaças fictícias ou seduzem-no com promessas mirabolantes. Torcem a Palavra, sem nenhum pudor, para auferir lucros cada vez mais gordos. Transformam o púlpito num balcão, o templo num covil de roubadores, e os fiéis num bando de explorados. Alguns desses pregadores tornam-se empresários riquíssimos, enquanto o povo, seduzido por suas palavras de plástico, os abastece nesse luxo pecaminoso. Triste realidade!

Quarto, *colherão os frutos amargos de sua semeadura insensata* (2.3b). *... para eles o juízo lavrado há longo tempo não tarda, e a sua destruição não dorme.* Os falsos mestres podem até prosperar por algum tempo, mas não por todo o tempo. Podem enganar a muitos por longo tempo, mas o juízo um dia os alcançará. Sua destruição já está lavrada pelo próprio Deus, e esse dia em breve chegará. A sentença foi pronunciada contra os falsos profetas faz muito tempo; o Antigo Testamento dá a conhecer a sua condenação (Dt 13.1-5). Deus tem zelo por Sua Palavra e por seu povo. Aqueles que se lançam na maldita obra de torcer a verdade e usam a mentira para viver uma vida subterrânea e desregrada ao mesmo tempo que exploram os fiéis, esses não ficarão impunes.

A condenação dos falsos mestres

Pedro, além de anunciar a destruição certa dos falsos mestres também a exemplificou. Que argumentos Pedro usou para falar sobre a repentina destruição dos falsos profetas?

Em primeiro lugar, **Deus julgou os anjos** (2.4). *Ora, se Deus não poupou anjos quando pecaram, antes, precipitando-os no inferno, os entregou a abismos de trevas, reservando-os para juízo.* Houve uma rebelião no céu e uma queda no mundo angelical (Is 14.12-15; Ez 28.11-19). O anjo de luz transformou-se em satanás, que arrastou consigo um terço dos anjos (Ap 12.4). Estes se tornaram demônios, os quais foram precipitados no inferno, um lugar de trevas, onde aguardam o juízo de Deus. A palavra "inferno" aqui é a tradução do vocábulo grego *tártaro*. Esta palavra só aparece neste ponto em todo o Novo Testamento. Michael Green diz que, na mitologia grega, era o lugar de castigo para os espíritos dos falecidos muito ímpios, especialmente os deuses rebeldes como

Tântalo. Assim como Paulo podia citar um versículo apropriado do poeta pagão Arato (At 17.28), também Pedro podia fazer uso da linguagem figurada homérica.[11]

Kistemaker diz que os anjos perversos continuam no inferno aguardando o julgamento de Deus. Isso não significa que serão libertados no dia do julgamento. Certamente não serão! As evidências estão sendo coletadas, de modo que Deus possa proferir o veredito naquele dia temível, no qual eles *serão atormentados de dia e de noite pelos séculos dos séculos* (Ap 20.10). O argumento de Pedro vai do maior para o menor. Se Deus não poupou os anjos que estavam em Sua glória no céu e os lançou ao inferno, não punirá os mestres que insistem em fazer o povo desviar? Essa pergunta já traz sua própria resposta.[12]

Alguns estudiosos afirmam, equivocadamente, que esses anjos que pecaram são uma referência aos filhos de Deus que se casaram com as filhas dos homens, conforme registrado em Gênesis 6. A interpretação plausível do texto é que os filhos de Deus são uma referência à descendência de Sete, e as filhas dos homens, uma referência à descendência de Caim. Os anjos não procriam. Não são uma raça. Não se multiplicam. Jesus deixou isso claro quando disse que no céu seremos como os anjos, que não se casam nem se dão em casamento (Mt 22.30).

Em segundo lugar, **Deus julgou o mundo pré-diluviano** (2.5). *E não poupou o mundo antigo, mas preservou a Noé, pregador da justiça, e mais sete pessoas, quando fez vir o dilúvio sobre o mundo de ímpios.* Pedro apresenta um segundo exemplo do juízo de Deus. Ele julgou aquela perversa geração antediluviana, inundando a terra com o dilúvio, ao mesmo tempo que poupou Noé e sua família. No segundo exemplo, portanto, Pedro retrata a desobediência dos perversos e a salvação dos justos. O argumento de Pedro pode ser assim resumido: Se Deus não poupou anjos e homens, pouparia os falsos mestres? O julgamento justo é uma necessidade imperativa para o próprio caráter de Deus. Se o bem não fosse recompensado e o mal não fosse punido, a santidade e a justiça de Deus seriam maculadas.

---

[11] GREEN, Michael. *II Pedro e Judas*, p. 94,95.
[12] KISTEMAKER, Simon. *Epístolas de Pedro e Judas*, p. 383,384.

Em terceiro lugar, **Deus julgou Sodoma e Gomorra** (2.6). *E, reduzindo a cinzas as cidades de Sodoma e Gomorra, ordenou-as à ruína completa, tendo-as posto como exemplo a quantos venham a viver impiamente.* Sodoma e Gomorra eram cidades violentas e pervertidas sexualmente (Gn 13.13; 19.4,5; Jd 7). O pecado dessas cidades subiu até Deus. Então, Ele enviou Seus anjos para exercer o juízo divino sobre as cidades (Dt 29.23), que foram devoradas pelo fogo e tornaram-se cinzas. Os profetas Isaías, Jeremias, Ezequiel, Oseias e Amós também citam a destruição de Sodoma e Gomorra como exemplo da ira de Deus contra o pecado.[13] Concordo com Michael Green quando diz que esta destruição total foi permitida por Deus a fim de inculcar às gerações seguintes a lição de que a injustiça termina na ruína. O ensino e o comportamento falsos sempre acabam produzindo sofrimento e desastre, seja nos dias de Ló, seja nos dias de Pedro, seja nos nossos próprios dias.[14] O diabo, com sua astúcia, tenta induzir os homens em duas direções: primeiro, sussurrando em seus ouvidos que o pecado é inofensivo e, segundo, sugerindo que o pecado ficará impune. Mas o pecado é maligníssimo. O pecado é pior que o sofrimento e mais trágico que a própria morte. Isso porque nem o sofrimento nem a morte podem afastar os homens de Deus, mas, o pecado, esse sim, os afasta de Deus no tempo e por toda a eternidade. O pecado jamais ficará impune, pois sobre ele já existe uma sentença: *O salário do pecado é a morte* (Rm 6.23).

Em quarto lugar, **Deus livra os piedosos** (2.7-9a). *E livrou o justo Ló, afligido pelo procedimento libertino daqueles insubordinados (porque este justo, pelo que via e ouvia quando habitava entre eles, atormentava a sua alma justa, cada dia, por causa das obras iníquas daqueles), é porque o Senhor sabe livrar da provação os piedosos.* Pedro já havia mencionado o livramento de Noé e sua família. Agora, fala com mais detalhes sobre o livramento de Ló, como um exemplo do livramento que Deus dará ao seu povo quando visitar com juízo vingador os falsos mestres.

Tanto Noé como Ló são chamados de justos. A Noé, Deus poupou; a Ló, livrou. Noé pregou 120 anos a uma geração que vivia sem

---

[13] Isaías 1.9; 13.19; Jeremias 50.40; Ezequiel 16.40; Oseias 11.8; Amós 4.11.
[14] GREEN, Michael. *II Pedro e Judas*, p. 96.

levar Deus em conta. Ló foi armando suas tendas para as bandas de Sodoma e acabou misturando-se com a cidade, embora nunca tenha concordado com seu estilo de vida. O sofrimento de Ló era diário e contínuo. Ele via e ouvia coisas horríveis naquelas cidades iníquas. Sua alma era atormentada pelos pecados escandalosos daqueles moradores da planície, porém não ficou entorpecida pelos atos iníquos que Ló via diariamente. Pedro descreve Ló três vezes com o adjetivo "justo": *o justo Ló* (2.7); *este justo* (2.8a); *a sua alma justa* (2.8b).[15] Ló, porém, perdeu a autoridade em Sodoma. Nem mesmo sua família foi influenciada por ele. Ló precisou ser arrancado de Sodoma.

Michael Green está coberto de razão quando diz que repetidas vezes se enfatiza que o livramento de Ló se deveu inteiramente ao favor de Deus, imerecido, que Ele dá aos homens por causa daquilo que Ele é, e não por causa daquilo que Eles são (Gn 19.16,19).[16] Assim, da mesma forma que tirou Ló de Sodoma, Deus sabe livrar da provação os piedosos. Deus nunca permite que sejamos provados além de nossas forças. O livramento não vem de fora das lutas, mas de dentro delas. Como diz Michael Green, o cristianismo não é nenhuma apólice de seguro contra as provações da vida.[17]

Uma pergunta que deve ser feita é se nossa alma é afligida, hoje, por aquilo que vemos e ouvimos na televisão, nos jornais, nas ruas, nos tribunais. Corremos o risco de ter a alma embotada diante da secularização, a consciência anestesiada diante do pecado e o coração apático diante da gritante violação dos padrões morais.

Em quinto lugar, ***Deus julga os injustos*** (2.9b). *... e reservar, sob castigo, os injustos para o Dia de Juízo*. Deus não considera inocentes aqueles que deliberadamente vivem no erro e andam na imoralidade. Aqueles que zombam do pecado são loucos. Aqueles que fazem chacota do juízo divino um dia terão de experimentá-lo. Esse dia já está marcado. É o grande Dia do Juízo!

---

[15] KISTEMAKER, Simon. *Epístolas de Pedro e Judas*, p. 388.
[16] GREEN, Michael. *II Pedro e Judas*, p. 97.
[17] GREEN, Michael. *II Pedro e Judas*, p. 98.

A conduta pervertida dos falsos mestres

O apóstolo Pedro passa a descrever o caráter disforme e a conduta reprovável dos falsos mestres. Vamos destacar alguns pecados dessas pessoas depravadas.

Primeiro, *o pecado da maledicência* (2.10,11). *Especialmente aqueles que, seguindo a carne, andam em imundas paixões e menosprezam qualquer governo. Atrevidos, arrogantes, não temem difamar autoridades superiores, ao passo que anjos, embora maiores em força e poder, não proferem contra elas juízo infamante na presença do Senhor.* Os falsos mestres eram homens carnais, que se entregavam a uma vida sexual dissoluta e imoral. Não admitiam seus pecados nem aceitavam ser corrigidos. Desandavam a falar contra toda autoridade civil e religiosa. Viviam de forma desordenada. Não suportavam limites nem princípios. Eram hereges quanto à teologia, escandalosos quanto à conduta e anárquicos quanto às leis.

Kistemaker diz corretamente que as doutrinas defendidas pelos falsos mestres levam a uma rejeição deliberada da autoridade de Deus.[18] Enquanto os anjos, maiores em força e poder que os homens, agem com recato em relação às autoridades, esses insubordinados e arrogantes se entregam a toda sorte de maledicência e presunção. Eles desafiam a Deus e aos homens, pois estão encantados demais consigo mesmos. Estão quase explodindo de tanta vaidade pessoal.

Kistemaker diz que os tolos se apressam a ir para lugares por onde os anjos temem passar. Os anjos bons têm razão em acusar aqueles que, em certo momento, pertenceram ao seu meio, mas depois caíram da graça de Deus. Ainda assim, os anjos fiéis de Deus evitam cuidadosamente levantar acusações contra satanás e seus ajudantes, deixando a responsabilidade de julgar os demônios nas mãos de Deus.[19]

Segundo, *o pecado da blasfêmia* (2.12). *Esses, todavia, como brutos irracionais, naturalmente feitos para presa e destruição, falando mal daquilo em que são ignorantes, na sua destruição também hão de ser destruídos.* Os falsos mestres queriam ser doutores nos assuntos espirituais

---

[18] KISTEMAKER, Simon. *Epístolas de Pedro e Judas*, p. 395.
[19] KISTEMAKER, Simon. *Epístolas de Pedro e Judas*, p. 396.

quando, na verdade, eram totalmente ignorantes. Blasfemavam com palavras malignas, atacando a verdade e fazendo apologia do erro. Porém, falavam mal do que não entendiam. Sproul diz que quando a verdade é distorcida ou negada, quando a verdade de Deus é substituída pela falsidade da heresia, então, estas situações conduzem inevitável e necessariamente não apenas a um erro intelectual, mas sobretudo a uma profunda corrupção moral.[20]

Assim são os falsos mestres ainda hoje. Pronunciam palavras impiedosas contra a sã doutrina e contra os servos de Deus, dando a impressão de que atingiram um nível mais elevado de conhecimento e experiência, quando na verdade agem apenas como animais irracionais, movidos por instintos animalescos. O apóstolo Paulo chega a dizer que esses brutos irracionais, nas suas vãs lucubrações, com o coração cheio de trevas, rotulam a si mesmos de sábios, mas se tornam loucos (Rm 1.22).

Pedro afirma que eles são presos por suas paixões e depois destruídos por elas. A sensualidade é autodestrutiva. Michael Green realça que o alvo de quem se entrega a tais práticas carnais é o prazer; porém, é trágico perceber que no fim até isto se perde. Por algum tempo pode desfrutar daquilo que chama de prazer, mas no fim, arruína sua saúde, abala seu bem-estar, destrói sua mente e seu caráter, iniciando assim sua experiência no inferno enquanto ainda está na terra.[21] Esses "brutos irracionais" destinam-se à destruição, fato que Pedro menciona com frequência (2.3,4,9,12,17,20). Ao procurar destruir a fé, eles mesmos serão destruídos. A própria natureza deles os arrastará para a destruição, como porcos que voltam ao lamaçal e cachorros que retornam ao próprio vômito (2.22). Infelizmente, até que isto aconteça, estas pessoas ainda são capazes de causar um grande estrago moral e espiritual.[22]

Terceiro, *o pecado do adultério* (2.13,14). O apóstolo Pedro aprofunda ainda mais sua descrição da vida adúltera desses libertinos hereges:

Considerando como prazer a sua luxúria carnal em pleno dia, quais nódoas e deformidades, eles se regalam nas suas próprias mistificações, enquanto

---
[20]SPROUL, R. C. *1-2 Peter*, p. 260.
[21]GREEN, Michael. *II Pedro e Judas*, p. 103.
[22]WIERSBE, Warren W. *Comentário bíblico expositivo*. Vol. 6, p. 585.

banqueteiam junto convosco; tendo os olhos cheios de adultério e insaciáveis no pecado, engodando almas inconstantes, tendo coração exercitado na avareza, filhos malditos (2.13b,14).

Os falsos mestres não apenas eram adúlteros, mas desavergonhados, pois praticavam suas imoralidades à luz do dia. Viviam abertamente na prática da luxúria carnal. Refestelavam-se nessas práticas imundas, sob o manto de suas mistificações. O pecado normalmente é cometido às escondidas, na escuridão. Paulo, por exemplo, escreve: *Os que se embriagam, é de noite que se embriagam* (1Ts 5.7). Mas essas pessoas desprezavam todas as normas de comportamento e entregavam-se à lascívia até mesmo durante o dia.[23]

Conseguiam infiltrar-se no meio da igreja e até participavam de suas festas de comunhão, porém o interesse deles era se aproveitar de pessoas inconstantes e arrastá-las para a cama do adultério, roubando-lhes a honra e os bens. A expressão "engodando almas inconstantes" representa a imagem de um pescador colocando a isca no anzol ou de um caçador colocando o chamariz numa armadilha. As pessoas que mordem a isca que os falsos mestres oferecem têm a alma inconstante.[24]

Esses mestres do mal eram insaciáveis na prática do pecado. A vida deles era como uma nódoa nojenta, uma verdadeira deformidade moral. Eles receberão injustiça como salário da injustiça que praticam. Pedro está empregando uma metáfora comercial altamente evocativa para ressaltar que a imoralidade não vale a pena. No fim, defraudará você, ao invés de remunerá-lo.[25]

Os falsos mestres tinham o coração "exercitado na avareza". Isso significa que eram hábeis em sua ganância. Tinham técnicas apuradas e extremamente desenvolvidas para arrancar o dinheiro do povo. Queriam sempre mais dinheiro, mais poder e mais prestígio. Essa descrição de Pedro é o retrato exato do que estamos vendo hoje. Pregadores cheios de avareza, que aviltam a Palavra de Deus e jeitosamente a

---

[23] KISTEMAKER, Simon. *Epístolas de Pedro e Judas*, p. 402,403.
[24] WIERSBE, Warren W. *Comentário bíblico expositivo*. Vol. 6, p. 586.
[25] GREEN, Michael. *II Pedro e Judas*, p. 104.

utilizam para fazer arrecadações robustas, com o propósito de enriquecimento próprio.

Quarto, *o pecado da apostasia* (2.15,16). *Abandonando o reto caminho, se extraviaram, seguindo pelo caminho de Balaão, filho de Beor, que amou o prêmio da injustiça (recebeu, porém, castigo da sua transgressão, a saber, um mudo animal de carga, falando com voz humana, refreou a insensatez do profeta).* Esses falsos mestres saíram de dentro da igreja (At 20.30; 1Jo 2.19). Um dia professaram a fé e conseguiram ingressar na membresia da igreja. Porém, abandonaram o reto caminho e se extraviaram. Apostataram da fé. Venderam a consciência. Negociaram a verdade. A conveniência suplantou a convicção. Tornaram-se discípulos de Balaão, o profeta que, por amor ao lucro, ensinou os inimigos de Deus a seduzirem Israel, por meio de relacionamentos ilícitos. Esses falsos mestres estão dispostos a usar qualquer expediente para arrecadar dinheiro, ainda que isso, implique ensinar o povo a pecar.

Concordo com R. C. Sproul quando diz que Pedro não está descrevendo aqui os pagãos, mas os apóstatas.[26] O apóstata é aquele que um dia fez uma profissão de fé no meio do povo de Deus, mas nunca se converteu. Junta-se à igreja por todo tipo de razão, exceto a razão certa. Mais cedo ou mais tarde, ele sairá da igreja e tentará arrastar atrás de si os fiéis (At 20.30; 1Jo 2.19).

A total decepção com os falsos mestres

O apóstolo Pedro faz uma transição da degradação moral dos falsos mestres para as implicações desta depravação. Os falsos mestres, além de depravados, são uma total decepção para aqueles que neles confiam. Vejamos os motivos:

Em primeiro lugar, *os falsos mestres não têm o que prometem* (2.17). *Esses tais são como fonte sem água, como névoas impelidas por temporal. Para eles está reservada a negridão das trevas.* Há aqui duas figuras e uma sentença. As duas figuras tratam da mesma realidade. Uma fonte sem água é uma falsa promessa. É uma decepção enorme para quem

---

[26] Sproul, R. C. *1–2 Peter*, p. 262.

a procura a fim de saciar-se. Os falsos mestres se apresentavam como verdadeiras fontes de vida, mas estavam secos. Nessa mesma linha de pensamento, Michael Green diz que esta figura é uma descrição da natureza insatisfatória da falsa doutrina. A pessoa chega a ela como se fosse uma fonte emocionante – e descobre que ali não existe água. É somente em contato com Cristo, a água da vida (Jo 4.13,14), que o homem encontrará satisfação permanente, e isto possibilitará que ele derrame do íntimo do seu ser água que satisfará os sedentos em derredor (Jo 7.38). A heterodoxia é uma grande novidade na sala de aula; é extremamente insatisfatória na paróquia.[27]

A segunda figura trata da névoa impelida pelo vento. Podemos entendê-la melhor quando a comparamos com a figura usada por Judas: *nuvens sem água impelidas pelos ventos...* (Jd 12). Uma nuvem sempre traz esperança de chuva. O agricultor que lança a semente espera pela chuva, para que dali brote uma planta viçosa e frutífera. Quando a nuvem passa e não derrama chuva, traz grande frustração ao agricultor e perda da lavoura. Kistemaker diz que esses falsos mestres lembram o temporal de vento que passa e leva embora as nuvens sem água. Assim, esses hereges causam uma comoção dentro da comunidade, mas não oferecem nada que seja substancial e que valha a pena. De certa forma, eles cultivam o desânimo.[28] Porque os falsos mestres prometem o que não podem cumprir, porque conduzem seus seguidores a caminhos de trevas, eles mesmos são sentenciados por Deus à negridão das trevas. Calvino diz que, em vez das trevas momentâneas que os falsos mestres agora espalham, há preparadas para eles trevas mais grossas, e eternas.[29]

Em segundo lugar, ***os falsos mestres são enganadores que afastam as pessoas de Deus*** (2.18a). *Porquanto, proferindo palavras jactanciosas de vaidade...* Os falsos mestres são desprovidos de humildade. Colocam-se no pedestal e se julgam superiores aos verdadeiros servos de Deus. Suas palavras jactanciosas fluem de um coração tomado pelo orgulho. Eles são cheios de vento, como balões que voam, mas não possuem

---

[27]GREEN, Michael. *II Pedro e Judas*, p. 110.
[28]KISTEMAKER, Simon. *Epístolas de Pedro e Judas*, p. 411.
[29]CALVIN, John. *Calvin's Commentaries*. Vol. 22, p. 407.

nenhum conteúdo. São vazios, fúteis, mesquinhos. Vale destacar que os falsos mestres se apresentam como tendo a última revelação de Deus. Dizem ter vivenciado uma experiência única e singular que os demais não receberam. Carimbam a si mesmos como iluminados. Fazem uma viagem rumo ao topo e de lá de cima blasonam palavras jactanciosas. Consideram-se superiores a todos os demais. Buscam glória para si mesmos e não hesitam em receber glória dos homens. Andam na contramão do caminho da piedade e da humildade.

Em terceiro lugar, *os falsos mestres são enganadores que afastam as pessoas de Deus* (2.18b). ... *engodam com paixões carnais, por suas libertinagens, aqueles que estavam prestes a fugir dos que andam no erro*. Há aqui três fatos: 1) Os falsos mestres são agentes do engano. Alimentam-se da mentira e vomitam a falsidade. Suas palavras são laços e armadilhas de morte. Michael Green diz que o pecado grosseiro dos falsos mestres era corromper cristãos relativamente novos, almas inconstantes (2.14).[30] 2) Os falsos mestres estão rendidos à imoralidade. Uma falsa teologia não pode produzir uma vida santa. Por serem corrompidos na doutrina, são também corrompidos na conduta. Se o engano é seu propósito, as paixões carnais e a libertinagem são o método que usam para arrastar pessoas inconstantes. 3) Os falsos mestres são proselitistas. Eles gostam de influenciar aqueles que estão interessados na verdade. São lobos que buscam devorar as ovelhas. Kistemaker é contundente ao comparar os falsos mestres, com animais carnívoros que caçam os membros mais fracos das manadas, sendo assim, os falsos mestres concentram sua atenção nos recém-convertidos. Os crentes que ainda não tiveram tempo suficiente para crescer na graça e no entendimento da fé cristã têm de suportar o assédio dos apóstatas.[31]

Em quarto lugar, *os falsos mestres são escravos* (2.19). *Prometendo-lhes liberdade, quando eles mesmos são escravos da corrupção, pois aquele que é vencido fica escravo do vencedor*. Os falsos mestres colocaram a liberdade contra a lei e descambaram para a licenciosidade. São especialistas em pregar o que o povo gosta de ouvir. Jamais falam sobre arrependimento,

---

[30] GREEN, Michael. *II Pedro e Judas*, p. 112.
[31] KISTEMAKER, Simon. *Epístolas de Pedro e Judas*, p. 413.

santidade, nova vida. Pregam uma graça barata. Anunciam outro evangelho, um falso evangelho. Falam sobre liberdade sem novo nascimento; sobre salvação sem arrependimento. Eles mesmos, porém, são escravos da corrupção. Porque são dominados pelo pecado, e dele são escravos.

O juízo inevitável dos falsos mestres

Pedro conclui sua análise sobre os falsos profetas falando sobre o juízo inevitável de Deus que virá sobre eles. Destacamos aqui três pontos:

Primeiro, *o último estado pior do que o primeiro* (2.20). *Portanto, se, depois de terem escapado das contaminações do mundo mediante o conhecimento do Senhor e Salvador Jesus Cristo, se deixam enredar de novo e são vencidos, tornou-se o seu último estado pior do que o primeiro.* Os falsos mestres saíram de dentro das fileiras da igreja (1Jo 2.19). O propósito deles é arrastar os discípulos atrás deles (At 20.30). Houve um tempo em que eles professavam a fé ortodoxa. Com o tempo, porém, abandonaram a sã doutrina e passaram a sustentar, com arrogância e exclusividade, como fazem as seitas, outros pontos de vistas.

O resultado foi a apostasia (1Co 10.1-12; Hb 3.12-18; 6.6; 10.26,38,39; Jd 4-6). O pecado desses falsos mestres não é de ignorância. Eles conhecem a verdade e mesmo assim a desprezaram. É por isso que os pecados do líder são mais graves, hipócritas e danosos. Mais graves porque o líder peca contra um conhecimento maior. Mais hipócrita porque o líder fala de vida nova e vive imiscuído com o pecado. E mais danoso porque, quando o líder cai, mais pessoas são afetadas.

Os falsos mestres chamam a escravidão de liberdade e as trevas de luz. Este é um pecado imperdoável não porque Deus está indisposto a perdoar, mas porque o homem que persiste nesse caminho recusa-se a aceitar o perdão.[32]

Segundo, *melhor seria nunca ter conhecido a verdade* (2.21). *Pois melhor lhes fora nunca tivessem conhecido o caminho da justiça do que, após conhecê-Lo, volverem para trás, apartando-se do santo mandamento que lhes fora dado.* Caminho era o nome primitivo do cristianismo. Esses mestres

---

[32]GREEN, Michael. *II Pedro e Judas*, p. 114.

tinham dado as costas às verdades que um dia professaram. O resultado é que no dia do juízo serão mais culpados diante de Deus do que seriam se nunca tivessem ouvido o evangelho. A heresia é um grande mal, e os hereges serão julgados com maior rigor. Eles não escaparão no dia do juízo nem serão inocentados. Será grande a ruína daqueles que fizeram tropeçar o povo de Deus e desviaram as pessoas do caminho da verdade.

Terceiro, *a tragédia do retorno à imundícia* (2.22). *Com eles aconteceu o que diz certo adágio verdadeiro: O cão voltou ao seu próprio vômito; e: A porca lavada voltou a revolver-se no lamaçal.* Pedro chama os apóstatas de brutos irracionais (2.12) e, depois, termina sua advertência descrevendo-os como porcos e cães. Concordo com Michael Green quando diz que o maior castigo dos falsos mestres é que serão entregues à sorte que escolheram. A qualidade horrível e irrevogável do inferno acha-se justamente aqui: Deus confirma a escolha deliberada do homem. No fim, todos vamos "para nosso próprio lugar". O cachorro que, ao vomitar, se vê livre da corrupção que havia dentro dele não pode deixar o assunto em paz; volta a cheirar o vômito. A porca que se vê livre da corrupção que havia fora dela pelo esfregamento com uma escova não pode resistir a rolar no monturo de estrume.³³

Nas palavras de Warren Wiersbe, o porco foi lavado por fora, mas continuou sendo um porco; o cão foi "limpo" por dentro, mas continuou sendo um cão. O porco parecia melhor e o cão se sentia melhor, mas nenhum dos dois havia mudado. Cada um continuou tendo a mesma natureza, não uma nova. Isto explica por que os dois voltaram à sua antiga vida: fazia parte de sua natureza.³⁴ Os verdadeiros cristãos receberam uma nova natureza, uma nova mente, um novo coração, uma nova vida, uma nova família, uma nova pátria.

Concluo a exposição deste capítulo com as oportunas palavras de William MacDonald:

> Essa passagem não deveria ser usada para ensinar que verdadeiros crentes podem cair da graça e se perder. As pessoas descritas aqui como

---

³³GREEN, Michael. *II Pedro e Judas*, p. 116.
³⁴WIERSBE, Warren W. *Comentário bíblico expositivo*. Vol. 6, p. 594.

porcos e cães jamais foram verdadeiros crentes. Jamais receberam uma nova natureza. Demonstraram, pelo seu último estado, que sua natureza era ainda impura e má. Uma reforma exterior não é apenas insuficiente, mas também perigosa, pois pode conduzir uma pessoa a uma falsa segurança. Um homem só pode receber uma nova natureza através do novo nascimento. Pode nascer de novo somente por meio do arrependimento para com Deus e da fé em nosso Senhor Jesus Cristo.[35]

---

[35] MACDONALD, William. *Believer's Bible Commentary*, p. 2300.

4

A segunda vinda de Cristo, o grande Dia de Deus

2 Pedro 3.1-18

PEDRO CONHECIA A IMPORTÂNCIA VITAL da repetição como recurso pedagógico. Por isso, não hesita em repetir as mesmas verdades até fixá-las na mente de seus leitores. O conteúdo dessa segunda carta tem como propósito reavivar a memória dos crentes esclarecidos pela verdade.

No capítulo anterior, o apóstolo tratou do caráter pervertido dos falsos mestres; agora, trata de seus falsos ensinamentos. Pedro já havia ensinado sobre a certeza da segunda vinda de Cristo em glória (1.16), uma verdade que os falsos mestres negavam. Chegaram a ponto de zombar da ideia de que Jesus voltaria para julgar o mundo e estabelecer Seu Reino de glória. Os autores do Novo Testamento ensinam, com regularidade, a doutrina da volta de Jesus. Na realidade, essa doutrina pode ser encontrada em todos os livros do Novo Testamento, com exceção de Gálatas e das seguintes breves epístolas: Filemom, 2João e 3João.[1]

Destacaremos alguns pontos importantes no estudo em apreço.

A centralidade da Palavra

Pedro escreve como apóstolo e pastor da igreja. Jesus o constituiu pastor a fim de pastorear Suas ovelhas. Ele está cumprindo essa missão.

---

[1] KISTEMAKER, Simon. *Epístolas de Pedro e Judas*, p. 437.

Ensinou os crentes dispersos na primeira carta e agora, na segunda epístola, reforça as mesmas verdades. O propósito precípuo dessa carta é despertar e estimular os leitores (1.12-15). Conforme escreveu Warren Wiersbe, "a igreja precisa ser despertada regularmente, a fim de que o inimigo não nos encontre adormecidos nem se aproveite de nossa letargia espiritual".[2] O ensino de Pedro está estribado em três bases sólidas, as quais constituem um único alicerce.

Em primeiro lugar, *a unidade das Escrituras* (3.1,2a). *Amados, esta é, agora, a segunda epístola que vos escrevo; em ambas, procuro despertar com lembranças a vossa mente esclarecida, para que vos recordeis das palavras que, anteriormente, foram ditas pelos santos profetas...* O argumento de Pedro é que a profecia sobre o Dia do Senhor não foi inventada pelos apóstolos. Os profetas, assim como Jesus Cristo, ensinaram tais preceitos. Com isso, Pedro enfatiza, de forma peremptória, a unidade das Escrituras. Há plena harmonia entre o que os profetas anunciaram, o que Jesus disse e o que os apóstolos estão ensinando. Não há conflito nem contradição nas Escrituras. Quando os falsos mestres questionavam a promessa da vinda de Cristo, estavam, na verdade, duvidando da veracidade das Escrituras. Vários profetas ergueram a voz para falar sobre o julgamento do mundo (Is 2.10-22; 13.6-16; Jr 30.7; Dn 12.1; Am 5.18-20; Zc 12.1-14.2). Jesus e os apóstolos falaram, com clareza, sobre as mesmas verdades. A Palavra de Deus, Antigo e Novo Testamentos, é a verdade. Não há contradição entre o Antigo e o Novo Testamento. O Novo Testamento está latente no Antigo, e o Antigo Testamento está patente no Novo.

Em segundo lugar, *o ensino de Cristo* (3.2b). *... bem como do mandamento do Senhor e Salvador...* Jesus falou, de forma categórica, sobre o dia da Sua segunda vinda e do julgamento do mundo. O seu conhecido Sermão do Monte (Mt 24-25) é um tratado acerca do assunto. O que os profetas disseram é aqui confirmado por Jesus, nosso Senhor e Salvador. O sermão escatológico de Jesus aborda os sinais de sua vinda, as condições para sua vinda e os resultados de sua vinda. O futuro é desconhecido por nós, mas não caminhamos em sua direção sem luz. Embora

---

[2] WIERSBE, Warren W. *Comentário bíblico expositivo.* Vol. 6, p. 596.

não saibamos qual será o dia da segunda vinda de Cristo, temos placas de orientação ao longo do caminho, em nossa jornada rumo à glória.

Em terceiro lugar, *o ensino dos apóstolos* (3.2c). ... *ensinado pelos vossos apóstolos*. A doutrina da segunda vinda de Cristo e do julgamento final é abordada não apenas pelos profetas e pelo próprio Senhor Jesus, mas também por seus apóstolos (1Ts 4.13-18; 5.1-11; Ap 6.12-17). A segunda vinda de Cristo é o ápice da revelação bíblica, a doutrina mais repetida e enfatizada em todas as Escrituras. A história não está à deriva. O mundo não está sem direção. A história é teleológica e caminha para a consumação. O fim já está escrito e determinado: é a vitória retumbante de Cristo e de Sua igreja.

O ataque dos falsos mestres

Os falsos mestres são chamados aqui de escarnecedores. Não apenas negam intelectualmente as verdades de Deus, mas zombam e escarnecem delas. Destacamos algumas verdades sobre os falsos mestres.

Primeira, *o tempo em que surgirão os falsos mestres* (3.3a). *Tendo em conta, antes de tudo, que, nos últimos dias, virão escarnecedores com os seus escárnios...* Os últimos dias referem-se a todo o período compreendido entre a primeira e a segunda vinda de Cristo. Porém, à medida que o tempo avança para o fim, recrudesce o número de falsos profetas, pois os últimos tempos são caracterizados pelo crescimento da iniquidade e pelo abandono da verdade, conhecido como "a apostasia" (2Ts 2.8). O primeiro sinal do fim dos tempos apontado por Jesus, no sermão profético, é o engano religioso (Mt 24.3,4).

Warren Wiersbe diz corretamente que um escarnecedor é alguém que trata levianamente de algo que deveria ser levado a sério. No tempo de Noé, o povo escarneceu da ideia do julgamento, e os cidadãos de Sodoma ridicularizaram a possibilidade de a cidade pecadora ser destruída por fogo e enxofre. Os falsos mestres estavam agora zombando da ideia do inferno e do vindouro julgamento deste mundo.[3] Simon Kistemaker alerta para o fato de que o escárnio não deve ser confundido

---

[3] WIERSBE, Warren W. *Comentário bíblico expositivo*. Vol. 6, p. 597.

com a zombaria. A zombaria retrata frivolidade, mas o escárnio é um pecado intencional. Ocorre quando, deliberadamente, alguém demonstra desprezo por Deus e por Seu Filho.[4]

Segunda, *o estilo de vida dos falsos mestres* (3.3b). *... andando segundo as próprias paixões.* Os escarnecedores são heréticos quanto à doutrina e devassos quanto à conduta. São heterodoxos quanto à teologia e pervertidos quanto à ética. A teologia é mãe da ética. O que uma pessoa pensa revela o que ela é. Uma doutrina errada desemboca em vida errada.

A pergunta que não se cala é: qual o motivo da zombaria desses apóstatas? Seu desejo de continuar vivendo em pecado! Warren Wiersbe tem razão ao dizer:

> Se o estilo de vida do indivíduo é contrário à Palavra de Deus, só lhe resta mudar de vida ou distorcer a Palavra de Deus. Os apóstatas escolheram a segunda opção, de modo que escarneceram da doutrina do julgamento e da vinda do Senhor.[5]

Ainda hoje, muitos falsos mestres criam uma teologia para justificar seus desvios morais. Em vez de aceitar humildemente o confronto da verdade, distorcem a verdade, para continuar na prática de suas próprias paixões. Tornam-se não apenas apóstatas, mas sobretudo, convenientes. Preferem torcer a verdade a serem por ela disciplinados. Preferem tapar os ouvidos à voz de Deus a mudar sua conduta pervertida. Preferem a heresia ao arrependimento.

Terceira, *o ensino dos falsos mestres* (3.4). *E dizendo: Onde está a promessa da sua vinda? Porque, desde que os pais dormiram, todas as coisas permanecem como desde o princípio da criação.* Com uma pergunta em tom de censura, os escarnecedores colocaram em dúvida a veracidade da segunda vinda de Cristo. Aliás, eles não apenas duvidavam; eles decisivamente negavam essa doutrina. Escarneciam da promessa. Faziam troça da esperança cristã. E não apenas negavam, mas usavam um argumento falso para ancorar suas ideias nebulosas. Diziam que, desde os primórdios,

---

[4]KISTEMAKER, Simon. *Epístolas de Pedro e Judas*, p. 434.
[5]WIERSBE, Warren W. *Comentário bíblico expositivo*. Vol. 6, p. 597.

o mundo era o mesmo, e nunca havia acontecido nada na história que garantisse o cumprimento dessa promessa. Lawrence Richards explica:

> Aqueles que ridicularizavam a doutrina da segunda vinda de Cristo baseavam a sua zombaria em uma suposição que está por trás de uma boa parte da moderna perspectiva "científica" do mundo. O universo e tudo o que há nele pode ser explicado por processos naturais que funcionaram desde o princípio. Não há a necessidade de inventar um "Deus" para explicar a origem do universo nem o desenvolvimento das criaturas vivas. O homem é somente mais um animal que evolui acidentalmente.[6]

Nessa mesma linha de pensamento, Warren Wiersbe diz: "É espantoso como os chamados 'pensadores' (cientistas, teólogos liberais, filósofos) são seletivos e se recusam, intencionalmente, a considerar certos dados".[7] Os escarnecedores não estão interessados no tempo da volta de Jesus, mas perguntam *onde*. Assim, duvidam da veracidade da palavra escrita e falada de Deus, de maneira parecida com o que fez o povo judeu nos dias que antecederam o exílio (Jr 17.15).[8] Os escarnecedores alegam que a vinda de Cristo não fez nenhuma diferença no que se refere à morte. Dizem que os primeiros cristãos morreram como todas as outras pessoas. Concluem, portanto, que o evangelho é irrelevante.[9] Vivemos numa geração que não suporta ouvir as verdades axiais do cristianismo. Taxam os pregadores fiéis de fanáticos alarmistas. Chamam os mensageiros de Deus de falastrões medievais. Rotulam-nos de retrógrados e ultrapassados. Preferem o conforto do erro ao confronto da verdade.

Quarta, *o deliberado esquecimento dos falsos mestres* (3.5a). *Porque, deliberadamente, esquecem...* O esquecimento dos falsos mestres não se devia à falta de memória, mas à falta de integridade. Eles eram governados pela conveniência, e não pela verdade. Eles se esqueciam deliberadamente, propositadamente. Tentavam apagar da memória o fato

---

[6]RICHARDS, Lawrence O. *Comentário histórico-cultural do Novo Testamento*. Rio de Janeiro: CPAD, 2012, p. 528.
[7]WIERSBE, Warren W. *Comentário bíblico expositivo*. Vol. 6, p. 598.
[8]KISTEMAKER, Simon. *Epístolas de Pedro e Judas*, p. 435.
[9]KISTEMAKER, Simon. *Epístolas de Pedro e Judas*, p. 436.

de que o mesmo Deus que criou os céus e a terra também destruiu a terra por meio do julgamento cataclísmico do dilúvio (3.6). Sim, Deus já interveio no mundo de forma drástica. Ele já manifestou seu juízo na história. O mundo que veio à existência da água pela palavra, esse mesmo mundo pereceu no dilúvio. O mesmo Deus que fez perecer o mundo pela água, no dilúvio, fará os elementos da natureza derreter pelo fogo, no grande dia do juízo.

Lawrence Richards tem razão ao dizer que, quando Pedro denuncia que os críticos "voluntariamente ignoram" esses fatos, ele reflete um argumento que já havia sido lançado por Paulo no primeiro capítulo de Romanos. O que pode ser conhecido a respeito de Deus foi revelado à humanidade desde a criação. Contudo, sem a vontade de conhecer a Deus, os homens "torcem as Escrituras" e no seu lugar inventam e disseminam explicações para a maneira como as coisas são – seus raciocínios e conclusões são patentemente ridículos.[10]

A destruição do mundo

Pedro rebate o argumento sofismático dos escarnecedores, citando dois acontecimentos históricos que comprovam suas afirmações: a obra de Deus na criação (3.5) e o dilúvio no tempo de Noé (3.6). Destacamos três acontecimentos:

Em primeiro lugar, *a criação do mundo* (3.5b). ... *que, de longo tempo, houve céus bem como terra, a qual surgiu da água e através da água pela Palavra de Deus*. O mundo não surgiu espontaneamente. A criação não é produto de uma explosão cósmica nem de uma evolução de milhões e milhões de anos. O mundo foi criado por Deus: *No princípio criou Deus os céus e a terra* (Gn 1.1). A terra em si surge da água (Gn 1.9). Essa interpretação está relacionada mais à origem que à substância, ou seja, o texto explica como a terra foi formada, mas não revela a fonte da matéria. Não apenas as águas dos oceanos e lagos e a precipitação dos céus foram essenciais para a formação da terra, como também a chuva e o orvalho, a neve e o gelo nutrem e sustentam a terra (Gn 1.7).[11]

---

[10] RICHARDS, Lawrence O. *Comentário histórico-cultural do Novo Testamento*, p. 528.
[11] KISTEMAKER, Simon. *Epístolas de Pedro e Judas*, p. 439.

O mundo foi criado por Deus pela palavra do Seu poder. A terra surgiu da água e através da água pela ordem de Deus. Deus é o criador do mundo. Deus é o sustentador do mundo. E Deus levará o mundo ao julgamento final.

Em segundo lugar, **o dilúvio, o juízo de Deus no passado** (3.6). *Pela qual* [pela Palavra de Deus] *veio a perecer o mundo daquele tempo, afogado em água*. Os escarnecedores se esqueceram, deliberadamente, de que Deus já havia manifestado seu julgamento no passado. O dilúvio foi um juízo solene de Deus ao mundo antigo. O mundo inteiro, com exceção da família de Noé, pereceu afogado pelas águas. O dilúvio foi universal. Atingiu toda a raça humana. Os escarnecedores dos tempos de Pedro viam a natureza, mas não reconheciam o Criador e sua autoridade. Quando Deus ordenou que as águas destruíssem os seres humanos e os animais na face da terra, *romperam-se todas as fontes do grande abismo, e as comportas dos céus se abriram* (Gn 7.11; 8.2). A água veio de baixo e de cima e cobriu a terra, de modo que *tudo o que tinha fôlego de vida em suas narinas, tudo o que havia em terra seca, morreu* (Gn 7.22).[12]

Em terceiro lugar, **a destruição do mundo, o juízo de Deus no futuro** (3.7). *Ora, os céus que agora existem e a terra, pela mesma palavra, têm sido entesourados para fogo, estando reservados para o Dia do Juízo e destruição dos homens ímpios*. Pedro contrasta o mundo antigo com os céus e a terra do presente. O mundo de Noé foi destruído pela água; o mundo presente será queimado pelo fogo. A conclusão parece ser que o dilúvio foi universal, assim como a destruição iminente pelo fogo também será universal.[13] Naquele tempo, Deus salvou Noé e sua família das águas do dilúvio e também salvará os crentes quando ocorrer esse fogo devastador que queimará céus e terra.

O mesmo Deus que destruiu o mundo pela água no dilúvio, destruí-lo-á pelo fogo no Dia do Juízo (2.3). Três vezes nesse capítulo, Pedro revela a destruição iminente da criação de Deus pelo fogo (3.7,10,12). O propósito de Deus por fim ao mundo por meio do fogo é julgar os perversos. No entanto, o pecado não atingiu apenas a raça humana, mas

---

[12]KISTEMAKER, Simon. *Epístolas de Pedro e Judas*, p. 440.
[13]KISTEMAKER, Simon. *Epístolas de Pedro e Judas*, p. 441.

toda a natureza. Então, neste dia, Deus também purificará a terra dos ímpios que habitam este planeta.

O Dia do Senhor será terrível! A ira de Deus vai arder, e os homens mais poderosos tentarão se esconder nas cavernas. Eles se encherão de medo por causa da ira do Deus Todo-poderoso (Ap 6.12-17). Como diz o profeta Amós, aquele será um dia de trevas, e não de luz (Am 5.18). Nesse dia, os próprios céus serão combustível para o fogo divino. Deus prometeu que não haverá mais dilúvio para destruir o mundo (Gn 9.8-17). O próximo julgamento, portanto, será de fogo.

Warren Wiersbe está certo quando diz que Pedro aparentemente indica que o mundo não será destruído pelo ser humano com seu abuso pecaminoso da energia atômica. Será Deus quem na hora certa "apertará o botão" e queimará toda a criação e, com ela, as obras do ser humano perverso. Então, Deus trará novos céus e nova terra e reinará em glória.[14]

Nesse dia, os ímpios serão destruídos. Não haverá escape nem livramento. Eles terão de enfrentar a ira do Deus Todo-poderoso. Não escaparão do juízo. Sofrerão penalidade de eterna destruição e serão lançados nas trevas exteriores, no lago de fogo, na condenação eterna, pelos séculos dos séculos. Ah, como será terrível esse dia! O mundo oscila como um bêbado ao mesmo tempo que marcha célere para o grande dia do juízo. Os homens se aprofundam no pecado e escarnecem de Deus. Zombeteiramente profanam o sagrado e exaltam o que é vil. Caminham sem pudor e sem temor. Porém, quando chegar aquele dia, até mesmo os mais açodados no pecado tremerão diante do Deus Todo-poderoso. Como Belsazar e seus convidados, se encherão de pavor, e seu riso será convertido em lamento.

A demora da segunda vinda de Cristo

Os escarnecedores zombavam da promessa da segunda vinda de Cristo, levantando o argumento do tempo. Diziam: Desde que o mundo é mundo, nada mudou. Obviamente, estavam errados. Mas talvez alguns crentes também possam perguntar: por que Jesus está

---

[14] WIERSBE, Warren W. *Comentário bíblico expositivo*. Vol. 6, p. 598.

demorando tanto em vir? Se Paulo já aguardava a volta de Jesus para os seus dias (1Ts 4.16,17), por que depois de dois mil anos Cristo ainda não voltou? Pedro nos ajuda a entender essa questão, esclarecendo alguns pontos importantes.

Primeiro, *o tempo na perspectiva de Deus* (3.8). *Há, todavia, uma coisa, amados, que não deveis esquecer: que, para o Senhor, um dia é como mil anos, e mil anos, como um dia.* O Eterno não vê o tempo como nós vemos. Nós, humanos, somos imortais, mas só Deus é eterno. Para Ele, não existe passado nem futuro. Ele vê todas as coisas no seu eterno agora. Deus está no passado e no futuro ao mesmo tempo. Para Ele, um dia é como mil anos, e mil anos como um dia (Sl 90.4). Assim, Pedro está dizendo que os escarnecedores ignoraram os feitos de Deus e a natureza de Deus. O nosso Deus é eterno. Não tem começo nem fim. Habita a eternidade. É o Pai da eternidade. Apesar de Deus agir no tempo, não está preso nem limitado a ele.

Concordo com Simon Kistemaker quando diz que Pedro evita especular sobre quando virá o fim. O apóstolo conhece a Palavra de Jesus sobre o assunto: *Mas a respeito daquele dia e hora, ninguém sabe, nem os anjos dos céus, nem o Filho, senão somente o Pai* (Mt 24.36). Além do mais, Pedro sabe que Deus vê o tempo da perspectiva da eternidade e que o homem, condicionado pelo tempo cósmico, não é capaz de compreender a eternidade.[15]

Segundo, *o propósito da demora da segunda vinda de Cristo* (3.9). *Não retarda o Senhor a sua promessa, como alguns a julgam demorada; pelo contrário, ele é longânimo para convosco, não querendo que nenhum pereça, senão que todos cheguem ao arrependimento.* Os escarnecedores não compreendem a natureza eterna de Deus nem sua misericórdia. Deus adia a segunda vinda de Cristo, o dia do julgamento, porque deseja dar aos pecadores perdidos a oportunidade de serem salvos. A demora da segunda vinda de Cristo está relacionada à longanimidade de Deus. Cada dia que passa significa que Deus está dando ao pecador mais uma oportunidade de arrependimento. Na verdade, Deus não tem prazer na morte do ímpio (Ez 33.11). Ele deseja que todos os

---

[15] KISTEMAKER, Simon. *Epístolas de Pedro e Judas*, p. 444.

homens sejam salvos (1Tm 2.4). Não quer que nenhum pereça, mas que todos cheguem ao arrependimento (3.9). É claro que esse texto não está apontando para um universalismo. Pedro deixa claro que os falsos mestres e escarnecedores serão condenados e estão diante da destruição (2.3; 3.7). Nesse texto Pedro se dirige ao povo da aliança. Deus está aguardando até que o último eleito seja chamado e a última ovelha, por quem Cristo deu Sua vida, se entregue aos braços do Supremo Pastor.

Terceiro, *a forma como Jesus virá* (3.10a). *Virá, entretanto, como ladrão, o Dia do Senhor...* Depois de refutar as falsas declarações dos escarnecedores, Pedro reafirma a certeza da vinda do Dia do Senhor. O Dia do Senhor virá e não tardará. A aparente demora da segunda vinda de Cristo, porém, não nos pode levar ao relaxamento espiritual. Não podemos ser imprudentes como as cinco virgens néscias que estavam sem azeite em suas lâmpadas. Tanto Jesus (Mt 24.43; Lc 12.39) quanto os apóstolos Pedro (3.10) e Paulo (1Ts 5.2) afirmaram que o Dia do Senhor virá como ladrão, inesperadamente. Não será um dia óbvio. Não é possível marcar datas. Precisamos estar alertas e preparados. Somos filhos da luz e, por isso, esse dia não nos pode apanhar de surpresa. Precisamos vigiar e aguardar a volta do Senhor. Precisamos amar a vinda do Senhor (2Tm 4.8).

Quarto, *o efeito da segunda vinda de Cristo na criação* (3.10b). *... no qual os céus passarão com estrepitoso estrondo, e os elementos se desfarão abrasados; também a terra e as obras que nela existem serão atingidas.* O Dia do Senhor será tremendo. A ira do Deus Todo-poderoso limpará o mundo de todo vestígio do pecado. A própria natureza, que está gemendo com dores de parto, derreterá pelo fogo de Deus. A terra e as obras que nela existem serão atingidas por esse fogo divino.

Pedro é contundente em afirmar que ruirá tudo aquilo que o homem tiver construído. Os tesouros que os homens ajuntaram derreterão. Nada que o homem tiver levantado ficará de pé. As grandes obras dos homens serão consumidas pelo fogo. Todas as coisas das quais os homens se orgulham – grandes cidades, construções, invenções e realizações – serão destruídas em um instante. Quando os pecadores estiverem diante do trono de Deus, não terão coisa alguma para mostrar como prova de sua grandeza. Tudo terá desaparecido.[16] A expressão "se desfarão abrasados" significa "desintegrar-se, dissolver-se". Dá a ideia de algo sendo decomposto em seus elementos fundamentais, exatamente o que acontece na liberação da energia atômica.[17]

A consumação de todas as coisas

O apóstolo Pedro descreve a cena do Juízo Final e faz uma poderosa aplicação. Tendo em vista que Jesus voltará e que o juízo divino é inevitável, como devemos nos portar? Que estilo de vida devemos adotar?

Em primeiro lugar, ***precisamos estar preparados*** (3.11). *Visto que todas essas coisas hão de ser assim desfeitas, deveis ser tais como os que vivem em santo procedimento e piedade.* Os céus e a terra passarão. As grandes obras e os grandes monumentos erguidos pelos homens na terra entrarão em colapso e se derreterão como cera na fornalha. Uma vez que essa é uma realidade inegável, insofismável e incontornável, precisamos viver de forma santa e piedosa. Precisamos estar preparados para encontrar o Senhor (Am 4.12). Em vez de vivermos especulando acerca de datas, devemos viver em santo procedimento e piedade. Em vez de engrossar as fileiras da comissão de planejamento da volta de Cristo, devemos fazer parte do comitê de recepção.

Em segundo lugar, ***precisamos aguardar a segunda vinda de Cristo com exultante expectativa*** (3.12a). *Esperando [...] a vinda do Dia de Deus...* A igreja de Deus não dorme como os filhos das trevas. Não vive de forma desordenada como os ímpios. A igreja de Deus é filha da luz. Tem azeite em suas lâmpadas. Ama a vinda do Senhor e clama constantemente: *Maranata, ora vem, Senhor Jesus.* O Dia de Deus é o grande e glorioso dia, quando Jesus irromperá nas nuvens, com grande poder e majestade, para buscar sua noiva. Esse dia deve ser ardentemente esperado. Nossos olhos precisam estar fixados nas alturas. Essa expectativa exultante tem o poder de produzir um profundo impacto em nossa conduta.

---

[16] WIERSBE, Warren W. *Comentário bíblico expositivo.* Vol. 6, p. 601.
[17] WIERSBE, Warren W. *Comentário bíblico expositivo.* Vol. 6, p. 601.

Em terceiro lugar, *precisamos apressar o Dia do Senhor* (3.12b). ... *e apressando a vinda do Dia de Deus, por causa do qual os céus, incendiados, serão desfeitos, e os elementos abrasados se derreterão.* A expectativa da volta de Jesus deve repercutir não apenas na conduta, mas também no testemunho. Pedro afirma que é possível apressar a volta de Jesus Cristo. Se o trabalho de Deus hoje é chamar um povo para seu nome (At 15.14), quanto antes esse trabalho for completado, mais cedo o Senhor voltará.[18] O Dia de Deus será tão solene e grave que os céus serão incendiados e desfeitos, e os elementos da natureza abrasados se derreterão. Esse será o grande Dia, a consumação dos séculos, quando Jesus, visível, audível e triunfantemente, seguido por um séquito celestial, descerá dos céus, com grande poder e muita glória. Esse dia será o dia da vingança do nosso Deus contra seus inimigos e o dia do resgate final de Sua igreja. Será dia de trevas para os ímpios e dia de luz aurifulgente para os remidos – o dia da recompensa.

Devemos não apenas aguardar esse dia, mas também apressá-lo. Como podemos apressá-lo? Levando o evangelho do reino até aos confins da terra, a todas as etnias, pois o Senhor Jesus proclamou: *E será pregado este evangelho do reino por todo o mundo, para testemunho a todas as nações. Então, virá o fim* (Mt 24.14). Deus, na sua longanimidade, não quer que nenhum dos seus pereça. A igreja precisa erguer sua voz e pregar, pois a fé vem pelo ouvir a Palavra de Deus (Rm 10.17).

Em quarto lugar, *precisamos aguardar o cumprimento da promessa da consumação* (3.13). *Nós, porém, segundo a sua promessa, esperamos novos céus e nova terra, nos quais habita justiça.* Esse derretimento dos céus e da terra pelo fogo divino não é uma tragédia para a igreja, mas o início de uma eternidade gloriosa. É claro que os céus que serão derretidos não equivalem ao céu, habitação de Deus e dos remidos, pois o pecado não contaminou esse céu. É preciso esclarecer também que os céus que nossos olhos agora veem e a terra na qual habitamos não serão destruídos pelo fogo de Deus, mas restaurados pelo fogo divino. Todo vestígio de pecado será destruído. Toda marca do pecado será banida. O paraíso será restaurado. Habitaremos novos céus e nova terra!

---

[18]WIERSBE, Warren W. *Comentário bíblico expositivo.* Vol. 6, p. 603.

Com a palavra *novo*, Pedro ensina que a nova criação surge da antiga, ou seja, o velho dá à luz o novo. O dilúvio não aniquilou a terra, mas a transformou; assim como a nova terra foi consequência do dilúvio, também os novos céus e a nova terra serão consequência do fogo.[19] Nessa mesma linha de pensamento, Kistemaker explica que, nos novos céus e na nova terra, Deus lança fora o pecado, e assim, liberta a criação de sua escravidão (Rm 8.22). Pedro chama a nova criação de "lar de justiça". O apóstolo personifica o termo *justiça* afirmando que ela tem residência permanente nos novos céus e nova terra. Essa expressão junta os dois termos, tornando-os um só.[20]

Exortações à igreja

Pedro conclui sua segunda epístola fazendo algumas exortações oportunas às igrejas da dispersão. Que exortações são essas?

Primeiro, **sejam irrepreensíveis na conduta** (3.14). *Por essa razão, pois, amados, esperando estas coisas, empenhai-vos por serdes achados por Ele em paz, sem mácula e irrepreensíveis.* Uma vez que Jesus voltará e Deus julgará o mundo com justiça, devemos nos empenhar para que, naquele dia, Deus nos encontre vivendo em paz e santidade e andando de forma irrepreensível. A expectativa da segunda vinda de Cristo é um freio contra o pecado e um estímulo à santidade. É impossível aguardar a segunda vinda e ao mesmo tempo envolver-se em conflitos interpessoais, chafurdar na impureza e viver de forma escandalosa. A exortação de Pedro objetiva que o Senhor nos encontre "em paz", não tendo nenhuma acusação contra nós, de modo que não sejamos envergonhados na Sua vinda (1Jo 2.28).

Segundo, **aceitem a verdade de Deus** (3.15,16). Eis o relato de Pedro:

> *E tende por salvação a longanimidade de nosso Senhor, como igualmente o nosso amado irmão Paulo vos escreveu, segundo a sabedoria que lhe foi dada, ao falar acerca destes assuntos, como, de fato, costuma fazer em todas as suas*

---

[19]ALFORD, Henry. *Alford's Greek Testament: an exegetical and critical commentary*. Vol. 4. Grand Rapids, MI: Guardian, 1976, p. 418.
[20]KISTEMAKER, Simon. *Epístolas de Pedro e Judas*, p. 455.

epístolas, nas quais há certas coisas difíceis de entender, que os ignorantes e instáveis deturpam, como também deturpam as demais Escrituras, para a própria destruição deles.

Pedro declara que as epístolas de Paulo são canônicas, inspiradas e têm a autoridade da Palavra de Deus. Fazem parte das Escrituras tanto quanto os escritos dos profetas e as palavras de Jesus. Os apóstolos Pedro e Paulo estão alinhados pelas mesmas verdades das Escrituras, embora com dons e ministérios diferentes. Não há disputas entre eles.

Pedro confessa que Deus deu uma capacidade especial a Paulo para tratar com profundidade e sabedoria alguns temas, mormente acerca das últimas coisas, verdades essas que os ignorantes e instáveis deturpam para sua própria destruição. Warren Wiersbe tem razão ao dizer que a maioria das heresias é deturpação de alguma doutrina fundamental da Bíblia. Os falsos mestres usam certos versículos fora de contexto, distorcem o significado das Escrituras e criam doutrinas contrárias à Palavra de Deus. Alguns escritores liberais tentam até mesmo provar a existência de diferenças entre a doutrina dos apóstolos e a doutrina de Jesus Cristo, ou entre os ensinamentos de Pedro e os de Paulo. Fazem isso para a sua própria destruição.[21]

Terceiro, **rejeitem o engano** (3.17). *Vós, pois, amados, prevenidos como estais de antemão, acautelai-vos; não suceda que, arrastados pelo erro desses insubordinados, descaiais da vossa própria firmeza.* Pedro se dirige aos crentes, alertando-os acerca do perigo de serem influenciados e arrastados pela sedução dos falsos mestres. Os crentes já haviam sido prevenidos pelo apóstolo sobre a armadilha dos falsos ensinos e agora recebem mais um lembrete: Cuidado! Acautelem-se! Fiquem firmes!

A palavra grega *sterigmou*, traduzida por "firmeza", representa uma posição estável, como a dos planetas no céu. Semelhantemente ao sol, a verdade revelada é o centro ao redor do qual nós orbitamos. É tragicamente possível que até mesmo os verdadeiros crentes sejam enganados e levados ao erro ao promover os falsos mestres. Quando isso acontece, a nossa "órbita" se torna instável e a nossa vida é completamente afetada

---

[21]WIERSBE, Warren W. *Comentário bíblico expositivo*. Vol. 6, p. 605.

pela "oscilação".[22] Warren Wiersbe está coberto de razão quando diz que é preciso ensinar aos cristãos novos na fé as doutrinas fundamentais da Palavra de Deus, pois, de outro modo, eles correrão o risco de serem "arrastados pelo erro desses insubordinados".[23]

Quarto, **cresçam no conhecimento e na graça** (3.18). *Antes, crescei na graça e no conhecimento de nosso Senhor e Salvador Jesus Cristo. A Ele seja a glória, tanto agora como no dia eterno.* Em vez de dar atenção às heresias dos escarnecedores, os crentes são desafiados a se apegarem ainda mais à Palavra. Quanto mais os crentes se alimentarem da Palavra, mais crescerão na graça e no conhecimento de Jesus Cristo. Quanto mais conhecermos a Cristo, mais cresceremos na graça. O conhecimento de Cristo é a raiz; a graça é o fruto. Não se trata apenas de conhecer um dogma, mas de conhecer uma Pessoa. Não é conhecimento a respeito de alguém, mas intimidade com esse alguém. Não se trata de conhecer qualquer pessoa, mas a Pessoa bendita de nosso Senhor e Salvador Jesus Cristo. O conhecimento não é apenas teórico, mas experimental. Há aqui um equilíbrio fundamental: conhecimento e graça; mente e coração, verdade e experiência. O conhecimento sem a graça é uma arma terrível, e a graça sem o conhecimento pode ser extremamente superficial. Combinando os dois, porém, temos uma ferramenta maravilhosa para edificar outras vidas e a igreja. Devemos sempre manter o equilíbrio entre a adoração e o serviço, entre a fé e as obras.[24]

Pedro conclui sua epístola com uma doxologia: *A Ele seja a glória, tanto agora como no dia eterno.* Jesus é o centro dessa carta e de toda a Bíblia. Jesus é o centro da história e da eternidade. Dele, por meio dEle e para Ele são todas as coisas. A glória vem dEle e retorna para Ele. Ele deve ser glorificado agora e pelos séculos sem fim.

---

[22]RICHARDS, Lawrence O. *Comentário histórico-cultural do Novo Testamento*, p. 528,529.
[23]WIERSBE, Warren W. *Comentário bíblico expositivo*. Vol. 6, p. 606.
[24]WIERSBE, Warren W. *Comentário bíblico expositivo*. Vol. 6, p. 607.

1, 2, 3 João

Como ter garantia da salvação

1, 2, 3 João

Caso bai garantu trapalinga

Introdução

A PRIMEIRA CARTA DE JOÃO, segundo alguns estudiosos, ocupa o lugar mais elevado nos escritos inspirados, a ponto de João Wesley chamá-la de "a parte mais profunda das Escrituras Sagradas".[1] William MacDonald diz que essa epístola é como um álbum de família. Ela descreve aqueles que são membros da família de Deus. Assim como os filhos refletem os pais, os filhos de Deus têm a sua semelhança. Quando um indivíduo se torna Filho de Deus, ele recebe a vida de Deus, ou seja, a vida eterna.[2]

Essa epístola não tem as características normais de uma carta antiga.[3] Simon Kistemaker corretamente afirma que essa carta é desprovida do nome do remetente e dos destinatários, de saudações e bênção e de lugar de origem e destino. Essa epístola poderia ser chamada de tratado teológico.[4]

William Barclay coloca isso de forma ainda mais clara:

> A Primeira Carta de João se denomina uma carta, mas não começa nem termina como tal. Não principia com um destinatário nem finaliza com saudações como ocorre com as cartas de Paulo, no entanto, não se pode lê-la sem perceber seu caráter intensamente pessoal.[5]

Augustus Nicodemus, nessa mesma linha de pensamento, diz que existem 21 cartas no cânon do Novo Testamento, e apenas 1João e Hebreus não trazem o prefácio costumeiro no qual o autor se apresenta.[6]

---

[1] BLANEY, Harvey. *A primeira epístola de João*. In: Comentário Bíblico Beacon. Vol. 10, Rio de Janeiro, RJ: CPAD, 2006, p. 287.
[2] MACDONALD, William. *Believer's Bible commentary*, p. 2.307.
[3] ELWELL, Water A. e YARBROUGH, Robert W. *Descobrindo o Novo Testamento*. São Paulo, SP: Editora Cultura Cristã, 2002, p. 366.
[4] KISTEMAKER, Simon. *Tiago e epístolas de João*. São Paulo, SP: Editora Cultura Cristã, 2006, p.263.
[5] BARCLAY, William. *I, II, III Juan y Judas*. Buenos Aires: Editorial La Aurora, 1974, p. 9.
[6] LOPES, Augustus Nicodemus. *Primeira carta de João*. São Paulo, SP: Editora Cultura Cristã, 2005, p.9.

O autor da carta

Há um consenso quase unânime na história da igreja, por meio de evidências externas e internas, que essa carta foi escrita pelo apóstolo João. Muito embora o nome do apóstolo não apareça no corpo da missiva, como acontece em outras epístolas, a semelhança com o quarto evangelho e com as outras duas missivas, no que tange ao vocabulário, ao estilo, ao pensamento e ao escopo não deixa dúvida de que o evangelho e as três cartas podem ser consideradas obras do mesmo autor. Donald Guthrie tem razão quando diz que essa carta combina pensamentos profundos com simplicidade de expressão. Ela é tanto prática quanto profunda.[7]

Antes de prosseguirmos, precisamos conhecer o autor dessa epístola. Quem foi João?

Primeiro, João era filho de Zebedeu e Salomé e irmão de Tiago. Seu pai era um empresário da pesca e sua mãe era irmã de Maria, mãe de Jesus. João era galileu e certamente deve ter crescido em Betsaida, às margens do mar da Galileia. Ele, à semelhança de seu pai, também era pescador.

Segundo, João tornou-se discípulo de Cristo. Inicialmente João era discípulo de João Batista, mas deixou suas fileiras para seguir o carpinteiro de Nazaré, o rabino da Galileia. Depois da morte de João Batista, João abandonou suas redes para integrar o grupo de Jesus permanentemente (Mc 1.16-20), tornando-se mais tarde um dos doze apóstolos (Mc 3.3-19).

Terceiro, João tornou-se integrante do círculo mais íntimo de Jesus. Ao lado dos irmãos Pedro e André, João integrava esse grupo seleto que desfrutava de uma intimidade maior com Jesus. Eles acompanharam Jesus no monte de Transfiguração (Lc 9.28), na casa de Jairo (Lc 8.51), onde Jesus ressuscitou sua filha de 12 anos, e também no Jardim do Getsêmani, na hora mais extrema da Sua agonia (Mc 14.33).

Desses três apóstolos, João é o único que encostou a cabeça no peito de Jesus e foi chamado de discípulo amado. No quarto evangelho, João se refere a si mesmo como: "discípulo", "outro discípulo", "o discípulo a

---

[7] GUTHRIE, Donald. *New Testament introduction*. Downers Grove, IL: Intervarsity Press, 1990, p.858.

quem Jesus amou", "aquele que se reclinou sobre o peito de Jesus". Esse foi o caminho mais modesto de João apresentar-se.[8]

Quarto, João acompanhou o julgamento e a crucificação de Jesus. Enquanto os outros apóstolos fugiram, João, que era aparentado do sumo sacerdote, pôde estar presente no julgamento de Jesus (Jo 18.15,16) e em Sua crucificação, quando assumiu a responsabilidade pela mãe de Jesus (Jo 19.26,27).

Quinto, João foi uma testemunha ocular da ressurreição e da ascensão de Cristo. Ele foi um dos primeiros a ver o túmulo de Jesus vazio (Jo 20.1-8) e a testemunhar o Cristo ressurreto, primeiro na casa com as portas trancadas (Jo 20.19-28) e, depois, no mar da Galileia (Jo 21.1-24). Quando Jesus foi assunto aos céus, João estava entre os discípulos que olhavam para as alturas enquanto Jesus subia (At 1.9-11). O autor é testemunha ocular e ouvinte de Jesus (1.2). Ele viu, ouviu e tocou em Jesus.

Sexto, João tornou-se uma das colunas da igreja de Jerusalém. Por volta do ano 40 d.C., quando Paulo e Barnabé subiram a Jerusalém, Tiago, Cefas e João eram considerados colunas da igreja de Jerusalém (Gl 2.6-10). Muito embora não tenhamos nenhum registro de milagre operado por ele, tinha a autoridade de dizer como Pedro ao paralítico: "Olha para nós" (At 3.4).

Sétimo, João passou seus últimos dias em Éfeso. É muito provável que João tenha fugido para Éfeso por volta do ano 68 d.C., antes da destruição da cidade de Jerusalém por Tito Vespasiano em 70 d.C. Dali ele foi banido para a Ilha de Patmos pelo imperador Domiciano, onde escreveu o livro de Apocalipse (Ap 1.9).

João morreu de morte natural, enquanto todos os outros apóstolos foram martirizados. Seu irmão Tiago foi o primeiro dos apóstolos a morrer enquanto João foi o último. De acordo com Irineu, o apóstolo João viveu "até o tempo de Trajano". João morreu por volta do ano 98 d.C., durante o reinado do imperador Trajano (98-117 d.C.).

O apóstolo João foi o autor desta carta que estamos considerando. Destacaremos duas evidências de autoria joanina:

---

[8] TUCK, Robert. *The first epistle general of John*. In: The Preacher's Homiletic Commentary. Vol. 30. Grand Rapids, MI: Baker Publishing Group, 1996, p. 221.

Em primeiro lugar, *as evidências externas*. Os pais da igreja do segundo século, como Policarpo (69-155), Papias (60-130), Clemente de Alexandria (150-215), e Irineu (150-200) dão testemunho eloquente da autoria joanina dessa missiva.[9] Tertuliano, no começo do terceiro século, Cipriano, nos meados do terceiro século, e Eusébio, no quarto século, também dão testemunho que João foi o autor desta carta. Todas as três epístolas se acham nos manuscritos mais antigos. A primeira epístola está incluída também nas mais antigas versões da igreja do Oriente e do Ocidente, a saber, a Siríaca e a Latina.[10] O Cânon Muratório atribui a João tanto o evangelho como esta primeira carta.[11]

Em segundo lugar, *as evidências internas*. A Primeira Carta de João tem forte semelhança com o evangelho segundo João. É impressionante a semelhança entre o evangelho de João e as epístolas quanto aos paralelos verbais e à escolha de palavras. O vocabulário tanto nas epístolas quanto no evangelho mostra semelhança inconfundível. Ambos os livros enfatizam os mesmos temas: amor, luz, verdade, testemunho e filiação. Tanto a epístola quanto o evangelho revelam o uso literário de contraste: vida e morte, luz e trevas, verdade e mentira, amor e ódio.[12]

Embora C. H. Dodd tenha questionado e negado estas semelhanças, concordo com John Stott quando diz que as diferenças existentes entre o evangelho e a carta são explicadas pelo propósito diferente que o autor tinha ao escrever cada uma dessas obras.

Assim escreve Stott:

> João escreveu o evangelho para incrédulos a fim de despertar-lhes a fé (Jo 20.30,31), e a epístola para crentes, a fim de aprofundar a certeza deles (5.13). O seu desejo, quanto aos leitores do evangelho, era que pela fé recebessem a vida; aos leitores da epístola, que soubessem que já a possuíam. Por conseguinte, o evangelho contém "sinais" para evocar a fé, e a epístola, provas para julgá-la. Ademais, no evangelho os inimigos da verdade são judeus incrédulos, que duvidavam, não da historicidade de

---

[9]ELWELL, Walter A. e YARBROUGH, Robert W. *Descobrindo o Novo Testamento*, 2002, p. 367.
[10]STOTT, John. *I, II, III João: Introdução e comentário*. São Paulo, SP: Edições Vida Nova, 1982, p.13.
[11]LOPES, Augustus Nicodemus. *Primeira carta de João*, 2005, p. 10.
[12]KISTEMAKER, Simon. *Tiago e epístolas de João*, 2006, p. 265,266.

Jesus (a quem eles podiam ver e ouvir), mas de que é o Cristo, o Filho de Deus. Contudo, na epístola, os inimigos da verdade são cristãos professos (conquanto as provas dadas por João mostrem que a profissão que fizeram é uma mentira), e o problema deles diz respeito não à divindade de Cristo, mas à sua relação com o Jesus histórico. O tema da epístola é: 'O Cristo é Jesus'; o tema do evangelho é: 'Jesus é o Cristo'.[13]

As semelhanças podem ser observadas tanto com respeito ao conteúdo quanto ao estilo. A Primeira Carta de João, à semelhança de Hebreus, não tem o nome do autor na introdução nem saudações na conclusão. Isso pressupõe que o autor já era uma pessoa muito conhecida de seus leitores e dispensava qualquer apresentação. É uma carta de um pastor que ama as Suas ovelhas e está profundamente interessado em protegê-las das seduções do mundo e dos erros dos falsos mestres, e em vê-las firmes na fé, no amor e na santidade.[14]

O local e a data em que a carta foi escrita

Alguns estudiosos acreditam que João escreveu as três cartas canônicas por volta do ano 60 d.C., de Jerusalém, antes da destruição da cidade pelos romanos. A data mais aceita, porém, situa essas cartas em um momento posterior.[15] É muito provável que o apóstolo João, o último representante do colégio apostólico vivo, tenha passado seus últimos dias morando na cidade de Éfeso, a capital da Ásia Menor. É quase certo que João escreveu essa e as outras duas epístolas de Éfeso, onde João pastoreou a igreja nos últimos dias da sua vida.

Simon Kistemaker diz corretamente que as epístolas em si não trazem nenhuma informação que nos ajude a determinar a data de sua composição. Estudiosos normalmente datam a composição das epístolas de João entre 90 e 95 d.C. A razão para isso é o fato de as epístolas terem sido escritas para contra-atacar os ensinamentos do gnosticismo, que estava ganhando proeminência perto do final do século primeiro.[16]

---

[13]STOTT, John. *I, II, III João: Introdução e comentário*, p. 21.
[14]STOTT, John. *I, II, III João: Introdução e comentário*, p. 7.
[15]MACDONALD, William. *Believer's Bible commentary*, p. 2.307, 2.308.
[16]KISTEMAKER, Simon. *Tiago e epístolas de João*, p. 292.

Levando em conta que João escreveu o evangelho que leva seu nome e que há profunda similaridade entre o evangelho e essa carta, concordo com Everett Harrison quando diz que o peso das possibilidades parece favorecer uma data posterior a do evangelho, e isto equivale aos anos 90 ou algo posterior.[17]

Os destinatários da carta

A Primeira Carta de João não foi endereçada a uma única igreja nem a uma pessoa específica, mas às igrejas do primeiro século. Trata-se de uma carta circular, geral ou católica.

Concordo com A. Plummer quando disse que esta carta de João não foi endereçada à igreja de Éfeso, nem à igreja de Pérgamo, nem mesmo às igrejas da Ásia coletivamente, mas a todas as igrejas. Não há dúvida que ela circulou primeiramente entre as igrejas da Ásia e João tinha suas razões para escrevê-la em face dos perigos que atacavam as igrejas daquele tempo. Entretanto, seus ensinos e suas exortações não se restringem àquela época e àquelas igrejas. As doutrinas e exortações são tão oportunas para as igrejas de hoje como o foram para as igrejas daquele tempo.[18]

João não lida com nenhuma situação específica de determinada igreja. Essa carta é uma espécie de tratado teológico, onde João submete os crentes a três testes distintos: o teste teológico, ou seja, se acreditam que Jesus é o Filho de Deus; o teste moral, ou seja, se vivem de forma justa; e o teste social, se amam uns aos outros.[19]

Simon Kistemaker diz que o autor se dirige aos seus leitores com palavras ternas de amor. Os termos *filhinhos* ou *amados* aparecem várias vezes (2.1,12,14,18,28; 3.7,18; 4.4; 5.21) e indicam que o autor é de idade avançada. Como um pai na igreja, ele considera os leitores seus filhos espirituais.[20]

---

[17]Harrison, Everett. *Introducion al Nuevo Testamento*. Grand Rapids, TELL, 1980, p. 445.
[18]Plummer, A. *The epistles of St. John*. In: The Pulpit Commentary. Vol. 22. Grand Rapids, MI: Wm. B. Eerdmans Publishing Company, 1978, p. 6.
[19]Blaney, Harvey. *A primeira epístola de João*. Vol. 10, 2005, p. 287.
[20]Kistemaker, Simon. *Tiago e epístolas de João*, p. 277.

Quando João escreveu essa carta, da cidade de Éfeso, muitos dos cristãos já pertenciam à segunda ou terceira geração. Nessa época, a igreja de Éfeso já havia perdido o seu primeiro amor (Ap 2.4). O amor estava se esfriando (Mt 24.12). O perigo que atacava a igreja não era a perseguição, mas a sedução. O problema não vinha de fora, mas de dentro.

Jesus já havia alertado que [...] *muitos falsos profetas se levantarão, e enganarão a muitos* (Mt 24.11). Paulo já alertara os presbíteros da igreja de Éfeso acerca dos lobos que entrariam no meio do rebanho e de homens pervertidos que se levantariam no meio deles para arrastarem após si os discípulos (At 20.29,30).

Esses falsos mestres saíram de dentro da própria igreja (2.19) para fazer um casamento espúrio entre o cristianismo e a filosofia secular. Esse sincretismo produziu uma perniciosa heresia chamada gnosticismo. É esse perigo mortal que João combate nesta epístola.

Os propósitos da carta

João escreveu o evangelho para os descrentes e seu propósito era que seus leitores cressem que Jesus é o Cristo, o Filho de Deus, e para que, crendo, tenham vida em Seu nome (Jo 20.31). A Primeira Epístola, por sua vez, foi escrita aos crentes para dar-lhes segurança da salvação em Cristo (5.13).

Myer Pearlman corretamente diz que o evangelho trata dos fundamentos da fé cristã, a epístola dos fundamentos da vida cristã. O evangelho foi escrito para dar um fundamento da fé; a epístola para dar um fundamento da segurança.[21]

O apóstolo João teve um duplo propósito ao escrever essa carta: Em primeiro lugar, *expor os erros doutrinários dos falsos mestres*. Esses falsos mestres estavam disseminando suas heresias perniciosas. João mesmo diz: *Isto que vos acabo de escrever é acerca dos que vos procuram enganar* (2.26).

João escreveu para defender a fé e fortalecer as igrejas contra os falsos mestres e sua herética doutrina. Esses falsos mestres haviam saído de

---

[21] PEARLMAN, Myer. *Através da Bíblia*, p. 331.

dentro da própria igreja (2.19). Eles se desviaram dos preceitos doutrinários. João identificou o surgimento de uma perigosa heresia que atacaria implacavelmente a igreja no segundo século, a heresia do gnosticismo.

O gnosticismo era uma espécie de filosofia religiosa que tentava fazer um concubinato entre a fé cristã e a filosofia grega. Os gnósticos, influenciados pelo dualismo grego, acreditavam que a matéria era essencialmente má e o espírito essencialmente bom. Esse engano filosófico desembocou em grave erro doutrinário.

Os gnósticos diziam que o corpo, sendo matéria, não podia ser bom. Por conseguinte, negavam a encarnação de Cristo. Essa posição resultou em duas diferentes atitudes em relação ao corpo: ascetismo ou libertinagem.

William Barclay diz que a ideia de que o celibato é melhor do que o matrimônio e que o sexo equivale a pecado é uma influência das crenças gnósticas. De igual forma, a imoralidade desbragada e a perversão moral que assolam a sociedade contemporânea também são produtos dessa perversa filosofia.[22]

O gnosticismo é termo amplo e abrange vários sistemas pagãos, judaicos e semicristãos. Na origem era pagão, combinando elemento do "intelectualismo ocidental e do misticismo oriental".[23] O gnosticismo é totalmente sincrético em seu gênio, uma espécie de guisado misto teosófico. Ele não hesitou em grudar-se primeiro ao judaísmo e depois ao cristianismo, e em corromper a ambos na mesma ordem.

As principais crenças do gnosticismo são: a impureza da matéria e a supremacia do conhecimento.[24] Com isso, a filosofia gnóstica produziu uma aristocracia espiritual por um lado e uma acentuada imoralidade por outro. O gnosticismo ensinava que a salvação podia ser obtida por intermédio do conhecimento, em vez da fé. Esse conhecimento era esotérico e somente poderia ser adquirido por aqueles que tinham sido iniciados nos mistérios do sistema gnóstico.[25]

---

[22]Barclay, William. *I, II, III Juan y Judas*, p. 16,17.
[23]Tuck, Robert. *The first epistle general of John*, p. 219.
[24]Stott, John. *I, II, III João: Introdução e comentário*, p. 40.
[25]Barton, Bruce B. et all. *Life application Bible commentary on Philippians, Colossians and Philemon*. Wheaton, IL: Tyndale House Publishers, 1995, p.133.

O gnosticismo ensinava que o corpo era uma vil prisão em que a parte racional ou espiritual do homem estava encarcerada, e da qual precisava ser libertada pelo conhecimento (*gnosis*). Os gnósticos acreditavam na salvação pela iluminação. Essa iluminação podia ser mediante a comunicação de um conhecimento esotérico em alguma cerimônia secreta de iniciação.

Os iniciados eram os *pneumatikoi*, pessoas verdadeiramente "espirituais", que desprezavam os não iniciados como *psuchikoi*, condenados a uma vida animal na terra.[26]

William Barclay sintetiza esse ponto nas seguintes palavras:

> A crença básica de todo pensamento gnóstico é que só o espírito é bom, e que a matéria é essencialmente má. Assim, o gnosticismo despreza o mundo, porque o mundo é matéria, e todas as coisas criadas do mundo são naturalmente más. Em particular o gnosticismo despreza o corpo: o corpo é matéria, portanto é mau. Prisioneiro dentro do corpo está o espírito, a razão humana. O espírito é uma semente, uma emanação do espírito que é Deus, inteiramente bom. Assim, pois, o propósito da vida deve ser libertar essa semente celestial prisioneira na maldade do corpo; e isso só pode acontecer mediante um complicado e secreto conhecimento e ritual de iniciação que só a fé gnóstica pode administrar. A única tarefa sensata na vida é libertar o espírito da prisão pecaminosa do corpo.[27]

A heresia gnóstica atingiu verdades essenciais do cristianismo. A primeira delas foi a doutrina da Criação. Os gnósticos estavam errados quando afirmavam que a matéria era essencialmente má. Deus criou o mundo e deu uma nota: "Muito bom" (Gn 1.31).

Russell Shedd corretamente afirma que, enquanto o gnosticismo colocou a matéria em oposição a Deus, a Encarnação traz o Deus transcendente para dentro da nossa humanidade. Não é a matéria, em oposição a Deus, o antagonismo fundamental; mas ela é o meio pelo qual Deus Se revela no corpo de Cristo. Não é a matéria o obstáculo

---

[26]STOTT, John. *I, II, III João: Introdução e comentário*, p. 40,41.
[27]BARCLAY, William. *I, II, III Juan y Judas*, p. 11,12.

ao progresso, mas o veículo pelo qual Deus nos salva por meio da cruz e do túmulo vazio.[28]

A segunda verdade que foi afetada pela heresia gnóstica foi a doutrina da Encarnação. Para os gnósticos, era impossível que Deus houvesse assumido um corpo físico, material. Essa heresia em sua forma mais radical é chamada de Docetismo. O verbo grego *dokein* significa "parecer" e os docetistas pensavam que Jesus só parecia ter um corpo. Afirmavam que seu corpo era um fantasma sem substância; insistiam em que nunca havia tido carne e um corpo humano, físico, senão que era um ser puramente espiritual, que não tinha senão aparência de ter um corpo.[29]

O apóstolo João se levanta contra essa perniciosa heresia com palavras veementes:

> Nisto reconheceis o Espírito de Deus: todo espírito que confessa que Jesus Cristo veio em carne é de Deus; e todo espírito que não confessa a Jesus não procede de Deus; pelo contrário, este é o espírito do anticristo... (4.2,3).

Dentro do Docetismo surgiu uma variante ainda mais sutil e perigosa, liderada por Cerinto, contemporâneo e inimigo do apóstolo João. Ele fazia uma distinção entre Jesus e Cristo; entre o Jesus humano e o Cristo divino. Dizia que Jesus era um homem nascido de uma maneira totalmente natural, que viveu uma vida de particular obediência a Deus e que depois no Seu batismo, o Cristo, que era uma emanação divina desceu sobre Ele em forma de pomba, capacitando-O a trazer aos homens as novas do Pai, até então desconhecidas. Mas esse Cristo divino deixou o Jesus humano na cruz, e foi embora, antes de Sua morte na cruz.[30]

De acordo com essa heresia de Cerinto Jesus morreu, mas Cristo não morreu. Para ele, o Cristo celestial era muito santo para estar em contato permanente com o corpo físico. Dessa maneira, ele negava a doutrina da Encarnação, que Jesus é o Cristo, e que Jesus Cristo é tanto Deus como homem.[31]

---

[28]SHEDD, Russell. *Andai nele*. São Paulo, SP: ABU, 1979, p. 10.
[29]BARCLAY, William. *I, II, III Juan y Judas*, p. 14.
[30]BARCLAY, William. *I, II, III Juan y Judas*, p. 15,16.
[31]MACDONALD, William. *Believer's Bible commentary*, p. 2.308.

João se levanta, e refuta também essa heresia de Cerinto, quando escreve: *Este é aquele que veio por meio de água e sangue, Jesus Cristo; não somente com água, mas também com a água e com o sangue...* (5.6). O ponto deste versículo é que os mestres gnósticos haviam concordado que o Cristo divino havia descido a Jesus por meio da água, ou seja, mediante o batismo, mas negavam que houvesse vindo mediante o sangue, ou seja, por intermédio da cruz. Para eles, o Cristo divino abandonara a Jesus antes de Sua crucificação. O apóstolo João afirma, entretanto, que Jesus Cristo veio por meio de água e sangue.

Russell Champlin diz que essa heresia foi tão devastadora que oito livros do Novo Testamento foram escritos para combatê-la: Colossenses, 1 e 2Timóteo, Tito, 1, 2, 3João e Judas.[32]

Augustus Nicodemus destaca o fato de que esses ensinamentos heréticos que negavam a humanidade e a divindade de Cristo foram posteriormente rejeitados pela igreja nos concílios de Niceia e Calcedônia, que adotaram o ensino bíblico da perfeita humanidade e divindade de Cristo.[33]

Em segundo lugar, **confirmar os verdadeiros crentes na doutrina dos apóstolos**. João escreve para fortalecer e encorajar os crentes em três áreas essenciais: primeira, a área doutrinária, mostrando a eles que Jesus é o Filho de Deus e que aqueles que creem em Seu nome têm a vida eterna (5.13). Segunda, a área moral, mostrando que aqueles que creem em Cristo, são purificados em Seu sangue, habitados pelo Seu Espírito e apartados do mundo devem, por conseguinte, aguardar a Sua vinda, vivendo em santidade e pureza (2.3-6). Terceira, a área social, mostrando que aqueles que foram amados por Deus devem agora, como prova do Seu amor por Deus, amar os irmãos (4.20,21). Esse amor não é apenas de palavras, mas um amor prático que se evidencia na assistência ao necessitado (3.17,18).

L. Bonnet, citando H. Holtzmann, sintetiza as verdades essenciais dessa carta em quatro pontos distintos: 1) A marcha nas trevas e a marcha na luz (1.5 a 2.17); 2) O erro e a verdade (2.18-28); 3) A justiça e

---

[32]CHAMPLIN, Russell Norman. *O Novo Testamento interpretado versículo por versículo*. Vol. 5. Guaratinguetá, SP: A Voz da Bíblia, S/d, p. 72.
[33]LOPES, Augustus Nicodemus. *Primeira carta de João*, p. 13.

o amor fraternal (2.29 a 3.18); 4) A relação do amor fraternal com a verdadeira fé (3.19 a 5.12).³⁴

As principais ênfases da carta

A Primeira Carta de João é marcada por contrastes: luz e trevas, vida e morte, santo e pecador, amor e ódio, Cristo e anticristo. Destacaremos agora, as principais ênfases dessa epístola:

Em primeiro lugar, *ela é uma carta geral*. Essa epístola não foi endereçada a uma igreja específica, mas a todos os crentes. Ela é uma carta escrita por um pai para os seus filhos (2.1,12,18,28; 3.1,7,18,21; 4.1,4,7,11; 5.2,21).

Em segundo lugar, *ela é uma carta apologética*. João combate com ousadia os falsos mestres e suas perniciosas heresias. Os hereges cometiam três erros básicos: doutrinário, moral e social. Eles negavam a realidade da pessoa teantrópica de Cristo, ou seja, sua natureza divino-humana. Negavam a necessidade de uma vida santa como prova do conhecimento de Deus e negavam a prática do amor como evidência da conversão.

João descreve-os com três expressões que chamam a atenção para a sua origem diabólica, sua influência perniciosa e seu falso ensino: eles são falsos profetas (4.1), enganadores (2Jo 7) e anticristos (2.18).

Donald Guthrie tem razão quando diz que a heresia gnóstica, ao negar a humanidade de Cristo, atacava o próprio coração do cristianismo, porque se Cristo não se tornou homem e não morreu, então a expiação não foi feita e se ela não aconteceu, então estamos ainda debaixo da condenação do pecado.³⁵

John Stott tem razão quando diz que João não está ensinando novas verdades, nem lançando novos mandamentos; os hereges é que são os inovadores. A tarefa de João consiste em fazê-los recordar o que já conhecem e possuem. A epístola é um comentário do evangelho, um sermão cujo texto é o evangelho.³⁶

---

³⁴Schroeder, L. Bonnet y A. *Comentario del Nuevo Testamento*. Tomo 4. El Paso, TX: Casa Bautista de Publicaciones,1982, p. 301. p. 301.
³⁵Guthrie, Donald. *1 John*. In: New Bible Commentary. Edited by G. J. Wenham et all. Downers Grove, IL: Intervarsity Press, 1994, p. 1398.
³⁶Stott, John. *I, II, III João: Introdução e comentário*, p. 22.

Em terceiro lugar, *ela é uma carta de segurança espiritual*. A expressão: "nós sabemos" é usada nessa carta treze vezes para dar segurança aos crentes. A epístola garante aos crentes que Deus enviou Seu Filho ao mundo para salvar o homem, acentuando a doutrina da Encarnação. A carta assegura aos crentes que aqueles que creem têm a vida eterna.

John Stott, citando Robert Law, fala sobre as três grandes provas da vida, ou as três provas cardinais com as quais podemos julgar se possuímos ou não a vida eterna: a primeira é teológica, se cremos que Jesus é "o Filho de Deus" (3.23; 5.6,10,13). A segunda prova é moral, se estamos praticando a justiça e guardando os mandamentos de Deus (1.5; 3.5). A terceira prova é social, se nos amamos uns aos outros. Desde que Deus é amor e todo amor vem de Deus, é claro que uma pessoa sem amor não conhece a Deus (4.7,8).[37]

Em quarto lugar, *ela é uma carta de testes*. Essa carta foi escrita para dar teste após teste aos crentes, pelos quais eles pudessem provar se conheciam ou não a Deus. L. Bonnet tem razão quando diz que a vida em Deus é apresentada por João em contraste absoluto com a vida do mundo. O homem está na luz ou nas trevas; na verdade ou na mentira; ama ou aborrece; está completamente dominado pelo amor do mundo ou pelo amor do Pai; é Filho de Deus ou filho do diabo.[38]

Em quinto lugar, *ela é uma carta pessoal e espiritual*. Muito embora essa epístola esteja repleta de doutrina, a ênfase é sobre a justiça pessoal, a pureza, o amor e a lealdade a Jesus Cristo, o Filho de Deus.

Simon Kistemaker diz que os falsos profetas que negam a doutrina central a respeito da pessoa de Cristo também desenvolvem uma visão distorcida do pecado e da lei. Afirmam, por exemplo, que estão livres de pecado (1.8) e tornam conhecido o fato de não terem pecado (1.10). Negam que a comunhão com Deus exija a prática da verdade (1.6). Recusam-se a seguir o exemplo que foi deixado por Jesus durante Seu ministério na terra (2.6). Afirmam estar em comunhão com Deus, mas continuam a andar em trevas (1.6) e dizem conhecer a Deus, mas não estão dispostos a obedecer aos Seus mandamentos (2.4).[39]

---

[37]STOTT, John. *I, II, III João: Introdução e comentário*, p. 47.
[38]SCHROEDER, L. Bonnet y A. *Comentario del Nuevo Testamento*. Tomo 4, p. 295,296.
[39]KISTEMAKER, Simon. *Tiago e epístolas de João*, p. 283,284.

Em sexto lugar, **ela é uma carta que enfatiza o amor**. O amor a Deus e o amor aos irmãos caminham juntos (2.7-11; 3.1-3; 3.11-17; 3.23; 4.7-21). Quem não ama vive nas trevas. Quem não ama não conhece a Deus. A prova do nosso amor por Deus é o nosso amor ao irmão (4.20,21).

Concordo com John MacArthur quando diz que o zelo pela verdade deve ser contrabalançado pelo amor às pessoas. Não há honradez alguma na verdade sem o amor; ela não passa de *brutalidade*. Entretanto, não há caráter algum no amor sem a verdade; ele não passa de *hipocrisia*.[40]

Aqui cabe bem a seguinte história concernente a João: quando o apóstolo chegou a uma idade muito avançada e somente com dificuldade podia ser transportado à igreja nos braços dos seus discípulos, e estava fraco demais para poder proferir exortações extensas, nas reuniões dizia apenas: "Filhinhos, amai-vos uns aos outros".[41]

Em sétimo lugar, **ela é uma carta que enfatiza a essência do próprio Deus**. João diz duas coisas muito importantes acerca do ser de Deus. *Deus é luz, e não há nEle treva nenhuma* (1.5). Deus é amor e por causa desse amor Ele nos enviou Seu Filho para nos redimir do pecado (4.7-10,16).

Em outras palavras Deus é luz e Se revela; Deus é amor e Se entrega a Si mesmo.[42] Deus é a fonte de luz para a mente e a fonte de calor para o coração dos Seus filhos.[43]

Em oitavo lugar, **ela é uma carta que enfatiza a divindade de Cristo**. João combate os hereges gnósticos mostrando que Jesus é o Filho de Deus, o Messias prometido, o ungido de Deus (1.7; 2.1,22; 3.8; 4.9,10,14,15; 5.1,9-13,18,20). Já na introdução de sua primeira epístola, João ensina sobre a humanidade e a divindade de Jesus Cristo. Os falsos profetas negavam que Jesus é o Cristo (2.22) e que Ele é o Filho de Deus (2.23; 4.15).

Concordo com William Barclay quando diz que afirmar que Jesus é o Filho de Deus é preservar sua relação com a eternidade; mas dizer que é o Cristo, o Messias, é conservar sua conexão com a história, pois

---

[40]MacArthur, John. *Doze homens extraordinariamente comuns*. São Paulo, SP: Editora Cultura Cristã, 2004, p. 108.
[41]Pearlman, Myer. *Através da Bíblia*, p. 331.
[42]Barclay, William. *I, II, III Juan y Judas*, p. 20.
[43]Guthrie, Donald. *1 John*, p. 1.398.

Cristo não emergiu da história, mas da eternidade; para Ele é que toda a história aponta.⁴⁴

Em nono lugar, *ela é uma carta que enfatiza a humanidade de Cristo*. Contrariando os ensinos gnósticos que proclamavam que a matéria era essencialmente má, João mostra que Jesus veio em carne (1.1-3,5,8; 4.2,3,9,10,14; 5.6,8,20).

John Stott está coberto de razão quando diz que a mensagem de João está supremamente interessada na manifestação histórica, audível, visível e tangível do Eterno. João está atestando a sua mensagem com a sua experiência pessoal. Não se trata de "[...] fábulas engenhosamente inventadas" (2Pe 1.16), mas de uma revelação histórica verificada pelos três sentidos superiores do homem: audição, visão e tato.⁴⁵

Em décimo lugar, *ela é uma carta que enfatiza que Jesus é o Salvador*. Jesus morreu pelos pecados dos homens (1.7; 2.1,2; 3.5,8,16; 4.9,10,14). O Pai enviou Seu Filho como Salvador do mundo (4.14). Ele manifestou-se para tirar os pecados e nEle não existe pecado (3.5). Com respeito ao pecado do homem, Jesus é: primeiro, o nosso advogado junto ao Pai (2.1) e, segundo, a propiciação pelos nossos pecados (2.2; 4.10). Um sacrifício propiciatório restaura a relação quebrada entre duas partes. É um sacrifício que reconcilia o homem e Deus.⁴⁶

Em décimo primeiro lugar, *ela é uma carta que enfatiza o Espírito vivendo dentro do crente*. O Espírito é quem nos faz conscientes de que Deus permanece em nós (3.24) e habita em nós e nós habitamos nEle (4.13).

Em décimo segundo lugar, *ela é uma carta que enfatiza a necessidade de separação do mundo*. O amor a Deus e o amor ao mundo são incompatíveis e irreconciliáveis (2.15-17; 3.1,3,13; 4.3-5; 5.4; 5.19). O mundo é hostil a Deus e ao crente (3.1). Os falsos profetas são do mundo e não de Deus, porque falam a linguagem do mundo (4.4,5). Todo o mundo está sob o maligno (5.19). Por isso, o crente deve vencer o mundo pela fé (5.4). Todos os desejos do mundo são passageiros

---

⁴⁴Barclay, William. *I, II, III Juan y Judas*, p. 21.
⁴⁵Stott, John. *I, II, III João: Introdução e comentário*, p. 24.
⁴⁶Barclay, William. *I, II, III Juan y Judas*, p. 22.

(2.17). Entregar o coração ao mundo que marcha para a destruição é uma verdadeira loucura.[47]

Em décimo terceiro lugar, *ela é uma carta que enfatiza a necessidade de obediência aos mandamentos divinos*. A prova moral de que pertencemos à família de Deus é a obediência (2.3-8,29; 3.3-15,22-24; 4.20,21; 5.2-4,17-19,21). O conhecimento de Deus e a obediência a Deus devem caminhar sempre juntos. Aquele que diz que conhece a Deus, mas não guarda Seus mandamentos é mentiroso (2.3-5). A obediência a Deus é uma das condições para termos nossas orações respondidas (3.22). Somos conhecidos como crentes pela obediência a Deus e pelo amor aos irmãos.

A importância dessa carta para a igreja contemporânea

Os tempos mudaram, mas o homem é o mesmo; as heresias que atacaram a igreja no passado mudaram o vestuário e os cosméticos, mas sua essência é a mesma. Nas palavras de Augustus Nicodemus, "os mesmos erros daquela época se manifestam hoje, usando outra embalagem".[48]

Assim como os falsos mestres saíram de dentro da igreja (2.19), hoje há muitos falsos mestres que estão pervertendo o evangelho dentro das próprias igrejas. A igreja evangélica brasileira é um canteiro fértil onde têm florescido muitas novidades estranhas à Palavra de Deus. Precisamos nos acautelar. Precisamos nos firmar na verdade e saber que todos aqueles que não trazem a doutrina de Cristo são movidos pelo espírito do anticristo. Dentre tantos perigos que atacam a igreja contemporânea, destacamos três: o liberalismo, o misticismo e o pragmatismo.

O liberalismo teológico, que nega a inerrância e a suficiência das Escrituras, tem atacado severamente a igreja em nossos dias, devastando muitas delas. À semelhança dos gnósticos, movidos por uma falsa sabedoria, esses mestres do engano disseminam suas heresias negando as verdades essenciais da fé. Temos as doutrinas liberais da *paternidade universal de Deus* e da *irmandade universal do homem* como exemplos. Essas doutrinas são contrárias às doutrinas da religião cristã. Dizer que

---

[47]BARCLAY, William. *I, II, III Juan y Judas*, p. 23.
[48]LOPES, Augustus Nicodemus. *Primeira carta de João*, p. 16.

todos os credos são igualmente verdadeiros e que estão baseados na experiência é simplesmente retroceder ao agnosticismo.

J. Gresham Machen diz que o protestantismo liberal não é um mero tipo de cristianismo diferente, mas totalmente outra religião.[49] Michael Horton é enfático quando escreve:

> O liberalismo representa a fé na humanidade, ao passo que o cristianismo representa a fé em Deus. O primeiro não é sobrenatural, o último é absolutamente sobrenatural. Um é a religião da moralidade pessoal e social, o outro, contudo, é a religião do socorro divino. Enquanto um tropeça sobre a "rocha de escândalo", o outro defende a singularidade de Jesus Cristo. Um é inimigo da doutrina, ao passo que o outro se gloria nas verdades imutáveis que repousam no próprio caráter e autoridade de Deus.[50]

John MacArthur faz um solene alerta à igreja contemporânea, relembrando os ventos liberais que sopraram sobre a Inglaterra no século XIX. Segundo ele, no início do século XX a pregação da falsa doutrina e do mundo, ou seja, o liberalismo teológico já devastara o cristianismo denominacional em todo o mundo.

A maioria das denominações históricas foi violenta e fatalmente alterada por essas influências. Cem anos após Charles Spurgeon ter soado o alarme na Inglaterra, a maior parte da educação teológica na Inglaterra é completamente liberal. O número de pessoas que frequentam as igrejas é apenas uma fração do que foi na época. Cem anos se passaram, e estamos vendo a história se repetir. A igreja evangélica se tornou mundana; e não apenas mundana, mas conscientemente mundana. Os ventos que comprometeram a doutrina voltam a soprar.[51]

O misticismo sincrético, que acrescenta às Escrituras rituais e práticas estranhas, de igual forma está ganhando mais e mais espaço, força

---

[49]MACHEN, J. Gresham. *Cristianismo e liberalismo*. São Paulo, SP: Editora Puritanos, 2001, p. 18.
[50]HORTON, Michael. *Prefácio à obra cristianismo e liberalismo*. Editado por J. Gresham Machen. São Paulo, SP: Shedd Publicações, 2001, p. VIII.
[51]MACARTHUR, John. *Com vergonha do evangelho*. São José dos Campos, SP: Editora Fiel, 1997, p. 19.

e influência em muitas igrejas na atualidade. O evangelho da graça está sendo substituído pelo misticismo semipagão.

Pregadores inescrupulosos reciclam no laboratório do engano velhas heresias e engendram ainda outras novas para enganar os incautos. Não podemos calar nossa voz diante de crendices que se espalham nas igrejas, onde pregadores supostamente espirituais recomendam aos fiéis colocar um copo d'água sobre o televisor e depois da oração de consagração beber essa água ungida como se ela passasse a ter poderes sobrenaturais.

O pragmatismo tornou-se filosofia de ministério em muitas igrejas. John MacArthur diz que o pragmatismo tem suas raízes no darwinismo e no humanismo secular. É inerentemente relativista, rejeitando a noção dos absolutos – certo e errado, bem e mal, verdade e erro.

Em última análise, o pragmatismo define a verdade como aquilo que é útil, significativo e benéfico. As ideias que não parecem úteis ou relevantes são rejeitadas como sendo falsas.[52] Para o pragmatismo, a verdade não mais importa, e sim os resultados. A fidelidade foi substituída pelo lucro. O sucesso tomou o lugar da santidade. A igreja tornou-se um clube, onde multidões se aglomeram para buscar o que gostam, e não para receber o que precisam.

A mensagem da cruz foi substituída pela pregação da prosperidade. A mensagem do arrependimento foi trocada pelo calmante da autoajuda. As glórias do mundo porvir foram substituídas pelos supostos direitos que o homem exige de Deus nesta própria vida. Por estas e muitas outras razões, estudar a Primeira Carta de João é uma necessidade vital para a igreja contemporânea!

---

[52]MacArthur, John. *Com vergonha do evangelho*, p. 7.

1

Jesus, a manifestação de Deus entre os homens

1 João 1.1-4

A PRIMEIRA CARTA DE JOÃO TEM UMA MENSAGEM tão urgente e decisiva para a igreja que o apóstolo, deixando de lado as saudações costumeiras, vai direto ao assunto e apresenta Jesus, a manifestação suprema de Deus entre os homens.

João não se detém em detalhes como remetente, endereçamento e saudação quando tem algo tão imenso a declarar. Ele está totalmente focado no propósito de apresentar Jesus aos seus leitores.

Somando a isso, João conhece tão bem seus leitores que pode abster-se de apresentação pessoal. A intimidade com seus leitores é tal que várias vezes se dirige a eles como "filhinhos", "amados", "irmãos" (2.1,12,18; 3.7,18; 4.4; 5.21). João é uma pessoa que possui autoridade e fala como testemunha ocular.[1]

Concordo com Werner de Boor quando diz que João não se denomina "apóstolo" nem reivindica expressamente "autoridade apostólica". Mas as primeiras linhas de sua carta representam uma única exposição do que na verdade é o "apóstolo" e sua autoridade apostólica. O apóstolo é a testemunha original que viu com os próprios olhos e ouviu com

---

[1] KISTEMAKER, Simon. *Tiago e epístolas de João*, p. 309.

os próprios ouvidos, de cujo testemunho vive a igreja crente de todos os tempos.[2]

No primeiro parágrafo (1.1-4) o tema central é Jesus, o verbo da vida. João abre sua carta falando sobre Jesus: Quem é Jesus. Como podemos conhecê-Lo. Como Ele pode ser experimentado. Como Ele deve ser proclamado. Qual a principal razão da Sua vinda ao mundo.

A mensagem de João é que Deus não está distante nem indiferente a este mundo, como pensam os gnósticos e deístas. O testemunho de João é que Deus está profundamente interessado neste mundo. Ele enviou Seu Filho ao mundo e Seu nome é Jesus Cristo, o verbo da vida. Ele é o Messias, o Salvador do mundo.

Não há qualquer sombra de dúvida de que o propósito da carta é anunciar Aquele que é, desde o princípio, o verbo da vida, a vida eterna. Aquele que estava com o Pai manifestou-se em carne e foi ouvido, visto e tocado. O propósito da carta é proclamar Aquele que veio para revelar o Pai e dar vida aos que estavam mortos. Veio para entrar em comunhão com aqueles que estavam perdidos e mortos. Veio para reconciliar aqueles que estavam separados uns dos outros. Veio para dar alegria perfeita àqueles que estão entregues ao infortúnio de seus pecados.

A mensagem do apóstolo é tanto formativa quanto preventiva. Ao ensinar, também previne a igreja contra a incipiente heresia do gnosticismo que negava tanto a divindade quanto a humanidade de Cristo.

Concordo com Augustus Nicodemus quando diz que João, ao dar testemunho como apóstolo acerca da humanidade e da divindade de Cristo, tinha como propósito que seus leitores permanecessem na unidade da doutrina apostólica. Por conseguinte, desde o preâmbulo da carta confronta as doutrinas errôneas sobre a pessoa de Cristo que os falsos mestres ensinaram nas igrejas da Ásia.[3]

Devemos, à luz desse ensinamento do apóstolo João, de igual modo rejeitar prontamente o ensinamento liberal que separa o Jesus histórico

---

[2]Boor, Werner de. *Cartas de João*. In: Comentário Esperança. Curitiba, PR: Editora Esperança, 2008, p.307.
[3]Lopes, Augustus Nicodemus. *Primeira carta de João*, p. 28.

do Cristo da fé, pois nos apegamos à doutrina das Escrituras de que Jesus é o Cristo.[4]

Destacaremos, agora, as verdades essenciais do texto em tela:

A preexistência do verbo de Deus (1.1)

João abre sua missiva, dizendo: *O que era desde o princípio, o que temos ouvido, o que temos visto com os nossos próprios olhos, o que contemplamos, e as nossas mãos apalparam, com respeito ao verbo da vida* (1.1). As primeiras palavras nessa epístola são "o que". Em vez de dizer: "Jesus Cristo, aquele que era desde princípio", João escreve "o que era desde o princípio". O termo *o que* é mais amplo do que *quem*, pois inclui a pessoa e a mensagem de Jesus Cristo.[5]

A palavra grega *arche*, "princípio", pode significar "fonte ou origem" (Cl 1.18; Ap 3.14) e também "poder ou autoridade" (1Co 15.24; Ef 1.21). Jesus é tanto o criador do universo (Jo 1.3; Cl 1.16) como seu governador (Ef 1.20-22).[6]

Fritz Rienecker diz que "o princípio" aqui pode se referir ao princípio da criação ou ao princípio em sentido absoluto, enfatizando a preexistência e o caráter divino de Jesus.[7]

Werner de Boor tem razão quando diz que aqui, *arche*, "princípio" não é apenas o início cronológico. Os latinos reproduziram o termo grego *arche* com *principium*. Deriva daí a palavra "princípio". O que era desde o princípio não significa apenas aquilo que era "inicial", mas também o que é "por princípio", fundamental, original, essencial. É aquilo que existia "antes da fundação do mundo" e embasa toda a existência.[8]

O tempo imperfeito do verbo grego *eimi*, "era", descreve uma ação contínua no passado, enfatizando a preexistência do verbo. Isso indica que Ele estava continuamente em existência antes do começo. O uso do verbo grego *eimi* enfatiza que o verbo sempre existiu. Dessa forma, tanto

---

[4]Kistemaker, Simon. *Tiago e epístolas de João*, p. 317.
[5]Kistemaker, Simon. *Tiago e epístolas de João*, p. 310.
[6]MacArthur, John. *The MacArthur New Testament commentary – John 1-11*. Chicago, IL: Moody Publishers, 2006, p.15,16.
[7]Rienecker, Fritz e Rogers, Cleon. *Chave linguística do Novo Testamento grego*, p. 583.
[8]Boor, Werner de. *Cartas de João*, p. 308.

a expressão *O que era desde o princípio* (1.1) como a expressão [...] *a qual estava com o Pai* (1.2) apontam para a preexistência do verbo.

O propósito de João é apresentar Jesus, e ele recua ao princípio e diz que Jesus não apenas estava no princípio, mas era desde o princípio. Ele não começou a existir no princípio. Ele é antes do princípio. Ele é o princípio de todas as coisas. Ele não foi criado, é o Criador. Ele não teve origem, Ele é a origem de todas as coisas. Ele não passou a existir, Ele é preexistente.

O Filho Eterno era antes de Sua manifestação histórica. Ele nunca passou a existir, porque Ele sempre existiu em comunhão perfeita com o Pai, na harmonia do amor da trindade divina (5.7; Jo 17.24).

Augustus Nicodemus deixa esse ponto absolutamente claro, quando escreve:

> A preexistência de Cristo é um dos temas prediletos de João em seus escritos. No seu evangelho, ele a enfatiza com frequência. Cristo existia antes de João Batista (Jo 1.15) e mesmo antes de Abraão (Jo 8.58). Antes de vir ao mundo, Ele estava com Deus Pai, e compartilhava da Sua glória (Jo 17.5,24). Jesus não começou a ser divino apenas depois do Seu batismo, conforme ensinavam os mestres gnósticos. Ele já existia antes da criação do mundo. Jesus Cristo não foi criado por Deus Pai em algum tempo antes da criação – Ele já existia. O Filho eterno era antes da sua manifestação histórica. Com isso, João não afirmou que Jesus já existia antes da Sua encarnação com um corpo físico. João asseverou, sim, que o Jesus homem, que nasceu, viveu entre nós e morreu, já existia antes de nós, pois é Deus Filho.[9]

Como a autoexistência e a eternidade são atributos exclusivos da divindade, concluímos, com diáfana clareza, que Jesus é divino. Essa verdade fica ainda mais clara quando lemos no prólogo do evangelho de João: *No princípio era o verbo, e o verbo estava com Deus, e o verbo era Deus* (Jo 1.1).

O verbo pré-encarnado e preexistente tinha plena comunhão com o Pai antes que houvesse mundo (Jo 17.24). Ele não é uma emanação

---

[9]LOPES, Augustus Nicodemus. *Primeira carta de João*, p. 28.

de Deus, como queriam os gnósticos. Ele não é um ser criado antes da criação de todas as coisas, como ensinou mais tarde Ário de Alexandria e como ensina hoje a seita herética "Testemunhas de Jeová". Ele não é apenas um profeta, como ensina o islamismo. Ele é Deus, eternamente coigual, coeterno e consubstancial com o Pai. Ele é o verbo da vida.

Toda a vida física ou espiritual originam-se dEle. Ele é o único mediador da vida de Deus para a criação, em qualquer esfera da criação. Cristo é o Alfa e o Ômega de toda a criação, pois tudo foi criado nEle, por Ele e para Ele.[10]

A humanidade do verbo de Deus (1.1)

João continua: [...] *o que temos ouvido, o que temos visto com os nossos próprios olhos, o que contemplamos, e as nossas mãos apalparam, com respeito ao verbo da vida* (1.1). O Eterno penetrou no tempo e foi manifestado aos homens. O verbo de Deus preexistente, eterno e divino fez-se carne (Jo 1.14).

João dá testemunho de que ele e os demais apóstolos O ouviram, O viram e O apalparam. Usando seus três sentidos mais nobres – a audição, a visão e o tato – testemunham que Jesus não era uma emanação divina, uma espécie de fantasma, como pregavam os docetistas, mas uma pessoa real, com um corpo físico real (Lc 24.39).

Concordo com Simon Kistemaker quando diz que João ensina a doutrina apostólica da ressurreição de Jesus. Fala como testemunha ocular, pois, com seus sentidos naturais, ele e aqueles que estavam com ele viram, ouviram e tocaram Jesus pessoalmente e declararam que o corpo físico ressurreto do Senhor é real.[11]

O verbo grego *etheasametha*, "contemplamos", expressa a contemplação tranquila, intencional e constante de um objeto que permanece diante do espectador. Já o verbo *epshelafesan*, "apalparam", traz a ideia de apalpar como um homem cego apalpa, ou seja, cuidadosamente.[12] Esse verbo pode ser empregado no sentido de examinar de perto.[13]

---

[10] CHAMPLIN, Russell Norman. *O Novo Testamento interpretado versículo por versículo*. Vol. 6. Guaratinguetá, SP: A Voz Bíblica, s/d, p.222.
[11] KISTEMAKER, Simon. *Tiago e epístolas de João*, p. 311.
[12] RIENECKER, Fritz e ROGERS, Cleon. *Chave linguística do Novo Testamento grego*, p. 583.
[13] STOTT, John. *I, II, III João: Introdução e comentário*, p. 52.

Harvey Blaney é da opinião que esse "toque" lembra o pedido de Tomé de uma evidência sensorial da realidade do corpo ressurreto de Cristo e, portanto, torna-se uma referência ao fato da ressurreição.[14]

Jesus, o verbo da vida, encarnou-se e armou sua tenda entre nós. Jesus, sem deixar de ser Deus, tornou-se homem, perfeitamente homem. Sua encarnação não foi apenas aparente. Ele foi concebido. Ele nasceu. Ele cresceu. Ele viveu. Ele morreu. Ele ressuscitou. Ele voltará.

É preciso destacar que, ao afirmar a humanidade de Cristo, João estava colocando o machado da verdade na raiz da heresia gnóstica que negava tanto a divindade quanto a humanidade de Cristo. João coloca tamanha importância nesse ensino a ponto de considerar como sendo do *anticristo* os que negam a real encarnação de Cristo (4.1-3). De fato, se a morte de Cristo na cruz e a Sua ressurreição não fossem fatos concretos e reais, então a nossa fé seria vã e ainda estaríamos em nossos pecados (1Co 15.14,15).

A encarnação de Cristo é a pedra fundamental onde se apoia o cristianismo. Negando a encarnação, os falsos mestres estavam na verdade atacando todas as doutrinas centrais do cristianismo.[15]

João define o verbo de Deus como o "verbo da vida" (1.1). Para João, Jesus não é apenas o doador da vida eterna, mas a própria essência da vida eterna: *[...] e a vida se manifestou, e nós a temos visto, e dela damos testemunho, e vo-la anunciamos, a vida eterna...* (1.2).

Ele é o que dá vida. Em Jesus e nele somente o homem pode vencer a morte e viver abundantemente tanto agora como na eternidade. Em Jesus a própria vida de Deus jorra dentro de nós como uma fonte que salta para a vida eterna. Em Jesus temos vida maiúscula, superlativa, abundante e eterna.

Quando João usa a expressão "verbo da vida", emprega uma palavra conhecida dos gregos. A palavra grega *logos* significa: "verbo, palavra". A filosofia grega afirmava a existência do *logos*, um princípio racional e impessoal que governava o universo e o destino dos homens. Apesar de João usar uma palavra conhecida de seus leitores, dá a ela um novo

---

[14] BLANEY, Harvey. *A primeira epístola de João*. Vol. 10. 2005, p. 292.
[15] LOPES, Augustus Nicodemus. *Primeira carta de João*, p. 29.

sentido. Se para os gregos *logos* era um princípio impessoal, para João *logos* é uma pessoa, é Jesus, Aquele que executa os planos divinos (Jo 1.3) e traz vida e luz aos homens (Jo 1.4).[16] O *logos* que João apresenta não pode ser apreendido apenas pelo intelecto. Ele não é destinado apenas para uma elite espiritual.

Robert Tuck diz que há coisas que só podem ser conhecidas eficazmente por intermédio da experiência. Não é suficiente apenas uma apreensão intelectual. As maiores verdades espirituais não podem ser apropriadas apenas por meio do intelecto ou dos sentimentos. Nós só podemos conhecer a Cristo depois que entramos num relacionamento pessoal e íntimo com Ele, e isto não por meio do conhecimento esotérico do gnosticismo, mas por intermédio da sua generosa graça.[17]

Por que João apresenta Jesus como o verbo da vida? Porque Cristo é para nós o que as nossas palavras são para os outros. Nossas palavras revelam, para os outros, o que nós pensamos e como nós nos sentimos. Cristo nos revela a mente e o coração de Deus. Ele é o meio de comunicação vivo entre Deus e os homens. Jesus é quem revela o Pai. Conhecer a Jesus Cristo é conhecer a Deus.[18] Jesus é a exegese de Deus. Ele é Deus vestido de pele humana. Jesus é o verdadeiro Deus e a verdadeira vida eterna (5.20). Por isso, negar que Jesus Cristo é Deus é seguir o anticristo (2.22,23). Quem tem uma concepção errada de Jesus Cristo terá inevitavelmente uma concepção errada de Deus, pois só podemos conhecer a Deus por seu intermédio.

A manifestação do verbo da vida (1.2)

O verbo da vida, preexistente e eterno, manifestou-Se no tempo e na história. Aquele que era desde o princípio não ficou isolado na glória. João escreve: *E a vida se manifestou, e nós a temos visto, e dela damos testemunho, e vo-la anunciamos, a vida eterna, a qual estava com o Pai e nos foi manifestada* (1.2).

---

[16]LOPES, Augustus Nicodemus. *Primeira carta de João*, p. 29.
[17]TUCK, Robert. *The first epistle general of John*, p. 233.
[18]WIERSBE, Warren W. *Comentário bíblico expositivo*, p. 609.

Essa audível, visível e tangível apreensão daquilo que era desde o princípio só foi possível aos homens porque a vida se manifestou.[19] Nenhuma pessoa pode encontrá-la por meio da busca; ela pode ser vista e conhecida somente pela revelação.

Simon Kistemaker diz que esse versículo é uma nota explicativa sobre a palavra *vida*, um comentário sobre o texto anterior. João coloca o artigo definido *a* antes do substantivo *vida* para chamar atenção para a plenitude de vida em Jesus Cristo. Quando João diz que a vida se manifestou, ele se refere ao acontecimento histórico que foi o nascimento de Jesus, Sua vida, morte, ressurreição e visitas pessoais depois de Sua ressurreição.[20]

Concordo com John Stott quando diz que a ênfase a essa manifestação material de Cristo aos ouvidos, olhos e mãos dos homens por certo é dirigida primariamente contra os hereges que perturbavam a igreja. Demonstra-se aos seguidores de Cerinto que "a Palavra da vida", o evangelho de Cristo, tem a ver com a encarnação histórica do Filho eterno. Aquele que é desde o princípio é Aquele a quem os apóstolos ouviram, viram e tocaram. É impossível distinguir entre Jesus e o Cristo, entre o histórico e o eterno.[21]

Nicodemus destaca que João emprega o plural "nós" quatro vezes nessa passagem, referindo-se a ele e aos demais apóstolos, embora os mesmos não tenham escrito essa carta com João. Os apóstolos não inventaram ou imaginaram essas coisas, mas simplesmente as transmitiram da forma com que as receberam.

O testemunho e o ensino dos apóstolos acerca de Cristo foram preservados por escrito; e a coleção desses escritos apostólicos é o Novo Testamento. Essa é a base para afirmarmos que hoje não precisamos ter visões ou novas revelações acerca de Jesus Cristo – Deus nos deixou a Sua Palavra escrita como única fonte revestida de autoridade de conhecimento das coisas divinas.[22]

---

[19]STOTT, John. *I, II, III João: Introdução e comentário*, p. 53.
[20]KISTEMAKER, Simon. *Tiago e epístolas de João*, p. 312,313.
[21]STOTT, John. *I, II, III João: Introdução e comentário*, p. 53.
[22]LOPES, Augustus Nicodemus. *Primeira carta de João*, p. 30.

A grande mensagem de João é que a vida se manifestou (1.2). O verbo Se fez carne e habitou entre nós (Jo 1.14). Deus veio morar com o homem. O infinito entrou no finito. O eterno entrou no tempo e foi manifestado aos homens. O divino fez-Se humano. Aquele a quem nem os céus dos céus podiam conter deitou numa manjedoura e foi enfaixado com panos. Ele comunicou-Se com os homens, fazendo-se homem. O Criador do universo nasceu entre os homens. A encarnação é uma verdade bendita e gloriosa, é o raiar do Sol da Justiça na escuridão da história humana.

O apóstolo João deixa claro que o conhecimento de Deus não é fruto de lucubração humana, mas da revelação divina. O homem só conhece a Deus porque Deus Se revelou. A fé cristã não é o caminho que o homem abre para Deus. Mas é Deus vindo ao homem em Cristo. Deus estava em Cristo reconciliando consigo o mundo (2Co 5.18). Deus revelou-se na criação (Rm 1.20), mas a criação, por si mesma, jamais seria capaz de contar a história do amor do Criador. Deus também Se revelou de maneira mais plena nas Escrituras (2Tm 3.16,17), mas a revelação mais completa e absoluta de Deus deu-se em Seu Filho, Jesus Cristo. Jesus disse: *Quem me vê a mim, vê o Pai* (Jo 14.9).[23]

A comunhão com o verbo da vida (1.2)

O verbo da vida não é um ser alienígena, distante e intangível, mas além de ter se manifestado, também pôde ser ouvido, visto e tocado. Ele deu-Se a conhecer aos nossos sentidos mais nobres: audição, visão e tato.

Jesus é o verbo da vida que não apenas se manifestou, mas que também foi experimentado. [...] *e vimos a Sua glória, glória como do unigênito do Pai* (Jo 1.14). Aquele que estava com o Pai foi manifestado (1.2). O Jesus que João apresenta não é o Cristo do docetismo (um fantasma). Não é o Cristo do gnosticismo (uma divindade distante que não pode tocar o material e que apenas oferece emanações do seu ser). O verbo da vida é o Deus que Se fez carne. Ele é o Deus presente, que tem cheiro de gente, que chora como gente, que sente dor como gente. Ele é o verbo que veio morrer por nós.

---

[23] WIERSBE, Warren W. *Comentário bíblico expositivo*, p. 609.

Matthew Henry diz que Jesus não é uma mera palavra vocal, Ele é a palavra da vida, Ele é a palavra eterna do eterno Deus vivo. Ele é a palavra manifestada em carne.[24]

João teve um encontro pessoal com Cristo. Sua experiência com Cristo não era de segunda mão nem arrancada das páginas de algum livro. João conhecia a Cristo face a face. Ele sabia que Jesus era real e não um fantasma, uma visão, mas o Deus encarnado. Ele andou com Cristo, Ele viu Cristo. Ele ouviu Cristo. Ele tocou em Cristo. Ele reclinou sua cabeça no peito de Cristo. Ser cristão não é conhecer apenas de ouvir falar, mas ter uma experiência real e pessoal com Cristo (Jo 7.37,38).

O verbo da vida, Aquele que estava com o Pai, a vida manifestada, Jesus, é a essência e o conteúdo da própria vida eterna. Conhecer a Cristo é ter a vida eterna (1.2). A vida eterna não é apenas uma quantidade interminável de tempo no céu, mas um relacionamento estreito com Cristo a partir de agora e para sempre (1.2; 5.20; Jo 17.3).

Champlin tem razão quando diz que a vida eterna não consiste apenas de vida "sem fim", porquanto também é uma modalidade de vida, a saber, a participação na mais elevada forma de vida, a própria vida de Deus.[25]

Werner de Boor chama a atenção para o fato de que a ideia de "eterno" para nós sugere um conceito filosófico abstrato que causa a impressão de atemporalidade rígida e vazia. Contudo, isto é exatamente o que a Bíblia, que pensa em termos tão concretos e corporais, não quer dizer! Eterno não é definição de quantidade, mas um conceito de qualidade. Vida eterna é vida verdadeira, plena, divina, que como tal evidentemente também está liberta da transitoriedade e da morte, e dura de forma inesgotável.[26]

João escreveu seu evangelho para dizer às pessoas como receber a vida eterna (Jo 20.31) e escreveu essa carta para dar garantia de que os crentes em Cristo têm a vida eterna (5.13). Em seis ocasiões ao longo

---

[24] HENRY, Matthew. *Matthew Henry's commentary in one volume.* Grand Rapids, MI: Marshall, Morgan & Scott, 1960, p.1955.
[25] CHAMPLIN, Russell Norman. *O Novo Testamento interpretado versículo por versículo.* Vol. 6, N.d., p. 223.
[26] BOOR, Werner de. *Cartas de João.*, p. 310.

dessa carta João usa a expressão: "nascido de Deus". O próprio Jesus já havia ensinado essa verdade: *Se alguém não nascer de novo, não pode ver o reino de Deus* (Jo 3.3). Quem não é Filho de Deus é [...] *filho da ira* (Ef 2.3) e pode tornar-se [...] *filho do diabo* (3.10). Um "filho do diabo" é um cristão falso que age como se fosse "salvo" sem nunca ter nascido de novo. Jesus disse aos fariseus, indivíduos extremamente religiosos: *Vós sois do diabo, que é vosso pai* (Jo 8.44).

Warren Wiersbe compara um cristão falso a uma cédula de dinheiro falsificada. Suponha que uma pessoa tenha uma cédula falsa, mas não saiba disso. Ela a usa para pagar a gasolina no posto. O dono do posto a usa para pagar seu fornecedor de alimentos. O fornecedor a coloca com outras cédulas verdadeiras e leva para o banco, a fim de fazer um depósito. Então, o caixa do banco diz: "Sinto muito, mas esta cédula é falsa".

A cédula falsa pode até ter ajudado muita gente enquanto passava de mão em mão, mas quando chegou ao banco, foi descoberta e tirada de circulação. O mesmo acontece com o falso cristão. Pode fazer muitas coisas boas ao longo da vida, mas, no dia do julgamento final, será rejeitado. Jesus disse:

> *Muitos, naquele dia, hão de dizer-me: Senhor, Senhor! Porventura, não temos nós profetizado em Teu nome, e em Teu nome não expelimos demônios, e em Teu nome não fizemos muitos milagres? Então, lhes direi explicitamente: nunca vos conheci. Apartai-vos de Mim, os que praticais a iniquidade* (Mt 7.22,23).

A proclamação do verbo da vida (1.3,4)

Eis o relato de João:

> *O que temos visto e ouvido anunciamos também a vós outros, para que vós, igualmente, mantenhais comunhão conosco. Ora, a nossa comunhão é com o Pai e com Seu Filho, Jesus Cristo. Estas coisas, pois, vos escrevemos para que a nossa alegria seja completa* (1.3,4).

Quando você experimenta essa vida que é real, a vida de Cristo, a vida eterna, então você tem uma grande alegria em partilhar essa vida com outras pessoas. Quem tem um verdadeiro encontro com Cristo não pode mais calar a sua voz. A manifestação da vida eterna foi proclamada, não monopolizada. A revelação foi dada a poucos para muitos. Eles deviam ministrá-la ao mundo. A manifestação que *nos* foi feita (1.2) torna-se proclamação *a vós* (1.3). João deseja que os seus leitores desfrutem a mesma condição vantajosa que ele e seus colegas de apostolado desfrutavam quanto ao conhecimento de Deus em Cristo.[27]

João emprega dois verbos para descrever a proclamação apostólica. Ambas as palavras implicam autoridade, mas de diferente espécie. *Marturoumen* indica a autoridade da experiência. O testemunho é uma atividade que pertence propriamente a uma testemunha ocular. A pessoa tem de *ser* uma testemunha antes de ter competência para *dar* testemunho.

A testemunha verdadeira fala não do que colheu de segunda mão, de outros, mas do que ela mesma viu e ouviu pessoalmente. Se *marturoumen* é a palavra da experiência, *apangellomen* indica a autoridade da comissão. A experiência é pessoal; a comissão é derivada. A fim de dar testemunho, os apóstolos precisam ter visto e ouvido pessoalmente a Cristo; a fim de proclamar, precisam ter sido comissionados por Ele. Jesus não apenas se manifestou aos discípulos para qualificá-los como *testemunhas oculares*, mas também lhes deu uma comissão autorizada como *apóstolos* para pregarem o evangelho.[28]

André encontrou-se com Cristo e levou seu irmão Pedro a Ele. Felipe encontrou Natanael e convidou-o a conhecer a Cristo, dizendo-lhe: "Vem e vê". Os apóstolos estiveram com Cristo e disseram: "Nós não podemos deixar de falar do que temos visto e ouvido". Paulo disse: "Ai de mim se não pregar o evangelho". A proclamação da Pessoa de Cristo deve ser uma missão imperativa, intransferível e impostergável. Há cinco grandes comissões nos evangelhos e Atos. O crente é um faminto que encontrou pão e anuncia a outros que achou pão com fartura. É um homem morrendo pregando para outros homens morrendo.

John Stott corretamente diz que a proclamação não era um fim em si mesma; agora se define o seu propósito, imediato e último. O imediato

---

[27] Stott, John. *I, II, III João: Introdução e comentário*, p. 54.
[28] Stott, John . *I, II, III João: Introdução e comentário*, p. 54,55.

é *comunhão* (1.3), e o último é *alegria* (1.4).[29] A religião cristã é a religião da comunhão, do encontro com Deus e com os homens, e não a religião da solidão. É a religião da alegria e não a religião da tristeza. A proclamação de Cristo visa dois propósitos:

Em primeiro lugar, **promover comunhão com o Pai, com o Filho e uns com os outros** (1.3). João escreve: *O que temos visto e ouvido anunciamos também a vós outros, para que vós, igualmente, mantenhais comunhão conosco. Ora, a nossa comunhão é com o Pai e com Seu Filho, Jesus Cristo.*

O propósito de João é convidar os leitores à comunhão com os apóstolos, que são testemunhas oculares da vida e ministério de Jesus na terra. Ao mesmo tempo, João quer proteger os leitores dos ataques doutrinários dos falsos profetas e fortalecê-los espiritualmente dentro da comunhão com os apóstolos e discípulos.[30] Nicodemus diz que a comunhão que João tem em mente é principalmente a unidade doutrinária entre seus leitores e os apóstolos, com respeito à pessoa e à obra de Cristo.[31] O mesmo autor ainda alerta:

> A doutrina apostólica é a base para a verdadeira comunhão. Boa parte dos esforços modernos para a unidade entre os cristãos tem ignorado esse princípio fundamental, e tentado promover uma "unidade" que se baseia primariamente em trabalhos conjuntos de evangelização, obras de caridade, shows *gospel*, marcha para Jesus ou luta em defesa dos direitos humanos. A ideia que atua por trás dessa filosofia é a de que definições doutrinárias e exatidão teológica levam à divisão entre os crentes.[32]

A unidade doutrinária com os apóstolos também leva à comunhão com Deus e com Jesus Cristo. Essa comunhão é a suprema bênção cristã. Fala de uma honra indizível, de uma alegria permanente e de uma santidade progressiva.[33]

---

[29]STOTT, John. *I, II, III João: Introdução e comentário*, p. 55.
[30]KISTEMAKER, Simon. *Tiago e epístolas de João*, p. 315.
[31]LOPES, Augustus Nicodemus. *Primeira carta de João*, p. 30.
[32]LOPES, Augustus Nicodemus. *Primeira carta de João*, p. 31.
[33]TUCK, Robert. *The first epistle general of John*, p. 234.

A nossa comunhão não é apenas de identidade doutrinária, mas também uma comunhão mística com Deus. Essa *koinonia*, "comunhão", é a vida eterna que vem do Pai e se torna a vida compartilhada pelos crentes.[34]

Vale ressaltar, entrementes, que o homem natural não pode ter comunhão com Deus por causa do seu pecado. Mas Deus enviou Seu Filho. Ele Se fez carne, carregou no Seu corpo os nossos pecados sobre o madeiro. Ele morreu pelos nossos pecados e ressuscitou para a nossa justificação. Ele nos perdoou. Ele nos deu um novo coração, uma nova vida.

Agora, podemos ter comunhão com Deus. Podemos nos deleitar em Deus. Agora podemos ser filhos de Deus, herdeiros de Deus, habitação de Deus, herança de Deus, a menina dos olhos de Deus, a delícia de Deus. Agora Deus é o nosso prazer, a nossa alegria, o nosso alvo, a nossa vida. Essa comunhão com Deus e com Jesus é a essência da vida eterna (Jo 17.3). Intimidade com Cristo é a inspiração e o motivo de nosso viver.

Mas a nossa comunhão não é apenas vertical, com Deus; é, também, horizontal, com os nossos irmãos. A comunhão com os irmãos é derivada da nossa comunhão com Deus (1.7). Essa comunhão que houve entre os apóstolos, entre os crentes em Pentecostes, agora se estende a todos os crentes, em todos os lugares, em todos os tempos (1.3). Assim o propósito da proclamação do evangelho é a comunhão dos filhos de Deus. O amor é a marca do discípulo verdadeiro (Jo 13.34,35). A união dos crentes é testemunho ao mundo e o desejo do coração de Cristo (Jo 17.21,22).

William Barclay alerta para o fato de que qualquer mensagem que produza cismas e divisões é uma mensagem falsa, uma vez que a mensagem cristã pode resumir-se em duas grandes finalidades: amor aos homens e amor a Deus.[35] O pecado separa, o evangelho une. O pecado separou o homem de Deus, de si mesmo e do próximo. O evangelho reconcilia o homem com Deus, consigo e com seu próximo. Onde o pecado cava abismos, o evangelho constrói pontes. Onde o pecado gerou a morte, o evangelho trouxe a vida. Onde o pecado abriu fissuras, o evangelho promoveu comunhão e restauração.

---

[34] BARKER, Glenn W. *1 John*. In: Zondervan NIV Bible Commentary. Grand Rapids, MI: Zondervan Publishing House, 1994, p.1083.
[35] BARCLAY, William. *I, II, III Juan y Judas*, p. 29.

Em segundo lugar, ***promover completa alegria*** (1.4). *Estas coisas, pois, vos escrevemos para que a nossa alegria seja completa.* A comunhão é a raiz da alegria; a alegria é o fruto da comunhão. A comunhão é a resposta de Cristo para a solidão da vida; alegria é a sua resposta para o vazio e a superficialidade da vida.

Harvey Blaney diz que comunhão com o Senhor e comunhão com os irmãos constituem a base do nosso gozo mais elevado. E nosso gozo é cumprido por meio da comunhão contínua.[36] A alegria é um apanágio do cristianismo. O evangelho é boa nova de grande alegria. O reino de Deus que está dentro de nós é alegria no Espírito Santo. O fruto do Espírito é alegria, e a ordem de Deus é: *Alegrai-vos* (Fp 4.4).

Na verdade, a alegria é uma das principais marcas da vida cristã. O nosso problema não é a busca da alegria, mas contentar-nos com uma alegria pequena demais, terrena demais. Deus nos salvou para a maior de todas as alegrias, a alegria de glorificá-Lo e desfrutá-Lo para sempre. No céu Deus enxugará dos nossos olhos toda lágrima. Lá não haverá pranto, nem luto nem dor.

A alegria não é um sentimento que nós mesmos produzimos, mas um subproduto de um relacionamento com Cristo. Só na presença de Deus há plenitude de alegria (Sl 16.11). Essa alegria é divina, ela vem do céu. Esta alegria é imperativa, ultracircunstancial e cristocêntrica, ela reina mesmo no vale da dor. Essa alegria é indestrutível, o mundo não pode dá-la nem tirá-la.

O pecado promete alegria e produz sofrimento. Os prazeres do pecado são transitórios e passageiros – duram apenas algum tempo (Hb 11.25), mas a alegria de Deus é eterna – dura para sempre. Jesus disse: *E a vossa alegria ninguém poderá tirar* (Jo 16.22).

A ideia de plenitude de alegria não é incomum nos escritos de João (Jo 3.29; 15.11; 16.24; 17.13; 1Jo 1.4; 2Jo 12). A perfeita alegria não é possível neste mundo de pecado, porque a perfeita comunhão com Deus não é possível. Assim, deve-se entender que o versículo 4 olha também para além desta vida, para a vida do céu. Então a comunhão

---

[36]BLANEY, Harvey. *A primeira epístola de João.* Vol. 10, 2005, p. 293.

consumada produzirá alegria completa. É para esse fim último que aquele que *era desde o princípio se manifestou* no tempo, e que o que os Apóstolos ouviram, viram e apalparam, nos proclamaram. A substância da proclamação apostólica era a manifestação histórica do Eterno; seu propósito era e é uma comunhão uns com os outros, a qual se baseia na comunhão com o Pai e o Filho e irrompe na plenitude da alegria.[37]

---

[37]STOTT, John. *I, II, III João: Introdução e comentário*, p. 57.

revelação do verbo de Deus para a revelação do próprio Deus, a quem revela. Destacamos aqui alguns pontos:

Em primeiro lugar, *a mensagem acerca da natureza de Deus vem do próprio Jesus* (1.5). "A mensagem que, da parte dEle, temos ouvido..." A palavra grega *aggelia*, "mensagem", pode sugerir que a mensagem contém uma concepção de Deus que os homens não poderiam ter formado por si próprios sem a Sua ajuda. É uma revelação e não uma descoberta.[5]

João não é a fonte da mensagem; Jesus o é. A natureza de Deus é revelada por Aquele que estava com o Pai (1.2). O próprio João escreve: *Ninguém jamais viu a Deus; o Deus unigênito, que está no seio do Pai, foi quem o revelou* (Jo 1.18).

Essa mensagem vem "da parte dele", daquele Único que vem de Deus e conhece a Deus e por isso é capaz de nos dizer qual é a realidade de Deus. De tudo o que Jesus foi, disse e fez resplandeceu essa notícia de que "Deus é luz".[6]

Em segundo lugar, *a mensagem acerca da natureza de Deus é anunciada pelos apóstolos* (1.5). [...] *e vos anunciamos é esta...* João não criou a mensagem acerca do caráter santo de Deus; ele a recebeu. João não é o autor da mensagem, mas seu arauto. João não reteve a mensagem, mas a anunciou com urgência e fidelidade. A proclamação da verdade acerca de Deus não apenas edifica os salvos, mas reprova os falsos mestres. O nosso ministério não é apenas combater a mentira, mas, sobretudo, anunciar a verdade.

Em terceiro lugar, *a mensagem acerca da natureza de Deus é desvendada* (1.5). [...] *que Deus é luz e não há nEle treva nenhuma*. João já havia registrado as palavras de Jesus à mulher samaritana: *Deus é espírito* (Jo 4.24). Agora diz que Deus é luz (1.5) e mais tarde afirma que Deus é amor (4.8).

Harvey Blaney diz que Deus é espírito em sua natureza essencial. Deus é luz em Sua autorrevelação ao homem. E Deus é amor em Sua

---

[5] RIENECKER, Fritz e ROGERS, Cleon. *Chave linguística do Novo Testamento grego*, p. 584.
[6] BOOR, Werner de. *Cartas de João*. Em Comentário Esperança, p. 314.

obra de salvação redentora.⁷ A síntese do ensino de Jesus acerca de Deus é que Ele é luz. A luz ilumina, aquece, purifica e alastra. Ela traz o conhecimento da verdade e resplandece nas trevas da ignorância. O que isto significa?

Primeiro, Deus é luz no sentido de que é da Sua natureza revelar-Se. Só conhecemos a Deus porque Ele Se revelou. É de Sua natureza revelar-Se, assim como a propriedade da luz é brilhar. Dizer que Deus é luz significa que não há nenhuma coisa secreta, furtiva e encoberta ao Seu redor. Deus quer que os homens O vejam e O conheçam.⁸

Deus Se revelou na criação, na consciência, nas Escrituras e em Jesus, o verbo encarnado. O conhecimento de Deus não é um privilégio apenas de um grupo seleto de iluminados pelos mistérios do gnosticismo, mas é franqueado a todos que contemplam Seu Filho, a luz do mundo.

Segundo, Deus é luz no sentido de Sua perfeição moral absoluta. Deus é santo e puro. Não há mácula em seu caráter. Ele é imaculado. Ele é puríssimo em Seu ser, em Suas palavras e em Suas obras. Não há trevas que ocultam algum mal secreto em Deus nem sombra de alguma coisa que tema essa luz. João diz que não há nEle treva nenhuma.

John Stott diz que, intelectualmente, luz é verdade e trevas, ignorância. Moralmente, luz é pureza e trevas, mal. Por conseguinte, a pretensão dos falsos mestres gnósticos de conhecer a Deus, que é luz, e de manter comunhão com Ele apesar de sua indiferença para com a moralidade é vista como sendo absurdo.⁹

Augustus Nicodemus diz que se Deus é luz, segue-se que quem professa ter estreito relacionamento com Ele deve exibir santidade em sua vida (1Pe 1.15,16). Caso contrário, o relacionamento é falso.¹⁰

Terceiro, Deus é luz no sentido de que nada pode ficar oculto aos Seus olhos. Deus é luz e habita em luz inacessível (1Tm 6.16). A luz penetra nas trevas e as trevas não podem prevalecer contra ela. Deus é onisciente e para Ele luz e trevas são a mesma coisa. Ele a tudo vê,

---

⁷BLANEY, Harvey. *A primeira epístola de João*. Vol. 10, 2005, p. 294.
⁸BARCLAY, William. *I, II, III Juan y Judas*, p. 34.
⁹STOTT, John. *I, II, III João: Introdução e comentário*, p. 61.
¹⁰LOPES, Augustus Nicodemus. *Primeira carta de João*, p. 35.

a todos sonda e nada escapa ao Seu conhecimento. A luz penetra nas trevas e as dissipa. As trevas não podem prevalecer contra a luz. Faltas ocultas pelas sombras ficam a descoberto pela luz. É impossível esconder-se de Deus, seja nos confins da terra, seja nas profundezas do mar.

Quarto, Deus é luz no sentido de que não há nEle treva nenhuma. Nos escritos de João, trevas têm uma conotação moral. Trata-se da vida sem Cristo (Jo 8.12; 2.8). As trevas e a luz são inimigas irreconciliáveis (Jo 1.5). As trevas expressam a ignorância da vida à parte de Cristo (Jo 12.35,46). As trevas significam a imoralidade da vida sem Cristo (Jo 3.19). As trevas apontam para o desamor e o ódio (2.9-11). Aquele que é puro em Seu ser e santo em Suas obras não pode tolerar as trevas nem ter comunhão com aqueles que vivem nas trevas.

A natureza pecaminosa do homem é declarada (1.6-10)

Os falsos mestres, que haviam desembarcado na Ásia Menor, traziam em sua bagagem uma teologia falsa acerca de Deus, de Cristo, do homem, do pecado e da salvação. No pacote de suas heresias, esses falsos mestres desconectavam a religião da vida, afirmando que podiam ter comunhão com Deus e ao mesmo tempo viver nas trevas (1.6). Eles chegavam a ponto de negar a própria existência do pecado (1.8) e afirmar que não eram susceptíveis a ele (1.10).

John Stott diz que em 1João 1.6–2.2 três das espúrias pretensões dos falsos mestres são expostas e contraditadas. Cada uma delas é introduzida pela fórmula: "Se dissermos" (1.6,8,10). A simetria dos sete versículos é evidente. Primeiro, ele introduz o ensino falso com as palavras: "se dissermos". Depois, ele o contradiz com um inequívoco: "mentimos" ou expressão parecida. Finalmente, faz uma afirmação positiva e verdadeira correspondente ao erro que refutou: "se, porém, nós", embora no último dos três exemplos o termo seja diferente (1.7,9; 2.1,2).

Os três erros de que trata dizem respeito ao fato do pecado em nossa conduta, sua origem em nossa natureza e sua consequência em nossas relações com Deus.[11]

---

[11] STOTT, John. *I, II, III João: Introdução e comentário*, p. 63,64.

Esses três erros desembocaram em três atitudes. Essas atitudes resumem a tentativa dos falsos mestres e dos falsos crentes de encobrir e negar seus pecados. William Barclay destaca que eles diziam que haviam avançado tanto no caminho do conhecimento que não se importavam mais com o pecado. Diziam ser tão espirituais que de nenhuma maneira os preocupava o pecado.[12] Quais eram essas atitudes?

Em primeiro lugar, **a tentativa de enganar os outros** (1.6). *Se dissermos que mantemos comunhão com ele e andarmos nas trevas, mentimos e não praticamos a verdade.* Os mestres gnósticos separaram a teologia da vida, a religião da prática da piedade. Mesmo imersos no caudal de seus pecados ainda proclamavam que tinham comunhão com Deus.

Ainda hoje nós desejamos que os nossos irmãos pensem que somos espirituais; então, mentimos sobre nossa vida e tentamos causar uma boa impressão. Desejamos que eles pensem que estamos andando na luz, embora, na realidade, estejamos andando nas trevas.[13]

John Stott diz que temos razão de suspeitar dos que alegam intimidade mística com Deus e, entretanto, "andam nas trevas". Religião sem moralidade é ilusão, uma vez que o pecado é sempre uma barreira para a comunhão com Deus.[14]

Andar nas trevas significa viver no erro, no pecado, na ignorância de Deus e em hostilidade a Ele. Nesse caso, mentimos e não praticamos a verdade. Andamos em trevas quando as coisas mais cruciais da vida passam sem o exame da luz de Cristo. Se nossa carreira, nossa vida sexual, dinheiro, família, autoimagem, esperanças e sonhos jamais lhe foram abertos, nosso cristianismo e vida eclesiástica são uma mentira eloquente. É esse o motivo da falta de poder de tantos cristãos hoje e a razão de haver igrejas sem vida e sem poder.[15]

Concordo com Augustus Nicodemus quando diz: "Os atos de um cristão professo são mais eloquentes do que suas palavras, e revelam o estado real de seu relacionamento com Deus".[16]

---

[12]Barclay, William. *I, II, III Juan y Judas*, p. 37.
[13]Wiersbe, Warren W. *Comentário bíblico expositivo*. Vol. 6, p. 617.
[14]Stott, John. *I, II, III João: Introdução e comentário*, p. 64,65.
[15]Ogilvie, Lloyd John. *Quando Deus pensou em você*. Miami, FL: Editora Vida, 1983, p. 16.
[16]Lopes, Augustus Nicodemus. *Primeira carta de João*, p. 35.

Lloyd John Ogilvie esclarece este ponto nas seguintes palavras:

> A intimidade está arraigada na honestidade. É a exposição de nosso ser interior à luz perscrutadora da verdade de Deus. Deus nos conhece por inteiro. Então por que tentar esconder o que somos ou o que temos feito? Por que fingimos ser o que não somos? A desonestidade resulta em colocarmos o disfarce da justiça, enquanto por dentro somos um emaranhado de teias de ambições distorcidas e frustrações, lembranças do passado e temores do futuro. O Senhor deseja ir abaixo da superfície, à pessoa real que vive em nossa pele.[17]

William Barclay está certo quando diz que para o cristão a verdade nunca é somente uma verdade intelectual; a verdade é sempre verdade moral; não se trata de uma coisa que só exercita a mente, mas algo que coloca em marcha toda a personalidade. A verdade não é o descobrimento de uma verdade abstrata; é uma maneira concreta de viver. Não é só pensamento, também é atividade. Por essa razão, é perfeitamente possível que a eminência intelectual e o fracasso moral marchem de mãos dadas. Para o cristão, entretanto, a verdade é algo que primeiro deve descobrir-se, e logo obedecer.[18]

Simon Kistemaker tem toda razão quando escreve: "O pecado aliena o ser humano de Deus e de seu próximo. Ele perturba a vida e gera confusão. Em vez de paz, há discórdia; em vez de harmonia, há desordem; e, no lugar de comunhão, há inimizade".[19]

Em segundo lugar, *a tentativa de enganar a nós mesmos* (1.8). *Se dissermos que não temos pecado nenhum, a nós mesmos nos enganamos, e a verdade não está em nós*. O pecado nos leva a mentir não apenas para os outros, mas também a mentir para nós mesmos. O problema agora não é enganar os outros, mas enganar a nós mesmos.

Lloyd John Ogilvie declara que se dissermos que não temos pecado, negamos a razão por que Cristo veio e rejeitamos o perdão pelo qual

---

[17]OGILVIE, Lloyd John. *Quando Deus pensou em você*, p. 15.
[18]BARCLAY, William. *I, II, III Juan y Judas*, p. 38,39.
[19]KISTEMAKER, Simon. *Tiago e epístolas de João*, p. 323.

Ele morreu numa cruz.²⁰ O pecado é uma fraude tão sutil que aquele que o comete perde a consciência dessa realidade. O pecado anestesia o coração, insensibiliza a alma e cauteriza a consciência. É possível viver em pecado e ainda assim sentir-se seguro e ter a certeza de que tudo está bem na relação com Deus.²¹ Isso é mais do que esconder o pecado como fez Davi. Isso é negar a própria existência do pecado, como fizeram os falsos mestres do gnosticismo.

William Barclay destaca, também, a tendência do ser humano de fugir da responsabilidade por seus pecados, fazendo projeções e transferências. Podemos atribuir nossos pecados à nossa herança, ao nosso meio ambiente, ao nosso temperamento, à nossa condição física. Podemos argumentar que alguém nos enganou e fomos levados a fazer o que não queríamos.²² Essa ginástica mental e essa fraqueza moral são tão antigas quanto a queda dos nossos primeiros pais, no Éden.

Simon Kistemaker escreveu: "Qualquer um que não precise fazer o quinto pedido do Pai Nosso – 'perdoa as nossas dívidas' – por achar que não tem pecado engana-se a si mesmo".²³ O rei Salomão observou sabiamente: *O que encobre as suas transgressões jamais prosperará; mas o que as confessa e deixa alcançará misericórdia* (Pv 28.13).

John Stott diz que a primeira alegação herética (1.6) ao menos parecia conceber a existência de pecado, embora negando que ele tivesse o efeito de afastar o pecador de Deus. Agora, o próprio fato do pecado é negado. Esses homens não podem beneficiar-se dos efeitos purificadores do sangue de Jesus porque dizem: "Não temos pecado". Os hereges estão dizendo agora que, seja qual for a sua conduta externa, não há pecado inerente à sua natureza. O apóstolo João possivelmente está se referindo aqui à sutileza gnóstica de que o pecado era uma questão ligada à carne e não tocava nem manchava o espírito.²⁴

Pensar e falar alguma coisa não transforma necessariamente o pensamento e as palavras em realidade. Os mestres gnósticos falavam que

---

[20] OGILVIE, Lloyd John. *Quando Deus pensou em você*, p. 19.
[21] WIERSBE, Warren W. *Comentário bíblico expositivo*. Vol. 6, p. 617.
[22] BARCLAY, William. *I, II, III Juan y Judas*, p. 42.
[23] KISTEMAKER, Simon. *Tiago e epístolas de João*, p. 325.
[24] STOTT, John. *I, II, III João: Introdução e comentário*, p. 67.

não eram pecadores, mas a vida deles reprovava suas palavras. Havia um abismo entre sua teologia e sua vida, um hiato entre sua crença e sua prática. A argumentação do apóstolo João é que o homem que fala uma coisa e faz outra, mente. O homem que diz uma coisa com seus lábios e outra totalmente diferente com sua vida é um mentiroso. O que contradiz suas afirmações com sua maneira de viver, está faltando com a verdade e enganando a si mesmo (2.4,22; 4.20).

Em terceiro lugar, *a tentativa de enganar a Deus* (1.10). *Se dissermos que não temos cometido pecado, fazemo-lo mentiroso, e a Sua Palavra não está em nós*. O pecado pode nos fazer mentir para os outros, mentir para nós mesmos e mentir para Deus. Tendo-se tornado mentiroso, depois também se procura transformar Deus em mentiroso.

Concordo com Harvey Blaney quando diz que essa atitude é a mais repreensível de todas, porque torna Deus um mentiroso. É o pecado acima de todos os outros pecados – o pecado da arrogância e orgulho, que coloca a sabedoria do homem acima da sabedoria de Deus.[25]

Aquele que diz que não é pecador contradiz o testemunho que Deus dá acerca da pecaminosidade humana. Aquele que nega o seu pecado, nega a própria verdade divina e chama Deus de mentiroso.

Werner de Boor diz que quando negamos que somos pecadores transformamos Deus em mentiroso não apenas em Sua Palavra, mas em seu feito na cruz. Deus entregou Seu Filho porque não podíamos ser salvos de maneira diferente e menos custosa. Nós, porém, declaramos que isso é desnecessário, visto que não teríamos cometido pecado.[26] Isto é escarnecer da cruz. É incluir no rol dos mentirosos Aquele que é luz!

John Stott diz que, das três heresias disseminadas pelos falsos mestres, esta era a mais ruidosa. Os hereges sustentavam que a sua iluminação superior os tornava incapazes de pecar.[27] Dizer, porém, que não cometemos pecado não é apenas uma deliberada mentira (1.6), ou uma ilusão (1.8), mas é também uma blasfêmia (1.10). Isso é chamar Deus

---

[25]BLANEY, Harvey. *A primeira epístola de João*. Vol. 10, 2005, p. 297.
[26]BOOR, Werner de. *Cartas de João*, p. 320.
[27]STOTT, John. *I, II, III João: Introdução e comentário*, p. 69.

de mentiroso e aqueles que fazem isso provam que Sua Palavra não está neles, uma vez que ela sobejamente demonstra a universalidade do pecado (1Rs 8.46; Sl 14.3; Ec 7.20; Is 53.6; Rm 2.23).

Simon Kistemaker diz que esta é a atitude do infiel que não se arrepende. No versículo 8, o descrente diz que não tem pecado; agora, afirma que não é pecador. Se ele não é pecador, pois insiste que não pecou, faz de si mesmo um ser igual a Deus, Aquele que não tem pecado. Ainda mais, ao se recusar ouvir as evidências que Deus apresenta, o homem acusa Deus de estar mentindo. Na sequência de três versículos, o autor se dirige para um clímax: "[...] mentimos" (1.6), "[...] a nós mesmos nos enganamos" (1.8) e "[...] fazemo-lo mentiroso" (1.10).[28]

Concluímos este ponto com as palavras de Warren Wiersbe, dizendo que os falsos mestres e os falsos crentes mentem sobre sua comunhão com Deus (1.6), sobre sua natureza pecaminosa (1.8) e sobre seus atos pecaminosos (1.10).[29] Aquele que procura encobrir os seus pecados perde a Palavra de Deus. Ele deixa de praticar a Palavra de Deus (1.6), logo a verdade deixa de estar nele (1.8), e, finalmente, ele torna a verdade em mentira (1.10). Aquele que tenta encobrir os seus pecados perde a comunhão com Deus e com o Seu povo (1.6,7).

Davi tentou encobrir seus pecados, e isto lhe custou a saúde (Sl 32.3,4), a alegria (Sl 51), a família e, por pouco, não lhe custou o reino. Abraão Lincoln costumava dizer que, se um homem deseja ser mentiroso, é melhor ter boa memória! Quando uma pessoa gasta todas as energias fingindo ser algo, não lhe restam forças para viver, e a vida torna-se superficial e insípida.[30]

A natureza da **comunhão com Deus e com os irmãos** é estabelecida (1.7,9)

João fala acerca da comunhão com os irmãos (1.7) e da comunhão com Deus (1.9). Para termos comunhão uns com os outros precisamos andar na luz como Deus está na luz, e para termos comunhão com

---

[28] KISTEMAKER, Simon. *Tiago e epístolas de João*, p. 328.
[29] WIERSBE, Warren W. *Comentário bíblico expositivo*. Vol. 6, p. 617.
[30] WIERSBE, Warren W. *Comentário bíblico expositivo*. Vol. 6, p. 618.

Deus precisamos reconhecer o pecado e confessá-lo. Vamos destacar aqui esses dois pontos vitais:

Em primeiro lugar, *a comunhão com os irmãos* (1.7). *Se, porém, andarmos na luz, como ele está na luz, mantemos comunhão uns com os outros, e o sangue de Jesus, Seu Filho, nos purifica de todo pecado.* Destacamos aqui três pontos:

Uma exigência (1.7a). *Se, porém, andarmos na luz, como Ele está na luz...* Não há comunhão fora da verdade. Onde as trevas escondem as motivações, distorcem as palavras e maculam as ações não pode existir verdadeira comunhão. O engano do pecado nos leva a pensar que se as pessoas nos conhecerem como somos de fato, elas se afastarão de nós. Somos induzidos a esconder os nossos pecados para sermos aceitos. Mas isto é um engodo. A verdadeira comunhão só acontece na luz.

Concordo com Werner de Boor quando diz que quando ocultamos a verdade da nossa vida a comunhão já está destruída. Estamos separados dos outros por temor e constrangimento, sensíveis e desconfiados em nossa conduta. Em contrapartida, quando temos a coragem de mostrar nossa vida sob luz total pode despertar em outros uma maravilhosa confiança. No entanto, observe também que não se trata de exibir o pecado em si, mas de testemunhar da experiência do perdão purificador de Deus. Essa experiência abre corações e conduz para um convívio franco, livre e alegre.[31]

Andar na luz é um ato contínuo. Significa que vivemos no brilho da luz de Deus, de modo que refletimos virtudes e glória.[32] O próprio Deus vive em [...] *luz inacessível* (1Tm 6.16).

John Stott está correto quando diz que Deus está eterna e necessariamente na luz porque Ele mesmo é luz. Deus está na luz porque Ele é sempre fiel a si próprio e Sua atividade é coerente com Sua natureza [...] *de maneira nenhuma pode negar-se a si mesmo* (2Tm 2.13). Andar na luz descreve sinceridade absoluta, não ter nada para esconder.[33] Andar na luz produz dois resultados: comunhão com os irmãos

---

[31]Boor, Werner de. *Cartas de João*, p. 318.
[32]Kistemaker, Simon. *Tiago e epístolas de João*, p. 324.
[33]Stott, John. *I, II, III João: Introdução e comentário*, p. 65.

e purificação de todo pecado. Esses dois resultados serão tratados nos dois pontos seguintes.

Uma realidade (1.7b). [...] *mantemos comunhão uns com os outros...* Andar na luz pavimenta o caminho da comunhão com Deus e com o próximo. Andar na luz é a exigência para a comunhão fraternal. Viver para Deus significa que temos um relacionamento íntegro com o nosso próximo. Um profundo desejo de glória celestial na presença de Deus deve ser acompanhado de uma vontade intensa de ter comunhão com a igreja na terra.[34]

A comunhão fraternal é resultado da santidade. Nas trevas não há comunhão, mas cumplicidade. Nas trevas não há comunhão, mas parceria no pecado. Porém, se andamos na luz, temos comunhão uns com os outros. Nenhuma crença pode ser autenticamente cristã se separar o homem de sua relação com os demais. Nada que destrua a comunhão fraternal pode ser verdadeiro.[35]

Uma promessa (1.7c). [...] *e o sangue de Jesus, Seu Filho, nos purifica de todo pecado*. O fato de andarmos na luz e mantermos comunhão uns com os outros não implica ausência de pecado nem nos torna essencialmente perfeitos e imaculados. Ainda continuamos sujeitos ao pecado, mas temos a promessa da purificação pelo sangue de Jesus. Seremos iguais a ele somente na glorificação. Agora, porém, nós, que andamos na luz, temos a purificação no sangue de Jesus. Andar na luz, portanto, é confessar pecado; andar nas trevas é ignorar ou negar pecado. Quando andamos na luz temos provisão divina para limpar-nos de todo e qualquer pecado. Essa provisão é o sangue de Jesus, o Filho de Deus.

João enfatiza a natureza divino-humana daquele cujo sangue nos purifica. Ele é o homem Jesus, mas também é o Filho de Deus. Harvey Blaney diz que na criação o homem foi feito à imagem de Deus. Na redenção, Deus foi feito à imagem do homem.[36]

O verbo divino Se fez carne. Deus se fez homem. O segredo do poder desse sangue é que foi derramado pelo Filho de Deus, imaculado,

---

[34] KISTEMAKER, Simon. *Tiago e epístolas de João*, p. 324.
[35] BARCLAY, William. *I, II, III Juan y Judas*, p. 39.
[36] BLANEY, Harvey. *A primeira epístola de João*. Vol. 10, 2005, p. 296.

perfeito e sem pecado algum. O sangue humano comum está contaminado pela corrupção do pecado. A morte de um ser humano não tem qualquer poder para limpar ou remover a culpa de outros seres humanos. Jesus, porém, sendo Filho de Deus, derramou sangue isento de pecado, não contaminado e, por isso, eficaz para esse fim.[37]

O verbo grego *katkarizein*, traduzido aqui por "purificar", sugere que Deus faz mais que perdoar: Ele apaga a mancha do pecado. E o tempo presente mostra que é um processo continuado.[38] O sacrifício de Cristo foi eficaz não apenas para perdoar os pecados passados, mas também para purificar-nos no presente, dia a dia.

L. Bonnet diz que o tempo presente do verbo "purificar" indica a ação permanente do sacrifício de Cristo. O sacrifício da cruz é o meio do perdão e da reconciliação com Deus e, ao mesmo tempo, o meio da purificação interna do pecado, abrindo-nos a porta da plena comunhão com Deus e com os irmãos.[39]

Jesus nos purifica e nos apresenta a si mesmo como [...] *igreja gloriosa, sem mácula, nem ruga, nem coisa semelhante, porém santa e sem defeito* (Ef 5.27).

Simon Kistemaker diz que o pecado pertence ao mundo de trevas e não pode entrar na esfera de santidade. Assim, Deus deu Seu Filho para morrer na terra. Por meio da morte de Seu Filho, Deus removeu o pecado e a culpa do ser humano para que este possa ter comunhão com Ele.[40]

O sangue de Jesus é suficiente para nos limpar profunda e totalmente. Nenhuma terapia humana, nenhum rito religioso pode purificar o homem do seu pecado. Nenhum esforço humano ou obra de caridade pode produzir essa realidade. Somente o sangue de Jesus, o Filho de Deus, pode nos lavar, nos purificar e nos tornar aceitáveis a Deus.

Digno de observar é o fato de que o sangue de Jesus purifica não apenas alguns pecados, mas todo pecado. Não há causa perdida para Deus. Não há pecador irrecuperável para Deus. Não há pecado imperdoável para Deus, exceto a blasfêmia contra o Espírito Santo,

---

[37]LOPES, Augustus Nicodemus. *Primeira carta de João*, p. 36,37.
[38]STOTT, John. *I, II, III João: Introdução e comentário*, p. 65,66.
[39]SCHROEDER, L. Bonnet y A. *Comentario del Nuevo Testamento*. Tomo 4, p. 309.
[40]KISTEMAKER, Simon. *Tiago e epístolas de João*, p. 324.

ou seja, a rejeição consciente da graça e a atribuição da ação divina ao próprio diabo.

Em segundo lugar, **a comunhão com Deus** (1.9). *Se confessarmos os nossos pecados, ele é fiel e justo para nos perdoar os pecados e nos purificar de toda injustiça.* O crente verdadeiro não é aquele que esconde seus pecados nem os justifica, mas os confessa a Deus para receber perdão e purificação. O pecado é maligno. Ele é treva e Deus é luz. O pecado faz separação entre o homem e Deus (Is 59.2). A única condição, portanto, para o homem ter comunhão com Deus é reconhecer o seu pecado e confessá-lo. Antes de termos comunhão com Deus precisamos ser perdoados e purificados. Destacamos aqui três sublimes verdades:

A condição do perdão. Se confessarmos os nossos pecados... Esta é a parte condicional da frase, que mostra nosso conhecimento do pecado. Encaramos o pecado aberta e honestamente sem escondê-lo ou achando desculpas para ele. Confrontamos os pecados que cometemos sem nos defendermos ou justificarmos. Confessamos nossos pecados para mostrar arrependimento.[41]

O que é confessar os pecados? É concordar com Deus que pecamos. A palavra grega *homologeo* significa homologar, concordar com, dizer a mesma coisa. Confessar é concordar com o diagnóstico de Deus a nosso respeito, que somos pecadores e que temos cometido pecados, e assim verbalizamos essa concordância com tristeza e pesar.[42]

Em vez de negar o pecado ou escondê-lo, devemos admitir a nossa culpa e confessar o nosso pecado. Esta é a condição do perdão e o caminho da comunhão com Deus. Vale ressaltar, igualmente, que não se trata de uma confissão genérica, inespecífica e superficial. A verdadeira confissão requer a especificação dos pecados. Chamá-los pelo mesmo nome que Deus chama: inveja, ódio, mágoa, impureza. Confessar é ser honesto com Deus e consigo mesmo. É mais do que admitir o pecado, é julgá-lo.[43]

---

[41]KISTEMAKER, Simon. *Tiago e epístolas de João*, p. 326.
[42]LOPES, Augustus Nicodemus. *Primeira carta de João*, p. 40.
[43]WIERSBE, Warren W. *Comentário bíblico expositivo*. Vol. 6, p. 620.

John Stott tem razão quando diz: "O que se requer não é uma confissão geral do pecado, mas uma confissão particular de pecados".[44]

Simon Kistemaker ressalta que não nos é dito quando, onde e como confessar nossos pecados, mas o arrependimento diário dos pecados nos leva à confissão contínua. João, na verdade, escreve: "Se continuarmos confessando nossos pecados". Ele escreve a palavra "pecados" no plural para indicar a magnitude de nossas transgressões.[45] Nós devemos confessar nossos pecados primeiramente a Deus e depois àqueles contra quem os cometemos. A confissão deve ser tão extensa quanto o estrago feito pelo pecado. A confissão de certos pecados exige uma reparação, além da confissão. Em alguns casos, a disciplina deve também ser aplicada.

A base do perdão. [...] *ele é fiel e justo...* A garantia e a segurança do perdão estão no caráter fiel e justo de Deus. A segurança da salvação não está edificada sobre o frágil alicerce da confiança humana, mas sobre a rocha firme da pessoa divina e suas promessas. Deus é fiel às suas promessas e é justo para não aplicar em nós o castigo dos mesmos pecados que Jesus carregou sobre o corpo no madeiro. Deus é fiel para perdoar porque ele cumpre a sua aliança e sua promessa de perdoar os nossos pecados e não se lembrar mais deles. *Pois perdoarei as suas iniquidades e dos seus pecados jamais me lembrarei* (Jr 31.34; Hb 8.12; 10.17).

À primeira vista, poderíamos pensar que Deus, em sua justiça, estaria muito mais propenso a condenar do que a perdoar. O justo não perdoa, mas aplica a pena da lei aos transgressores. Se Deus visita no pecador o seu pecado e [...] *não inocenta o culpado* (Êx 34.7), como Ele pode perdoar pecados? Este é o dilema divino.

O Juiz de toda a terra não pode apagar o pecado levianamente. A cruz é, de fato, absolutamente a única base moral sobre a qual ele pode perdoar o pecado, pois ali o sangue de Jesus, Seu Filho, foi derramado para que Ele pudesse ser "a propiciação" por nossos pecados (2.2). Assim, podemos dizer que, ao perdoar os nossos pecados e nos purificar

---

[44] STOTT, John. *I, II, III João: Introdução e comentário*, p. 68.
[45] KISTEMAKER, Simon. *Tiago e epístolas de João*, p. 326, 327.

deles, Deus manifesta lealdade à Sua aliança – sua fidelidade por causa da palavra que a iniciou e sua justiça por causa do efeito que a ratificou. Mas, simplesmente, é fiel para perdoar porque prometeu fazê-lo e justo porque Seu Filho morreu por nossos pecados.[46]

Werner de Boor expressa com clareza esta ideia:

> Como Deus pode ser justo ao apagar o pecado? Jamais poderíamos imaginar ou experimentar isso se o perdão apenas consistisse de um "dito" de Deus. Contudo, ele reside em uma ação de seriedade absoluta e suprema justiça. *Aquele que não conheceu pecado, Ele o fez pecado por nós; para que, nEle, fôssemos feitos justiça de Deus* (2Co 5.21). Todo pecado foi julgado e punido no Cabeça da humanidade, Cristo. Deus é justo ao não vingar o pecado pela segunda vez em nós quando aceitamos Jesus como nosso substituto pela fé.[47]

A posse do perdão. [...] *para nos perdoar os pecados e nos purificar de toda injustiça.* É justamente de nossas "injustiças" que essa "justiça de Deus" nos purifica.

John Stott diz que, na primeira frase, pecado é um débito que Deus quita, e, na segunda, uma mancha que Ele remove.[48] Deus perdoa os pecados e purifica de toda injustiça. Ele lava por fora e purifica por dentro. Deus não coloca mais os nossos pecados em nossa conta, este é o lado judicial; Deus limpa e purifica, este é o lado pessoal. O primeiro verbo, *perdoar*, descreve o ato de cancelar uma dívida e pagar pelo devedor. E o segundo verbo, *purificar*, se refere ao fazer do pecador alguém santo, de modo que possa ter comunhão com Deus.[49] Deus toma a iniciativa, pois Ele nos diz: *Vinde, pois, e arrazoemos, diz o Senhor; ainda que os vossos pecados sejam como a escarlata, eles se tornarão brancos como a neve; ainda que sejam vermelhos como o carmesim, se tornarão como a lã* (Is 1.18).

---

[46]STOTT, John. *I, II, III João: Introdução e comentário*, p. 68.
[47]BOOR, Werner de. *Cartas de João*, p. 319.
[48]STOTT, John. *I, II, III João: Introdução e comentário*, p. 67.
[49]KISTEMAKER, Simon. *Tiago e epístolas de João*, p. 327.

3
Jesus, o advogado incomparável

1João 2.1,2

O APÓSTOLO JOÃO AINDA ESTÁ LIDANDO com o problema do pecado. O pecado é universal e também enganador. O pecado nos induz a tentar enganar os outros (1.6), a nós mesmos (1.8) e ao próprio Deus (1.10). Podemos ter três atitudes em relação ao pecado: escondê-lo (1.5,6,8,10), confessá-lo (1.7,9) e triunfar sobre ele (2.1,2).

João agora nos aponta o caminho para vencermos o pecado. O propósito dessa carta é encorajar os crentes a não pecarem (2.1). A prática do pecado é incompatível com a nova vida em Cristo. Quem vive pecando não viu a Deus nem o conheceu (3.6). Quem vive na prática do pecado não é nascido de Deus (3.9).

Toda essa carta está impregnada de horror, ódio, temor e repúdio ao pecado. João espera que os crentes sejam preservados do mau ensino dos hereges e que não caiam em pecado.[1] Precisamos ressaltar, entretanto, que a perfeição moral absoluta é impossível de ser conquistada nesta vida. O perfeccionismo não é bíblico. Precisamos distinguir entre perfeição posicional e perfeição processual. Somos perfeitos em Cristo (Cl 2.10; Fp 3.15), mas ainda estamos num processo de

---

[1] STOTT, John. *I, II, III João: Introdução e comentário*, p. 70.

aperfeiçoamento. A santificação é um processo gradual. A perfeição obtida em Cristo é operada gradualmente em nós (2Co 7.1). Esse processo só é terminado na glorificação (1Co 15.51,52).[2]

Há duas posições perigosas em relação ao pecado: a indulgência por um lado e a severidade por outro. Vale ressaltar que João trata da questão do pecado de forma negativa – *Filhinhos meus, estas coisas vos escrevo para que não pequeis* – e depois positivamente – *Se, todavia, alguém pecar...*

John Stott está correto quando diz que é importante manter essas duas afirmações em equilíbrio. É possível ser demasiado indulgente e demasiado severo para com o pecado. A indulgência demasiado grande seria quase encorajar o pecado no cristão salientando a provisão de Deus para o pecador. Uma severidade exagerada, entretanto, seria negar a possibilidade de um cristão pecar ou recusar-lhe perdão e restauração, se ele cair. As duas posições extremas são contestadas por João.[3]

É preciso tocar a trombeta e alertar que o pecado é maligno e jamais deve ser incentivado ou tolerado. Cristo morreu não para nos salvar em nossos pecados, mas dos nossos pecados. Entretanto, aqueles que fecham a porta da esperança para os que são surpreendidos no pecado estão também em desacordo com a Palavra de Deus. O propósito de João é que os crentes não pequem, mas, se pecarem, eles têm Jesus como advogado e propiciação.

O apóstolo João nos mostra como triunfar sobre o pecado nesses dois versículos em apreço (2.1,2). Ele nos apresenta Jesus como o advogado, o Justo e a Propiciação. Trataremos, portanto, desses três pontos, sob a perspectiva de Jesus, como o advogado incomparável.

Jesus é o advogado incomparável quanto ao seu caráter (2.1)

O apóstolo escreve: *Filhinhos meus, estas coisas vos escrevo para que não pequeis. Se, todavia, alguém pecar, temos advogado junto ao Pai, Jesus*

---

[2] LOPES, Augustus Nicodemus. *Primeira carta de João*, p. 46.
[3] Stott, John. *I, II, III João: Introdução e comentário*, p. 69.

Cristo, o Justo (2.1). João se dirige aos crentes como seus filhos na fé. Ele tem amor e autoridade para ensiná-los. Não apenas os chama carinhosamente de filhinhos, mas de *meus* filhinhos. A palavra grega *teknion* pode ser traduzida por "criancinha". A forma diminutiva é usada para expressar afeto.[4]

Werner de Boor diz acertadamente que o trato leviano com o pecado por parte dos cristãos por causa do perdão "justo" (1.9) e pleno não representa mero perigo teórico. Quem encontra o "perdão justo" de Deus exclusivamente na cruz e no sangue do Filho de Deus de forma alguma pode pensar: logo, pecar não é tão grave, posso tranquilamente continuar a pecar. Então jamais teria compreendido o que o perdão de seus pecados custou. De qualquer modo, o apóstolo deseja constatar expressamente que a finalidade de sua mensagem é a rejeição séria e resoluta do pecado.[5]

A ordem de João para os seus queridos filhos é: "não pequeis". O verbo grego *hamarthete*, "pequeis", no aoristo indica atos específicos de pecado e não um estado habitual de pecado.[6] Em outras palavras, o pecado na vida dos crentes deve ser um acidente e não um hábito, uma prática.

João usa o termo *parakletos* para descrever Jesus. Essa palavra significa ajudador, advogado, intercessor. Fritz Rienecker diz que na literatura rabínica essa palavra podia indicar a pessoa que oferecia auxílio legal ou aquela que intercedia em favor de outra. No presente contexto, a palavra significa, indubitavelmente, advogado de defesa – num sentido jurídico.[7]

William Barclay diz que o termo *parakletos*, "advogado", era usado em oposição ao termo "acusador".[8] A palavra *parakletos* aparece mais quatro vezes no Novo Testamento, todas no evangelho de João, onde é traduzida como "Consolador", e se refere ao Espírito Santo (Jo 14.16,26; 15.26; 16.7). Essa palavra significa, em geral, alguém

---

[4]RIENECKER, Fritz e ROGERS, Cleon. *Chave linguística do Novo Testamento grego*, p. 584.
[5]BOOR, Werner de. *Cartas de João*, p. 320.
[6]RIENECKER, Fritz e ROGERS, Cleon. *Chave linguística do Novo Testamento grego*, p. 584.
[7]RIENECKER, Fritz e ROGERS, Cleon. *Chave linguística do Novo Testamento grego*, p. 584.
[8]BARCLAY, William. *I, II, III Juan y Judas*, p. 47.

que se coloca ao lado de outro para ajudar. Quando João usa a palavra aqui, aplicada a Cristo, a ideia é que ele fala com o Pai sobre nós, em nossa defesa, e intercede para que sejamos perdoados (Rm 8.34; 1Tm 2.5; Hb 7.24,25).[9]

John Stott destaca o fato de que se temos um advogado no céu, Cristo tem um advogado na terra. O Espírito é o Paráclito de Cristo, como o Senhor Jesus é o nosso. No entanto, enquanto que o Espírito Santo pleiteia a causa de Cristo perante um mundo hostil, Cristo pleiteia a nossa causa contra o nosso "acusador" (Ap 12.10) e junto ao Pai, que ama e perdoa a Seus filhos.[10]

Agora não somos mais réus, mas filhos. Deus não é mais o nosso Juiz, mas Pai. Nós, que cremos em Cristo, não entramos mais em juízo, mas passamos da morte para a vida (Jo 5.24). Uma vez justificados, entramos na família de Deus. Se pecarmos, não precisaremos de uma nova justificação do Juiz divino, mas do perdão do Pai.

Esta expressão, "Jesus Cristo, o Justo" indica a sua natureza humana (Jesus), o seu ofício messiânico (Cristo) e o seu caráter justo (o Justo).[11] João enfatiza não apenas a humanidade de Jesus e o ofício messiânico de Cristo, mas também, seu caráter perfeito, justo e impoluto como homem (Mt 27.19,24). Ele é o Justo que veio morrer pelos injustos (Rm 5.6-11; 1Pe 3.18). Sendo justo, Jesus pode comparecer diante de Deus e nos defender.[12]

Destacamos aqui dois pontos para a nossa reflexão:

Em primeiro lugar, **Jesus Cristo não é apenas nosso advogado, mas também, nosso exemplo** (2.1). Hoje vemos uma separação entre a vida moral e o desempenho profissional. Muitos advogados são gigantes na tribuna, mas nanicos na conduta. São imbatíveis na oratória, mas vulneráveis na ética. Muitos advogados, por esperteza e pela ganância do lucro fácil, burlam as leis, corrompem os tribunais, aviltam a justiça e assaltam o direito dos inocentes.

---

[9]LOPES, Augustus Nicodemus. *Primeira carta de João*, p. 47.
[10]STOTT, John. *I, II, III João: Introdução e comentário*, p. 70.
[11]STOTT, John. *I, II, III João: Introdução e comentário*, p. 70,71.
[12]LOPES, Augustus Nicodemus. *Primeira carta de João*, p. 47.

No tribunal dos homens, muitas vezes a verdade é pisada e a justiça, negada. No tribunal dos homens, não raras vezes a lei é torcida, as testemunhas são subornadas, os juízes são corrompidos e as sentenças, compradas. No tribunal dos homens, muitas vezes vemos um Herodes livre e um João Batista na prisão; um Pilatos julgando e o Jesus de Nazaré sendo julgado; um Nero no trono e um Paulo no calabouço.

No entanto, Jesus como advogado nunca usou de espertezas para torcer a lei. Jesus nunca aceitou suborno. Ele nunca vendeu sua consciência. O diabo quis dar-lhe os reinos do mundo em troca de sua adoração (Mt 4.8-11). As multidões queriam fazê-lo rei (Jo 6.15). Nunca ninguém pôde acusá-lo de pecado. Não havia dolo em sua boca. Sua vida era impoluta e sem jaça. Ele é a Verdade, a luz do mundo, o verbo da vida, o advogado junto ao Pai, Jesus Cristo, o Justo.

Em segundo lugar, *Jesus Cristo como nosso advogado nunca transigiu com o erro* (2.1). Jesus não veio para manipular a lei, mas para cumpri-la. Ele não veio para encontrar brechas na lei para nos inocentar da culpa, mas para cumprir as exigências da lei e nos livrar da condenação do pecado. Ele se colocou sob a lei e viveu em obediência à lei.

Os judeus o acusaram de beberrão, violador do sábado, amigo dos pecadores e até de endemoninhado. Os membros do sinédrio contrataram testemunhas falsas para acusá-lo. Ninguém, contudo, pôde acusá-lo de pecado. Por essa razão, ele pode ser o nosso advogado.

Jesus é o advogado incomparável **quanto ao seu método** (2.1,2)

Jesus é singular não apenas quanto ao seu caráter, mas também quanto ao seu método. Destacaremos aqui alguns pontos importantes:

Em primeiro lugar, *Jesus não veio para defender nossa inocência, mas destacar a nossa culpa* (2.1,2). Jesus não veio para mostrar nossas virtudes, mas para apontar os nossos pecados. Jesus como nosso advogado não defende que somos inocentes, nem aduz circunstâncias atenuantes. Reconhece a nossa culpa e apresenta a Sua obra vicária como a base da nossa absolvição.[13]

---

[13] STOTT, John. *I, II, III João: Introdução e comentário*, p. 71.

Jesus Cristo, nosso advogado, não veio buscar justos, mas pecadores. Ele não veio para os sãos, mas para os enfermos. Ele não veio salvar os que se julgam bons, mas veio buscar e salvar os perdidos (Lc 19.10). Destacamos alguns pontos:

Jesus não veio para dizer que o homem é bom. O pensador francês Jean Jacques Rousseau diz que o homem é bom. Muitos creem nessa tolice e se julgam perfeitos e essencialmente bons. Mas a Bíblia diz que todos pecaram e destituídos estão da glória de Deus (Rm 3.23). As Escrituras nos informam que *Não há justo, nem um sequer* (Rm 3.10).

É bom enfatizar que Jesus veio para morrer pelos pecadores e não por aqueles que aplaudem as próprias virtudes. Aquele que diz que não tem pecado engana-se a si mesmo e ainda faz Deus mentiroso.

Jesus não veio para dizer que temos méritos diante de Deus para sermos absolvidos. A defesa que Jesus apresenta em nosso favor à destra de Deus não é fazendo uma apologia dos nossos méritos pessoais, mas da virtude e eficácia de Seu sacrifício em nosso favor. Somos salvos pela fé e não pelas obras (Ef 2.8,9). Não somos aceitos por Deus pelas obras que fazemos, mas pela obra que Cristo fez. Não somos recebidos nos céus pelas obras que fazemos para Deus, mas pela obra que Deus fez por nós em Cristo.

Jesus não veio para dizer que somos inocentes. Longe de defender nossa inocência, Jesus reafirma a nossa culpa. Deus não inocenta o culpado (Êx 34.7) e a alma que pecar, essa morrerá (Ez 18.4). Só aqueles que se reconhecem pecadores culpados podem ter a Jesus como seu advogado. Só aqueles que estão desesperados por causa de seus pecados podem encontrar o alívio do perdão e a alegria da reconciliação por meio de Cristo. Se não tivermos uma concepção real da malignidade e gravidade do pecado não teremos uma visão correta do Salvador nem mesmo da salvação.

Jesus não veio para dizer que somos livres. O pecado escraviza. O pecado é uma prisão. Jesus diz que quem pratica o pecado é escravo do pecado. Muitos pensam que o maior problema do homem é a ignorância. Os positivistas pensaram que se déssemos educação ao homem ele viveria num paraíso, mas o maior problema do homem não é ignorância, mas o pecado.

Há pessoas cultas que ainda são escravas do seu pecado. Somente Cristo liberta. Jesus disse: *Conhecereis a verdade e a verdade vos libertará* (Jo 8.32). Ele mesmo disse: *Se, pois, o Filho vos libertar, verdadeiramente sereis livres* (Jo 8.36). Só aqueles que se reconhecem culpados, perdidos e condenados é que podem ser livres e salvos. No tribunal de Deus não existe réu primário, bons antecedentes e pena comutada. Só os arrependidos serão absolvidos!

Jesus não veio para dizer que a sinceridade é suficiente. Muitos pensam que o importante é ser sincero. Mas a Bíblia diz que *Há caminho que ao homem parece direito, mas ao cabo dá em caminhos de morte* (Pv 14.12). Há muitas pessoas sinceramente enganadas. Há muitos indivíduos que estão no caminho largo da perdição e jamais se aperceberam que estão caminhando para a morte. Jesus não veio para dizer que a sinceridade é a porta do céu. A porta do céu é Jesus. O caminho para Deus é Jesus. O único advogado junto ao Pai é Jesus Cristo, o Justo.

Em segundo lugar, ***Jesus não cobra honorários, Ele defende a nossa causa de graça.*** Quanto mais famoso é um advogado, tanto mais caro é o seu serviço. Jesus é o advogado divino e Ele não cobra nada; aliás, Ele pagou tudo.

A salvação é de graça, mas não é barata. Ela custou muito caro para Deus. Ela custou o sangue do Seu Filho bendito. Jesus suportou a ignomínia da cruz para nos salvar (Hb 12.2). Ele suportou o escárnio, as cusparadas e a vil humilhação para ser o nosso advogado. Ele foi esbordoado, despido e pregado na cruz por ser o nosso representante e substituto. Ele morreu a nossa morte. Ele ressuscitou e está à destra de Deus.

A graça é um dom imerecido. Jesus é o advogado daqueles que estão desamparados, que estão esmagados pela culpa, que estão sob o senso da condenação. Jesus não cobra pelo Seu serviço. Ele não exige o pagamento de custas processuais nem cobra honorários.

Em terceiro lugar, ***Jesus é o titular da ação e não pede substabelecimento.*** Jesus não é um advogado dentre outros. Ele é o único advogado que nós temos junto ao Pai. Ele é o único Mediador entre Deus e os homens. Ninguém pode ir ao Pai senão por Ele. Não há salvação em outro nome dado entre os homens pelo qual importa que sejamos salvos. Não podemos confiar em nossos méritos, obras, penitências, nem recorrermos a Pedro, Maria ou outros intercessores. Jesus é o titular da ação ou, então, não é o nosso advogado.

Em quarto lugar, *Jesus jamais está ocupado, mas está sempre pronto a nos atender*. Quanto mais importante é um advogado, tanto mais cheia é a sua agenda e tanto mais indisponível está para os seus clientes. Jesus, o advogado incomparável, está sempre disponível. Ele não está ocupado em viagens e audiências. Temos livre acesso a Ele a qualquer tempo, em qualquer lugar. Sua assistência é direta e constante. Podemos falar com Ele em casa, no trabalho, na escola ou no hospital. Sua linha nunca está ocupada. Ele está à direita do Pai e intercede por nós (Rm 8.34).

Jesus é o advogado incomparável quanto à Sua eficácia (2.2)

Alistaremos em seguida as razões por que Jesus é absolutamente eficaz em Seu ministério como nosso advogado.

Em primeiro lugar, *Jesus veio não apenas para estar ao nosso lado, mas em nosso lugar*. Ele não veio apenas para falar por nós, mas para morrer por nós. Jesus é o nosso fiador, representante e substituto. O apóstolo João diz que Jesus é a propiciação pelos nossos pecados. Destacamos aqui dois pontos: a natureza do Seu sacrifício e o alcance do Seu sacrifício.

A natureza do sacrifício de Cristo. João escreve: *E Ele é a propiciação pelos nossos pecados...* (2.2a) A palavra grega *hilasmos* significa satisfação e propiciação. A ideia é aplacar a ira de Deus. A ideia dessa passagem é que Jesus propicia a Deus com relação a nossos pecados.[14]

A "propiciação" está ligada aos sacrifícios do Antigo Testamento. Animais eram sacrificados e o Seu sangue derramado como "pagamento" pelo pecado (Lv 16.14,15; 17.11). Os sacrifícios eram oferecidos para cobrir os pecados e afastar a ira de Deus sobre os pecadores. Cristo é o sacrifício, providenciado pelo próprio Deus, que satisfaz a justa ira de Deus pelos nossos pecados, e desvia essa ira de sobre nós,

---

[14] RIENECKER, Fritz e ROGERS, Cleon. *Chave linguística do Novo Testamento grego*, p. 584.

apaziguando a Deus e nos reconciliando com Ele (4.10; Rm 3.25,26; 1Pe 2.24; 3.18).[15]

Cristo morreu na cruz para propiciar a Deus. John Stott é categórico quando diz que Deus precisa ser propiciado, uma vez que sua ira permanece sobre todo pecado e de algum modo tem de ser afastada ou aplacada, se é que o pecador há de ser perdoado.[16]

John Stott ainda refuta aqueles que rejeitam a doutrina da propiciação, vinculando-a a toscas ideias pagãs do aplacamento da ira caprichosa dos deuses por meio de dádivas e sacrifícios. Ele ressalta que a ira de Deus não é arbitrária nem caprichosa. Não tem semelhança com as paixões imprevisíveis e com o espírito vingativo e pessoal das divindades pagãs. Em vez disso, ela é seu determinado, controlado e santo antagonismo a todo mal. Também a propiciação é uma iniciativa inteiramente de Deus.[17]

É sempre bom enfatizar que não foi a cruz que produziu o amor de Deus, mas o amor de Deus que produziu a cruz (4.10). Não devemos imaginar nem que o Pai enviou Seu Filho para fazer alguma coisa que o Filho estava relutante em fazer nem que o Filho era uma terceira parte que interveio entre o pecador e um Deus relutante. O que João atribui tanto ao Pai como ao Filho é amor, e não relutância.

Jesus não é apenas o propiciador, Ele é a propiciação. Como Ele fez isso? Para defender-nos diante do tribunal de Deus era necessário que a lei violada por nós fosse cumprida e que a justiça de Deus ultrajada por nós fosse satisfeita. Jesus veio como nosso fiador e substituto. Ele tomou sobre si os nossos pecados. Ele sofreu o duro golpe da lei em nosso lugar. Ele levou sobre si a nossa culpa. Ele bebeu sozinho o cálice da ira de Deus contra o pecado. Ele se fez pecado por nós. Ele foi humilhado, cuspido, espancado, moído. Ele morreu a nossa morte. A cruz é a justificação de Deus. Pelo Seu sacrifício, nossos pecados foram cancelados. Agora estamos quites com a lei de Deus e com a justiça de Deus. Agora estamos justificados. Jesus é a propiciação pelos nossos pecados.

---

[15]LOPES, Augustus Nicodemus. *Primeira carta de João*, p. 47.
[16]STOTT, John. *I, II, III João: Introdução e comentário*, p. 72.
[17]STOTT, John. *I, II, III João: Introdução e comentário*, p. 72.

John Stott de forma oportuna alerta:

> Cristo ainda é a propiciação, não porque em algum sentido Ele continue a oferecer o Seu sacrifício, mas porque o Seu sacrifício único, uma vez oferecido, tem virtude eterna que é eficaz hoje nos que creem. Assim, a provisão do Pai para o cristão que peca está em Seu Filho, que possui tríplice qualificação: Seu caráter justo, Sua morte propiciatória e Sua advocacia celestial. Cada uma depende das outras. Ele não poderia ser nosso advogado no céu hoje, se não tivesse morrido para ser a propiciação pelos nossos pecados; e a sua propiciação não teria sido eficaz, se em sua vida e caráter não tivesse sido Jesus Cristo, o Justo.[18]

Podemos sintetizar a explanação feita em três pontos básicos:

Primeiro, a necessidade da propiciação. O fim principal do homem é glorificar a Deus e ter comunhão com Ele. O problema supremo do homem, porém, é o pecado, pois este separa o homem de Deus. Porém, mediante o sacrifício de Cristo essa comunhão que foi quebrada pelo pecado é restaurada.

William Barclay está certo quando diz que Jesus é a pessoa em virtude da qual são removidas tanto a culpa do pecado passado como a contaminação do pecado presente.[19] A necessidade da propiciação não se constitui nem da ira de Deus, isoladamente, nem do pecado do homem, isoladamente, mas de ambos juntos. O pecado é transgressão da lei de Deus e rebelião contra Deus. O pecado provoca a ira de Deus e precisa ser propiciado para sermos perdoados e aceitos por Deus.

Segundo, a natureza da propiciação. Jesus Cristo é a nossa propiciação (2.2; 4.10). É por meio do Seu sangue que somos purificados do pecado (1.7). Ele sofreu a morte que era a recompensa justa dos nossos pecados. E a eficácia de Sua morte permanece, de sorte que hoje Ele é a propiciação.

Terceiro, a origem da propiciação. A origem da propiciação é o amor de Deus (4.10). Deus deu o Seu Filho para morrer pelos pecadores. Esse

---
[18] STOTT, John. *I, II, III João: Introdução e comentário*, p. 73.
[19] BARCLAY, William. *I, II, III Juan y Judas*, p. 49.

dom não foi apenas resultado do amor de Deus (Jo 3.16), nem somente prova e penhor dEle (Rm 5.8; 8.32), mas a própria essência desse amor: *Nisto consiste o amor [...] em que Ele nos amou, e enviou o Seu Filho como propiciação pelos nossos pecados* (4.10). Portanto, não pode haver a questão de homens apaziguando com suas ofertas uma divindade irritada. A propiciação cristã é completamente diferente, não só no caráter da ira divina, mas no meio pelo qual é propiciada. É um apaziguamento da ira de Deus pelo amor de Deus, mediante a dádiva de Deus.[20]

O alcance do sacrifício de Cristo. O apóstolo João conclui: *[...] e não somente pelos nossos próprios, mas ainda pelos do mundo inteiro* (2.2b). O que João está ensinando certamente não é o universalismo. O sacrifício de Cristo alcança todo mundo em extensão, no sentido de que Ele morreu para comprar para Deus os que procedem de toda tribo, língua, povo e nação, mas não todo o indivíduo indistintamente de cada tribo, língua, povo e nação. É todo o mundo sem acepção, mas não todo o mundo sem exceção.

Simon Kistemaker, nessa mesma linha de pensamento, diz que a frase "o mundo inteiro" não está relacionada a cada criatura feita por Deus. A palavra *inteiro* descreve o mundo em sua totalidade, não necessariamente em sua individualidade. O universalismo, a crença de que Deus salvará a todos, é uma falácia. O próprio apóstolo João, em outro contexto, distingue entre filhos de Deus e filhos do diabo (3.1,10) e então conclui que *Cristo entregou sua vida por nós* (3.16).[21]

Augustus Nicodemus lança luz sobre este assunto quando escreve:

> Essa declaração de João parece contradizer outros textos bíblicos que declaram que Cristo morreu com o propósito de pagar os pecados somente do Seu povo. Fica difícil entender que João está ensinando aqui (2.2) que Cristo pagou efetivamente os pecados de cada homem e mulher que já existiram. Isto significaria três coisas: 1) que Cristo sofreu e morreu em vão por milhares de pecadores que irão sofrer eternamente no inferno; 2) que a pena paga por Cristo no lugar deles não

---

[20]STOTT, John. *I, II, III João: Introdução e comentário*, p. 77.
[21]KISTEMAKER, Simon. *Tiago e epístolas de João*, p. 336.

foi válida, pois os perdidos pagarão outra vez essa pena, sofrendo eternamente; 3) o sacrifício de Cristo apenas torna possível a toda e qualquer pessoa salvar-se pela fé, mas não assegura a salvação de ninguém.

Em outros escritos de João, porém, está claro que Jesus veio dar a sua vida somente para os seus. Aqueles pelos quais Jesus sofreu e morreu são chamados de [...] *minhas ovelhas* (Jo 10.11,15,26-30) e [...] *meus amigos* (Jo 15.13); é por eles, e não pelo mundo, que Jesus roga ao Pai (Jo 17.9-20). Esse conceito se percebe também em outras partes do Novo Testamento: Jesus veio salvar [...] *o Seu povo dos pecados deles* (Mt 1.21); o que Deus comprou com o Seu sangue foi a Sua igreja (At 20.28), pois Cristo amou a igreja e a Si mesmo Se entregou por ela (Ef 5.25).[22]

Em segundo lugar, *Jesus veio não apenas para cuidar das nossas causas temporais, mas, sobretudo, das eternas*. Jesus, como nosso advogado, tem competência não apenas para nos consolar, mas também autoridade para nos perdoar. Seu sangue nos purifica de todo o pecado. Quando Jesus nos absolve, Ele é a última instância. Não cabe mais nenhum recurso nem apelação no supremo pretório divino.

O apóstolo pergunta: *Quem intentará acusação contra os eleitos de Deus? É Deus quem os justifica. Quem os condenará? É Cristo Jesus quem morreu ou, antes, quem ressuscitou, o qual está à direita de Deus e também intercede por nós* (Rm 8.33,34).

Jesus é o advogado das causas perdidas. Ele nunca perdeu uma causa. Ele nunca sofreu uma derrota. Não há pecado que Ele não possa perdoar. Não há casos indefensáveis para Ele. Para Ele não há vidas irrecuperáveis. Jesus limpou os leprosos, curou os cegos, levantou os coxos, ressuscitou os mortos, perdoou as prostitutas e recebeu os publicanos e pecadores. Ele pode salvar totalmente aqueles que se achegam a Ele, vivendo sempre para interceder por eles (Hb 7.25).

A mulher que foi apanhada em flagrante adultério e lançada aos pés de Jesus, exposta ao vexame público pelos escribas e fariseus, estava condenada pelo tribunal da lei, pelo tribunal da religião e pelo tribunal

---

[22] LOPES, Augustus Nicodemus. *Primeira carta de João*, p. 48.

da consciência. Mas Jesus a absolveu, dizendo: *Nem eu tampouco te condeno, vai e não peques mais* (Jo 8.11).

O endemoninhado gadareno já havia sido rejeitado pela sociedade e enjeitado pela família. Vivia entre os sepulcros, nu, furioso, insano, gritando de noite e de dia, ferindo-se com pedras. Era um aborto vivo, um vivo morto, um espectro humano, um pária da sociedade. Jesus não apenas o libertou e o curou, mas também o salvou (Mc 5.1-20).

O ladrão na cruz estava condenado. Estava no apagar das luzes de uma vida vivida no crime. Mas na undécima hora arrependeu-se e pediu a Jesus que lembrasse dele quando viesse no Seu Reino e Jesus o perdoou, dando-lhe garantia imediata e graciosa de comunhão na bem-aventurança eterna.

Em terceiro lugar, *Jesus é o nosso advogado hoje; amanhã será o nosso Juiz*. Quem não O recebe agora como advogado, enfrenta-Lo-á inexoravelmente como o Juiz (At 17.30,31). Todos os homens comparecerão perante o tribunal justo de Deus: ricos e pobres, ateus e religiosos, doutores e analfabetos (Mt 25.31-46; Ap 20.11-15). Não haverá revelia, pois todos estarão lá. Não haverá réplica nem tréplica, mas todos estarão calados, cobertos por um pesado silêncio.

Aqueles que recusaram confiar sua causa a Jesus, como advogado, testemunhas se levantarão contra eles no tribunal. A própria consciência os julgará. Os homens desesperados vão clamar: *Montes, caí sobre nós...* (Ap 6.16). As suas obras os condenarão, pois os livros serão abertos e eles serão julgados segundo as suas obras (Ap 20.12). Suas palavras os condenarão no juízo, pois eles darão contas no dia do juízo por todas as palavras frívolas que proferiram. Suas omissões e seus desejos secretos os denunciarão naquele grande dia do juízo. A única maneira de entrarem pelos portais da bem-aventurança eterna é terem a garantia de que Jesus é o seu advogado.

4

Como conhecer um cristão verdadeiro

1 João 2.3-11

NO CAPÍTULO 1 DE SUA EPÍSTOLA, o apóstolo João identificou três marcas de um falso cristão: ele tenta enganar os outros, a si mesmo e a Deus. Agora, o apóstolo passa a falar sobre as marcas do cristão verdadeiro. Quais são os critérios para avaliarmos se um indivíduo é verdadeiramente salvo? Num universo tão diversificado, de tantas igrejas com tão variadas doutrinas e práticas, como podemos distinguir o verdadeiro do falso? Como podemos saber que uma pessoa é verdadeiramente convertida?

Como já destacamos nesta obra, João enfatiza nessa missiva três provas básicas para identificarmos um cristão verdadeiro: a obediência (a prova moral), o amor (a prova social) e a fé em Cristo (a prova doutrinária).[1]

Nós só podemos conhecer um cristão verdadeiro verificando sua vida com o modelo perfeito que é Jesus. O cristão precisa andar como Cristo andou. Ele precisa amar como Cristo amou. Ele precisa ter a vida que Cristo doou.

Augustus Nicodemus destaca com pertinência que isto não significa a perfeição absoluta aqui neste mundo.[2] É bem conhecida a interpre-

---

[1] STOTT, John. *I, II, III João: Introdução e comentário*, p. 77.
[2] LOPES, Augustus Nicodemus. *Primeira carta de João*, p. 52.

tação de Calvino a este respeito. Para o reformador genebrino, João se refere aos que lutam de acordo com a capacidade da fraqueza humana, para formar sua vida na obediência a Deus.

No texto em tela, vamos nos concentrar em duas dessas provas básicas: a obediência e o amor.

A obediência, a evidência do verdadeiro conhecimento de Deus (2.3-6)

Conhecer a Deus e ter comunhão com Ele é a própria essência da vida eterna (Jo 17.3). Comunhão com Deus e conhecimento de Deus são dois lados da mesma moeda.[3]

Em suas *Confissões*, Agostinho de Hipona diz: "Deus nos criou para Ele e nossa alma não encontrará repouso até descansarmos nEle". William Barclay destaca as três formas de conhecimento correntes no primeiro século.[4]

Os gregos pensavam que podiam conhecer a Deus simplesmente por intermédio da razão. Os falsos mestres do gnosticismo desprezavam os cristãos julgando-se superiores a eles, uma vez que estes tinham fé, enquanto eles tinham conhecimento. O gnosticismo defendia a supremacia do conhecimento. Eles se consideravam superiores aos outros homens. Eles viam a si mesmos como uma casta espiritual. Para os gregos, o caminho para Deus era o intelecto.

O cristianismo deveria converter-se em uma satisfação intelectual em vez de uma ação moral.[5] Movidos por essa cosmovisão, os grandes expoentes da cultura grega, como Sócrates e Platão, não tinham uma vida moral ilibada. Eles, por exemplo, tinham amantes e defendiam o homossexualismo. O conhecimento estava separado da ética. Vemos, ainda hoje, resquícios dessa visão equivocada. Há aqueles que têm conhecimento, mas não têm vida. São ortodoxos de cabeça, mas hereges de conduta.

Posteriormente os gregos falavam no conhecimento de Deus por intermédio da emoção. Com o surgimento das religiões de mistério, um grande

---
[3]KISTEMAKER, Simon. *Tiago e epístolas de João*, p. 339.
[4]BARCLAY, William. *I, II, III Juan y Judas*, p. 51-53.
[5]BARCLAY, William. *I, II, III Juan y Judas*, p. 51.

destaque foi dado à questão emocional e mística. As cerimônias e rituais eram regados de emocionalismo. Criava-se uma atmosfera emocional, por uma iluminação sutil, música sensual, incenso perfumado e uma cativante liturgia.

A proposta não era conhecer a Deus, mas sentir Deus. Isso criou uma religião narcotizante. As pessoas entravam em transe. Tinham catarses. Eram arrebatadas emocionalmente. Essa tendência está em alta ainda hoje. O evangelicalismo brasileiro tem laivos fortes desse misticismo. As pessoas não querem conhecimento, mas experiências; não querem saber, querem sentir. Buscam não a verdade, mas arrebatamentos emocionais.

O conhecimento de Deus por meio da própria revelação. A visão judeu-cristã é que só podemos conhecer a Deus porque Ele Se revelou e Se revelou de forma plena e final em Seu Filho Jesus Cristo. O conhecimento de Deus não é produto da especulação humana nem de exóticas experiências emocionais, mas da revelação do próprio Deus ao homem por intermédio de Cristo. Logo que Pedro confessou a Jesus como o Cristo, o Filho do Deus vivo, o Senhor lhe disse: *Bem-aventurado és, Simão Barjonas, porque não foi carne e sangue que to revelaram, mas meu Pai, que está nos céus* (Mt 16.17).

Dito isto, vamos agora considerar os versículos 3 a 6 do texto em apreço. O ponto nevrálgico é identificar o verdadeiro conhecimento de Deus. Estariam os gnósticos e as religiões de mistério com a razão? Será que o conhecimento de Deus nos é concedido por meio do intelecto ou das emoções? Será que o verdadeiro conhecimento de Deus é fruto do conhecimento esotérico e das experiências místicas?

João rechaça essas possibilidades, e levanta a bandeira do verdadeiro conhecimento de Deus. A verdade incontroversa e irrefutável ensinada pelo apóstolo é que o verdadeiro conhecimento de Deus nos vem pela revelação e é evidenciado pela obediência.

Destacaremos quatro pontos para a nossa reflexão:

Em primeiro lugar, **a obediência é a prova do conhecimento de Deus** (2.3). *Ora, sabemos que o temos conhecido por isso: se guardamos os Seus mandamentos.*

Harvey Blaney diz que para os gregos o conhecimento da realidade máxima vinha por meio da contemplação racional; para os gnósticos, ela vinha como resultado de uma experiência mística. Para João, o conhecimento máximo é o conhecimento de Deus em Jesus Cristo.[6]

Conhecer nas Escrituras e especialmente em João (2.3,4,13,14) não significa nunca um conhecimento intelectual, teórico, mas um conhecimento experimental do coração.[7] O que João está dizendo é que nenhum conhecimento é verdadeiro se não for transformador.

John Stott tem razão quando diz que nenhuma experiência religiosa é válida se não tiver consequências morais (Tt 1.16).[8]

Não conhecemos a Deus pelo tanto de informações que temos na mente, mas pelo grau de obediência que manifestamos na vida. As palavras de um homem devem ser provadas por suas obras. Se a sua vida contradiz as suas palavras, o seu conhecimento de Deus é falso. João não pode conceber um verdadeiro conhecimento de Deus que não resulte em obediência.

O conhecimento de Deus só pode ser provado pela obediência a Deus, e só pode ser adquirido obedecendo a Deus. Conhecer a Deus é experimentar o amor de Cristo e devolver esse amor em obediência.[9]

Warren Wiersbe diz que a obediência pode ter três motivações: obedecemos porque somos obrigados, porque precisamos ou porque queremos. O escravo obedece porque é *obrigado*. Do contrário, será castigado. O empregado obedece porque *precisa*. Pode não gostar de seu trabalho, mas certamente gosta de receber o salário no final do mês! Precisa obedecer, pois tem uma família para alimentar e vestir. Mas o cristão deve obedecer ao Pai celestial porque *quer* – porque tem um relacionamento de amor com Deus.[10] Jesus disse: *Se me amais, guardareis os meus mandamentos* (Jo 14.15).

Em segundo lugar, **a inconsistência moral é a negação do conhecimento de Deus** (2.4). *Aquele que diz: Eu o conheço e não guarda os Seus mandamentos é mentiroso, e nele não está a verdade*. O pior dos enganos é o autoengano. Há aqueles que estão certos de que conhecem a Deus,

---

[6]BLANEY, Harvey. *A primeira epístola de João*. Vol. 10, p. 301.
[7]SCHROEDER, L. Bonnet y A. *Comentario del Nuevo Testamento*. Tomo 4, p. 311.
[8]STOTT, John. *I, II, III João: Introdução e comentário*, p. 78.
[9]BARCLAY, William. *I, II, III Juan y Judas*, p. 52.
[10]WIERSBE, Warren W. *Comentário bíblico expositivo*. Vol. 6, p. 621.

mas estão enganados, são mentirosos, porque sua vida está plantada na areia movediça da inconsistência moral. Alguém poderá dizer: "Eu sou cristão, eu estou no caminho do céu, eu pertenço a Cristo". Mas se não fizer o que Cristo lhe manda, é mentiroso.

Simon Kistemaker diz que a pessoa que fala uma coisa e faz exatamente o contrário é uma mentira ambulante.[11] A prova do conhecimento de Deus é a obediência moral. As palavras de um homem devem ser provadas por suas obras. Jesus Cristo acentua essa verdade no Sermão do Monte, quando diz:

> *Muitos, naquele dia, hão de dizer-me: Senhor, Senhor! Porventura, não temos nós profetizado em Teu nome, e em Teu nome não expelimos demônios, e em Teu nome não fizemos muitos milagres? Então, lhes direi explicitamente: nunca vos conheci. Apartai-vos de mim, os que praticais a iniquidade* (Mt 7.22,23).

Os falsos mestres gnósticos, em virtude de sua teologia herética, bandearam para a imoralidade. Influenciados pelo dualismo grego, acreditavam que a matéria era essencialmente má. Por conseguinte, desvalorizavam o corpo e não acreditavam na sua santidade. Essa atitude os levou ora para o ascetismo, ora para a libertinagem. O resultado disso é que professavam conhecer a Deus, mas negavam esse conhecimento pela vida desregrada que tinham. O conhecimento de Deus que alegavam ter era falso.

Em terceiro lugar, **a obediência à Palavra é a prova de que Deus está em nós e nós nEle** (2.5). *Aquele, entretanto, que guarda a sua palavra, nEle, verdadeiramente, tem sido aperfeiçoado o amor de Deus. Nisto sabemos que estamos nEle...* O amor de Deus por nós é aperfeiçoado na obediência à Palavra. Nosso amor por Deus é demonstrado pela observância dos mandamentos de Cristo (5.3; Jo 14.15,21,23).

Como podemos saber que estamos em Deus? João responde com uma sucessão de declarações: Quando estamos nEle (2.5), quando permanecemos nEle (2.6) e quando andamos assim como Ele andou (2.6).

---

[11]KISTEMAKER, Simon. *Tiago e epístolas de João*, p. 340.

Concordo com John Stott quando diz que o verdadeiro amor a Deus se expressa, não em linguagem sentimental ou em experiência mística, mas na obediência moral. A prova do amor é a lealdade.[12]

Em quarto lugar, **a imitação de Cristo é a prova de que pertencemos a Ele** (2.6). *Aquele que diz que permanece nEle, este deve também andar assim como Ele andou.* Cristo não é apenas nosso mestre; é também nosso exemplo. Qualquer pessoa que diga que é cristão deve viver como Cristo viveu.

A tradução Phillips deixa isso claro: *A vida daquele que professa viver em Deus deve produzir perfeitamente o caráter de Cristo*. Não basta conhecer Seus mandamentos e Sua Palavra, precisamos também imitá-Lo (2.6; 3.3).

Precisamos andar como Ele andou. Como Cristo andou? Ele andou regido pela humildade. Ele se esvaziou a Si mesmo. Ele andou em total submissão ao Pai. Ele se entregou a Si mesmo. Ele andou por toda a parte fazendo o bem e curando os oprimidos do diabo. Ele andou em amor e perdoou até mesmo os Seus algozes. É assim que devemos andar, uma vez que o conhecimento de Deus não é apenas intelectual ou emocional, mas sempre desembocará na obediência moral.

Concordo com William Barclay quando escreve:

> O cristianismo é a religião que oferece o maior privilégio e também a maior obrigação. No cristianismo, o esforço intelectual e a experiência emocional não são descuidados – longe disso – devem, contudo, combinar-se para frutificar em ação moral.[13]

John Stott tem razão quando diz: "Não podemos pretender permanecer nEle, a menos que nos comportemos como Ele".[14]

O amor, a evidência da verdadeira caminhada na luz (2.7-11)

Se a obediência é a prova moral que identifica o verdadeiro cristão, o amor é a prova social. João faz uma transição da prova moral para a

---

[12]STOTT, John. *I, II, III João: Introdução e comentário*, p. 79.
[13]BARCLAY, William. *I, II, III Juan y Judas*, p. 53.
[14]STOTT, John. *I, II, III João: Introdução e comentário*, p. 80.

prova social, da obediência aos mandamentos para o amor ao próximo. Algumas verdades preciosas são aqui destacadas:

Em primeiro lugar, *o amor é um mandamento velho e novo ao mesmo tempo* (2.7,8). O apóstolo João escreve:

> *Amados, não vos escrevo mandamento novo, senão mandamento antigo, o qual, desde o princípio, tivestes. Esse mandamento antigo é a palavra que ouvistes. Todavia, vos escrevo novo mandamento, aquilo que é verdadeiro nele e em vós, porque as trevas se vão dissipando, e a verdadeira luz já brilha.*

O amor fraternal era parte integrante da mensagem original que chegara aos cristãos. O apóstolo não está inventando esta mensagem agora. Não era uma inovação como o que os hereges pretendiam ensinar. Era tão antigo como o próprio evangelho.[15]

João mostra que o novo surge a partir do antigo, quando diz que o novo mandamento, na verdade, é antigo. O mandamento de amar o próximo é antigo. Ele é da lei: *Amarás o teu próximo como a ti mesmo* (Lv 19.18). Ele faz parte do Antigo Testamento. Entretanto, é um novo mandamento, porque Cristo o revestiu de um significado mais rico e mais amplo (Jo 13.34,35).

Lloyd John Ogilvie diz que Jesus transformou esse mandamento em novo mandamento no fato de que Ele realmente chamou as pessoas a vivê-lo. Sua vida toda o encarnou. Esse mandamento se torna novo toda vez que permitimos que seu prumo desafiador caia em nossos relacionamentos. A vida cristã é um milhão de novos começos instigados pelo desafio sempre novo de amar uns aos outros como Cristo nos amou. É verdade que reorienta em meio ao conflito. É nosso mandato quando lidamos com pessoas difíceis e impossíveis. É na prática do amor de alto preço que o mandamento se torna novo outra vez.[16] Conquanto o cristianismo doutrinário seja sempre antigo, o cristianismo experimental é sempre novo.[17]

---

[15] STOTT, John. *I, II, III João: Introdução e comentário*, p. 80.
[16] OGILVIE, Lloyd John. *Quando Deus pensou em você*, p. 26,27.
[17] STOTT, John. *I, II, III João: Introdução e comentário*, p. 81.

João não está entrando em contradição. Na língua grega há duas palavras para "novo". A palavra *neós* é novo em termos de tempo e *kainós* é novo em termos de qualidade. A palavra usada por João aqui é *kainós*. O mandamento para amar uns aos outros não é novo em termos de tempo, mas o é em termos de qualidade.[18]

Simon Kistemaker esclarece esse ponto quando diz que não há nenhuma contradição nas palavras de João, considerando três aspectos: 1) Literal – A palavra *novo* em grego sugere que o antigo deu à luz o novo. O antigo não deixa de existir, mas continua com o novo. Observamos um bom exemplo com respeito aos dois testamentos: o Antigo Testamento preparou o caminho para o Novo Testamento, mas não perdeu a sua validade quando o Novo chegou. 2) Teológico – O conceito de *próximo* (Lv 19.18) inclui tanto o israelita quanto o estrangeiro que vivia na terra prometida com o povo de Deus (Lv 19.34). Na época do Novo Testamento, porém, Jesus deu novo significado ao mandamento de amar ao próximo, quando contou a parábola do bom samaritano (Lc 10.25-37) e quando disse aos ouvintes que o mandamento de amar o próximo também era válido para os inimigos (Mt 5.43,44). Jesus tornou-se conhecido como [...] *amigo de publicanos e pecadores* (Mt 11.19). 3) Evidente – Se a comunhão cristã é caracterizada por tal amor, então será reconhecida como a comunhão dos seguidores de Cristo; terá a marca inconfundível de Seu amor.[19]

Podemos afirmar que o mandamento de amar o próximo é novo em três aspectos:

O mandamento é novo em profundidade. O novo mandamento de Cristo nos desafia a amar como Ele nos amou. Isso é mais do que amar o próximo como a si mesmo, uma vez que Cristo nos amou e a Si mesmo se entregou por nós. O amor cristão não é sentimento, é ação. Não somos quem dizemos ser, mas o que fazemos. Cristo deu sua vida por nós e devemos dar a nossa vida pelos irmãos (3.16).

O mandamento é novo em extensão. Jesus redefiniu o significado de "próximo". O próximo que devemos amar é qualquer pessoa que precise

---

[18] WIERSBE, Warren W. *Comentário bíblico expositivo.* Vol. 6, p. 624.
[19] KISTEMAKER, Simon. *Tiago e cartas de João,* p. 346,347.

da nossa compaixão, independentemente de raça ou posição. Devemos amar até mesmo os nossos inimigos. Em Jesus o amor busca o pecador. Para os rabinos judeus ortodoxos, o pecador era uma pessoa a quem Deus queria destruir.

Os judeus desprezavam os pecadores, considerando-os indignos do amor de Deus, e repudiavam os gentios, considerando-os combustível do fogo do inferno. Porém Deus amou o mundo. Deus provou Seu amor por nós, sendo nós ainda pecadores. Ele não amou por causa dos nossos méritos, mas apesar dos nossos deméritos. Jesus amou aqueles que o feriram e perdoou aqueles que o pregaram na cruz. O nosso amor deve alcançar a todos sem fazer discriminação. O nosso amor deve incluir a todos sem acepção. O nosso amor deve abranger a todos sem exceção.

O mandamento é novo em experiência. Andar em amor e andar na luz são a mesma coisa. Quando conhecemos a Deus tornamo-nos filhos da luz. Na vida cristã as trevas vão se dissipando, pois as trevas não podem prevalecer sobre a luz. Na vida cristã a verdadeira luz, que é Cristo, já brilha. Quando Jesus nasceu, o [...] *sol nascente das alturas* visitou o mundo (Lc 1.78).

Seu nascimento foi o início de um novo dia para a humanidade. *O povo que jazia em trevas viu grande luz, e aos que viviam na região e sombra da morte resplandeceu-lhes a luz* (Mt 4.16). Jesus é o Sol da Justiça. A vida cristã é viver em Cristo, é permanecer nele. Por isso, a vida do justo [...] *é como a luz da aurora, que vai brilhando mais e mais até ser dia perfeito* (Pv 4.18).

Lloyd John diz que o antigo mandamento se torna novo todas as vezes que vemos a verdade de Cristo penetrar as trevas do preconceito. Na luz, vemos as pessoas pelo que são em sua necessidade. Ao se dissiparem as trevas, a realidade do indivíduo fica exposta, e novamente somos desafiados a praticar o amor. Para João, luz é igual a amor, e trevas equivalem a ódio. A aurora já raiou em Jesus Cristo, e as trevas já vão se dissipando.[20]

Os cristãos já foram libertados e desarraigados deste mundo perverso (Gl 1.4) e já começaram a saborear os poderes da era por vir

---

[20] OGILVIE, Lloyd John. *Quando Deus pensou em você*, p. 27,28.

(Hb 6.5). John Sott conclui esse pensamento quando diz que o novo mandamento continua novo porque pertence à nova era já introduzida pelo brilho da verdadeira luz.[21]

Em segundo lugar, *o ódio não sobrevive na luz* (2.9). "Aquele que diz estar na luz e odeia a seu irmão, até agora, está nas trevas." O falso mestre ou o falso cristão afirma que está na luz. Na verdade, ele é a mesma pessoa que já afirmou estar em comunhão com Deus (1.6) e conhecer a Deus (2.4). Ele deixa isso claro a qualquer um que lhe der ouvido, mas seus atos não são coerentes com suas palavras; sua afirmação não tem valor, pois sua conduta a contradiz; sua profissão da luz se traduz numa vida de trevas e, na falta de amor, ele experimenta o poder destruidor do ódio em seus relacionamentos pessoais.[22]

Concordo com Lloyd John quando diz que a inimizade é cancerosa.[23] Ela gera a própria espécie. Ela se multiplica desordenadamente. Ela adoece, deforma e mata.

Assim como o amor não pode habitar nas trevas, o ódio não pode sobreviver na luz. John Stott está coberto de razão quando diz que luz e amor, trevas e ódio se pertencem mutuamente. O verdadeiro cristão, que conhece a Deus e anda na luz, obedece a Deus e ama a seu irmão. Vê-se a genuinidade da sua fé em sua correta relação com Deus e com o homem.[24]

Quem odeia a seu irmão está nas trevas e não conhece a Deus, pois Deus é luz (1.5) e Deus é amor (4.8). Simon Kistemaker diz corretamente que odiar o irmão não é uma questão trivial. João repete a ideia desse capítulo nos dois capítulos seguintes, quando diz que *Todo aquele que odeia a seu irmão é assassino* (3.15) e que *Se alguém disser: Amo a Deus, e odiar a seu irmão, é mentiroso* (4.20). Quem odeia a seu irmão desobedece aos mandamentos de Deus, está longe da verdade e vive em trevas espirituais.[25]

---

[21]STOTT, John. *I, II, III João: Introdução e comentário*, p. 81.
[22]KISTEMAKER, Simon. *Tiago e cartas de João*, p. 349.
[23]OGILVIE, Lloyd John. *Quando Deus pensou em você*, p. 29.
[24]STOTT, John. *I, II, III João: Introdução e comentário*, p. 82.
[25]KISTEMAKER, Simon. *Tiago e cartas de João*, p. 350.

Augustus Nicodemus diz que o ódio ao irmão é bastante revelador: indica a falta do verdadeiro conhecimento de Deus. Indica falta de conversão; aponta, portanto, para o estado de perdição daquele que odeia.[26] Mas em que consistiria esse ódio? O mesmo escritor responde:

> O ódio a que João se refere na carta é a falta de cuidado, provisão e ajuda para com irmãos verdadeiramente necessitados. Por desprezar o corpo, o gnosticismo não via como parte da verdadeira religião a preocupação para com as necessidades físicas dos outros.[27]

João mostra com diáfana clareza que a vida cristã estabelece uma correta relação tanto com Deus quanto com o homem. Deve existir coerência entre o dizer e o fazer. O amor é ativo como a luz. No amor não existe penumbra como meio-termo. Não há neutralidade nas relações pessoais. Não podemos estar em comunhão com Deus e com as relações quebradas com os nossos irmãos ao mesmo tempo. Não podemos cantar hinos que falam do amor e ao mesmo tempo guardar mágoa no coração.

William Barclay é enfático: "Um homem está caminhando na luz do amor ou nas trevas da maldade".[28] Simon Kistemaker ainda reforça esse pensamento quando diz: "Para João não há crepúsculo. Só há luz ou trevas, amor ou ódio. Onde não há amor, o ódio reina em meio à escuridão. Onde, porém, prevalece o amor, ali há luz".[29]

Em terceiro lugar, *o amor não produz tropeço para si nem para os outros* (2.10). *Aquele que ama a seu irmão permanece na luz, e nele não há nenhum tropeço.* A palavra grega *skandalon*, traduzida por "tropeço", é metáfora bíblica para uma pedra saliente que faz tropeçar o viajor.[30] O uso desta palavra mostra que a falta de amor produz escândalo e causa tropeço.

Um crente que guarda ódio no coração encontra em si mesmo tropeço para crescer espiritualmente e serve de escândalo na comunidade

---

[26]LOPES, Augustus Nicodemus. *Primeira carta de João*, p. 57.
[27]LOPES, Augustus Nicodemus. *Primeira carta de João*, p. 57.
[28]BARCLAY, William. *I, II, III Juan y Judas*, p. 57.
[29]KISTEMAKER, Simon. *Tiago e cartas de João*, p. 350.
[30]OGILVIE, Lloyd John. *Quando Deus pensou em você*, p. 30.

onde vive. Ele causa problemas em vez de ajudar a resolvê-los. Em vez de bênção, transforma-se em maldição. Em vez de pacificador, ele é perturbador. Em vez de apagar os focos de incêndio, ele mesmo é um incendiário.

Lloyd John está correto quando escreve: "As trevas da animosidade tornam o caminho traiçoeiro, mas a luz de Cristo transforma as pedras de tropeço em calçada".[31]

Warren Wiersbe narra a história de um homem que certa noite andava por uma rua escura quando viu um ponto muito pequeno de luz vindo em sua direção com movimentos hesitantes. Pensou que a pessoa carregando a luz talvez estivesse doente ou bêbada, mas, ao se aproximar, viu que o homem com a lanterna também segurava uma bengala branca. *Por que será que um homem cego está carregando uma lanterna acesa?*, o homem pensou e resolveu perguntar a ele. O cego sorriu e respondeu: "Eu carrego essa luz não para que eu veja, mas para que outros me vejam. Não posso fazer coisa alguma a respeito da minha cegueira, mas posso fazer algo para não ser um tropeço".[32]

Em quarto lugar, *o ódio é um veneno que destrói aqueles que dele se nutrem* (2.11). *Aquele, porém, que odeia a seu irmão está nas trevas, e anda nas trevas, e não sabe para onde vai, porque as trevas lhe cegaram os olhos.*

Augustus Nicodemus diz, acertadamente, que as trevas a que João se refere são a escuridão moral e espiritual, característica do estado de pecado e corrupção em que a humanidade vive. Nessa escuridão não brilha o verdadeiro conhecimento de Deus, que é o Senhor Jesus. Os incrédulos estão cegos, andando no escuro com relação às coisas espirituais e morais; dessa forma, estão perdidos, sem rumo algum neste mundo.[33]

A Escritura diz: *O caminho dos perversos é como a escuridão; nem sabem eles em que tropeçam* (Pv 4.19).

O ódio afasta o homem de Deus e do próximo. Quem guarda mágoa no coração não pode adorar a Deus, não pode orar a Deus nem levar sua oferta ao altar de Deus. Quem tem ódio no coração não pode ser

---

[31] OGILVIE, Lloyd John. *Quando Deus pensou em você*, p. 30.
[32] WIERSBE, Warren W. *Comentário bíblico expositivo*. Vol. 6, p. 628.
[33] LOPES, Augustus Nicodemus. *Primeira carta de João*, p. 58.

perdoado por Deus. Quem se alimenta de ódio adoece emocional, espiritual e fisicamente. Quem se empanturra de mágoa é entregue aos flageladores da alma, aos verdugos da consciência. Quem se alimenta do absinto do ódio não tem paz, não tem alegria nem liberdade. Quem odeia a seu irmão está nas trevas, anda nas trevas e não sabe para onde vai. Quem odeia a seu irmão está cego pelo príncipe das trevas. Quem odeia a seu irmão é responsável pela própria ruína.

Quem odeia a seu irmão evidencia em sua vida três amargas realidades:

Quem odeia a seu irmão não tem a salvação de sua alma (2.11a). *Aquele, porém, que odeia a seu irmão está nas trevas...* As trevas são o oposto da luz. O diabo é o príncipe das trevas. O Seu Reino é o reino das trevas. Os súditos do Seu Reino são filhos das trevas. Por conseguinte, quem odeia a seu irmão ainda não é convertido, ainda não foi transportado do reino das trevas para o reino da luz.

Quem odeia a seu irmão não tem propósito na vida (2.11b). *[...] e anda nas trevas...* Quem anda nas trevas, anda sem segurança. Quem anda nas trevas, anda sem projeto e sem propósito. Quem anda nas trevas, não sai do lugar, não faz progresso, não tem direção clara na jornada na vida. De igual forma, quem odeia a seu irmão vive um arremedo de vida, sem alegria, sem paz, sem liberdade, sem propósito e sem crescimento espiritual.

Quem odeia a seu irmão não tem direção na caminhada da vida (2.11c). *[...] e não sabe para onde vai...* Aquele que vive e anda nas trevas não tem direção segura na vida. Aquele que anda nas trevas vive tateando, tropeçando e caindo. Fazer uma viagem nas trevas é caminhar em direção ao desastre.

João ergue sua voz para dizer que o ódio cega como as trevas. O amor não é cego; o ódio, sim, cega! Uma pessoa amargurada fica cega. Seu raciocínio obscurece. Perde-se o equilíbrio. Perde-se o discernimento. Perde-se a direção. Perde-se a bem-aventurança eterna.

5

Como podemos ter garantia de que somos cristãos verdadeiros

1 João 2.12-17

JOÃO ACABARA DE SUBMETER OS CRENTES a dois dos três testes que identificam o cristão verdadeiro: o teste moral (a obediência) e o teste social (o amor). Eles poderiam ficar desanimados ou até em dúvida se eram de fato cristãos ou mesmo se estavam salvos. Os falsos mestres gnósticos encastelados em sua presunção e soberba acusavam os cristãos de não terem ainda alcançado as alturas excelsas do conhecimento de Deus. Eles, sim, se julgavam espirituais, dotados de um conhecimento superior, esotérico e místico. A tese de João é que o conhecimento deles era falso. A vida deles era imoral e a teologia deles era herética.

O propósito do apóstolo ao escrever essa passagem é encorajar os crentes, assegurando a eles o que são e o que têm em Cristo Jesus, ao mesmo tempo em que mostra a eles como deve ser o relacionamento deles com o mundo.

Augustus Nicodemus tem razão quando diz que João, o sábio pastor de almas, tempera a exortação de sua mensagem com palavras de ânimo e conforto. Nesta passagem (2.12-14), ele interrompe a apresentação dos testes e critérios pelos quais se poderia reconhecer o verdadeiro cristianismo para dar uma palavra de conforto e ânimo aos seus leitores.[1]

---

[1] LOPES, Augustus Nicodemus. *Primeira carta de João*, p. 62.

Vamos destacar duas verdades preciosas nesta exposição: uma palavra de encorajamento e uma palavra de advertência.

Uma palavra de encorajamento – **O que temos em Cristo** (2.12-14)

O apóstolo João escreve assim:

> *Filhinhos, eu vos escrevo, porque os vossos pecados são perdoados, por causa do Seu nome. Pais, eu vos escrevo, porque conheceis Aquele que existe desde o princípio. Jovens, eu vos escrevo, porque tendes vencido o maligno. Filhinhos, eu vos escrevi, porque conheceis o Pai. Pais, eu vos escrevi, porque conheceis Aquele que existe desde o princípio. Jovens, eu vos escrevi, porque sois fortes, e a Palavra de Deus permanece em vós, e tendes vencido o maligno* (2.12-14).

Antes de examinarmos, à luz do texto, o que temos em Cristo, precisamos resolver dois problemas. Primeiro, o que João verdadeiramente quer dizer com as palavras "filhinhos", "jovens" e "pais"? Segundo, por que João usou nos versículos 12 e 13 o verbo "conhecer" no presente e no versículo 14, o usou no pretérito perfeito, ou seja, no passado?

Os estudiosos têm se debruçado sobre este assunto. Alguns pensam que Paulo está falando de três faixas etárias na igreja (crianças, jovens e velhos). Outros creem que Paulo está falando sobre três estágios de desenvolvimento espiritual na igreja (os recém-nascidos em Cristo, os jovens e os amadurecidos na fé).[2]

Estas duas interpretações encontram algumas dificuldades. Primeiro, porque todas as verdades aqui descritas se aplicam a todos os crentes de todas as idades e de todos os estágios da vida cristã.[3] Segundo, porque o termo "filhinhos" nunca é empregado nessa carta para descrever as crianças nem mesmo os recém-convertidos, mas os crentes em geral (2.1; 2.12,14,28; 3.7; 4.4; 5.21).[4] Por conseguinte, somos da opinião de

---

[2] STOTT, John. *I, II, III João: Introdução e comentário*, p. 83.
[3] BARCLAY, William. *I, II, III Juan y Judas*, p. 62.
[4] BOOR, Werner de. *Cartas de João*, p. 331.

que não é propósito de João fazer essas distinções no texto em apreço. Talvez ele até esteja destacando dois grupos: os jovens e os pais, ou seja, aqueles que estão vivendo no fragor da luta espiritual e aqueles que já são mais experimentados.

John Stott diz que entre os filhinhos e os pais estão os *jovens*, ativamente envolvidos na batalha do viver cristão. A vida cristã, pois, não é só gozar o perdão e a comunhão de Deus, mas combater o inimigo. O perdão dos pecados passados deve ser acompanhado pela libertação do poder atual do pecado, a justificação pela santificação.[5]

João usa duas palavras gregas distintas e que foram traduzidas da mesma forma nos versículos 12 e 14: a palavra *teknia*, "filhinhos" (2.12), e a palavra *paidia*, "filhinhos" (2.14). A palavra *teknia* salienta a associação natural entre a criança e o seu pai, ao passo que *paidia* se refere à menoridade da criança como alguém sob disciplina. *Paidia* difere de *teknia* pela ênfase que dá à ideia de subordinação e não à de parentesco.[6] William Barclay diz que *teknia* se refere a uma criança tenra em idade e *paidia* a uma criança tenra em experiência.[7]

O outro problema que precisamos resolver é sobre o tempo verbal usado por João. Por que ele usa nos versículos 12 e 13 o verbo "conhecer" no presente e o mesmo verbo no passado no versículo 14? Alguns estudiosos creem que João, a partir do versículo 14, está escrevendo uma nova carta e então, referindo-se a uma carta anterior. Outros creem que João deu uma pausa depois do versículo 13 e está recomeçando sua missiva. Entendemos, porém, que essas conjecturas não têm qualquer fundamentação. Essa era uma maneira comum de os judeus escreverem.

John Stott diz que o aoristo usado no versículo 14 é o aoristo epistolar e se refere à presente epístola. Assim não há diferença entre os dois tempos verbais. Primeiro "escreve" e depois confirma o que "escreveu". Sua mensagem é segura e firme; não muda de opinião; esse é seu "testemunho completo e final".[8]

---

[5]STOTT, John. *I, II, III João: Introdução e comentário*, p. 84,85.
[6]STOTT, John. *I, II, III João: Introdução e comentário*, p. 84.
[7]BARCLAY, William. *I, II, III Juan y Judas*, p. 62.
[8]STOTT, John. *I, II, III João: Introdução e comentário*, p. 83.

Augustus Nicodemus, nessa mesma linha de pensamento, escreve: "Como é quase certo que João não se refere a outra carta que porventura haja escrito antes dessa aos moradores da Ásia, cremos que o sentido é mesmo 'eu escrevo' em todas as ocorrências do verbo".[9]

O propósito de João ao escrever para os crentes é dar-lhes uma palavra de encorajamento. Eles não podem ficar abalados com as acusações dos falsos mestres. Eles não podem claudicar na vida espiritual, pensando que ainda estão perdidos.

João fala sobre três preciosas bênçãos que os cristãos têm em Cristo Jesus:

Em primeiro lugar, *o cristão tem perdão em Cristo Jesus* (2.12). "Filhinhos, eu vos escrevo, porque os vossos pecados são perdoados, por causa do Seu nome". Aqueles que creem no Senhor Jesus já estão perdoados. Seus pecados já foram cancelados. Eles já estão limpos.

Fritz Rienecker diz que o perfeito *afeontai*, "perdoado", indica que os pecados foram e permanecem perdoados.[10] E isso não por causa de um conhecimento esotérico ou experiências místicas, como ensinavam os falsos mestres, mas por causa do nome de Cristo. Ou seja, por causa da obra expiatória de Cristo na cruz. O perdão não é merecimento nosso, é merecimento de Cristo. Não o alcançamos pelas nossas obras, mas pela obra de Cristo na cruz. Não é um troféu que merecemos, mas uma graça que não merecemos. João diz que temos perdão pelo nome de Jesus.

Concordo com Augustus Nicodemus que João não está atribuindo nenhum poder mágico ao nome de Jesus.[11] Werner de Boor interpreta corretamente a expressão "pelo nome de Jesus" quando escreve: "O nome contém toda a natureza e obra daquele que o carrega. Assim somos perdoados por causa de toda a obra de Jesus ao se encarnar, sofrer, morrer e ressuscitar".[12]

Em segundo lugar, *o cristão tem o verdadeiro conhecimento de Deus* (2.13,14). *Pais, eu vos escrevo, porque conheceis aquele que existe desde o*

---
[9]LOPES, Augustus Nicodemus. *Primeira carta de João*, p. 63.
[10]RIENECKER, Fritz e ROGERS, Cleon. *Chave linguística do Novo Testamento grego*, p. 585.
[11]LOPES, Augustus Nicodemus. *Primeira carta de João*, p. 63.
[12]BOOR, Werner de. *Cartas de João*, p. 331.

princípio [...]. *Filhinhos, eu vos escrevi, porque conheceis o Pai. Pais, eu vos escrevi, porque conheceis Aquele que existe desde o princípio...*

Os falsos mestres pensavam que eram os detentores do verdadeiro conhecimento de Deus. Ufanavam-se por causa disso. Porém, João escreve aos crentes para mostrar-lhes que o verdadeiro conhecimento de Deus não é um privilégio dos gnósticos, mas dos crentes. Este conhecimento não é teórico nem esotérico. Este conhecimento não é apenas intelectual. Trata-se de um conhecimento experimental, relacional, profundo. Não é conhecer a Deus apenas de ouvir falar. É conhecê-Lo por intermédio de um íntimo relacionamento. O conhecimento de Deus é a própria essência da vida eterna (Jo 17.3). O povo que conhece a Deus é um povo forte e ativo (Dn 11.32).

Em terceiro lugar, **o cristão tem a força vitoriosa contra o maligno** (2.13,14). [...] *jovens, eu vos escrevi, porque tendes vencido o maligno* [...]. *Jovens, eu vos escrevi, porque sois fortes, e a Palavra de Deus permanece em vós, e tendes vencido o maligno*. Os jovens são fortes não por causa de sua força física. Eles são fortes não por causa de sua audácia. Eles são fortes porque a Palavra de Deus permanece neles. Eles têm vencido o maligno não fiados em sua própria força, mas pelo poder da Palavra que neles permanece.

É importante ressaltar que João fala que os jovens já venceram o maligno. João não apenas deseja que eles possam vencê-lo. Não desafia a igreja para a luta e o engajamento, para que talvez obtenha a vitória. Ele fala no pretérito: "tendes vencido o maligno". Como isso aconteceu? Esses "jovens" estão "em Cristo" e têm "comunhão com Ele". Portanto, são partícipes da vitória que Jesus conquistou sobre todos os poderes das trevas ao morrer na cruz. A vitória dos crentes sobre o maligno é um fato consumado.[13]

A vitória dos cristãos sobre o maligno consiste em diversos pontos: 1) eles não vivem mais na prática do pecado, que é característica dos filhos do diabo (3.8); 2) eles não são mais do maligno, como Caim que odiava seu irmão e acabou por matá-lo (3.12); 3) eles foram libertos do domínio e do poder que o maligno exerce sobre o

---

[13] BOOR, Werner de. *Cartas de João*, p. 332.

mundo (5.19). Tal vitória foi concedida mediante Jesus Cristo e não mediante a *gnose*.[14]

Uma palavra de advertência – **não devemos amar o mundo** (2.15-17)

O apóstolo João escreve:

> *Não ameis o mundo nem as coisas que há no mundo. Se alguém amar o mundo, o amor do Pai não está nele; porque tudo que há no mundo, a concupiscência da carne, a concupiscência dos olhos e a soberba da vida, não procede do Pai, mas procede do mundo. Ora, o mundo passa, bem como a sua concupiscência; aquele, porém, que faz a vontade de Deus permanece eternamente* (2.15-17).

O apóstolo João passa do encorajamento para a advertência, faz uma transição do nosso relacionamento com Deus para o nosso relacionamento com o mundo.

John Stott diz que João agora se volta de uma descrição da igreja para uma descrição do mundo e instruções sobre a atitude da igreja para com o mundo.[15]

Se a marca do verdadeiro crente é conhecer a Deus, agora João diz que outra marca é não amar o mundo. Esse é o amor que Deus odeia. Warren Wiersbe ilustra essa verdade de forma bem simples. Um grupo de crianças da primeira série foi conhecer um grande hospital. Depois de falar sobre os cuidados e a higiene no hospital e percorrer os corredores, ao final do *tour* pelo hospital, a enfermeira perguntou se alguém tinha alguma pergunta. Uma criança levantou a mão e perguntou: "Por que as pessoas que trabalham aqui estão sempre lavando as mãos?" A enfermeira sorriu e respondeu: "As pessoas que trabalham no hospital estão sempre lavando as mãos por duas razões: Primeira, porque elas amam a saúde; e segunda, porque elas odeiam os micróbios".[16]

---

[14]LOPES, Augustus Nicodemus. *Primeira carta de João*, p. 64.
[15]STOTT, John. *I, II, III João: Introdução e comentário*, p. 85.
[16]WIERSBE, Warren W. *Comentário bíblico expositivo*. Vol. 6, p. 631.

Muitas vezes, o amor e o ódio caminham lado a lado: *Vós que amais o Senhor, detestai o mal* (Sl 97.10). O apóstolo Paulo escreve: *O amor seja sem hipocrisia. Detestai o mal, apegando-vos ao bem* (Rm 12.9). A mesma Bíblia que nos ensina a amar a Deus e ao próximo (4.20,21) também nos ensina a não amar o mundo (2.15).

Há três motivos eloquentes pelos quais não devemos amar o mundo:

Em primeiro lugar, **por causa da incompatibilidade entre o amor do mundo e o amor do Pai** (2.15). *Não ameis o mundo nem as coisas que há no mundo. Se alguém amar o mundo, o amor do Pai não está nele*. De que tipo de mundo João está falando? Há três significados diferentes no Novo Testamento para a palavra "mundo": 1) o mundo físico, o universo – *Deus que fez o mundo e tudo o que nele existe* (At 17.24); 2) o mundo humano, a humanidade – *Porque Deus amou o mundo de tal maneira que deu o Seu Filho unigênito para que todo o que nele crer não pereça, mas tenha a vida eterna* (Jo 3.16); 3) o mundo sistema, inimigo de Deus – *Não ameis o mundo nem as coisas que há no mundo...* (2.15).[17]

É desse terceiro tipo de "mundo" que João está falando. Devemos amar o mundo como sinônimo de natureza e o mundo como sinônimo de pessoas; porém, o mundo como sinônimo de sistema, esse não podemos amar. O cristão deve amar a Deus (2.5) e a seu irmão (2.10), mas não deve amar o mundo (2.15).

O que significa este mundo sistema? William Barclay define *kosmos*, "mundo", como a sociedade pagã com seus falsos valores, sua falsa maneira de viver e seus falsos deuses.[18] O mundo é o sistema de satanás que se opõe à obra de Cristo na terra. Esse sistema se opõe a tudo o que é piedoso (2.16). João diz: *O mundo inteiro jaz no maligno* (5.19). Jesus chamou o diabo de príncipe deste mundo (Jo 12.31). O diabo tem uma organização de espíritos maus trabalhando com ele e influenciando as coisas deste mundo (Ef 2.11,12).

Lloyd John Ogilvie diz que a palavra grega *kosmos*, "mundo", tem aqui uma inferência moral profunda. Implica a vida à parte de Deus. O mundo é qualquer pessoa, relacionamento, estrutura social,

---

[17]WIERSBE, Warren W. *Comentário bíblico expositivo*. Vol. 6, p. 631.
[18]BARCLAY, William. *I, II, III Juan y Judas*, p. 67.

circunstâncias ou situações que não foram redimidos pela graça de Deus. O mundo é a sociedade independente de Deus, governo sem a linha do prumo de Deus, sistemas econômicos que não têm a soberania de Deus, indústrias e corporações sem interesse pelas pessoas ou pelos propósitos divinos.[19]

As pessoas não salvas pertencem a esse sistema do mundo. Elas são filhas do mundo (Lc 16.8). Este mundo não conheceu a Cristo nem conhece a nós (3.1). Esse sistema odiou a Cristo e odeia a igreja (Jo 15.18). Este sistema do mundo não é o *habitat* natural do crente.

Nossa cidadania está no céu (Fp 3.20). Estamos no mundo, mas não somos do mundo (Jo 15.15). Estamos no mundo, mas o mundo não deve estar em nós, assim como a canoa está na água, mas a água não deve estar nela. Há um processo na mundanização do homem: primeiro, ele se torna amigo do mundo (Tg 4.4). Segundo, ele ama o mundo (2.15). Terceiro, ele se contamina com o mundo (Tg 1.27). Quarto, ele se conforma com o mundo (Rm 12.2). Quinto, ele é condenado com o mundo (1Co 11.32).

As Escrituras nos ensinam a não amar o mundo (2.15), a não sermos amigos do mundo (Tg 4.4) nem a nos conformarmos com o mundo (Rm 12.2).

Da mesma maneira que não nos conformamos com a poluição do meio ambiente, com a contaminação dos rios, com as chaminés das indústrias poluidoras, com as toneladas de dióxido de carbono despejadas pelos milhões de carros que circulam em nossas cidades, devemos também protestar contra a poluição moral do sistema do mundo: o crime organizado, o tráfico de drogas, a prostituição institucionalizada, a corrupção galopante, a impunidade criminosa.

Mais do que isso, o mundo não é tanto uma questão de atividade, mas de atitude interior. É possível ter uma vida externa irretocável e um coração cheio de podridão. É possível que um fariseu legalista não passe de um sepulcro caiado. É possível nunca ir com uma mulher para a cama do adultério e ainda assim desejá-la no coração. É possível

---

[19]OGILVIE, Lloyd John. *Quando Deus pensou em você*, p. 39.

nunca assassinar alguém e ainda assim odiar esse alguém. É possível nunca ser rico e ainda assim, cobiçar a riqueza.

O amor ao mundo compromete o nosso amor a Deus, o Pai. A razão pela qual somos intimados a não amar o mundo é que o amor pelo Pai e o amor pelo mundo são mutuamente exclusivos. Concordo com Werner de Boor quando diz que é essencialmente impossível amar a Deus e ao mundo ao mesmo tempo.[20] É impossível haver um vazio na alma. Neste assunto não cabe neutralidade: amamos a Deus ou amamos o mundo. Jesus Cristo mesmo disse: *Ninguém pode servir a dois senhores* (Mt 6.24).

Em segundo lugar, **por causa dos resultados opostos entre o amor do mundo e o amor do Pai** (2.16). *Porque tudo que há no mundo, a concupiscência da carne, a concupiscência dos olhos e a soberba da vida, não procede do Pai, mas procede do mundo.*

O sistema do mundo usa três armadilhas para derrubar o cristão: a concupiscência da carne, a concupiscência dos olhos e a soberba da vida. De acordo com Simon Kistemaker, as duas primeiras categorias (concupiscência da carne e dos olhos) se referem a desejos pecaminosos; a última (soberba) é um comportamento pecaminoso. As duas primeiras são pecados internos e ocultos; a última é um pecado externo e revelado. As primeiras dizem respeito à pessoa como indivíduo; a última, à pessoa em relação àqueles que estão ao seu redor.[21] Vamos analisar mais detidamente essas três armadilhas.

A concupiscência da carne (2.16). A carne fala daquelas tentações que nos atacam de dentro para fora. São desejos sórdidos. É o apelo para se viver o prazer imediato. É endeusar os prazeres puramente físicos e carnais. É viver sob o império dos sentidos.

Segundo Lloyd John Ogilvie, a concupiscência da carne simboliza a vida dominada pelos desejos, com pouco respeito por nós mesmos e por outras pessoas, a ponto de usá-las como coisas.[22]

---

[20]BOOR, Werner de. *Cartas de João*, p. 333.
[21]KISTEMAKER, Simon. *Tiago e epístolas de João*, p. 361.
[22]OGILVIE, Lloyd John. *Quando Deus pensou em você*, p. 40.

A carne é a nossa natureza caída. São os impulsos e os desejos que gritam para ser satisfeitos. Estes desejos estão dentro do nosso coração. Segundo Augustus Nicodemus, "a carne" se refere aos desejos impuros, que incluem todos os pensamentos, palavras e ações não castos: fornicação, adultério, estupro, incesto, sodomia e demais desejos não naturais, quer à intemperança no comer e no beber, motins, arruaças e farras, bem como todos os prazeres sensuais da vida, que gratificam a mente carnal e pelos quais a alma é destruída e o corpo, desonrado.[23]

A tese de João prova que o homem não é apenas o produto do meio, como pensava John Locke. Também o homem não é bom, como ensinava Jean Jacques Rousseau. Jesus diz que é do coração do homem que os maus desígnios procedem.

As pessoas que tentaram fugir do pecado, trancando-se em mosteiros, na Idade Média, não conseguiram resolver o problema da concupiscência da carne. O pecado não está apenas do lado de fora, mas está, sobretudo, do lado de dentro, em nosso coração. O sistema do mundo é a vitrina que busca satisfazer os desejos da carne.

Concordo com Werner de Boor quando diz que a "carne" é a condição natural egoísta, que nasce em cada nova criança. Essa nossa natureza egocêntrica é, desde a infância, um feixe de "desejos": eu quero... eu gostaria... eu exijo.[24]

Uma coisa boa em si mesma pode ser pervertida quando ela nos controla: comer não é um mal, mas a glutonaria sim. Beber não é um mal, mas a bebedice sim. O sexo não é um mal, mas a imoralidade sim. O sono não é um mal, mas a preguiça sim.

A concupiscência dos olhos (2.16). A concupiscência dos olhos são as tentações que nos atacam de fora para dentro. A concupiscência dos olhos é a tendência a deixar-se cativar pela exibição externa das coisas, sem investigar os seus valores reais. A concupiscência dos olhos inclui o amor pela beleza separado do amor pela bondade.[25]

---

[23]LOPES, Augustus Nicodemus. *Primeira carta de João*, p. 69.
[24]BOOR, Werner de. *Cartas de João*, p. 334.
[25]STOTT, John. *I, II, III João: Introdução e comentário*, p. 86,87.

William Barclay diz que a concupiscência dos olhos é o espírito que não pode ver nada sem desejá-lo. É o espírito que crê que a felicidade se encontra nas coisas que pode comprar com dinheiro e desfrutar com os olhos.[26]

Lloyd John Ogilvie diz que a concupiscência dos olhos é a ostentação do espetáculo externo em nossa feira da vaidade. É a incapacidade de alguém ver algo sem desejá-lo para si mesmo como um símbolo de segurança. Mais, mais, mais! O ponto é que tentamos encher com coisas, pessoas e atividades o vazio que somente Deus pode preencher.[27]

Os olhos são a lâmpada do corpo e as janelas da alma. Por eles entram os desejos. Eva caiu porque viu o fruto proibido. Ló viu as campinas do Jordão e foi armando suas tendas para as bandas de Sodoma. Siquém viu Diná e a seduziu. A mulher de Potifar viu José e tentou deitar-se com ele. Acã viu a capa babilônica e arruinou-se. Davi viu Bate-Seba e adulterou com ela e a espada não se apartou da sua casa. Cuidado com os seus olhos. Se eles o fazem tropeçar, arranque-os, porque é melhor você entrar no céu caolho do que todo o seu corpo ser lançado no inferno.

A soberba da vida (2.16). A palavra grega que descreve soberba é *alazoneia*. Essa palavra só aparece novamente em Tiago 4.16. O soberbo é o *alazon*. O *alazon* é um fanfarrão. Na antiguidade, essa palavra era usada para descrever os charlatães que faziam propaganda de produtos falsos.

Aristóteles usou *alazon* para definir o homem que atribui a si mesmo qualidades dignas de louvor que realmente não tem. Teofrasto usou o termo *alazon* para descrever o indivíduo que frequenta os mercados e fala com os forasteiros acerca da frota de barcos que não tem, e de grandes negócios, quando seu saldo no banco é precisamente irrisório. Gaba-se de cartas que diz que os grandes governantes lhe escrevem solicitando ajuda e conselho. Alardeia a grande mansão em que vive, quando na verdade vive numa pousada. Trata-se daquela atitude de querer impressionar todos com a sua inexistente importância.[28]

---

[26] BARCLAY, William. *I, II, III Juan y Judas*, p. 68.
[27] OGILVIE, Lloyd John. *Quando Deus pensou em você*, p. 41.
[28] BARCLAY, William. *Palabras griegas del Nuevo Testamento*. Buenos Aires: Casa Bautista de Publicaciones, 1977, p. 37,38.

Lloyd John diz que a soberba é como um narcótico. É um falso moderador de humor, que estimula nossa autoimagem e um sedativo que anestesia uma aceitação honesta de nosso verdadeiro eu. A soberba produz uma alucinação ilusória em nós mesmos.[29]

A *alazoneia*, jactância ou soberba é a vanglória com coisas externas como riqueza, posição social, inteligência, poder, beleza, joias, carros, vestuário. É ostentação pretensiosa. É gostar dos holofotes. É o desejo de brilhar ou de ofuscar os outros com uma vida luxuriosa.[30]

Há muitas pessoas que sacrificam a própria integridade para ostentar poder, posses e honras. Eu visito todas as semanas as livrarias. Gosto de ver as novas publicações. Chama-me a atenção o número colossal de revistas que discorrem sobre essas frivolidades mundanas.

Enfim, o *alazon* é a pessoa que se jacta do que tem, quando nada possui. É aquele que faz propaganda enganosa de si mesmo, de suas obras e de suas posses. William Barclay diz que *alazon* é um interminável jactar-se acerca de coisas que não se possui, e que a vida desse tipo de pessoa é um esforço para impressionar a todos os que encontra com a própria fictícia importância.[31]

Em terceiro lugar, *por causa da transitoriedade do mundo contrastado com a eternidade daquele que faz a vontade do Pai* (2.17). Ora, *o mundo passa, bem como a sua concupiscência; aquele, porém, que faz a vontade de Deus permanece para sempre.*

O apóstolo João contrasta dois estilos de vida: aqueles que vivem apenas para o aqui e agora e aqueles que vivem na perspectiva da eternidade. Não somente a efemeridade do mundo é contrastada com a eternidade de Deus, mas, também, aqueles que fazem a vontade de Deus e permanecem para sempre são contrastados com aqueles que vivem no fluxo da transitoriedade e frivolidade.[32]

Não devemos amar o mundo por duas sobejas razões: primeira, por causa de sua transitoriedade; segunda, por causa da permanência daqueles que fazem a vontade de Deus. Vamos destacar esses dois pontos:

---

[29]OGILVIE, Lloyd John. *Quando Deus pensou em você*, p. 41.
[30]Stott, John. *I, II, III João: Introdução e comentário*, p. 87.
[31]BARCLAY, William. *I, II, III Juan y Judas*, p. 69.
[32]LOPES, Augustus Nicodemus. *Primeira carta de João*, p. 70.

A transitoriedade do mundo (2.17). João está dizendo que não devemos amar o mundo, porque chegou a nova era e a era presente está condenada. O mundo e as suas trevas estão se dissipando (2.8) e os homens na sua concupiscência mundana passarão com ele. O mundo não é permanente. Um dia este sistema passará. Seus prazeres e encantos passarão. A grande meretriz, a grande Babilônia, o sistema deste mundo corrompido e mau, com seus encantos, cairá e entrará em colapso. O mundo não permanecerá para sempre.

Um cristão maduro considera-se estrangeiro e peregrino sobre a terra (Hb 11.13). Ele não tem cidade permanente aqui, mas procura a cidade que está por vir (Hb 13.14). Não podemos nos sentir em casa aqui neste mundo. Nossa pátria está no céu (Fp 3.20). Jesus disse que não somos do mundo, embora estejamos no mundo. Lloyd John Ogilvie diz corretamente que o cristianismo não é uma virtude enclausurada que deve ser vivida em separação monástica.[33]

Quem passa atentamente pela vida vê em todos os lugares o "passar" do mundo. As coisas que cobiçamos não preenchem o vazio do nosso coração. Quando colocamos as mãos em alguma coisa, já começamos a desejar outra.

Concordo com Werner de Boor, quando expõe que de forma alguma o desejo saciado é silenciado, mas fica sedento de novas conquistas. Nossa vida torna-se inquieta e insatisfeita enquanto estivermos sujeitos ao mundo e às suas cobiças. Finalmente, ao morrermos, somos privados de tudo o que tínhamos no mundo. Na morte, todo o mundo é aniquilado para nós.[34]

Quando John Rockeffeler, o primeiro bilionário do mundo, morreu, perguntaram para o seu contador no cemitério: "Quanto o dr. John Rockeffeler deixou?" Ele respondeu de pronto: "Ele deixou tudo; ele não levou nenhum centavo".

João está contrastando dois tipos de vida: a vida vivida para a eternidade e a vida vivida para o tempo. Uma pessoa mundana vive para os prazeres da carne, mas um cristão vive para as alegrias do Espírito. Uma

---

[33] OGILVIE, Lloyd John. *Quando Deus pensou em você*, p. 37.
[34] BOOR, Werner de. *Cartas de João,*, p. 335.

pessoa mundana vive para as coisas que pode ver, segundo o desejo dos olhos, mas um cristão vive para as realidades invisíveis de Deus (2Co 4.16-18). O homem, portanto, que se apega aos caminhos mundanos está entregando sua vida ao que, literalmente, não tem futuro. O homem do mundo está condenado ao desengano e à desilusão.[35]

Em 1793, durante a revolução ateísta da Revolução Francesa, a atriz Maillard desfilou garbosamente num carro alegórico representando a deusa razão. Quinze anos depois, o dr. Restorini atende uma mulher acabada, num sótão sujo, à beira da morte. O médico pergunta à mulher moribunda: "Quem é você?" Ela responde: "Eu sou a deusa razão".

A permanência eterna daqueles que fazem a vontade de Deus (2.17). Mesmo depois que este mundo acabar, com sua refinada cultura, suas vaidosas filosofias, seu egocêntrico intelectualismo, seu impiedoso materialismo. Mesmo depois que tudo isso for esquecido e este mundo tiver dado lugar aos novos céus e à nova terra, os fiéis servos de Deus permanecerão para sempre, refletindo a glória de Deus por toda a eternidade.

É conhecida a famosa expressão do missionário Jim Elliot: "Não é tolo aquele que dá o que não pode reter para ganhar o que não pode perder".

A vontade de Deus não é alguma coisa que devemos consultar esporadicamente, como uma enciclopédia, mas é algo que deve controlar nossa vida. A vontade de Deus não é como um restaurante *self-service* em que você apanha o que gosta e deixa o que não gosta.[36] Precisamos experimentar toda a boa, perfeita e agradável vontade de Deus para a nossa vida.

O apóstolo João diz que não devemos amar o mundo, porque o mundo passa. O investimento no mundo é um péssimo negócio. Ary Velloso conta a história narrada por Joseph Aldrich em seu livro *Satisfaction*.[37] Suponhamos que você tivesse chegado ao topo, com alguns dos mais bem-sucedidos empresários do mundo, que se reuniram no Edgewater Beach Hotel, de Chicago, em 1923.

À guisa de ilustração imagine-se como um deles, mas invisível, participando dessa reunião histórica. Você está ao lado de gigantes do

---

[35]BARCLAY, William. *I, II, III Juan y Judas*, p. 69.
[36]WIERSBE, Warren W. *Comentário bíblico expositivo*. Vol. 6, p. 637.
[37]VELLOSO, Ary. *É hora de investir*. Campinas, SP: Editora Modelo, 2009, p. 10-12.

mundo dos negócios. Olhando à sua volta, você vê, naquele elegante salão, o presidente de uma grande companhia de aço, o presidente do *National City Bank*, o presidente de uma grande companhia de aparelhos elétricos, o presidente de uma companhia de gás, o presidente da *New York Stock Exchange*, um grande especulador de trigo, um membro do gabinete do presidente dos Estados Unidos, o diretor do maior monopólio do mundo, o presidente do *Bank of International Settlement* e você.

A conversa casual gira em torno de iates, férias exóticas, casas, propriedades, clubes a que pertencem e assombrosas transações financeiras. Esses homens acharam a mina! São donos do mundo. Eles não precisam procurar coisa alguma. Têm tudo e muito mais. Mas o que aconteceu com esses homens que chegaram ao ponto máximo de suas carreiras?

Vinte e cinco anos mais tarde, o que aconteceu a estas personalidades? O presidente da grande companhia de aparelhos elétricos morreu como fugitivo da justiça, sem dinheiro e em terra estrangeira. O presidente da companhia de gás ficou completamente louco. O presidente do *New York Stock Exchange* foi solto da penitenciária de *Sing-Sing*. O membro do gabinete do presidente dos Estados Unidos teve sua pena comutada para que pudesse morrer em casa. O grande especulador de trigo, falido, morreu no estrangeiro. O líder da *Wall Street* suicidou-se. O diretor do maior monopólio morreu, também cometendo suicídio. O presidente do *Bank of International Settlement* teve o mesmo fim, suicidou-se. O Senhor Jesus é enfático em sua pergunta: *O que adianta ao homem ganhar o mundo inteiro e perder a sua alma?*

6
Quando a **heresia** ataca a **igreja**

1 João 2.18-29

O APÓSTOLO JOÃO ESTÁ FAZENDO NESTA CARTA uma distinção entre o verdadeiro crente e o falso crente. Para isto, ele criou três provas: a) a prova moral (2.6); b) a prova social (2.10) e c) a prova doutrinária (2.23).

A heresia tem solapado as igrejas hoje. Muitas pessoas dizem que não importa o que você crê, o importante é ser sincero. Mas é a sinceridade um ingrediente mágico que transforma o falso em verdadeiro? Se isso pode ser aplicado no campo religioso, deveria também ser válido em outras áreas da vida.

Warren Wiersbe cita duas possibilidades:[1]

Primeira, *uma enfermeira*, num hospital, dá um remédio para um paciente e logo ele começa a passar mal. A enfermeira é sincera, mas deu o remédio errado e o paciente quase morre.

Segunda, *um homem escuta um barulho dentro de casa durante a noite* e, certo de que é um ladrão, levanta-se, pega a sua arma e atira "no ladrão", que na verdade era sua filha! Sem sono, a menina havia se levantado para fazer um lanche e acabou tornando-se vítima da "sinceridade" do pai.

---
[1] WIERSBE, Warren W. *Comentário bíblico expositivo*. Vol. 6, p. 639.

É preciso muito mais do que "sinceridade" para que algo seja verdadeiro. A fé em uma mentira sempre traz consequências desastrosas. O apóstolo João já havia advertido a igreja sobre o conflito entre luz e trevas (1.5–2.6) e entre amor e ódio (2.7-17). Agora, João os adverte sobre o terceiro conflito: o conflito entre a verdade e a mentira (2.18-29). Não é suficiente ao cristão andar na luz e no amor, ele deve também andar na verdade.[2]

John Stott, expondo o texto em apreço, diz que João primeiro traça uma clara distinção entre os hereges e os cristãos genuínos (2.18-21); depois define a natureza e o efeito da heresia (2.22,23); e, finalmente, descreve as duas salvaguardas contra a heresia (2.24-29).[3] Vamos seguir por essa mesma trilha.

A distinção entre os hereges e os cristãos genuínos (2.18-21)

O apóstolo João destaca quatro pontos importantes aqui:

Em primeiro lugar, *já estamos vivendo a última hora* (2.18). "Filhinhos, já é a última hora; e, como ouvistes que vem o anticristo, também, agora, muitos anticristos têm surgido; pelo que conhecemos que é a última hora." Apesar de a frase "a última hora" aparecer apenas aqui em todo o Novo Testamento, ela parece equivalente às expressões "os últimos dias" ou "os últimos tempos".[4]

João é enfático em afirmar que vivemos a última hora. A era por vir já tinha vindo. O futuro já tinha chegado. Estamos vivendo a escatologia antecipada. Vivemos sob a tensão entre o *já* e o *ainda não*. Uma nova realidade já foi implantada.

O mundo e as trevas já estavam passando (2.8; 2.17). Desde a morte e ressurreição de Cristo, Deus está fazendo coisa nova neste mundo. O tempo do fim chegou com Cristo. A era messiânica já foi inaugurada com Cristo. O tempo do fim, a última hora, é o tempo que vai da primeira à segunda vinda de Cristo.

---

[2]WIERSBE, Warren W. *Comentário bíblico expositivo*. Vol. 6, p. 639.
[3]STOTT, John. *I, II, III João: Introdução e comentário*, p. 89.
[4]KISTEMAKER, Simon. *Tiago e epístolas de João*, p. 365.

Augustus Nicodemus diz: "De acordo com o Novo Testamento, a última hora deste mundo perdido já soou com a ressurreição de Cristo e terminará com seu regresso em glória".[5] Aquele que está além e acima do tempo não trabalha no tempo humano. Para Ele, mil anos são como um dia.

Concordo com Warren Wiersbe quando diz que "a última hora" descreve um tipo de tempo, e não uma duração de tempo.[6] John Stott tem razão quando diz que João estava expressando uma verdade teológica, e não fazendo uma referência cronológica.[7] Os últimos tempos são descritos em 1Timóteo 4. O apóstolo Paulo, assim como o apóstolo João, observou características do seu tempo e nós vemos as mesmas características hoje em intensidade ainda maior.

Estamos vivendo sempre nos últimos dias. Ainda é "a última hora", a hora da oposição final a Cristo. Embora possa haver ainda um tempo especial de tribulação antes do desenlace, toda a era cristã consiste da "grande tribulação", pela qual todos os remidos têm de passar. Ainda esperamos o fim.

Em segundo lugar, *o espírito do anticristo já está operando no mundo* (2.18). A palavra *anticristo* só aparece nas epístolas de João (1Jo 2.18,22; 4.3; 2Jo 7), mas o conceito se acha em outros lugares. O profeta Daniel o descreveu como o pequeno chifre (Dn 7.8,11,20-26) e o príncipe que há de vir (Dn 9.26), cuja característica principal é a guerra contra o povo de Deus e o desejo de ocupar o lugar de Deus.

O Senhor Jesus expandiu a nossa compreensão deste assunto no sermão escatológico: antes do anticristo surgirão anticristos, falsos mestres apresentando-se em nome de Cristo, fazendo sinais e prodígios e enganando a muitos (Mt 24.5,11,24).

Jesus fez referência ao anticristo, chamando-o de [...] *o abominável da desolação* (Mt 24.15). O apóstolo Paulo o chamou de [...] *o homem da iniquidade, o filho da perdição, o iníquo* (2Ts 2.3,8). Ele virá no poder de satanás, fazendo sinais e prodígios da mentira e com todo engano

---

[5]LOPES, Augustus Nicodemus. *Primeira carta de João*, p. 74.
[6]WIERSBE, Warren W. *Comentário bíblico expositivo*. Vol. 6, p. 639.
[7]STOTT, John. *I, II, III João: Introdução e comentário*, p. 94.

de injustiça aos que perecem (2Ts 2.9,10). Em Apocalipse, temos uma descrição simbólica dessa figura sinistra (Ap 13.1-10).[8]

O prefixo *anti* tem dois significados: "contra" ou "em lugar de".[9] O anticristo é aquele que imita e também se opõe a Cristo. O anticristo é o adversário de Cristo ou aquele que procura ocupar o lugar de Cristo (2Ts 2.3,4). O espírito do anticristo está por trás de toda doutrina falsa e por trás de qualquer prática religiosa que tome o lugar de Cristo.

Warren Wiersbe tem razão quando diz que atualmente há duas forças em ação no mundo: a verdade operando por intermédio da igreja e do Espírito Santo e o mal operando por meio da energia de satanás.[10]

O aparecimento do anticristo é um sinal claro do tempo do fim (2Ts 2.7-12; Ap 13.1-10). Mas o espírito do anticristo já está em ação no mundo (1Jo 4.3). Os muitos anticristos são precursores do que ainda há de vir.[11] Assim como Cristo é a encarnação de Deus, o anticristo será uma espécie de encarnação do diabo.

Werner de Boor diz que o anticristo é o adversário direto de Cristo, aquele que tenta eliminar o Cristo de Deus, assumir o lugar dele, arrancando definitivamente o mundo e a humanidade de Deus e apoderando-se deles. O anticristo detém poder, e até mesmo poder mundial. Ele não é apenas um falso mestre que nega a Jesus na teoria, tentando expurgá-lo da fé da igreja, mas o soberano universal que dissipa a igreja de Jesus com terror e sangue e tenta aniquilar toda recordação de Jesus, para externa e internamente manter a humanidade sob seu próprio e total controle (Ap 13.3,4,7,8).[12]

Em terceiro lugar, ***os anticristos saem de dentro da própria igreja*** **(2.19)**. *Eles saíram de nosso meio; entretanto, não eram dos nossos; porque, se tivessem sido dos nossos, teriam permanecido conosco; todavia, eles se foram para que ficasse manifesto que nenhum deles é dos nossos.* Os muitos

---
[8]LOPES, Augustus Nicodemus. *Primeira carta de João*, p. 74,75.
[9]BARCLAY, William. *I, II, III Juan y Judas*, p. 72.
[10]WIERSBE, Warren W. *Comentário bíblico expositivo*. Vol. 6, p. 640.
[11]STOTT, John. *I, II, III João: Introdução e comentário*, p. 90.
[12]BOOR, Werner de. *Cartas de João*, p. 337.

anticristos que já vieram (em contraste com o anticristo que virá) são identificados como mestres humanos que abandonaram a igreja (Mt 24.5; Mc 13.6; At 20.29,30).

Werner de Boor tem razão quando diz que o aspecto perigoso dessas pessoas é que não chegam de fora. Saíram das fileiras da própria igreja. Devem até mesmo ter argumentado com este fato: ora, somos do meio de vocês! Conhecemos muito bem esse seu cristianismo. Agora, porém, encontramos algo maior e melhor e queremos trazê-lo a vocês para substituir essa sua estreita e precária fé em Jesus.[13]

Com a sua deserção, deram clara prova do seu verdadeiro caráter. O rompimento da conexão mostra que essa condição de membro era apenas exterior.[14] Com a saída deles, as máscaras caíram. Aquilo que estava escondido veio à plena luz e suas intenções perniciosas foram manifestas.[15]

Fritz Rienecker diz corretamente que João não relata, apenas, o fato de saírem da comunidade, mas vê também um propósito nele. Os hereges saíram por sua livre vontade, mas por trás dessa decisão estava o propósito divino de que eles "seriam manifestos". Sua saída foi seu "desmascaramento". O fingimento não pode ficar sempre escondido.[16]

Augustus Nicodemos é da opinião que esses falsos doutrinadores tinham sido pastores e mestres que acabaram sucumbindo à atração oferecida pelas ideias daquela forma inicial de gnosticismo; após terem apostatado da fé, saíram das igrejas e passaram a tentar convencer os demais cristãos, infiltrando-se nas comunidades e fomentando suas ideias.[17]

Lloyd John Ogilvie alerta para o fato de que hoje a heresia tem muitas formas sutis. Uns colocam Jesus entre grandes mestres como Buda, Confúcio e Maomé. Outros sugerem que Jesus ensinou grandes princípios acerca de Deus, mas não foi o Deus encarnado. Ainda outros

---

[13]BOOR, Werner de. *Cartas de João*, p. 338.
[14]BLANEY, Harvey. *A primeira epístola de João*. Vol. 10, 2005, p. 307.
[15]STOTT, John. *I, II, III João: Introdução e comentário*, p. 91.
[16]RIENECKER, Fritz e ROGERS, Cleon. *Chave linguística do Novo Testamento grego*, p. 586.
[17]LOPES, Augustus Nicodemus. *Primeira carta de João*, p. 75.

negam que a morte de Jesus na cruz foi uma expiação necessária de nossos pecados.[18]

Esse versículo 19 lança luz sobre duas gloriosas doutrinas: a perseverança dos santos e a natureza da igreja. *Aquele, porém, que perseverar até o fim, esse será salvo* (Mc 13.13), não porque a salvação é o prêmio da constância, mas porque a constância é o carimbo dos salvos.[19]

A constância é uma marca dos salvos. Os que caem e deixam a igreja total e finalmente, nunca dela fizeram parte. Nem todos os membros da igreja visível fazem parte da igreja invisível. Nem todos os membros comungantes da igreja, professos e batizados, são necessariamente membros do corpo de Cristo. Nem todos os que têm seus nomes arrolados na igreja têm seus nomes escritos no livro da vida. Somente o Senhor conhece os que lhe pertencem (2Tm 2.19). Nem todos os que estão na igreja realmente pertencem à igreja.

O pertencer à igreja não garante que um homem pertença a Cristo, e não ao anticristo. O apóstolo Paulo diz que nem todos os de Israel são, de fato, israelitas (Rm 9.6). John Stott tem razão quando diz que nem todos os que compartilham nossa companhia terrena compartilham o nosso nascimento celeste.[20]

F. F. Bruce é oportuno quando escreve: "A perseverança dos santos é uma doutrina bíblica, mas não é uma doutrina criada para levar os indiferentes a um sentimento de falsa segurança; significa que a perseverança é a marca essencial da santidade".[21]

Warren Wiersbe alerta para o fato de que ao investigarmos a história das seitas e de sistemas religiosos contrários ao cristianismo, vemos que, na maioria dos casos, seus fundadores saíram de igrejas. Estavam "em nosso meio" e, no entanto, "não eram dos nossos", de modo que "se foram".[22]

Em quarto lugar, *os verdadeiros crentes têm duas marcas claras: unção e conhecimento* (2.20,21). *E vós possuís unção que vem do Santo e*

---

[18]OGILVIE, Lloyd John. *Quando Deus pensa em você*, p. 53.
[19]STOTT, John. *I, II, III João: Introdução e comentário*, p. 91.
[20]STOTT, John. *I, II, III João: Introdução e comentário*, p. 92.
[21]BRUCE, F. F. *The epistles of John*. Grand Rapids, MI: Eerdmans, 1979, p. 69.
[22]WIERSBE, Warren W. *Comentário bíblico expositivo*. Vol. 6, p. 641.

todos tendes conhecimento. Não vos escrevi porque não saibais a verdade; antes, porque a sabeis, e porque mentira alguma jamais procede da verdade.

A proteção contra o anticristo está na unção que os crentes recebem.[23] No Antigo Testamento os sacerdotes, os reis e os profetas eram ungidos e separados por Deus para um ministério especial. Na dispensação cristã, a unção com o Espírito Santo é um privilégio de todos os crentes. Nós fomos selados com o Espírito Santo como propriedade exclusiva de Deus. Temos o selo de Deus (Ef 4.30; Ap 9.4).

Concordo com Augustus Nicodemus quando ele diz que a unção a que João se refere é o Espírito Santo, pois: 1) Jesus Cristo foi ungido pelo Espírito Santo por ocasião de Seu batismo no Jordão (At 10.38); 2) Cristo é o Ungido (Dn 9.26), e o Santo (At 4.27,30) que unge os crentes com este mesmo Espírito, quando eles se convertem ao evangelho da verdade (Ef 1.13); desta forma, os separa e os consagra para Deus; 3) esta unção ou selo, que é a presença do Espírito nos crentes, é a defesa contra o erro religioso propagado pelos anticristos, pois o Espírito ilumina, guia e sela os cristãos na verdade (Jo 15.26; 16.13), dando-lhes o verdadeiro conhecimento de Deus.[24]

Concordo com John Stott quando diz que é pela iluminação do Espírito da verdade que temos conhecimento, como o versículo 27 desenvolve. Não somos uma minoria esotérica, iluminada, como os hereges pretendiam ser. É provável que usassem a palavra grega *chrisma*, "unção", como um termo técnico para a iniciação numa *gnose* especial.[25]

Os falsos cristãos do tempo de João costumavam usar duas palavras para descrever sua experiência: "conhecimento" e "unção". Afirmavam ter uma unção especial de Deus que lhes dava um conhecimento singular. Eram "iluminados" e, portanto, viviam em um nível muito mais elevado do que o restante das pessoas. Mas João ressalta que todos os cristãos verdadeiros conhecem a Deus e recebem o Espírito de Deus.[26]

---

[23] STOTT, John. *I, II, III João: Introdução e comentário*, p. 92.
[24] LOPES, Augustus Nicodemus. *Primeira carta de João*, p. 76.
[25] STOTT, John. *I, II, III João: Introdução e comentário*, p. 92.
[26] WIERSBE, Warren W. *Comentário bíblico expositivo*. Vol. 6, p. 641.

Simon Kistemaker diz que o crente ungido com o Espírito Santo é capaz de discernir a verdade do engano, opor-se à heresia e suportar os ataques de satanás.[27]

William Barclay interpreta corretamente quando diz que o propósito de João não é comunicar um novo conhecimento, mas conduzi-los a um uso dinâmico do conhecimento que já possuem. A maior defesa cristã é recordar o que já sabemos.[28] O que eles precisavam não era uma nova verdade, mas pôr em prática em suas vidas a verdade que já conheciam. Temos o conhecimento verdadeiro: conhecimento doutrinário da verdade e comunhão com aquele que é a verdade. O verdadeiro conhecimento não é o esotérico dos gnósticos, mas o conhecimento do Deus vivo. Devemos permanecer na doutrina de Cristo e não ultrapassá-la (2Jo 9).

João estava convencido de que os crentes, seus filhos na fé, estavam firmes na verdade: *Não vos escrevi porque não saibais a verdade; antes, porque a sabeis; e porque mentira alguma jamais procede da verdade* (2.21). A verdade a que João se refere é o evangelho de Cristo, conforme pregado pelos apóstolos e registrado nas Escrituras. A mentira, ou seja, os erros religiosos que surgiram no mundo, procederam não do puro evangelho, mas de distorções dele, uma vez que a mentira procede do diabo (Jo 8.44).[29]

A natureza e o efeito da heresia (2.22,23)

Duas verdades merecem destaque aqui:

Em primeiro lugar, **a mentira das mentiras é a negação da messianidade de Cristo** (2.22). *Quem é o mentiroso, senão aquele que nega que Jesus é o Cristo? Este é o anticristo, o que nega o Pai e o Filho.* Para o apóstolo João não tem meio-termo quando se trata de doutrina. É verdade ou mentira (2.21). João já havia falado sobre duas mentiras básicas dos hereges: 1) é mentiroso aquele que diz que tem comunhão com Deus e anda nas trevas (1.6); 2) é mentiroso aquele que diz que conhece a Deus, mas não

---

[27]KISTEMAKER, Simon. *Tiago e epístolas de João*, p. 372.
[28]BARCLAY, William. *I, II, III Juan y Judas*, p. 77.
[29]LOPES, Augustus Nicodemus. *Primeira carta de João*, p. 76.

guarda os Seus mandamentos (2.4). O falso ensino dos que deixaram a igreja é revelado agora. Eles negavam que Jesus é o Cristo. Assim, o apóstolo João aponta a terceira mentira básica dos hereges: é mentiroso por excelência aquele que nega que Jesus é o Cristo (2.22). Essa é a arquimentira, a mentira das mentiras. Ela é a mentira engendrada pelo próprio espírito do anticristo (4.3; 2Jo 7).

John Stott tem toda razão quando afirma: "A teologia dos hereges não é apenas defeituosa, mas diabólica".[30] A natureza diabólica da heresia é negar a encarnação, a morte, a ressurreição e a obra expiatória de Cristo. Vale lembrar que os hereges, influenciados pelo dualismo grego, consideravam a matéria essencialmente má. Por conseguinte, negavam a doutrina da encarnação. E, ao negarem a encarnação, negavam também sua morte expiatória e Sua ressurreição.

Os hereges criaram um *Cristo* místico, um *Cristo* falso. Certo segmento do gnosticismo separava o homem Jesus do Cristo divino. Conforme já destacamos nesta obra, eles acreditavam que o Cristo divino tinha descido sobre o Jesus humano no batismo. Na cruz, porém, antes de Jesus morrer, o Cristo divino o abandonou, ocasionando o grito: *Deus meu, Deus meu, por que me desamparaste?* O resultado final deste ensino era a separação entre Jesus e o Cristo, a negação de que Jesus e o Cristo eram uma e a mesma pessoa.[31]

Em segundo lugar, *o efeito da heresia é a consequente negação do próprio Pai* (2.23). *Todo aquele que nega o Filho, esse não tem o Pai; aquele que confessa o Filho tem igualmente o Pai.* Tendo colocado a descoberto a natureza da heresia, João desenvolve agora o seu temível efeito, que já mencionou no fim do versículo 22. Afirma a verdade em termos absolutos e inequívocos, primeiro negativa e depois positivamente. *Todo aquele que nega o Filho, esse não tem o Pai; aquele que confessa o Filho, tem igualmente o Pai* (2.23).[32]

O nosso relacionamento com o Pai necessariamente precisa passar pelo nosso relacionamento com o Filho. Somente o Filho pode revelar o

---

[30] STOTT, John. *I, II, III João: Introdução e comentário*, p. 96.
[31] LOPES, Augustus Nicodemus. *Primeira carta de João*, p. 76,77.
[32] STOTT, John. *I, II, III João: Introdução e comentário*, p. 97.

Pai aos homens (Mt 11.27; Jo 1.18; 12.44,45; 14.6,9; 1Jo 2.1; 1Tm 2.5). Jesus Cristo disse: *Quem me vê a mim vê o Pai* (Jo 14.9). É impossível separar Deus de Jesus. Negar a Jesus é perder todo o conhecimento de Deus, porque só Ele pode trazer-nos esse conhecimento. Negar a Jesus é estar separado de Deus, porque nossa comunhão com Deus depende de nossa resposta a Jesus.[33] O próprio apóstolo João escreve: *Aquele que tem o Filho, tem a vida; aquele que não tem o Filho de Deus não tem a vida* (5.12).

Um falso mestre vai dizer: nós adoramos o Pai. Nós cremos em Deus Pai, muito embora discordemos sobre Jesus. Mas negar o Filho é negar também o Pai. Não podemos ter comunhão com aqueles que negam as verdades essenciais da fé cristã. Não há unidade fora da verdade. Onde a teologia é desprezada, a vida cristã entra em colapso. Constatamos com profunda dor o desprezo da igreja contemporânea pela Palavra.

Estamos vivendo um tempo de anafalbetismo bíblico. Heresias antigas e novas encontram acolhida na igreja atual. As pessoas não querem discutir doutrinas, elas querem apenas relacionamentos. Há um caso interessante ocorrido com o grande evangelista inglês, George Whitefield. Conversando com um homem acerca de sua fé, o evangelista inglês perguntou-lhe:

- Em que o senhor crê?
- Eu creio naquilo que a minha igreja crê.
- E em que a Sua igreja crê?
- Na mesma coisa em que eu creio.
- E em que você e Sua igreja creem?
- Nós cremos na mesma coisa.[34]

A proteção contra a heresia (2.24-29)

Duas coisas devem permanecer nos crentes verdadeiros: A Palavra (2.24) e a unção do Espírito (2.27). Duas coisas devem ainda ser

---

[33] BARCLAY, William. *I, II, III Juan y Judas*, p. 79.
[34] WIERSBE, Warren W. *Comentário bíblico expositivo*. Vol. 6, p. 641,642.

marcas do crente verdadeiro: a esperança da segunda vinda (2.28) e a prática da justiça (2.29). Vamos examinar mais detidamente esses quatro pontos:

Em primeiro lugar, **nós devemos permanecer no antigo evangelho que ouvimos em vez de buscar novos ensinos** (2.24-26). O apóstolo João escreve:

> *Permaneça em vós o que ouvistes desde o princípio. Se em vós permanecer o que desde o princípio ouvistes, também permanecereis vós no Filho e no Pai. E esta é a promessa que Ele mesmo nos fez, a vida eterna. Isto que vos acabo de escrever é acerca dos que vos procuram enganar* (2.24-26).

João diz: "O que ouvistes desde o princípio" é o evangelho, o ensino apostólico, a mensagem original que fora pregada. Não tinha mudado e não iria mudar. Os cristãos devem ser sempre conservadores em sua teologia. Ter "coceira nos ouvidos" e sempre correr atrás de novos mestres, dando ouvidos a qualquer um e nunca chegando ao conhecimento da verdade, é uma característica dos "tempos difíceis" que sobrevirão "nos últimos dias" (2Tm 3.1,7; 4.3).[35]

Augustus Nicodemus está coberto de razão quando diz que não era a antiguidade que tornava a doutrina apostólica verdadeira, mas o fato de que era *apostólica*. Ela fora ensinada por homens inspirados por Deus, canais da revelação divina. E essa revelação já havia se encerrado e era imutável. Todo novo ensinamento que contradissesse a doutrina dos apóstolos ou fosse além dela deveria ser considerado falso.[36]

A obsessão por novidades doutrinárias é um grande perigo e um sinal do espírito do anticristo que opera no mundo. John Stott alerta: "O cristão nunca pode levantar âncora e zarpar para o alto-mar do pensamento especulativo. Tampouco pode abandonar o ensino primitivo dos apóstolos, trocando-o pelas subsequentes tradições dos homens".[37]

---

[35] STOTT, John. *I, II, III João: Introdução e comentário*, p. 97.
[36] LOPES, Augustus Nicodemus. *Primeira carta de João*, p. 80.
[37] STOTT, John. *I, II, III João: Introdução e comentário*, p. 97,98.

O propósito dos hereges e das falsas doutrinas é enganar (2.26). Mas o resultado da nossa lealdade ao Filho e ao Pai e dessa comunhão com eles é a vida eterna (2.15; 5.11-13). O que está em jogo não é apenas uma mera discussão de opiniões teológicas diferentes, mas a própria vida eterna.

O apóstolo João nos dá três marcas dos falsos mestres que disseminam heresias na igreja: primeira, eles abandonam a comunhão da igreja (2.18,19). Segunda, eles negam a fé (2.22,23). Terceira, eles tentam enganar os fiéis (2.26).

A grande pergunta do cristianismo é: quem é Jesus? Um exemplo, um bom homem, um grande mestre ou Ele é Deus feito carne? Os falsos mestres diziam que eles tinham um novo conhecimento e uma nova unção. Mas João rebate dizendo que os crentes é que têm o verdadeiro conhecimento e a verdadeira unção.

Negar a encarnação de Cristo é negar a sua morte, a Sua ressurreição e a sua obra expiatória. É esvaziar o cristianismo. Isso é satanismo (Mt 16.23). Os falsos mestres são proselitistas. Eles não vão atrás dos perdidos. O alvo deles são os cristãos. Os hereges não permanecem na verdade. O segredo para não ser enganado é *permanecer* (2.6,10,14,17,24,27,28).

Satanás não é um criador, mas apenas um falsificador que imita a obra de Deus. Tem, por exemplo, falsos "ministros" (2Co 11.13-15) que pregam um falso evangelho (Gl 1.6-12), o qual produz falsos cristãos (Jo 8.43,44) que dependem de uma falsa justiça (Rm 10.1-10).

Na parábola do joio e do trigo (Mt 13.24-30,36-43), Jesus e satanás são retratados como semeadores. Jesus lança as sementes verdadeiras, os filhos de Deus, enquanto satanás semeia os "filhos do maligno".

O principal estratagema de satanás em nosso tempo é semear impostores em todo lugar onde Cristo planta cristãos verdadeiros. Assim, é importante ter a capacidade de distinguir entre o autêntico e o falso e separar as verdadeiras doutrinas de Cristo das doutrinas falsas do anticristo.[38]

---

[38] WIERSBE, Warren W. *Comentário bíblico expositivo*. Vol. 6, p. 642.

Em segundo lugar, *nós devemos permanecer na unção do Espírito que recebemos em vez de buscar novas experiências forâneas às Escrituras* (2.27). João escreve:

> Quanto a vós outros, a unção que dEle recebestes permanece em vós, e não tendes necessidade de que alguém vos ensine; mas, como a sua unção vos ensina a respeito de todas as coisas, e é verdadeira, e não é falsa, permanecei nele, como também ela vos ensinou (2.27).

A Palavra é uma proteção objetiva, enquanto a unção do Espírito é uma experiência subjetiva: mas o ensino apostólico e o Mestre celestial são ambos necessários para a continuidade na verdade. E ambos devem ser captados pessoal e interiormente. Este é o equilíbrio bíblico muito raramente preservado pelos homens. Alguns pretendem honrar a Palavra e negligenciam o Espírito, o único que pode interpretá-la; outros pensam honrar o Espírito mas negligenciam a Palavra da qual Ele nos ensina.[39] É mediante essas duas antigas posses, não mediante novos ensinos ou novas experiências que permaneceremos na verdade.

Harvey Blaney tem toda a razão quando diz que o Espírito Santo é o protetor da ortodoxia. Ele é o mestre da verdade não adulterada. Ele é o avalista de que nosso relacionamento duradouro com Deus é uma compreensão inteligente bem como uma intimidade emocional.[40]

Concordo com Augustus Nicodemus quando diz que João não está afirmando que não precisamos de mestres humanos. Dizer isto seria contradizer as passagens da Bíblia que falam do trabalho dos pastores e mestres na igreja, ensinando e doutrinando os fiéis (Ef 4.11; Rm 12.7; 1Tm 5.17; 2Tm 2.24; Hb 13.7).

Além disso, se os crentes não precisam de mestres humanos, por que João lhes ensina por meio desta carta? O apóstolo está simplesmente dizendo que os cristãos da Ásia não precisavam que os falsos mestres viessem lhes dizer a verdade, pois já estavam firmes nela, mediante a presença e o poder do Espírito.[41]

---

[39]STOTT, John. *I, II, III João: Introdução e comentário*, p. 99.
[40]HARVEY, Blaney. *A primeira epístola de João*. Vol. 10, 2005, p. 308.
[41]LOPES, Augustus Nicodemus. *Primeira carta de João*, p. 83.

Em terceiro lugar, *nós devemos permanecer em Cristo para termos confiança em Sua segunda vinda* (2.28). *Filhinhos, agora, pois, permanecei nEle, para que, quando Ele se manifestar, tenhamos confiança e dEle não nos afastemos envergonhados na sua vinda.*

Os dois últimos versículos do texto em apreço formam uma ponte entre dois capítulos. O versículo 28 é um rápido sumário do capítulo 2. O versículo 29 é um prelúdio do capítulo 3.[42]

O apóstolo João nos diz que o verdadeiro crente é aquele que, em vez de ser enganado pelos anticristos, prepara-se para a segunda vinda de Cristo (2.28). Os homens reagirão à segunda vinda de Cristo de duas formas: uns terão *confiança*, outros *ficarão envergonhados*.

Os falsos crentes ou anticristos ficarão envergonhados na manifestação gloriosa de Cristo em Sua segunda vinda. A primeira manifestação teve como alvo tirar os pecados do povo de Deus (3.5) e destruir as obras do diabo (3.8). João a considera como a manifestação do amor de Deus pelo Seu povo (4.9).

Essa primeira manifestação consistiu na encarnação, vida, morte e ressurreição do Senhor Jesus. A segunda manifestação é o retorno público e visível do Senhor Jesus a este mundo, para completar a obra iniciada na primeira vinda. É a esta manifestação e a esta vinda que João se refere aqui. Nesta futura manifestação, [...] *seremos semelhantes a ele, porque havemos de vê-lo como ele é* (3.2).[43]

Em quarto lugar, *nós devemos praticar a justiça como prova de que nascemos de Deus* (2.29). *Se sabeis que Ele é justo, reconhecei também que todo aquele que pratica a justiça é nascido dEle.*

A única maneira de aguardar a segunda vinda de Cristo é vivendo como ele viveu, em justiça (2.29). Aquele que professa ser cristão, mas não vive em obediência, amor e verdade está enganado ou é um enganador. Pertence não às fileiras de Cristo, mas às fileiras do anticristo, e na segunda vinda de Cristo ficará envergonhado.

Warren Wiersbe está certo quando diz que a vida real é uma vida que consiste em *prática*, não apenas em *palavras*.[44] Não basta saber, é

---

[42]KISTEMAKER, Simon. *Tiago e epístolas de João*, p. 383.
[43]LOPES, Augustus Nicodemus. *Primeira carta de João*, p. 82,83.
[44]WIERSBE, Warren W. *Comentário bíblico expositivo*. Vol. 6, p. 645.

preciso fazer (Ef 5.1; 1Pe 1.14,15; 2Co 13.5). Harvey Blaney tem razão quando diz que o que um homem faz e como age são aspectos intimamente ligados com a sua salvação.[45]

---
[45] BLANEY, Harvey. *A primeira epístola de João.* Vol. 10, 2005, p. 309.

7

Razões imperativas para uma vida pura

1 João 3.1-10

O APÓSTOLO JOÃO CONTINUA REFUTANDO O ENSINO falso dos mestres gnósticos. Neste capítulo 3.1-24, ele emprega três argumentos irresistíveis para combater os hereges e ao mesmo tempo fincar as estacas de uma verdadeira vida cristã. João trabalha o argumento moral (3.1-10), o argumento social (3.11-18) e o argumento doutrinário (3.19-24).

Neste capítulo vamos examinar o primeiro argumento, o argumento moral, e vamos destacar quatro preciosas verdades:

O grande amor de Deus, o Pai (3.1-3)

A motivação para uma vida de pureza começa com Deus e não com o homem. É pela contemplação do amor de Deus que somos desafiados a viver em santidade. Destacamos três sublimes verdades:

Em primeiro lugar, *o grande amor de Deus precisa ser percebido* (3.1a). *Vede que grande amor nos tem concedido o Pai...* O apóstolo João chama a atenção dos crentes para olharem e avaliarem a grandeza do amor do Pai. Trata-se de um amor eterno, imenso e sacrificial. O amor do Pai é gracioso e altruísta. É um amor explícito, ativo e íntimo. É o elo que une aquele que dá ao que recebe. Como filhos de Deus e recipientes do amor divino, confessamos que não somos capazes de compreender as dimensões do amor de Deus.[1]

Esse tipo de amor sempre inclui espanto.[2] Harvey Blaney diz que esta é uma exclamação genuína de perplexidade misturada com gratidão.[3] A expressão "que grande amor" não significa mera "magnitude". Ela aponta para a peculiaridade deste amor. Chamar a nós, inimigos de Deus, de Seus filhos, nós, que somos pessoas degeneradas e maculadas, disto somente um amor que sofre, sustenta e sangra é capaz.[4]

Em segundo lugar, *o grande amor de Deus foi regiamente demonstrado* (3.1b,2). O amor de Deus pode ser visto, porque foi regiamente demonstrado. João destaca três fatos:

Olhando para o passado vemos a bênção da filiação (3.1b). [...] *a ponto de sermos chamados filhos de Deus; e, de fato, somos filhos de Deus. Por essa razão, o mundo não nos conhece, porquanto não o conhece a ele mesmo.* João recorda os privilégios da vida cristã e diz que sendo nós pecadores, inimigos de Deus, filhos da ira, somos agora chamados de filhos de Deus. Somos conhecidos no céu, mas desconhecidos na terra. Somos amados por Deus, mas odiados pelo mundo. Porque o mundo não conheceu a Deus, também não conhece os filhos de Deus.

Werner de Boor diz corretamente que quem se fecha para a revelação de Deus não consegue reconhecer os traços da filiação divina nas pessoas, ou melhor, estes traços se transformam em tropeço para ele.[5]

É um subido privilégio o fato de pertencermos à maior e a mais nobre família da terra. Somos filhos de Deus primeiro por adoção. A adoção nos mostra a grandeza da graça (3.1), a glória da esperança (3.2) e o motivo da santificação (3.3). O único caminho para entrar numa família é pelo nascimento ou pela adoção.

É conhecida a expressão de Stephen Scharnock: "A adoção dá-nos o privilégio de filhos; a regeneração, a natureza de filhos".

---

[1]Kistemaker, Simon. *Tiago e epístolas de João*, p. 396.
[2]Stott, John. *I, II, III João: Introdução e comentário*, p. 102.
[3]Blaney, Harvey. *A primeira epístola de João*. Vol. 10, 2005, p. 310.
[4]Boor, Werner de. *Cartas de João*, p. 344.
[5]Boor, Werner de. *A primeira carta de João*, p. 345.

A adoção era bem conhecida no império romano. A pessoa adotada perdia os direitos na antiga família e ganhava os direitos de um filho na nova família. O filho adotado tornava-se herdeiro de todos os bens de seu novo pai. Legalmente, a antiga vida do adotado ficava totalmente cancelada. As dívidas todas eram canceladas. O filho adotado era considerado uma nova pessoa. Aos olhos da lei, a pessoa adotada era literalmente filha do novo pai.

O grande amor de Deus pode ser visto no fato de Deus ter-nos adotado como filhos. Agora, somos membros da sua família. Somos Seus herdeiros e coerdeiros com Cristo, nosso irmão primogênito. É importante destacar que Paulo empregou o termo "filhos" (*huioi*) no sentido legal, usando a analogia da adoção em vez de geração (Rm 8.14-16), mas João emprega o termo filhos (*tekna*) para acentuar o novo nascimento e esse é o relacionamento mais íntimo.[6]

Olhando para o presente, vemos a bênção da apropriação da filiação (3.2a). *Amados, agora, somos filhos de Deus...* Nós somos filhos de Deus de três formas distintas. Somos filhos por criação, por adoção e por geração. Deus nos criou, Deus nos adotou e Deus nos gerou de novo. Nascemos de cima, do alto, do céu. Nascemos de novo (Jo 3.3), da água e do Espírito (Jo 3.5).

Devemos nos apropriar dessa filiação. Devemos viver como filhos do Deus dos deuses, do Rei dos reis, do Senhor dos senhores. A expressão "filhos de Deus" pode ser traduzida por "crianças nascidas de Deus". Por conseguinte, "filhos de Deus" não é um mero título; é um fato.[7]

Olhando para o futuro vemos a bênção da glorificação (3.2b). [...] *e ainda não se manifestou o que haveremos de ser. Sabemos que, quando Ele se manifestar, seremos semelhantes a Ele, porque haveremos de vê-Lo como Ele é.*

John Stott diz que a nossa filiação, embora real, ainda não é visível (Rm 8.29), pois o que somos não aparece agora para o mundo; o que seremos não aparece ainda para nós.[8]

---

[6]BLANEY, Harvey. *A primeira epístola de João*. Vol. 10, 2005, p. 311.
[7]STOTT, John. *I, II, III João: Introdução e comentário*, p. 102.
[8]STOTT, John. *I, II, III João: Introdução e comentário*, p. 102.

É importante ressaltar que a escatologia do apóstolo João não tem propósitos especulativos, mas práticos. Ele fala da expectação da segunda vinda de Cristo não por razão teológica, mas ética. Quando Cristo se manifestar, nós O veremos, como Ele é; e seremos como Ele é. A visão beatífica de Cristo é resultado da glorificação. Porque seremos semelhantes a Ele, O veremos como Ele é.

Concordo com John Stott, quando afirma: "As duas revelações, de Cristo e do nosso estado final, serão feitas simultaneamente. Porém, a ordem dos eventos é clara: primeiro, Ele aparecerá, depois O veremos como Ele é; e finalmente, seremos semelhantes a Ele".[9]

Lloyd John Ogilvie sintetiza estes três pontos como segue:

> O apóstolo João toca aqui as três dimensões do tempo. Em retrospecto, poderiam ver o que Deus tem feito por eles. "Vede que grande amor nos tem concedido o Pai, a ponto de sermos chamados filhos de Deus." O presente, portanto, estava repleto de segurança confiante. "Amados, agora, somos filhos de Deus." Com base nesse fato, eles podiam ter esperança no futuro. "Ainda não se manifestou o que haveremos de ser. Sabemos que, quando Ele Se manifestar, seremos semelhantes a Ele, porque haveremos de vê-Lo como Ele é."[10]

Em terceiro lugar, *o grande amor de Deus deve ser correspondido* (3.3). *E a si mesmo se purifica todo o que nEle tem esta esperança, assim como Ele é puro*. O apóstolo João não roga nem ordena aos filhos de Deus que se purifiquem. Ele declara um fato. Aqueles que aguardam a segunda vinda de Cristo automática e necessariamente se purificam, assim como Ele é puro. Essa purificação não é cerimonial, mas moral, uma vez que a palavra grega *hagneia*, "pureza", é liberdade de mancha moral.[11]

A grande obra de Deus, o Filho (3.5,8)

O apóstolo João faz uma transição da segunda vinda de Cristo para a sua primeira vinda. Ele deixa de falar do Cristo que virá para falar do

---

[9] STOTT, John. *I, II, III João: Introdução e comentário*, p. 103.
[10] OGILVIE, Lloyd John. *Quando Deus pensou em você*, p. 76.
[11] STOTT, John. *I, II, III João: Introdução e comentário*, p. 104.

Cristo que já veio. Ele faz uma conexão entre a manifestação da glória que acontecerá na segunda vinda para a manifestação que já aconteceu na primeira vinda. A base para um viver santo está fincada na obra que Cristo já realizou em Sua primeira manifestação, e se consumará em Sua segunda vinda, quando ele virá em glória. A obra de Deus, o Filho pode ser descrita de duas maneiras:

Em primeiro lugar, *Jesus se manifestou para tirar os pecados* (3.5). *Sabeis também que ele se manifestou para tirar os pecados, e nEle não existe pecado.*

Aqui a obra de remoção dos pecados do homem realizada por Cristo e a impecabilidade de Sua Pessoa são maravilhosamente colocadas juntas.[12] Jesus não veio para ignorar o pecado, desculpá-lo e considerá-lo inócuo, mas para levá-lo embora.[13]

Jesus veio ao mundo para salvar o Seu povo de seus pecados (Mt 1.21). Ele entrou no mundo como o Salvador (Lc 2.7) e como o Cordeiro de Deus que tira o pecado do mundo (Jo 1.29). Jesus tira os pecados carregando-os em Seu próprio corpo. Ele tomou sobre si os nossos pecados. Ele tira os pecados por meio da expiação. Ele não fez vistas grossas ao pecado. Ele foi traspassado por nossas transgressões. Ele foi moído pelos nossos pecados. Ele se fez pecado por nós. O castigo que nos traz a paz estava sobre Ele. Ele foi ferido por Deus e oprimido. Ele é o Cordeiro de Deus que tira o pecado do mundo.

Estou de pleno acordo com Augustus Nicodemus, quando afirma que este *tirar* dos pecados não consistiu somente no pagamento da culpa do pecado, mas também na quebra do poder do pecado sobre a vida de Seu povo (Rm 6.6,11,12).[14]

Em segundo lugar, *Jesus se manifestou para destruir as obras do diabo* (3.8b). *Para isto se manifestou o Filho de Deus: para destruir as obras do diabo.* O diabo é o pai do pecado. O pecado gera morte e o diabo veio para roubar, matar e destruir. Ele é assassino e ladrão. Ele é mentiroso e enganador. Ele é tentador e destruidor. Ele é a serpente sedutora e o dragão devorador. O Filho de Deus veio não só para tirar os pecados, mas para destruir

---

[12]STOTT, John. *I, II, III João: Introdução e comentário*, p. 106.
[13]BOOR, Werner de. *Cartas de João*, p. 349.
[14]LOPES, Augustus Nicodemus. *Primeira carta de João*, p. 89.

as obras do diabo. Jesus desbancou os principados e potestades na cruz do calvário. Ele triunfou sobre o diabo e suas hostes. Ele expôs os principados e potestades ao desprezo. Ele esmagou a cabeça da serpente.

John Stott diz que moralmente a obra do diabo é tentar para o pecado; fisicamente, é infligir doença; intelectualmente, seduzir para o erro; espiritualmente, afastar a pessoa de Cristo. A palavra grega *katargeo*, "destruir", não significa aniquilar, mas privar de forças, tornar inoperante. A destruição foi uma "soltura", como se essas obras diabólicas fossem correntes que nos prendessem. O diabo continua agindo, mas ele já foi derrotado e em Cristo podemos escapar à sua tirania.[15]

A grande **malignidade do pecado** (3.4,5,6,8)

A pecaminosidade e a malignidade do pecado podem ser observadas por intermédio de cinco fatos:

Em primeiro lugar, ***a essência do pecado*** (3.4). *Todo aquele que pratica o pecado também transgride a lei, porque o pecado é a transgressão da lei.*

O apóstolo João diz que a essência do pecado é a ilegalidade. A palavra grega *anomia* significa "ilegalidade, transgressão". O pecado não é apenas uma falha negativa (*hamartia*), uma injustiça ou falta de retidão (*adikia*), mas essencialmente uma ativa rebelião contra a vontade de Deus e uma violação da Sua santa lei (*anomia*).[16] Este fato é tão sério que o anticristo, o homem da iniquidade, o filho da perdição, é chamado pelo apóstolo Paulo de *ho anthropos tes anomias*, o homem sem lei (2Ts 2.3).

Concordo com Warren Wiersbe quando diz que os pecados são frutos, mas o pecado é a raiz, pois qualquer que seja a atitude exterior do pecador, sua atitude interior é a rebelião.[17]

Nessa mesma linha de pensamento, Augustus Nicodemus diz que pecado é transgressão da lei, seja ao fazer aquilo que ela proíbe, seja ao deixar de fazer aquilo que ela manda. Portanto, o crime do pecador é essencialmente a transgressão da lei de Deus, pela desobediência,

---

[15]STOTT, John. *I, II, III João: Introdução e comentário*, p. 108.
[16]STOTT, John. *I, II, III João: Introdução e comentário*, p. 105,106.
[17]WIERSBE, Warren W. *Comentário bíblico expositivo*. Vol. 6, p. 649.

descaso, desprezo ou indiferença para com ela. Todo pecado, portanto, é pecado contra Deus. É uma rebelião contra a Sua vontade.[18]

Em segundo lugar, *a ação do pecado* (3.5). *Sabeis também que Ele se manifestou para tirar os pecados...* Se Cristo se manifestou para tirar os pecados (3.5) e destruir as obras do diabo (3.8), a ação do pecado é insurgir-se contra a obra de Cristo. Toda vez que um Filho de Deus peca, está se levantando contra Cristo e mostrando que não entende ou não dá o devido valor ao que Jesus fez por ele na cruz.[19]

Se Cristo se manifestou para tirar os pecados, seria correto querer mantê-los? Se o pecado demandou do Pai a entrega do Filho, do Filho a morte na cruz, então podemos nós considerá-lo inócuo e desculpável? Isto é impossível![20]

Em terceiro lugar, *a razão do pecado* (3.6). *Todo aquele que permanece nEle não vive pecando; todo aquele que vive pecando não O viu, nem o conheceu.* Não havendo pecado em Jesus, fica claro: "Jesus" e "pecado" são contrastes perfeitos. Por definição, "Jesus" e "pecado" jamais podem estar juntos! Disso resulta obrigatoriamente: *Todo aquele que permanece nele não vive pecando.*[21]

Augustus Nicodemus, citando J. Gill, escreve: "O verdadeiro cristão permanece em Cristo como o galho da videira, derivando dEle toda luz, vida, graça, santidade, sabedoria, força, alegria, paz e conforto".[22]

O pecado surge do "não permanecer em Cristo". É impossível permanecer em Cristo e no pecado ao mesmo tempo. É impossível permanecer nAquele que é justo e praticar a injustiça ao mesmo tempo. É impossível permanecer nAquele que é puro e viver na impureza ao mesmo tempo. É impossível ter comunhão com Aquele que é luz e viver nas trevas ao mesmo tempo. A visão de Cristo e o conhecimento de Cristo são incompatíveis com a vida no pecado.

John Stott tem razão quando diz que se a natureza de Jesus é sem pecado, e se o propósito de seu aparecimento histórico era tirar o pecado, então todo

---

[18]Lopes, Augustus Nicodemus. *Primeira carta de João*, p. 89.
[19]Wiersbe, Warren W. *Comentário bíblico expositivo*. Vol. 6, p. 649.
[20]Boor, Werner de. *Cartas de João*, p. 349,350.
[21]Boor, Werner de. *Cartas de João*, p. 350.
[22]Lopes, Augustus Nicodemus. *Primeira carta de João*, p. 89.

aquele que permanece nEle não vive pecando, ao passo que, entretanto, todo aquele que vive pecando não O viu, nem O conheceu. Ver e conhecer a Cristo, o Salvador sem pecado dos pecadores, é banir o pecado.[23]

Em quarto lugar, *a origem do pecado* (3.8a). *Aquele que pratica o pecado procede do diabo; porque o diabo vive pecando desde o princípio...* O diabo é o pai do pecado. O pecado vem dele. Pecar é obedecer Aquele que peca desde o princípio, em lugar de obedecer a Deus.

Werner de Boor tem razão quando diz que cada pecado, cada pensamento impuro ou palavra inverídica nos faz sucumbir à influência do diabo, e assim participamos da rebeldia dele contra Deus. E quando não apenas "pecamos", mas "praticamos o pecado", quando não apenas somos "colhidos por ele", mas o exercemos conscientemente e nele permanecemos, então não apenas sucumbimos a uma tentação momentânea, mas "somos do diabo" e fomos essencialmente arrastados para dentro da rebeldia dele contra Deus.[24]

Em quinto lugar, *a vitória sobre o pecado* (3.5). *Sabeis também que Ele Se manifestou para tirar os pecados, e nEle não existe pecado.* Só Aquele que é justo e puro, em quem não existe pecado, pode tirar os pecados. Só por meio do sangue de Jesus podemos ter vitória sobre o pecado. A vitória sobre o pecado não é obtida pelo conhecimento esotérico dos gnósticos nem pelas experiências místicas dos falsos mestres, mas pela obra de Cristo na cruz.

O pecado não pode ser tirado pelo esforço humano. Não podemos lavar-nos a nós mesmos. O injusto não pode justificar-se a si mesmo. O impuro não pode purificar-se a si mesmo. Somente o sangue de Cristo pode nos lavar de todo pecado (1.7).

A grande **impossibilidade** dos filhos de Deus de **viverem na prática do pecado** (3.7-10)

O apóstolo João destaca quatro importantes verdades no texto em tela:

Em primeiro lugar, *a prática da justiça é a verdadeira imitação do Deus justo* (3.7). *Filhinhos, não vos deixeis enganar por ninguém: aquele*

---

[23]STOTT, John. *I, II, III João: Introdução e comentário*, p. 106, 107.
[24]BOOR, Werner de. *Cartas de João*, p. 351.

que pratica a justiça é justo, assim como Ele é justo. Os gnósticos queriam enganar os cristãos teológica (2.26) e moralmente (2.7). No entanto, para João, o fazer é a prova do ser.[25] Não imitamos a Deus por intermédio de ritos místicos, mas pela prática da justiça. Deus é justo (1.9; 2.9) e Jesus Cristo é justo (2.1). Quem é nascido de Deus é justo mediante a obra substitutiva de Cristo e a imputação de Sua justiça. Por conseguinte, vive na prática da justiça.[26]

Em segundo lugar, **a prática do pecado é a verdadeira identificação com o diabo** (3.8a). *Aquele que pratica o pecado procede do diabo, porque o diabo vive pecando desde o princípio.*. Se a prática da justiça é a imitação de Deus, a prática do pecado é a imitação do diabo. A prática da justiça e a prática do pecado identificam a nossa paternidade. Aqueles que são filhos de Deus praticam a justiça; aqueles que são filhos do diabo praticam o pecado. Não somos o que falamos, mas o que fazemos. Não é o nosso discurso que nos torna filhos de Deus, mas provamos a nossa filiação divina pelas nossas obras.

Em terceiro lugar, **a prática do pecado é impossível para os filhos de Deus** (3.9). *Todo aquele que é nascido de Deus não vive na prática de pecado; pois o que permanece nele é a divina semente; ora, esse não pode viver pecando, porque é nascido de Deus*. Alguns críticos veem contradição no apóstolo João ao examinarem o que ele escreveu (1.8,10; 2.1) e o que escreve agora (3.9).

Contudo, não há aqui qualquer contradição. Em cada capítulo João está combatendo um erro diferente. A primeira posição, capítulo 1, é cega para o pecado e nega a sua gravidade; a segunda posição, capítulo 3, é indiferente para com o pecado e nega a sua gravidade. João refuta as duas, mostrando no capítulo 1 a universalidade do pecado e no capítulo 3 a incompatibilidade do pecado no cristão.[27]

"Pecar" aqui está no presente contínuo. E isto significa que o cristão não pode viver na prática e no hábito do pecado. O cristão não pode viver deliberada e insistentemente no pecado. O pecado não é mais a atmosfera da sua vida.

---

[25] STOTT, John. *I, II, III João: Introdução e comentário*, p. 107.
[26] LOPES, Augustus Nicodemus. *Primeira carta de João*, p. 92.
[27] STOTT, John. *I, II, III João: Introdução e comentário*, p. 109.

Simon Kistemaker, nessa mesma linha de pensamento, diz que no grego o verbo expressa ação contínua, e não uma única ocorrência. Assim, ao usar o tempo presente dos verbos gregos, João está dizendo que o crente não pode praticar o pecado como um hábito. O pensamento que está sendo transmitido em 1João 3.9 não é que o nascido de Deus jamais comete um ato pecaminoso, mas que ele não persistirá no pecado.[28]

O pecado deliberado é uma conspiração contra o amor do Pai, contra o sacrifício expiatório do Filho e contra a obra regeneradora do Espírito Santo.

Lloyd John Ogilvie ainda lança luz sobre esse assunto, quando escreve:

> No versículo 9, o verbo "pecar" se encontra no presente do indicativo linear ativo, significando uma ação constante, consistente e compulsiva. É esse tipo de pecado de que fomos libertados. Fomos libertados do pecado habitual como o desejo dominante de nossas vidas. Passaremos por lapsos temporários, mas a nossa conversão significou uma demarcação dramática, uma viravolta. Voltamos de uma vida que se movia para longe de Deus a uma vida que cada vez mais se aproxima dele. Nossa paixão agora é glorificar a Deus e desfrutar dele em todas as coisas. Pode haver atos separados que nos alarmem e mostrem que ainda somos barro que está sendo moldado, mas a mão do Pai constantemente nos forma à imagem de Cristo.[29]

João alista duas razões eloquentes pelas quais os filhos de Deus não podem viver na prática do pecado:

Por causa da divina semente neles implantada. A semente divina, *sperma*, foi implantada em nós. O princípio divino da vida verdadeira foi dado para a concepção da nova pessoa dentro de nós. E assim como o filho natural cresce com as características do pai que o gerou, também nós cada vez mais crescemos na natureza espiritual de nosso Pai celeste.[30]

Augustus Nicodemus diz corretamente que João usa aqui o quadro da reprodução humana. O sêmen carrega a vida e transfere as

---

[28] KISTEMAKER, Simon. *Tiago e epístolas de João*, p. 405.
[29] OGILVIE, Lloyd John. *Quando Deus pensou em você*, p. 83.
[30] OGILVIE, Lloyd John. *Quando Deus pensou em você*, p. 84.

características paternas. Portanto, os que são filhos de Deus herdam a natureza divina (2Pe 1.4), e como decorrência, o nascido de Deus não pode viver pecando, porque é nascido de Deus.[31]

A divina semente é a Palavra de Deus que habita em nós. Fomos gerados dessa semente incorruptível.

Por causa do novo nascimento. Somos nascidos de Deus e Deus é santo, portanto, devemos carregar a imagem do nosso Pai. Nascidos de Deus é a ideia central dos capítulos 3–5 (3.9; 4.7; 5.1,4,18). Não podemos viver na prática do pecado, pois essa é a marca dos filhos do diabo.

Concordo com o que diz Warren Wiersbe: "Por certo, nenhum cristão é impecável, mas Deus espera que o verdadeiro cristão não peque de modo habitual".[32]

Em quarto lugar, **os filhos de Deus e os filhos do diabo são conhecidos por suas obras** (3.10). João conclui sua exposição, falando que a humanidade está dividida em dois grupos: os filhos de Deus e os filhos do diabo: *Nisto são manifestos os filhos de Deus e os filhos do diabo: todo aquele que não pratica justiça não procede de Deus nem aquele que não ama a seu irmão.* Em toda essa epístola João fala de duas categorias: luz ou trevas, verdade ou mentira, amor ou ódio, Deus ou o diabo. João não usa meios-termos. Não há neutralidade nessa questão. O homem é Filho de Deus ou filho do diabo. A nossa ascendência é divina ou diabólica.

Simon Kistemaker, citando Agostinho de Hipona, escreveu: "O diabo não fez homem algum, não deu à luz homem algum, não criou homem algum; mas aquele que imita o diabo, este, como se tivesse dele nascido, torna-se filho do diabo, ao imitá-lo, e não por ter literalmente nascido dele".[33]

Werner de Boor diz que não podemos pensar que na igreja estão os filhos de Deus e lá fora, no mundo, estão os filhos do diabo. João estava presente quando Jesus disse aos judeus devotos e fiéis à lei, com todas as suas realizações religiosas e morais: *Vós sois do diabo, que é vosso pai, e quereis satisfazer-lhe os desejos...* (Jo 8.44).

Muitos filhos do diabo convivem na igreja, ouvem a Palavra, entoam os mesmos hinos, dominam bem o linguajar cristão. Há alguns que até

---

[31]Lopes, Augustus Nicodemus. *Primeira carta de João*, p. 94.
[32]Wiersbe, Warren W. *Comentário bíblico expositivo*. Vol. 6, p. 647.
[33]Kistemaker, Simon. *Tiago e epístolas de João*, p. 403.

mesmo se vangloriam: *Senhor, Senhor! Porventura, não temos nós profetizado em teu nome, e em teu nome não expelimos demônios, e em teu nome não fizemos muitos milagres?* (Mt 7.22).

Jesus não contesta que de fato tenham realizado tudo isso. Neste caso, não seriam eles membros proeminentes de Sua igreja? Não, Jesus lhes responde: *Nunca vos conheci. Apartai-vos de mim, os que praticais a iniquidade* (Mt 7.23). Da mesma maneira João também constata: [...] *todo aquele que não pratica justiça não procede de Deus, nem aquele que não ama a seu irmão* (3.10).[34]

Augustus Nicodemus ainda adverte: "Durante os cultos em uma igreja local todos parecem cristãos, assentados, ouvindo a Palavra, cantando e participando do culto. É pela conduta após o culto que Se revela quais são os verdadeiros cristãos".[35]

A maneira de conhecer os verdadeiros cristãos é pela sua conduta moral. Pelos frutos é que se conhece a árvore (Mt 7.20). Os filhos de Deus são conhecidos por três testes: o teste moral, o teste social e o teste doutrinário. Os filhos de Deus são conhecidos pela obediência, amor e fé. Ou seja, os filhos de Deus andam como Cristo andou e praticam a justiça. Os filhos de Deus amam a Deus e aos irmãos, e os filhos de Deus creem que Jesus veio em carne, morreu, ressuscitou e voltará. Já os filhos do diabo não praticam a justiça nem amam aos irmãos. A falta de justiça e a falta de amor provam a falta de novo nascimento.

Concluo esta exposição evocando mais uma vez a contribuição do erudito expositor John Stott:

> Se Cristo se manifestou para tirar os pecados e para destruir as obras do diabo e se quando ele se manifestar pela segunda vez, haveremos de vê-lo como ele é e seremos semelhantes a ele, como podemos continuar vivendo no pecado? Fazê-lo é negar o propósito de suas duas manifestações. Se quisermos ser leais à sua primeira vinda e estar preparados para a Sua segunda vinda, devemos nos purificar, como ele é puro. Agindo assim, daremos prova de que nascemos de Deus.[36]

---

[34]Boor, Werner de. *Cartas de João*, p. 353.
[35]Lopes, Augustus Nicodemus. *Primeira carta de João*, p. 95.
[36]Stott, John. *I, II, III João: Introdução e comentário*, p. 111.

8

o amor, a apologética final

1 João 3.11-24

O APÓSTOLO JOÃO ACABARA DE MOSTRAR que aquele que não pratica a justiça nem ama a seu irmão é filho do diabo e não Filho de Deus (3.10). Agora, por contraste, argumenta que o amor aos irmãos é a evidência da salvação (3.14). João contrasta o ódio de Caim como protótipo do mundo (3.12,13) com o amor de Cristo que deve ser visto na igreja (3.14-18).

Warren Wiersbe vê no texto em apreço quatro níveis de relacionamentos: homicídio (3.11,12); ódio (3.13-15), indiferença (3.16,17) e amor (3.18-24). A única diferença entre o nível 1 e o nível 2 é o ato exterior de tomar uma vida. A intenção interior é a mesma. A prova do amor cristão não é apenas deixar de fazer o mal a outros. O amor envolve a prática do bem. Uma pessoa não precisa ser homicida para pecar; dentro do coração, o ódio corresponde a homicídio. Mas também não precisa sequer odiar o irmão para ter pecado. Basta ignorá-lo ou mostrar-se indiferente às suas necessidades. O amor não pratica o mal, nem é indiferente; o amor pratica o bem.[1]

---

[1] WIERSBE, Warren W. *Comentário bíblico expositivo*. Vol. 6, p. 654-661.

Três verdades são aqui destacadas pelo apóstolo: o contraste do amor, a demonstração do amor e os resultados do amor. Vamos, agora, expor estas três verdades.

O contraste do amor (3.11-15)

Para melhor compreensão do texto em pauta, destacaremos alguns pontos:

Em primeiro lugar, **o amor fraternal é uma mensagem antiga e não uma novidade** (3.11). *Porque a mensagem que ouvistes desde o princípio é esta: que nos amemos uns aos outros.* A primeira coisa que João deixa claro é que a mensagem apostólica acerca do amor fraternal não era uma novidade como a pregação dos falsos mestres. Estes se jactavam do seu novo ensino, recebido por uma iluminação especial. João refuta os falsos mestres mostrando que a mensagem que está trazendo para a igreja é a mesma que a igreja ouvira desde o princípio.

João apela para a autoridade da tradição apostólica, que remonta ao próprio Cristo, para estabelecer firmemente a mensagem que eles haviam recebido. O conteúdo da mensagem é que os cristãos devem amar uns aos outros.[2] Essa mensagem acerca do amor estava em consonância com o todo das Escrituras (Dt 6.5; Lv 19.18). Jesus chegou mesmo a dizer que o amor é o maior dos mandamentos (Mt 22.34-40) e o critério pelo qual seremos conhecidos como Seus discípulos (Jo 13.34,35). O apóstolo Paulo destacou que o amor é o cumprimento da lei (Rm 13.9; Gl 5.14).

Em segundo lugar, *o amor fraternal promove o bem e não o mal* (3.12). *Não segundo Caim, que era do maligno e assassinou a seu irmão; e por que o assassinou? Porque as suas obras eram más, e as de seu irmão, justas.* João diz que não devemos amar segundo Caim. O amor de Caim era dissimulado e falso. Ele estava presente nos lábios, mas não no coração. Ele amava de palavras, mas não de fato e de verdade. Por isso, ele assassinou ao seu irmão e isso, pelos motivos mais torpes.

Caim era do maligno. Ele assassinou. Assassinou seu irmão. Caim assassinou seu irmão porque as suas obras eram más, e justas as de seu

---

[2] LOPES, Augustus Nicodemus. *Primeira carta de João*, p. 98.

e sua oferta foram rejeitados. Caim preferiu eliminar seu irmão a imitá-lo. A inveja de Caim o levou a tapar os olhos e os ouvidos para o aprendizado. Ele se endureceu no caminho da rebeldia. Não apenas sentiu inveja, mas consumou o seu pecado, levando o próprio irmão à morte. Ele não apenas odiou a seu irmão, mas o fez da forma mais sórdida. Odiou-o não pelo mal que Abel praticara, mas pelo bem; não pelos erros, mas pelas virtudes.

A luz de Abel cegou Caim. As virtudes de Abel embruteceram Caim. A vida de Abel gestou a morte no coração de Caim. O culto de Caim, longe de aproximá-lo de Deus, afastou-o ainda mais. O seu culto não passava de um arremedo, de uma máscara grotesca para esconder o coração invejoso e cheio de ódio.

Caim deu mais um passo na direção do abismo ao rejeitar a exortação de Deus. Caim não apenas estava errado, mas não queria se corrigir (Gn 4.3-7). Caim não foi escorraçado por Deus ao trazer a oferta errada, com a vida errada e com a motivação errada. Deus o exortou e o chamou ao arrependimento.

Deus lhe deu a oportunidade para mudar de vida. Mas Caim preferiu o caminho da rebeldia ao caminho da obediência. Longe de se arrepender, de tomar novo rumo, Caim deu mais um passo na direção do pecado. Não virou as costas para o pecado, virou as costas para Deus. A exortação de Deus produziu nele endurecimento, e não quebrantamento. Caim, em vez de cair em si e arrepender-se, irou-se sobremaneira. Em vez de voltar-se para Deus, fugiu de Deus. Caim, em vez de imitar o exemplo de Abel, resolveu assassiná-lo.

Caim prossegue em sua rebeldia ao maquinar o mal contra seu irmão. Caim pensou que o seu problema era Abel e não seus próprios pecados. Pensou que a única maneira de ser aceito era tirar o irmão do seu caminho. Ele olhou para Abel não como alguém a imitar, mas como um rival a ser eliminado. As virtudes de Abel o afligiram mais do que suas próprias fraquezas. A aceitação de Abel atormentou Caim mais do que a sua rejeição. A eliminação de Abel parecia recompensá-lo mais do que sua própria aceitação.

Caim torpemente demonstra amor nas palavras, mas esconde ódio no coração ao consumar seu pecado. Assim diz o texto bíblico: *Disse Caim a Abel, seu irmão: Vamos ao campo. Estando eles no campo, sucedeu que se levantou Caim contra Abel, seu irmão, e o matou* (Gn 4.8). A palavra grega *esphaxen* significa literalmente "cortou a garganta, degolou".[7]

Fritz Rienecker diz que essa palavra traz a ideia de morte violenta.[8] Caim era um vulcão efervescente de ódio por dentro, mas um mar plácido e calmo por fora. Ele tinha palavras aveludadas e um coração perverso. Palavras doces e um coração amargo. Amizade nos gestos e morte nos pensamentos. Ele maquinou a morte do irmão com gestos de amizade. Ele enganou Abel e o matou. Caim assassinou não um estranho, ou um inimigo, mas o seu irmão, carne da sua carne, sangue do Seu sangue. Matou-o não porque Abel era uma ameaça à sua vida, mas porque Abel era um exemplo digno de ser imitado.

Caim revela pertencer ao maligno e ser exemplo do mundo ao esconder seu pecado e rejeitar o juízo de Deus. Caim não levou a sério a Palavra de Deus nem o juízo de Deus. Pensou que seus atos estivessem fora do alcance de Deus. Ele não só pecou, como tentou escapar das consequências do seu pecado. Deus não apenas exortou Caim para não pecar, mas o confrontou depois de pecar (Gn 4.9-11). Caim acabou colhendo o que plantou. Ele preferiu fugir de Deus a obedecê-lo, e foi sentenciado a ser um fugitivo e errante pela terra (Gn 4.12).

Em terceiro lugar, **o amor fraternal desperta o ódio do mundo** (3.13). *Irmãos, não vos maravilheis se o mundo vos odeia.* João exorta a igreja a não ficar escandalizada com o ódio do mundo, pois o mundo é a posteridade de Caim.[9] Os filhos de Caim são filhos do maligno e eles odeiam a igreja como odiaram a Cristo. Eles odeiam a igreja exatamente porque Cristo está na igreja. O mundo odeia Cristo na igreja. Quando o mundo persegue a igreja está perseguindo o próprio Cristo (At 9.4).

Werner de Boor diz que Caim torna mais uma coisa compreensível para as igrejas: "Irmãos, não vos maravilheis se o mundo vos odeia". Nos

---

[7]STOTT, John. *I, II, III João: Introdução e comentário*, p. 120.
[8]RIENECKER, Fritz e ROGERS, Cleon. *Chave linguística do Novo Testamento grego*, p. 588.
[9]STOTT, John. *I, II, III João: Introdução e comentário*, p. 121.

autos dos processos dos mártires e nos escritos dos apologistas do início do cristianismo e dos pais da igreja antiga constantemente é salientado o doloroso espanto: por que, afinal, vocês nos odeiam? Vivemos castos, pacatos e disciplinados. Não fazemos nada de especial, ajudamos os pobres e enfermos, oramos pelos governantes – por que vocês nos entregam à morte cruel?

Justamente por vivermos desta forma somos um espinho e uma censura ao mundo. Jesus deixou claro a seus discípulos: *Se vós fôsseis do mundo, o mundo amaria o que era seu; como, todavia, não sois do mundo, pelo contrário, dele vos escolhi, por isso, o mundo vos odeia* (Jo 15.19).[10]

Em quarto lugar, **o amor é a evidência da salvação** (3.14). *Nós sabemos que já passamos da morte para a vida, porque amamos os irmãos; aquele que não ama permanece na morte.* Mesmo que o mundo nos odeie, nós não odiamos, mas amamos. O fato de amarmos os irmãos dá-nos boa base para a certeza da vida eterna.[11]

O amor não é a causa da salvação, mas a evidência. João trabalha nessa carta três provas que distinguem o verdadeiro cristão do falso cristão: as provas doutrinária, social e moral. O verdadeiro crente é conhecido pela sua fé em Cristo, Seu amor aos irmãos e sua santidade de vida. O amor é a apologética final, uma vez que o amor é o maior mandamento, cumprimento da lei e evidência cabal de que somos discípulos de Cristo.

O apóstolo João é enfático em afirmar que aquele que não ama permanece na morte (3.14b). Permanecer na morte é a mesma coisa de andar nas trevas (1.6; 2.9), não ter a verdade (2.4), não saber para onde vai (2.11), ser mentiroso (2.4; 2.22) e ser do diabo (3.8,10). São os termos empregados por João para descrever a verdadeira situação dos que não conhecem a Deus, não se arrependeram de seus pecados nem se achegaram a Cristo para receberem vida. Por conseguinte, estes são os que caminham para a morte eterna.[12]

---

[10]BOOR, Werner de. *Cartas de João*, p. 356.
[11]STOTT, John. *I, II, III João: Introdução e comentário*, p. 122.
[12]LOPES, Augustus Nicodemus. *Primeira carta de João*, p. 99,100.

Em quinto lugar, *o ódio é a evidência da perdição* (3.15). *Todo aquele que odeia a seu irmão é assassino; ora, vós sabeis que todo assassino não tem a vida eterna permanente em si.* Se o amor é prova de vida eterna, o ódio é evidência de morte espiritual. Quem odeia é um assassino em potencial. O ódio é o campo onde brota a semente do assassinato. O assassinato tem sua origem no ódio.

João Calvino chegou a afirmar que se desejamos que aconteça um mal ao nosso irmão, mesmo que causado por outra pessoa, somos assassinos.[13] Caim odiou e matou Abel. Esaú odiou seu irmão Jacó e planejou matá-lo (Gn 27.41). Absalão odiou seu irmão Amnom e o matou (2Sm 13.22-28). Herodias odiava João Batista e desejava matá-lo (Mc 6.19). É por isso que Deus julga não apenas a ação, mas também a intenção. Ele conhece não apenas os atos, mas também as motivações. Para Deus, quem odeia já é um assassino, pois o ódio é o prelúdio do assassinato; ele é a porta de entrada do crime.

Se a marca do salvo é o amor, o ódio que leva à morte não pode ser o seu distintivo. Uma pessoa salva busca a edificação do irmão e não sua morte. Logo, o assassino não tem vida eterna permanente em si. Isso não significa que o apóstolo esteja negando a possibilidade de arrependimento e perdão para um homicida nem esteja dizendo que um assassino não possa ser salvo. Ele poderá ser salvo, desde que se arrependa de seus pecados, mude sua conduta e coloque sua confiança em Cristo.

A demonstração do amor (3.16-18)

O apóstolo João faz uma transição do ódio de Caim para o amor de Cristo; do ódio do mundo para o amor da igreja. Ele interrompe o contraste do amor para falar acerca da demonstração do amor. Três grandes verdades são aqui apontadas:

Em primeiro lugar, *o amor é demonstrado pela abnegação* (3.16). *Nisto conhecemos o amor: que Cristo deu a sua vida por nós; e devemos dar nossa vida pelos irmãos.* Tendo mostrado que o amor é a evidência da vida,

---

[13] CALVINO, John. *Commentaries on the catholic epistles: The first epistle of John.* Grand Rapids, MI: Eerdmans, 1948, p.218.

explica que a essência do amor é o sacrifício próprio.[14] Se o ódio é negativo e procura o mal do outro, o amor é positivo e dá a vida pelo outro. O amor é conhecido pelo que dá e não pelo que toma.

John Stott está correto quando diz: "Como Caim foi dado como exemplo supremo do ódio, Cristo é apresentado como o supremo exemplo de amor. O ódio de Caim deu em assassinato, o amor de Cristo em sacrifício próprio".[15] Caim tirou a vida de seu irmão, Cristo deu a sua vida por nós.

O amor de Cristo não foi apenas de palavras, mas, sobretudo, de ação. Ele amou e deu não apenas algo, mas a sua própria vida. O amor de Cristo é o nosso supremo exemplo. Assim como ele deu a sua vida por nós, devemos dar a nossa vida pelos irmãos. Obviamente não podemos dar a nossa vida como Cristo no-la deu. Cristo deu a sua vida por nós vicariamente. Nesse sentido não podemos imitar a Cristo. Porém, podemos dar a nossa vida pelos irmãos em termos de serviço e cuidado.

Em segundo lugar, *o amor é demonstrado pela compaixão* (3.17). *Ora, aquele que possuir recursos deste mundo, e vir a seu irmão padecer necessidade, e fechar-lhe o seu coração, como pode permanecer nele o amor de Deus?* João mostra de forma prática como podemos expressar o nosso amor pelos irmãos. O apóstolo faz uma transição do geral para o particular; dos *irmãos* para *o irmão*. É fácil amar a todos; o desafio é amar e socorrer o necessitado.

John Stott, citando Lewis, diz que amar toda gente em geral pode ser uma desculpa para não amar ninguém em particular.[16] Fechar o coração ao necessitado é o oposto de compaixão. Compaixão é abrir o coração antes de abrir as mãos. Compaixão é abrir o bolso e não apenas a boca. Está correta esta sentença: "Como a vida não habita no assassino (3.15), o amor não habita no mesquinho (3.17)".[17]

O amor de Deus em nós leva-nos a sermos canais deste amor aos outros. Quando amamos e damos, estamos imitando a Deus em Seu amor, que nos amou e nos deu Seu Filho (Jo 3.16; Rm 5.8; 8.32).

---

[14] STOTT, John. *I, II, III João: Introdução e comentário*, p. 123.
[15] STOTT, John. *I, II, III João: Introdução e comentário*, p. 123.
[16] STOTT, John. *I, II, III João: Introdução e comentário*, p. 124.
[17] STOTT, John. *I, II, III João: Introdução e comentário*, p. 124.

Lloyd John Ogilvie traduz corretamente o espírito do cristianismo quando diz que não há vocação mais estimulante para o cristão do que ser um libertador de pessoas mediante expressões de amor humano, divinamente inspirado.[18]

Em terceiro lugar, *o amor é demonstrado pela ação* (3.18). *Filhinhos, não amemos de palavra, nem de língua, mas de fato e de verdade*. O amor não é um discurso teórico (de palavra e de língua), mas uma ação prática (de fato e de verdade). O amor não é o que falamos, mas o que fazemos. O amor não é tanto uma questão de sentimento, mas de movimento, e movimento em direção do necessitado. Amamos não com discursos eloquentes, regados de emoção, mas com ações práticas para aliviar a dor do irmão e socorrê-lo em suas necessidades.

John Stott tem razão quando diz que o amor não é essencialmente sentimento nem conversa, mas atos. Na verdade, se o nosso amor há de ser genuíno (de verdade), inevitavelmente será positivo e ativo (de fato).[19]

Simon Kistemaker diz que amor e fé têm em comum que ambos precisam de obras para atestar sua autenticidade. Palavras de amor que nunca são traduzidas em ação não valem nada. Amor é o ato de dar suas posses, talentos e a si mesmo por outra pessoa. Assim as palavras e a língua têm seus equivalentes na ação e na verdade.[20]

Os resultados do amor (3.19-24)

O apóstolo João faz uma transição da demonstração do amor para os resultados do amor. Quais são os resultados do amor? O apóstolo elenca três benditos resultados do amor:

Em primeiro lugar, *consciência tranquila* (3.19-21).

> *E nisto conhecemos que somos da verdade, bem como, perante ele, tranquilizaremos o nosso coração; pois, se o nosso coração nos acusar, certamente, Deus é maior do que o nosso coração e conhece todas as coisas. Amados, se o coração não nos acusar, temos confiança diante de Deus.*

---

[18] OGILVIE, Lloyd John. *Quando Deus pensou em você*, p. 91.
[19] STOTT, John. *I, II, III João: Introdução e comentário*, p. 125.
[20] KISTEMAKER, Simon. *Tiago e epístolas de João*, p. 417.

Quando amamos como Cristo nos amou, temos consciência tranquila diante de Deus, pois o fruto do amor é a confiança. É amando os outros "de verdade" que sabemos que somos "da verdade".[21] Tranquilizar o coração é o processo pelo qual conversamos, dialogamos e arrazoamos com a nossa consciência e nos persuadimos de que, pelo perdão obtido mediante o sangue precioso de Jesus, somos absolvidos da culpa e estamos no favor de Deus.

No processo de argumentação conosco mesmos, usamos o amor pelos irmãos como evidência de que fomos alcançados pelo amor de Deus.[22] Amar os irmãos, diz Augustus Nicodemus, é o remédio para alguns dos males tão comuns entre os crentes, como incerteza, angústia e insegurança, bem como falta de ousadia e coragem diante de Deus na oração.[23]

John Stott, citando Law, lança luz sobre este importante assunto: "Há três atores neste drama espiritual, três oradores neste debate interior. É uma espécie de julgamento, com o nosso coração como acusador, nós mesmos como o advogado de defesa e Deus como o Juiz". Se nossa consciência nos acusa não devemos considerá-la a suprema corte do nosso julgamento nem aceitar que ela seja a palavra final da nossa sentença. Deus é maior do que nossa consciência.

O conhecimento de Deus é pleno e o de nossa consciência, limitado. O julgamento de Deus é pleno de misericórdia e de nossa consciência, muitas vezes, implacável. É melhor estar nas mãos de Deus do que nas nossas mãos. Corremos o grande risco de sermos esmagados por nós mesmos e sermos assolados pela autocondenação. Corremos o risco de vivermos como prisioneiros da culpa, na masmorra do medo, perdendo a alegria de viver por não compreendermos a graça.

Precisamos começar um novo passado. Precisamos deixar o passado no passado e viver o presente com alegria e caminhar para o futuro firme na certeza de que a graça nos restaurou e que pelo sangue de Jesus somos aceitos por Deus como membros da sua família. Agora

---

[21]STOTT, John. *I, II, III João: Introdução e comentário*, p. 125.
[22]LOPES, Augustus Nicodemus. *Primeira carta de João*, p. 106.
[23]LOPES, Augustus Nicodemus. *Primeira carta de João*, p. 108.

somos filhos de Deus, herdeiros de Deus, habitação de Deus e herança de Deus. Somos a menina dos Seus olhos e a Sua delícia, em quem Ele tem todo o Seu prazer. Harvey Blaney está absolutamente correto quando diz que o perdão deve ser tão real quanto a culpa.[24]

Lloyd John Ogilvie diz que não precisamos colher lembranças ruins para fazer parte do banco de memória de nosso coração. Em cada crise podemos tranquilizar o nosso coração perante Deus. Quando somos tentados pela dúvida, podemos olhar nossa vida pelas lentes do Calvário. Deus é por nós. Seus recursos estão disponíveis para nós. Encontramos nEle refúgio. Ele não nos rejeitará por causa do nosso passado. Ele nos acolhe em nosso presente e Ele é o Senhor do nosso futuro.[25]

Descansamos no que Deus fez por nós em Cristo e não naquilo que fazemos para Deus ou mesmo para os nossos irmãos. Em Deus está a nossa segurança e não em nós mesmos. O propósito, portanto, deste texto é curar a consciência ferida e não abrir mais ainda a sua ferida; é dar segurança e não infligir terror aos corações.[26]

William Barclay diz corretamente que o conhecimento perfeito que pertence a Deus, e somente a Deus, não é nosso terror, mas nossa esperança.[27]

John Stott sintetiza esse ponto de forma clara:

> A nossa consciência não é infalível, de maneira nenhuma; a condenação que faz pode ser com frequência injusta. Podemos, pois, apelar de nossa consciência para Deus que é maior e conhece mais. Na verdade, Ele conhece todas as coisas, inclusive os nossos motivos secretos e os nossos propósitos mais profundos, e, está implícito, que será mais misericordioso para conosco do que o nosso coração. A sua onisciência nos assiste, não nos aterroriza (Sl 103.14; Jo 21.17). Assim é o conhecimento de que só Ele pode aquietar o coração acusador, o nosso conhecimento do nosso sincero amor pelos outros e supremamente o conhecimento que Deus tem dos nossos pensamentos e motivos.

---

[24] BLANEY, Harvey. *A primeira epístola de João*. Vol. 10. 2006, p. 316.
[25] OGILVIE, Lloyd John. *Quando Deus pensou em você*, p. 94,95.
[26] STOTT, John. *I, II, III João: Introdução e comentário*, p. 128.
[27] BARCLAY, William. *I, II, III Juan y Judas*, p. 99.

Mais forte do que qualquer tranquilizador químico é a confiança em nosso Deus que conhece todas as coisas.[28]

Em segundo lugar, *orações respondidas* (3.22,23).

E aquilo que pedimos dEle recebemos, porque guardamos os Seus mandamentos e fazemos diante dEle o que lhe é agradável. Ora, o seu mandamento é este: que creiamos em o nome de Seu Filho, Jesus Cristo, e nos amemos uns aos outros, segundo o mandamento que nos ordenou.

Guardar os mandamentos de Deus e fazer o que lhe é agradável não são base meritória da resposta às nossas orações, mas condições indispensáveis. A base é o mérito e mediação de Cristo.

Em apenas duas ocasiões João fala de oração nesta carta (3.22,23; 5.14,15). Em ambas as ocasiões diz que as orações só serão respondidas mediante a observação de certas condições: obediência aos mandamentos de Deus e submissão à vontade de Deus.

Nossas orações serão interrompidas sem uma vida de obediência a Deus, assim como Caim e o seu culto foram rejeitados por Deus por causa de suas atitudes mundanas. As orações são respondidas conforme a vontade de Deus (5.14) e não segundo nossos pretensos direitos.

A obediência a Deus é uma evidência de que a nossa vontade está em sintonia com a vontade de Deus. Se quisermos ver as nossas orações respondidas, precisamos orar ao Pai e para a glória do Pai, em nome de Cristo, e no poder do Espírito. Precisamos ter vida limpa e coração livre de mágoa. Precisamos obedecer aos mandamentos e crer nas promessas.

No entanto, que mandamentos devemos obedecer? João fala de um único mandamento, abrangendo fé em Cristo e amor uns aos outros (3.23). Fé e amor fazem parte do núcleo da vida cristã. Tratam da nossa relação com Deus e com o próximo, da nossa relação vertical e horizontal. A primeira parte do mandamento é crer em o nome de Seu Filho, Jesus Cristo (Jo 6.29). Crer no nome é o mesmo que crer nEle; João emprega o termo *nome* no sentido oriental: o nome de uma pessoa representa tudo o que ela é. Ambos os títulos (Filho de Deus e

---

[28]STOTT, John. *I, II, III João: Introdução e comentário*, p. 126,127.

Cristo) apontam para a Sua divindade, verdade esta negada pelos falsos mestres gnósticos.

Augustus Nicodemus tem toda razão quando adverte: "A questão não é somente crer em Jesus, mas crer naquilo que Deus nos diz acerca de Jesus, conforme a pregação apostólica".[29] A segunda parte do mandamento é amar uns aos outros. O amor é um dos sinais distintivos do verdadeiro cristianismo (3.10; 3.14; 3.16,17).

Em terceiro lugar, **permanência garantida** (3.24).

> *E aquele que guarda os Seus mandamentos permanece em Deus, e Deus, nele. E nisto conhecemos que ele permanece em nós, pelo Espírito que nos deu."*
> *A observância dos mandamentos divinos é uma condição e uma evidência de que permanecemos em Deus e ele permanece em nós.*

Augustus Nicodemus é enfático em afirmar que a permanência em Deus não é uma experiência mística; consiste em permanecer no ensinamento apostólico sobre Jesus, o Filho de Deus (4.15), e viver de acordo com isso. Da mesma sorte, a permanência de Deus no crente é seu governo sobre ele, mediante a presença do Espírito Santo, traduzindo-se em obediência aos mandamentos.[30] A prova irrefutável, portanto, de que Deus permanece em nós é a habitação do Seu Espírito em nós. O Espírito Santo nos foi dado como selo e penhor (Ef 1.13,14).

John Stott está certo quando diz que a condição para a permanência em Deus é a obediência (3.24a) e a prova da permanência é a dádiva do Espírito (3.24b).[31]

Warren Wiersbe diz que a Primeira Epístola de João foi comparada a uma escadaria em caracol, pois ele sempre volta a três assuntos pivotantes: amor, fé e obediência.[32]

Concluímos este capítulo, portanto, destacando que João volta a enfatizar estas três provas que identificam o verdadeiro cristão: a prova doutrinária (fé em Cristo), a prova social (amor aos irmãos) e a prova moral (obediência aos mandamentos).

---

[29]LOPES, Augustus Nicodemus. *Primeira carta de João*, p. 111.
[30]LOPES, Augustus Nicodemus. *Primeira carta de João*, p. 112.
[31]STOTT, John. *I, II, III João: Introdução e comentário*, p. 131.
[32]WIERSBE, Warren W. *Comentário bíblico expositivo*. Vol. 6, p. 654.

9

Como podemos conhecer um **verdadeiro** cristão

1 João 4.1-21

A PRINCIPAL TESE DO APÓSTOLO JOÃO nessa epístola é provar que temos a vida eterna (5.13). Ao longo da carta, João trabalha com três provas insofismáveis que identificam um verdadeiro cristão: a prova doutrinária, a social e a moral. No texto em apreço, o apóstolo retorna à prova doutrinária e social, ou seja, à fé e ao amor.

Um verdadeiro cristão é **conhecido por aquilo que ele crê** (4.1-6)

A igreja na Ásia Menor, no final do primeiro século, estava sendo atacada pelas heresias dos falsos mestres. O gnosticismo incipiente estava sendo proposto como alternativa à fé cristã. As verdades do cristianismo estavam sendo atacadas desde os seus alicerces. Os mestres gnósticos negavam tanto a divindade quanto a humanidade de Cristo. Eles pregavam um falso cristo, um falso evangelho, uma falsa fé e um falso amor.

É neste contexto que João exorta a igreja para não dar crédito a qualquer espírito. Em vez de ter uma fé ingênua, os crentes deveriam provar os espíritos se de fato procediam de Deus. A negação da encarnação de Cristo era uma evidência insofismável de que o espírito que estava por trás destes pregadores era o espírito do anticristo e não o Espírito de Deus. Algumas verdades devem ser aqui observadas:

Em primeiro lugar, **um alerta solene** (4.1). *Amados, não deis crédito a qualquer espírito...* A palavra "espírito" neste versículo equivale a ensinamento.[1] Os falsos mestres estavam tentando fazer uma combinação da filosofia grega com o cristianismo. A proposta deles era um concubinato espúrio entre o conhecimento esotérico e a fé cristã. A heresia nem sempre vem com uma negação ostensiva e integral da verdade. Ela propõe uma parceria. Ela vem com uma linguagem ecumênica. Ela está disposta a sentar-se à mesa para dialogar. A igreja de Cristo, porém, não pode ser crédula. Ela não pode ser acrítica. Ela não pode dar crédito àqueles que falam em nome de Deus sem trazer integralmente a doutrina de Deus.

John Stott diz que o tempo presente de "não deis crédito a qualquer espírito" indica que os leitores de João eram propensos a aceitar sem crítica todo ensino que parecesse dado por inspiração. Era preciso mostrar-lhes que identificar o sobrenatural com o divino é um erro perigoso.[2]

Em segundo lugar, **uma ordem expressa** (4.1b). [...] *antes, provai os espíritos se procedem de Deus, porque muitos falsos profetas têm saído pelo mundo afora.* João dá uma ordem e em seguida oferece a justificativa. Sua ordem tem uma razão de ser. Ela não vem num vácuo. Porque muitos falsos profetas têm saído pelo mundo afora, os crentes precisam provar os espíritos, para saber se de fato eles procedem de Deus.

Werner de Boor está correto quando diz que a expressão "têm saído" remete ao fato de que os falsos mestres destacavam enfaticamente seu "envio", que os impelia atuar mundo afora. O aspecto sedutor desses homens era o fato de se apresentarem com essa consciência de envio, demandando fé e obediência.[3]

Augustus Nicodemus diz que em vez de uma atitude de credulidade simplista, os crentes deveriam ter uma atitude crítica para com as manifestações alegadamente provenientes de Deus. "Provar" significa, à

---

[1] Kistemaker, Simon. *Tiago e epístolas de João*, p. 434.
[2] Stott, John. *I, II, III João: Introdução e comentário*, p. 131.
[3] de Borr, Werner. *Cartas de João*, p. 369.

semelhança do metalúrgico que testa a integridade do metal por meio do fogo, testar a mensagem com a verdade apostólica, para saber qual o espírito que está por trás dela.[4]

Os falsos mestres fizeram do mundo suas salas de aula. Desejavam conquistar a audiência de muitos cristãos.[5] Simon Kistemaker fala de duas esferas espirituais neste mundo: uma é do domínio do Espírito Santo; a outra é do domínio do diabo.

O Espírito Santo habita nos filhos de Deus (3.24), mas o espírito do diabo vive nos falsos profetas, que falam em seu nome.[6] Satanás imita o fenômeno da iluminação divina inspirando falsos profetas e mestres, com o objetivo de espalhar o erro religioso e afastar as pessoas da verdade (1Tm 4.1,2; 2Pe 2.1).[7]

Acolher todo pregador que fala em nome de Deus e ouvir de boa mente toda pregação como se fosse verdadeira são atitudes insensatas. Precisamos ser crentes bereanos. Precisamos julgar os profetas. Precisamos passar tudo o que ouvimos pelo crivo da Palavra de Deus. Concordo com John Stott quando diz que não se deve confundir a fé cristã com credulidade. A fé verdadeira examina o seu objeto antes de depositar confiança nele.[8]

Jesus preveniu os seus discípulos acerca dos falsos profetas (Mt 7.15; Mc 13.22,23). De igual forma o fizeram Paulo (At 20.28-30) e Pedro (2Pe 2.1). Ainda hoje há muitas vozes clamando por nossa atenção. Somos um canteiro fértil onde têm florescido e prosperado muitas seitas, ganhando amplo apoio popular.

Há uma urgente necessidade de discernimento entre os cristãos. Nossa geração perdeu o entusiasmo pela defesa da verdade. Mais assustador do que a pregação herética dos falsos profetas é o silêncio dos profetas de Deus. Assistimos, estarrecidos, a uma perigosa tolerância para com as falsas doutrinas.

---

[4]LOPES, Augustus Nicodemus. *Primeira carta de João*, p. 117.
[5]KISTEMAKER, Simon. *Tiago e epístolas de João*, p. 434.
[6]KISTEMAKER, Simon. *Tiago e epístolas de João*, p. 434.
[7]LOPES, Augustus Nicodemus. *Primeira carta de João*, p. 117.
[8]STOTT, John. *I, II, III João: Introdução e comentário*, p. 132.

Em terceiro lugar, **um esclarecimento necessário** (4.2,3). *Nisto reconhecereis o Espírito de Deus: todo espírito que confessar que Jesus Cristo veio em carne é de Deus; e todo espírito que não confessa a Jesus não procede de Deus; pelo contrário, este é o espírito do anticristo, a respeito do qual tendes ouvido que vem e, presentemente, já está no mundo.*

Simon Kistemaker diz que, no grego, João usa o tempo perfeito para a palavra *veio* a fim de indicar que Jesus veio em natureza humana e, ainda agora, no céu, Ele possui uma natureza humana, ou seja, além de sua natureza divina, Ele também tem uma natureza humana.[9]

Os falsos mestres gnósticos negavam tanto a *divindade* quanto a *humanidade* de Cristo. Eles negavam tanto a Sua encarnação como a Sua ressurreição. Eles negavam tanto o seu nascimento virginal quanto a sua morte expiatória.

A cristologia deles procedia do anticristo. Embora o anticristo seja um personagem que aparecerá no futuro, seu espírito já opera no mundo. Os verdadeiros profetas são instrumentos de comunicação do Espírito de Deus (4.2).

Os falsos profetas são instrumentos de comunicação do [...] *espírito do erro* (4.6). Por trás de cada profeta está um espírito, e por trás de cada espírito está Deus ou o diabo. Antes de podermos confiar em quaisquer espíritos, precisamos prová-los, se procedem de Deus. O que importa é a sua origem.[10]

Augustus Nicodemus tem razão quando diz que o anticristo é uma figura escatológica sombria que virá no fim dos tempos, cuja característica principal é a guerra contra o povo de Deus e o desejo de ocupar o lugar de Deus. Ele virá no poder de satanás, fazendo sinais e prodígios e disseminando o erro, sendo finalmente destruído pelo Senhor. Esse grande anticristo tem seu caminho preparado, e seu surgimento facilitado por outros anticristos menores, o espírito do erro que opera e dispõe a mente das pessoas para ele.[11]

---

[9]Kistemaker, Simon. *Tiago e epístolas de João*, p. 435,436.
[10]Stott, John. *I, II, III João: Introdução e comentário*, p. 132.
[11]Lopes, Augustus Nicodemus. *Primeira carta de João*, p. 118.

necessária armadura para todas as lutas e a força para repetidas vitórias está em saber que o próprio Senhor está "em nós" pelo Espírito Santo.[15]

Em quinto lugar, *uma procedência distinta* (4.5,6). *Eles procedem do mundo; por essa razão, falam da parte do mundo, e o mundo os ouve. Nós somos de Deus; aquele que conhece a Deus nos ouve; aquele que não é da parte de Deus não nos ouve. Nisto conhecemos o espírito da verdade e o espírito do erro.*

Simon Kistemaker diz que os falsos profetas "são do mundo". Eles tiram seus princípios, cuidados, objetivos e existência do mundo de hostilidade, no qual satanás governa como príncipe (Jo 12.31).[16] Pensamentos satanicamente inspirados são atraentes para as mentes mundanas, diz Augustus Nicodemus.[17]

Os falsos profetas procedem do mundo, e os verdadeiros crentes procedem de Deus; o mundo ouve os falsos profetas enquanto os verdadeiros crentes ouvem o ensinamento dos apóstolos. Aqueles que são de Deus ouvem as Palavras de Deus (Jo 8.47). As ovelhas de Cristo ouvem a Sua voz (Jo 10.4,5,8,16,26,27). Aqueles que são da verdade, ouvem o testemunho da verdade (Jo 18.37). No entanto, o mundo ouve os falsos profetas. O mundo é governado pelo espírito do erro e não pelo espírito da verdade.

Um verdadeiro cristão é **conhecido pelo amor** (4.7-12)

Ao traçar um perfil do verdadeiro cristão, o apóstolo João passa da prova doutrinária para a prova social. Ele faz uma transição da fé para o amor. O cristão é conhecido pelo que crê e também pelo amor. A fé e o amor são pilares da sua vida cristã.

John Stott tem razão quando diz que em 3.23 João resumiu o mandamento de Deus como sendo "crer em Cristo e amar-nos uns aos outros". Desenvolveu em 4.1-6 algumas das implicações da fé em Cristo; agora se volta abruptamente para o tema do amor mútuo. Essa é a terceira vez, nessa epístola, que ele retoma e aplica a suprema prova

---

[15]BOOR, Werner de. *Cartas de João,*, p. 372.
[16]KISTEMAKER, Simon. *Tiago e epístolas de João,* p. 440.
[17]LOPES, Augustus Nicodemus. *Primeira carta de João,* p. 119.

do amor (2.7-11; 3.11-18; 4.7-12). A prova é cada vez mais penetrante. É porque Deus é amor (4.8,17), amou-nos em Cristo (4.10,11), e continua a amar em nós e por intermédio de nós (4.12,13) que devemos amar-nos uns aos outros.[18]

Warren Wiersbe coloca essas mesmas verdades de outra forma. Ele diz que primeiro o amor pelos irmãos foi apresentado como prova da *comunhão com Deus* (2.7-11); em seguida, foi apresentado como prova da *filiação* (3.10-14). Na primeira passagem citada, o amor é uma questão de luz ou trevas; na segunda, é uma questão de vida ou morte. Porém, em 4.7-12, chega-se ao cerne da questão. Aqui se vê por que o amor é uma parte tão importante da vida real. O amor é um parâmetro válido para a comunhão e a filiação porque "Deus é amor". O amor faz parte da própria natureza e ser de Deus. Quem se encontra em união com Deus, por meio da fé em Cristo, compartilha de sua natureza. E, uma vez que sua natureza é amor, o amor é o teste da realidade da vida espiritual.[19]

Algumas verdades devem ser aqui destacadas:

Em primeiro lugar, **o imperativo do amor** (4.7a). *Amados, amemo-nos uns aos outros.* O amor fraternal é o apanágio distintivo do cristão. É a prova cabal do verdadeiro discípulo de Cristo. É o cumprimento da lei. O amor fraternal não é uma opção: é uma ordem expressa, um imperativo absoluto.

Em segundo lugar, **a procedência do amor** (4.7b,8). [...] *porque o amor procede de Deus, e todo aquele que ama é nascido de Deus e conhece a Deus. Aquele que não ama não conhece a Deus, pois Deus é amor.*

A primeira parte do argumento em prol do amor fraternal é tirada da natureza eterna de Deus. Deus é a fonte e a origem do amor, e todo amor deriva dEle.[20] Deus não é apenas fonte de todo verdadeiro amor; Deus é amor em seu ser mais profundo. Deus é a essência do amor. Toda a Sua atividade é amorosa. O mesmo Deus que é luz e fogo é também amor. Longe de fechar os olhos para o pecado, o Seu amor

---

[18] STOTT, John. *I, II, III João: Introdução e comentário*, p. 137,138.
[19] WIERSBE, Warrren W. *Comentário bíblico expositivo*. Vol. 6, p. 662.
[20] STOTT, John. *I, II, III João: Introdução e comentário*, p. 138.

Em quinto lugar, *o aperfeiçoamento do amor de Deus em nós* (4.12). *Ninguém jamais viu a Deus; se amarmos uns aos outros, Deus permanece em nós, e o Seu amor é, em nós, aperfeiçoado.* O terceiro argumento de João para impor o dever do amor recíproco leva os seus leitores a um estágio adiante. Não devemos pensar no amor somente como constituindo o ser eterno de Deus e como historicamente manifesto no fato de enviar Ele o Seu Filho ao mundo. Deus, que é amor, ainda ama e hoje o Seu amor é visto em nosso amor.[28]

O Deus invisível torna-se visível em nós pela prática do amor. Deus permanece em nós quando amamos. Quando amamos uns aos outros Deus, que é amor, permanece em nós e Seu amor é em nós aperfeiçoado. O amor que se origina em Deus e se manifesta na entrega de Seu Filho é agora, aperfeiçoado em Seu povo.

William Barclay destaca o fato da invisibilidade de Deus. Embora não possamos ver a Deus, podemos ver o efeito de Deus. Também não podemos ver o vento, mas podemos ver o que o vento faz. Não podemos ver a eletricidade, mas os efeitos que ela produz. Embora não possamos ver a Deus, podemos ver seus efeitos. Deus é amor e onde o verdadeiro amor é manifesto, aí está a manifestação de Deus.[29]

Warren Wiersbe destaca o fato da habitação de Deus em nós. Antes do pecado, Deus andava com o homem. Depois da queda, Deus mandou Moisés fazer um santuário para habitar no meio do povo. O povo pecou e a glória de Deus se apartou. Salomão construiu o templo, e a glória de Deus mais uma vez veio habitar com o povo. Mais uma vez o povo transgrediu e a glória de Deus foi embora do templo e a nação caiu nas mãos de seus inimigos. Na plenitude dos tempos, Cristo veio ao mundo e a glória de Deus estava nEle. Cristo morreu, ressuscitou e voltou ao céu e enviou Seu Santo Espírito. Ele habita em nós. Nosso corpo é a casa da Sua morada. Agora Deus, o Espírito, está em nós, habita em nós de forma permanente.[30]

---

[28]STOTT, John. *I, II, III João: Introdução e comentário*, p. 141.
[29]BARCLAY, William. *I, II, III Juan y Judas*, p. 110.
[30]WIERSBE, Warren W. *Comentário bíblico expositivo*. Vol. 6, p. 665-667.

Um verdadeiro cristão é conhecido tanto pela doutrina como pela vida (4.13-21)

Ao tratar das marcas do verdadeiro cristão, o apóstolo João ofereceu a prova doutrinária nos versículos 1 a 6; a prova social nos versículos 7 a 12 e agora, faz uma junção dessas duas provas nos versículos 13 a 21. Destacaremos duas verdades:

Em primeiro lugar, *a nossa união mística com Deus* (4.13-16). Acompanhemos o relato do apóstolo João:

> *Nisto conhecemos que permanecemos nEle, e Ele, em nós: em que nos deu do Seu Espírito. E nós temos visto e testemunhamos que o Pai enviou o Seu Filho como Salvador do mundo. Aquele que confessar que Jesus é o Filho de Deus, Deus permanece nele, e ele, em Deus. E nós conhecemos e cremos no amor que Deus tem por nós. Deus é amor, e aquele que permanece no amor permanece em Deus, e Deus nele* (4.13-16).

A permanência em Deus não se dá por meios místicos e esotéricos, como ensinavam os falsos mestres gnósticos. Não se trata de experiências arrebatadoras nem de emoções catárticas. A permanência em Deus, antes de ser uma experiência subjetiva, é uma realidade objetiva. Antes de ser uma emoção, é uma convicção. Mais do que uma convicção, é uma confissão. Os verdadeiros cristãos, que desfrutam da união mística com Deus, ou seja, permanecem em Deus e Deus neles, são aqueles que receberam o Espírito de Deus (4.13), testemunham que o Pai enviou Seu Filho como Salvador do mundo (4.14), confessam que Jesus é o Filho de Deus (4.15) e têm plena consciência do amor de Deus (4.16).

John Stott está correto quando diz que nestes versículos há um duplo entrelaçamento de temas, primeiro da fé e do amor, e, segundo, da missão do Filho e do testemunho do Espírito, pelo qual ambos são possíveis. Há uma prova objetiva, histórica, no fato de o Filho ser enviado, prova da Sua divindade (4.14,16). Mas mesmo isto é insuficiente. Sem o Espírito Santo as nossas mentes ficam em trevas e os nossos corações, frios. Somente o Espírito Santo pode iluminar as nossas mentes para crermos em Jesus, e aquecer os nossos corações para amarmos a Deus e uns aos outros.[31]

João une as duas provas (doutrinária e social) porque entende que não podemos amar a menos que Deus esteja em nós e nós nEle. A base doutrinária da permanência em Deus deve preceder o amor. A permanência em Deus é a raiz; o amor é o fruto. A permanência em Deus é fluxo e o amor é o refluxo.

Não amamos à parte de Deus; amamos porque refletimos Seu amor. Somos como a lua, que não tem luz própria, apenas refletimos a luz do sol. A fonte do amor não está em nós, mas em Deus. Só quando estamos unidos a esta fonte podemos transbordar desse amor.

Mais uma vez recorremos ao ilustre comentarista John Stott para concordar com suas palavras:

> Que "o Pai enviou o Filho" não é somente a principal prova de ortodoxia doutrinária, mas também a suprema evidência do amor de Deus e da inspiração do nosso. A divindade de Cristo, o amor de Deus por nós e o nosso amor a Deus e ao próximo não podem ser separados. A teologia que priva Cristo da Sua divindade priva Deus da glória do Seu amor e priva o homem da única crença que gera dentro dele um perfeito amor.[32]

Em segundo lugar, *o nosso amor a Deus e aos irmãos* (4.17-21). Nesses versículos em apreço João retorna ao tema do perfeito amor, conquanto agora esteja preocupado, não com a perfeição do amor de Deus em nós, mas do nosso amor por Deus.[33] Porque estamos em Deus e Ele em nós, podemos amar a Deus e aos nossos irmãos. O que cremos desemboca no que fazemos. A teologia promove a prática. Quatro solenes verdades podem ser aqui destacadas:

O nosso amor é a âncora da nossa confiança no Dia do Juízo (4.17,18). *Nisto é em nós aperfeiçoado o amor, para que, no Dia do Juízo, mantenhamos confiança; pois, segundo Ele é, também nós somos neste mundo. No amor*

---

[31]STOTT, John. *I, II, III João: Introdução e comentário*, p. 145.
[32]STOTT, John. *I, II, III João: Introdução e comentário*, p. 142.
[33]STOTT, John. *I, II, III João: Introdução e comentário*, p. 145.

não existe medo; antes, o perfeito amor lança fora o medo. Ora, o medo produz tormento; logo, aquele que teme não é aperfeiçoado no amor.

Se Deus, que é amor, permanece em nós, Seu amor flui por nosso intermédio. Esta união mística com Deus aperfeiçoa em nós o amor e esse amor aperfeiçoado nos dá confiança no Dia do Juízo. O verdadeiro amor não é inseguro. Ele lança fora o medo. Ele não é regido pelo tormento, mas governado pela confiança. Não temos medo de Deus, mas amor. Aqueles que têm medo de Deus se afastam dEle atormentados; mas aqueles que O amam, aproximam-se dEle e se deleitam nEle.

Simon Kistemaker tem razão quando diz que assim como a fé e a dúvida não podem caminhar juntas, o amor e o medo também não têm nada em comum. Diz ainda o mesmo autor que a palavra *medo* tem dois sentidos: pode significar pavor ou reverência e respeito. O crente ama e respeita a Deus, mas não tem medo dEle (Rm 8.15). Por causa de Seu amor a Deus e da comunhão com Ele, o crente não tem medo do dia do julgamento.[34]

William Barclay tem razão quando diz que o temor é a emoção característica de alguém que espera ser castigado ao olhar para Deus como Juiz, Rei e Legislador.[35] Devemos temer a Deus no sentido de reverência e respeito. O temor do Senhor é o princípio da sabedoria. Porém, nossa relação com Deus deve ser regida pelo amor e não pelo medo.

Warren Wiersbe tem razão em dizer que João está tratando aqui de uma espécie específica de medo, ou seja, *krisisfobia*, medo do julgamento. Neste sentido, quem sente medo, normalmente tem algo no passado que o assombra, algo no presente que o perturba ou algo em seu futuro que o faz sentir-se ameaçado. O que crê em Jesus, porém, não precisa temer o passado, o presente e o futuro, pois experimentou o amor de Deus, e este amor está sendo aperfeiçoado em sua vida a cada dia.

O cristão não precisa temer o julgamento futuro, pois Cristo já foi julgado por ele na cruz (Jo 5.24; Rm 8.1). Para o cristão, o julgamento não é futuro, mas sim *passado*. Seus pecados já foram julgados na cruz e jamais serão usados para condená-lo outra vez. Não é preciso temer o

---

[34]KISTEMAKER, Simon. *Tiago e epístolas de João*, p. 457.
[35]BARCLAY, William. *I, II, III Juan y Judas*, p. 111.

passado, pois "Ele nos amou primeiro". Não é preciso temer o presente, "pois o perfeito amor lança fora o medo".

Deus quer que Seus filhos vivam em um ambiente de amor, não de medo e de tormento. Não é preciso temer a vida nem a morte (Rm 8.35,37-39).[36]

Simon Kistemaker diz que a razão pela qual o amor e o medo são mutuamente excludentes é porque o medo está relacionado ao castigo. No amor perfeito e maduro não existe a ideia de castigo. O medo do castigo vindouro já é uma punição. O crente, porém, que vive em íntima comunhão com Deus, está livre do medo do castigo. Ele sabe que Deus castigou Jesus Cristo em seu lugar, na cruz do Calvário. Assim, Deus não pune o crente, pois, de outro modo, a obra de Cristo seria incompleta. Deus corrige e disciplina, mas não castiga Seus filhos.[37]

O nosso amor a Deus e ao próximo é uma resposta do amor de Deus por nós (4.19). *Nós amamos porque Ele nos amou primeiro.* Harvey Blaney está correto quando diz que o amor de Deus pelo homem não é uma reação ao nosso amor. A resposta é nossa. Nosso amor depende do Seu amor e é o resultado desse amor.[38]

Deus é a fonte do amor, Deus é amor. Isto não significa que o amor é Deus. Antes significa que Deus é essencialmente amoroso em Seu caráter, em Suas palavras e em Suas obras. Quando amamos refletimos o amor de Deus. Nosso amor é o refluxo do fluxo do amor de Deus. Não fomos nós que amamos a Deus primeiro. Nosso amor por Deus é apenas uma resposta e um reflexo do Seu imenso amor por nós. Como já dissemos, não somos a fonte do amor, mas apenas seus instrumentos. O amor não brota em nós, ele passa por meio de nós. Somos o canal do amor de Deus. Refletimos o caráter amoroso de Deus quando amamos.

O nosso amor a Deus precisa ser provado pelo nosso amor ao irmão (4.20). *Se alguém disser: Amo a Deus, e odiar a seu irmão, é mentiroso; pois aquele que não ama a seu irmão, a quem vê, não pode amar a Deus, a quem não vê.*

---

[36] Wiersbe, Warren W. *Comentário bíblico expositivo.* Vol. 6, p. 669-671.
[37] Kistemaker, Simon. *Tiago e epístolas de João,* p. 458.
[38] Blaney, Harvey. *A primeira epístola de João.* Vol. 10, 2005, p. 321.

É impossível amar ao Deus invisível sem amar o irmão visível. Não há amor no plano vertical quando não há amor no plano horizontal. Nosso amor endereçado ao céu é inconsistente se ele não é demonstrado na terra. Nosso amor a Deus é uma mentira se ele não puder ser demonstrado ao irmão. Provamos nosso amor a Deus a quem não vemos quando amamos os irmãos a quem vemos.

Toda pretensão de amar a Deus é ilusão, se não vier acompanhada por um amor altruísta e prático por nossos irmãos (3.17,18). Obviamente é mais fácil amar e servir a um homem visível do que ao Deus invisível, e se falhamos na tarefa mais fácil, é absurdo pretender ter sucesso na mais difícil.

John Stott cita Calvino: "É uma falsa jactância quando alguém diz que ama a Deus, mas negligencia a sua imagem, que está diante dos seus olhos".[39]

Concordo com John Stott quando diz que o perfeito amor, que lança fora o medo, lança fora o ódio também.[40] Nesta carta o apóstolo João desmascarou aqueles que professavam ser salvos e viviam de forma incompatível com essa confissão. Aqueles que alegavam conhecer a Deus e ter comunhão com Ele, mas andavam nas trevas da desobediência, estavam mentindo (1.6; 2.4). Aqueles que alegavam possuir o Pai, mas negavam a divindade do Filho, estavam mentindo (2.22,23). Aqueles que alegavam amar a Deus, mas estavam odiando os irmãos, também estavam mentindo (4.20).

Estas são as três trevosas mentiras da epístola: a mentira moral, doutrinária e social. Somente a santidade, a fé e o amor podem provar a veracidade da nossa alegação de que conhecemos, temos e amamos a Deus.[41]

O amor a Deus e aos irmãos não pode ser desconectado (4.21). *Ora, temos, da parte dEle, este mandamento: que aquele que ama a Deus ame também a seu irmão.* O mandamento do amor provém do próprio Deus. O amor a Deus e ao irmão é um único mandamento. Este mandamento não pode ser desdobrado nem dividido. É impossível deixar de amar o irmão e ainda assim continuar amando a Deus. As duas tábuas da lei são a única e a mesma lei. Nosso amor a Deus deve ser provado pelo nosso amor aos irmãos.

---

[39] STOTT, John. *I, II, III João: Introdução e comentário*, p. 147.
[40] STOTT, John. *I, II, III João: Introdução e comentário*, p. 147.
[41] STOTT, John. *I, II, III João: Introdução e comentário*, p. 147.

10

As certezas inabaláveis do crente

1 João 5.1-21

O APÓSTOLO JOÃO ESCREVEU O EVANGELHO para os incrédulos e esta carta para os crentes. O propósito do evangelho era levar os incrédulos a crerem em Cristo, o Filho de Deus, a fim de terem vida em Seu nome (Jo 20.31). O propósito desta carta era dar aos crentes em Cristo a certeza da vida eterna (5.13).

Depois de desmascarar os falsos profetas que disseminavam suas heresias, tentando enganar os crentes, mostrando que eles não conhecem a Deus, não são de Deus, mas do maligno, do mundo e, por isso, saíram da igreja, João, agora, fala sobre as certezas daquele que é nascido de Deus.

O texto em apreço fala sobre sete certezas que marcam a vida do verdadeiro crente. A palavra *sabemos* ocorre trinta vezes nesta carta e oito vezes apenas neste capítulo 5.[1] A vida real é construída sobre o sólido fundamento de certezas inabaláveis e não sobre a areia movediça das especulações. O que devemos saber? Quais são as certezas do crente?

---

[1] WIERSBE, Warren W. *Comentário bíblico expositivo*. Vol. 6, p. 677.

Temos a certeza de que pertencemos à **família de Deus** (5.1-5)

Ao longo desta carta, João elaborou três provas irrefutáveis para distinguir um crente falso de um crente verdadeiro. O crente verdadeiro é conhecido por três provas fundamentais: a fé, a prova doutrinária; o amor, a prova social; e a obediência, a prova moral. A fé, o amor e a obediência são as provas cabais de que pertencemos à família de Deus. Vamos analisar mais uma vez estas três provas:

Em primeiro lugar, ***o crente é conhecido pela sua fé em Cristo*** (5.1,4,5). *Todo aquele que crê que Jesus é o Cristo é nascido de Deus [...] porque todo o que é nascido de Deus vence o mundo; e esta é a vitória que vence o mundo: a nossa fé. Quem é o que vence o mundo, senão aquele que crê ser Jesus o Filho de Deus?*

Os falsos mestres gnósticos negavam tanto a divindade quanto a humanidade de Cristo, mas os crentes verdadeiros creem que o Jesus de Nazaré é o próprio Messias; que o homem nascido de Maria é o próprio Filho de Deus. Aqueles que são nascidos de Deus possuem uma fé ortodoxa acerca da pessoa de Jesus.

Quando João diz "todo aquele" indica que a religião cristã não exclui ninguém. Qualquer um que coloca sua fé em Cristo com sinceridade é Filho de Deus.[2]

Augustus Nicodemus diz que cristão é todo aquele que crê que Jesus de Nazaré, o qual padeceu e morreu sob Pôncio Pilatos, era o Cristo, o Messias, enviado por Deus para ser o Salvador do mundo.[3]

A fé em Cristo concede dois benditos privilégios: primeiro, participação na família de Deus (5.1); segundo, vitória sobre o mundo (5.5). Aqueles que pertencem à família de Deus por crerem que Jesus é o Cristo são aqueles que vencem o mundo. Não há pertencimento à família de Deus nem vitória sobre o mundo para aqueles que negam a divindade e a humanidade de Cristo.

A palavra *vencer* é usada aqui numa forma verbal que significa vitória contínua no meio de luta incessante. A vitória de Cristo sobre satanás,

---
[2]KISTEMAKER, Simon. *Tiago e epístolas de João*, p. 465,466.
[3]LOPES, Augustus Nicodemus. *Primeira carta de João*, p. 140.

a morte e o pecado como uma única vitória no tempo e para todo o tempo fazem da Sua vitória a nossa vitória.[4]

Vale destacar que João ressalta não a pessoa vitoriosa, mas o poder vitorioso. Não é o homem, mas o seu nascimento de Deus é que vence. O novo nascimento é um evento sobrenatural que nos tira da esfera do mundo, em que satanás governa, para a família de Deus.[5]

Augustus Nicodemus, citando J. Gill, escreve: "A vitória sobre o mundo não se deve à fé propriamente dita, mas ao seu objeto, Cristo, o qual tem vencido o mundo e torna os que verdadeiramente creem nEle mais que vencedores sobre o mundo".[6]

Em segundo lugar, *o crente é conhecido pelo Seu amor a Deus e aos filhos de Deus* (5.1,2). [...] *e todo aquele que ama ao que o gerou também ama ao que dEle é nascido. Nisto conhecemos que amamos os filhos de Deus: quando amamos a Deus...* Se a fé em Cristo é a prova doutrinária que evidencia a legitimidade da nossa experiência cristã, o amor a Deus e aos irmãos é a prova social.

É impossível amar os filhos de Deus sem amar a Deus, assim como é impossível amar a Deus sem amar Seus filhos (4.20,21). O amor é a apologética final (Jo 13.35). Não é o amor que nos salva, mas ele é o apanágio dos salvos. O amor não é a causa da salvação, mas a sua evidência.

Em terceiro lugar, *o crente é conhecido pela sua obediência aos mandamentos de Deus* (5.2,3). *Nisto conhecemos que amamos os filhos de Deus: quando amamos a Deus e praticamos os Seus mandamentos. Porque este é o amor de Deus: que guardemos os Seus mandamentos; ora, os Seus mandamentos não são penosos.* O amor a Deus é provado pela obediência a Deus.

Simon Kistemaker diz que o amor a Deus não consiste de palavras faladas, mesmo que bem-intencionadas, mas de determinadas ações que demonstram obediência aos mandamentos de Deus.[7] Concordo com John Stott quando diz que o amor a Deus não é tanto uma experiência emocional como obediência moral.[8] O amor aos irmãos expressa-se

---

[4]OGILVIE, Lloyd John. *Quando Deus pensou em você*, p. 122.
[5]STOTT, John. *I, II, III João: Introdução e comentário*, p. 150.
[6]LOPES, Augustus Nicodemus. *Primeira carta de João*, p. 143.
[7]KISTEMAKER, Simon. *Tiago e epístolas de João*, p. 468.
[8]STOTT, John. *I, II, III João: Introdução e comentário*, p. 149.

em serviço sacrificial (3.17,18) e o amor a Deus, em guardar Seus mandamentos (5.2).

Os mandamentos de Deus não são penosos por duas razões: primeira, porque amamos a Deus e quem ama obedece com alegria, e não como uma obrigação. Augustus Nicodemus, citando A. T. Robertson, diz que "o amor a Deus torna Seus mandamentos leves".[9] Segunda, porque com a ordem para obedecer recebemos o poder para cumpri-la.

Temos a certeza de que **Jesus Cristo é Deus** (5.6-10)

Nenhuma doutrina foi mais atacada ao longo dos séculos do que a doutrina de Cristo. Esta doutrina não é uma questão secundária nem lateral, mas está no núcleo do cristianismo. Como podemos saber que Jesus Cristo é Deus? Os principais sacerdotes e os fariseus do seu tempo chamaram-No de embusteiro (Mt 27.63). Outros disseram que Ele foi um religioso fanático. Os gnósticos diziam que Ele era apenas um homem comum, sobre o qual veio o Cristo no batismo, o qual O deixou quando foi crucificado.

Ário de Alexandria disse que Jesus foi o primeiro ser criado por Deus. A seita *Testemunhas de Jeová* diz que Jesus não é Deus. Os espíritas dizem que Ele foi um grande mestre. Os muçulmanos dizem que Ele é apenas um grande profeta. Mas quem, de fato é Jesus?

Destacamos aqui algumas verdades:

Em primeiro lugar, *o tríplice testemunho na terra* (5.6,8). *Este é Aquele que veio por meio de água e sangue, Jesus Cristo; não somente com água, mas também com a água e com o sangue. E o Espírito é o que dá testemunho, porque o Espírito é a verdade* [...] *E três são os que testificam na terra: o Espírito, a água e o sangue, e os três são unânimes num só propósito.*

Esta passagem foi motivada pela necessidade de contra-atacar uma marca sutil de gnosticismo ensinada por um filósofo de Éfeso, chamado Cerinto. João vai direto contra ele, não com exposição pessoal nem com acusações, mas com uma afirmação da verdade.

---

[9]LOPES, Augustus Nicodemus. *Primeira carta de João*, p. 142.

Cerinto ensinava que Jesus de Nazaré tornou-se Filho de Deus ao ser batizado por João Batista no rio Jordão. Ele afirmava que o Cristo divino desceu sobre o homem Jesus nesta época, e abençoou o Seu ministério, mas partiu antes do sofrimento da crucificação.[10] João refuta estas ideias gnósticas e coloca o machado da verdade na raiz desta perniciosa heresia.

O que João quer dizer quando afirma que Jesus veio por meio de água e sangue? Não há consenso entre os eruditos sobre este ponto. Lutero e Calvino entenderam que João estaria falando aqui dos dois sacramentos, batismo e ceia.

Agostinho de Hipona entendia que esta passagem era uma referência ao golpe de lança e ao fluxo de água e sangue do lado de Jesus (Jo 19.34). Tertuliano acreditava que *água* e *sangue* faziam referência ao batismo e à morte de Cristo.

Concordo com John Stott quando ele diz que esta posição de Tertuliano é a mais consistente, visto que João está combatendo a heresia de Cerinto, que ensinava que o Cristo veio sobre Jesus no batismo e se retirou dEle na cruz.[11]

O milagre acontecido no Jordão, por ocasião do batismo de Jesus, quando o Pai falou: *Este é o Meu Filho amado, em quem me comprazo* (Mt 3.17), bem como o milagre acontecido no Calvário, por ocasião da morte de Jesus, quando a escuridão veio sobre a terra ao meio-dia, o véu do templo se rasgou de alto a baixo, a terra tremeu e mortos se levantaram da sepultura, foram os testemunhos de Deus acerca de Seu Filho.

John Stott ainda alerta para o fato de que este erro gnóstico não é trivial. Ele solapa os alicerces da fé cristã e nos priva da salvação em Cristo. Se o Filho de Deus não tomou a nossa natureza em Seu nascimento e os nossos pecados em Sua morte, Ele não pode reconciliar-nos com Deus.[12] O propósito de João é mostrar que Jesus é o mesmo desde o Seu nascimento até a Sua morte. Ele é o homem Jesus e o Cristo de Deus.

---

[10]OGILVIE, Lloyd John. *Quando Deus pensou em você*, p. 125.
[11]STOTT, John. *I, II, III João: Introdução e comentário*, p. 152-154.
[12]STOTT, John. *I, II, III João: Introdução e comentário*, p. 154.

Concordo com Lloyd John Ogilvie quando diz que a única maneira de lidar com a falsidade teológica é afirmar a verdade. Heresias crescem nas igrejas onde a vida, morte e ressurreição de Cristo e a Sua presença viva não são pregadas ou ensinadas de maneira convincente.[13] Não ousamos omitir nada do que Cristo fez por nós do nosso testemunho. Natal, Sexta-feira Santa, Páscoa e Pentecostes são motivos para a esperança numa era de desespero.[14]

O apóstolo João deixa claro que o Espírito da verdade testifica na terra com a água e o sangue, de forma unânime e com o mesmo propósito, que Jesus é o Cristo, que Ele é humano e divino em contraposição às heresias do gnosticismo. Dessa forma temos dois tipos de testemunho: objetivo e subjetivo; histórico e experimental, água e sangue por um lado e o Espírito por outro.

Simon Kistemaker interpreta corretamente quando diz que diante de um tribunal a evidência factual do batismo de Jesus (água) e de sua morte (sangue) está em completa concordância com o testemunho do Espírito.[15]

O batismo e a morte de Cristo são evidências históricas e concretas da Sua natureza divino-humana; porém é o Espírito quem convence as pessoas da verdade destas evidências, por meio da pregação do evangelho e do ensino bíblico (At 5.32). Sem este testemunho do Espírito, ninguém entenderia o que o batismo e a morte de Cristo significaram (e significam), de maneira que a mensagem do evangelho se tornaria ineficaz.[16]

Em segundo lugar, *o tríplice testemunho no céu* (5.7,9,10). Acompanhemos as palavras do apóstolo João:

> *Pois há três que dão testemunho no céu: o Pai, a Palavra e o Espírito Santo; e estes três são um [...]. Se admitimos o testemunho dos homens, o testemunho de Deus é maior; ora, este é o testemunho de Deus, que Ele dá acerca do Seu Filho. Aquele que crê no Filho de Deus tem, em si, o testemunho. Aquele que*

---

[13]OGILVIE, Lloyd John. *Quando Deus pensou em você*, p. 126.
[14]OGILVIE, Lloyd John. *Quando Deus pensou em você*, p. 128.
[15]KISTEMAKER, Simon. *Tiago e epístolas de João*, p. 474,475.
[16]LOPES, Augustus Nicodemus. *Primeira carta de João*, p. 147.

não dá crédito a Deus O faz mentiroso, porque não crê no testemunho que Deus dá acerca do Seu Filho (5.7,9,10).

Depois de apresentar as três testemunhas na terra: o Espírito, a água e o sangue (5.6,8), João apresenta também as três testemunhas no céu: o Pai, a Palavra e o Espírito Santo (5.7). O céu e a terra testificam a divindade e a humanidade de Cristo. A redenção jamais poderia ser efetuada se Jesus não fosse Deus e homem ao mesmo tempo.

Embora a palavra *Trindade* não esteja escrita na Bíblia, o seu conceito está meridianamente claro tanto no Antigo como no Novo Testamento. Deus é uno e trino ao mesmo tempo. Não são três deuses, mas um só Deus, da mesma substância, em três pessoas distintas.

Recusar o testemunho que Deus dá acerca do próprio Filho é considerar Deus mentiroso. Não dar crédito a essa verdade suprema é cair nas teias do mais terrível engano, uma vez que o propósito do testemunho de Deus no céu e na terra a respeito do Seu Filho é que creiamos nEle (5.10) e por meio dEle tenhamos a vida eterna (5.11). Concordo com John Stott quando diz que a incredulidade não é um infortúnio a ser lamentado, mas um pecado a ser deplorado.[17]

Temos a certeza de que aqueles que creem em Cristo têm a **vida eterna** (5.11-13)

Quatro verdades sublimes são destacadas pelo apóstolo João acerca da vida eterna, no texto em tela:

Em primeiro lugar, ***a vida eterna é um presente de Deus*** (5.11a). *E o testemunho é este: que Deus nos deu a vida eterna...* A vida eterna não é resultado do mérito, mas um oferecimento da graça. A vida eterna não é uma conquista nem um troféu. Ela não é comprada nem merecida. A vida eterna é um presente gratuito de Deus (Ef 2.8,9; Jo 10.27-29).

Vale a pena ressaltar que João não diz que a vida eterna será dada (tempo futuro), mas que Deus a deu (tempo passado) para nós. Temos

---

[17]STOTT, John. *I, II, III João: Introdução e comentário*, p. 157.

esta vida agora em princípio (Jo 3.17), e, quando entrarmos na presença de Deus, na glória, nós a teremos em plenitude.[18]

Concordo com Lloyd John Ogilvie quando diz que a vida eterna é qualidade com quantidade; a vida imortal é quantidade sem a qualidade. Todos viverão para sempre. Mas nem todos terão a vida eterna.[19]

Nesta mesma linha de pensamento, William Barclay diz que o termo grego para "eterno" é *aionios*. Significa muito mais que a simples expressão "para sempre". Uma vida sem fim poderia ser uma maldição e não uma bênção; uma carga pesada em vez de um dom maravilhoso.

Há só uma pessoa a quem pode aplicar-se corretamente a palavra *aionios*, e esta pessoa é Deus. No real sentido do termo, só Deus possui e reside na eternidade. A vida eterna não é, portanto, outra coisa senão a vida do próprio Deus. Em Deus há paz e, portanto, a vida eterna significa serenidade. Em Deus há poder, logo, a vida eterna significa derrota das frustrações. Em Deus há santidade, por conseguinte, a vida eterna significa vitória sobre o pecado. Em Deus há amor, portanto, a vida eterna significa o fim do rancor e do ódio. Em Deus há vida, logo, a vida eterna significa a derrota da morte.[20]

Em segundo lugar, **a vida eterna está em Jesus** (5.11b,12). [...] *e esta vida está no Seu Filho. Aquele que tem o Filho tem a vida; aquele que não tem o Filho de Deus não tem a vida.*

A vida eterna não pode ser encontrada em nenhuma pessoa fora de Jesus. Não há salvação em outro nome (At 4.12). Quem crê no Filho tem a vida eterna; o que, todavia, se mantém rebelde contra o Filho não verá a vida, mas sobre ele permanece a ira de Deus. É impossível ter a vida eterna à parte de Cristo, pois Ele é a vida (1.2; 5.12).

Nicodemus tem razão quando diz que "ter o Filho" significa conhecer a Cristo, confessá-Lo, ter comunhão com Ele e permanecer nEle.[21]

Li algures sobre um homem rico na Europa que tinha apenas um filho. Esse homem investiu toda a sua colossal fortuna em quadros

---

[18]KISTEMAKER, Simon. *Tiago e epístolas de João*, p. 480.
[19]OGILVIE, Lloyd John. *Quando Deus pensou em você*, p. 132.
[20]BARCLAY, William. *I, II, III Juan y Judas*, p. 128.
[21]LOPES, Augustus Nicodemus. *Primeira carta de João*, p. 153.

famosos dos principais pintores da Europa. Estando em viagem, seu filho sofreu um acidente fatal. O amigo que o acompanhava na viagem pintou o rosto do filho em mal traçadas linhas e enviou para o pai. Este colocou a pintura em um quadro belíssimo e o pendurou no meio de seus quadros mais famosos.

Antes de morrer, o pai fez o testamento e deixou ordens para que seu mordomo fizesse um leilão dos quadros, destinando parte do dinheiro para entidades filantrópicas. Em dia marcado, em seleto auditório, pessoas famosas da Europa se reuniram para comprar os quadros. Para a surpresa de todos, o mordomo começou o leilão com o quadro do filho. Aquele quadro não tinha beleza. Ninguém se interessou por ele.

Aguardavam os quadros famosos. Depois de muita hesitação, levantou-se um convidado e arrematou o quadro do filho. O mordomo imediatamente encerrou o leilão para espanto e revolta dos ilustres convidados. Então, ele leu o testamento do seu senhor: "Aquele que tiver o quadro do filho é dono de todos os outros quadros".

O apóstolo João escreve: *Aquele que tem o Filho tem a vida* (5.12).

Em terceiro lugar, *a vida eterna é recebida por meio da fé* (5.13). *Estas coisas vos escrevi, a fim de saberdes que tendes a vida eterna, a vós outros que credes em o nome do Filho de Deus.*

O dom da vida eterna é recebido pela fé. A fé não é a causa meritória da salvação, mas a causa instrumental. Não somos salvos por causa da fé, mas por meio da fé. A fé é o instrumento de apropriação da vida eterna. Somos salvos pela graça, mediante a fé.

Em quarto lugar, **a vida eterna é garantida pela Palavra de Deus** (5.13a). *Estas coisas vos escrevi, a fim de saberdes que tendes a vida eterna...* A certeza da vida eterna não é uma presunção humana, mas uma confiança na infalibilidade da Palavra de Deus. Não é presunção crer no que Deus diz em Sua Palavra. A vida eterna não é um presente apenas para o futuro. É uma dádiva para ser recebida agora. Podemos tomar posse da vida eterna. Juntando os propósitos do evangelho e da epístola, o propósito de João, em quatro estágios, é que os seus leitores ouçam; ouvindo, creiam; crendo, vivam; e vivendo, saibam que têm a vida eterna.[22]

---

[22] STOTT, John. *I, II, III João: Introdução e comentário*, p. 159.

Temos a certeza da **resposta às nossas orações** (5.14,15)

Uma coisa é saber que Jesus Cristo é Deus e que nós somos filhos de Deus, mas o que fazer com as nossas necessidades da vida diária? Como podemos nos relacionar com Deus? Como podemos falar com Deus? Que garantia temos de que Ele nos ouve e nos atende? Quais são as condições estabelecidas em Sua Palavra para termos êxito em nossas orações? Destacamos aqui duas verdades:

Em primeiro lugar, *a condição para Deus responder às orações* (5.14). *E esta é a confiança que temos para com Ele: se pedirmos alguma coisa segundo a sua vontade, Ele nos ouve.* A oração não é um recurso conveniente para impormos a nossa vontade a Deus, ou para dobrar a Sua vontade à nossa, mas, sim, o meio prescrito de subordinar a nossa vontade à de Deus. É pela oração que buscamos a vontade de Deus, nos abraçamos e nos alinhamos a ela.[23]

Submissão à vontade de Deus, e não imposição da nossa vontade a Deus, é o alicerce da nossa confiança na oração. Hoje temos visto falsos mestres ensinando que a oração da fé precisa determinar para Deus o que queremos. Este falso ensino proclama que oração é a vontade do homem prevalecendo no céu em vez de a vontade de Deus prevalecendo na terra. A oração é um instrumento poderoso, não para conseguir que a vontade do homem seja feita no céu, mas para garantir que a vontade de Deus seja feita na terra.[24]

Warren Wiersbe, citando George Muller, escreveu: "Orar não é vencer a relutância de Deus, mas sim apropriar-se da disposição de Deus".[25]

Deus ouve as orações de Seus filhos, mas estabelece condições claras: Ele não nos ouve quando há algum pecado inconfesso em nossa vida (Sl 66.18; 1Pe 3.7; Mt 5.23-25; Mc 11.25). Precisamos orar em nome de Jesus (Jo 14.13), precisamos orar com fé (Tg 1.6), precisamos permanecer em Jesus e em Sua Palavra (Jo 15.7).

Em segundo lugar, *a convicção de que Deus responde às orações* (5.15). *E, se sabemos que Ele nos ouve quanto ao que lhe pedimos, estamos certos de*

---

[23] STOTT, John. *I, II, III João: Introdução e comentário*, p. 159.
[24] WIERSBE, Warren W. *Comentário bíblico expositivo*. Vol. 6, p. 679.
[25] WIERSBE, Warren W. *Comentário bíblico expositivo*. Vol. 6, p. 679.

que obtemos os pedidos que Lhe temos feito. Quando oramos a Deus, por intermédio de Jesus, pelo poder do Espírito Santo, segundo os preceitos da Palavra, podemos ter a garantia de que Ele nos ouve. A oração segundo a vontade de Deus não é uma conjectura hipotética nem uma vaga possibilidade, mas uma certeza experimental.

Temos a certeza de que Deus pode **salvar pessoas** da morte por intermédio das nossas **orações** (5.16,17)

Destacamos duas verdades no texto em consideração:

Em primeiro lugar, *os privilégios da intercessão* (5.16a). *Se alguém vir a seu irmão cometer pecado não para a morte, pedirá, e Deus lhe dará vida. Este é o caso dos que não pecam para morte...* A atitude do crente em relação àqueles que caem não é de atirar pedras nem de condenar, mas de orar por eles. Não podemos orar por uma pessoa e ao mesmo tempo sentir mágoa dela (Mc 11.24,25).

A igreja precisa ser lugar de cura, e não de adoecimento. A igreja precisa ser lugar de restauração, e não de condenação. A igreja precisa ser lugar de intercessão, e não de juízo àqueles que tropeçam. A igreja precisa ser lugar de reconciliação, e não de abandono dos feridos.

Jesus orou por Pedro quando satanás estava peneirando a sua vida (Lc 22.31,32). O profeta Samuel disse para o rebelde povo de Israel: *Longe de mim que eu peque contra o Senhor, deixando de orar por vós* (1Sm 12.23). Moisés orou pela nação de Israel e Deus ouviu o seu clamor (Êx 32.10-14). Também orou por Miriã, que havia pecado contra o Senhor, e foi igualmente atendido (Nm 12.13). Jó intercedeu por seus amigos, que haviam falado erradamente das coisas de Deus, e o Senhor os perdoou (Jó 32.7-9). Os presbíteros devem orar pelos doentes quando os mesmos confessam seus pecados, e serão perdoados (Tg 5.14,15).[26]

Assim como Deus não desiste de nós, não devemos, também, desistir daqueles que caem em fracasso. Precisamos rogar a Deus que lhes restaure o vigor e os traga de volta para a vida. Quando um crente

---

[26] LOPES, Augustus Nicodemus. *Primeira carta de João*, p. 158.

pecar e confessar o seu pecado, Deus o perdoará (1.9). Deus perdoa o pecado do crente quando ele o confessa e quando os outros crentes oram por ele.

Precisamos deixar claro que João não está ensinando a possibilidade da perda da salvação nesse texto. João não está falando que uma pessoa espiritualmente viva, ao cometer pecado, morreu espiritualmente e perdeu a salvação. Dar vida significa restaurar a comunhão com Deus, que é a fonte da vida.

Em segundo lugar, *as limitações da intercessão* (5.16b,17). *Há pecado para morte, e por esse não digo que rogue. Toda injustiça é pecado, e há pecado não para morte.* Nem todo pecador recebe vida em resposta à oração. João fala que há pecado para a morte. Em certo sentido todo pecado é para a morte, uma vez que o salário do pecado é a morte (Rm 6.23). O apóstolo deixa clara a malignidade do pecado, ao afirmar que *toda injustiça é pecado* (5.17).

No caso dos filhos de Deus, eles têm seus pecados purificados (1.7), perdoados (1.9; 2.12), propiciados (2.1,2; 4.10) por causa de Cristo. Seus pecados não acarretarão a morte eterna deles. Nenhum dos pecados dos eleitos de Deus é para a morte ou acarreta a morte.[27]

João, porém, agora, fala de um pecado para a morte, para o qual não há perdão neste mundo nem no vindouro. Desta forma, aqueles que já estavam mortos espiritualmente morrerão eternamente. Para aqueles que cometem esse pecado, a intercessão não logra êxito. João chega mesmo a recomendar à igreja a não orar por essas pessoas.

John Stott esclarece este ponto assim:

> Na opinião de João, aqueles que cometeram pecado para a morte não eram apóstatas; eram impostores. Não eram verdadeiros "irmãos" que tinham recebido a vida eterna e depois a perderam. Eram "anticristos". Negando o Filho, não tinham o Pai (2.22,23). Eram filhos do diabo, não filhos de Deus (3.10). É certo que outrora foram membros da igreja visível e sem dúvida passavam por "irmãos" nesse tempo. Mas saíram, e com a sua saída ficou evidente que eles nunca tinham sido

---

[27] LOPES, Augustus Nicodemus. *Primeira carta de João*, p. 158.

"dos nossos" (2.19). Visto que rejeitaram o Filho, não tinham direito à vida (5.12). Seu pecado era realmente para a morte.[28]

Ainda permanece a grande questão: o que é o pecado para a morte? John Stott menciona as três interpretações mais conhecidas:[29]

O pecado para a morte é um pecado específico. Com base neste versículo a igreja romana criou a classificação de pecados veniais e pecados mortais.

O pecado para a morte é a apostasia. Aqueles que subscrevem esta opinião acreditam que João esteja se referindo aos falsos mestres que saíram de dentro da igreja (2.19). Esse é o pensamento de Augustus Nicodemus em concordância com a interpretação de Calvino: "Pode-se inferir do contexto que este pecado não é uma queda parcial ou a transgressão de determinado mandamento, mas apostasia, pela qual as pessoas se alienam completamente de Deus".[30]

Trata-se, portanto, de um pecado doutrinário, cometido de forma voluntária e consciente, similar ao pecado de blasfêmia contra o Espírito Santo, cometido pelos fariseus (Mc 3.29). É a rejeição final e decidida daquele único que pode salvar, Jesus Cristo.[31]

O pecado para a morte é a blasfêmia contra o Espírito Santo. Nosso entendimento é que João está se referindo a este terrível pecado deliberado e consciente da rejeição da verdade conhecida, a ponto de atribuir as poderosas obras de Jesus, evidentemente feitas pelo Espírito de Deus, à ação de satanás (Mt 12.28; Mc 3.29). Este pecado leva quem o comete inexoravelmente a um estado de incorrigível embotamento moral e espiritual, porque pecou voluntariamente contra a própria consciência.

O autor aos Hebreus diz que [...] *é impossível outra vez renová-los para arrependimento, visto que, de novo, estão crucificando para si mesmos o Filho de Deus e expondo-O à ignomínia* (Hb 6.4-6). Neste caso, [...] *já não resta sacrifício pelos pecados; pelo contrário, certa expectativa horrível*

---

[28]STOTT, John. *I, II, III João: Introdução e comentário*, p. 164.
[29]STOTT, John. *I, II, III João: Introdução e comentário*, p. 161,162.
[30]LOPES, Augustus Nicodemus. *Primeira carta de João*, p. 159,160.
[31]LOPES, Augustus Nicodemus. *Primeira carta de João*, p. 160.

de juízo e fogo vingador prestes a consumir os adversários (Hb 10.26,27). Este pecado é descrito como calcar aos pés o Filho de Deus, profanar o sangue da aliança que foi santificado e ultrajar o Espírito da graça (Hb 10.29), uma linguagem que claramente aponta para a blasfêmia contra o Espírito.[32]

Precisamos deixar claro que João não está falando da possibilidade de um salvo cair da graça e perder a sua salvação. O que é nascido de Deus não vive na prática do pecado (3.9), antes é guardado por Cristo e o maligno não o toca (5.18). Este pecado para a morte não é cometido por um crente, uma vez que este pecado é um abandono deliberado e consciente da verdade. Este pecado é um insulto a Cristo e uma blasfêmia contra o Espírito que dá testemunho de Cristo.

Temos a certeza de que os crentes **não vivem na prática do pecado** (5.18,19)

Com respeito a este magno assunto, três verdades devem ser aqui destacadas.

Em primeiro lugar, *o crente é liberto do poder do pecado* (5.18a). *Sabemos que todo aquele que é nascido de Deus não vive em pecado...* Os dois versículos anteriores (5.16,17) diziam respeito ao pecado para a morte. Este pecado para a morte para o qual não há perdão não pode ser cometido por um crente, pois o crente, nascido de Deus, não vive na prática habitual e continuada do pecado (3.9; 5.18). O crente emancipou-se do poder do pecado. O novo nascimento resulta em novo comportamento.

O crente tem uma nova natureza, uma nova mente, um novo coração, uma nova vida, uma nova família, uma nova pátria. Por conseguinte, o crente tem novos desejos e novo prazer. Ele deleita-se em Deus e na Sua Palavra. O pecado e o Filho de Deus são incompatíveis. Podem encontrar-se ocasionalmente, mas não podem conviver em harmonia.[33]

Em segundo lugar, *o crente é guardado do maligno* (5.18b). [...] *antes, Aquele que nasceu de Deus o guarda, e o maligno não o toca*. Aquele que

---

[32]LOPES, Augustus Nicodemus. *Primeira carta de João*, p. 160.
[33]STOTT, John. *I, II, III João: Introdução e comentário*, p. 165.

nasceu de Deus é diferente daquele que é nascido de Deus. Aquele que nasceu de Deus é Jesus, e não o crente. Em outras palavras, não é o crente que se guarda, mas é Cristo quem o guarda. É o Filho de Deus que mantém os crentes firmes. Aquele que nasceu de Deus guarda a todo aquele que é nascido de Deus.

No entanto, por que os crentes precisam ser guardados? Eles não são imunes à tentação? Não! O maligno está sempre procurando atingir os filhos de Deus. Ele mente para os crentes (Gn 3.2), inflige sofrimento (2Co 12.7-9), infla o orgulho (1Cr 21.1). Porém, Jesus se manifestou para destruir as obras do diabo (3.8) e Jesus guarda e mantém seguros os filhos de Deus (5.18).

Precisamos entender corretamente o que significa a expressão: "e o maligno não o toca". A palavra *tocar* só aparece mais uma vez no Novo Testamento e foi traduzida por "deter" (Jo 20.17). O maligno não pode mais deter e controlar o crente, salvo por Cristo e guardado por Ele. Jesus é o nosso escudo. Ele é o nosso Salvador e também o nosso protetor.

Em terceiro lugar, *o crente é separado do mundo* (5.19). *Sabemos que somos de Deus e que o mundo inteiro jaz no maligno*. O maligno não detém o crente, mas o mundo inteiro está irremediavelmente em suas garras. No Filho de Deus o maligno nem chega a pôr as suas mãos; o mundo, porém, jaz em seus braços.[34]

Augustus Nicodemus diz que a ideia transmitida pelo verbo "jaz" é de passividade tranquila. A humanidade está deitada placidamente nos braços de satanás, adormecida e entorpecida, enquanto ele a conduz para a destruição.[35]

O mundo está no maligno, em suas mãos, em seu domínio, mas os crentes estão guardados por Cristo.

Temos a certeza de que **Jesus é o verdadeiro Deus** (5.20,21)

João conclui sua epístola fazendo duas declarações contundentes: reafirmando a veracidade de Jesus e alertando para o engano dos ídolos. Destacamos aqui, três pontos importantes.

---

[34]STOTT, John. *I, II, III João: Introdução e comentário*, p. 166.
[35]LOPES, Augustus Nicodemus. *Primeira carta de João*, p. 164.

Em primeiro lugar, *Jesus é o verdadeiro Deus* (5.20). *Também sabemos que o Filho de Deus é vindo e nos tem dado entendimento para reconhecermos o verdadeiro; e estamos no verdadeiro, em Seu Filho, Jesus Cristo. Este é o verdadeiro Deus...*

João contrapõe o Jesus divino-humano com o falso cristo do gnosticismo. Ele refuta o falso evangelho com o verdadeiro evangelho. Ele denuncia as trevas do engano com a luz da verdade. O Cristo que João anuncia é o Cristo verdadeiro; o cristo que o gnosticismo prega é um cristo falso. A palavra *verdadeiro* significa "original, que não é uma cópia, e autêntico, que não é uma imitação".

Concordo com John Stott quando diz que este versículo mina toda a estrutura da teologia dos hereges. Ela é a mais inequívoca afirmação da divindade de Jesus Cristo no Novo Testamento. Somente por meio de Jesus Cristo, o verdadeiro Deus, podemos ser salvos do maligno e libertos do mundo. A revelação e a redenção são Sua obra de graça. Sem Ele, não poderíamos conhecer a Deus nem vencer o pecado.[36]

João afirma que Jesus é não apenas o verdadeiro Deus, mas também nos deu entendimento para reconhecermos o verdadeiro e estarmos no verdadeiro. Conhecimento e vida caminham lado a lado. Conhecemos a Cristo e estamos em Cristo. Jesus é o verdadeiro: este é o grande tema de João. Ele é a verdadeira luz (1.5), o verdadeiro pão (Jo 6.32), a verdadeira videira (Jo 15.1). Ele é a verdade (Jo 14.6). Ele é a verdadeira vida eterna (5.20).

O mundo vive de aparências; não conhece a realidade. Nós temos a realidade. Nós temos Jesus. Sem Ele não poderíamos conhecer a Deus nem vencer o maligno. A religião cristã é tanto histórica como experimental.

Em segundo lugar, *Jesus é a essência da vida eterna* (5.20b). *Este é o verdadeiro Deus e a vida eterna*. A vida eterna não é apenas uma questão de quantidade de vida, mas de qualidade de vida. A vida eterna é conhecer a Deus e conhecer a Cristo (Jo 17.3). A vida eterna é Jesus. Ele é o conteúdo, a essência e o núcleo da vida eterna.

Em terceiro lugar, *os ídolos são a essência do engano* (5.21). *Filhinhos, guardai-vos dos ídolos*. O fato de sermos guardados por Jesus não nos

---
[36] STOTT, John. *I, II, III João: Introdução e comentário*, p. 167.

isenta da responsabilidade de nos guardarmos. A palavra grega usada aqui (5.21) pelo apóstolo João, *terein*, "guardar", significa "vigiar". Ela é diferente da palavra grega *phulassein*, "guardar", usada em 5.18.

A Bíblia Viva traduz assim este versículo: "Meus queridos filhos, afastem-se de qualquer coisa que possa tomar o lugar de Deus no coração de vocês". Já Wescott o disse assim: "Guardai-vos de todos os objetos de falsa devoção".

Na verdade, o que João está dizendo é: não abandone o real pelo ilusório. Todos os substitutos de Deus são ídolos e deles o crente deve guardar-se, vigilante.[37]

João está escrevendo esta carta aos crentes que viviam na Ásia Menor. Éfeso era a capital da Ásia Menor e uma cidade de muitos deuses. Ali ficava o templo de Diana, uma das sete maravilhas do mundo antigo. Éfeso era o centro deste culto pagão.

Lloyd John Ogilvie diz que em Éfeso se vendiam amuletos que supostamente davam poderes mágicos ao destino das pessoas. Ícones do templo haviam produzido um negócio lucrativo aos ourives. As pessoas compravam os ícones crendo que o poder de Diana residiria onde quer que os ícones fossem levados.

Éfeso era também a cidade de magia e feitiçaria. Toda forma de seitas e ocultismos grassava ali. A astrologia florescia. Encantamentos, exorcismos e religião mística estavam disponíveis em qualquer esquina. Acrescentado a tudo isso, ainda havia o culto a César.

Domiciano exigiu o culto a César em Éfeso até a sua morte em 96 d.C., mandando que as pessoas lhe mostrassem a sua lealdade queimando incenso perante o busto de César. Não era coisa fácil ser cristão em Éfeso. Não é de admirar, portanto, que João tenha terminado sua carta com esta solene advertência.

Os deuses diminutos da falsa religião, da sensualidade, da magia negra, da segurança política e da segurança econômica eram ídolos tentadores. Os mesmos ídolos ainda nos tentam. Dinheiro, segurança, prazer, pessoas, carreiras e posses são ídolos que exigem que cultuemos a eles em vez de prestar culto a Deus. Nossos ídolos podem ser qualquer

---

[37] STOTT, John. *I, II, III João: Introdução e comentário*, p. 168,169.

coisa ou pessoa que ameace ocupar o trono do nosso coração. Substitutos de Deus podem exigir muito de nosso tempo, dinheiro e energia.[38]

O culto dos ídolos era um culto falso que prometia uma vida falsa. F. F. Bruce diz que os ídolos são os falsos conceitos a respeito de Deus.[39] João exorta os crentes que estão no verdadeiro e que têm a verdadeira vida eterna para se guardarem dos ídolos.

---

[38] OGILVIE, Lloyd John. *Quando Deus pensou em você*, p. 147,148.
[39] BRUCE, F. F. *The epistles of John*. Grand Rapids, MI: Eerdmans, 1979, p. 128.

2João

Como viver à luz da verdade

2João 1-13

ESTA É UMA DAS CARTAS MAIS CURTAS do Novo Testamento. É classificada como uma das cartas gerais.[1] O propósito maior desta pequena missiva é alertar a igreja acerca da necessidade de se viver à luz da verdade.

Muitas heresias estavam sendo espalhadas pelos falsos mestres e a igreja precisava se acautelar para não naufragar na fé. Conhecer a verdade, andar na verdade e permanecer na verdade são as orientações de João à igreja para não sucumbir diante deste cerco dos falsos mestres.

Como vimos na Primeira Carta de João, há três provas insofismáveis que autenticam o verdadeiro crente: as provas doutrinária, social e moral, ou seja, a fé, o amor e a obediência. Estas mesmas provas podem ser vistas nesta epístola: a verdade (v. 1-3), o amor (v. 4-6) e a obediência (v. 7-13).

Antes de entrarmos na exposição propriamente dita desta epístola, precisamos, à guisa de introdução, analisar dois pontos.

Em primeiro lugar, ***o remetente da carta*** (v. 1). *O presbítero à senhora eleita e aos seus filhos...* João emprega não seu nome pessoal, mas o seu

---

[1] KISTEMAKER, Simon. *Tiago e epístolas de João*, p. 501.

título, *o presbítero*. O título descrevia não simplesmente a idade, mas a posição de ofício.[2]

"O presbítero" deve ser uma pessoa publicamente conhecida por essa designação e por isso não precisava citar-se pelo nome próprio.[3]

É do estilo de João não chamar a atenção para si. Foi assim no evangelho que escreveu, bem como nas outras duas missivas. Ele apresenta-se apenas como "o presbítero". Obviamente ele era um ancião conhecido em toda a igreja neste tempo, mui provavelmente o único sobrevivente do colégio apostólico. A palavra "presbítero" significa ancião, aquele que supervisiona o rebanho.

Augustus Nicodemus diz que entre os judeus o termo foi usado para designar os oficiais das sinagogas e, especialmente, os membros do sinédrio, o concílio máximo do judaísmo da época de Jesus. Entre os gregos, indicava os oficiais religiosos e civis. Talvez o equivalente entre os romanos tenha sido *senator*. Os cristãos usavam o termo para designar os oficiais das igrejas locais, a quem era dada a responsabilidade de ensinar e governar.[4]

João tinha autoridade para dirigir-se à igreja. Ele falava da parte de Deus como um apóstolo e também como um pastor do rebanho. Cabia a ele a orientação espiritual da igreja, sobretudo num tempo em que a sã doutrina estava sendo tão atacada pelas heresias do gnosticismo incipiente.

Em segundo lugar, **os destinatários da carta** (v. 1). *O presbítero à senhora eleita e aos seus filhos...* Não existe consenso entre os eruditos acerca dos destinatários desta carta. Há várias opiniões: primeira, João estaria escrevendo para uma mulher cristã e seus filhos. O argumento é que os versículos 1,4,5,13 estão no singular. Segunda, João estaria escrevendo para uma mulher chamada Electa e seus filhos. Aqueles que subscrevem esta interpretação entendem que a palavra "eleita" é o nome próprio dessa mulher cristã. Terceira, João estaria escrevendo para Maria, uma vez que Maria foi assistida pelo apóstolo desde a morte de Cristo (Jo 19.27).

---

[2] STOTT, John. *I, II, III João: Introdução e comentário*, p. 172.
[3] BOOR, Werner de. *Segunda carta de João*, p. 421.
[4] LOPES, Augustus Nicodemus. *II, III João e Judas*. São Paulo, SP: Editora Cultura Cristã, 2008, p. 25.

Quarta, João estaria escrevendo para uma irmã que hospedava uma igreja em sua casa. Como no primeiro século não havia templos, esta mulher hospedava em sua casa uma comunidade cristã. Vemos vários casos em que igrejas se reuniam nos lares (1Co 16.19; Cl 4.15; Rm 16.5; Fm 2). Quinta, João estaria escrevendo para uma igreja local, uma vez que ele usa várias vezes o plural nesta pequena epístola (v. 6,8,10,12).

John Stott escreve:

> É mais provável que a frase *senhora eleita* signifique uma personificação e não uma pessoa – não da igreja em geral, mas de alguma igreja local sobre a qual a jurisdição do presbítero era reconhecida, sendo seus filhos (v. 1,4,13) os membros individuais da igreja.[5]

O mesmo escritor ainda diz:

> A linguagem de João não é apropriada para uma pessoa real, quer em sua declaração de amor (v. 1,2), quer em sua exortação ao amor (v. 5). Dificilmente o presbítero poderia referir-se ao Seu amor pessoal por uma senhora e seus filhos como um "[...] mandamento... que tivemos desde o princípio" (v. 5). A situação focalizada não sugere um indivíduo mais do que o faz a linguagem, a não ser que imaginemos que ela era uma viúva com numerosos filhos, dos quais só alguns (v. 4) estavam seguindo a verdade, enquanto que os outros tinham caído no erro, embora não seja mencionado nenhum.[6]

Em consonância com a maioria dos fiéis expositores bíblicos, subscrevemos esta última posição. Contudo, ainda permanece uma pergunta: por que João usou a expressão "irmã eleita" sem citar seu nome, ou por que omitiu o nome da igreja? Temos conjecturas e nenhuma certeza. Mui provavelmente João fez isto por prudência, uma vez que a perseguição à igreja naquele tempo já se tornava assaz furiosa.

A segunda epístola de João pode ser dividida em três pontos básicos: a igreja precisa conhecer a verdade (v. 1-3), andar na verdade (v. 4-6) e permanecer na verdade (v. 7-11). Vamos analisar estes três pontos.

---

[5]STOTT, John. *I, II, III João: Introdução e comentário*, p. 172,173.
[6]STOTT, John. *I, II, III João: Introdução e comentário*, p. 173.

A igreja deve **conhecer a verdade** (v. 1-3)

O apóstolo João, que se apresenta apenas como "o presbítero", usou a palavra *verdade* quatro vezes em sua saudação (v. 1-3). Esta é a palavra que rege não só esta parte da carta, mas toda a missiva. A igreja estava sendo bombardeada pelos falsos mestres. Eles saíram de dentro da igreja (1Jo 2.19), abandonaram a sã doutrina e se converteram em agentes do anticristo.

Estes falsos mestres estavam numa intensa cruzada itinerante, percorriam as igrejas, disseminavam suas heresias, negavam a divindade e a humanidade de Cristo.

Quando João destaca a necessidade de conhecer a verdade, precisamos perguntar: o que é a verdade para o apóstolo? Ela representa a realidade em oposição à mera aparência.

Fritz Rienecker diz que a palavra grega *aletheia*, "verdade", aqui se refere à realidade divina, e significa aquilo que é real em última análise, a saber, o próprio Deus.[7]

Nesta mesma linha de pensamento, Werner de Boor diz que "a verdade" é a realidade do "Deus verdadeiro e vivo" em contraposição a todas as imagens de Deus produzidas pela sabedoria humana e invenção pessoal.[8]

Jesus é a verdade (Jo 14.6). A Palavra de Deus é a verdade (Jo 17.17). O Espírito que habita em nós é o Espírito da verdade e também nos capacita a conhecer a verdade (Jo 14.16,17; 16.13).

Destacamos aqui quatro pontos:

Em primeiro lugar, *a verdade deve ser conhecida por nós* (v. 1). *O presbítero à senhora eleita e aos seus filhos, a quem eu amo na verdade e não somente eu, mas também todos os que conhecem a verdade.*

Era a verdade que ligava João em amor a esta igreja, especialmente a verdade acerca de Cristo em oposição à mentira dos hereges. John Stott, citando Alford, diz: "A comunhão do amor tem a mesma amplitude da comunhão da fé".[9]

---

[7] RIENECKER, Fritz e ROGERS, Cleon. *Chave linguística do Novo Testamento grego*, p. 593.
[8] BOOR, Werner de. *Cartas de João*, p. 423.
[9] STOTT, John. *I, II, III João: Introdução e comentário*, p. 174.

Depois que João anunciou Seu amor verdadeiro à igreja, ele afirmou que esta saudação era enviada também por todos os que conhecem a verdade. Com isso, João está dizendo que a verdade precisa ser conhecida. A verdade é objetiva. Ela é um conteúdo a ser aprendido e assimilado.

Warren Wiersbe diz corretamente que a verdade não é apenas uma revelação objetiva do Pai, mas também uma experiência subjetiva em nossa vida.[10] Devemos não apenas conhecer a verdade, mas também amar na verdade e viver por amor da verdade. Conhecer a verdade é mais do que concordar com um conjunto de doutrinas, apesar de tal aquiescência ser importante. Significa que a vida do cristão é controlada pelo amor à verdade.[11]

Devemos não apenas aprender a verdade com a mente, mas amá-la com o nosso coração e vivê-la com a nossa vontade. Precisamos ressaltar que a experiência é o fruto do conhecimento. É pelo conhecimento da verdade que amamos na verdade. Sendo assim, conhecer a verdade é muito mais do que simplesmente dar um assentimento intelectual a um corpo de doutrinas; é viver controlado pelo amor da verdade e desejar magnificar a verdade.

Em segundo lugar, *a verdade deve estar arraigada em nós* (v. 2). *Por causa da verdade que permanece em nós...* Não basta conhecer a verdade, é preciso permanecer nela. Um dia os falsos mestres professaram a verdade. Porém, saíram da igreja (1Jo 2.19). Eles não apenas vieram de fora da igreja (At 20.29), mas também se levantaram de dentro da igreja (At 20.30). A verdade não estava arraigada neles. Por conseguinte, eles não permaneceram na verdade. Há muitos que ainda hoje apostatam da fé e abandonam a verdade que um dia professaram.

Em terceiro lugar, *a verdade deve permanecer em nós* (v. 2b). [...] *e conosco estará para sempre*. A verdade deve permanecer em nós não apenas por um tempo, mas para sempre. Não basta começar bem, é preciso terminar bem.

Paulo falou em completar a carreira (At 20.24; 2Tm 4.7). Muitos crentes e muitos mestres se perderam no meio do caminho. Desviaram-se e

---

[10]WIERSBE, Warren W. *Comentário bíblico expositivo*. Vol. 6, p. 685.
[11]WIERSBE, Warren W.. *Comentário bíblico expositivo*. Vol. 6, p. 685.

voltaram para trás. João diz que a verdade precisa permanecer na igreja, uma vez que ela é a coluna e o baluarte da verdade.

Em quarto lugar, *a verdade deve ser vista em nós* (v. 3). *A graça, a misericórdia e a paz, da parte de Deus Pai e de Jesus Cristo, o Filho do Pai, serão conosco em verdade e amor.*

O apóstolo João, à semelhança do que Paulo fez em suas cartas a Timóteo, menciona em sua saudação não apenas graça e paz, mas graça, misericórdia e paz. A diferença é que a saudação aqui não é oração nem voto, mas uma confiante afirmação.

A graça e a misericórdia são a raiz, e a paz é o fruto. Quando experimentamos a graça e a misericórdia, recebemos a paz. Concordo com John Stott quando ele diz que graça e misericórdia são expressões do amor de Deus, graça para com os culpados e destituídos de méritos, misericórdia para com os necessitados e desamparados.

Paz é aquele restabelecimento da harmonia com Deus, com os outros e com nós mesmos a que chamamos salvação. Juntando os termos, paz indica o caráter da salvação, misericórdia a nossa necessidade dela, e graça a livre provisão que dela Deus fez em Cristo.[12]

Nessa mesma linha de pensamento, Simon Kistemaker diz que a graça remove a culpa, a misericórdia remove a miséria, a paz expressa a continuidade da graça e da misericórdia.[13]

Há uma clara diferença entre graça e misericórdia. Graça é o que Deus nos dá e não merecemos; misericórdia é o que Ele não nos dá mas nós merecemos. Não merecemos a salvação, e Deus no-la dá, isto é graça; merecemos o castigo, e Deus não o aplica a nós, uma vez que o aplicou em Seu Filho, e isto é misericórdia.

O apóstolo João destaca já na introdução desta pequena epístola a verdade suprema da divindade de Cristo. A saudação à igreja é dada em nome de Deus Pai e de Jesus Cristo, o Filho do Pai. Jesus Cristo é eternamente gerado do Pai. Ele é Deus de Deus, luz de luz, coigual, coeterno e consubstancial com o Pai. Desta forma, quem nega o Filho também não tem o Pai (1Jo 2.23).

---

[12]STOTT, John. *I, II, III João: Introdução e comentário*, p. 175.
[13]KISTEMAKER, Simon. *Tiago e epístolas de João*, p. 502.

A fé cristã mantém-se em pé ou cai dependendo da maneira como ela vê a doutrina da divindade de Cristo. Se Jesus Cristo é somente um homem, Ele não pode salvar-nos. Se Ele não encarnou, também não pode se identificar conosco.

A comunidade cristã deve ser caracterizada não só pela verdade, mas também pelo amor. Concordo com John Stott quando diz que devemos evitar a perigosa tendência para o extremismo, dedicando-nos a uma dessas virtudes à expensa da outra. O nosso amor amolece se não for fortalecido pela verdade, e a nossa verdade endurece se não for suavizada pelo amor. Precisamos amar uns aos outros na verdade, e falar a verdade uns com os outros em amor.[14]

A igreja deve **andar na verdade** (v. 4-6)

Este parágrafo abre e fecha com uma ênfase sobre obediência. Não é suficiente estudar a verdade e discuti-la; precisamos praticá-la. Não podemos ser ortodoxos de cabeça e hereges de conduta. Defender a verdade e não praticá-la é uma gritante contradição. Combater o pecado em público e praticá-lo em secreto é uma atitude reprovável.

É preciso ressaltar que os pecados do cristão são mais hipócritas e perniciosos que os pecados dos demais homens. Mais hipócritas porque eles pecam contra o conhecimento e contra a graça, e mais perniciosos porque muitas vezes condenam, nos outros, aquilo que eles mesmos praticam. Há um abismo entre o que as pessoas professam e o que elas vivem. Entre o que creem e o que vivem.

Destacaremos, aqui, três pontos:

Em primeiro lugar, ***a obediência é fonte de alegria*** (v. 4a). *Fiquei sobremodo alegre em ter encontrado dentre os teus filhos os que andam na verdade...*

O apóstolo João exulta de alegria ao ver que na igreja alguns crentes andam na verdade. Alguns crentes haviam se desviado e seguido os enganadores, mas havia também aqueles que se mantinham fiéis e permaneciam firmados na verdade apostólica. Nada entristece mais um pastor de almas do que ver alguns crentes desobedientes e rebeldes,

---

[14]STOTT, John. *I, II, III João: Introdução e comentário*, p. 176.

que não se submetem à Palavra de Deus. A obediência é a evidência da verdade e a fonte da alegria.

Em segundo lugar, *a obediência é circunscrita ao mandamento divino* (v. 4b). [...] *de acordo com o mandamento que recebemos da parte do Pai.*

A obediência que traz alegria é aquela circunscrita ao mandamento recebido do Pai. Não é obediência a um líder religioso. Não é obediência à tradição dos homens. Não é obediência às novidades dos falsos mestres. Porém, obediência à Palavra. A fé cristã não é dar um salto no escuro, como ensinava o pai do existencialismo moderno, Soren Kirkegaard. A fé cristã é uma caminhada pela estrada luminosa da verdade. É viver de acordo com o mandamento recebido do Pai.

A palavra *mandamento* aparece quatro vezes nesse parágrafo. Os mandamentos de Deus são manifestações do Seu amor por nós. Seus mandamentos não são penosos. Eles são dados a nós para nos proteger, e não para nos oprimir. Eles nos são dados para experimentarmos a verdadeira liberdade, e não para nos escravizar. A maior liberdade está na obediência à perfeita vontade de Deus. Quem ama a Deus não acha Seus mandamentos penosos.

Em terceiro lugar, *a obediência é demonstrada pelo amor* (v. 5,6). *E agora, senhora, peço-te, não como se escrevesse mandamento novo, senão o que tivemos desde o princípio: que nos amemos uns aos outros. E o amor é este: que andemos segundo os Seus mandamentos. Este mandamento, como ouvistes desde o princípio, é que andeis nesse amor.*

Depois de evidenciar sua alegria em ver alguns crentes andando na verdade e apresentar seu argumento, dizendo que a obediência deve cingir-se ao mandamento divino, o apóstolo faz um eloquente apelo para que os crentes amem uns aos outros. O amor ao próximo é antigo, é da lei (Lv 19.18,34), mas em Cristo esse mandamento recebe uma nova ênfase e um novo exemplo (Jo 13.34).[15]

Ao mandamento para crer é acrescentado o mandamento para amar. Ser cristão é crer em Cristo e amar uns aos outros. A fé e o amor são sinais do novo nascimento.[16]

---

[15] WIERSBE, Warren W. *Comentário bíblico expositivo*. Vol. 6, p. 688.
[16] STOTT, John. *I, II, III João: Introdução e comentário*, p. 177.

Precisamos entender que o fruto do Espírito é o amor. A essência do cristianismo é o amor. Sem amor ao próximo não podemos dizer que amamos a Deus. Quem não ama não conhece a Deus (1Jo 4.8). Quem não ama está nas trevas (1Jo 2.9-11). Quem não ama permanece na morte (1Jo 3.14). O amor é a prova maior de que somos discípulos de Cristo (Jo 13.35). O amor é o maior mandamento e também o cumprimento da lei.

É importante ressaltar que o amor cristão não é uma emoção passageira, mas um compromisso duradouro. O amor não é sentimento, mas um ato da vontade. Provamos o nosso amor por Deus pela obediência (1Jo 5.2), e o nosso amor ao próximo pelo serviço (1Jo 3.17,18). Para o apóstolo João amor e obediência andam de mãos dadas.

A igreja deve **permanecer na verdade** (v. 7-13)

João faz uma transição dos crentes verdadeiros para os falsos mestres, do trigo para o joio, dos que obedecem aos mandamentos para os enganadores. Os enganadores não eram apenas hereges quanto à teologia, mas também pervertidos quanto à ética. Eles eram mais do que pessoas que ensinavam falsas doutrinas, eles também conduziam as pessoas a uma vida errada. Verdade e vida caminham juntas assim como doutrina errada e vida errada são irmãs gêmeas.

Destacaremos quatro pontos:

Em primeiro lugar, *o perigo de não olhar ao redor* (v. 7). *Porque muitos enganadores têm saído pelo mundo afora, os quais não confessam Jesus Cristo vindo em carne; assim é o enganador e o anticristo.*

O apóstolo destaca que não são poucos, mas muitos os enganadores que se movem mundo afora com o propósito de enganar os crentes. John Stott diz que, assim como os apóstolos foram enviados ao mundo para pregar a verdade, assim estes falsos mestres tinham saído para ensinar mentiras, como emissários do diabo, o pai da mentira.

Estes falsos profetas itinerantes, viajando pelas grandes estradas romanas da Ásia Menor, procuravam ensinar o seu erro nas igrejas que visitavam. Do ponto de vista deles, eram missionários cristãos. No entanto, do ponto de vista do apóstolo João, eram impostores.[17]

---

[17]STOTT, John. *I, II, III João: Introdução e comentário*, p. 179.

Werner de Boor diz que o movimento intelectual e religioso chamado gnosticismo parece avançar largamente e não sem eficácia. Ele inclui um "gnosticismo cristão", cujos representantes vêm das próprias igrejas apostólicas (1Jo 2.19), pretendendo introduzir nas igrejas um cristianismo "superior". Era nisto que residia a sua atração e perigo. Para "o presbítero" eles são enganadores. Não são fenômenos isolados que poderiam ser ignorados; seu número é grande.

O apóstolo fala de "muitos enganadores" que têm uma forte consciência missionária. Sua zelosa atividade de divulgação não se limita a uma região pequena.[18]

Warren Wiersbe, citando Mark Twain, diz que uma mentira dá volta ao mundo enquanto a verdade ainda está calçando os sapatos. A natureza humana decaída deseja crer em mentiras e resiste à verdade de Deus.[19]

Fritz Rienecker diz que a palavra grega *plános*, "enganador", se refere a uma pessoa que faz outras cometerem atos errados, e não apenas a terem opiniões erradas.[20]

Simon Kistemaker tem razão quando diz que João não tem medo de dar nomes ao falso mestre. Aqui ele o chama não apenas de enganador, mas também de anticristo, ou seja, a pessoa que se opõe a Cristo para ficar no Seu lugar.[21]

A heresia destes mestres era que eles não confessavam Jesus Cristo vindo em carne. Eles negavam a encarnação de Cristo. Por conseguinte, negavam toda a Sua obra redentora e Sua ressurreição. O "cristo intelectual" do gnosticismo não é o redentor do pecador por intermédio da morte sangrenta da cruz.[22]

Os gnósticos pregavam um falso cristo, um falso evangelho e seduziam as pessoas a abraçarem uma falsa vida e nutrirem uma falsa esperança. A encarnação não é apenas um evento na história. É uma verdade permanente. Jesus não Se tornou o Cristo ou o Filho em Seu batismo,

---

[18]Boor, Werner de. *Cartas de João*, p. 427,428.
[19]Wiersbe, Warren W. *Comentário bíblico expositivo*. Vol. 6, p. 689.
[20]Rienecker, Fritz e Rogers, Cleon. *Chave linguística do Novo Testamento grego*, p. 593.
[21]Kistemaker, Simon. *Tiago e epístolas de João*. 2005: p. 509.
[22]Boor, Werner de. *Cartas de João*, p. 428.

nem deixou de ser o Cristo ou o Filho antes da Sua morte; Jesus era "o Cristo vindo em carne".

As duas naturezas, a humanidade e a divindade, já estavam unidas por ocasião do seu nascimento, para nunca mais separar-se.[23]

A razão pela qual encontram tanta aceitação é que os enganadores abrem o caminho para a prática do pecado (2Pe 2.2). Os enganadores desviam as pessoas de duas formas: primeira, eliminando os preceitos. Nada de preceitos. Nada de princípios. Nada de mandamentos. Tudo é permitido. Nada é proibido. Tudo é liberado. Nada tem nada a ver. Segunda, colocando preceitos e mais preceitos sobre as pessoas. Esses enganadores tornam o povo escravo de suas tradições. Atam fardos pesados sobre as pessoas e desviam-nas da liberdade da graça.

Esses enganadores procedem tanto do mundo (At 20.29), quanto da própria igreja (At 20.30; 1Jo 2.19). Eles são chamados não apenas de falsos mestres, mas também de enganadores e anticristos. Aqueles que negam a encarnação de Cristo são inspirados pelo engano e pelo anticristo (v. 7).

O prefixo *anti* significa "no lugar de" e "contra". Eles não apenas negam a verdade e se colocam contra ela, mas também a substituem, apresentando outro cristo que não é o Cristo Filho de Deus.

Em segundo lugar, *o perigo de voltar atrás* (v. 8). *Acautelai-vos, para não perderdes aquilo que temos realizado com esforço, mas para receberdes completo galardão.*

Esse é o perigo de perder aquilo que já se ganhou. Os falsos mestres dizem oferecer algo que não temos, quando, na realidade, tiram algo que já possuímos.[24] Satanás é ladrão e espoliador. Os falsos mestres são enganadores, e não pastores. Eles não entram pela porta do aprisco. O propósito deles é assaltar as ovelhas e deixá-las à mercê dos predadores. Os enganadores vêm para desviar os crentes das veredas da justiça. Precisamos nos acautelar!

O apóstolo João quer que seus filhos na fé recebam pleno galardão em vez de serem espoliados. O apóstolo Paulo expressou a sua

---

[23] STOTT, John. *I, II, III João: Introdução e comentário*, p. 180.
[24] WIERSBE, Warren W. *Comentário bíblico expositivo*. Vol. 6, p. 689.

preocupação com os crentes da Galácia: *Receio de vós tenha eu trabalhado em vão para convosco* (Gl 4.11). Jesus disse para a igreja de Filadélfia: *Venho sem demora. Conserva o que tens, para que ninguém tome a tua coroa* (Ap 3.11).

É preciso deixar claro que o pensamento do apóstolo não é sobre a obtenção ou perda da salvação (que é uma dádiva gratuita), mas a sua recompensa ou galardão pelo serviço fiel.[25]

Em terceiro lugar, **o perigo de ir além** (v. 9). *Todo aquele que ultrapassa a doutrina de Cristo e nela não permanece não tem Deus; o que permanece na doutrina, esse tem tanto o Pai como o Filho.*

A palavra grega *proagon*, "ir além", talvez seja uma referência sarcástica ao caminho no qual os falsos profetas se orgulhavam de oferecer ensino "avançado".

O ancião alega que eles "avançaram" além das fronteiras da verdadeira fé cristã.[26] Os enganadores estavam oferecendo aos crentes uma versão mais avançada do cristianismo. Eles tinham um discurso progressista. Eles prometiam algo que os crentes não possuíam. Eles falavam de um conhecimento místico e esotérico superior ao conhecimento que os crentes tinham. Eles falavam de experiências místicas e arrebatadoras que os crentes não haviam experimentado.

William Barclay diz que com a pretensão dos falsos mestres de oferecer um cristianismo novo e melhor eles estavam, na verdade, destruindo o verdadeiro cristianismo.[27]

O perigo aqui é ir além dos limites da Palavra de Deus e acrescentar a ela as novidades criadas no laboratório do engano. Os falsos mestres tinham ido tão além que deixaram Deus para trás, pois ao negarem que Jesus Cristo veio em carne, perdiam também a comunhão com Deus.

Ainda hoje há muitas religiões que dizem crer em Deus, mas negam a Jesus. Estes arautos do engano querem elevar religiões não cristãs ao nível do cristianismo, como vias alternativas para Deus. É preciso resistir fortemente a estes erros.

---

[25] STOTT, John. *I, II, III João: Introdução e comentário*, p. 181.
[26] RIENECKER, Fritz e ROGERS, Cleon. *Chave linguística do Novo Testamento grego*, p. 593,594.
[27] BARCLAY, William. *I, II, III Juan y Judas*, p. 157.

Na teologia devemos ser conservadores, e não progressistas. Devemos permanecer na sã doutrina em vez de ir além dela. Avançar além de Cristo não é progresso, mas apostasia. O desenvolvimento do cristão não consiste em progresso além do ensino dado por Cristo, diretamente ou por meio dos apóstolos, como está registrado no Novo Testamento, mas, sim, consiste numa progressiva compreensão desse ensino.[28]

Está coberto de razão Simon Kistemaker quando diz que se alguém avançar e deixar a fé, esta pessoa regredirá e se verá diante da ruína espiritual. O verdadeiro progresso está sempre arraigado na doutrina de Cristo.[29]

Warren Wiersbe, citando Phillips Brooks, diz: "A verdade é sempre forte, não importa quão fraca ela pareça; a mentira é sempre fraca, não importa quão forte ela aparenta".[30]

Precisamos reafirmar que a Palavra de Deus é suficiente. Ela nos basta. A Bíblia tem uma capa ulterior. Tudo o que Deus tem para nós está revelado em Sua Palavra. Ainda que um anjo venha do céu trazendo-nos novas revelações, devemos rejeitar.

É trágico ver a numerosa quantidade de pregadores ensinando coisas novas na igreja, dizendo que receberam de Deus uma nova unção, uma nova visão e uma nova revelação. É lamentável que esses arautos do engano encontrem tanto espaço na igreja e sejam seguidos com tanto fervor.

Fui convidado certa feita para dar uma palestra para um grupo de pastores e líderes numa igreja evangélica. Depois do meu sermão, levantaram-se dois pastores, ambos com mais de vinte anos de ministério e começaram a falar sobre as últimas novidades que ouviram num encontro dos "apóstolos" na cidade de Goiânia.

A nova revelação era esta: o Brasil estava precisando ser liberto e purificado dos espíritos malignos e a igreja deveria contratar aviões para ungir o Brasil com óleo, derramando o precioso unguento nos quatro cantos cardeais da nação. Para a minha surpresa e espanto, essa comunicação esdrúxula foi efusivamente aplaudida pelos líderes ali

---

[28]STOTT, John. *I, II, III João: Introdução e comentário*, p. 182.
[29]KISTEMAKER, Simon. *Tiago e epístolas de João*. 2005: p. 511,512.
[30]WIERSBE, Warren W. *With the Word*. Londres: Thomas Nelson, 1991, p. 841.

presentes. Tanto o liberalismo modernista quanto o misticismo pagão são ainda hoje aplaudidos em muitas igrejas tidas como evangélicas.

Em quarto lugar, **o perigo de ir junto** (v. 10,11). *Se alguém vem ter convosco e não traz esta doutrina, não o recebais em casa, nem lhe deis as boas-vindas. Porquanto aquele que lhe dá boas-vindas faz-se cúmplice das suas obras más.*

O pano de fundo deste alerta do apóstolo tem a ver com a questão da hospitalidade aos pregadores itinerantes. Paulo foi hospedado por Lídia em Filipos (At 16.14,15), por Jasom em Tessalônica (At 17.7), por Gaio em Corinto (Rm 16.23) e por Filipe em Cesareia (At 21.8,16).

No primeiro século, os hotéis e pensões eram quase desconhecidos. A profissão de estalajadeiro era desonrosa e o seu caráter infamante é censurado muitas vezes nas leis romanas. Também as pensões antigas ficavam a pequena distância das casas de má fama.

As pensões eram notoriamente sujas e infestadas de pulgas.[31] Era natural assim que os cristãos, em suas viagens, fossem hospedados nas casas dos membros das igrejas locais. A hospitalidade era uma prática recomendada na igreja primitiva: "Praticai a hospitalidade" (Rm 12.13). O autor aos Hebreus ordena: "Não negligencieis a hospitalidade, pois alguns, praticando-a, sem o saber acolheram anjos".

Embora a hospitalidade fosse uma prática do amor cristão (1Tm 3.2; 5.3-10; 1Pe 4.8-10), os crentes não deveriam receber estes falsos mestres em casa nem na igreja. A palavra grega *chairein*, "saudar, cumprimentar", indica a entrada em comunhão com a pessoa saudada, e receber um falso mestre era expressar a solidariedade com ele.[32]

Dar as boas-vindas a estes enganadores seria o mesmo que caminhar junto deles e ajudá-los nesse maligno propósito. Além dos falsos profetas, existiam ainda os charlatões que se aproveitavam da boa-fé dos crentes para se instalarem em suas casas, buscando proveito material.

John Stott esclarece três pontos importantes: primeiro, João está se referindo a mestres de falsa doutrina e não simplesmente àqueles que criam nela. Trata-se daqueles que estão engajados na sistemática

---

[31] STOTT, John. *I, II, III João: Introdução e comentário*, p. 170,171.
[32] RIENECKER, Fritz e ROGERS, Cleon. *Chave linguística do Novo Testamento grego*, p. 594.

disseminação de mentiras como dedicados missionários do erro. Segundo, João está falando não só de uma visita oficial de falsos mestres, mas também ao ato de estender-lhes boas-vindas oficiais. Isto inclui tanto a hospitalidade particular quanto as oficiais boas-vindas à congregação reunida. Terceiro, João está se referindo a mestres de falsa doutrina sobre a encarnação, e não a todo e qualquer falso mestre. É a hospedagem dada ao anticristo que nos é proibida. A tolerância de que nos orgulhamos é na realidade indiferença para com a verdade.[33]

O motivo de não oferecer hospitalidade aos que não trazem a doutrina de Cristo é que dar as boas-vindas a estes mestres do engano seria tornar-se coparticipantes com eles e cúmplices de suas obras más.

A heresia não é apenas um erro, mas também uma obra iníqua. Pode enviar almas à ruína eterna. Se não quisermos ser parceiros destes enganadores e cúmplices desta obra iníqua é preciso que não ofereçamos nenhum incentivo aos que a realizam.

O apóstolo João conclui sua segunda epístola assim: *Ainda tinha muitas coisas que vos escrever; não quis fazê-lo com papel e tinta, pois espero ir ter convosco, e conversaremos de viva voz, para que a nossa alegria seja completa. Os filhos da tua irmã eleita te saúdam* (v. 12,13).

João passa da instrução para o anseio pela comunhão. Não basta instruir os crentes; para o apóstolo, ele anseia estar com eles, a fim de que sua alegria seja completa. O cristianismo não é apenas conhecimento, mas também relacionamento. As demais instruções apostólicas seriam transmitidas não pela forma escrita, mas pela comunicação oral.

O presbítero João, o último remanescente do grupo de apóstolos, transmite à igreja destinatária, as saudações da igreja remetente. Trata-se de uma igreja eleita saudando outra igreja eleita. O amor verdadeiro se comunica e se expressa.

Concluo esta exposição com as palavras de Warren Wiersbe: "Esta carta é uma pérola da correspondência sagrada. No entanto, não se deve esquecer que a sua ênfase principal é a necessidade de permanecer alertas. O mundo está cheio de enganadores".[34]

---

[33] STOTT, John. *I, II, III João: Introdução e comentário*, p. 184.
[34] WIERSBE, Warren W. *Comentário bíblico expositivo*. Vol. 6, p. 691.

3 João

A liderança na igreja de Cristo

3 João 1-15

O APÓSTOLO JOÃO, também chamado de "o presbítero", escreveu sua segunda carta para alertar sobre o perigo dos falsos mestres; nesta terceira carta ele adverte sobre os falsos líderes. Na segunda carta, os falsos mestres apelavam para o amor, mas negavam a verdade. Na terceira carta, o falso líder apela para a verdade, mas nega o amor.

A segunda carta coloca o aspecto negativo da hospitalidade; a terceira carta o lado positivo da hospitalidade. A segunda carta alerta para o perigo de exercer hospitalidade com os falsos mestres (v. 7-11). A terceira carta alerta para a necessidade de hospedar e receber os pregadores fiéis da Palavra de Deus (v. 5-8).

Se os crentes não devem acolher os falsos mestres em suas casas, de bom grado devem receber os servos de Deus. John Stott acertadamente diz que estas duas cartas devem ser lidas juntas para obtermos uma equilibrada compreensão dos deveres e limites da hospitalidade cristã.[1]

Uma das palavras-chave desta terceira carta de João é a palavra *testemunho* (v. 3,6,12). Ela significa não somente o que dizemos, mas também o que fazemos. Cada cristão é uma testemunha, seja boa ou má.

---

[1] STOTT, John. *I, II, III João: Introdução e comentário*, p. 186.

Somos parte do problema ou da sua solução. Somos bênção ou maldição. Não há neutralidade quando se trata da vida cristã.

Essa carta fala sobre três homens: Gaio, Diótrefes e Demétrio (v. 1,9,12). Na igreja visível, há salvos e perdidos. Há crentes genuínos e crentes falsos. Há os que amam a Deus e buscam a Sua glória, e aqueles que amam a si mesmos e estão interessados apenas em sua própria projeção.

Na igreja militante há pessoas que trabalham com Deus e para Deus e pessoas que trabalham contra Deus. Há trigo e joio. Há ovelhas e lobos. É de bom alvitre examinarmo-nos a nós mesmos. O apóstolo Paulo exorta: *Examinai-vos a vós mesmos se realmente estais na fé; provai--vos a vós mesmos. Ou não reconheceis que Jesus Cristo está em vós? Se não é que já estais reprovados* (2Co 13.5).

Dito isto, vamos considerar a introdução desta epístola, a menor de todas no texto grego. Alguns pontos precisam ser aqui destacados:

Em primeiro lugar, ***o remetente da carta*** (v. 1). *O presbítero ao amado Gaio...* João não menciona seu nome nem mesmo seu apostolado. Apresenta-se apenas como "o presbítero". Talvez aqui o significado mais lógico seja "o velho", em virtude de sua avançada idade neste tempo. As palavras presbítero, bispo e pastor são termos correspondentes (At 20.17,28). João era o último apóstolo vivo neste tempo, e também o pastor das igrejas para onde enviou essa missiva.

Augustus Nicodemus diz que quando João se identifica como "o presbítero" revela a sua maneira despretensiosa e humilde de lidar com os irmãos em Cristo.

Numa época como a nossa, em que líderes evangélicos ostentam abertamente títulos autoimpostos, como apóstolos, e até "paipóstolos", a atitude de João que, mesmo sendo apóstolo, preferia se apresentar como "presbítero", serve de condenação a todos os arrogantes de hoje.[2]

Em segundo lugar, ***o destinatário*** (v. 1). *O presbítero ao amado Gaio, a quem eu amo na verdade.* Diferente da segunda carta, a terceira carta é endereçada a um homem, e não à igreja. O nome Gaio era muito comum entre os romanos. O Novo Testamento faz referência a três homens

---

[2]LOPES, Augustus Nicodemus. *II, III João e Judas*, p. 52.

que possuíam esse nome: Gaio, de Corinto (1Co 1.14; Rm 16.23), Gaio, de Macedônia (At 19.29), e Gaio, de Derbe (At 20.4). Embora John Stott esteja inclinado a aceitar o último Gaio como o destinatário dessa epístola, não há como identificar com certeza quem é este Gaio para quem João escreve.[3]

João não apenas chama Gaio de *agapetos*, "amado", três vezes (v. 1,2,5), mas também reforça o conceito, afirmando "a quem eu amo na verdade". O amor cristão não é apenas para ser sentido, mas também para ser declarado e demonstrado. Gaio era um homem especial. Era daquele tipo de gente que atraía as pessoas pela sua bondade, amor e testemunho.

Nicodemus chama a atenção para o fato de que em nossos dias, por causa da aceitação crescente do homossexualismo em nossa sociedade decaída, o genuíno amor fraternal entre irmãos em Cristo pode ser visto de modo suspeito, especialmente pelos que têm a mente envenenada pela impureza sexual.

O amor de Jesus por João e de João por Gaio tem sido usado pelos homossexuais para justificar o que sentem entre si. Na verdade, tal sentimento homossexual é chamado por Paulo de [...] *paixões infames* (Rm 1.26). É bastante diferente do amor cristão entre dois irmãos em Cristo.[4]

Em terceiro lugar, ***a saudação*** (v. 2). *Amado, acima de tudo, faço votos por tua prosperidade e saúde, como é próspera a tua alma*. Gaio era um homem de vida espiritual saudável. Ele não tinha riqueza nem saúde, mas tinha uma vida espiritual robusta. É possível ser pobre e ser rico espiritualmente. É possível estar fisicamente enfermo e ter uma vida espiritual abundante.

A saudação de João é, na verdade, uma oração a Deus em favor de Gaio. Devemos orar pela prosperidade financeira e pela saúde dos crentes, sem cair, contudo, no engano da teologia da prosperidade, que afirma que o crente não pode ser pobre nem ficar doente.

A Palavra de Deus, porém, ensina que a piedade, com contentamento, é grande fonte de lucro (1Tm 6.6). Entretanto, diz que aqueles que querem ficar ricos caem em tentação e cilada (1Tm 6.9,10).

---

[3] STOTT, John. *I, II, III João: Introdução e comentário*, p. 187.
[4] LOPES, Augustus Nicodemus. *II, III João e Judas*. 2008: p. 52,53.

João intercede a Deus pela prosperidade de Gaio em todos os aspectos, e o pensamento pode ser dirigido ao trabalho público e social de Gaio, bem como à sua prosperidade pessoal. O desejo é que a prosperidade exterior de Gaio possa corresponder à condição de sua alma.[5]

Concordo com John Stott quando diz que aqui há uma autorização bíblica para desejarmos o bem-estar físico e o bem-estar espiritual dos nossos amigos cristãos.[6]

William Barclay tem razão quando diz que um pastor verdadeiro interessa-se tanto pela saúde espiritual da alma como a saúde física do corpo dos crentes.[7]

Nicodemus é oportuno quando diz que este versículo tem sido usado por muitos para provar que Deus sempre deseja que seus filhos sejam prósperos financeiramente e que sempre tenham boa saúde.

Embora não se possa negar que, além das bênçãos espirituais, Deus também abençoa seus filhos com bênçãos materiais, seria ir além dos limites bíblicos ensinar que Deus prometeu *sempre* dar prosperidade financeira a *todos* os seus filhos.[8]

Warren Wiersbe tem razão quando diz que a saúde física é o resultado da boa alimentação, exercício, limpeza, descanso apropriado e vida disciplinada. De igual forma, saúde espiritual é o resultado de fatores similares. Devemos alimentar-nos com a Palavra (Jo 17.17), exercitar a piedade (1Tm 4.6,7), guardar-nos limpos (2Co 7.1) e evitar a contaminação do mundo (Tg 1.27). Ao mesmo tempo devemos descansar no Senhor (Mt 11.28-30).[9]

Em quarto lugar, *o testemunho* (v. 3). *Pois fiquei sobremodo alegre pela vinda de irmãos e pelo seu testemunho da tua verdade, como tu andas na verdade.*

Gaio era um homem que andava na verdade. Verdade para ele era mais do que um conceito, era uma prática de vida. Ele não só acreditava na verdade, ele também andava na verdade. Não havia dicotomia entre a profissão de fé e a prática. Não havia abismo entre o que ele falava e

---

[5]RIENECKER, Fritz e ROGERS, Cleon. *Chave linguística do Novo Testamento grego*, p. 595.
[6]STOTT, John. *I, II, III João: Introdução e comentário*, p. 188.
[7]BARCLAY, William. *I, II, III Juan y Judas*, p. 162.
[8]LOPES, Augustus Nicodemus. *II, III João e Judas*, p. 53,54.
[9]WIERSBE, Warren W. *Comentário bíblico expositivo*. Vol. 6, p. 693.

o que ele fazia. Não havia separação entre a sua teologia e a sua vida. Havia correspondência entre o credo e a conduta; entre a verdade e a vida. Não podemos separar fé e obras, doutrina e ação. A fé sem obras é morta (Tg 2.17).

John Stott destaca que havia duas características na prosperidade espiritual de Gaio: a verdade (v. 3) e o amor (v. 6). Gaio foi um cristão equilibrado. Ele defendia a verdade em amor e amava em verdade. Sua verdade e Seu amor eram conhecidos de todos.[10]

As pessoas que iam visitar João davam um bom testemunho de Gaio, constatando como ele andava na verdade. Isto trouxe grande alegria ao apóstolo João. Foi a verdade que capacitou Gaio a dar bom testemunho. Gaio leu a Palavra, meditou na Palavra, deleitou-se na Palavra e praticou a Palavra. O que a digestão é para o corpo, a meditação é para a alma.[11] Não é apenas suficiente ouvir e ler a Palavra. Precisamos digeri-la e fazê-la parte da nossa vida interior.

Em quinto lugar, *a declaração* (v. 4). *Não tenho maior alegria do que esta, a de ouvir que meus filhos andam na verdade.*

A maior alegria de João não era financeira, mas espiritual. Sua recompensa não era monetária. Ele não andava atrás do dinheiro dos crentes, mas se alegrava em vê-los andando na verdade. Os crentes não eram fontes potenciais de lucro, mas filhos espirituais a quem devotava a sua vida. A maior alegria de João não era ver seus filhos sendo ricos, mas vê-los andando na verdade.

Como diz John Stott: "João não considerava as questões teológicas como trivialidades sem importância".[12] Prosperidade sem fidelidade à verdade é motivo de tristeza, e não de alegria.

Simon Kistemaker está correto quando diz que João fala de "filhos" não no sentido físico de descendência, mas no sentido de nascimento espiritual. De maneira semelhante, Paulo escreve aos crentes de Corinto e diz: *Pois eu, pelo evangelho, vos gerei em Cristo Jesus* (1Co 4.15).[13]

---

[10] STOTT, John. *I, II, III João: Introdução e comentário*, p. 188,189.
[11] WIERSBE, Warren W. *Comentário bíblico expositivo*. Vol. 6, p. 694.
[12] STOTT, John. *I, II, III João: Introdução e comentário*, p. 189.
[13] KISTEMAKER, Simon. *Tiago e epístolas de João*, p. 522.

Augustus Nicodemus destaca ainda que os apóstolos e primeiros cristãos não eram santarrões taciturnos e circunspectos, fama que caracterizou injustamente grupos cristãos como os puritanos, posteriormente. Dentre as muitas alegrias que experimentava neste mundo, o apóstolo João considerava como a maior de todas saber que seus filhos iam bem espiritualmente.[14]

Vamos, agora, acompanhar a exposição do apóstolo acerca dos três personagens centrais da carta.

Gaio, um homem abençoador (v. 5-8)

Já vimos que Gaio era um homem amado (v. 1,2,5), de vida espiritual saudável (v. 2) e que desfrutava de bom testemunho (v. 3,4). Agora, vamos analisar outras características deste servo de Deus. Quem era Gaio?

Em primeiro lugar, **um homem que abre sua casa para os servos de Deus** (v. 5). *Amado, procedes fielmente naquilo que praticas para com os irmãos, e isto fazes mesmo quando são estrangeiros.*

Outra vez o presbítero dirige-se a Gaio chamando-o *amado*, e se coloca a escrever, agora não sobre a sua verdade, mas a respeito de Seu amor. Ele era "dado à hospitalidade" como se ordena que sejam todos os cristãos (Rm 12.13; Hb 13.2; 1Pe 4.9) e particularmente às viúvas (1Tm 5.10) e aos presbíteros (1Tm 3.2; Tt 1.8).

Em cada um destes versículos, a palavra grega é o substantivo *philoxenia* ou o adjetivo *philoxenos*, palavra que indica literalmente amor por estrangeiros.[15]

Já vimos na segunda carta que a hospitalidade era uma prática recomendada na igreja apostólica. Os pregadores itinerantes não tinham hotéis nem hospedarias de boa reputação à disposição, nem recursos suficientes. Assim, os crentes e especialmente os líderes da igreja deveriam abrir seus corações, suas casas e seus bolsos para ajudar a estes obreiros nessa missão itinerante.

Também vimos na segunda carta que esta hospitalidade precisava ser criteriosa, uma vez que havia aproveitadores e falsos mestres que

---

[14]LOPES, Augustus Nicodemus. *II, III João e Judas*. 2008: p. 56.
[15]STOTT, John. *I, II, III João: Introdução e comentário*, p. 189.

buscavam se instalar na casa dos crentes para se aproveitarem desse aconchego ou para disseminar suas perniciosas heresias. Neste caso os crentes não deveriam receber esses preguiçosos ou pregoeiros da mentira em suas casas, para não se tornarem cúmplices deles.

Em sua primeira carta, João explica que amar tem a ver com socorrer os irmãos carentes e necessitados (1Jo 3.17). Aqui, na terceira carta, ele identifica o amor com a hospitalidade. Em resumo, "amar", na correspondência joanina, bem como em todo o Novo Testamento, é uma atitude de ajuda prática aos que dela necessitam.[16]

Warren Wiersbe diz que não há indicação alguma de que o próprio Gaio fosse um pregador ou mestre, mas abria o coração e a casa para os que eram.[17] Ele era um homem comprometido com a obra de Deus. Sua casa estava a serviço do reino de Deus. Seu coração estava aberto para receber as pessoas que vinham em nome de Deus. Seu bolso estava aberto para ajudar as pessoas a fazerem a obra de Deus. Você faz a obra de Deus com os pés, indo; com as suas mãos, contribuindo; com os seus lábios, falando e orando. Gaio abriu seu coração, seu lar e seu bolso para ajudar os pregadores da Palavra de Deus.

Em segundo lugar, **um homem que honra a Deus ao dar suporte aos servos de Deus** (v. 6). *Os quais, perante a igreja, deram testemunho do teu amor. Bem farás encaminhando-os em sua jornada por modo digno de Deus.*

O presbítero agora se volta do passado para o futuro, daquilo "que praticas" (v. 5) para aquilo que "farás" (v. 6). João anima Gaio a continuar hospedando os mestres em viagem. Os obreiros de Deus não devem receber apenas hospedagem quando chegam, mas também provisão quando partem.[18]

Gaio deveria encaminhar os missionários em sua jornada de modo digno de Deus. Fazer algo de modo digno de Deus significa honrar a Deus e imitá-Lo. Nós nos assemelhamos a Deus quando nos sacrificamos a nós mesmos para servir aos outros. Servir aos servos de Cristo é servir a Cristo. Jesus disse: *Quem vos recebe a mim me recebe; e quem me*

---

[16]LOPES, Augustus Nicodemus. *II, III João e Judas*, p. 58.
[17]WIERSBE, Warren W. *Comentário bíblico expositivo*. Vol. 6, p. 694.
[18]STOTT, John. *I, II, III João: Introdução e comentário*, p. 190.

recebe recebe Aquele que me enviou (Mt 10.40). Fazer o bem a alguém é o mesmo que fazê-lo a Cristo (Mt 25.34-40).

Gaio não apenas hospedava os obreiros de Deus, mas lhes dava suporte financeiro quando saíam de sua casa para uma nova jornada missionária. Ele era não apenas um homem hospitaleiro, mas também um sustentador da obra missionária.

A expressão "encaminha-os em sua jornada" significa "ajuda-os em sua jornada". Fritz Rienecker diz que o envio de missionários envolvia a provisão necessária para a sua viagem, dando-lhes alimentos e dinheiro para as suas despesas, a lavagem de suas roupas e, de modo geral, ajudá-los a viajar tão confortavelmente quando possível (At 15.3; 1Co 16.6; 2Co 1.16; Tt 3.13).[19] A fé é demonstrada pelas obras e o amor é expressado em atos e não apenas em palavras.[20]

Nesta mesma linha de pensamento, Augustus Nicodemus diz que "encaminhar" na língua grega é usado para "assistir alguém em sua preparação para uma viagem com dinheiro, comida, companhia e os meios de viajar". Foi desta forma que Paulo pediu aos crentes de Corinto que encaminhassem Timóteo "em paz" em sua viagem de regresso (1Co 16.10,11).

Ele mesmo, com Barnabé, foi encaminhado pelas igrejas para ir a Jerusalém (At 15.2,3). Na sua segunda carta aos Coríntios, pede para ser por eles encaminhado à Judeia (2Co 1.16). E na carta aos Romanos, solicita o encaminhamento dele para a sua viagem à Espanha, para pregar o evangelho (Rm 15.24). O pedido incluía não somente suprir todas as necessidades físicas e materiais para a viagem, mas também orar por eles e com eles, animando-os e encorajando-os diante dos perigos e privações que certamente passariam na jornada.

Este versículo, portanto, enfatiza o dever que os cristãos têm de se envolver com a obra missionária. Nem todos podem ir. Mas muitos podem acolher, enviar e patrocinar os que vão.[21]

---

[19]RIENECKER, Fritz e ROGERS, Cleon. *Chave linguística do Novo Testamento grego,* p. 595,596.
[20]WIERSBE, Warren W. *Comentário bíblico expositivo.* Vol. 6, p. 694.
[21]LOPES, Augustus Nicodemus. *II, III João e Judas.* 2008: p. 59.

Em terceiro lugar, **um homem que dá testemunho perante os incrédulos ao dar suporte aos servos de Deus** (v. 7). *Pois por causa do Nome foi que saíram, nada recebendo dos gentios.* O motivo que levou estes missionários itinerantes a sair pregando a verdade é o nome de Jesus. Zelo pelo nome de Cristo é o mais constrangedor de todos os motivos missionários.[22]

O nome de Jesus é o nome sobre todo o nome dado pelo Pai. O nome de Jesus é uma das maiores motivações da igreja apostólica. Paulo estava disposto a morrer pelo nome de Jesus (At 23.13). Sofrer injúria pelo nome de Jesus era bem-aventurança (At 5.41).

Jesus ensinou que os servos de Deus, que fazem a obra de Deus, merecem suporte financeiro (Lc 10.7), mas este sustento não deve vir dos incrédulos, mas do povo de Deus. Os crentes é que devem sustentar a obra de Deus. Isto é testemunho perante os gentios.

Augustus Nicodemus destaca o fato de que os missionários não eram mercenários que cobravam para pregar o evangelho. A atitude daqueles missionários de nada receber dos gentios serve de condenação eloquente para a voracidade com que líderes mercenários de igrejas ditas evangélicas hoje arrancam até o último centavo dos pobres e das viúvas que tolamente seguem esses lobos disfarçados de ovelhas.[23] Hoje temos visto, com tristeza, pregadores mercadejando o evangelho, cobrando altos cachês para pregar a Palavra. Isso está em desacordo com as Escrituras.

Concordo com John Stott quando diz que não há proibição de receber dinheiro de não cristãos que podem ter boa disposição para com a causa cristã. Jesus mesmo pediu e aceitou um copo de água de uma mulher samaritana, pecadora. O que se diz aqui é que estes evangelistas itinerantes (como questão de política) não procurariam obter seu sustento dos pagãos e, de fato, não receberam deles o seu sustento.[24]

Em quarto lugar, **um homem que se torna cooperador da verdade ao acolher os servos de Deus** (v. 8). *Portanto, devemos acolher esses irmãos, para nos tornarmos cooperadores da verdade.*

---

[22]STOTT, John. *I, II, III João: Introdução e comentário*, p. 191.
[23]LOPES, Augustus Nicodemus. *II, III João e Judas*, p. 60,61.
[24]STOTT, John. *I, II, III João: Introdução e comentário*, p. 191.

O ministério da hospitalidade e do suporte à obra de Deus não é somente um privilégio e uma oportunidade, mas também uma obrigação (Gl 6.6-10; 1Co 9.7-11; 2Co 11.8,9; 12.13). Os missionários saíam para pregar em nome de Cristo e não tinham como se sustentar, daí a igreja precisava acolhê-los.

John Stott menciona três motivações que devem nortear os cristãos na contribuição com a obra missionária: primeira, devemos apoiar os missionários porque eles são irmãos que saem a pregar a Palavra por causa do nome de Cristo. Segunda, estes mesmos irmãos não têm outra fonte de sustento. Os crentes têm o dever de sustentar esta causa que o mundo não sustenta nem é chamado a sustentar. Terceira, quando apoiamos os pregadores da Palavra de Deus estamos nos tornando cooperadores da verdade.[25]

Gaio não somente recebeu a verdade e andou na verdade, mas ele também se tornou cooperador para que a verdade chegasse a horizontes mais longínquos. Precisamos nos tornar aliados da verdade. Gaio tinha coração e bolsos convertidos. Sua vida, seu lar e seu dinheiro estavam a serviço do reino de Deus.

Nós precisamos de crentes como Gaio na igreja: gente que apresenta uma vida espiritual saudável, gente obediente à Palavra e que compartilha o que tem para que a Palavra seja proclamada.

Diótrefes, um homem arrogante (v. 9,10)

João faz a transição de um líder acolhedor para um líder ditador; de um homem que abria sua casa e seu bolso para abençoar os que chegavam à igreja para um homem que expulsava as pessoas que chegavam à igreja.

Diótrefes era um líder soberbo em vez de ser um líder servo. Ele queria ser o maior, em vez de ser servo de todos. Ele buscava a honra de seu próprio nome, em vez de buscar a glória de Cristo.

Simon Kistemaker diz o seguinte acerca dele:

> Sabemos pouco sobre Diótrefes. Seu nome significa "filho adotivo de Zeus", o que sugere que ele seja de descendência grega. Ele é um líder

---

[25] STOTT, John. *I, II, III João: Introdução e comentário*, p. 192.

na igreja local e, de modo egoísta, tira vantagem de sua posição de liderança. Ele gosta de ser o primeiro. Em vez de servir à igreja, ele se recusa a reconhecer a autoridade superior. Ele próprio deseja governar a igreja. Ele age de maneira contrária à instrução de Jesus: *Quem quiser tornar-se grande entre vós, será esse o que vos sirva; e quem quiser ser o primeiro entre vós, será vosso servo* (Mt 20.26,27).[26]

Vamos, agora, ver as marcas de Diótrefes:

Em primeiro lugar, **um homem amante da preeminência** (v. 9). *Escrevi alguma coisa à igreja; mas Diótrefes, que gosta de exercer a primazia entre eles, não nos dá acolhida.*

A expressão "gosta de exercer a primazia" significa querer ser o primeiro, querer ser o líder, orgulhar-se de ser o primeiro. Diótrefes era um homem megalomaníaco. Ele gostava dos holofotes. Ele buscava ficar sob as luzes da ribalta. Ele era um narcisista. A expressão "gosta de exercer a primazia" significa ambição, o desejo de preeminência em todas as coisas. O verbo no tempo presente indica a atitude habitual e contínua.[27]

No caráter e na conduta, Diótrefes era inteiramente diferente de Gaio.[28] Ele se amava mais do que aos outros. Seu *eu*, e não Cristo, estava no trono da sua vida. Seu *eu* vinha sempre na frente dos *outros*. Ele buscava os seus interesses e não os de Cristo. Ele buscava não o interesse dos irmãos, mas o seu próprio. Ele construía monumentos a si mesmo, em vez de buscar a glória de Cristo. A atitude de Diótrefes era oposta à de João Batista: *Convém que ele* [Cristo] *cresça e que eu diminua* (Jo 3.30).

Por ser amante dos holofotes, e gostar de ser o primeiro em tudo, ele via o apóstolo João como uma ameaça à sua posição. A rejeição possivelmente não era doutrinária, mas pessoal. Seu problema não era heresia, mas egoísmo.

Os motivos que governavam a conduta de Diótrefes não eram teológicos, sociais nem eclesiásticos, mas morais. Ele não compartilhava o

---

[26]KISTEMAKER, Simon. *Tiago e epístolas de João*, p. 528.
[27]RIENECKER, Fritz e ROGERS, Cleon. *Chave linguística do Novo Testamento grego*, p. 596.
[28]STOTT, John. *I, II, III João: Introdução e comentário*, p. 193.

propósito do Pai, de que em todas as coisas Cristo tivesse a primazia (Cl 1.18). Ele queria a preeminência para ele mesmo. Ele estava ávido por posição e poder. Ele não tinha dado ouvidos às advertências de Jesus contra a ambição e o desejo de domínio (Mc 10.42-45; 1Pe 5.3). Seu amor próprio secreto irrompeu na sua conduta antissocial.[29]

Diótrefes queria ser o centro das atenções. Ele olhava para João como um rival a quem rejeitar, e não como um apóstolo de Cristo, a quem acolher. Diótrefes recusou receber João (v. 9), mentiu sobre João (v. 10a) e rejeitou os colaboradores de João (v. 10b).

Satanás estava encontrando brecha na igreja por intermédio de Diótrefes, uma vez que ele estava operando sobre a base do orgulho e da autoglorificação, as duas principais armas do diabo.

O orgulho e a soberba são pecados intoleráveis aos olhos de Deus. Deus resiste ao soberbo. Na igreja de Cristo, todos estamos nivelados no mesmo patamar: somos servos. Na igreja de Cristo não existe donos, chefes ou caudilhos. Na igreja de Cristo não existe culto à personalidade. Na igreja de Cristo não há lugar para se colocar líderes no pedestal. Na igreja de Cristo não há lugar para líderes ditadores.

O próprio Senhor da igreja não veio para ser servido, mas para servir. Diótrefes era um líder arrogante e ditador. Ele impunha sua liderança pela força e pela intimidação. Sua vontade era lei na igreja. Ninguém podia ocupar o seu espaço. Ele via cada pessoa que chegava à igreja como uma ameaça à sua liderança. Foi por esta razão que ele não deu acolhida ao apóstolo João.

Em segundo lugar, *um homem governado pela maledicência* (v. 10a). *Por isso, se eu for aí, far-lhe-ei lembradas as obras que ele pratica, proferindo contra nós palavras maliciosas...* A expressão: "proferindo contra nós palavras maliciosas" significa "fazendo acusações falsas e infundadas a nosso respeito".[30]

Diótrefes gostava de se projetar falando mal dos outros. Ele construía sua imagem desconstruindo a imagem dos outros. Ele erguia monumentos a si mesmo, atacando a imagem dos outros.

---

[29] STOTT, John. *I, II, III João: Introdução e comentário*, p. 195.
[30] WIERSBE, Warren W. *Comentário bíblico expositivo*. Vol. 6, p. 696.

Diótrefes mentiu sobre o apóstolo João. Ele espalhou falsas acusações contra o velho apóstolo. Seu prazer era atentar contra a honra daqueles que eram ameaça ao seu orgulho e à sua posição de liderança. Evidentemente Diótrefes considerava João como um perigoso rival para a sua presumida autoridade na igreja e procurou solapar a posição do apóstolo mediante murmuração caluniadora.[31]

Ele cometeu o pecado mais abominável aos olhos de Deus: espalhar intriga entre os irmãos (Pv 6.16-19). A palavra grega *phluarron*, "proferindo", no grego clássico significa falar absurdos. Não eram apenas palavras ímpias, mas também palavras disparatadas.[32] Ele lançava acusações maldosas e sem base. Diótrefes era um especialista em rotular outros cristãos e em classificá-los em categorias rígidas segundo suas próprias intenções.

Diótrefes era como o rei Saul. Em vez de se humilhar e mudar de vida, queria destruir aquele que Deus levantou para fazer a obra. Diótrefes falava mal de João pelas costas quando o apóstolo não estava presente para se defender. Nem todo boato acerca de homens de Deus deve ser levado a sério. Há muitas acusações falsas e levianas. Precisamos ser cautelosos!

Em terceiro lugar, **um homem governado pela frieza e intimidação** (v. 10b). *E, não satisfeito com estas coisas, nem ele mesmo acolhe os irmãos, como impede os que querem recebê-los...*

Não só as palavras de Diótrefes são maldosas como seus atos são repreensíveis. Ele intencionalmente contraria as regras de hospitalidade cristã ao se recusar a receber missionários enviados para proclamar o evangelho. Ao negar-lhes abrigo, ele impede o avanço da Palavra de Deus. Diótrefes está servindo de obstáculo para os planos e propósitos de Deus e, por conseguinte, está sujeito à ira divina.[33]

Diótrefes não apenas não acolheu João, mas também não acolheu as pessoas ligadas a João. Ademais, ele impediu que os outros membros da igreja acolhessem os enviados pelo apóstolo. Diótrefes proibiu os crentes de receber missionários e procurou puni-los por abrir suas portas

---

[31] STOTT, John. *I, II, III João: Introdução e comentário*, p. 195.
[32] STOTT, John *I, II, III João: Introdução e comentário*, p. 195.
[33] KISTEMAKER, Simon. *Tiago e epístolas de João*, p. 530.

para os servos de Deus.³⁴ Sua influência foi para o mal. Ele exerceu sua autoridade de forma doentia, usando a arma da intimidação.

Diótrefes foi um líder controlador, manipulador e ditador. Ele queria sempre impor sua vontade autoritária. Para defender seus interesses mesquinhos, ele não apenas fazia o mal, mas também, impedia os outros de fazerem o bem.

Um exemplo clássico desta liderança doentia é o rei Saul. Ele mandou matar 85 sacerdotes em Nobe, bem como crianças, homens e mulheres, simplesmente porque eles receberam Davi, seu desafeto, na cidade.

Em quarto lugar, *um homem que pratica o abuso de autoridade* (v. 10c). [...] *e os expulsa da igreja*. Diótrefes exerceu a sua autoridade para punir aqueles que discordavam dele. Ele não tinha autoridade nem base bíblica para expulsar as pessoas da igreja. A disciplina que ele praticava era abusiva. As pessoas eram expulsas da igreja não por desobedecerem à Palavra de Deus, mas por desobedecerem a uma ordem autoritária dele.

Diótrefes foi um líder totalitário. Ele usou o poder eclesiástico, talvez em nome de Deus, mas contra Deus e contra seu povo. Diótrefes colocou uma escolha diante do crente: ou tomava seu partido contra João ou recebia os missionários e era expulso. Uma situação paralela a essa foi a expulsão da sinagoga do homem cego curado por Jesus (Jo 9.1-34).³⁵

A disciplina bíblica não é uma arma nas mãos de um ditador para proteger-se a si mesmo. A disciplina é uma ferramenta para congregação usar para promover a pureza da igreja e glorificar a Deus. Não é uma imposição da autoridade do pastor ou do conselho da igreja à revelia da verdade e do amor. É o Senhor exercendo autoridade espiritual por meio da igreja, a fim de restaurar um Filho de Deus que se desviou do caminho da verdade.³⁶

A igreja não é uma delegacia de polícia. Ela não trata as pessoas com dureza. A disciplina deve ser exercida com amor e com lágrimas. Líderes ditadores são uma ameaça à igreja. Eles julgam e condenam

---

³⁴KISTEMAKER, Simon. *Tiago e epístolas de João*, p. 530.
³⁵KISTEMAKER, Simon. *Tiago e epístolas de João*, p. 530.
³⁶WIERSBE, Warren W. *Comentário bíblico expositivo*. Vol. 6, p. 697.

aqueles que discordam deles. Eles lutam não pela glória de Deus, mas pela projeção de seus próprios nomes.

John Stott está coberto de razão quando diz que o egoísmo vicia todas as relações. Diótrefes difamou o apóstolo João, tratou com pouco caso os missionários e excomungou os crentes leais porque Seu amor era a si próprio e ele queria ter a preeminência em todas as coisas.[37]

Demétrio, um homem exemplar (v. 11,12)

Após descrever o caráter disforme de Diótrefes e sua reprovável atitude, João encerra sua missiva falando de Demétrio, um homem de bem. Quem era Demétrio?

Em primeiro lugar, **um homem digno de ser imitado** (v. 11). *Amado, não imites o que é mau, senão o que é bom. Aquele que pratica o bem procede de Deus; aquele que pratica o mal jamais viu a Deus.* Gaio não deveria imitar Diótrefes, e sim Demétrio. Diótrefes era um homem mau e Demétrio um homem bom. Demétrio procedia de Deus, mas Diótrefes nunca tinha visto a Deus.

Praticar o bem é a prova insofismável de que uma pessoa nasceu de Deus. Praticar o mal, entretanto, é uma evidência de que ainda não houve conversão. João deixa claro que Diótrefes não era um homem convertido, pois ao praticar o mal, dava provas de não ser nascido de Deus.

Augustus Nicodemus tem razão quando diz que líderes sedentos de poder são péssimos exemplos para os membros da igreja e é necessário adverti-los a que sigam o modelo do bem e não do mal.[38] Líderes que tentam dominar o rebanho e se posicionam como donos da igreja estão em desacordo com o ensino das Escrituras.

A Bíblia nos ensina a sermos modelo dos fiéis (1Tm 4.12). Precisamos viver de tal maneira que as pessoas possam nos imitar (Fp 3.17; 1Co 11.1; Hb 10.24). É conhecida a expressão de John Maxwell: "Liderança é, sobretudo, influência". Um líder influencia sempre, seja para o bem ou para o mal. Demétrio era um líder digno de ser imitado!

---

[37]STOTT, John. *I, II, III João: Introdução e comentário*, p. 196.
[38]LOPES, Augustus Nicodemus. *II, III João e Judas*, p. 65.

Em segundo lugar, **um homem que tem bom testemunho dentro e fora da igreja** (v. 12a). *Quanto a Demétrio, todos lhe dão testemunho...* Todos os membros da igreja conheciam Demétrio, amavam Demétrio e agradeciam a Deus pela sua consistente vida e profícuo ministério. Sua vida foi um exemplo para os membros da igreja. Os de fora também lhe davam bom testemunho. Sua vida era coerente. Sua vida familiar, financeira e profissional era coerente com o seu testemunho.

Em terceiro lugar, **um homem que tem bom testemunho da própria verdade** (v. 12b). [...] *até a própria verdade...* Como Gaio, Demétrio andou na verdade e obedeceu à verdade. A genuinidade cristã de Demétrio não precisava da prova dos homens; provava-se por si mesma. A verdade que ele professa estava encarnada nele, tão rigorosamente a sua vida se ajustava a ela.[39] Sua vida era o selo das suas palavras.

Em quarto lugar, **um homem que recebe bom testemunho do apóstolo João** (v. 12c). [...] *e nós também damos testemunho; e sabes que o nosso testemunho é verdadeiro.* João encontra na igreja Gaio e Demétrio que estão prontos a acolhê-lo a despeito da oposição de Diótrefes. Demétrio era um homem que estava disposto a correr riscos para defender a verdade. Ele tinha coragem de assumir posições definidas na igreja, mesmo diante das ameaças de Diótrefes.

A conclusão da terceira carta tem muita semelhança com a conclusão da segunda carta. João escreve: *Muitas coisas tinha que te escrever; todavia, não quis fazê-lo com tinta e pena* (v. 13). Em ambas João declara que tem mais coisas para escrever, mas prefere conversar de viva voz: *Pois, em breve, espero ver-te. Então, conversaremos de viva voz* (v. 14).

A discrição exigia uma visita pessoal urgente. Nicodemus diz que certas coisas são melhor ditas pessoalmente do que por meio da escrita. No trabalho pastoral, o contato pessoal jamais poderá ser substituído por outros meios de comunicação.[40] O apóstolo está comprometido não apenas com a instrução, mas também anseia por comunhão.

João conclui sua carta invocando a paz sobre Gaio: *A paz seja contigo. Os amigos te saúdam. Saúda os amigos, nome por nome* (v. 15).

---

[39] STOTT, John. *I, II, III João: Introdução e comentário*, p. 197.
[40] LOPES, Augustus Nicodemus. *II, III João e Judas*, p. 71.

A paz é o resultado da graça e da misericórdia. Graça é o que Deus nos dá e nós não merecemos; misericórdia é o que Ele não nos dá e merecemos. Não merecemos a salvação, e Deus no-la dá. Isto é graça. Merecemos o juízo de Deus, e Ele não o aplica a nós, uma vez que já o aplicou sobre o Seu Filho. E isto é misericórdia. O resultado da salvação de Deus é a paz com Deus.

Os crentes devem ser solícitos e amáveis uns com os outros. Eles devem saudar uns aos outros pelo nome. Eles devem se importar uns com os outros. Eles devem ser amigos. Como o Bom Pastor chama as Suas ovelhas pelo nome (Jo 10.3), um pastor sábio deve conhecer Suas ovelhas pelo nome. Como sábio pastor, João diz a Gaio: "Saúda os amigos, nome por nome". Ninguém deve ser esquecido.

Judas

Quando os falsos profetas atacam a igreja

Introdução e comentário

Judas 1-25

Não obstante sua mensagem breve, tem uma contundência veemente. À guisa de introdução, queremos destacar alguns pontos, antes de entrar na exposição da carta.

Primeiro, *o autor da carta*. Judas é irmão de Tiago e meio-irmão de Jesus (Mt 13.55; Mc 6.3). Exceto por essa epístola, não temos mais nenhuma informação sobre seu autor. João Calvino, porém, entende que o Tiago que escreveu a epístola não é o filho de Maria, mas o Tiago apóstolo, filho de Alfeu (Mc 3.18). Consequentemente, para Calvino, Judas era irmão do apóstolo Tiago, filho de Alfeu, e não o irmão de Tiago, filho de Maria.[1]

Judas não atribui a si mesmo apostolado. Faz referência aos apóstolos de Jesus Cristo (v. 17), mas ele mesmo não era apóstolo. Em síntese, o autor é por seu nome, Judas; por seu nascimento, irmão de Tiago; e, por seu chamado, servo de Jesus Cristo. O alvo de Judas era estar totalmente à disposição de Jesus Cristo, como seu servo. Vale lembrar a conhecida expressão de Agostinho de Hipona: "Quanto mais escravo de Cristo sou, mais livre me sinto". Michael Green afirma que um dos paradoxos do cristianismo é que em semelhante devoção alegre o homem acha a liberdade perfeita.[2]

Por que Judas se identifica como irmão de Tiago? Porque Tiago foi uma figura proeminente na igreja primitiva e se tornou uma das colunas da igreja de Jerusalém (Gl 2.9). Judas não tem nenhuma dificuldade em ocupar um lugar secundário ou em reconhecer a primazia de seu irmão. Tanto Judas como Tiago apresentaram-se como servos do Senhor Jesus Cristo, e não como irmãos de Jesus. Assim,

---

[1] CALVIN, John. *Calvin's Commentary*. Vol. 22, p. 428.
[2] GREEN, Michael. *II Pedro e Judas*, p. 148.

eles se colocam no mesmo nível dos demais cristãos e demonstram que seu parentesco físico com Jesus não lhes dá privilégios especiais (Mt 12.46-50).[3] Sabemos, pelo relato de Paulo em 1Coríntios 9.5, que os irmãos do Senhor viajaram por diversos rincões do império romano a serviço do evangelho.

Segundo, *os destinatários da carta*. Judas não identifica os destinatários da carta por sua localização geográfica; apenas, descreve-os por sua posição espiritual: são chamados, amados e guardados por Jesus Cristo. Neste breve endereçamento, Judas reafirma as doutrinas da eleição incondicional, da vocação eficaz e da perseverança dos santos. Concordo com Kistemaker no sentido de que os destinatários da epístola tinham bom nível de conhecimento das Escrituras do Antigo Testamento, pois o autor os elogia por terem ciência de fatos relacionados ao êxodo (v. 5), a anjos (v. 6) e a Sodoma e Gomorra (v. 7). Conhecem o nome de Caim, Balaão e Coré (v. 11) e estão familiarizados com a literatura judaica do século I (v. 9,14). Supomos, portanto, que os destinatários são judeus convertidos à fé cristã.[4]

Terceiro, *a peculiaridade da carta*. A carta de Judas é muito parecida com a Segunda Epístola de Pedro. É provável que 2Pedro tenha sido ligeiramente anterior a Judas. O segundo capítulo de 2Pedro é extremamente similar a essa breve epístola do Novo Testamento. Simon Kistemaker diz, com acerto, que uma leitura mais atenciosa revela que nenhum dos dois autores copiou exatamente o material do outro.[5]

Quarto, *o propósito da carta*. Judas deixa claro que o seu principal propósito era alertar a igreja para o perigo da invasão dos falsos mestres. Os versículos 4 a 19 de Judas são uma advertência solene acerca da influência perniciosa dos falsos mestres, que sorrateiramente se infiltravam no meio do rebanho como lobos devoradores. Quem eram esses hereges? Judas os caracteriza de várias maneiras: 1) Introduziam-se secretamente no meio dos crentes (v. 4a); 2) Eram homens ímpios (v. 4b,14,15,18); 3) Aceitaram a graça de Deus, mas transformaram-na

---

[3]KISTEMAKER, Simon. *Epístolas de Pedro e Judas*, p. 484.
[4]KISTEMAKER, Simon. *Epístolas de Pedro e Judas*, p. 476.
[5]KISTEMAKER, Simon. *Epístolas de Pedro e Judas*, p. 473.

em libertinagem (v. 4c); 4) Negavam a Jesus Cristo como seu único Soberano e Senhor (v. 4d).[6] David Wheaton diz que, assim como nós, Judas viveu num tempo em que as pessoas transigiam com a verdade e consideravam todas as religiões igualmente válidas. Por essa razão, Judas faz uma convocação solene à igreja, mostra o perigo dos falsos mestres e seu desastroso destino (v. 5.-16), exorta a igreja a crescer na fé para com Deus e em sua expressão diante dos homens (v. 20,21), dá à igreja a garantia do propósito divino (v. 24) e convoca os crentes a não perderem oportunidades de evangelismo (v. 22,23).[7]

Quinto, *a teologia da carta*. Mesmo numa carta tão sucinta, Judas reafirma várias doutrinas essenciais da fé cristã, como: 1) vocação eficaz (v. 1), eleição incondicional (v. 1), perseverança dos santos (v. 1), salvação (v. 3), vida eterna (v. 21) e condenação dos ímpios (v. 4,6,7,11,15).

Sexto, *a canonicidade da carta*. O primeiro documento a se referir à epístola de Judas pelo nome é o Cânon Muratoriano (v. 175 d.C). No início do século III, Clemente de Alexandria cita a epístola de Judas e menciona seu autor pelo nome. Eusébio, um século depois, escrevendo sua *História Eclesiástica* também se refere à carta de Judas. No final do século IV, Jerônimo reconhece a carta como canônica, embora destacando que muitas pessoas a tivessem rejeitado devido à citação de 1Enoque e à referência à assunção de Moisés. A partir do século IV, a igreja e seus concílios reconheceram a canonicidade da epístola de Judas.[8] João Calvino diz que, embora tenha havido grande disputa entre os antigos a respeito dessa epístola, sua leitura é muito útil, uma vez que não contém nada inconsistente com a pureza da doutrina apostólica.[9]

Propósito

Judas tinha a clara intenção de escrever uma exposição acerca da *nossa salvação comum* (v. 3), porém se sentiu constrangido em mudar seu alvo

---

[6]KISTEMAKER, Simon, *Epístolas de Pedro e Judas*, p. 474.
[7]WHEATON, David H. Jude. In: *New Bible Commentary*. Downers Grove, IL: InterVarsity Press, 1994, p. 1416.
[8]KISTEMAKER, Simon. *Epístolas de Pedro e Judas*, p. 478,479.
[9]CALVIN, John. *Calvin's Commentary*. Vol. 22, p. 427.

e publicar um tratado para advertir a igreja contra certos hereges que estavam infiltrados na comunidade cristã. Concordo com Michael Green quando ele diz que o pastor verdadeiro é também um vigilante (At 20.28-30; Ez 3.17-19), embora esta parte do seu dever seja negligenciada em nossa geração, pleiteando-se a tolerância.[10]

Judas, irmão de Jesus, escreveu essa carta para exortar a igreja. A palavra "exortar" que Judas empregou no versículo 3 era usada para descrever um general dando ordens a um exército. Warren Wiersbe diz que a carta tem um clima "militar", pois a epístola é uma convocação para a guerra.[11] Qual era a exortação primordial de Judas? Encorajar a igreja a batalhar pela fé evangélica (v. 3). Aquele era um tempo perigoso, no qual muitos falsos mestres sorrateiramente entravam dentro das igrejas e ensinavam heresias.

Judas era filho de Maria e José e irmão de Jesus (Mc 6.3). Durante o ministério de Jesus, Judas não creu nEle (Jo 7.5). Porém, após Sua ressurreição, estava entre os 120 que receberam o derramamento do Espírito Santo no Pentecoste (At 1.14). Os irmãos de Jesus eram conhecidos na igreja privimitiva (1Co 9.5).

Concordo plenamente com Delbert Rose quando ele diz que, do início ao fim, a epístola de Judas é cristocêntrica. Judas se baseia, como faziam todos os apóstolos, no único fundamento, *nosso Senhor Jesus Cristo* (v. 1,4,17,21,25). Culminando sua epístola na nota do *único Deus, Salvador nosso* (v. 25), ele deixa amplamente claro que é teísta cristão – Deus é *Um* em natureza, mas *Trino* em personalidade – Pai (v. 1), Jesus Cristo (v. 1,4) e Espírito Santo (v. 20). Judas sugere claramente que o "unico Deus" é Criador e Redentor, Legislador e Juiz de todo o universo. É o Deus da graça e da glória (v. 4,24), da misericórdia e da majestade (v. 2,25), do amor e do julgamento (v. 2,6,15,21), da paz e do poder (v. 2,25), da salvação e da destruição (v. 3,5), do tempo e da eternidade (v. 4,25).[12]

---

[10]GREEN, Michael. *II Pedro e Judas*, p. 151.
[11]WIERSBE, Warren W. *Comentário bíblico expositivo*. Vol. 6, p. 700.
[12]ROSE, Delbert R. A Epístola de Judas. In: *Comentário Bíblico Beacon*. Vol. 10. Rio de Janeiro: CPAD, 2006, p. 356.

Um chamado à **batalha espiritual**

Destacamos, alguns pontos importantes com referência a esse chamado.

Em primeiro lugar, *o arauto de Deus* (v. 1a). *Judas, servo de Jesus Cristo e irmão de Tiago*... O autor dessa epístola, como já destacamos, é o filho de Maria e José, cujos irmãos são mencionados nos evangelhos: *Não é este o carpinteiro, filho de Maria, irmão de Tiago, José, Judas, e Simão? E não vivem aqui entre nós suas irmãs? E escandalizavam-se nEle* (Mc 6.3). É por esse motivo que nem Judas nem Tiago se apresentaram como apóstolos, pois não faziam parte do grupo dos doze. Judas, humildemente, prefere apresentar-se como servo de Jesus Cristo, e não como seu irmão. Cita apenas o fato de ser irmão de Tiago, porque este ganhara proeminência na igreja apostólica, tornando-se o líder da igreja de Jerusalém.

A palavra grega *doulos* significa escravo. Naquele tempo, o império romano possuía cerca de 60 milhões de escravos. Um escravo é uma propriedade do seu senhor. Um escravo vive para agradar a seu senhor e fazer sua vontade. Werner de Boor diz que um "escravo" é um homem cujo corpo e vida, com todas as forças e capacidades produtivas, pertencem a outra pessoa, a seu senhor.[13] Esse termo também tinha um significado honroso, pois os grandes homens de Deus do passado como Abraão, Moisés e Davi foram chamados de servos de Deus. Concordo com Matthew Henry quando ele diz que é mais honrável ser um servo de Cristo sincero e útil que ser um rei terreno, independentemente do seu poder e prosperidade. Ainda, é uma honra maior ser servo fiel de Jesus Cristo que ser consanguíneo dEle de acordo com a carne (Mt 12.48-50).[14]

Judas se apresenta como servo de Jesus Cristo, primeiro porque foi comprado e remido; depois, porque voluntariamente quer servi-Lo. Essa verdade gloriosa nos remete a um fato ocorrido na Califórnia, na época da exploração do ouro. Um rico empresário cristão viu uma jovem negra sendo vendida como escrava. Ele ofereceu o maior lance

---

[13]BOOR, Werner de. Carta de Judas. In: *Cartas de Tiago, Pedro, João e Judas*. Curitiba: Esperança, 2008, p. 449.
[14]HENRY, Matthew. *Comentário bíblico Atos-Apocalipse*, p. 950.

e a comprou. Ao ficar a sós com ela para informar seu gesto, ela lhe cuspiu na face. O empresário não desistiu. Falou-lhe do alto preço que pagou, mas a jovem voltou a insultá-lo. O empresário então disse: Eu não paguei esse alto preço para que você se tornasse minha escrava, mas para libertá-la. Você está livre! A jovem, entendendo o que havia acontecido, prostrou-se aos pés do dono e disse: "Então, permita-me, a partir de hoje, servir-lhe voluntariamente como serva". É assim que somos servos de Jesus Cristo. Ele nos resgatou da escravidão do pecado e agora somos servos livres para servi-Lo e adorá-Lo!

Em segundo lugar, *o exército de Deus* (v. 1b,2). *... aos chamados, amados em Deus Pai e guardados em Jesus Cristo, a misericórdia, a paz e o amor vos sejam multiplicados.* O destinatários de Judas não são identificados por sua localização geográfica, mas por sua posição espiritual. Os crentes são chamados, amados e guardados por Deus. Este grupo de três palavras acentua o fato de a salvação ser obra exclusiva de Deus. É resultado de Sua soberania, Seu amor e Seu poder, e seu escopo inicia na eternidade, caminha através do tempo e culmina na eternidade.[15]

Judas acentua duas verdades sobre os crentes. Judas usa três expressões para descrever os crentes: os "chamados", os "amados" e os "guardados". Essas expressões revelam o profundo compromisso do autor com as doutrinas da graça. Judas destaca três grandes doutrinas da graça: a eleição incondicional, a vocação eficaz e a perseverança dos santos. Aqueles a quem Deus conhece de antemão, os seus amados, a esses Deus chama eficazmente e dá-lhes segurança eterna. A Trindade está comprometida nessa gloriosa obra da nossa redenção: o Pai elege, o Espírito Santo chama e o Filho dá segurança. Vamos analisar essas três verdades magnas da fé cristã.

Primeiro, *os chamados* (v. 1). Os crentes a quem Judas se dirige foram tirados da morte para a vida, das trevas para a luz, da escravidão para a liberdade. Foram escolhidos soberanamente por Deus e chamados eficazmente por Sua graça. O mesmo Deus que nos predestinou, este também nos chamou. A Palavra de Deus nos fala sobre dois chamados,

---

[15]WHEATON, David H. *New Bible Commentary*, p. 1416.

um geral e outro específico; um externo e outro interno; um dirigido aos ouvidos e o outro ao coração. Todos aqueles a quem Deus conhece de antemão e predestina, a esses também chama (Rm 8.29,30). O chamado de Deus é eficaz, pois as ovelhas de Cristo ouvem a sua voz e O seguem (Jo 10.27).

Segundo, *os amados* (v. 1). O amor de Deus é incondicional e eterno. Deus nos amou desde a eternidade porque Ele é amor. Nosso amor por Deus é apenas um reflexo do amor de Deus por nós. Deus nos amou primeiro. Ele nos amou não porque viu em nós virtudes, mas a despeito de sermos pecadores. Ele nos amou não por causa dos nossos méritos, mas a despeito dos nossos deméritos.

Terceiro, *os guardados* (v. 1). Enquanto Deus preserva os anjos caídos (v. 6) e os falsos mestres (v. 13) para condenação, Ele preserva os crentes para a glória (v. 1).[16] Pedro anuncia aqui a doutrina da perseverança dos santos e a doutrina da condenação dos réprobos. Ao mesmo tempo que Deus julga aqueles que abandonam a verdade, Ele salva aqueles que perseveram na verdade. Os apóstatas podem pecar, cair e sofrer condenação, mas os verdadeiros crentes são guardados em segurança, em Cristo, por toda a eternidade. Concordo com Warren Wiersbe quando ele diz que um apóstata não é um cristão verdadeiro que abandonou a salvação. Antes, é uma pessoa que declara ter aceitado a verdade e a salvação em Jesus Cristo, mas que se desviou da *fé que uma vez por todas foi entregue aos santos* (v. 3). Os apóstatas não eram ovelhas de Deus, mas sim porcos e cães (2Pe 2.21,22). O porco foi limpo por fora, e o cão foi limpo por dentro, mas nenhum deles recebeu a nova natureza que caracteriza os verdadeiros filhos de Deus (2Pe 1.3,4).[17]

O que os crentes têm. Novamente Judas usa três expressões para descrever as bênçãos que os crentes possuem e que podem ser multiplicadas: a "misericórdia", a "paz" e o "amor". Matthew Henry diz que a misericórdia é a fonte de todo bem que possuímos e de toda esperança por vir. Conectada à misericórdia está a paz, que é a consciência de que obtivemos misericórdia. Como da misericórdia flui a paz, da paz

---

[16] WIERSBE, Warren W. *Comentário bíblico expositivo*. Vol. 6, p. 700.
[17] WIERSBE, Warren W. *Comentário bíblico expositivo*. Vol. 6, p. 701.

também flui o amor, ou seja, seu amor por nós, nosso amor por Ele e nosso amor fraternal uns para com os outros.[18] Vamos examinar essas três expressões:

1. *A misericórdia* (v. 2). Deus, em sua misericórdia, não nos dá o que merecemos, visto que lançou sobre o Seu Filho o castigo que merecíamos. *Certamente, Ele tomou sobre Si as nossas enfermidades e as nossas dores levou sobre Si [...]. Mas Ele foi traspassado pelas nossas transgressões e moído pelas nossas iniquidades* (Is 53.4,5). Vamos ilustrar isso. Um criminoso deveria pagar por seu delito. Isso é justo. Mas, em vez de aplicar essa pena justa ao injusto, Deus transfere sua culpa para aquele que é Justo e condena no Justo a pena do injusto; o Justo morre em favor do injusto para Deus usar de misericórdia com o injusto. Deus é rico em misericórdia por isso, estando nós mortos em nossos delitos e pecados, fomos salvos por Sua graça (Ef 2.4-9).
2. *A paz* (v. 2). Uma pessoa não convertida está em guerra contra Deus. Todos nós estávamos longe de Deus, éramos inimigos dEle e filhos da ira, mas, por causa da obra de Cristo na cruz, fomos reconciliados com Deus e temos paz com Deus. Porque fomos alvos da misericórdia de Deus, temos paz com Deus. Porque Deus não colocou em nossa conta o castigo que merecíamos, mas o aplicou a seu próprio Filho, podemos ser reconciliados com Deus, pois Jesus satisfez na cruz toda a demanda da lei e cumpriu toda a justiça. Assim, Deus pode ser justo e o jutificador do que tem fé. Agora, deixamos de ser réus para sermos filhos. Agora a barreira que nos separava de Deus foi removida. Agora temos livre acesso à Sua presença. Jesus é esse novo e vivo caminho para Deus. Então, temos paz com Deus.
3. *O amor* (v. 2). A cruz é a demonstração do amor de Deus. A prova maior do amor de Deus é que Cristo morreu por nós, sendo nós ainda pecadores (Rm 5.8). Werner de Boor pergunta se, diante da menção do *amor*, a intenção de Judas era destacar o amor de Deus por nós, ou se a referência é ao nosso amor pelo Senhor e entre nós.

---

[18] HENRY, Matthew. *Matthew Henry's Commentary*. Grand Rapids: MI: Marshall, Morgan & Scott, 1960, p. 1967.

No modo de pensar do Novo Testamento, os dois estão estreitamente ligados. O amor sempre é indivizível! O amor a Deus não é real sem o amor ao irmão; este, porém, nem mesmo é possível sem o amor a Deus.[19]

Em terceiro lugar, *o alerta para a batalha* (v. 3). *Amados, quando empregava toda a diligência em escrever-vos acerca da nossa comum salvação, foi que me senti obrigado a corresponder-me convosco, exortando-vos a batalhardes, diligentemente, pela fé que uma vez por todas foi entregue aos santos.* Os crentes são os amados de Deus e são amados também por Judas. Diante da ameaça iminente dos falsos mestres, Judas apressa-se a escrever para a igreja sobre a salvação concedida por Deus ao povo. Concordo com Werner de Boor quando ele diz que não é pela salvação que a igreja tem de lutar. A salvação foi conquistada pelo Filho de Deus quando, ao morrer, fez soar seu grito de vitória: *Está consumado*. Contudo, trata-se da mensagem da salvação e de sua vigência, *da fé que uma vez por todas foi entregue aos santos*.[20] Michael Green explica que, para Judas, a salvação não significava apenas o livramento do passado (v. 5), mas também a experiência presente (v. 23,24) e o futuro desfrutamento da glória de Deus (v. 25).[21]

O propósito de Judas é exortar os crentes a entrar numa peleja renhida contra a mentira, contra as falsas doutrinas, contra os falsos mestres, empregando nessa batalha toda sua atenção e todas as suas armas. O termo grego *batalhar* faz parte do vocabulário esportivo e dá origem à palavra *agonizar*. É um retrato do atleta dedicado competindo nos jogos gregos e esticando nervos e tendões, a fim de dar o melhor de si e vencer.[22]

O alvo dessa batalha é a fé entregue aos santos. Essa fé é o conteúdo final da verdade. Essa fé foi entregue de uma vez por todas, de forma final. Não há outra revelação a ser recebida. Judas não deixa espaços para "inovações", tal como os *homens ímpios* (v. 4) estavam introduzindo.

---

[19]Boor, Werner de. *Cartas de Tiago, Pedro, João e Judas*, p. 451.
[20]Boor, Werner de. *Cartas de Tiago, Pedro, João e Judas*, p. 453.
[21]Green, Michael. *II Pedro e Judas*, p. 151.
[22]Wiersbe, Warren W. *Comentário bíblico expositivo*. Vol. 6, p. 703.

A revelação de Deus é final. Possui validade perpétua e nunca mais precisa ser repetida.[23] O apóstolo Paulo deixou essa mesma verdade meridianamente clara (Gl 1.8,9,11,12; 2Tm 1.13; 2.2). Os princípios da verdade e da vida cristã não eram uma moda passageira, mas permanentes e irrevogáveis.[24]

Warren Wiersbe tem razão em dizer que, nesse contexto, a fé é o conjunto de doutrinas dadas por Deus à igreja por intermédio dos apóstolos.[25] Henry Alford, nessa mesma linha de pensamento, escreve: "A fé aqui significa o resumo daquilo que os cristãos creem: fé que é crida, não por meio da qual cremos".[26] Fazendo coro a essas posições retromencionadas, Kistemaker diz que devemos entender a palavra "fé" como sendo o conjunto de crenças do cristianismo. É o evangelho proclamado pelos apóstolos e, portanto, equivale à doutrina dos apóstolos (At 2.42). Não é a confiança ou a segurança que o crente, como indivíduo tem em Deus, pois essa é a fé subjetiva. Nessa passagem, Judas fala sobre a doutrina cristã, ou seja, da fé objetiva.[27]

Em quarto lugar, *o inimigo* (v. 4). *Pois certos indivíduos se introduziram com dissimulação, os quais, desde muito, foram antecipadamente pronunciados para esta condenação, homens ímpios, que transformam em libertinagem a graça de nosso Deus e negam o nosso único Soberano e Senhor, Jesus Cristo.* Tanto Jesus quanto Seus apóstolos advertiram que esses falsos mestres surgiriam e, no entanto, algumas igrejas não deram ouvidos. Infelizmente, algumas igrejas continuam surdas para essas advertências hoje.[28]

Judas escreve para alertar a igreja sobre a batalha da fé, visto que a igreja estava sendo minada por falsos mestres (v. 3). Delbert Rose diz que dois males notórios, intimamente ligados, incomodavam a igreja no final dos tempos apostólicos e pós-apostólicos: 1) antinomismo; 2) gnosticismo. Judas escreve tendo em mente esses dois erros – pelo

---

[23]Rose, Delbert R. *Comentário Bíblico Beacon*. Vol. 10, p. 362.
[24]Rose, Delbert R. *Comentário Bíblico Beacon*. Vol. 10, p. 362.
[25]Wiersbe, Warren W. *Comentário bíblico expositivo*. Vol. 6, p. 703.
[26]Alford, Henry. *The Letters of John and Jude*. Filadélfia, PA: The Westminster Press, 1960, p. 189.
[27]Kistemaker, Simon. *Epístolas de Pedro e Judas*, p. 491.
[28]Wiersbe, Warren W. *Comentário bíblico expositivo*. Vol. 6, p. 702.

menos na sua forma primária. Os antinomistas afirmavam que a graça os libertara da lei moral. Esses heréticos transformavam a graça de Deus em uma desculpa para cometer todo tipo de imoralidade (v. 4,18,19). Os gnósticos afirmavam que a salvação era alcançada pelo conhecimento, e não pela fé salvadora em Jesus Cristo. Defendiam a posição dualista do universo, composta de matéria má e espírito bom. Assim, o gnosticismo não aceitava as doutrinas da criação, encarnação e ressurreição.[29] Seguindo a linha gnóstica de pensar, esses falsos mestres criam que seus corpos eram essencialmente maus, por isso não era importante o que uma pessoa fazia em relação a seus apetites, desejos e paixões. Também criam que a graça de Deus era suficiente para cancelar, limpar e cobrir todo pecado. Por que se preocupar com o pecado, uma vez que a graça é maior do que todo o pecado? Em resumo, a preciosa graça de Deus estava sendo pervertida para justificar o pecado.[30]

A doutrina falsa é um veneno mortal a ser identificado, rotulado e evitado a todo o custo. É conhecida a afirmação de Charles Spurgeon: "Não consigo suportar as doutrinas falsas, por mais primorosa que seja sua apresentação. Você comeria carne envenenada só porque lhe é servida em um prato de porcelana finíssima?"

Judas agora identifica o inimigo nessa batalha, os apóstatas, e traça suas características.

Eles são dissimulados (v 4a). O termo grego significa "insinuar-se secretamente, infiltrar-se disfarçadamente".[31] Os falsos mestres entram na igreja porque os crentes dormem (Mt 13.25,38). Eles tanto podem vir de fora como podem surgir de dentro da igreja (At 20.29,30). Os falsos mestres têm um verniz de seriedade. Aparentemente, estão interessados no bem-estar das ovelhas. São lobos travestidos de ovelhas. Eles não se declaram hereges. Não negam inicialmente a verdade. Introduzem-se no meio do rebanho como os iluminados que alcançaram um nível mais profundo da verdade e estão dispostos a ajudar os demais a alcançar esse mesmo nível.

---

[29]ROSE, Delbert R. *Comentário Bíblico Beacon*. Vol. 10, p. 354.
[30]ROSE, Delbert R. *Comentário Bíblico Beacon*. Vol. 10, p. 363.
[31]WIERSBE, Warren W. *Comentário bíblico expositivo*. Vol. 6, p. 2006.

Eles são ímpios (v. 4b). Os falsos mestres alegam pertencer a Deus, mas são ímpios na forma de pensar e agir (2Tm 3.5). Falam em nome de Deus, mas apartam as pessoas de Deus. O discurso deles está desconectado da vida. São atores que desenvolvem um papel no palco. Usam um disfarce para esconder sua verdadeira identidade. Não levam Deus a sério.

Eles são inimigos da graça de Deus (v. 4c). Os falsos mestres entram na igreja para mudar a doutrina. Querem encontrar base doutrinária para justificar sua conduta libertina. Prometem liberdade, quando eles mesmos são escravos (2Pe 2.13,14). É muito comum um indivíduo criar um sistema doutrinário para justificar seus atos reprováveis. Em vez de entrar pelas portas do arrependimento, preferem criar um caminho sinuoso de heresia.

Eles negam a supremacia de Jesus Cristo (v. 4d). Os falsos mestres podiam até afirmar que Jesus era um grande mestre, mas não o verdadeiro e soberano Deus e Senhor. Os falsos mestres desconstroem os pilares do cristianismo. Solapam os fundamentos da fé. Negam o soberano Senhor da igreja e rebelam-se contra Aquele que é digno de honra, glória e louvor.

Eles são destinados à *condenação* (v. 4b). O texto não está dizendo que os falsos mestres foram destinados à apostasia, como se Deus fosse responsável por seus pecados. Por se tornarem apóstatas, é que Deus os destinou à condenação. Como a igreja enfrentará os falsos mestres? Batalhando pela fé, ou seja, pela verdadeira doutrina. O púlpito deve tanto proclamar a verdade como denunciar o erro.

Em quinto lugar, *a vitória na batalha* (v. 5-7). Judas oferece três exemplos do juízo de Deus sobre aqueles que resistiram à sua autoridade e se apartaram da verdade. Judas está dizendo que Deus julga os ímpios, os apóstatas e os falsos mestres. Os israelitas incrédulos foram enterrados no deserto (v. 5), os anjos infiéis estão presos na concuridão das trevas (v. 6) e as cidades ímpias foram queimadas pelo fogo (v. 7). Vejamos cada um desses exemplos:

O exemplo de Israel (v. 5). *Quero, pois, lembrar-vos, embora já estejais cientes de tudo uma vez por todas, que o Senhor, tendo libertado um povo, tirando-o da terra do Egito, destruiu, depois, os que não creram.* A incredulidade é um caminho de desastre. O final da linha para os incrédulos é a própria destruição. Os pecados de Israel foram registrados para nos alertar (1Co 10.11). Aqueles que se apartaram da verdade pereceram no deserto. O deserto tornou-se o maior cemitério da história. Cerca de 2 milhões de pessoas foram enterradas nas areias daquele tórrido deserto. A causa dessa tragédia foi a rebeldia daquele povo. O salário do pecado é a morte. Deus não tomará por inocente o culpado. Aqueles que abandonam a verdade e enveredam-se pelas sendas sinuosas do pecado terão de enfrentar, de igual forma, o reto e justo juízo de Deus.

O exemplo dos anjos caídos (v. 6). *E a anjos, os que não guardaram o seu estado original, mas abandonaram o seu próprio domicílio, ele tem guardado sob trevas, em algemas eternas, para o juízo do grande Dia.* Deus exerceu o seu juízo sobre os anjos caídos e os condenou ao inferno (2Pe 2.4). Deus não poupou os anjos, quando estes se rebelaram. Não se pode zombar de Deus e escapar. Não se pode insurgir contra o Todo-poderoso e ficar impune. Homens e anjos sofreram o juízo divino. Este é um alerta solene para os falsos mestres e todos aqueles que se desviam da verdade.

Na opinião de muitos comentaristas, os anjos deixaram sua posição de autoridade e vieram para a terra a fim de se casarem com mulheres (Gn 6.2), ou seja, na ocasião em que os anjos ("filhos de Deus") se casaram com as "filhas dos homens", eles geraram gigantes e corromperam a terra (Gn 6.4).[32] Discordamos dessa interpretação. Os anjos não são uma raça que se procria como a raça humana. Os anjos são espíritos e não têm corpo. A quantidade de anjos criados é a mesma que existe hoje. Os anjos são assexuados, por isso não se casam nem se dão em casamento (Mt 22.30). Os filhos de Deus são uma referência à descendência piedosa de Sete, e as filhas dos homens, uma alusão à descendência corrompida de Caim.

A interpretação de anjos se casando com mulheres vem do livro apócrito *1Enoque*. Esse livro descreve como os anjos caídos cobiçaram as lindas filhas dos homens, desceram ao monte Hermom e cometeram adultério com elas. Esses anjos caídos foram assim responsáveis pela geração de filhos, os nefilins, que foram os gigantes da terra (Gn 6.4), e pela multiplicação do mal no mundo. Como resultado, Deus destruiu o

---

[32]KISTEMAKER, Simon. *Epístolas de Pedro e Judas*, p. 500.

mundo com o dilúvio nos dias de Noé. O fato de citar 1Enoque, porém, não significa que Judas esteja apoiando essa ideia.[33]

O exemplo de Sodoma e Gomorra (v. 7). *Como Sodoma, e Gomorra, e as cidades circunvizinhas, que, havendo-se entregado à prostituição como aqueles, seguindo após outra carne, são postas para exemplo do fogo eterno, sofrendo punição.* Os sodomitas entregaram-se à prostituição e ao homossexualismo, e Deus os condenou ao fogo eterno. Aquelas cidades impenintes escarneceram da virtude. Fizeram troça dos valores morais absolutos. Entregaram-se desbragadamente à prostituição e ao homossexualismo. O resultado foi a destruição inexorável. O fogo do céu varreu aquelas duas cidades do mapa bem como outras cidades vizinhas. Elas foram completamente arruinadas pelo próprio Deus.

O pecado de Israel foi a incredulidade. O pecado dos anjos foi a rebelião contra a autoridade de Deus, e o pecado de Sodoma foi a indecência moral. Do mesmo modo que Deus julgou os anjos, os estrangeiros e Israel, Ele julgará os falsos mestres. Ninguém poderá rebelar-se contra a autoridade de Deus e prevalecer.

Desmascarando o inimigo, **os apóstatas**

Judas agora volta sua atenção para os falsos mestres do presente, e evidencia que eles estão seguindo um caminho perigoso e escorregadio. Tudo o que Judas escreveu sobre os apóstatas nesse parágrafo pode ser sintetizado em três sentenças: eles rejeitaram a autoridade divina, recorreram a uma deliberada hipocrisia e receberam sua devida punição. Vejamos com maiores detalhes cada uma:

Em primeiro lugar, ***eles rejeitaram a autoridade divina*** (v. 8-11). Toda a autoridade vem de Deus. Aqueles que exercem autoridade devem também estar debaixo de autoridade. Os apóstatas se colocavam acima das Escrituras e dos apóstolos (v. 8). Hoje, muitos líderes se autodenominam apóstolos para justificar suas doutrinas e sua conduta. Tais líderes têm em comum com os falsos mestres da carta de Judas a insubmissão. Vejamos como essa insubmissão se apresenta:

---

[33]KISTEMAKER, Simon. *Epístolas de Pedro e Judas*, p. 502,503.

A insubmissão afrontosa dos falsos mestres (v. 8). *Ora, estes, da mesma sorte, quais sonhadores alucinados, não só contaminam a carne, como também rejeitam governo e difamam autoridades superiores.* Os falsos mestres, além de contaminarem a carne, ou seja, viverem de forma imoral, eram também insubmissos às autoridades. Os falsos mestres são sonhadores alucinados. Vivem num mundo irreal e ilusório. Creem na mentira de satanás (Gn 3.5). Tornam-se como animais que vivem guiados pelo instinto (v. 10 e 2Pe 2.12,22). Entregam-se à luxúria (v. 8) e falam para demonstrar sua rebelião contra Deus (v. 8c,10; Sl 73.9,11).

Warren Wiersbe observa que a palavra "difamam", em Judas 8 e 10, tem o mesmo sentido de "blasfêmia". A blasfêmia vai muito além de tomar o nome de Deus em vão, apesar de ser essa a sua essência. Uma pessoa blasfema de Deus quando toma Sua Palavra levianamente e até zomba dela, ou quando desafia a Deus deliberadamente ao julgar a Sua Palavra (Sl 73.9,11).[34]

Toda autoridade – seja do lar, da igreja ou do Estado – procede de Deus. Os que exercem autoridade devem, antes de tudo, estar sujeitos à autoridade. Mas os falsos mestres rejeitam a doutrina de Deus e se estabelecem como autoridade de si mesmos.[35]

Kistemaker destaca os atos desses homens ímpios, usando três verbos: contaminar, rejeitar e maldizer (v. 8). O pecado de contaminação está ligado aos atos homossexuais mencionados no versículo 7; o pecado de rejeição é semelhante ao da rebelião dos anjos (v. 6); e o pecado de difamação é equivalente à incredulidade dos israelitas no deserto (v. 5).[36]

Uma insubmissão indesculpável dos falsos mestres (v. 9). *Contudo, o arcanjo Miguel, quando contendia com o diabo e disputava a respeito do corpo de Moisés, não se atreveu a proferir juízo infamatório contra ele; pelo contrário, disse: O Senhor te repreenda!* Judas, aqui, baseia-se em informações procedentes do livro apócrifo do Testamento de Moisés ou na obra relacionada conhecida como Assunção de Moisés.[37] Na profecia de

---

[34]WIERSBE, Warren W. *Comentário bíblico expositivo*. Vol. 6, p. 707.
[35]WIERSBE, Warren W. *Comentário bíblico expositivo*. Vol. 6, p. 707.
[36]KISTEMAKER, Simon. *Epístolas de Pedro e Judas*, p. 507.
[37]PRIEST, J. Testament of Moses. In: *The Old Testament Pseudoepifrapha*. Vol. 1. Garden City, NY: Doubleday, 1983, p. 925.

Daniel, o nome *Miguel* pertence ao anjo que é *um dos primeiros príncipes* (Dn 10.13) e *o grande príncipe, o defensor* do povo de Israel (Dn 12.1). Ele combate e vence os demônios enviados por satanás para influenciar os governantes da Pérsia e da Grécia (Dn 10.13,20). O termo *príncipe* equivale à palavra *arcanjo*.[38]

Se o próprio arcanjo não proferiu juízo infamatório contra o diabo, entregando essa causa a Deus, como esses insubordinados tinham a audácia de se insurgir contra a autoridade de Deus e de Seus apóstolos? Se um arcanjo usa de cautela ao lidar com o diabo, precisamos ser muito mais cuidadosos! Satanás é um inimigo perigoso, e devemos ser sóbrios e vigilantes ao resistir a ele (1Pe 5.8,9).[39] A ideia essencial de Judas é que, se o maior de todos os anjos bons se recusou a falar mal do maior de todos os anjos maus, mesmo em uma circunstância como essa, devemos nós ser muito mais cautelosos acerca do nosso juízo com relação a outras pessoas.

Uma insubmissão desenfreada dos falsos profetas (v. 10). *Estes, porém, quanto a tudo o que não entendem, difamam; e, quanto a tudo o que compreendem por instinto natural, como brutos sem razão, até nessas coisas se corrompem.* Os falsos mestres difamam o que não entendem e se corrompem naquilo que conhecem. Tornam-se como bestas feras, governados por instintos, e não pelo entendimento.

A condenação dos rebeldes é inevitável (v. 11). *Ai deles! Porque prosseguiram pelo caminho de Caim, e, movidos de ganância, se precipitaram no erro de Balaão, e pereceram na revolta de Coré.* Caim se rebelou contra a autoridade de Deus na questão da salvação, Balaão na questão da separação e Coré na questão do serviço.[40] Judas aborda esses três pontos.

Primeiro, *o caminho de Caim*. Caim rebelou-se contra o caminho de Deus para a salvação (1Jo 3.11,12). Rejeitou o caminho da salvação pela graça. Queria agradar a Deus sem fé. O caminho de Caim é o caminho do orgulho e da justiça própria. Caim aprendeu com os seus pais sobre a necessidade de adorar a Deus. Ele e Abel, seu irmão, receberam as

---

[38] KISTEMAKER, Simon. *Epístolas de Pedro e Judas*, p. 510.
[39] WIERSBE, Warren W. *Comentário bíblico expositivo*. Vol. 6, p. 708.
[40] WIERSBE, Warren W. *Comentário bíblico expositivo*. Vol. 6, p. 709.

mesmas instruções. Foram criados debaixo dos mesmos princípios e valores. Ouviram as mesmas histórias e aprenderam as mesmas coisas sobre o culto que agrada a Deus. Mas o coração de Caim não era reto diante de Deus. Ele não se sujeitou aos princípios de Deus. Não se colocou debaixo da autoridade da Palavra de Deus. Quis fazer as coisas de Deus do seu jeito. Quis mostrar sua própria justiça em vez de aceitar a justiça que vem de Deus. Vamos considerar esse caminho de Caim:

Caim tentou prestar um culto a Deus sem observar os princípios de Deus sobre o culto. Desde os primórdios da história humana, Deus ensinou o princípio de que não há remissão de pecados sem derramamento de sangue (Hb 9.22). Quando Adão e Eva pecaram no Éden, Deus os cobriu com peles de animais. *Fez o Senhor Deus vestimentas de peles para Adão e sua mulher e os vestiu* (Gn 3.21). Para cobrir a nudez de Adão e Eva, um animal foi sacrificado e o sangue foi derramado. Toda pessoa que se chegava a Deus para adorar precisava aproximar-se por meio do sangue. Não que o sangue de ovelhas e bodes pudesse purificar o coração do homem, mas o sangue desses animais apontava para o sacrifício perfeito de Cristo na cruz (Rm 3.24-26). Todos os sacrifícios e holocaustos apontavam para o Cordeiro de Deus que tira o pecado do mundo (Jo 1.29). Quando Caim levou a Deus um sacrifício incruento, estava desprezando o caminho de Deus, a Palavra de Deus, as normas do culto divino. Queria abrir para Deus um caminho pelos seus próprios esforços, o caminho das obras, dos seus próprios feitos. O caminho de Caim é o caminho do humanismo idolátrico, das obras de justiça divorciadas da graça, da autopromoção. Esse era, também, o caminho dos falsos mestres.

Caim tentou prestar um culto a Deus sem examinar o próprio coração. O apóstolo João afirma que Caim era do maligno (1Jo 3.12). Ele queria cultuar a Deus sem pertencer a Deus. Queria enganar a Deus com a sua oferta, enquanto ele mesmo pertencia ao maligno. Caim pensou que pudesse separar o culto de vida. Pensou que Deus estivesse buscando adoração, e não adoradores. Deus não se agrada de rituais divorciados de vida. Culto sem vida é abominação aos olhos de Deus (Is 1.13,14; Am 5.21-23; Ml 1.10). Os falsos mestres, de igual forma, levavam uma vida repreensível.

Caim tentou prestar um culto a Deus com o coração cheio de ódio e inveja do seu irmão Abel. O apóstolo João ainda nos diz que *Caim era do maligno e assassinou a seu irmão; e por que o assassinou? Porque as suas obras eram más, e as de seu irmão, justas* (1Jo 3.12). De nada adianta levarmos ofertas a Deus se o nosso coração é um poço de inveja e ódio. A nossa relação com Deus não pode estar certa se a nossa relação com os irmãos está quebrada. Antes de levar a nossa oferta ao altar, precisamos nos reconciliar com os nossos irmãos (Mt 5.23,24). Deus não aceita as nossas ofertas se o nosso coração não estiver reto diante dEle e se houver mágoas no nosso coração. Antes de Deus aceitar a nossa oferta, precisa aceitar a nossa vida. Não podemos separar o culto da vida. As nossas músicas serão apenas um barulho aos ouvidos de Deus se a nossa vida não estiver em sintonia com a vontade de Deus (Am 5.23). Deus rejeitará as ofertas de nossas mãos, se não o honrarmos com a nossa vida e com as nossas atitudes (Ml 1.10). As obras de Caim eram más, porque o seu coração era mau. Ele era do maligno. Não conhecia a Deus nem cultuava a Deus, mas cultuava a si mesmo. Ele afrontava a Deus oferecendo uma oferta errada, da forma errada, com a motivação errada. Queria enganar a Deus e ganhar o *status* de adorador quando não passava de filho do maligno.

Mas o apóstolo João nos informa, ainda, que a raiz do problema de Caim era a inveja. Em vez de imitar o irmão, ele se desgostou em ver Deus aceitando a oferta do irmão. Em vez de aprender com o irmão, ele quis eliminar o irmão. A inveja de Caim levou-o a tapar os olhos e os ouvidos para o aprendizado. Ele se endureceu no seu caminho de rebeldia. Não apenas sentiu inveja, mas consumou o seu pecado, levando o irmão à morte. Ele não apenas odiou o irmão, mas o fez de forma sórdida. Odiou-o não pelo mal que praticara, mas pelo bem; não por seus erros, mas por suas virtudes. A luz de Abel cegou Caim. As virtudes de Abel embruteceram Caim. A vida de Abel gestou a morte no coração de Caim. O culto de Caim, longe de aproximá-lo de Deus, afastou-o ainda mais. O seu culto não passava de um arremedo, de uma máscara grotesca para esconder o seu coração invejoso, vaidoso e cheio de justiça própria. Assim também eram os falsos mestres, homens cheios de inveja e pecado.

Caim rejeitou a exortação de Deus. Caim não apenas estava errado, mas também não queria se corrigir. Assim dizem as Escrituras:

> Aconteceu que no fim de uns tempos trouxe Caim do fruto da terra uma oferta ao Senhor. Abel, por sua vez, trouxe das primícias do seu rebanho e da gordura deste. Agradou-se o Senhor de Abel e de sua oferta; ao passo que de Caim e de sua oferta não se agradou. Irou-se, pois, sobremaneira Caim, e descaiu-lhe o semblante. Então, lhe disse o Senhor: Por que andas irado, e por que descaiu o teu semblante? Se procederes bem, não é certo que serás aceito? Se, todavia, procederes mal, eis que o pecado jaz à porta; o seu desejo será contra ti, mas a ti cumpre dominá-lo (Gn 4.3-7).

Caim não foi escorraçado por Deus ao trazer a oferta errada, com a vida errada e com a motivação errada. Deus o exortou. Deus lhe deu a oportunidade de mudar de vida. Caim teve a chance de se corrigir. Mas ele era muito orgulhoso para admitir os próprios erros. A máscara da justiça própria estava muito bem afivelada e engessada para ser arrancada. Ele preferiu o caminho da rebeldia e da desobediência. Longe de se arrepender e tomar novo rumo, Caim deu mais um passo na direção do pecado. Em vez de virar as costas para o pecado, virou as costas para Deus. Esse era o caminho dos falsos mestres!

Segundo, *o erro de Balaão*. O erro de Balaão foi a ganância de comercializar o dom de Deus e o próprio ministério com o propósito de ganhar dinheiro (2Pe 2.15,16). É reprovável usar o espiritual para obter lucro material. Os falsos mestres trabalham na igreja para ganhar dinheiro (1Ts 2.5,6; 1Tm 6.3-21). Balaão induziu o povo de Deus a pecar por causa do amor ao lucro iníquo. A Palavra de Deus deixa claro que Balaão procurou corromper os israelitas ao tentá-los à imoralidade sexual e à adoração de ídolos (Nm 31.16). Quando Jesus envia a carta à igreja de Pérgamo, diz: *Tens aí os que sustentam a doutrina de Balaão, o qual ensinava a Balaque a armar ciladas diante dos filhos de Israel para comerem coisas sacrificadas aos ídolos e praticarem a prostituição* (Ap 2.14). Concordo com Kistemaker quando ele diz que Balaão não amava a Deus nem a seu povo, mas ao dinheiro, e, por ter amado ao dinheiro, ele vendeu Israel ao rei de Moabe. Por isso, Pedro revela que Balaão "amou o prêmio da injustiça". Assim como Balaão procurou destruir

Israel, os ímpios desejam fazer cair o povo de Deus.[41] Hoje, muitos obreiros inescrupulosos mudam a mensagem para atrair os incautos. A motivação desses falsos obreiros é o lucro. Eles exploram o povo e lhe arrancam o último centavo. Não se importam se as pessoas vivem na miséria, desde que eles mesmos estejam vivendo na riqueza.

Terceiro, *a revolta de Coré*. Coré se rebelou contra a autoridade de Moisés e consequentemente contra a autoridade de Deus concedida a Moisés. Deus o julgou. A história de Coré é relatada em Números 16. Porque Coré e seus seguidores não estavam satisfeitos com a liderança de Moisés, cometeram o erro de rejeitar sua liderança. Com isso, rebelaram-se contra o próprio Deus. O erro de negar que Moisés era o escolhido de Deus e tentar usurpar sua autoridade foi punido por Deus. O argumento de Coré, Datã e Abirão e mais 250 homens tinha um tom espiritual. Eles disseram: *Basta! Pois que toda a congregação é santa, cada um deles é santo, e o Senhor está no meio deles; por que, pois, vos exaltais sobre a congregação do Senhor?* (Nm 16.3). Coré questionou a origem da autoridade de Moisés. Estava dizendo que Moisés promovia a si mesmo se exaltando sobre os demais membros da congregação. Moisés, porém, respondeu aos rebeldes que tanto Coré como todo o seu grupo estavam contra o Senhor (Nm 16.11). O resultado dessa rebelião é registrado com cores fortes:

> *E aconteceu que, acabando ele [Moisés] de falar [...], a terra debaixo deles se fendeu, abriu a sua boca e os tragou com as suas casas, como também todos os homens que pertenciam a Coré e todos os seus bens. Eles e todos os que lhes pertenciam desceram vivos ao abismo; a terra os cobriu, e pereceram do meio da congregação* (Nm 16.31-33).

Os falsos mestres também se rebelaram contra a autoridade dos apóstolos e se insurgiram contra eles. Infiltraram no meio do rebanho de Deus para causar confusão e disseminar suas heresias.

Em segundo lugar, **eles recorreram a uma deliberada hipocrisia** (v.12,13,16). Judas apresenta seis figuras fortes para descrever a hipocrisia dos falsos mestres. Vamos examinar cada uma.

---

[41] KISTEMAKER, Simon. *Epístolas de Pedro e Judas*, p. 516.

Rochas submersas nas festas de fraternidade (v. 12a). *Estes homens são como rochas submersas, em vossas festas de fraternidade, banqueteando-se juntos sem qualquer recato...* Os falsos mestres se infiltram no meio da igreja para provocar acidentes e naufrágios espirituais. Alguns se tornam membros da igreja. Recebem o batismo e chegam a participar da Ceia do Senhor. Parecem verdadeiros irmãos. Desfrutam da comunhão dos remidos e os têm por companhia. Porém, esses lobos disfarçados de ovelhas são como *icebergs* que provocam terríveis acidentes. Um exemplo vívido desse perigo é o acidente do Titanic. Totem da ousadia humana, orgulho da engenharia náutica, colosso de 269 metros de comprimento e 46 mil toneladas, esse navio parecia inexpugnável. Porém, ao colidir com um *iceberg*, nas últimas horas do dia 14 de abril de 1912, o navio afundou e ceifou a vida de mais de 1.500 pessoas nas águas geladas do Atlântico Norte. Assim, são os falsos mestres. Quem embarca em suas doutrinas aparentemente seguras, faz uma viagem rumo ao desastre.

Pastores que se autoapascentam (v. 12b). ... *pastores que a si mesmos se apascentam...* Em vez de cuidar dos falsos mestres usam e abusam do povo (2Co 11.20; Ez 34.2). Eles são exploradores do rebanho, não pastores do rebanho. Estão atrás dos bens dos fiéis, e não de seu bem-estar espiritual. O vetor que dirige seus interesses não é o ensino da verdade, mas o lucro financeiro. Não hesitam em substituir a verdade pela mentira, desde que alcancem benefícios financeiros. Mercadejam a Palavra em vez de pregar com fidelidade a Palavra. Fazem da igreja uma empresa, do púlpito um balcão, do evangelho um produto, e dos crentes consumidores. A ganância insaciável é o oxigênio que os mantém ativos nesse ministério de morte. Paulo denuncia essa atitude dos falsos mestres e a tolerância da igreja em relação a eles: *Tolerais quem vos escravize, quem vos devore, quem vos detenha, quem se exalte, quem vos esbofeteie o rosto* (2Co 11.20).

As próximas figuras usadas por Judas, descrevem os falsos mestres com quatro metáforas tiradas da natureza: do ar, da terra, do mar e do céu. Ele fala em nuvens sem água que simbolizam o engano; árvores frutíferas mortas que simbolizam a inutilidade; ondas espumantes que mostram o desgoverno; e estrelas errantes; que retratam a desobediência.[42]

---

[42] KISTEMAKER, Simon. *Epístolas de Pedro e Judas*, p. 519.

Nuvens sem água (v. 12c). ... *nuvens sem água impelidas pelos ventos...* Nuvens que prometem chuva, mas desapontam. Os apóstatas parecem trazer ajuda espiritual para as pessoas, mas fracassam; prometem liberdade, mas são escravos (2Pe 2.19). Eles não têm a doutrina (Dt 32.2; Is 55.10), por isso são nuvens sem água. Uma nuvem sem água é uma grande decepção (Pv 25.14). Os agricultores que semeiam os campos precisam das chuvas para que a semente brote e produza frutos. Quando as nuvens se formam no horizonte, os agricultores se enchem de esperança. Eles dependem dessas chuvas para que o seu trabalho não seja desperdiçado e suas esperanças não sejam frustradas. Porém, quando as nuvens se dissipam com o vento e se dispersam deixando para trás a terra seca, os agricultores sofrem duro golpe e amargas perdas. Assim são as falsas doutrinas. Elas se mostram inicialmente empolgantes. São nuvens de promessa e nuvens de esperança. Mas essas nuvens se revelam uma mentira. Essas nuvens não têm água nem trazem vida. Essas nuvens produzem uma falsa esperança. Concordo com Warren Wiersb, quando ele diz que, como as nuvens no céu, os falsos mestres podem ser proeminentes e até atraentes, mas, se não são capazes de trazer chuvas, são inúteis.[43]

Árvores mortas (v. 12d). ... *árvores em plena estação dos frutos, destes desprovidas, duplamente mortas, desarraigadas.* São árvores sem fruto e sem raiz. Para ter vida, uma árvore precisa ter raiz e, para ser útil, precisa produzir fruto. Uma árvore sem raiz nem fruto não é uma árvore, mas apenas um arremedo, uma propaganda enganosa, uma mentira. Que contraste com os justos, que são comparados a uma árvore frutífera, junto à fonte, que no devido tempo dá o seu fruto e cuja folhagem não murcha (Sl 1.3)! Os justos são como árvores plantadas junto à fonte que produzem fruto e têm verdor até nos dias mais causticantes. *O fruto do justo é árvore de vida* (Pv 11.30). O fruto na vida do justo é a marca do verdadeiro discipulado (Jo 15.8).

Ondas bravias do mar (v. 13a). *Ondas bravias do mar, que espumam as suas próprias sujidades...* As ondas revoltas do mar trazem sujeira e perigo (Is 57.20). Um exemplo chocante disso é o *tsunami* que varreu a

---

[43] WIERSBE, Warren W. *Comentário bíblico expositivo*. Vol. 6, p. 710.

Indonésia e alguns outros países asiásticos em 2004, matando centenas de milhares de pessoas, causando prejuízos incalculáveis. No Japão, em 2011, um violento *tsunami* varreu a costa nordeste do país, invadindo cidades, destruindo casas e arrastando carros num mar de lama. Em 2012, ondas gigantescas da tempestade Sandy invadiram a costa leste dos Estados Unidos e geraram bilhões de dólares de prejuízo, matando dezenas de pessoas. Essas ondas gigantes inundaram a terra de lixo e lama e levaram a morte por onde passaram.

Estrelas errantes (v. 13b). ... *estrelas errantes, para as quais tem sido guardada a negridão das trevas, para sempre.*

Warren Wieresbe diz que Judas não se refere a estrelas fixas, planetas ou cometas, pois estes têm posição e órbita definidas. Antes, está falando sobre meteoros, estrelas cadentes que aparecem de repente e depois somem na escuridão para nunca mais serem vistos.[44] Já Simon Kistemaker pensa que devemos ficar com as palavras exatas do texto, e não interpretá-las como meteoros ou estrelas cadentes que desaparecem na escuridão da noite.[45]

Estrelas errantes se referem a anjos que caíram do céu como estrelas (Ap 12.4). São seres pervertidos, malignos, que induzem as pessoas ao erro. Os falsos mestres são aqui comparados a demônios que seduzem as pessoas apartando-as da verdade. Estrelas errantes só podem conduzir as pessoas ao abismo em que elas mesmas são lançadas. Deus reservou cadeias de trevas aos anjos rebeldes (v. 6) e a *negridão das trevas, para sempre,* aos falsos mestres. É preciso cuidado para não seguir estrelas errantes, pois elas conduzirão a trevas eternas![46] Kistemaker aponta que, ao aplicar esse conceito aos hereges, Judas os descreve como apóstatas, em cuja companhia nenhum cristão pode traçar um curso reto. Seu curso de vida errante leva à condenação eterna.[47]

O verso 16 fala que os falsos mestres são murmuradores e aduladores: *Os tais são murmuradores, são descontentes, andando segundo as suas paixões. A sua boca vive propalando grandes arrogâncias; são aduladores*

---

[44]WIERSBE, Warren W. *Comentário bíblico expositivo.* Vol. 6, p. 710,711.
[45]KISTEMAKER, Simon. *Epístolas de Pedro e Judas,* p. 521.
[46]WIERSBE, Warren W. *Comentário bíblico expositivo.* Vol. 6, p. 711.
[47]KISTEMAKER, Simon. *Epístolas de Pedro e Judas,* p. 521.

dos outros, por motivos interesseiros. Os falsos mestres murmuram contra Deus. Não há nenhuma palavra de gratidão e louvor em seus lábios. Porque o coração deles vive cheio de paixões imundas, seus lábios estão repletos de murmuração. Porém, quando se trata de auferir alguma vantagem financeira, eles bajulam as pessoas com palavras lisonjeiras ou aduladoras. São bajuladores, pois, enaltecem até mesmo aqueles que precisam ser repreendidos.

Em terceiro lugar, **eles receberam sua devida penalidade** (v. 14,15). No meio de uma sociedade que se corrompia, Enoque andou com Deus (Gn 5.18-24; Hb 11.5). Sua geração escarneceu dele, como os falsos mestres escarneceram da doutrina da segunda vinda de Cristo (2Pe 3.1-9). Judas ressalta características do juízo:

O juízo será pessoal e público (v. 14). *Quanto a estes foi que também profetizou Enoque, o sétimo depois de Adão, dizendo: Eis que veio o Senhor entre suas santas miríades.* Werner de Boor diz que o Senhor que retorna como Juiz universal não vem sozinho. Acompanham-no as "santas miríades", poderosos exércitos de anjos. O juízo não acontece às escondidas e em silêncio, mas de forma totalmente pública. Incontáveis seres brilhantes são testemunhas da culpa e da vergonha daqueles que agora se portam tão grandiosa e arrogantemente diante dos singelos membros da igreja. Que impressão terrível isso provocará em todos os que devem comparecer diante desse Juiz![48]

O fato de Judas citar um livro apócrifo, *1Enoque*, obra conhecida dos escritores religiosos, não significa que o considerava um documento inspirado e canônico. Concordo com David Ster, no sentido de que a menção de Judas a um livro não canônico não faz de *1Enoque* uma escritura inspirada nem desqualifica a carta de Judas. Paulo mencionou autores pagãos em Atos 17.28,29 e Tito 1.12, e ninguém supõe que essas obras deveriam ser incluídas nas Sagradas Escrituras ou que, por essa razão, as obras de Paulo deveriam ser excluídas da Bíblia.[49]

Enoque foi um homem que andou com Deus (Gn 5.22,24) e profetizou nos dias antes do dilúvio. Essa profecia de Enoque não é

---

[48] BOOR, Werner de. *Cartas de Tiago, Pedro, João e Judas*, p. 466.
[49] STERN, David H. *Comentário judaico do Novo Testamento*, p. 855.

mencionada em nenhum outro lugar das Escrituras. O próprio Senhor veio pessoalmente exercer juízo no dilúvio (v. 14,15). O próprio Deus julgará os falsos profetas. Mesmo que na terra os falsos mestres recebam louvores dos homens ímpios, não escaparão do juízo divino.

O juízo será universal (v. 15a). *Para exercer juízo contra todos...* O juízo final alcançará a todos os ímpios. Ninguém escapará do justo e reto juízo de Deus. Somente aqueles que são selados pelo Espírito estarão seguros naquele grande e terrível Dia, quando todos terão de comparecer perante o tribunal de Deus.

O juízo será justo (v. 15b). *... e para fazer convictos todos os ímpios, acerca de todas as obras ímpias que impiamente praticaram e acerca de todas as palavras insolentes que ímpios pecadores proferiram contra Ele.* Deus fará convictos todos os ímpios acerca de todas as obras ímpias que impiamente praticaram e todas as suas palavras insolentes.

Mantendo-se **firme na guerra**, sem vacilar

Quatro verdades devem ser destacadas:

Em primeiro lugar, **relembre a Palavra de Deus** (v.17-19). *Judas faz a transição da descrição dos hereges* (v. 5 a 16) *para dirigir-se aos cristãos* (c. 17 a 23). Ele usa a palavra "amados" três vezes na epístola (v. 3,17,20), em contraste, com os falsos mestres, a quem chama de ímpios. Os leitores são amados por Deus (v. 1) e por seu fiel pastor, Judas (v. 3,17,20).[50]

A Palavra é o antídoto contra as heresias dos falsos mestres. Por isso é importante que o crente:

1. Relembre quem deu a Palavra (v. 17). *Vós, porém, amados, lembrai-vos das palavras anteriormente proferidas pelos apóstolos de nosso Senhor Jesus Cristo.* As Escrituras vieram-nos por meio dos apóstolos. Os falsos apóstolos queriam se colocar acima dos apóstolos de Jesus Cristo. Chamavam-se a si mesmos de apóstolos e diziam ter novas revelações de Deus. Ainda hoje, muitos falsos mestres, querem introduzir na igreja de Deus novos ensinamentos, contrários às verdades

---

[50]KISTEMAKER, Simon. *Epístolas de Pedro e Judas*, p. 530.

já reveladas nas Escrituras. Devemos repudiar todo ensino que não esteja ancorado na Palavra de Deus. Como muito bem disse Billy Graham: "a Bíblia tem uma capa interior". Não podemos acrescentar nada a ela e nada podemos dela retirar.

2. Relembre o que eles disseram (v. 18). *Os quais diziam: No último tempo, haverá escarnecedores, andando segundo as suas ímpias paixões*. Os apóstolos já haviam alertado sobre o perigo dos falsos mestres e dos falsos ensinos (1Tm 4.1; 1Jo 4.1; 2Pe 2; 3.3). Esse tempo já havia chegado. Os falsos mestres andavam itinerantemente nas igrejas, infiltrando-se entre os crentes, para atacar os apóstolos de Cristo e perverter seus ensinos. Kistemaker diz que escarnecer não é uma paródia leve e engraçada, mas um sério ataque contra Deus, Sua Palavra e Seu povo. Os escarnecedores demonstram abertamente seu desprezo e descaso por Deus, seguindo *os seus próprios desejos ímpios*. Rejeitam deliberadamente o juízo de Deus e, escolhem um estilo de vida de pecado.[51]

3. Relembre porque eles disseram (v. 19). *São estes os que promovem divisões, sensuais, que não têm o Espírito*. Os falsos mestres desejam dividir a igreja e levar os crentes para fora da verdadeira comunhão dos santos. Eles enganam porque não têm o Espírito Santo. Os falsos mestres buscam não os pagãos, mas os crentes. O propósito deles é criar cismas e divisões. Travestidos de peles de ovelhas, tentam entrar disfarçadamente no meio do rebanho, para devorar as ovelhas (At 20.29). Outras vezes, manifestam-se no meio do rebanho, saindo das fileiras da própria igreja, para arrastar os crentes, tornando-os seus reféns espirituais (At 20.30).

Em segundo lugar, **edifique a sua vida cristã** (v. 20,21). Duas verdades são destacadas por Judas:

O fundamento para a vida cristã (v. 20a). *Vós, porém, amados, edificando-vos na vossa fé santíssima...*

Judas começa e termina sua carta falando sobre a fé. Ele insta seus leitores a batalhar pela fé, uma vez que eles também são edificados

---

[51]KISTEMAKER, Simon. *Epístolas de Pedro e Judas*, p. 532.

na fé. A nossa fé santíssima tem o conteúdo exarado na Palavra de Deus. A igreja precisa ser edificada na Palavra. Os pregadores precisam ter compromisso com a Palavra. Não temos o direito de usar o púlpito, a mídia e a página escrita para levar o povo para fora das Escrituras. A ordem apostólica é: *Prega a Palavra...* (2Tm 4.2). A Palavra é o alicerce da vida cristã. A Palavra é a bússola que guia nossa viagem rumo à glória. A Palavra é o mapa do peregrino rumo ao céu. A Palavra é o alimento do cristão nessa jornada.

Judas contrasta a igreja com os falsos mestres. A metáfora da edificação aponta para o fato de que o contraste com o novo movimento não significa estagnação nem mero "repouso" sobre a *fé uma vez entregue aos santos* (v. 3). "Edificar" não significa repouso e contemplação, mas constante progresso no empenho e no trabalho. Como diz Werner de Boor: "A igreja não é local de visitas, mas de obras".[52]

O poder para edificar a vida cristã (v. 20b,21) *orando no Espírito. ... Orando no Espírito, guardai-vos no amor de Deus, esperando a misericórdia de nosso Senhor Jesus Cristo, para a vida eterna.* Se a Palavra é o fundamento da vida cristã, a oração no Espírito é o poder eficaz para edificá-la. A Palavra de Deus e a oração devem andar juntas para a edificação da igreja (At 6.4). Cometem um grave erro aqueles que se dedicam apenas à Palavra e se esquecem da oração. De igual forma, estão em desacordo com o propósito de Deus, aqueles que se consagram à oração, mas desprezam a centralidade da Palavra. Não podemos separar o que Deus uniu. Somente quando unimos oração e Palavra, triunfamos sobre os falsos mestres e vivemos uma vida plena.

Alguns pregadores modernos ensinam que "orar no Espírito" é orar em "línguas".[53] Ensinam ainda, que essa é uma forma superior de oração, pois aquele que a pratica tem mais intimidade com Deus e mais força espiritual para enfrentar o inimigo. Não subscrevemos esse pensamento. Cremos que as palavras de Judas são semelhantes às de Paulo: *Com toda oração e súplica, orando em todo tempo no Espírito* (Ef 6.18). A Bíblia diz que *não sabemos orar como convém, mas o mesmo*

---

[52]Boor, Werner de. *Cartas de Tiago, Pedro, João e Judas*, p. 472.
[53]Green, Michael. *II Pedro e Judas*, p. 176.

Espírito intercede por nós, sobremaneira, com gemidos inexprimíveis (Rm 8.26). Concordo com Kistemaker quando ele diz: "O Espírito toma nossas orações imperfeitas, aperfeiçoando-as e apresentando--as a Deus o Pai".[54] Nessa mesma linha de pensamento, Matthew Henry escreve:

> A oração é a enfermeira da fé. A maneira de edificar a nós mesmos sobre a nossa santíssima fé é perseverando na oração (Rm 12.12). Nossas orações certamente prevalecem quando oramos no Espírito Santo, isto é, debaixo de sua orientação e influência, de acordo com a regra da Sua Palavra, com fé, fervor e importunação perseverante e constante; isso é orar no Espírito Santo.[55]

Em terceiro lugar, **comprometa-se com a evangelização** (22,23). Para tanto, Judas deixa algumas orientações:

1. Compadeça-se dos que estão em dúvida (v. 22). *E compadecei-vos de alguns que estão na dúvida.* Os crentes precisam cuidar não apenas de si mesmos, mas também devem ter olhos apercebidos, corações atentos e lábios abertos para se compadecer das pessoas que estão confusas com os falsos ensinos. A ordem de Judas é: ensine a Palavra de Deus às pessoas que estão sendo seduzidas pelos falsos mestres. Devemos mostrar-lhes as glórias do evangelho de Cristo.
2. Salva os que estão no fogo (v. 23a). *Salvai-os, arrebatando-os do fogo...* Assim como os anjos tiraram Ló de Sodoma, devemos livrar aqueles que estão nas garras dos falsos mestres. A heresia é um fogo que arde agora e será o combustível do fogo que arderá eternamente. Evangelizar uma pessoa que está nessa situação, presa no cipoal das heresias, é como arrebatá-la do fogo. O indivíduo liberto dessas garras malignas é como um tição tirado do fogo (Zc 3.2). Amós disse acerca de Israel: *Vós fostes como um tição arrebatado da fogueira* (Am 4.11). Calvino é muito oportuno quando diz: "a palavra *salvar*

---

[54]KISTEMAKER, Simon. *Epístolas de Pedro e Judas*, p. 538.
[55]HENRY, Matthew. *Comentário bíblico Atos-Apocalipse*, p. 957.

é transferida aos seres humanos, não que estes sejam os autores, mas [eles] são ministros da salvação".[56]
3. Cuidado para não se queimar ao tentar salvar os outros do fogo (v. 23b). *... quanto a outros, sede compassivos em temor, detestando até a roupa contaminada pela carne.* Devemos amar o pecador, mas abominar o pecado. Muitos desavisados e incautos, subestimaram o poder do pecado e acabaram se envolvendo com os pecados que deveriam combater. Precisamos ter cautela para estarmos no mundo, sem sermos do mundo; como uma canoa que está na água sem deixar que a água a inunde.

Em quarto lugar, **comprometa-se com Jesus Cristo** (v. 24,25). Essa passagem é uma das maiores doxologias do Novo Testamento, comparável a Romanos 11.33-36; 16.25-27; Apocalipse 4.10,11; 5.12,13; 15.3,4.[57] Judas encerra sua carta destacando três verdades sobre Deus:

1. Deus é poderoso para nos guardar de tropeço (v. 24a). *Ora, Àquele que é poderoso para vos guardar de tropeços...* Num lindo tributo de louvor, o autor volta-se para Deus. Judas começa sua epístola atribuindo o amor e a proteção a Deus o Pai e a Jesus Cristo. Ele conclui sua carta louvando a Deus e a Jesus Cristo pela proteção dos crentes e colocando-os na presença de Deus.[58] Na caminhada rumo à glória, como muito bem destacou John Bunyan, em seu livro *O Peregrino*, há muitas armadilhas. Não podemos fazer uma viagem segura confiando apenas em nossos recursos. Há perigos insidiosos. Há inimigos terríveis e poderosos. Há ameaças reais e devastadoras. Somente, guardados pelo Todo-poderoso Deus, poderemos chegar à reta final, sem tropeço algum. Deus nos guarda debaixo de suas asas. Ele é a nossa cidade de refúgio. Deus pode guardar o seu povo *como a menina dos seus olhos* (Dt 32.10). Deus pode guardar-nos, como guardou Noé e sua família das águas do dilúvio (2Pe 2.5).[59]

---

[56]CALVIN, John. *The Epistle of Jude*. 2011, p. 449.
[57]STERN, David H. *Comentário judaico do Novo Testamento*, p. 856.
[58]KISTEMAKER, Simon. *Epístolas de Pedro e Judas*, p. 543.
[59]KISTEMAKER, Simon. *Epístolas de Pedro e Judas*, p. 544.

2. **Deus é poderoso para nos levar para a glória (v. 24b).** *... e para vos apresentar com exultação, imaculados diante da Sua glória.* Deus planejou nossa salvação, executa nossa redenção e consumará nossa glorificação. Tudo vem dEle. Tudo é por meio dEle. Tudo é para Ele. Ele mesmo nos purificou e Ele mesmo nos apresentará como noiva gloriosa naquele grande dia. Matthew Henry diz que, onde os crentes serão apresentados imaculados, ali haverá exultação jubilosa. Onde não haverá pecado, também não haverá sofrimento, pois, onde houver completa santidade, ali também haverá perfeita alegria.[60]
3. **Deus é digno de ser exaltado de eternidade a eternidade (v. 25).** *Ao único Deus, nosso Salvador, mediante Jesus Cristo, Senhor nosso, glória, majestade, império e soberania, antes de todas as eras, e agora, e por todos os séculos. Amém.* Judas conclui sua epístola com uma eloquente doxologia. O Deus que nos salvou e nos preserva em santidade até nos receber na glória é o único digno de receber, por toda a eternidade, glória, majestade, império e soberania. Deus é o centro da história e será o centro da eternidade. O Deus que é completo em si mesmo, receberá dos anjos, dos remidos e de toda a criação restaurada os louvores que ecoarão pelos séculos sem fim. Judas fecha as cortinas de sua profecia com um retumbante "Amém"!

---
[60]HENRY, Matthew. *Matthew Henry's Commentary*, p. 1969.

Apocalipse

O futuro chegou, as coisas que em breve devem acontecer

Introdução

WILLIAM HENDRIKSEN, AUTOR de um dos melhores comentários do livro de Apocalipse, diz que este livro é incomparavelmente formoso. Formoso em estilo, em propósito e em significado.[1] Henrietta Mears diz que, de certo modo, Apocalipse é o livro mais notável de todo o cânon sagrado.[2] Apocalipse não está desconectado do restante da Bíblia. Ao contrário, faz uso frequente do Antigo Testamento. H. Barclay Swete calculou que dos 404 versículos do texto do Apocalipse, 278 contêm referências às Escrituras judaicas.[3]

O livro de Apocalipse trata do triunfo de Jesus e de Sua igreja. Este livro mostra que a história não caminha para o caos nem está dando voltas cíclicas, mas avança para um fim glorioso, a vitória completa de Cristo e da Sua igreja.[4] O povo de Deus precisa confiar que o seu Cristo vive e reina eternamente. Ele é quem governa o mundo a favor da Sua igreja. Ele voltará para buscar a Sua igreja, para morar com Ele para sempre em um universo novo.

O propósito deste estudo não é nos aproximarmos deste livro com curiosidade frívola, como se estivéssemos com um mapa profético nas mãos para investigar fatos históricos acerca do fim. Ao contrário, esse livro nos foi dado com propósitos morais e espirituais. O estudo de Apocalipse incentiva-nos à santidade, encoraja-nos no sofrimento e nos leva a adorar Àquele que está no trono (2Pe 3.12). Muitos curiosos têm se levantado ao longo dos séculos para explorar o aspecto sensacionalista das profecias com respeito ao tempo do fim. No século XVI

---

[1] HENDRIKSEN, William. *Más que Vencedores*. Grand Rapids, MI: Baker Book House, 1965, p. 1.
[2] MEARS, Henrietta C. *Estudo Panorâmico da Bíblia*. Deerfield, FL: Editora Vida, 1982, p. 555.
[3] SWETE, H. BARCLAY. *The Apocalipse of St John*. Londdres: Mcmillan, 1917, p. CXL.
[4] Em todas as profecias do livro de Apocalipse, Cristo é apresentado como o vencedor (1.18; 2.8; 5.9-14; 6.2; 11.15; 12.9-11; 14.1,14; 15.2-4; 19.16; 20.4; 22.3).

o médico e astrônomo francês Nostradamus escreveu suas "centúrias". No ano de 1997, o repórter Michael Drosnin publicou "O Código da Bíblia", explorando com a ajuda do computador, as 304.805 letras hebraicas da Torá ou Pentateuco, colocando-as em fileiras e lendo-as em diversas direções, semelhante a um "caça-palavras".[5]

Aqueles que se aproximam do livro de Apocalipse com uma obsessão escatológica, perdem a sua mensagem. O livro é prático e revela-nos: 1) A certeza de que Jesus tem o total controle da igreja; 2) Jesus tem o total controle da história; 3) A perseguição do mundo e do diabo não podem destruir a igreja; 4) Os inimigos que perseguem a igreja serão vencidos; 5) Os inimigos de Cristo terão que enfrentar o juízo de Deus ao mesmo tempo que a igreja desfrutará da bem-aventurança eterna.

O propósito principal do livro de Apocalipse é confortar a igreja militante em seu conflito contra as forças do mal. O livro está cheio de consolações para os crentes afligidos. A eles é dito: Que Deus vê suas lágrimas (7.17; 21.4); suas orações produzem verdadeiras revoluções no mundo (8.3-4); sua morte é preciosa aos olhos de Deus (14.13); Sua vitória é assegurada (15.2); Seu sangue será vingado (6.9; 8.3); seu Cristo governa o mundo em seu favor (5.7-8) e seu Cristo voltará em breve (22.17).

O tema do livro de Apocalipse

O tema do livro de Apocalipse é a vitória de Cristo e de Sua igreja sobre satanás e seus seguidores (17.14). A intenção do livro é mostrar que as coisas não são como parecem ser. O diabo, o mundo, o anticristo, o falso profeta e todos os ímpios perecerão, mas a igreja, a noiva do Cordeiro, triunfará. Cristo é sempre apresentado como vencedor e conquistador (1.18; 5.9-14; 6.2; 11.15; 12.9-11; 14.1,14; 15.2-4; 19.16; 20.4; 22.3). Jesus triunfa sobre a morte, o inferno, o dragão, a besta, o falso profeta, a Babilônia e os ímpios.

---

[5]MASCAREÑAS, Ricardo L. V. *Os Últimos Dias*. São Paulo, SP: Editora Candeia, 2001, p.23.

A igreja perseguida ao longo dos séculos, mesmo suportando martírio, é vencedora (7.14; 22.14; 15.2). Os juízos de Deus mandados para a terra são uma resposta dEle às orações dos santos (8.3-5).

O livro de Apocalipse pode ser sintetizado em dez características básicas:

1. *É um livro centrado na Pessoa de Cristo* – Este livro magnifica a grandeza e a glória de Cristo. É a revelação de Jesus, da Sua glória, majestade e triunfo, e não simplesmente a revelação de eventos futuros.
2. *É um livro aberto* – João recebeu a ordem para não selar este livro (22.10), porque o povo de Deus necessita da mensagem que ele contém. Ele deveria ser lido nas igrejas em voz alta, em culto público (1.3).
3. *É um livro cheio de símbolos* – Este livro é claro para uns e misterioso para outros. Os símbolos eram janelas abertas para os salvos e fechadas para os ímpios.
4. *É um livro de profecia* – Este livro é uma profecia (1.3; 22.7,10,18-19) que assegura a vitória de Cristo e da igreja sobre todos os seus adversários, num tempo em que a igreja estava sendo perseguida. Apocalipse nasceu num berço de aflição.
5. *É um livro com uma bênção completa* – Este livro fala de sete bem-aventuranças e sete é o número completo (1.3; 14.13; 16.15; 19.9; 20.6; 22.7; 22.14).
6. *É um livro de juízos e condenações* – Charles Erdman diz que o livro de Apocalipse jamais procura ocultar o lado sombrio do quadro que pinta. Menciona-se "o Cordeiro que foi morto", mas igualmente "a ira do Cordeiro". Há um "rio de água da vida" e também um "lago de fogo".[6]
7. *É um livro relevante* – Este livro trata das coisas que em breve devem acontecer (1.3), porque o tempo está próximo (1.3). Veja também (22.7,10,12,20). Breve aqui não é imediatamente, mas pronto. Deus não mede o tempo como nós (2Pe 3.8). Ninguém sabe o tempo da volta de Cristo, por isso, precisamos estar preparados.

---

[6]ERDMAN, Charles R. *Apocalipse*. São Paulo, SP: Casa Editora Presbiteriana,1960, p. 8.

8. *É um livro majestoso* – Apocalipse é o livro do Trono. A palavra *trono* aparece 46 vezes no livro. Este livro magnifica a soberania de Deus. Cristo é apresentado em Sua glória e domínio. Apocalipse é um livro de poesia e louvor. Os anjos, a igreja, a natureza e todo o cosmos engrandecem e exaltam Àquele que está no trono.
9. *É um livro universal* – João vê nações e povos (10.11; 11.9; 17.15) como parte do programa de Deus. Ele também vê a sala do trono no céu e ouve vozes vindas dos confins do universo.
10. *É um livro apoteótico* – Apocalipse é o clímax da Bíblia. Tudo que começou em Gênesis irá se completar e se consumar em Apocalipse. Jesus é o alfa e o ômega. Tudo o que Ele começa, Ele termina gloriosamente.

Os destinatários do livro de Apocalipse

Apocalipse foi inicialmente endereçado aos crentes que estavam suportando o martírio na época do apóstolo João. Houve grandes perseguições nos primeiros séculos contra a igreja. Muitos imperadores romanos perseguiram cruelmente a igreja tais como Nero (64 d.C.), Domiciano (95 d.C.), Trajano (112 d.C.), Marco Aurélio (117 d.C.), Sétimo Severo (fim do segundo século), Décio (250 d.C.) e Diocleciano (303 d.C.).[7] Este livro, porém, foi destinado não apenas aos seus primeiros leitores, mas a todos os crentes, durante esta inteira dispensação,[8] que vai da primeira à segunda vinda de Cristo.

O livro de Apocalipse foi enviado às sete igrejas da Ásia Menor. O número sete é um número importante neste livro. Adolf Pohl diz que o número sete não é apenas portador de um valor numérico, mas também simbólico.[9] Ele aparece 54 vezes. O livro fala de sete candeeiros, sete estrelas, sete selos, sete trombetas, sete taças, sete espíritos, sete cabeças, sete chifres, sete montanhas. O número sete significa

---
[7]Ladd, George. *Apocalipse*. São Paulo, SP: Mundo Cristão/Vida Nova, 1980, p. 9.
[8]Hendriksen, William. *Más que Vencedores*, p. 5.
[9]Pohl, Adolf. *Apocalipse de João*. Vol. 1. Curitiba, PR: Editora Evangélica Esperança, 2001, p. 68.

completo, total. Havia mais de sete igrejas na Ásia Menor. Mas quando Jesus envia carta às sete igrejas, significa que Ele envia Sua mensagem para toda a igreja, em todos os lugares, em todos os tempos. Edward McDowell, corrobora, escrevendo:

As sete igrejas são *representativas* das demais igrejas na província da Ásia e, possivelmente, em todo o império romano. Procurando aplicar as grandes verdades espirituais do Apocalipse à era atual, não será demais dizer que estas igrejas são representativas das igrejas de hoje.[10]

Os dispensacionalistas entendem que as sete igrejas representam tipos de igrejas que têm existido por toda a história da igreja. Entendem que elas simbolizam os característicos distintivos e desenvolvimentos históricos dentro da cristandade, durante as sucessivas eras da história eclesiástica, a saber: Éfeso, a igreja apostólica que trabalhava arduamente; Esmirna, a igreja pós-apostólica que foi duramente perseguida; Pérgamo, a igreja crescentemente mundana de depois do imperador Constantino, que virtualmente fez do Cristianismo a religião oficial de Roma; Tiatira, a igreja corrupta da Idade Média; Sardes, a igreja da reforma, com sua reputação de ortodoxia, mas ausência de vitalidade espiritual; Filadélfia, a igreja dos reavivamentos modernos e dos empreendimentos missionários globais; Laodiceia, a igreja contemporânea que tem ficado morna por causa da apostasia e da abastança.[11]

Não há, porém, nenhuma indicação nas sete igrejas que elas representem esses sete períodos sucessivos da história da igreja. Cremos que essa interpretação dispensacionalista esteja equivocada. João, na verdade, escolheu estas sete igrejas para que elas servissem de representantes da igreja toda. O Apocalipse era e é para toda a igreja.

Este livro é destinado a todos os cristãos em todos os tempos. Não podemos limitá-lo à visão preterista nem à visão futurista. Ele é um livro encorajador para todos os cristãos, em todos os tempos, de todos os lugares.

---

[10]McDowell, Edward A. *A Soberania de Deus na história.* Rio de Janeiro, RJ: JUERP, 1980, p. 40.
[11]Gundray, Robert H. *Panorama do Novo Testamento.* São Paulo, SP: Edições Vida Nova, 1978, p. 417-418.

A interpretação do livro de Apocalipse

Há três escolas principais de interpretação do livro de Apocalipse:

Em primeiro lugar *temos a interpretação preterista*. Segundo essa escola, tudo o que é profetizado no livro de Apocalipse já aconteceu.[12] George Ladd diz que do ponto de vista preterista a Roma imperial era a besta do capítulo 13 e a classe sacerdotal asiática que incentivava o culto a Roma era o falso profeta.[13] O livro narra apenas as perseguições sofridas pela igreja pelos judeus e imperadores romanos. O livro cumpriu seu propósito de fortalecer e encorajar a igreja do primeiro século. Essa escola falha em não ver o livro como uma mensagem profética, pertinente a toda a história da igreja.

Em segundo lugar *temos a interpretação futurista*. Tudo o que é profetizado no livro a partir do capítulo 4 tem a ver com os últimos dias, sem nenhuma aplicação na história da igreja. O ponto de vista futurista divide-se em duas correntes: a moderada, ou pré-milenismo histórico e a extrema, ou pré-milenismo dispensacionalista. Embora haja grandes divergências de interpretação entre essas duas vertentes hermenêuticas, elas concordam que o propósito do livro de Apocalipse é descrever a consumação do propósito redentor de Deus no fim dos tempos.[14] Essa escola não faz justiça ao livro, que foi uma mensagem atual, pertinente e poderosa para todos os crentes em todas as épocas. A escola futurista esvazia o caráter consolador deste livro para os crentes primitivos. Um dos aspectos mais vulneráveis da interpretação futurista é que ela relega ou transfere o reino para o futuro. A verdade incontroversa das Escrituras é que já fomos feitos um reino; o reino já veio. Diz Martyn Lloyd-Jones:

> A igreja faz parte do reino; já estamos no reino. Não é correto relegar o reino ou transferi-lo para o futuro. O reino de Deus já se acha presente e o reino de Deus está vindo. Está ainda por vir de forma visível,

---

[12]LLOYD-JONES, Martyn. *A igreja e as Últimas Coisas*. PSão Paulo, SP: Publicações Evangélicas Selecionadas, 1988, p. 175.
[13]LADD, George. *Apocalipse*, p. 11.
[14]LADD, George. *Apocalipse*, p. 12.

externa, mas já está aqui. O reino de Deus está onde Cristo reina, e Ele reina nos corações de todo o Seu povo. Ele reina na igreja, a verdadeira igreja, a igreja invisível, a igreja espiritual.[15]

Em terceiro lugar *temos a interpretação histórica*. Este método encara o Apocalipse como uma profecia simbólica de toda a história da igreja até a volta de Cristo e o fim dos tempos.[16] Assim, o livro de Apocalipse é uma profecia da história do reino de Deus desde o primeiro advento de Cristo até o segundo advento.[17] O livro é rico em símbolos, imagens e números: ele está dividido em sete seções paralelas progressivas: sete candeeiros, sete selos, sete trombetas e sete taças. Simon Kistemaker diz que o paralelismo expresso nos três grupos (selos, trombetas e taças) sugere que o escritor não está apresentando uma sequência cronológica, mas, sim, diferentes aspectos dos mesmos eventos. Diz ainda Kistemaker que isso ainda é mais enfático quando notamos as frequentes referências indiretas e diretas ao juízo final (1.7; 6.16; 7.17; 11.18; 14.15,16; 16.17-21; 19.11-21; 10.11-15).[18] Agostinho, os reformadores, as confissões reformadas e a maioria dos grandes teólogos seguiram essa linha.

Há três grandes correntes de interpretação do livro de Apocalipse:

1. A corrente pós-milenista

Os pós-milenistas ensinam que a segunda vinda de Cristo se seguirá a um longo período de retidão e paz, chamado milênio. Robert Clouse citando Loraine Boettner, ilustre representante do pós-milenismo, diz: "O milênio se encerrará com a segunda vinda de Cristo, a ressurreição e o julgamento final. Em suma, os pós-milenistas apresentam um reino espiritual nos corações dos homens".[19] O pós-milenismo crê que o mundo vai ser cristianizado e que teremos um grande e poderoso

---

[15]LLOYD-JONES, Martyn. *A igreja e as Últimas Coisas*, p. 189.
[16]LADD, George. *Apocalipse*, p. 11.
[17]LLOYD-JONES, Martyn. *A igreja e as Últimas Coisas*, p. 180.
[18]KISTEMAKER, Simon. *Apocalipse*. São Paulo, SP: Editora Cultura Cristã, 2004, p. 23.
[19]CLOUSE, Robert. *Milênio*. Campinas, SP: LPC, 1985, p. 110.

reavivamento, produzindo um crescimento espantoso da igreja a ponto de a terra encher-se do conhecimento do Senhor como as águas cobrem o mar (Hc 2.14). Martyn Lloyd-Jones diz que os pós-milenistas creem que para o fim da era cristã, haverá um período de bênçãos inusitado e especial, o qual ofuscará tudo o que lemos em Atos capítulo 2. Haverá, dizem, uma tão tremenda profusão do Espírito Santo, levando a uma atividade missionária e evangelística tal, que a maioria das pessoas na face da terra será convertida e se tornará cristã.[20] Russell Shedd diz que as raízes do pós-milenismo são reconhecíveis nas ideias de Ticônio e Agostinho.[21] Essa corrente foi forte nos séculos XVII, XVIII e XIX, quando as missões estavam em franca expansão. O pós-milenismo foi o ponto de vista defendido praticamente por todos os grandes protestantes e comentaristas evangélicos conservadores durante o século XIX.[22] Homens como Jonathan Edwards, Charles Hodge e Benjamim Warfield, os famosos teólogos do Seminário de Princeton, foram defensores do pós-milenismo. Muitos missionários foram influenciados por esta interpretação, e muitos hinos missiológicos foram escritos inspirados por esta visão.

Essa corrente, contudo, deixa de perceber que antes da vinda de Cristo estaremos vivendo um tempo de crise e não um tempo de despertamento espiritual intenso e universal. Devemos rejeitar essa corrente. Parece-nos que o otimismo incontido dos mestres do pós-milenismo desfez-se no dramático realismo do século XX, com duas sangrentas guerras mundiais e o mundo sendo abocanhado pelo comunismo ateu. Millard Erickson interpreta corretamente quando diz que o forte declínio da popularidade do pós-milenismo é resultado mais das considerações históricas do que exegéticas. Diz ainda Millard que hoje os pós-milenistas são uma espécie extinta ou em perigo.[23] Penso que

---

[20]LLOYD-JONES, Martyn. *A igreja e as Últimas Coisas*, p. 260.
[21]SHEDD, Russell P. *A Escatologia do Novo Testamento*. São Paulo, SP: Edições Vida Nova, 1983, p. 17.
[22]LLOYD-JONES, Martyn. *A igreja e as Últimas Coisas*, p. 261.
[23]ERICKSON, Millard J. *Um Estudo do Milênio: Opções Contemporâneas na Escatologia*. São Paulo, SP: Edições Vida Nova, 1977, p. 52.

Martyn Lloyd-Jones tocou no cerne da fraqueza do pós-milenismo, quando disse:

> A dificuldade que pessoalmente encontro no ponto de vista pós-milenista é que parece haver um ensino tão claro nas Escrituras que longe de haver uma era áurea perto do fim, haverá um tempo de grande tribulação, quando a igreja será sujeita a terríveis provações, e haverá pavorosa e terrível guerra. Aliás, existe um versículo, uma declaração, que, até onde a compreendo, é suficiente para eliminar o ponto de vista pós-milenista. É Lucas 18.8, onde nosso Senhor diz: "Contudo, quando vier o Filho do homem, achará, porventura, fé na terra?" E fé ali significa *a* fé [...]. Sinto, pois, que sobre tais bases não posso aceitar a interpretação pós-milenista.[24]

O pós-milenismo não é literalista no que diz respeito à duração do milênio: o milênio é um período longo de tempo, não necessariamente mil anos medidos pelo calendário. O milênio terminará com a segunda vinda de Cristo, em vez do começar com ela.[25]

2. A corrente pré-milenista

Ensinam os pré-milenistas que a segunda vinda de Cristo não seguirá, mas precederá o milênio. O pré-milenismo foi a posição oficial da igreja primitiva até o quarto século.[26] Os pais da igreja como Justino, o mártir, Tertuliano, Lactâncio, Papias, Irineu e Hipólito, escreveram sobre a tribulação pela qual a igreja passaria. George Ladd, ilustre representante do pré-milenismo histórico, resume o período patrístico dizendo que cada pai da igreja que trata do assunto prevê que a igreja sofrerá às mãos do anticristo, mas Cristo a salvará mediante a Sua volta no fim da tribulação, quando, então, destruirá o anticristo, livrará Sua igreja e trará o mundo ao fim e inaugurará Seu reino milenar.

---

[24]LLOYD-JONES, Martyn. *A igreja e as Últimas Coisas*, p. 263.
[25]ERICKSON, Millard J. *Um Estudo do Milênio: Opções Contemporâneas na Escatologia*, p. 48-49.
[26]ERICKSON, Millard J. *Um Estudo do Milênio: Opções Contemporâneas na Escatologia*, p. 78-79.

Robert Clouse diz que durante o século XIX o pré-milenismo atraiu novamente ampla atenção. John Nelson Darby (1800-1882), líder dos irmãos Plymouth articulou a perspectiva dispensacionalista do pré-milenismo. Descreveu a vinda de Cristo antes do milênio, consistindo de dois estágios: o primeiro, um arrebatamento secreto removendo a igreja antes da Grande Tribulação devastar a terra; o segundo, Cristo vindo com Seus santos para estabelecer o reino. No momento de sua morte, Darby havia deixado quarenta volumes de escritos e uns mil e quinhentos congressos realizados ao redor do mundo. Através de seus livros, que incluem quatro volumes acerca de profecia, o sistema de dispensações foi levado a todo o mundo de língua inglesa.[27]

Um dos maiores fatores para o crescimento do dispensacionalismo no meio evangélico foi a Bíblia anotada de Scofield. Essa Bíblia foi publicada em 1909 e desde então tem larga aceitação nos Estados Unidos e em quase todo o mundo. Scofield divide a Bíblia em sete dispensações: 1) A Inocência – desde Adão até a queda; 2) A consciência – desde a queda até o dilúvio; 3) O governo humano – desde Noé até Abraão; 4) A promessa – desde Abraão até Moisés; 5) A lei – desde Moisés até o Calvário; 6) A graça – desde o Calvário até a grande tribulação; 7) O reino – desde a grande tribulação até o fim do reinado de Cristo por mil anos na terra.[28] Dentro dessa visão dispensacionalista, a igreja é apenas um parênteses na história. Equivocadamente se pensa que a igreja é o mistério que não tinha sido previsto pelos profetas no Antigo Testamento. Angus Macleod, citando dr. Ironside, grande expoente do dispensacionalismo chega a dizer: "o relógio profético se detem no Calvário. Nem um tic-tac se tem ouvido desde então e o relógio não começará a marcar até que Cristo regresse".[29]

Um dos grandes destaques da interpretação dispensacionalista é a distinção entre arrebatamento e segunda vinda de Cristo. Para os

---

[27]CLOUSE, Robert G. *Milênio: Significado e Interpretações.* Campinas, SP: Luz para o Caminho, 1985, p. 11.
[28]MACLEOD, Angus. *El fin del Mundo.* Grand Rapids, Michigan: Editorial Subcomisión Literatura Cristiana, 1977, p. 21-24.
[29]MACLEOD, Angus. *El fin del Mundo,* p. 30.

dispensacionalistas a segunda vinda de Cristo será em dois turnos: a vinda secreta para a igreja, o arrebatamento e a vinda visível com a igreja, a segunda vinda. George E. Henderlite, falando sobre essa diferença entre o arrebatamento e a segunda vinda visível de Cristo, diz:

No arrebatamento Jesus vem receber a igreja no fim da dispensação atual, mas não chegará à terra. É a igreja, os santos mortos ressuscitados, os vivos transformados, todos arrebatados, que saem ao encontro dEle no ar. Na segunda vinda, depois de alguns anos Ele vem para a terra a fim de estabelecer o Seu reino messiânico.[30]

John F. Walvoord, um dos ilustres representantes do dispensacionalismo, complementa: "Entre o arrebatamento da igreja para o céu e o retorno de Cristo em triunfo para estabelecer Seu reino, deve haver bastante tempo para que um novo grupo de crentes, formado de judeus e gentios, venha a Cristo e seja salvo".[31]

As Confissões Reformadas (Confissão de Augsburgo, Confissão Helvética e Confissão de Westminster) rejeitaram a ideia de um milênio terrenal, condenando essa hermenêutica como uma fantasia judaica.[32]

Os pré-milenistas históricos ou moderados distinguem-se dos amilenistas em poucos aspectos: reino e ressurreição. Porém, os pré-milenistas dispensacionalistas ou extremados têm vários ensinos estranhos às Escrituras: a) Distinção entre igreja e Israel no tempo e na eternidade; b) o reino de Deus adiado para o Milênio terreno; c) a crença num arrebatamento secreto, seguido de uma segunda vinda visível; d) a ideia de que a igreja não passará pela grande tribulação (a igreja será poupada da ira de Deus (thymos e orge), mas não da tribulação (thlipsis). A tribulação não é a ira de Deus contra os pecadores, mas, sim, a ira de satanás, do anticristo e dos ímpios contra os santos; e) a ideia de que teremos várias ressurreições; f) a ideia de que haverá chance de salvação depois da segunda vinda de Cristo.

---

[30]HENDERLITE, George E. *O Premilenismo*. São Paulo, SP: Gerson Novah, 1977, p. 5.
[31]WALVOORD, John F. e WALVOORD, John E. *Armagedom*. Miami, FL: Editora Vida, 1975, p. 204.
[32]GRIER, W. J. *O Maior de Todos os Acontecimentos*. São Paulo, SP: Imprensa Metodista, 1972, p. 27.

Durante o século XIX o pré-milenismo atraiu novamente ampla atenção com John Nelson Darby e Edward Irving. No século passado houve uma explosão do dispensacionalismo, sobretudo, depois da Bíblia anotada de Scofield, os livros de Hal Lindsay, a revista Chamada da Meia-Noite, e agora, mais recente, a série de livros "Deixados para trás" de Tim LaHaye. Muito embora essa vertente seja muito popular no mundo inteiro, ela carece de consistência bíblica e teológica em sua abordagem.

3. A corrente amilenista

Os amilenistas não creem num milênio literal. Eles creem que o milênio é um período indeterminado que vai da primeira à segunda vinda de Cristo. No quarto século, o mais destacado teólogo da igreja ocidental, Agostinho de Hipona, passou a defender uma nova interpretação acerca do milênio. Millard Erickson diz que foi Agostinho quem sistematizou e desenvolveu a abordagem amilenista.[33] O reino milenar de Cristo e Seus santos foi igualado à totalidade da história da igreja na terra. Essa interpretação foi chamada de amilenismo.

O amilenismo tornou-se a interpretação dominante no concílio de Éfeso em 431 d.C. Daí para a frente crer num milênio terrenal era considerado superstição. Os reformadores protestantes continuaram com o amilenismo agostiniano. As confissões reformadas, sem exceção, abraçaram também o amilenismo. Essa corrente parece-nos a que mais consistentemente interpreta o livro de Apocalipse com integridade hermenêutica.

O termo a-milenismo não é muito feliz, diz Antony Hoekema, pois sugere que os amilenistas não creem no milênio ou não levam em conta os primeiros seis versículos de Apocalipse 20, que falam de um reino de mil anos.[34] Os amilenistas, embora creiam no milênio, não o interpretam de forma literal. O amilenismo crê que o milênio está hoje em processo de realização. Ele vai da primeira à segunda vinda de Cristo.

---

[33] ERICKSON, Millard. *Um Estudo do Milênio: Opções Contemporâneas na Ecatologia*, p. 64.
[34] HOEKEMA, Antony. *La Biblia y el Futuro*. Grand Rapids, MI: Editorial Subcomisión Literatura Cristiana, 1979, p. 199.

Por isso, Jay Adams sugeriu que o termo amilenismo seja trocado por milenismo realizado.[35] Antony Hoekema diz que hoje vivemos a tensão entre o "já" e o "ainda não".[36] Já estamos no reino, mas ainda não na sua plenitude. O reino já chegou. Ele está dentro de nós, mas ainda não na sua consumação final.

Benjamim Warfield faz a seguinte interpretação do milênio:

> O número sagrado de sete em combinação com o número igualmente sagrado três formam o número da perfeição, dez, e quando este dez é levado à terceira potência, para formar mil, o vidente já disse tudo quanto podia para transmitir às nossas mentes a ideia da perfeição total.[37]

Antony Hoekema sintetiza a visão do milênio conforme a interpretação amilenista, nos seguintes termos:

> Os amilenistas entendem que o milênio mencionado em Apocalipse 20.4-6 descreve o presente reinado das almas dos crentes falecidos que estão com Cristo no céu. Eles entendem que a prisão de satanás que se menciona nos primeiros três versículos deste capítulo estão em efeito durante todo o período entre a primeira e a segunda vinda de Cristo, ainda que terminará pouco tempo antes do regresso de Cristo. Ensinam, pois, que Cristo regressará depois deste reinado celestial de mil anos.[38]

O livro de Apocalipse deve ser visto não como uma mensagem que registra os fatos em ordem cronológica e linear. As mesmas verdades principais são repetidas em sete seções paralelas e progressivas.[39] William Hendriksen, segundo a minha visão, oferece o melhor sistema de interpretação do livro de Apocalipse, o conhecido *paralelismo progressivo*. De acordo com este ponto de vista, o livro de Apocalipse

---

[35]ADAMS, Jay. *The Time is at Hand*. Philadelphia, PA: Presbyterian and Reformed, 1970, p. 7-11.
[36]HOEKEMA, Atony. *La Biblia y el Futuro*, p. 26.
[37]WARFIELD, Benjamim. *The Millennium and the Apocalipse*. In: Biblical Doctrines. New York: Oxford University Press, 1929, p. 654.
[38]HOEKEMA, Antony. *La Bíblia y el Futuro*, p. 200.
[39]HENDRIKSEN, William. *Más que Vencedores*, p. 11-18

consiste de sete seções paralelas entre si, cada uma delas descrevendo a igreja e o mundo desde a época da primeira vinda de Cristo até a Sua segunda vinda.[40] Cada seção descreve uma cena do fim. A cena do fim vai ficando cada vez mais clara, até chegar ao relato apoteótico da última seção.

Essas sete seções estão agrupadas em duas divisões principais: (Capítulos 1-11) e (Capítulos 12-22). A primeira descreve a perseguição do sistema do mundo e dos próprios ímpios contra a igreja e a segunda a perseguição do dragão e seus agentes. William Hendriksen, coloca esses fatos da seguinte maneira:

Nos capítulos 1-11 de Apocalipse vemos o conflito entre os homens, ou seja, entre os crentes e os incrédulos. O mundo ataca a igreja. A igreja sai vitoriosa; é vingada e protegida. Nos capítulos 12-22, este conflito tem um significado mais profundo. É a manifestação exterior do ataque do diabo contra o Filho Varão. O dragão ataca a Cristo, sendo rechaçado, dirige toda sua fúria contra a igreja. Para ajudar-lhe usa as duas bestas e a grande meretriz, mas todos esses inimigos da igreja são derrotados no fim.[41]

Primeira Seção (1-3) – ***Os sete candeeiros***. Qual é a lição dessa seção? É que Cristo tem o controle da igreja em Suas mãos. Encontramos aqui uma descrição do Cristo que morre, ressuscita e vai voltar (1.5-7). A morte e ressurreição de Cristo são o começo da era cristã, e a Sua segunda vinda é o término desta era. Nesta seção temos apenas um mero anúncio da segunda vinda para o juízo (1.7), mas nenhuma descrição do juízo.

Segunda Seção (4-7) – ***Os sete selos***. Qual é a mensagem dessa seção? É que Cristo tem o controle da história em Suas mãos (5.5). Contemplamos Sua morte (5.6), mas essa seção encerra-se com uma cena da segunda vinda de Cristo (6.6-12 e 7.9-17). Notemos a impressão produzida nos incrédulos pela segunda vinda (6.16-17), ao mesmo tempo a felicidade dos salvos (7.16-17). A segunda seção é

---

[40]CLOUSE, Robert. *Milênio: Significado e Interpretações*, p. 142.
[41]HENDRIKSEN, William. *Más que Vencedores*, p. 18.

uma reiteração da primeira. Sua revelação vai do princípio ao fim dos tempos, ao juízo final. Mais uma vez nos é mostrada a diferença entre os remidos e os perdidos. Nesta segunda seção, o juízo final não é meramente anunciado, mas definitivamente introduzido. Os ímpios estão aterrados pelo fato de terem que comparecer perante o Juiz.

Terceira Seção (8-11) – *As sete trombetas*. Nesta seção vemos a igreja vingada, protegida e vitoriosa. Havendo começado com o Senhor como nosso sumo sacerdote (8.3-5), avançamos até o juízo final (10.7; 11.15-19). Uma vez mais estamos tratando das mesmas coisas: o Senhor e Sua igreja e o que lhes sucede no mundo, o juízo final, os redimidos e os perdidos. As trombetas são avisos antes do derramamento completo das taças da ira de Deus. Antes de Deus punir finalmente, Ele sempre avisa e oferece oportunidade de arrependimento. Nesta seção introduzem-se o juízo final e o gozo dos remidos.

Quarta Seção (12-14) – *A tríade do mal*. Novamente voltamos ao início, ao nascimento de Cristo (12.5). Depois vem a perseguição do Dragão a Cristo e à igreja (12.13). Ele levanta a besta e o falso profeta. Finalmente, vem a cena do juízo final (14.8). Em Apocalipse 14.14-20 há uma cena clara do juízo final.

Quinta Seção (15-16) – *As sete taças*. Descreve as sete taças da ira de Deus, representando a visitação final da Sua ira sobre os que permanecem impenitentes. Uma vez mais a cena começa no céu relatando o Cordeiro com Seu povo. Mas no capítulo 16 vemos uma espantosa descrição do juízo (16.15,20). Aqui a destruição é completa.

Sexta Seção (17-19) – *A derrota dos agentes do Dragão*. Essa seção é um relato da destruição dos aliados do Dragão: A meretriz, a besta, o falso profeta e os seguidores da besta. Ao mesmo tempo em que a meretriz, a falsa igreja, está sendo destruída, a igreja é apresentada como esposa de Cristo (19.20). A grande festa das núpcias ocorre; o juízo final é relatado outra vez e uma grande distinção entre redimidos e perdidos ocorre novamente. No capítulo 19 há uma descrição detalhada da gloriosa vinda de Cristo (19.11-21).

Sétima Seção (20-22). Essa seção mostra o reinado de Cristo com as almas dos santos no céu e não o milênio na terra depois da segunda vinda. O capítulo 20 começa na primeira vinda e não depois da segunda vinda. Então, temos a descrição do juízo final (20.11-15). Após isso, vemos os novos céus e a nova terra e a igreja reinando com Cristo para sempre.

Apesar de essas seções serem paralelas, elas são também progressivas. A última seção leva-nos mais além do que as outras. Apesar de o juízo final já ter sido anunciado em (1.7) e brevemente descrito em (6.12-17), não é apresentado detalhadamente senão quando chegamos em (20.11-15). Apesar de o gozo final dos redimidos já ter sido insinuado em (7.15-17), não encontramos uma descrição detalhada senão quando chegamos em (21.1-22.5). Aqui está o clímax glorioso deste livro!

1

A majestosa apresentação do Noivo da igreja

Apocalipse 1.1-20

DOIS FATORES CONTRIBUEM PARA QUE MUITAS PESSOAS deixem de estudar o livro de Apocalipse:

Em primeiro lugar, *a ideia de que ele é um livro selado, que trata de coisas encobertas*. Na verdade, o livro de Apocalipse é o oposto disto. Warren Wiersbe diz: "Apocalipse é um livro aberto no qual Deus revela Seus planos e propósitos à Sua igreja".[1] Apocalipse significa tirar o véu, descobrir, revelar o que está escondido, descobrir algo que está encoberto.[2] William Barclay diz que a palavra "Apocalipses" é composta de duas partes: *Apo* significa "desde dentro para fora" e *kalupsis* cobertura ou véu. *Apocalupsis,* portanto, significa tirar o véu ou descobrir o que estava oculto.[3] A ordem de Deus é: *Não seles as palavras da profecia deste livro, porque o tempo está próximo* (22.10). As coisas que em breve *devem* acontecer mostram que há uma tensão entre o futuro imediato e o mais distante; o mais distante é visto como que transparecendo do

---

[1] WIERSBE, Warren. *The Bible Expository Commentary.* Vol. 2. Colorado Springs, Colorado: Chariot Victor Publishing, 1989, p. 566.
[2] LADD, George. *Apocalipse,* p. 17.
[3] BARCLAY, William. *Apocalipsis.* Buenos Aires: Editorial La Aurora, 1975, p. 29.

imediato.⁴ Adolf Pohl diz que o Cordeiro é o executor do *deve acontecer*.⁵ Walter Elwell, comentando sobre a singularidade do livro de Apocalipse, diz:

Para a maioria das pessoas hoje em dia, o livro de Apocalipse é um livro fechado – literalmente. Elas nunca o leem. Ou têm medo ou pensam que não conseguirão entendê-lo. Isso é uma infelicidade, porque, desde os primeiros dias da igreja, buscava-se esse livro em tempos de perseguição como fonte de força e coragem. De todos os livros da Bíblia, ele tem a maior visão panorâmica da história e do controle máximo que Deus tem sobre ela. As coisas podem ficar difíceis, mas Deus sabe o que está fazendo e está nos guiando a uma Nova Jerusalém, onde enxugará nossas lágrimas e onde habitaremos com Ele para sempre.⁶

Em segundo lugar, ***a ideia de que ele é um livro que fala de catástrofe, tragédia e caos***. Esse é o significado da palavra hoje. Quando ouvimos uma notícia trágica, as pessoas falam que aconteceu um fato apocalíptico. A palavra *apocalipse* tornou-se sinônimo de tragédia. Mas Apocalipse não fala de caos, mas da Pessoa e do plano vitorioso e triunfante de Cristo e da Sua igreja.

O Apocalipse é revelação de Deus e não especulação humana, é a Palavra de Deus e o testemunho fiel (1.2). O Apocalipse descreve a vitória absoluta de Cristo sobre todos os Seus inimigos: a Meretriz, a besta, o falso profeta, o dragão, os incrédulos, a morte. O Apocalipse mostra que o último capítulo da história não será o triunfo do mal, mas a retumbante vitória do Cordeiro de Deus, o Rei dos reis e Senhor dos senhores.

Apocalipse é um livro aberto em que Deus revela Seus planos e propósitos para a Sua igreja. Ele não é a revelação apenas das últimas coisas, mas sobretudo da saga do Cristo vencedor. Este livro majestoso fala não tanto de fatos escatológicos, mas da Pessoa gloriosa de Cristo. Apocalipse é fundamentalmente a revelação de Jesus Cristo (Ap 1.1), e não apenas de eventos futuros. Você não pode divorciar a profecia da

---

⁴LADD, George. *Apocalipse*, p. 19-20.
⁵POHL, Adolf. *Apocalipse de João*. Vol. 1, p. 63.
⁶ELWELL, Water A. e Yarbrough Robert W. *Descobrindo o Novo Testamento*. São Paulo, SP: Editora Cultura Cristã, 2002, p. 376.

Pessoa de Jesus. Apocalipse não é revelação de João, mas revelação de Jesus Cristo a João.

Apocalipse é também um livro prático e não apenas para transmitir informações sobre o futuro. Ele foi dado para ajudar o povo de Deus no presente. Ele contém muitas exortações à fé, paciência, obediência, oração e vigilância.[7]

Cristo veio ao mundo para revelar o Pai (Jo 17.6). No Apocalipse é o Pai quem revela a Jesus (1.1). E como O revela? Como o servo lavando os pés dos discípulos? Como uma ovelha muda que vai para o matadouro? Como aquele de quem os homens escondem o rosto? Como aquele que está pregado na cruz, com o rosto cheio de sangue? Como aquele que tem as mãos atadas e os pés pregados na cruz? Absolutamente não!

A revelação do Noivo da igreja pelo Pai é de um Cristo glorioso: Seus cabelos não estão cheios de sangue, mas são alvos como a neve. Seus olhos não estão inchados, mas são como chama de fogo. Seus pés não estão pregados na cruz, mas são semelhantes ao bronze polido. Sua voz não está rouca, porque a língua está colada ao céu da boca, por atordoante sede, mas é voz como voz de muitas águas. Suas mãos não estão cheias de pregos, mas Ele segura a igreja e a história em Suas onipotentes mãos. Seu rosto não está desfigurado, mas brilha como o sol.

O objetivo do livro de Apocalipse não é nos dar uma tabela do tempo do fim, mas nos revelar o Noivo glorioso da igreja, o supremo conquistador. A igreja precisa olhar para a supremacia do seu Senhor. Durante a Sua primeira vinda a glória de Cristo estava encoberta. Ele viveu Se esvaziando da Sua glória. Mas na Sua segunda vinda, Sua glória será autoevidente (Mc 14.61-62; Ap 1.7).

O instrumento a quem Deus revelou a glória do Noivo da igreja (Ap 1.1-3)

Deus tem planos distintos ao usar Seus servos. O Espírito Santo usou João para escrever o quarto evangelho, as cartas e o Apocalipse. O objetivo do evangelho é alertar as pessoas a crerem em Cristo (Jo 20.31).

---
[7] LADD, George. *Apocalipse*, p. 20.

O objetivo das cartas é encorajar os crentes a terem certeza da vida eterna (1Jo 5.13). O objetivo do Apocalipse é alertar os crentes para estarem preparados para a segunda vinda de Cristo (22.12).[8]

A autoria joanina de Apocalipse é de um consenso quase universal. William Hendriksen dá o seguinte testemunho:

> A igreja primitiva quase unanimemente atribui o Apocalipse ao apóstolo João, e essa era a opinião de Justino, o mártir (140 d.C.), de Irineu (180 d.C.) que foi discípulo de um discípulo do apóstolo João, do Cânon Muratoriano (200 d.C.), de Clemente de Alexandria (200 d.C.), de Tertuliano de Cartago (220 d.C.), de Orígenes de Alexandria (223 d.C.) e de Hipólito (240 d.C.).[9]

Deus usa Seus instrumentos de forma incomum. Ele transforma tragédias em triunfo. Domiciano, o segundo Nero, que arrogou para si o título de Senhor e Deus, baniu João para a Ilha de Patmos, a colônia penal da costa da Ásia Menor. Mas ao mesmo tempo que se achava fisicamente em Patmos, achou-se também em espírito e Deus abriu-lhe o céu e revelou-lhe as coisas que em breve devem acontecer. Num tempo em que a igreja estava sendo massacrada e pisada, perseguida e torturada, João recebe a revelação de que o Noivo da igreja, o Senhor absoluto dos céus e da terra, está no total controle da igreja e da história (1.13; 5.5). Roma pôde banir João para uma ilha solitária, mas não pôde impedir que ele visse o céu aberto. Roma pôde impedir que João se relacionasse com as pessoas, mas não pôde impedir que ele entre na sala do trono do universo para estar na presença do Deus Todo-poderoso.

Uma saudação consoladora (Ap 1.4-5)

O livro traz uma saudação de encorajamento e não de medo (1.4): *Graça e Paz*. A saudação não é de terror, mas de doçura e encorajamento a uma igreja que passa pelo vale do martírio. A Graça e a Paz são enviadas à igreja pela Trindade (1.4-5). O Deus Pai, o Deus Espírito e

---

[8] WIERSBE, Warren. *The Bible Expository Commentary*. Vol 2, p. 566.
[9] HENDRIKSEN, William. *Más que Vencedores*, p. 9.

o Deus Filho estão no completo controle da história e num tempo de sombras e provas, Eles enviam à igreja Sua graça e Sua paz.

Um retrato do Noivo da igreja (Ap 1.5)

Como a igreja deve ver o seu Noivo? Qual é o seu perfil? Quais são seus títulos? O apóstolo João menciona três títulos gloriosos de Jesus:

Em primeiro lugar, *ele é revelado como a Fiel Testemunha* (1.5). Jesus foi fiel durante todo o Seu ministério. Nunca deixou de testemunhar sobre o Pai, mesmo na hora do sofrimento e da morte. Como Profeta ele veio para revelar o Pai. "Eu vim para fazer a vontade do Meu Pai."

Em segundo lugar, *Jesus é revelado como o Primogênito dos Mortos* (1.5). Ele foi o primeiro a ressuscitar em glória. Ele está vivo para sempre. Ele é o primogênito porque é o primeiro da fila e nós vamos logo atrás. Jesus matou a morte. Ele venceu nosso último inimigo. Uma igreja que está enfrentando o martírio precisa saber que o seu Deus venceu o poder da morte. A noiva do Cordeiro não tem mais a morte à sua frente, mas atrás de si. Como sacerdote, Cristo veio ao mundo para fazer o sacrifício perfeito e para ser a oferta perfeita.

Em terceiro lugar, *Jesus é revelado como o Soberano dos Reis da Terra* (1.5). A igreja precisa ver Jesus como presidente dos presidentes, diante de quem todos os poderosos vão se dobrar. Jesus está acima de Roma e dos imperadores. Ele está acima dos impérios, das nações soberbas, dos reis da terra e dos presidentes que ostentam riqueza e poder. Como Rei dos reis ele veio para estabelecer o Seu reino que jamais terá fim.

Uma doxologia ao Noivo da igreja (Ap 1.4-6)

Como a igreja deve se posicionar diante do seu Noivo? Quando João vê a glória do Noivo, ele prorrompe numa doxologia suprema, diante da suprema glória de Cristo. Ele se encanta com o Cristo que lhe é revelado. Seu coração se derrama em adoração.

Por que a igreja deve adorar o seu Noivo?

Em primeiro lugar, *porque Ele nos ama* (1.4-5). O verbo está no presente. O amor de Cristo é algo que permanece. Ele nos amou, ainda nos ama e nos amará até o fim.

Em segundo lugar, ***porque Ele nos libertou dos nossos pecados*** (1.4-5). Isto fala de um ato de redenção concluído (5.9). A versão King James diz que Ele nos lavou. Ele quebrou as amarras do pecado e nos limpa. O que é maravilhoso é que Ele nos amou quando estávamos sujos e perdidos e depois nos libertou.

Em terceiro lugar, ***porque Ele nos constituiu reino e Sacerdotes*** (1.4-6). A igreja não foi amada e libertada para nada. A redenção cria um povo sacerdotal.[10] O alvo do amor é nos constituir reis e sacerdotes para Deus. Ele nos ama, nos levanta da lama e depois nos coloca a coroa e a mitra. Já estamos assentados com Cristo nas regiões celestiais, mas haveremos de ser corregentes com Ele, pois reinaremos com Ele. Somos um reino não apenas porque Cristo reina sobre nós, mas porque participamos do Seu reinado. A mitra do sumo sacerdote tinha uma placa de ouro "Santidade ao Senhor". Temos livre acesso a Ele, pois somos uma raça de sacerdotes reais.

A gloriosa aparição do Noivo da igreja (Ap 1.7)

João faz uma descrição da gloriosa vinda do Noivo da igreja. R. A. Torrey diz que a verdade do retorno do Senhor é a verdade mais preciosa que contém a Bíblia. Enche o coração do crente de gozo e o cinge com força para a batalha. Eleva-o por cima das lutas, temores, necessidades, provas e ambições deste mundo, e o faz mais que vencedor em todas as coisas.[11] W. J. Grier diz que na Sua gloriosa vinda, as nuvens serão a Sua carruagem; os anjos, a Sua escolta; o arcanjo, o Seu arauto e os santos, o Seu glorioso cortejo.[12]

O grande tema do livro de Apocalipse é a glória e a vitória de Cristo na Sua vinda. Esta verdade é apresentada nas sete seções paralelas. Cristo vem para estabelecer o juízo e triunfar sobre Seus inimigos. Na primeira vinda, a glória de Cristo não era autoevidente, mas na segunda vinda o será (Mc 14.61). A igreja triunfa com Ele, enquanto

---

[10]Pohl, Adolf. *Apocalipse de João.* Vol. 1, p. 75.
[11]Torrey, R. A. *La Segunda Venida del Señor Jesús.* Terrassa, Barcelona: Libros Crie, 1984, p. 8.
[12]Grier, W. J. *O Maior de Todos os Acontecimentos*, p. 12.

Seus adversários lamentarão (1.7; 6.15-16; Zc 12.10). Os ímpios não se converterão (9.20; 16.9,11).

Quando Jesus virá? Muitos estudiosos, precipitadamente, tentaram marcar datas. Todos foram frustrados. Não podemos identificar nem agendar a data da segunda vinda de Cristo. Essa data pertence à economia da soberania de Deus. Vasculhar o corredor do tempo para agendar a segunda vinda de Cristo não é o propósito do estudo de Apocalipse. Há aqueles que se aventuram a identificar o período da segunda vinda de Cristo. Eliseu Pereira Lopes diz: "Temos hoje o privilégio de pertencer à geração que verá a volta de Cristo [...]. Somos a última geração que antecede a volta de Cristo".[13] O comentarista bíblico Russell Norman Champlin, expondo Apocalipse 1.7, aventurou uma possível data para a volta de Jesus, no que certamente não logrou êxito. Diz ele:

> "... todo o olho O verá". Essas palavras devem ser aceitas literalmente. O mundo inteiro verá o sinal de Cristo, que provavelmente será uma imensa e brilhante cruz no firmamento. E então cada homem reconhecerá que houve uma intervenção divina na história da humanidade [...]. Esperamos que isso ocorra antes do fim do atual século XX, entre 1995 e 2000.[14]

Como Jesus virá? Sua vinda será pessoal, pública, visível, poderosa, vitoriosa, irresistível (1.7). A Bíblia desconhece uma segunda vinda invisível ou secreta. Quando Cristo voltar, todo o olho O verá. Essa expressão, "todo o olho O verá" indica a inclusividade de todas as pessoas, de todos os tempos. João faz também uma descrição das características daquele que vem. Sua eternidade e onipotência são dadas para mostrar que Jesus é poderoso para executar o Seu plano na história humana (1.8).

Temos hoje uma visão da glória do Noivo da igreja? Temos honrado o nosso Noivo? Estamos nos preparando para nos encontrar com Ele, como as virgens prudentes? Nossas lâmpadas estão cheias de azeite?

---

[13] LOPES, Eliseu Pereira. *Somos a Última Geração*. São Paulo, SP, 1996, p. 15,18.
[14] CHAMPLIN, Russell Norman. *O Novo Testamento Interpretado*. Vol. 6. Guaratinguetá, SP: A Voz Bíblica, s/d., p. 373.

Com os **pés no vale**, mas com a **cabeça no céu** (Ap 1.9-11)

João se apresenta como um homem que tem comunhão e intimidade com os crentes da Ásia. Ele está banido, isolado, preso, com os pés no vale, mas sua cabeça está no céu. Seu cativeiro tornou-se-lhe a porta do céu. Ele se autodenomina *irmão e companheiro* (1.9). João não se sente melhor do que os demais irmãos nem se enaltece por ter recebido uma alta revelação (2Co 12.7). A condição de porta-voz de Deus não anula a condição de irmão, coigual.[15]

João se apresenta como um homem que participa das alegrias e provas com a igreja. Ele destaca três coisas importantes:

Em primeiro lugar, *irmão e companheiro na tribulação* (1.9). A tribulação é o quinhão do povo de Deus nesta era (Jo 16.33; At 14.22). A igreja está no meio do conflito entre o reino de Deus e o reino das trevas. A igreja sempre foi e será atribulada no mundo. Em Mateus 24 Jesus fala desse sofrimento de forma crescente: Os versículos 4-8 descrevem o "princípio das dores", os versículos 9-14 os "tormentos" na forma de perseguição aos discípulos, os versículos 15-28 a "grande tribulação" como o auge, e os versículos 29-31 os episódios "após a tribulação" que culminam na segunda vinda de Cristo.[16] As perseguições desencadeiam traição e apostasia na igreja (Mt 24.10-12). Essa perseguição já havia começado no banimento do apóstolo.

Em segundo lugar, *irmão e companheiro no reino* (1.9). A igreja é o povo sobre o qual o reino já veio e que herdará o reino quando este vier na sua plenitude; mas nesta posição a igreja é o objeto do ódio satânico, destinada a sofrer perseguição.

Em terceiro lugar, *irmão e companheiro na perseverança em Jesus* (1.9). Por causa desta perseguição e males nós precisamos ter uma perseverança triunfadora. *Aquele, porém, que perseverar até o fim, esse será salvo* (Mt 24.13). Ainda não chegou o que havemos de ser. Ainda aguardamos o triunfo final. Nossos olhos estão fixados no Rei que vem. Somos a noiva que espera o Noivo. Vivemos em grande expectativa!

---

[15]POHL, Adolf. *Apocalipse de João*. Vol 1, p. 83.
[16]POHL, Adolf. *Apocalipse de João*. Vol. 1, p. 84.

Todas essas dificuldades, entretanto, nós experimentaremos em Jesus, em união espiritual com Ele. Só existe um caminho entre a tribulação e o reino, entre a aflição e a glória, e este caminho é a paciência ativa, diz William Barclay.[17]

As circunstâncias são descritas (Ap 1.9-11)

O local é identificado. João foi banido para a ilha de Patmos, uma colônia penal romana, onde se exilavam prisioneiros políticos. Ali esses prisioneiros perdiam todos os seus direitos civis e toda possessão material. Os prisioneiros eram obrigados a trabalhar nas minas daquela ilha, vestindo-se de trapos. A ilha ficava no Mar Egeu e tinha 32 quilômetros quadrados. Era inóspita, por causa das rochas escarpadas e da constituição do solo, sendo praticamente desabitada naquele tempo.[18] Era uma ilha nua, vulcânica, com elevações de até 300 metros, usada para exilar criminosos políticos.[19] Jerônimo diz que João foi condenado no ano 14 depois de Nero, e posto em liberdade ao morrer Domiciano. Isso significa que João esteve preso em Patmos entre os anos 94 e 96 d.C.[20]

A razão do exílio é declarada. João é preso na ilha de Patmos por causa da Palavra de Deus e do testemunho de Jesus Cristo (1.9). Possivelmente João foi acusado de subversão pelo governador da Ásia por pregar o evangelho e testemunhar do senhorio de Cristo, num tempo em que o imperador Domiciano arrogava para si o título de Senhor e Deus. João foi banido na qualidade de líder das igrejas na parte ocidental da Ásia Menor. Os oficiais romanos consideravam João como o fomentador da religião cristã. João é condenado a sofrer humilhações, prisão, fome e trabalhos forçados por amor à Palavra de Deus. Simon Kistemaker, citando o historiador Eusébio, diz que, depois da morte de Domiciano, seu sucessor, Nerva, liberou João e lhe permitiu regressar a Éfeso.[21]

---

[17]BARCLAY, William. *Apocalipsis*, p. 52.
[18]POHL, Adolf. *Apocalipse de João*. Vol. 1, p. 85.
[19]LADD, George. *Apocalipse*, p. 25.
[20]BARCLAY, William. *Apocalipsis*, p. 53.
[21]KISTEMAKER, Simon. *Apocalipse*, p. 127.

A forma da revelação é descrita. João achou-se em espírito. Apesar de João estar fisicamente em Patmos, naquele dia do Senhor, achou-se também em espírito (1.10). A ilha do exílio transforma-se em porta do céu. Em Patmos ele enfrentou a dor do exílio, mas em espírito ele entrou na sala do trono. "Em Patmos nós sofremos, mas em espírito, nós reinamos", diz Michael Wilcock.[22] Deus transforma nossas tragédias em triunfos gloriosos. Em Patmos João tocou o outro mundo. Não importam as circunstâncias, se você está no palácio ou na favela. O Todo-poderoso pode sempre nos tocar e nos levar ao Seu trono. O lugar do exílio tornou-se a antessala da glória.

A revelação é dada para ser transmitida. João recebeu esta revelação no dia do Senhor, dia que a igreja celebra a vitória do seu Senhor sobre a morte e também o dia da esperança, que dirigia seus sentidos para a consumação e a renovação do mundo.[23] Na solidão da ilha, isolado e exilado João ouve uma voz. Roma pôde até proibir João de ter contato com os seus irmãos perseguidos, mas não pôde proibir João de ter contato com o trono de Deus. O mundo não pode proibir o nosso contato com o céu. João ouve a voz por detrás dele, uma grande voz como de trombeta. A visão começa com uma audição. João ouviu essa voz por trás para que não fosse confundido com vozes paralelas (Is 30.21). A trombeta fala de uma voz sobrenatural, poderosa, assustadora. A ordem para João era clara: *O que vês escreve em livro* (1.11). A mensagem precisa ser registrada fiel e perpetuamente. Essa ordem percorre todo o livro (2.8,12; 3.1,7,14;10.4;14.13;19.9;21.5). Isso eleva essa profecia a uma categoria normativa para toda a igreja em todos os tempos.[24] Todo o plano de Deus deve ser escrito. Apocalipse 1.19 fala de coisas passadas, presentes e futuras. O livro de Apocalipse é atual em todo o tempo. Ele descreve o que já foi, o que é e o que há de vir. A ordem também é explícita: *Envia para as sete igrejas* (1.11). Essas cidades eram sedes administrativas e já por isso áreas de concentração do culto ao imperador.[25]

---

[22]WILCOCK, Michael. *A Mensagem de Apocalipse*. São Paulo, SP: ABU Editora, 1986, p. 21.
[23]POHL, Adolf. *Apocalipse de João*. Vol. 1, p. 86.
[24]POHL, Adolf. *Apocalipse de João*. Vol. 1, p. 87.
[25]POHL, Adolf. *Apocalipse de João*. Vol. 1, p. 87.

A noiva de Cristo é vista como a luz do mundo (Ap 1.12)

Antes de ver o Noivo em Seu fulgor e majestade, João tem uma visão da beleza da noiva, a igreja. Ele a vê como a luz do mundo (1.12). Antes de ter a visão do Cristo exaltado, ele teve a visão da igreja. O mundo vê Cristo através da igreja e no meio da igreja. Isso significa que ninguém verá a Jesus em glória senão por meio da Sua igreja aqui na terra. Você precisa da igreja. Precisa se congregar. O que é a igreja? Ela é a luz do mundo. Por isso, ela é comparada a candeeiro e estrela.

João vê a igreja em duas figuras: sete estrelas e sete candeeiros. Tanto a estrela como o candeeiro são luzeiros. Eles devem refletir luz. A igreja é a luz do mundo. Ela resplandece no mundo. Se uma lâmpada deixasse de proporcionar luz ela era afastada (2.5). A luz da igreja é emprestada ou refletida, como a da lua. Se as estrelas têm de brilhar e as lâmpadas luzir, elas devem permanecer na mão de Cristo e na presença de Cristo.[26]

Os sete candeeiros são as sete igrejas, mas quem são os sete anjos (1.16,20)? Anjos celestes, mensageiros, pastores ou uma figura da própria igreja? William Hendriksen pensa que anjos aqui são os pastores. Mas este livro usa a palavra *anjos* 67 vezes e em nenhuma delas refere-se a seres humanos. Assim, George Ladd entende que tanto os candeeiros como as estrelas falam da igreja como luzeiros de Deus no mundo.[27] Cristo está não apenas entre as igrejas, mas as têm em suas próprias mãos. Essas duas figuras, portanto, são um símbolo incomum para representar o caráter celestial e sobrenatural da igreja, seja através dos seus membros, seja através dos seus líderes.

O Noivo da igreja apresentado em todo o seu fulgor e majestade (Ap 1.13-20)

João tem uma visão do Noivo da igreja na Sua glória excelsa (1.13-18). Ele vê dez características distintas do Noivo da igreja em Sua glória e majestade:

---

[26]STOTT, John. *O que Cristo pensa da igreja*. Campinas, SP: United Press, 1999, p.14.
[27]LADD, George. *Apocalipse*, p. 27.

1. *Suas Vestes* (1.13). Falam de Cristo como Sacerdote e Rei. Ele nos conduz a Deus e reina sobre nós.
2. *Sua Cabeça* (1.14). Fala da Sua divindade, da Sua santidade e da Sua eternidade. A cabeça alva era também um símbolo de honra e transmitia a ideia de sabedoria e dignidade.[28]
3. *Seus Olhos* (1.14). Falam da Sua onisciência que a tudo vê e perscruta. Ele é o juiz diante de quem tudo se desnuda.
4. *Seus Pés* (1.15). O bronze reluzente transmitia a ideia de força e estabilidade.[29] Isso fala da Sua onipotência para julgar os seus inimigos. Convém que Ele reine até que ponha todos os seus inimigos debaixo dos Seus pés (1Co 15.25).
5. *Sua Voz* (1.15). Isso fala do poder irresistível da Sua Palavra, do Seu julgamento. No Seu juízo desfalecem palavras humanas. A voz de Cristo detém a última palavra e é a única a ter razão.
6. *Sua Mão* (1.16). A mão direita é a mão da ação, com a qual age e governa. Isso mostra o Seu cuidado com a igreja. Ninguém pode arrebatar você das mãos de Cristo (Jo 10.28).
7. *Sua Boca* (1.16). Essa Palavra aqui não é o evangelho, mas a Palavra do juízo. A única arma de guerra usada pelo Cristo conquistador é a espada que sai da Sua boca (19.5). Essa é a cena do tribunal, onde é proferida a sentença judicial, e precisamente sem contestação.
8. *Seu Rosto* (1.16). A visão agora não é mais de um Cristo servo, perseguido, preso, esbofeteado, com o rosto cuspido, mas do Cristo cheio de glória. A luz do sol supera o brilho dos candeeiros.
9. *Sua Perenidade – O Primeiro e o Último* (1.17). Ele é o Criador, Sustentador e Consumador de todas as coisas. Ele cria, controla, julga e plenifica todas as coisas. Cristo aqui é enaltecido como vitorioso sobre o último inimigo, a morte.
10. *Sua Vitória Triunfal* (1.18). João está diante do Cristo da cruz, que venceu a morte. Ele não apenas está vivo, mas está vivo para sempre. Ele não só ressuscitou, Ele venceu a morte e tem as chaves da

---

[28] RIENECKER, Fritz e Rogers, Cleon. *Chave Linguística do Novo Testamento Grego*, p. 606.
[29] RIENECKER, Fritz e Rogers, Cleon. *Chave Linguística do Novo Testamento*, p. 606.

morte e do inferno. Morte é um estado; e, Hades, um lugar. Tanto a morte quanto o hades serão lançados no lago de fogo no juízo final (20.14). Quem tem as chaves tem autoridade.[30] Jesus recebeu do Pai toda autoridade no céu e na terra (Mt 28.18). Jesus tem não apenas a chave do céu (3.7), mas também a chave da morte (túmulo). Agora a morte não pode mais infligir terror, porque Cristo está com as chaves, podendo abrir os túmulos e levar os mortos à vida eterna.[31]

Warren Wiersbe diz que esse parágrafo pode ser sintetizado em três aspectos: 1) O que João ouviu (1.9-11); 2) O que João viu (1.12-16) e o que João fez (1.17-18).[32] Os dois primeiros pontos já foram analisados. Vejamos agora, na conclusão, o último, o que João fez.

Em primeiro lugar, **ele passou por um profundo quebrantamento**. João diz: *Quando O vi, caí a seus pés como morto* (1.18). O mesmo João que se debruçara no peito de Jesus, agora cai aos Seus pés como morto. Isaías, Ezequiel, Daniel, Pedro e Paulo (Is 6.5; Ez 1.28; Dn 8.17; 10.9,11; Lc 5.8; At 9.3-4) passaram pela mesma experiência ao contemplarem a glória de Deus. Em nossa carne não podemos ver a Deus, pois Ele habita em luz inacessível (1Tm 6.16). É impossível ver a glória do Senhor sem se prostrar.

Em segundo lugar, **ele foi gloriosamente restaurado**. Jesus o toca e fala com ele. A mesma mão que segura (1.16) é a mão que toca e restaura (1.18). O mesmo Jesus que acalmou os discípulos muitas vezes, dizendo-lhes, "Não temas", agora diz a João: "Não temas". As mesmas mãos que sustentam as estrelas do firmamento, são as mãos que restauram o filho temeroso. A mão de Cristo é poderosa para sustentar o universo e suave para secar as lágrimas do nosso rosto.[33] A revelação da graça de Jesus põe o apóstolo João de pé novamente para cumprir o Seu ministério. Desta maneira, não precisamos temer a vida porque Jesus é aquele que está vivo pelos séculos dos séculos. Não precisamos temer

---

[30] LADD, George. *Apocalipse*, p. 28.
[31] LADD, George. *Apocalipse*, p. 28.
[32] WIERSBE, Warren. *The Bible Expository Commentary*. Vol. 2, 1989, p. 569-570.
[33] BARCLAY, William. *Apocalipsis*, p. 63.

a morte porque Jesus é aquele que morreu, mas ressuscitou e venceu a morte. Não precisamos temer a eternidade, porque Jesus tem as chaves da morte e do inferno.[34]

Warren Wiersbe, corretamente comenta:

> Desde o início do livro de Apocalipse Jesus apresentou-Se ao Seu povo em majestade e glória. O que a igreja necessita hoje é uma clara percepção de Cristo e Sua glória. Necessitamos vê-Lo exaltado em Seu alto e sublime trono. Há uma perigosa ausência de admiração reverente e adoração em nossas assembleias hoje. Orgulhamo-nos de levantarmos-nos sobre os nossos próprios pés, em vez de cairmos com o rosto em terra ante os Seus pés. Por anos, Evan Roberts orou: "Dobra-me! Dobra-me, Senhor!" e quando Deus respondeu, o grande avivamento galês aconteceu.[35]

---

[34]WIERSBE, Warren. *The Bible Expository Commentary*. Vol. 2, p. 570.
[35]WIERSBE, Warren. *The Bible Expository Commentary*. Vol. 2, p. 570.

2

O Noivo da igreja andando no meio da igreja

Apocalipse 2-3

ANTES DE JESUS MANIFESTAR SEU JUÍZO AO MUNDO, Ele o manifestou à Sua igreja (1Pe 4.17). Por isso, Jesus mostrou o Seu julgamento às sete igrejas (1-3) antes de mostrá-lo ao mundo (4-22).[1] Todas as cartas têm basicamente a mesma estrutura: Apresentação; apreciação; reprovação e promessas.

Duas igrejas só receberam elogios: Esmirna e Filadélfia; quatro igrejas receberam elogios e críticas: Éfeso, Pérgamo, Tiatira e Sardes; uma igreja só recebeu críticas: Laodiceia.[2] William Hendriksen diz que a opinião de que essas sete igrejas representam sete períodos sucessivos da história da igreja é uma lamentável interpretação.[3]

Essas igrejas ensinam-nos várias lições:

- Cristo é conhecido na e através da igreja. Antes de ver Cristo, João viu os sete candeeiros, a plenitude da igreja na terra, e só depois viu o Cristo glorificado na igreja (1.12-13). William Hendriksen

---

[1] WIERSBE, Warren. *With the Word*, p. 847.
[2] HENDRIKSEN, William. *Más que Vencedores*, p. 68.
[3] HENDRIKSEN, William. *Más que Vencedores*, p. 68.

diz que essas sete igrejas representam a igreja inteira através de toda esta dispensação.[4] Jesus Cristo está no meio da Sua igreja. Ninguém verá o Cristo da glória fora da igreja. A salvação é por meio de Jesus, mas ninguém poderá ser salvo sem fazer parte da igreja que é a noiva do Cordeiro.

- Cristo valoriza tanto a Sua igreja que Ele se dá a conhecer no meio dela e não à parte dela. Hoje, muitas pessoas querem Cristo, mas não a igreja. Isso é impossível. A atenção de Cristo está voltada para a Sua noiva. Ela ocupa o centro da Sua atenção.
- Cristo está no meio da Sua igreja em ação e como remédio para os seus males.
- Cristo não apenas está no meio da igreja (1.13), mas Ele está andando, em ação investigatória no meio da igreja (2.1). Ele sonda a igreja, pois Seus olhos são como chama de fogo (2.18).

Há muitos males que atacam a igreja: esfriamento, perseguição, heresia, imoralidade, presunção e apatia. Mas Cristo se apresenta para cada igreja como o remédio para o seu mal.

- Para a igreja de Éfeso, que havia perdido o seu primeiro amor, Jesus se apresenta como Aquele que anda no meio da igreja, segurando a liderança na mão, como o Seu pastor superior. Ele está dizendo, "eu vejo tudo e conheço tudo".
- Para a igreja de Esmirna, que estava passando pelo sofrimento, perseguição e morte, enfrentando o martírio, Jesus se apresenta como aquele que esteve morto e tornou a viver. O Jesus que venceu a morte é o remédio para alguém que está enfrentando a perseguição e a morte.
- Para a igreja de Pérgamo, que estava se misturando com o mundo e perdendo o senso da verdade, Jesus se apresenta como aquele que tem a espada afiada de dois gumes, que exerce juízo e separa a verdade do engano. Pérgamo estava em conflito entre a verdade e o engano (2.14).

---

[4]HENDRIKSEN, William. *Más que Vencedores*, p. 57.

- Para a igreja de Tiatira, que estava tolerando a impureza e caindo em imoralidade, Jesus se apresenta como Aquele que tem os olhos como chama de fogo que tudo sonda e conhece e os pés semelhantes ao bronze polido que é poderoso para julgar e vencer os inimigos.
- Para a igreja de Sardes, que tinha a fama de ser uma igreja viva, mas estava morta, Jesus Se revela como Aquele que tem os sete espíritos de Deus, a plenitude do Espírito, o único que pode dar vida a uma igreja morta. A igreja tinha fama, mas não realidade, tinha aparência de vida, mas estava morta.
- Para a igreja de Filadélfia, uma igreja que tinha pouca força, mas era fiel, Jesus vê muitas oportunidades à sua frente e diz a ela que Ele tem a chave de Davi, que abre, e ninguém fechará, e que fecha, e ninguém abrirá.
- Para a igreja de Laodiceia, uma igreja sem fervor espiritual, morna, rica financeiramente, mas pobre espiritualmente, Jesus se apresenta como aquele que é constante e fidedigno no meio de tantas mudanças.

Dentro da mesma igreja há **pessoas fiéis e infiéis**

Em Éfeso havia fidelidade na doutrina, mas falta de amor na prática do Cristianismo. Eram ortodoxos de cabeça e hereges na conduta (2.4). Em Pérgamo enquanto havia gente disposta a morrer por Cristo, alguns crentes estavam seguindo a doutrina de Balaão (2.14-15). Em Tiatira havia tolerância aos ensinos e práticas de uma profetisa imoral (2.20), mas nem todos os crentes caíram nessa heresia perniciosa (2.24-25). Em Sardes, embora a igreja estivesse vivendo de aparência, havia uns poucos que não haviam contaminado suas vestiduras (3.4).

A igreja nem sempre é aquilo que aparenta ser

Jesus conhece a igreja de forma profunda (2.2,9,13,19; 3.1,8,15). Ele conhece as suas obras, onde ela está e o que ela está enfrentando.

- A igreja de Éfeso era ortodoxa, trabalhadora, fiel nas provas, mas perdera sua capacidade de amar a Jesus. Ela era como uma esposa que não trai o marido, mas também não lhe devota amor (2.2-4).

- A igreja de Esmirna era pobre aos olhos dos homens, mas rica aos olhos de Cristo (2.9).
- A igreja de Pérgamo tinha gente tão comprometida com Deus a ponto do martírio (2.13), mas tinha também gente que caía diante da sedução do pecado (2.14).
- A igreja de Tiatira estava trabalhando mais do que trabalhara no início da sua carreira (2.19), mas muito trabalho sem vigilância também não agrada a Jesus. Ação sem zelo doutrinário (Tiatira) e zelo doutrinário sem ação (Éfeso) não agradam a Jesus.
- A igreja de Sardes tinha reputação de uma igreja viva, mas estava morta (3.1). Além disso, havia gente no CTI espiritual (3.2).
- A igreja de Filadélfia era fraca diante dos olhos humanos, mas poderosa aos olhos de Cristo (3.8-9).
- A igreja de Laodiceia considerava-se rica e abastada, mas aos olhos de Cristo era uma igreja pobre e miserável (3.17).

Cristo anda no meio da igreja para oferecer-lhe oportunidade de arrependimento antes de aplicar-lhe o juízo

- A igreja de Éfeso foi chamada a lembrar-se, arrepender-se e voltar à prática das primeiras obras. Caso esse expediente não fosse tomado, Jesus sentencia: *e, se não, venho a ti e moverei do seu lugar o teu candeeiro, caso não te arrependas* (2.5).
- A igreja de Esmirna diante do martírio é exortada a ser fiel até à morte (2.10).
- À igreja de Pérgamo, que estava dividida entre a verdade e o engano, misturada com o mundo, Jesus adverte: *Portanto, arrepende-te; e, se não, venho a ti sem demora e contra eles pelejarei com a espada da minha boca* (2.16).
- À igreja de Tiatira, que abria suas portas à uma desregrada profetisa, Jesus chama ao arrependimento a faltosa (2.21), mas por recusar, envia o Seu juízo (2.22-23) e chama os crentes fiéis a permanecerem firmes até a segunda vinda (2.24-25).
- A igreja de Sardes recebe o alerta de Cristo de que suas obras não eram íntegras diante de Deus (3.2). Jesus alerta-a ao arrependimento (3.3). Caso a igreja não se arrependa virá o juízo (3.3).

- A igreja de Filadélfia é exortada a conservar o que tem, para que ninguém tome a sua coroa (3.11).
- A igreja de Laodiceia é exortada a olhar para a vida na perspectiva de Cristo (3.17-18), a arrepender-se, pois a disciplina de Deus é ato de amor (3.19).

Jesus anda no meio da igreja para dar gloriosas promessas aos vencedores

Isso implica que nem todos os membros da igreja visível são membros da igreja invisível. Nem todos os membros das igrejas locais são membros do corpo de Cristo. Nem todos os membros de igreja são vencedores, mas todos os membros do Corpo de Cristo são vencedores.

As promessas aos vencedores tratam da bênção que a igreja estava buscando ou necessitando:

- A igreja de Éfeso – O vencedor se alimenta da árvore da vida. Isso é ter a vida eterna (2.7). A vida eterna é comunhão com Deus e Deus é amor. Eles haviam abandonado o seu primeiro amor, mas os vencedores iriam morar no céu, onde o ambiente é amor, pois isso é ter comunhão eterna com o Deus que é amor.
- A igreja de Esmirna – O vencedor de modo nenhum sofrerá o dano da segunda morte (2.11). Os imperadores romanos, os déspotas, o anticristo podem até matar os crentes, mas estes jamais enfrentarão a morte eterna.
- A igreja de Pérgamo – O vencedor receberá o maná escondido, uma pedrinha branca com um novo nome (2.17). Para uma igreja que se misturava com o mundo, o vencedor recebe uma promessa de absolvição no juízo e não de condenação com o mundo.
- A igreja de Tiatira – Para uma igreja seduzida pelo engano de uma profetisa, o vencedor recebe a promessa de receber autoridade sobre as nações e possuir não os encantos do pecado, mas o Senhor da glória, a estrela da manhã (2.26-28).
- A igreja de Sardes – Para uma igreja que só vive de aparência, mas está morta, os vencedores recebem a promessa de que seus nomes

estarão no livro da vida e seus nomes serão confessados diante do Pai no dia do juízo (3.5).
- A igreja de Filadélfia – Para uma igreja fraca, mas fiel, o vencedor recebe a promessa de ser coluna do santuário de Deus (3.12). A coluna é que sustenta o santuário. Eles podem ser fracos diante dos homens, mas são poderosos e fortes diante de Deus.
- A igreja de Laodiceia – Para uma igreja que se considerava rica e autossuficiente, mas era pobre e miserável, o vencedor recebe a promessa de assentar-se com Cristo no Seu trono (3.21).

Para todas as igrejas há um refrão: *Quem tem ouvidos, ouça o que o Espírito diz às igrejas*. Precisamos ouvir o que Deus está falando conosco. A bem-aventurança não é apenas ler e ouvir, mas também obedecer às profecias deste livro (1.3).

3

Uma **mensagem** do Noivo à sua Noiva

Apocalipse 2.1-7

ÉFESO ERA A MAIOR, MAIS RICA E MAIS IMPORTANTE cidade da Ásia Menor. Ela era chamada "a feira das vaidades" do mundo antigo.[1] Um escritor romano a chamou: "a luz da Ásia".[2] A cidade tinha uma população estimada em mais de duzentas mil pessoas. Os efésios construíram um teatro que podia oferecer assento para cerca de 24 mil pessoas.[3] Em Éfeso ficava o mais importante porto da Ásia Menor.[4] Para todos os que desejavam viajar para algum lugar da Ásia, Éfeso era a entrada obrigatória. Mais tarde, quando muitos mártires foram capturados na Ásia e levados a Roma para serem lançados aos leões, Ignácio rebatizou Éfeso como "a porta dos mártires".[5] Era o centro do culto a Diana (At 19.35), cujo templo jônico era uma das sete maravilhas do mundo antigo.[6] Nesse templo havia centenas de sacerdotisas que funcionavam como prostitutas sagradas. Tudo isso fazia de Éfeso uma

---

[1] Barclay, William. *Apocalipsis*, p. 70
[2] Barclay, William. *Apocalipsis*, p. 70.
[3] Kistemaker, Simon. *Apocalipse*, p. 148.
[4] Ladd, George. *Apocalipse*, p. 30.
[5] Barclay, William. *Apocalipsis*, p. 70.
[6] Stott, John. *O que Cristo pensa da igreja*, p. 16.

cidade sobremodo imoral.⁷ Simon Kistemaker, citando o filósofo grego Heráclito, diz que a moral do templo era pior que a moral dos animais, pois nem mesmo os cães promíscuos mutilavam uns aos outros.⁸ Era uma cidade mística, cheia de superstição e também um dos centros do culto ao imperador.

Na cidade de Éfeso imperava o misticismo, a idolatria, a imoralidade e a perseguição. Naquela cidade, como hoje, o diabo usou duas táticas: perseguição e sedução; oposição e ecumenismo.

Paulo visitou a cidade de Éfeso no final da segunda viagem missionária, por volta do ano 52 d.C. Em sua terceira viagem, permaneceu em Éfeso por três anos. Houve alguns sinais de avivamento na cidade de Éfeso: as pessoas ao ouvirem o evangelho vinham denunciando publicamente as suas obras; as pessoas que se convertiam rompiam totalmente com o ocultismo, queimando seus livros mágicos; o evangelho espalhou-se dali por toda a Ásia Menor (At 19.1-20).

Durante a sua primeira prisão em Roma, Paulo escreveu a carta aos efésios, agradecendo a Deus o profundo amor que havia na igreja. Timóteo é enviado para ser pastor da igreja. Mais tarde, o apóstolo João pastoreou aquela igreja. Agora, depois de quarenta anos, Jesus envia uma carta à segunda geração de crentes, mostrando que a igreja permanecia fiel na doutrina, mas já havia se esfriado em Seu amor. William Hendriksen diz que foi durante o reinado de Domiciano, 81-96 d.C., que João foi desterrado a Patmos. Foi posto em liberdade e levado para Éfeso e ali morreu durante o reinado de Trajano. A tradição relata que quando João, já muito idoso e demasiado fraco para caminhar, era levado à igreja de Éfeso, ele admoestava aos membros, dizendo-lhes: "Filhinhos, amemo-nos uns aos outros".⁹

Qual é a mensagem de Jesus, o Noivo da igreja, à Sua noiva?

---

⁷BARCLAY, William. *Apocalipsis*, p. 72.
⁸KISTEMAKER, Simon. *Apocalipse*, p. 150.
⁹HENDRIKSEN, William. *Más que Vencedores*, p. 69.

O Noivo apresenta-se à Sua noiva para **dar-lhe segurança** (v. 1)

Jesus envia Sua mensagem ao anjo da igreja. Quem é esse anjo? Alguns intérpretes pensam que são seres celestiais enviados como mensageiros de Deus. Outros creem que sejam anjos guardiães, um para cada congregação. A interpretação mais consistente bíblica e historicamente, entretanto, é que "anjo" aqui deve ser entendido como o pastor da igreja.[10] Jesus apresenta-se como Aquele que está presente e em ação no meio da Sua igreja. Ele não apenas está no meio dos candeeiros (1.13), mas também anda no meio dos candeeiros (2.1). A presença manifesta do Cristo vivo no meio da igreja é a sua maior necessidade. Em nossa teologia perdemos o impacto da presença real de Cristo entre nós. Temos a ideia de Cristo no céu, no trono, reinando à destra do Pai, mas não temos a visão clara de que Ele está no meio da congregação. Perdemos o impacto da presença de Cristo em nosso louvor, em nossas reuniões e em nossos encontros. Cremos na Sua transcendência, mas não vivenciamos sua imanência. Perdemos o senso da glória do Cristo presente entre nós.

O Noivo não só está presente, Ele está também segurando a Sua igreja em Suas onipotentes mãos. O verbo *kratein* (conserva) é diferente do traduzido por "tinha" (Ap 1.16). Significa segurar com firmeza, ter totalmente dentro das mãos. Ninguém pode arrancar-nos das mãos de Jesus (Jo 10.28). Nada pode nos separar do amor de Deus que está em Cristo Jesus. William Barclay afirma corretamente: "a totalidade da igreja está em Sua mão e Ele a sustém. Cristo não é o Cristo de alguma seita, ou comunidade, ou denominação, e menos ainda de alguma congregação particular. Ele é o Cristo de toda a igreja".[11]

O Noivo está também sondando a Sua igreja. Ele nos conhece: Ele sonda os nossos corações. Ele anda no meio da igreja para encorajá-la, repreendê-la e chamá-la ao arrependimento.

---

[10] KISTEMAKER, Simon. *Apocalipse*, p. 141-142.
[11] BARCLAY, William. *Apocalipsis*, p. 74.

O Noivo elogia a Sua noiva pelas suas **virtudes** (versículos 2-3,6)

Jesus destaca três grandes virtudes da igreja de Éfeso, dignas de serem imitadas:

Em primeiro lugar, *era uma igreja fiel na doutrina* (2.2-3,6). Mesmo cercada por perseguição e mesmo atacada por constantes heresias, essa igreja permaneceu firme na Palavra, contra todas as ondas e novidades que surgiram. Jesus já alertara sobre o perigo dos lobos vestidos com peles de ovelhas (Mt 7.15). Paulo já havia avisado os presbíteros dessa igreja sobre os lobos que penetrariam no meio do rebanho e sobre aqueles que se levantariam entre eles, falando coisas pervertidas para arrastar atrás deles os discípulos (At 20.29-30). Agora os lobos haviam chegado.

O apóstolo João fala da necessidade de provar os espíritos, porque há muitos falsos profetas (1Jo 4.1). A igreja de Éfeso estava enfrentando os falsos apóstolos que ensinavam heresias perniciosas (2.2).

A igreja de Éfeso tinha discernimento espiritual. Tornou-se intolerante com a heresia (2.2) e com o pecado moral (2.6). "A igreja separou-se das falsas doutrinas e das falsas obras".[12] Os nicolaítas, (destruidores do povo), pregavam uma nova versão do Cristianismo.[13] Eles pregavam um evangelho liberal, sem exigências e sem proibições. Eles queriam gozar o melhor da igreja e o melhor do mundo. Eles incentivavam os crentes a comer comidas sacrificadas aos ídolos. Eles ensinavam que o sexo antes e fora do casamento não era pecado. Eles acabavam estimulando a imoralidade. Mas a igreja de Éfeso não tolerou a heresia e odiou as obras dos nicolaítas.

A igreja evangélica brasileira precisa aprender nesse particular com a igreja de Éfeso. As pessoas hoje buscam a experiência e não a verdade. Elas não querem pensar, querem sentir. Elas não querem doutrina, querem as novidades, as revelações, os sonhos e as visões. Elas não querem estudar a Palavra, querem escutar testemunhos eletrizantes. Elas não querem o evangelho da cruz, buscam o evangelho dos milagres. Elas

---

[12] WIERSBE, Warren. *The Bible Expository Commentary*. Vol. 2, p. 572.
[13] STOTT, John. *O que Cristo pensa da igreja*, p. 20.

não querem Deus, querem as bênçãos de Deus.

Estamos vivendo a época da paganização da igreja. A igreja está perdendo o compromisso com a verdade. As pessoas hoje parecem ter aversão à teologia ortodoxa. Elas buscam novidades. O que determina o rumo da igreja não é mais a Palavra de Deus, mas o gosto dos consumidores. A igreja prega não a Palavra, mas o que dá ibope. A igreja oferece o que o povo quer ouvir. A igreja está pregando outro evangelho: o evangelho do descarrego, do sal grosso, da quebra de maldições mesmo para os salvos, da prosperidade material e não da santificação; da libertação e não do arrependimento.

A igreja está perdendo a capacidade de refletir. Os crentes contemporâneos não são como os bereanos, nem como os crentes de Éfeso, fiéis à doutrina. Estamos vendo uma geração de crentes analfabetos da Bíblia, crentes ingênuos espiritualmente. Há uma preguiça mental doentia medrando em nosso meio. Os crentes engolem tudo aquilo que lhes é oferecido em nome de Deus, porque não estudam a Palavra. Crentes que já deveriam ser mestres, ainda estão como crianças agitadas de um lado para o outro, ao sabor dos ventos de doutrina. Correm atrás da última novidade. São ávidos pelas coisas sobrenaturais, mas deixam de lado a Palavra do Deus vivo.

Analisamos com preocupação a explosão do crescimento numérico da igreja evangélica brasileira. Precisamos perguntar: que igreja está crescendo? Que evangelho está sendo pregado? O que está crescendo não é o evangelho genuíno, mas um misticismo híbrido. O que estamos vendo florescer é um cristianismo sincrético, heterodoxo, um outro evangelho.

Em segundo lugar, *a igreja de Éfeso era envolvida com a obra de Deus* (2.2). Ela não era apenas teórica, ela agia. A palavra grega para "obra" é *kopós*, que descreve o trabalho que nos faz suar, o trabalho duro, que nos deixa exaustos, a classe de trabalho que demanda de nós toda reserva de energia e toda a nossa concentração mental.[14] Havia labor, trabalho intenso. John Stott afirma que a igreja era uma colmeia industriosa.[15]

---

[14] BARCLAY, William. *Apocalipsis*, p. 74.
[15] STOTT, John. *O que Cristo pensa da igreja*, p. 18.

Os crentes eram engajados e não meramente expectadores. A congregação se envolvia, não era apenas um auditório. A igreja não vivia apenas intramuros. Não se deleitava apenas em si mesma. Não era narcisista. Por meio dela o evangelho espalhou-se por toda a Ásia Menor.

Jesus pode dizer o mesmo a nosso respeito? Temos sido uma igreja operosa? Você tem sido um ramo frutífero da Videira Verdadeira? Você tem sido um membro dinâmico do Corpo de Cristo?

Em terceiro lugar, *a igreja de Éfeso era perseverante nas tribulações* (2.2-3). Ser crente em Éfeso não era popular. Lá ficava um dos maiores centros do culto ao imperador. Muitos crentes estavam sendo perseguidos e até mortos por não se dobrarem diante de César. Outros estavam sendo perseguidos por não adorarem a grande Diana dos Efésios. Outros estavam sendo seduzidos a cair nos falsos ensinos dos falsos apóstolos. Mas, os crentes estavam prontos a enfrentar todas as provas por causa do nome de Jesus. Eles não esmoreciam.

Permanecemos fiéis quando somos perseguidos, provados e seduzidos? Hoje muitos crentes querem a coroa sem a cruz. Querem a riqueza sem o trabalho. Querem a salvação sem a conversão. Querem as bênçãos de Deus sem o Deus das bênçãos.

A igreja contemporânea está perdendo a capacidade de sofrer pelo evangelho. Ela prefere ser reconhecida pelo mundo a ser conhecida no céu. A igreja perdeu a capacidade de denunciar o pecado. Esquemas de corrupção já estão se infiltrando dentro das igrejas. Já temos igrejas empresas. A igreja está se transformando em negócio familiar. O púlpito está se transformando num balcão, o evangelho num produto e os crentes em consumidores. Pastores com ares de super-espirituais já não aceitam ser questionados. Estão acima do bem e do mal. Estão acima dos outros e até da verdade. Consideram-se os "ungidos". Dizem ouvir a voz direta de Deus. Nem precisam mais das Escrituras. E o povo lhes segue cegamente para a sua própria destruição.

O Noivo repreende a Sua noiva pelo esfriamento do Seu amor (Ap 2.4)

A ortodoxia da igreja de Éfeso era deficiente num ponto. Estava desconectada da prática da piedade e do exercício do amor. George Ladd,

comentando sobre o esfriamento do amor da igreja de Éfeso, diz:
> Este era um fracasso que atacara sua vida cristã pelas bases. O Senhor tinha ensinado que o amor mútuo devia ser a marca que identificasse a comunhão dos cristãos (Jo 13.35). Os convertidos de Éfeso tinham experimentado este amor nos primeiros anos de sua nova existência; mas a luta contra os falsos mestres, e seu ódio por ensinos heréticos parece que trouxeram endurecimento aos sentimentos e atitudes rudes a tal ponto que levaram ao esquecimento da virtude cristã suprema que é o amor. Pureza de doutrina e lealdade não podem nunca ser substitutos para o amor.[16]

Abandonamos o nosso primeiro amor, quando substituímos o amor a Jesus pela ortodoxia e pelo trabalho (2.4). A luta pela ortodoxia, o intenso trabalho e as perseguições levaram a igreja de Éfeso à aridez. Uma esposa pode ser fiel ao seu marido sem amá-lo com toda a sua devoção. Ela pode cumprir com os seus deveres, mas não motivada por um profundo amor. Assim era a igreja de Éfeso, diz William Hendriksen.[17]

A igreja é a Noiva de Cristo. Ele se deleita nela. Ele se alegra com ela. Jesus mesmo está preparando a sua noiva para o grande banquete de núpcias, para a festa das bodas do Cordeiro.

A Noiva de Cristo, entretanto, abandonou o seu primeiro amor. O amor é a marca do discípulo verdadeiro (Jo 13.34-35). Sem amor, nosso conhecimento, nossos dons, e nossa própria ortodoxia não têm nenhum valor. Jesus está mais interessado em nós do que em nosso trabalho. Odiar o erro e o mal não é o mesmo que amar a Cristo. O trabalho de Deus não pode tomar o lugar de Deus na nossa vida. Deus está mais interessado em relacionamento com Ele do que em trabalho para Ele.

Abandonamos também o nosso primeiro amor quando o nosso amor por Jesus é substituído pelo nosso zelo religioso. Defendemos nossa teologia, nossa fé, nossas convicções e estamos prontos a sofrer e morrer por essas convicções, mas não nos deleitamos mais em Deus. Não nos afeiçoamos mais a Jesus. Já não sentimos mais saudades de estar com Ele. Os fariseus eram zelosos das coisas de Deus. Observavam com rigor

---

[16] LADD, George. *Apocalipse*, p. 32.
[17] HENDRIKSEN, William. *Más que Vencedores*, p. 71.

todos os ritos sagrados. Mas o coração estava seco como um deserto.

O amor esfria quando nosso conhecimento teológico não nos move a nos afeiçoarmos mais a Deus. Conhecemos muito a respeito de Deus, mas não desejamos ter comunhão com Ele. Falamos que Ele é Todo-poderoso como o profeta Jonas, mas O desafiamos com nossa rebeldia. Falamos que Ele é amável, mas não temos prazer em falar com Ele em oração.

Não há nada mais perigoso do que a ortodoxia morta. Externamente está tudo bem, mas a motivação está errada. A máquina funciona, mas não é Cristo quem está no centro. O amor à estrutura é maior do que o amor a Jesus. Crentes fiéis, mas sem amor. Crentes ortodoxos, mas secos como um poste. Crentes que conhecem a Bíblia, mas perderam o encanto por Jesus. Crentes que sabem teologia, mas a verdade já não mais os comove. Crentes que morrem em defesa da fé e atacam a heresia como escorpiões do deserto, mas não amam mais o Senhor com a mesma devoção. Crentes que trabalham à exaustão, mas não contemplam o Senhor na beleza da Sua santidade. Sofrem pelo evangelho, mas não se deleitam no Evangelho. Combatem a heresia, mas não se deliciam na verdade.

Abandonamos, ainda, o nosso primeiro amor quando examinamos os outros e não examinamos a nós mesmos. A igreja de Éfeso examinava os outros e era capaz de identificar os falsos ensinos, mas não era capaz de examinar a si mesma. Tinha doutrina, mas não tinha amor. A igreja identifica o mal doutrinário nos outros, mas não identifica a frieza do amor em si mesma. Identifica a heresia nos outros, mas não a sua própria apatia espiritual. Warren Wiersbe diz que a igreja de Éfeso estava tão ocupada com a separação do mundo, que esqueceu-se da adoração.[18] A igreja de Éfeso tinha identificado o mal doutrinário nos outros, mas não a frieza em si mesma. Tinha identificado a heresia nos outros, mas não a falta de amor em si mesma. Tinha zelo pela ortodoxia, mas estava vazia da principal marca do cristianismo, o amor.

O Noivo oferece à Sua noiva a chance de um **recomeço** (Ap 2.5,7)

Jesus foi enfático à igreja: *lembra-te, pois de onde caíste* (2.5). O passado

---

[18] WIERSBE, Warren. *The Bible Expository Commentary*. Vol. 2, p. 572.

precisa novamente tornar-se um presente vivo. Não basta saber que é preciso arrepender-se. Precisamos nos perguntar: para onde precisamos retornar? Para o ponto do qual nos desviamos. Retornar para um lugar qualquer só nos levaria para outros descaminhos.[19] A igreja não está sendo chamada a relembrar o seu pecado. Não está sendo dito: lembra em que situação caíste, mas de onde caíste.[20] O filho pródigo começou o seu caminho de restauração quando lembrou-se da casa do pai.

Em seguida Jesus disse: *arrepende-te* (2.5). Arrependimento não é emoção, é decisão. É atitude. Não precisa existir choro, basta decisão. O filho pródigo não só se lembrou da casa do pai, mas voltou para a casa do pai. Lembrança sem arrependimento é remorso. Essa foi a diferença entre Pedro e Judas. Arrepender-se é mudar a mente, é mudar a direção, é voltar-se para Deus. É deixar o pecado. É romper com o que está entristecendo o Noivo. O que está fazendo o seu coração esfriar? Deixe isso. Arrependa-se.

Finalmente, Jesus disse: *volta à prática das primeiras obras* (2.5). Não é arrependimento e depois repetidamente arrependimento, mas arrependimento e depois frutos do arrependimento, ou seja, as primeiras obras.[21] Ninguém se arrepende de um pecado e o continua praticando.

É tempo de você voltar-se para Jesus. Você que se afastou dEle, que está frio. Você que deixou de orar, de se deleitar na Palavra. É tempo de se devotar novamente ao Noivo.

Há uma solene advertência à igreja, caso ela não se arrependa. Jesus disse: *e, se não, venho a ti e removerei do seu lugar o teu candeeiro* (2.5). Candeeiro é feito para brilhar. Se ele não brilha, ele é inútil, desnecessário. A igreja não tem luz própria. Ela só reflete a luz de Cristo. Mas, se não tem intimidade com Cristo, ela não brilha; se ela não ama, não brilha, porque quem não ama está nas trevas. John Stott afirma que nenhuma igreja tem lugar seguro e permanente neste mundo. Ela está continuamente em julgamento.[22]

O juízo começa pela Casa de Deus. Antes de julgar o mundo, Jesus

---

[19]Pohl, Adolf. *Apocalipse de João*. Vol. 1, p. 107.
[20]Pohl, Adolf. *Apocalipse de João*. Vol. 1, p. 107.
[21]Pohl, Adolf. *Apocalipse de João*. Vol. 1, p. 107.
[22]Stott, John. *O que Cristo pensa da igreja*, p. 26-27.

julga a igreja. A igreja de Éfeso deixou de existir. A cidade de Éfeso deixou também de existir. Hoje, só existem ruínas e uma lembrança de uma igreja que perdeu o tempo da sua visitação.

Hoje muitas igrejas também estão sendo removidas do seu lugar. Há templos se transformando em museus. Candeeiros que são tirados do seu lugar, porque não têm luz e não têm luz porque não têm amor. Fica o alerta às igrejas que não amam: *Ainda que eu tenha o dom de profetizar e conheça todos os mistérios e toda a ciência; ainda que eu tenha tamanha fé, ao ponto de transportar montes, se não tiver amor, nada serei* (1Co 13.1-3).

No meio da igreja há sempre um remanescente fiel. Esses são os vencedores. Eles rejeitaram as comidas sacrificadas aos ídolos oferecidas pelos nicolaítas, mas agora se alimentam da Árvore da Vida.

A Árvore da Vida fala de vida eterna. Vida eterna é conhecer a Deus e Deus é amor. Viver no paraíso e fruir de seus frutos significa comunhão clemente com o Senhor do paraíso.[23] O céu só é céu, porque lá é a Casa do Pai, e Ele é amor. Lá vamos desfrutar desse amor pleno e abundante do nosso Noivo. A recompensa do amor é mais amor na perfeita comunhão do céu.[24] Que você tenha ouvidos para ouvir a voz do Espírito.

---
[23]POHL, Adolf. *Apocalipse de João*. Vol. 1, p. 109.
[24]POHL, Adolf. *Apocalipse de João*. Vol. 1, p. 27.

4

Como ser um cristão
fiel até à morte

Apocalipse 2.8-11

É POSSÍVEL SER FIEL E FIEL ATÉ À MORTE num mundo carimbado pelo relativismo? O sofrimento revela quem é fiel e quem é conveniente. Aqui vemos uma igreja sofredora, perseguida, pobre, caluniada, aprisionada, enfrentando a própria morte, mas uma igreja fiel que só recebe elogios de Cristo. Warren Wiersbe diz que a palavra "Esmirna" vem de "mirra", uma erva amarga. Portanto, o nome da cidade é um nome bem apropriado para uma igreja que estava enfrentando perseguição.[1]

Tudo o que Jesus diz nesta carta à igreja de Esmirna tem a ver com a cidade e com a igreja:

Em primeiro lugar, ***vemos uma igreja pobre numa cidade rica***. Esmirna era rival de Éfeso, diz William Hendriksen.[2] Era a cidade mais bela da Ásia Menor. Era considerada o ornamento, a coroa e a flor da Ásia.[3] Cidade comercial, onde ficava o principal porto da Ásia. O monte Pagos era coberto de templos e bordejado de casas formosas.[4] Era um lugar de realeza coroado de torres. Tinha uma magnífica

---

[1] WIERSBE, Warren. *With the Word*, p. 847.
[2] HENDRIKSEN, William. *Más que Vencedores*, p. 72.
[3] BARCLAY, William. *Apocalipsis*, p. 86.
[4] BARCLAY, William. *Apocalipsis*, p. 87.

arquitetura, com templos dedicados a Cibeles, Zeus, Apolo, Afrodite e Esculápio. Hoje essa é a única cidade sobrevivente, com o nome de Izmir,[5] na Turquia asiática, com 255.000 habitantes.

Em segundo lugar, **uma igreja que enfrenta a morte numa cidade que havia morrido e ressuscitado**. Esmirna havia sido fundada como colônia grega no ano 1.000 a.C. No ano 600 a. C., os lídios a invadiram e a destruíram por completo. No ano 200 a. C., Lisímaco a reconstruiu e fez dela a mais bela cidade da Ásia. Quando Cristo disse que estivera morto, mas estava vivo, os esmirneanos sabiam do que Jesus estava falando. A cidade estava morta e reviveu.[6]

Em terceiro lugar, **uma igreja fiel a Cristo na cidade mais fiel a Roma**. Esmirna sabia muito bem o significado da palavra fidelidade. De todas as cidades orientais havia sido a mais fiel a Roma.[7] Muito antes de Roma ser senhora do mundo, Esmirna já era fiel a Roma.[8] Cícero dizia que Esmirna era a aliada mais antiga e fiel de Roma. No ano de 195 a. C., Esmirna foi a primeira cidade a erigir um templo à deusa Roma. No ano 26 d.C., quando as cidades da Ásia Menor competiam pelo privilégio de construir um templo ao imperador Tibério, Esmirna ganhou de Éfeso esse privilégio.[9] Para a igreja dessa cidade, Jesus disse: *Sê fiel até à morte*.

Em quarto lugar, **uma igreja vitoriosa na cidade dos jogos atléticos**. Esmirna tinha um estádio onde todos os anos se celebravam jogos atléticos famosos procedentes de todo o mundo; os jogadores disputavam uma coroa de louros. Para os crentes dessa cidade, Jesus prometeu a coroa da vida.[10]

Ser cristão em Esmirna era um risco de perder os bens e a própria vida. Essa igreja pobre, caluniada e perseguida só recebe elogios de Cristo. A fidelidade até à morte era a marca dessa igreja. Como podemos aprender, com essa igreja, a sermos fiéis?

---

[5]Wilcock, Michael. *A Mensagem do Apocalipse*, p. 24.
[6]Barclay, William. *Apocalipsis*, p. 87-88.
[7]Barclay, William. *Apocalipsis*, p. 88.
[8]Ladd, George. *Apocalipse*, p. 34.
[9]Stott, John. *O que Cristo pensa da igreja*, p. 29.
[10]Barclay, William. *Apocalipsis*, p. 89.

Tendo uma **visão desromantizada** da vida (Ap 2.8-9)

A igreja de Esmirna estava atravessando um momento de prova e o futuro imediato era ainda mais sombrio. Jesus conforta a igreja dizendo a ela que conhecia a sua tribulação. Adolf Pohl fazendo um paralelo entre o sofrimento de Cristo e da igreja de Esmirna diz:

> Existe uma noite em que não se pode agir, mas somente sofrer. Durante os dias da Paixão de Cristo, a lei da ação igualmente passou para os seus adversários. Ele atestou a seus perseguidores: *Esta porém, é a vossa hora e o poder das trevas* (Lc 22.53), e a Pilatos: *Tens poder sobre mim* (Jo 19.11). Aconteceram os momentos em que silenciou diante das pessoas e estava amarrado à cruz. Nem sequer podia unir as mãos, e muito menos impô-las a alguém. Entretanto, como foi poderosa a sua ação pelo sofrimento! Quanta ação na Paixão! Ele exclama: "Está consumado!" A igreja em Esmirna uniu-se estreitamente a esse Senhor na paixão dela.[11]

Há quatro coisas nesta carta que precisamos destacar, se queremos ter uma visão desromantizada da vida:

Em primeiro lugar, *tribulação* (2.9). A ideia de tribulação é de um aperto, um sufoco, um esmagamento. A igreja estava sendo espremida por um rolo compressor. A pressão dos acontecimentos pesava sobre a igreja e a força das circunstâncias procurava forçar a igreja a abandonar a sua fé.

Os crentes em Esmirna estavam sendo atacados e mortos. Eles eram forçados a adorar o imperador como se fosse Deus. De uma única vez lançaram do alto do monte Pagos 1200 crentes. Doutra feita, lançaram oitocentos crentes. Os crentes estavam morrendo por causa da sua fé. Cerca de cinquenta anos depois desta carta, o bispo de Esmirna foi queimado vivo na própria cidade. William Hendriksen, assim descreve esse fato:

> É possível que Policarpo tenha sido o bispo da igreja de Esmirna naquele tempo. Era um discípulo de João. Fiel até à morte, este dedicado líder

---

[11]POHL, Adolf. *Apocalipse de João*. Vol. 1, p. 110.

foi queimado vivo em uma fogueira no ano 155 d.C. Seus algozes pediram-lhe que dissesse: "César é Senhor", mas ele recusou-se a fazê-lo. Levado ao estádio, o procônsul instou com ele, dizendo: "Jura, maldiz a Cristo e te porei em liberdade." Policarpo lhe respondeu: "Oitenta e seis anos eu tenho servido a Cristo, e Ele nunca me fez mal, só o bem. Como então posso eu maldizer o meu Rei e Salvador?" [...]. Depois de ameaçá-lo com feras, o procônsul lhe disse: "farei que sejas consumido pelo fogo." Mas Policarpo respondeu: "Tu me ameaças com fogo que queima por uma hora e depois de um pouco se apaga, mas tu és ignorante a respeito do fogo do juízo vindouro e do castigo eterno, reservado para os maus. Mas, por que te demoras? Faze logo o que queres [...]". Assim Policarpo foi queimado vivo em uma pira.[12]

Como entender o amor de Deus no meio da perseguição? Como entender o amor do Pai pelo Seu Filho quando o entregou como sacrifício? Onde é sacrificado o amado, o amor se oculta. Isso é a Sexta-Feira da Paixão: Não ausência, mas ocultação do amor de Deus.

Em segundo lugar, **pobreza**. George Ladd diz que a pobreza dos esmirneanos não advinha somente da sua situação econômica normal, mas do confisco de propriedades, de bandos hostis que os saqueavam e da dificuldade de ganhar a vida em um ambiente hostil.[13] A pobreza não é maldição. Jesus disse: *Bem-aventurados os pobres* (Lc 6.20). Tiago diz que Deus elege os pobres do mundo para serem ricos na fé (Tg 2.5). Havia duas palavras para pobreza: *ptocheia* e *penia*. A primeira é pobreza total, extrema. Era representada pela imagem de um mendigo agachado.[14] *Penia* é o homem que carece do supérfluo, enquanto *ptocheia* é o que não tem nem sequer o essencial.[15] João usou a palavra *pthocheia* para descrever a pobreza dos esmirneanos. A pobreza dos crentes era um efeito colateral da tribulação. Ela vinha de algumas razões: 1) Os crentes eram procedentes das classes pobres e muitos deles eram escravos. Os primeiros cristãos sabiam o que era pobreza absoluta; 2) Os crentes eram saqueados e seus bens eram tomados pelos perseguidores

---

[12]HENDRIKSEN, William. *Más que Vencedores*, p. 72-73.
[13]LADD, George. *Apocalipse*, p. 34.
[14]POHL, Adolf. *Apocalipse de João*. Vol. 1, p. 110.
[15]BARCLAY, William. *Apocalipsis*, p. 93.

(Hb 10.34); 3) Os crentes haviam renunciado aos métodos suspeitos e, por sua fidelidade a Cristo, perderam os lucros fáceis que foram para as mãos de outros menos escrupulosos.

Em terceiro lugar, *difamação*. Os judeus estavam espalhando falsos rumores a respeito dos cristãos. As mentes estavam sendo envenenadas.[16] Os crentes de Esmirna estavam sendo acusados de coisas graves. O diabo é o acusador. Ele é o pai da mentira. Aqueles que usam a arma das acusações levianas são "sinagoga de satanás". Havia uma forte e influente comunidade judaica em Esmirna. Eles não apenas estavam perseguindo os crentes, mas estavam influenciando os romanos a prenderem os crentes. João chama os judeus perseguidores de "sinagoga de satanás".

Os judeus foram os principais inimigos da igreja no primeiro século. Perseguiram a Paulo em Antioquia da Pisídia (At 13.50), em Icônio (At 14.2,5). Em Listra Paulo foi apedrejado (At 14.19), em Corinto Paulo tomou a decisão de deixar os judeus e ir para os gentios (At 18.6). Quando retornou para Jerusalém, os judeus o prenderam no templo e quase o mataram. O livro de Atos termina com Paulo em Roma sendo perseguido pelos judeus. Eles se consideravam o genuíno povo de Deus, os filhos da promessa, a comunidade da aliança, mas ao rejeitarem o Messias e perseguirem a igreja de Deus, estavam se transformando em sinagoga de satanás (Rm 2.28-29). A religião deles foi satanizada. Tornou-se a religião do ódio, da perseguição, da rejeição da verdade. Quem difama Cristo ou O degrada naqueles que O confessam promove a obra de satanás e guerreia as guerras de satanás.

Os crentes passaram a sofrer várias acusações levianas:1) Canibais – por celebrarem a ceia com o pão e o vinho, símbolos do corpo de Cristo; 2) Imorais, por celebrarem a festa do Ágape antes da Eucaristia; 3) Divididores de famílias, uma vez que as pessoas que se convertiam a Cristo deixavam suas crenças vãs para servirem a Cristo. Jesus veio trazer espada e não a paz; 4) Acusavam os crentes de ateísmo, por não se dobrarem diante de imagens dos vários deuses; 5) Acusavam os crentes de deslealdade e de serem revolucionários, por se negarem a dizer que César era o Senhor.[17]

---
[16] STOTT, John. *O que Cristo pensa da igreja*, p. 31.
[17] BARCLAY, William. *Apocalipsis*, p. 95.

Em quarto lugar, *prisão*. Alguns crentes de Esmirna estavam enfrentando a prisão. A prisão era a antessala do túmulo. Os romanos não cuidavam de seus prisioneiros. Normalmente os prisioneiros morriam de fome, de pestilências, ou de lepra.

Vistas de uma perspectiva mais elevada, as detenções tinham uma outra finalidade: "para serdes postos à prova". Os crentes estavam prestes a serem levados à banca de testes. Deus estava testando a fidelidade dos crentes. Mas Deus é fiel e não permite que sejamos tentados além das nossas forças. Ele supervisiona o nosso teste.

Sabendo que a **avaliação de Jesus é diferente** da avaliação do mundo (Ap 2.9)

A igreja de Esmirna era uma igreja pobre: isso porque os crentes vinham das classes mais baixas. Pobre, também, porque muitos dos membros eram escravos. Pobres, outrossim, porque seus bens eram tomados, saqueados. Pobres, ainda, porque os crentes eram perseguidos e até jogados nas prisões. Pobres, finalmente, porque os crentes não se corrompiam. Era uma igreja espremida, sofrida, acuada.

Embora a igreja fosse pobre financeiramente, era rica dos recursos espirituais. Não tinha tesouros na terra, mas os tinha no céu. Era pobre diante dos homens, mas rica diante de Deus. A riqueza de uma igreja não está na pujança do seu templo, na beleza de seus móveis, na opulência do seu orçamento, na projeção social dos seus membros. A igreja de Laodiceia considerava-se rica, mas Jesus disse que ela era pobre. A igreja de Filadélfia tinha pouca força, mas Jesus colocou diante dela uma porta aberta. A igreja de Esmirna, era pobre, mas aos olhos de Cristo era rica.

Enquanto o mundo avalia os homens pelo *ter*, Jesus os avalia pelo *ser*. Importa ser rico para com Deus. Importa ajuntar tesouros no céu. Importa ser como Pedro: "Eu não tenho ouro e nem prata, mas o que eu tenho, isso te dou: em nome de Jesus, o Nazareno, anda". A igreja de Esmirna era pobre, mas fiel. Era pobre, mas rica diante de Deus. Era pobre, mas possuía tudo e enriquecia a muitos.

Nós podemos ser ricos para com Deus, ricos na fé, ricos em boas obras. Podemos desfrutar das insondáveis riquezas de Cristo. À vista de Deus há tantos pobres homens ricos como ricos homens pobres. É melhor ser como a igreja de Esmirna, pobre materialmente e rica espiritualmente, do que como a igreja de Laodiceia, rica materialmente, mas pobre diante de Cristo.

Estando pronto a fazer qualquer **sacrifício para honrar a Deus** (Ap 2.10)

Aqueles crentes eram pobres, perseguidos, caluniados, presos e agora estavam sendo encorajados a enfrentar a própria morte, se fosse preciso. A questão em destaque aqui não é ser fiel até o último dia da vida, mas fiel até o ponto de morrer por essa fidelidade. É preferir morrer a negar a Jesus. Jesus foi obediente até à morte e morte de cruz. Ele foi da cruz até à coroa. Essa linha também foi traçada para a igreja de Esmirna: "Sê fiel até à morte e dar-te-ei a coroa da vida". Desta forma, a igreja de Esmirna não é candidata à morte, mas à vida.

A cidade de Esmirna era fiel a Roma, mas os crentes são chamados a serem fiéis a Jesus. A cidade de Esmirna tinha a pretensão de ser a primeira, mas Jesus diz: "Eu sou o primeiro e o último". Somos chamados a sermos fiéis até às últimas consequências, mesmo num contexto de hostilidade e perseguição. Como já dissemos, Policarpo, o bispo da igreja, discípulo de João, foi martirizado no dia 23/02/155 d.C.[18] Ele foi apanhado e arrastado para a arena. Tentaram intimidá-lo com as feras. Ameaçaram-no com o fogo, mas ele respondeu: "Eu sirvo a Jesus há 86 anos e Ele sempre me fez bem. Como posso blasfemar contra o meu Salvador e Senhor, que me salvou?"[19] Os inimigos furiosos, queimaram-no vivo em uma pira, enquanto ele orava e agradecia a Jesus o privilégio de morrer como mártir.

Hoje Jesus espera do Seu povo fidelidade na vida, no testemunho, na família, nos negócios, na fé. Não venda o seu Senhor por dinheiro, como Judas. Não troque o seu Senhor, por um prato de lentilhas como Esaú. Não venda a sua consciência por uma barra de ouro como Acã.

---

[18] KISTEMAKER, Simon. *Apocalipse*, p. 164.
[19] STOTT, John. *O que Cristo pensa da igreja*, p. 32.

Seja fiel a Jesus, ainda que isso lhe custe seu namoro, seu emprego, seu sucesso, seu casamento, sua vida. Jesus diz que aqueles que são perseguidos por causa da justiça são bem-aventurados (Mt 5.10-12). O servo não é maior do que o seu senhor. O mundo perseguiu a Jesus e também nos perseguirá.

A Bíblia diz que todo aquele que quiser viver piedosamente em Cristo será perseguido (2Tm 3.12). Paulo diz: *A vós foi dado o privilégio não apenas de crer em Cristo, mas também de sofrer por ele* (Fp 1.29). Dietrich Bonhoeffer, enforcado no campo de concentração de Flossenburg, na Alemanha, em 9 de abril de 1945, escreveu que o sofrimento é o sinal do verdadeiro cristão. Enquanto estamos aqui, muitos irmãos nossos estão selando com o Seu sangue a sua fidelidade a Cristo.

Aqueles que forem fiéis no pouco, serão recebidos pelo Senhor com honras: "Bom está servo bom e fiel. Foste fiel no pouco, sobre o muito te colocarei. Entra no gozo do teu senhor."

Sabendo que **Jesus está no controle** de todos os detalhes da nossa vida (Ap 2.9-11)

Jesus conhece quem somos e tudo o que acontece conosco (2.9). Este fato é fonte de muito conforto. Uma das nossas grandes necessidades nas tribulações é alguém com quem partilhá-las. Jesus conhece nossas aflições, porque anda no meio dos candeeiros. Sua presença nunca se afasta.

Nossa vida não está solta, ao léu. Nosso Senhor não dormita nem dorme. Ele está olhando para você. Ele sabe o que você está passando. Ele conhece a sua tribulação. Ele sabe das suas lutas. Ele sabe das suas lágrimas. Ele sabe que diante dos homens você é pobre, mas Ele sabe os tesouros que você tem no céu. Jesus sabe das calúnias que são assacadas contra você. Ele sabe o veneno das línguas mortíferas que conspiram contra você. Ele sabe que somos pobres, mas ao mesmo tempo ricos. Ele sabe que somos entregues à morte, mas ao mesmo tempo temos a coroa da vida.

Jesus, também, permite o sofrimento com o propósito de lhe provar, e não de lhe destruir (2.10). A intenção do inimigo é destruir a sua fé, mas o propósito de Jesus é provar você. Os judeus estão furiosos.

O diabo está por trás do aprisionamento. Mas quem realiza seus propósitos é Deus. O fogo das provas só consumirá a escória, só queimará a palha, porém tornará você mais puro, mais digno, mais fiel. Jesus estava peneirando a Sua igreja para arrancar dela as impurezas. O nosso adversário tenta para destruir; Jesus prova para refinar. Precisamos olhar para além da provação, para o glorioso propósito de Jesus. Precisamos olhar para além do castigo, para o seu benefício. O rei Davi disse: *Foi-me bom passar pela aflição para aprender os teus decretos* (Sl 119.71). O Senhor não o poupa da prisão, mas usa a prisão para fortalecer você. Ele não nos livra da fornalha, mas nos purifica nela.

Jesus controla tudo o que sobrevém à sua vida. Nenhum sofrimento pode nos atingir, exceto com a sua expressa permissão. Ele adverte os crentes de Esmirna sobre o que está por acontecer. Ele fixa um limite aos seus sofrimentos. Jesus sabe quem está por trás de todo ataque à sua vida (2.10). O inimigo que nos ataca não pode ir além do limite que Jesus estabelece. A prisão será breve. E Jesus diz: "Não temas as coisas que tens de sofrer." Três verdades estão aqui presentes: a primeira é que o sofrimento é certo; a segunda é que será limitado; a terceira é que será breve.

Assim como aconteceu com Jó, Deus diria para o diabo em Esmirna: "Até aqui e não mais". O diabo só pode ir até onde Deus o permite. Quem está no controle da nossa vida é o Rei da glória. Não tenha medo!

Jesus já passou vitoriosamente pelo caminho estreito do sofrimento que nos atinge, por isso pode nos fortalecer. Ele também enfrentou tribulação. Ele foi homem de dores. Ele sabe o que é padecer. Ele foi pressionado pelo inferno. Ele suportou pobreza, não tinha onde reclinar a cabeça. Foi caluniado. Chamaram-no de beberrão, de impostor, de blasfemo, de possesso. Ele foi preso, açoitado, cuspido, pregado na cruz. Jesus passou pelo vale escuro da própria morte. Ele entrou nas entranhas da morte e a venceu. Agora Ele diz para a Sua igreja: "Não temas as coisas que tens de sofrer." Ele tem poder para consolar, porque Ele foi tentado como nós, mas sem pecar. Ele pode nos socorrer, porque trilhou o caminho do sofrimento e da morte e venceu. William Barclay diz que o Cristo ressuscitado é aquele que experimentou a morte, passou através da morte, e saiu da morte; voltou a viver, triunfantemente, pela ressurreição, e está vivo pelos séculos dos séculos.[20]

Jesus é eterno. Ele é o primeiro e o último. Aquele que nunca muda e que está sempre conosco.

Ele é vitorioso, enfrentou a morte e a venceu. Ele destruiu aquele que tem o poder da morte e nos promete vitória sobre ela.

Ele é galardoador, promete a coroa da vida para os fiéis e vitória completa sobre a segunda morte para os vitoriosos. William Barclay, ainda diz:

> A exigência do Cristo ressuscitado é que Seu povo Lhe seja fiel até à morte, fiel ainda quando a vida mesma seja o preço dessa fidelidade. A lealdade era uma virtude que todos os habitantes de Esmirna conheciam muito bem, porque sua cidade havia comprometido seu destino com Roma e se havia mantido leal, ainda em épocas quando a grandeza de Roma não era mais que uma remota possibilidade.[21]

Jesus conclui sua mensagem à igreja de Esmirna, dizendo: *Quem tem ouvidos, ouça o que o Espírito diz às igrejas* (2.11). Cada igreja tem necessidade de um sopro especial do Espírito de Deus. A palavra para a igreja de Esmirna era: considerem-se candidatos à vida. Sob tribulação, pobreza e difamação continuem fiéis. Não olhem para o sofrimento, mas para a recompensa. Só mais um pouco e ouviremos nosso Senhor nos chamando de volta para Casa: "Vinde, benditos de meu Pai, entrem na posse do reino...", aqui não tem mais morte, nem pranto, nem luto, nem dor!

A promessa de Jesus é clara: *O vencedor não sofrerá o dano da segunda morte* (2.11). Podemos enfrentar a morte e até o martírio, mas escaparemos do inferno que é a segunda morte, e entraremos no céu, que é a coroa da vida. Precisamos ser fiéis até à morte, mas então a segunda morte não poderá nos atingir. Podemos perder nossa vida, mas então a coroa da vida nos será dada.

---

[20]BARCLAY, William. *Apocalipsis*, p. 97.
[21]BARCLAY, William. *Apocalipsis*, p. 98.

5

O perigo de a igreja misturar-se com o mundo

Apocalipse 2.12-17

A CARTA À IGREJA DE PÉRGAMO é um brado de Jesus à igreja contemporânea. Essa carta é endereçada a você, a mim, a nós. Não é uma mensagem diante de nós, mas a nós. Examinaremos não apenas um texto antigo, mas sondaremos o nosso próprio coração à luz dessa verdade eterna.

O perigo que estava assaltando a igreja de Pérgamo era a linha divisória entre a verdade e a heresia. John Stott diz que o ponto da discórdia na igreja não era entre o bem e o mal, e sim entre a verdade e o erro.[1] George Ladd diz que o pecado dos efésios era intolerância rude; o pecado da igreja de Pérgamo era tolerância e liberalismo.[2] Como a igreja pode permanecer na verdade sem se misturar com as heresias e com o mundanismo? Como uma igreja que é capaz de enfrentar o martírio pode permanecer fiel diante da tática da sedução?

A palavra *pérgamo* significa casado. A igreja precisa lembrar-se que está comprometida com Cristo, é a noiva de Cristo e precisa se apresentar como uma esposa santa, pura e incontaminada. No Livro de Apocalipse o sistema do mundo que está entrando na igreja é definido

---

[1] STOTT, John. *O que Cristo pensa da igreja*, p. 42.
[2] LADD, George. *Apocalipse*, p. 39.

como a grande Babilônia, a mãe das meretrizes, enquanto a igreja é definida como a noiva de Cristo.

O ponto central dessa carta é alertar a igreja sobre o risco da perigosa mistura do povo de Deus com o engano doutrinário e com a imoralidade do mundo.

Cristo sonda a igreja e **revela os perigos** que a cercam (Ap 2.13)

Em primeiro lugar, *Cristo vê uma igreja instalada no meio do acampamento de satanás* (2.13). Pérgamo era uma cidade com um passado glorioso. Historicamente era a mais importante cidade da Ásia. Segundo Plínio "era a mais famosa cidade da Ásia".[3] Começou a destacar-se depois da morte de Alexandre, o grande, em 333 a.C. Foi capital da Ásia quase 400 anos. Foi capital do reino Selêucida até 133 a.C. Átalo III, rei selêucida, o último de Pérgamo, passou o reino a Roma em seu testamento e Pérgamo tornou-se a capital da província romana da Ásia.

Em segundo lugar, *Pérgamo, também, era um importante centro cultural*. Como centro cultural sobrepujava Éfeso e Esmirna. Era famosa por sua biblioteca que possuía 200.000 pergaminhos. Era a segunda maior biblioteca do mundo, só superada pela de Alexandria. Pergaminho deriva-se de Pérgamo. O papiro do Egito era o material usado para escrever. No século III a.C. Eumenes, rei de Pérgamo, resolveu transformar a biblioteca de Pérgamo na maior do mundo. Convenceu a Aristófanes de Bizâncio, bibliotecário de Alexandria, a vir para Pérgamo. Ptolomeu, rei do Egito, revoltado, embargou o envio de papiro para Pérgamo. Então, inventaram o pergaminho, de couro alisado, que veio superar o papiro. Pérgamo gloriava-se de seus conhecimentos e cultura.[4]

Em terceiro lugar, *Pérgamo, ainda, era um destacado centro do paganismo religioso*. Em Pérgamo ficava um grande panteão. Havia altares para vários deuses em Pérgamo. No topo da Acrópole, ficava o famoso

---
[3] BARCLAY, William. *Apocalipsis*, p. 102.
[4] BARCLAY, William. *Apocalipsis*, p. 102-103.

templo dedicado a Zeus, uma das sete maravilhas do mundo antigo. Todos os dias se levantava a fumaça dos sacrifícios prestados a Zeus.

Outro dado relevante é que em Pérgamo havia o culto a Esculápio. Ele era o "deus salvador", o deus serpente das curas.[5] Seu colégio de sacerdotes-médicos era famoso. Naquela época mantinha 200 santuários no mundo inteiro. A sede era em Pérgamo. Ali estava a sede de uma famosa escola de medicina. Para ali peregrinavam e convergiam pessoas doentes do mundo inteiro em busca de saúde. A crendice misturava-se à ciência. Galeno, médico só superado por Hipócrates, era de Pérgamo. As curas, muitas vezes, eram atribuídas ao poder do deus serpente, Esculápio.[6] Esse deus serpente tinha o título famoso de Salvador. O emblema de Esculápio era uma serpente, o qual decora ainda hoje os emblemas da medicina.[7] A antiga serpente assassina, apresenta-se agora como sedutora.

Em quarto lugar, **em Pérgamo, também, estava o centro asiático do culto ao Imperador**. O culto ao imperador era o elemento unificador para a diversidade cultural e política do império.[8] No ano 29 a.C. foi construído em Pérgamo o primeiro templo a um imperador vivo, o imperador Augusto. O anticristo era mais evidente em Pérgamo do que o próprio Cristo.[9] Desde 195 a.C., havia templos à deusa Roma em Esmirna. O imperador encarnava o espírito da deusa Roma. Por isso, se divinizou a pessoa do imperador e começou a se erguer templos a ele. Uma vez por ano, os súditos deviam ir ao templo de César e queimar incenso dizendo: "César é o Senhor". Depois, podiam ter qualquer outra religião. Havia até um panteão para todos os deuses. Isso era símbolo de lealdade a Roma, uma cidade eclética, de espírito aberto, onde a liberdade religiosa reinava desde que observassem esse detalhe do culto ao imperador.

Finalmente, **em Pérgamo estava o trono de satanás**. Ele não apenas habitava na cidade, mas lá estava o Seu trono. O trono de satanás não estava num edifício, como hoje sugerem os defensores do movimento

---
[5] STOTT, John. *O que Cristo pensa da igreja*, p. 42.
[6] BARCLAY, William. *Apocalipsis*, p. 104.
[7] KISTEMAKER, Simon. *Apocalipse*, p. 172.
[8] KISTEMAKER, Simon. *Apocalipse*, p. 105.
[9] STOTT, John. *O que Cristo pensa da igreja*, p. 42.

de Batalha Espiritual, mas no sistema da cidade. Adolf Pohl corretamente interpreta:

> Recomenda-se não relacionar "o trono de satanás" com determinados prédios, mas antes com a cidade inteira, na qual os membros da comunidade viviam dispersos. Estava em questão algo ligado à atmosfera, a Pérgamo enquanto centro helenista em sua totalidade impressionante, com tudo o que dela irradiava em termos religiosos, culturais e políticos de forma tão atordoadora.[10]

O trono de satanás é marcado pela pressão e pela sedução. Onde satanás reina predomina a cegueira espiritual, floresce o misticismo, propaga-se o paganismo, a mentira religiosa, bem como a perseguição e a sedução ao povo de Deus.

Em Pérgamo estava um panteão, onde vários deuses eram adorados. Isso atentava contra o Deus Criador. Em Pérgamo as pessoas buscavam a cura através do poder da serpente. Isso atentava contra o Espírito Santo, de onde emana todo o poder. Em Pérgamo estava o culto ao Imperador, onde as pessoas queimavam incenso e o adoravam como Senhor. E isso conspirava contra o Senhor Jesus, o Rei dos reis e Senhor dos senhores.

Cristo não apenas conhece as obras da igreja e suas tribulações. Mas também conhece a tentação que assedia a igreja, conhece o ambiente em que ela vive. Cristo sabe que a igreja está rodeada por uma sociedade não cristã, com valores mundanos, com heresias bombardeando-a a todo instante.

Cristo vê uma igreja capaz de **enfrentar a morte** por Sua causa (Ap 2.13)

Cristo conhece também a lealdade que a igreja Lhe dedica. A despeito do poder do culto pagão a Zeus, a Esculápio e ao imperador, os crentes da igreja de Pérgamo só professavam o nome de Jesus. Eles tinham

---

[10]POHL, Adolf. *Apocalipse de João*. Vol. 1, p. 115-116.

mantido suas próprias convicções teológicas no meio dessa babel religiosa. A perseguição religiosa não os intimidou.

A igreja suportou provas extremas. Antipas, pastor da igreja de Pérgamo, segundo Tertuliano, foi colocado dentro de um boi de bronze e esse foi levado ao fogo até ficar vermelho, morrendo o servo de Deus sufocado e queimado.[11] Ele resistiu à apostasia até à morte.

Cristo vê uma igreja que começa a **negociar a verdade** (Ap 2.14)

Como satanás não logrou êxito contra a igreja usando a perseguição, mudou a sua tática, e usou a sedução. A proposta agora não é substituição, mas mistura. Não é apostasia aberta, mas ecumenismo.

Alguns membros da igreja começaram a abrir a guarda e a ceder diante da sedução do engano religioso. Na igreja havia crentes que permaneciam fiéis, enquanto outros estavam se desviando da verdade. Numa mesma congregação há aqueles que permanecem firmes e aqueles que caem.

Cristo vê uma igreja que começa a **ceder às pressões** do mundo (Ap 2.14)

Balaque contratou Balaão para amaldiçoar a Israel. Balaão prostituiu os seus dons com o objetivo de ganhar dinheiro. O deus de Balaão era o dinheiro. Mas quando ele abria a boca só conseguia abençoar. Então Balaque ficou bravo com ele. Balaão, então, por ganância, aconselhou Balaque a enfrentar Israel não com um grande exército, mas com pequenas donzelas sedutoras. Aconselhou a mistura, o incitamento ao pecado. Aconselhou a infiltração, uma armadilha. Assim, os homens de Israel participariam de suas festas idólatras e se entregariam à prostituição. E o Deus santo se encheria de ira contra eles e eles se tornariam fracos e vulneráveis.[12]

O pecado enfraquece a igreja. A igreja só é forte quando é santa. Sempre que a igreja se mistura com o mundo e adota o seu estilo de vida, ela perde o seu poder e sua influência.

---

[11]BARCLAY, William. *Apocalipsis*, p. 108.
[12]STOTT, John. *O que Cristo pensa da igreja*, p. 48.

O grande problema da igreja de Pérgamo é que enquanto uns sustentavam a doutrina de Balaão, os demais membros da igreja se calavam num silêncio estranho. A infidelidade aninhou-se dentro da igreja com a adesão de uns e o conformismo dos outros. A igreja tornou-se infiel. Parecia que a igreja queria submergir suas diferenças doutrinárias no oceano do amor fraternal.[13]

Cristo vê uma igreja que começa a baixar o seu nível moral (Ap 2.15)

Eles ensinavam que a liberdade de Cristo é a liberdade para o pecado. Diziam: Não estamos mais debaixo da tutela da lei. Estamos livres para viver sem freios, sem imposições, sem regras. Esse simulacro da verdade era para transformar a graça em licença para a imoralidade, a liberdade em libertinagem.

Os nicolaítas ensinavam que o crente não precisa ser diferente. Quanto mais ele pecar maior será a graça, diziam. Quanto mais ele se entregar aos apetites da carne, maior será a oportunidade do perdão. Eles faziam apologia ao pecado. Eles defendiam que os crentes precisam ser iguais aos pagãos. Eles deviam se conformar com o mundo. Por esta razão, o texto nos diz que Cristo odeia a obra dos nicolaítas. Ele odeia o pecado. O que era odiado em Éfeso era tolerado em Pérgamo.

Cristo diagnostica a igreja e identifica a fonte do pecado (Ap 2.13)

Em primeiro lugar, *Jesus diz que a fonte do pecado é o diabo* (2.13). A igreja de Pérgamo vivia e testemunhava numa cidade onde satanás habitava e onde estava o Seu trono. Satanás não somente habitou em Pérgamo, mas também a governou. Satanás era a fonte dos pecados aos quais alguns membros da igreja tinham sucumbido.[14] Seus numerosos templos, santuários e altares, seu labirinto de filosofias anticristãs, sua

---

[13] STOTT, John. *O que Cristo pensa da igreja*, p. 44.
[14] STOTT, John. *O que Cristo pensa da igreja*, p. 50.

tolerância com a imoralidade dos nicolaítas e balaamitas ostentavam um testemunho em favor do domínio maligno.

John Stott diz que nós precisamos apagar da nossa mente a caricatura medieval de satanás, despojando-o dos chifres, cascos e do rabo.[15] A Bíblia diz que ele é um ser espiritual inteligente, poderoso e inescrupuloso. Jesus o chamou de príncipe deste mundo. Paulo o chamou de príncipe da potestade do ar. Ele tem um trono e um reino e sob seu comando está um exército de espíritos malignos que são identificados nas Escrituras como "os dominadores deste mundo tenebroso" e "forças espirituais do mal nas regiões celestes".

Em segundo lugar, *Jesus diz que Pérgamo é um lugar sombrio*. A cidade estava mergulhada na confusão mental da heresia.[16] O reino de satanás é onde as trevas reinam. Ele é o dominador deste mundo tenebroso. Ele odeia a luz. Ele é mentiroso e enganador. Ele cega o entendimento dos descrentes. Ele instiga os homens a pecar e os induz ao erro.

Cristo sonda a igreja e **julga os que se rendem ao pecado** (Ap 2.12,16)

Em primeiro lugar, *Jesus exorta os faltosos ao arrependimento* (2.16). A igreja precisava expurgar aquele pecado de tolerância com o erro doutrinário e com a libertinagem moral. A igreja precisava arrepender-se do seu desvio doutrinário e do seu desvio de conduta. Verdade e vida precisam ser pautadas pela Palavra de Deus. Embora o juízo caia sobre os que se desviaram, a igreja toda é disciplinada e envergonhada por isso.

A igreja precisa arrepender-se de sua tolerância com o erro. Embora apenas alguns membros da igreja tenham se desviado, os outros devem se arrepender porque foram tolerantes com o pecado. Enquanto os crentes de Éfeso odiavam as obras dos nicolaítas, os crentes de Pérgamo, toleravam a doutrina e a obra dos nicolaítas. O pecado da igreja de Pérgamo era a tolerância ao erro e ao pecado.

Em segundo lugar, *Jesus sentencia os impenitentes com o juízo*. A falta de arrependimento desemboca no juízo. Jesus virá em juízo

---

[15] STOTT, John. *O que Cristo pensa da igreja*, p. 50.
[16] STOTT, John. *O que Cristo pensa da igreja*, p. 52.

condenatório contra todos aqueles que permanecem impenitentes e contra aqueles que se desviam da verdade. Antipas morreu pela espada dos romanos. Mas quem tem a verdadeira espada é Jesus. Ele derrotará os seus inimigos com esta poderosa arma. A espada da Sua boca é a Sua arma que destrói seus inimigos. Essa é a única arma que Jesus usará na Sua segunda vinda. Com ela Ele matará o anticristo e também destruirá os rebeldes e apóstatas.

A mensagem da verdade se tornará a mensagem do julgamento. Deus nos fará responsáveis por nossa atitude em face da verdade que conhecemos. Jesus diz que a sua própria palavra é que condenará o ímpio no dia do juízo (Jo 12.47-48). A palavra salvadora torna-se juiz e a espada benfazeja, transforma-se em carrasco.[17]

Cristo sonda a igreja e **premia os vencedores** (Ap 2.17)

Em primeiro lugar, *Jesus diz que os vencedores comerão do maná escondido* (2.17). No deserto Deus mandou o maná (Êx 16.11-15). Quando cessou, um vaso com maná foi guardado na Arca e depois no templo (Êx 16: 33,34; Hb 9.4). Com a destruição do templo, conta uma lenda que Jeremias escondeu o vaso com maná numa fenda do Monte Sinai. Os rabinos diziam que ao vir o Messias, o vaso com maná seria recuperado. Receber o maná escondido significa desfrutar das bênçãos da era messiânica.

O maná escondido refere-se ao banquete permanente que teremos no céu. Aqueles que rejeitam o luxo das comidas idólatras nesta vida, terão o banquete com as iguarias de Deus no céu. Bengel disse que diante desse manjar, o apetite pela carne sacrificada a ídolos deveria desaparecer.

O maná era o pão de Jeová (Êx 16.15), cereal do céu (Sl 78.24). Era alimento celestial. Os crentes não devem participar dos banquetes pagãos, pois vão participar dos banquetes do céu. Jesus é o pão do céu.

Em segundo lugar, *Jesus diz que os vencedores receberão uma pedrinha branca* (2.17). Essa pedrinha branca pode ter pelo menos dois

---

[17]STOTT, John. *O que Cristo pensa da igreja*, p. 54.

significados: Primeiro, era uma espécie de "entrada" para um banquete. Era considerada um bilhete para admissão à festa messiânica.[18] Segundo, era usada nos tribunais para veredito dos jurados. A sentença de absolvição correspondia a uma maioria de pedras brancas e a de condenação a uma maioria de pedras pretas. O cristão é declarado justo, inocente, sem culpa diante do Trono de Deus.

Era usada também como bilhete de entrada em festivais públicos. A pedrinha branca é símbolo da nossa admissão no céu, na festa das bodas do Cordeiro. Quem deixa as festas do mundo, vai ter uma festa verdadeira onde a alegria vai durar para sempre.

Em terceiro lugar, *Jesus diz que os vencedores receberão um novo nome* (Ap 2.17). John Stott diz que o maná escondido é Cristo. O novo nome é Cristo. Vamos nos deliciar com o maná e compreender o novo nome. Esta é a visão beatífica.[19] Aqueles que conhecem em parte conhecerão também plenamente, como são conhecidos. Aqueles que veem agora como em um espelho, indistintamente, o verão face a face.

---

[18]RIENECKER, Fritz e Rogers, Cleon. *Chave Linguística do Novo Testamento Grego*, p. 608-609.
[19]STOTT, John. *O que Cristo pensa da igreja*, p. 57.

6

Uma igreja debaixo do **olhar investigador** de Cristo

Apocalipse 2.18-29

A MAIS EXTENSA CARTA É DIRIGIDA à menos importante das sete cidades, diz John Stott.[1] Tiatira não era nenhum centro político ou religioso, sua importância era comercial.[2] William Barclay diz que a importância de Tiatira era sua posição geográfica, pois ficava no caminho por onde viajava o correio imperial. Por este caminho se transportava todo o intercâmbio comercial entre Europa e Ásia.[3]

Tiatira era sede de vários importantes grêmios de comércio (lã, couro, linho, bronze, tintureiros, alfaiates, vendedores de púrpura).[4] Uma dessas corporações vendia vestimentas de púrpura e é provável que Lídia fosse uma representante dessa corporação em Filipos (At 16.14). Estes grêmios tinham fins tanto de mútua proteção e benefício como social e recreativo.

Seria quase impossível ser comerciante em Tiatira sem fazer parte desses grêmios. Não participar era uma espécie de suicídio comercial. Era perder as esperanças de prosperidade.[5]

---

[1] STOTT, John. *O que Cristo pensa da igreja*, p. 58.
[2] LADD, George. *Apocalipse*, p. 40.
[3] BARCLAY, William. *Apocalipsis*, p. 118.
[4] STOTT, John. *O que Cristo pensa da igreja*, p. 59.
[5] BARCLAY, William. *Apocalipsis*, p. 119.

Cada grêmio tinha Sua divindade tutelar.[6] Nessas reuniões havia banquetes com comida sacrificada aos ídolos e acabavam depois em festas cheias de licenciosidade. William Barclay diz que esse era o problema de Tiatira: não havia perseguição; o perigo estava dentro da igreja.[7]

O que os cristãos deviam fazer nessas circunstâncias: transigir ou progredir? Manter a consciência pura ou entrar no esquema para não perder dinheiro? Ser santo ou ser esperto? Qual é a posição do cristão: se sai do grêmio perde sua posição, reputação e lucro financeiro. Se permanece nessas festas nega a Jesus. Nessa situação Jezabel fingiu saber a solução. Disse ela: para vencer a satanás é preciso conhecer as coisas profundas de satanás. O ensino de Jezabel enfatizava que não se pode vencer o pecado sem conhecer profundamente o pecado pela experiência.[8]

É dentro dessa cultura que está a igreja de Tiatira. Era uma igreja forte, crescente. Aos olhos de qualquer observador parecia ser uma igreja vibrante, amorosa, cheia de muitas pessoas. Vamos observar como Jesus vê essa igreja:

Uma **igreja dinâmica** sob a apreciação de Jesus (Ap 2.18-19)

Em primeiro lugar, *Jesus se apresenta como aquele que conhece profundamente a igreja* (2.18,23). Ele não apenas está no meio dos candeeiros (Ap 1.13), Ele também anda no meio dos candeeiros (2.1). Ele conhece as obras da igreja (2.19), as tribulações da igreja (2.9), bem como o lugar onde a igreja está (2.13). Seus olhos são como chama de fogo (2.18). Ele vê tudo, conhece tudo e sonda a todos. Nada escapa ao Seu conhecimento. Ele conhece as obras (2.19) e também as intenções (2.23).

Cristo apresenta-se assim, porque muitas práticas vis estavam sendo toleradas secretamente dentro da igreja. Mas ninguém pode esconder-se do olhar penetrante e onisciente de Jesus. Pedro não pôde apagar da sua memória o olhar penetrante de Jesus. Ele esquadrinha o coração

---

[6]HENDRIKSEN, William. *Más que Vencedores*, p. 80.
[7]BARCLAY, William. *Apocalipsis*, p. 119.
[8]HENDRIKSEN, William. *Más que Vencedores*, p. 81.

e os pensamentos. No dia do juízo Ele vai julgar o segredo do coração dos homens.

Em segundo lugar, *Jesus se apresenta como aquele que distingue dentro da igreja as pessoas fiéis e as infiéis* (2.24). Numa mesma comunidade havia três grupos: os que eram fiéis (2.24), os que estavam tolerando o pecado (2.20) e os que estavam vivendo no pecado (2.20-22). A igreja está bem, está em perigo e está mal. E Jesus sabe distinguir uns dos outros. Numa mesma igreja há gente salva e gente perdida. Há joio e trigo.

Em terceiro lugar, *Jesus se apresenta como aquele que reconhece e elogia as marcas positivas da igreja* (2.19). A igreja era operosa. Havia trabalho, labor, agenda cheia. A igreja era marcada por amor. Ela possuía a maior das virtudes, o amor. O que faltava em Éfeso havia em Tiatira. A igreja era marcada por fé. Havia confiança em Deus. A igreja era marcada pela perseverança ou paciência triunfadora. Ela passava pelas provas com firmeza. Finalmente, a igreja estava em franco progresso espiritual. Suas últimas obras eram mais numerosas que as primeiras. Essas marcas eram do remanescente fiel e não da totalidade dos membros. John Stott comentando sobre os predicados espirituais da igreja de Tiatira diz: "Tiatira não apenas rivalizava com Éfeso nas atividades do serviço cristão, como também demonstrou o amor que faltava em Éfeso, preservou a fé, que estava em perigo em Pérgamo, e compartilhava com Esmirna a virtude da resistência paciente na tribulação".[9]

Uma **igreja tolerante ao pecado**
sob a reprovação de Jesus (Ap 2.20)

Destacamos em primeiro lugar, *que antes de Jesus reprovar a falsa profetisa, ele reprova a igreja* (2.20). A igreja de Tiatira estava crescendo (2.19), por isso, satanás procura corromper o seu interior, em vez de atacá-la de fora para dentro.

Jesus reprova a igreja por ser tolerante com o falso ensino e com a falsa moralidade. Enquanto Éfeso não podia suportar os homens

---

[9]STOTT, John. *O que Cristo pensa da igreja*, p. 59.

maus e os falsos ensinos, Tiatira tolerava uma falsa profetisa, chamada Jezabel. Essa falsa profetisa estava exercendo uma influência tão nefasta na igreja como Jezabel havia exercido em Israel. O nome Jezabel significa *puro*, mas sua vida e conduta negavam o seu nome. Foi Jezabel quem introduziu em Israel o culto pagão a Baal e misturou religião com prostituição. Ela não só perseguiu os profetas de Deus, mas também promoveu o paganismo.

A segunda Jezabel estava induzindo os servos de Deus ao pecado. Pregava que os pecados da carne podiam ser livremente tolerados. A liberdade que ela pregava era uma verdadeira escravidão.

A tolerância da igreja com o falso ensino provoca a ira de Jesus. A igreja abriu as portas para essa mulher. Ela subia ao púlpito da igreja, exercia a docência e induzia os crentes ao pecado. A igreja não tinha pulso para desmascará-la e enfrentá-la.

Uma planta venenosa estava vicejando naquele precioso canteiro, chamado igreja de Tiatira.[10] Naquele corpo saudável um câncer maligno começou a formar-se. Um inimigo estava encontrando guarida no meio da comunidade. Havia transigência moral dentro da igreja. Aqui não era o lobo que veio de fora, mas o lobo que estava enrustido dentro da igreja. Escrevendo sobre essa condição da igreja de Tiatira, William Barclay alerta:

> Aqui temos uma advertência. Uma igreja cheia de gente, cheia de energia e atividade, não necessariamente é uma verdadeira igreja. É muito fácil encher de gente uma igreja quando os fiéis vêm para ser entretidos e não para ser instruídos, para ser tranquilizados em vez de ser desafiados e confrontados com a realidade de seus pecados e com a oferta da salvação. Uma igreja pode chegar a estar cheia de energia. Pode ser que essa igreja não descanse em suas múltiplas atividades, mas nessa abundância de energia, todavia, pode ter perdido o centro da sua vida. Em vez de ser uma congregação cristã, não passa de um clube social.[11]

---

[10] Stott, John. *O que Cristo pensa da igreja*, p. 60.
[11] Barclay, William. *Apocalipsis*, p. 122.

Em segundo lugar, *Jesus demonstra o Seu zelo pela igreja e denuncia a falsa doutrina e a falsa moralidade* (2.20). Jesus denunciou de forma firme a falsa doutrina na igreja. Jezabel estava ensinando à igreja que a maneira de vencer o pecado era conhecer as coisas profundas de satanás (2.23). Ela ensinava que os crentes não podiam cometer suicídio comercial, antes, deviam participar dos banquetes dos grêmios e comer carne sacrificada aos ídolos, bem como das festas imorais. Ela ensinava que os crentes deviam defender seus interesses materiais a todo custo. Prejuízo financeiro para ela era mais perigoso que o pecado. Amava mais o dinheiro que a Jesus, as exigências materiais mais que as exigências de Deus.[12] O ensino dela era que não há mérito em vencer um pecado sem antes experimentá-lo. O argumento dela é que para vencer a satanás é preciso conhecê-Lo e que o pecado jamais será vencido a menos que você tenha conhecido tudo por meio da experiência. O ensinamento perverso que estava por trás dessa falácia era: os pecados da carne podiam ser livremente tolerados sem prejuízo para o espírito. Mas a Bíblia diz que não podemos viver no pecado, nós os que para ele já morremos (Rm 6.1-2). Paulo diz, *na malícia... sede crianças* (1Co 14.20) e diz ainda *que devemos ser símplices para o mal* (Rm 16.19). O ensino dessa falsa profetisa estava levando os crentes de Tiatira a experimentar toda sorte de pecado. O que se pretendia era deixar que o corpo se afundasse no pecado para que a alma ou espírito se mantivesse livre de desejos e necessidades pecaminosas. Ela ensinava que o homem que nunca havia experimentado o prazer não tinha mérito nenhum em abster-se dele; para quem não conhecia a luxúria, abandoná-la não seria virtude; a verdadeira conquista seria viver no excesso do pecado, sem permitir que o pecado conquistasse a alma. Jezabel ensinava que a indulgência no prazer era vantajosa para a alma.[13]

Jesus denunciou de igual forma, a falsa moralidade. A proposta de Jezabel era oferecer uma nova versão do Cristianismo, um Cristianismo liberal, sem regras, sem proibições, sem legalismos. Ela queria modificar

---

[12]BARCLAY, William. *Apocalipsis*, p. 127.
[13]BARCLAY, William. *Apocalipsis*, p. 129.

o Cristianismo para se adaptar à moralidade do mundo. Ela ensinava uma prática ecumênica com o paganismo.

Uma igreja **confrontada por Jesus**, tendo a oportunidade de arrepender-se (Ap 2.21)

Em primeiro lugar, *antes de Jesus tratar a igreja com juízo, Ele a confronta com misericórdia* (2.21). Deus é paciente e longânimo. Ele não tem prazer na morte do ímpio. Ele não quer que nenhum se perca. Ele chama a todos ao arrependimento. Ele dá tempo para que o pecador se arrependa. Cada dia é um tempo de graça, é uma oportunidade de se voltar para Deus. As portas da graça estão abertas. Os braços de Deus estão estendidos para oferecer perdão.

Em segundo lugar, *antes de Jesus tratar a igreja com juízo, a confronta com a disciplina* (2.22). A disciplina é um ato de amor. Jesus traz o sofrimento. Ele transfomou o leito do adultério no leito do sofrimento. O leito da prostituição torna-se leito da doença terminal.[14] Ele transformou o prazer do pecado em chicote de disciplina. Ele está usando todos os recursos para levar o faltoso ao arrependimento.

Em terceiro lugar, *a falta de arrependimento implica necessariamente a aplicação inexorável do juízo* (2.19,22,23). Jezabel não quis se arrepender. Ela desprezou o tempo da sua oportunidade. Ela fechou a porta da graça com as suas próprias mãos. Ela calcou aos pés o sangue purificador de Cristo. Ela zombou da paciência do Cordeiro. Agora, ela e seus seguidores são castigados com a doença, com grande tribulação e com a morte (2.22-23). O salário do pecado é a morte. O pecado é doce ao paladar, mas amargo no estômago. O pecado é uma fraude, oferece prazer e traz desgosto. Satanás é um estelionatário, promete vida e paga com a morte.

O juízo contra o pecado será final e completo no dia do juízo. Jesus não apenas tem olhos como de fogo (Ap 2.18), não apenas sonda mente e corações (2.23), mas, também, tem os pés semelhantes ao bronze polido, prontos a esmagar os seus inimigos (2.18). No dia do juízo Cristo

---

[14] POHL, Adolf. *Apocalipse de João*. Vol. 1, p. 123.

colocará todos os Seus inimigos debaixo dos Seus pés (1Co 15.25). Naquele dia o Cordeiro estará irado (6.17).

Uma igreja encorajada a **ser fiel até o fim** a despeito da apostasia de outros (Ap 2.24-25)

Em primeiro lugar, *é possível manter-se firme na doutrina mesmo quando outros se desviam* (2.24). Alguns membros da igreja não apenas tinham tolerado o ensino e as práticas imorais de Jezabel, mas também estavam seguindo os seus ensinos para a sua própria destruição. Porém, havia na igreja um remanescente fiel. Cristo diz que esses de fato são livres. O jugo de Cristo é suave e leve. Os mandamentos de Deus não são penosos. Não são fardos. Ser crente é ser verdadeiramente livre.

Em segundo lugar, *é possível manter-se puro na conduta mesmo quando outros se corrompem* (2.24). Alguns crentes de Tiatira tinham-se curvado aos ensinos pervertidos de Jezabel e iam aos templos pagãos para comer carne sacrificada aos ídolos. Também participavam das festas cheias de licenciosidade. Buscavam conhecer as coisas profundas de satanás. E assim se corrompiam moralmente. Porém, havia nessa mesma igreja, irmãos que buscavam a santificação. A santidade de vida e de caráter é uma marca da igreja verdadeira. A santidade não é apenas a vontade de Deus, mas Seu propósito. Deus nos escolheu para sermos santos (Ef 1.4). Só os puros de coração verão a Deus (Mt 5.8). Sem santificação ninguém verá o Senhor (Hb 12.14). Eles se apartavam do mal e viviam em novidade de vida.

Se o propósito de Deus é nossa santidade, o propósito de satanás é frustrar tal propósito. Ele está sempre procurando induzir os crentes a pecar. Ele vai usar o anticristo para esmagar a igreja pela força. Ele vai usar o falso profeta para perverter o testemunho da igreja pelo mal. Mas se não lograr êxito, ele vai seduzir a igreja através da grande Babilônia, esse sistema sedutor do mundo. Se o diabo não pode destruir a igreja por meio da perseguição ou heresia, tentará corrompê-la com o pecado.

Em terceiro lugar *é preciso entender que já temos tudo em Cristo para uma vida plena* (2.25). Um dos grandes enganos de satanás é induzir os crentes a pensar que precisam buscar novidades para terem uma experiência mais profunda com Deus. A verdade de Deus é suficiente.

Não precisamos de mais nada. Tudo está feito. O banquete da salvação foi preparado. O que precisamos não é de novidades, de buscar fora das Escrituras coisas novas, mas tomar posse da vida eterna, conhecer o que Deus já nos deu, nos apropriarmos das insondáveis riquezas de Cristo. A provisão de Deus para nós é suficiente para uma vida plena até a volta de Jesus (2.25). Precisamos permanecer firmes e fiéis, conservando essa herança até o fim.

Uma igreja **recompensada pela Sua vitória** ao permanecer fiel ao seu Senhor até o fim (Ap 2.26-29)

O vencedor é o que guarda até o fim as obras de Jesus (2.26). Perseverança é a marca dos santos. Aqueles que se desviam e perecem no pecado são como Judas, filhos da perdição, nunca nasceram de novo.

O vencedor vai julgar os ímpios e reinar com Cristo (2.26-27). A falsa profetisa estava pregando que os crentes que não entrassem nos grêmios comerciais e não participassem das suas cerimônias pagãs perderiam o prestígio, cometeriam um suicídio econômico e estariam fadados à falência. Mas, Cristo ensina que não adianta ganhar o mundo inteiro e perder a alma. Aqueles que não vendem a sua consciência e não trocam Deus pelo dinheiro, vão ser honrados, vão se assentar no trono, e vão julgar os ímpios. Os santos julgarão o mundo (1Co 6.2). Aqueles que têm dominado suas próprias paixões sobre a terra terão ascendência sobre outros no céu.[15] No dia do juízo os perversos serão quebrados como um vaso de barro (Sl 2.8-9). Em vez de desprezo, teremos uma posição de honra. Vamos reinar com Cristo. Aqueles que perdem a vida por amor a Cristo, encontram a verdadeira vida, mas aqueles que querem ganhar a vida, perdem-na.

O vencedor vai conhecer não as coisas profundas de satanás, mas as coisas profundas de Cristo (2.28). Os salvos receberão a estrela da manhã. Não apenas eles receberão corpos gloriosos que vão brilhar como as estrelas no firmamento, mas também, vão conhecer a Cristo, a estrela da manhã, na sua plenitude. Os salvos terão parte não apenas na

---

[15] STOTT, John. *O que Cristo pensa da igreja*, p. 72.

autoridade de Cristo de governar o mundo, mas também na Sua glória. Recusando-se a penetrar nas profundezas de satanás, eles sondarão as profundezas de Cristo. Voltando suas costas às trevas do pecado, eles verão a luz da glória de Deus na face de Cristo. Os que renunciaram ao pecado e às vantagens do mundo, viverão na glória com Cristo em completo e eterno contentamento.[16]

Cristo é a nossa herança, a nossa riqueza, a nossa recompensa. Vê-Lo-emos face a face. Servi-Lo-emos eternamente. Ele será nosso prazer e deleite para sempre. Cristo é melhor que os banquetes do mundo. Só Ele satisfaz nossa alma.

---
[16] STOTT, John. *O que Cristo pensa da igreja*, p. 73.

7

Reavivamento
ou **sepultamento**

Apocalipse 3.1-6

A HISTÓRIA DA IGREJA DE SARDES tem muito a ver com a história da cidade de Sardes. A glória de Sardes estava no seu passado, diz George Ladd.[1] Sardes foi a capital da Lídia no século VII a.C. Viveu seu tempo áureo nos dias do rei Creso. Era uma das cidades mais magníficas do mundo nesse tempo.

Situada no alto de uma colina, amuralhada e fortificada, sentia-se imbatível e inexpugnável. Precipícios íngremes protegiam a cidade, de modo que não podia ser escalada.[2] Seus soldados e habitantes pensavam que jamais cairiam nas mãos dos inimigos. De fato, a cidade jamais fora derrotada por um confronto direto. Seus habitantes eram orgulhosos, arrogantes, e autoconfiantes.

Mas a cidade orgulhosa caiu nas mãos do rei Ciro da Pérsia em 529 a.C., quando este a cercou por 14 dias; e quando os soldados estavam dormindo, ele penetrou com seu exército por um buraco na muralha, o único lugar vulnerável, e dominou a cidade. Mais tarde, em 218 a.C., Antíoco Epifânio dominou a cidade da mesma forma. E isso por causa da autoconfiança e falta de vigilância dos seus habitantes.

---

[1] LADD, George. *Apocalipse*, p. 44.
[2] KISTEMAKER, Simon. *Apocalipse*, p. 196-197.

Os membros dessa igreja entenderam claramente o que Jesus estava dizendo, quando afirmou: *Sede vigilantes! ... senão virei como ladrão de noite* (Ap 3.3).

A cidade foi reconstruída no período de Alexandre Magno e dedicada à deusa Cibele, identificada com a deusa grega Ártemis. Essa divindade padroeira era creditada com o poder especial de restaurar a vida aos mortos.[3] Mas a igreja estava morrendo e só Jesus poderia dar vida aos crentes.

No ano 17 d.C. Sardes foi parcialmente destruída por um terremoto e reconstruída pelo imperador Tibério. A cidade tornou-se famosa pelo alto grau de imoralidade que a invadiu e a decadência que a dominou.

Quando João escreveu esta carta, Sardes era uma cidade rica, mas totalmente degenerada. Sua glória estava no passado e seus habitantes entregavam-se aos encantos de uma vida de luxúria e prazer. A igreja tornou-se como a cidade. Em vez de influenciar, foi influenciada. Era como sal sem sabor ou uma candeia escondida. A igreja não era nem perigosa nem desejável para a cidade de Sardes.

É nesse contexto que vemos Jesus enviando esta carta à igreja. Sardes era uma poderosa igreja, dona de um grande nome. Uma igreja que tinha nome e fama, mas não vida. Tinha performance, mas não integridade. Tinha obras, mas não dignidade.

A essa igreja Jesus envia uma mensagem revelando a necessidade imperativa de um poderoso reavivamento. Uma atmosfera espiritual sintética substituía o Espírito Santo naquela igreja, diz Arthur Bloomfield.[4] Ela substituía a genuína experiência espiritual por algo simulado. A igreja estava caindo num torpor espiritual e precisava de reavivamento. O primeiro passo para o reavivamento é ter consciência de que há crentes mortos e outros dormindo que precisam ser despertados.

Não é diferente o estado da igreja hoje. Ao sermos confrontados por aquele que anda no meio dos candeeiros, precisamos também tomar

---

[3] RIENECKER, Fritz e Rogers, Cleon. *Chave Linguística do Novo Testamento Grego*, p. 609.
[4] BLOMFIELD, Arthur E. *As Profecias do Apocalipse*. Venda Nova, MG: Editora Betânia, 1996, p. 81.

conhecimento da nossa necessidade de reavivamento hoje. Devemos olhar para esta carta não como uma relíquia, mas como um espelho, em que nos vemos a nós mesmos.

Certo pastor, ao ver a igreja que pastoreava em um profundo estado de torpor espiritual, negligenciando a Palavra, desobedecendo os preceitos de Deus, chocou a congregação dizendo que no próximo domingo faria a cerimônia de sepultamento da igreja. Convocou todos os crentes para virem para a cerimônia fúnebre. No domingo seguinte, até os faltosos estavam presentes. O pastor começou o culto e bem defronte do púlpito estava um caixão. O clima, de fato, era sombrio. Havia uma tristeza no ambiente. A curiosidade misturada com temor assaltou a todos. Depois do sermão, o pastor orientou os crentes a fazerem uma fila e verem o defunto que deveria ser enterrado. Cada pessoa que passava e olhava para dentro do caixão ficava comovida. Algumas pessoas saíram quebrantadas, em lágrimas. A congregação inteira prorrompeu em copioso choro. No fundo daquele caixão estava não um corpo morto, mas um espelho. Cada crente daquela congregação contemplava o seu próprio rosto. Todos entenderam a mensagem. Eles estavam dormindo o sono da morte e precisavam ser despertados para a vida em Cristo Jesus.

A necessidade do **Reavivamento**

Em primeiro lugar, *o reavivamento é necessário quando há crentes que só têm o nome no rol da igreja, mas ainda estão mortos espiritualmente, ou seja, ainda não são convertidos* (3.1). A igreja de Sardes vivia de aparências. As palavras de Jesus à igreja foram mais bombásticas do que o terremoto que destruiu a cidade no ano 17 d.C. A igreja tinha adquirido um nome. A fama da igreja era notável. A igreja gozava de grande reputação na cidade. Nenhuma falsa doutrina estava prosperando na comunidade. Não se ouve de balaamitas, nem dos nicolaítas, nem mesmo dos falsos ensinos de Jezabel.[5] William Barclay diz que a igreja de Sardes não era molestada por ataques externos, pois quando uma igreja perde sua vitalidade espiritual, já não vale a pena atacá-la.[6]

---

[5] STOTT, John. *O que Cristo pensa da igreja*, p. 78.
[6] BARCLAY, William. *Apocalipsis*, p. 139-140.

Aos olhos dos observadores parecia ser uma igreja viva e dinâmica. Tudo na igreja sugeria vida e vigor, mas a igreja estava morta. Era uma espiritualidade apenas de rótulo, de aparência. A maioria dos seus membros ainda não eram convertidos. O diabo não precisou perseguir essa igreja de fora para dentro, ela já estava sendo derrotada pelos seus próprios pecados. Adolf Pohl diz que onde reina a morte pelo pecado, não há morte pelo martírio.[7]

A igreja de Sardes parecia mais um cemitério espiritual, do que um jardim cheio de vida. Não nos enganemos acerca de Sardes. Ela não é o que o mundo chamaria de igreja morta. Talvez ela fosse considerada viva mesmo pelas igrejas irmãs. Nem ela própria tinha consciência do seu estado espiritual. Todos a reputavam como igreja viva, florescente; todos, com exceção de Cristo.[8] Parecia estar viva, mas na verdade estava morta. Tinha um nome respeitável, mas era só fachada. Quando Jesus examinou a igreja mais profundamente, disse: *Não achei as suas obras íntegras diante do meu Deus* (Ap 3.2). J. I. Packer diz que há igrejas cujos cultos são solenes, mas são como um caixão florido, lá dentro tem um defunto.

A reputação da igreja era entre as pessoas e não diante de Deus. A igreja tinha fama, mas não vida. Tinha pompa, mas não Pentecoste. Tinha exuberância de vida diante dos homens, mas estava morta diante de Deus. Deus não vê como vê o homem. A fama diante dos homens nem sempre é glória diante de Deus. Aquela igreja estava se transformando apenas em um clube.

A fé exercida pela igreja era apenas nominal. O cristianismo da igreja era apenas nominal. Seus membros pertenciam a Cristo apenas de nome, porém não de coração. Tinham fama de vivos; mas na realidade estavam mortos. Fisicamente vivos, espiritualmente mortos.

Em segundo lugar, **o reavivamento é necessário quando há crentes que estão no CTI espiritual, em adiantado estado de enfermidade espiritual** (3.2). Na igreja havia crentes espiritualmente em estado terminal.

---

[7]POHL, Adolf. *Apocalipse de João*. Vol. 1, p. 128.
[8]WILCOCK, Michael. *A Mensagem do Apocalipse*, p. 30.

A maioria dos crentes apenas tinha seus nomes no rol da igreja, mas não no Livro da Vida. Mas havia também crentes doentes, fracos, em fase terminal. O mundanismo adoece a igreja. O pecado mata a vontade de buscar as coisas de Deus. O pecado mata os sentimentos mais elevados e petrifica o coração. No começo vêm dúvidas, medo, tristeza, depois a consciência cauteriza.

Em terceiro lugar, *o reavivamento é necessário quando há crentes que embora estejam em atividade na igreja, levam uma vida sem integridade* (3.2). Aqueles crentes viviam uma vida dupla. Suas obras não eram íntegras. Eles trabalhavam, mas apenas sob as luzes da ribalta. Eles promoviam seus próprios nomes e não o de Cristo. Buscavam a sua própria glória e não a de Cristo. Honravam a Deus com os lábios, mas o coração estava longe do Senhor (Is 29.13). Os cultos eram solenes, mas sem vida, vazios de sentido. A vida dos seus membros estava manchada pelo pecado.

Esses crentes eram como os hipócritas. Davam esmolas, oravam, jejuavam, entregavam o dízimo, com o fim da ganhar a reputação de serem bons religiosos. Eles eram como sepulcros caiados. Ostentavam aparência de piedade, mas negavam seu poder (2Tm 3.5). Isso é formalidade sem poder, reputação sem realidade, aparência externa sem integridade interna, demonstração sem vida.

Esses crentes viviam um simulacro da fé, uma faz de conta da religião. Cantavam hinos de adoração, mas a mente estava longe de Deus. Pregavam com ardor, mas apenas para exibir sua cultura. Deus quer obediência, a verdade no íntimo. Em Sardes os crentes estavam falsamente satisfeitos e confiantes; eram falsamente ativos, falsamente devotos e falsamente fiéis.

Em quarto lugar, *o reavivamento é necessário quando há crentes se contaminando abertamente com o mundanismo* (3.4). A causa da morte da igreja de Sardes não era a perseguição, nem a heresia, mas o mundanismo. Como já disse Adolf Pohl, onde reina a morte pelo pecado, não há morte pelo martírio. A maioria dos crentes estava contaminando as suas vestiduras. Isso é um símbolo da corrupção. O pecado tinha se infiltrado na igreja. Por baixo da aparência piedosa daquela respeitável congregação havia impureza escondida na vida de seus membros.

Aqueles crentes também viviam uma vida moralmente frouxa. O mundo estava entrando dentro da igreja. A igreja estava se tornando amiga do mundo, amando o mundo e se conformando com ele. O fermento do mundanismo estava se espalhando na massa e contaminando a maioria dos crentes. Os crentes não tinham coragem de ser diferentes. John Stott citando o historiador grego Heródoto diz que os habitantes de Sardes, no correr dos anos, tinham adquirido uma reputação respaldada em padrões morais frouxos e até mesmo licenciosidade ostensiva.[9]

Os imperativos para o reavivamento

Jesus aponta três imperativos para o reavivamento da igreja:

Em primeiro lugar, *uma volta urgente à Palavra de Deus* (3.3). O que é que eles ouviram e deviam lembrar, guardar e voltar? A Palavra de Deus! A igreja tinha se apartado da pureza da Palavra. O reavivamento é resultado dessa lembrança dos tempos do primeiro amor e dessa volta à Palavra. Uma igreja pode ser reavivada quando volta ao passado e lembra dos tempos antigos, do seu fervor, do seu entusiasmo, da sua devoção a Jesus. Deixemos que a história passada nos desafie no presente e voltemo-nos para a Palavra de Deus. Quando uma igreja experimenta um reavivamento passa a ter fome da Palavra. O primeiro sinal do reavivamento é a volta do povo de Deus à Palavra. Os crentes passam a ter fome de Deus e da Sua Palavra. Começam a se dedicar ao estudo das Escrituras. Abandonam o descaso e a negligência com a Palavra. A Palavra torna-se doce como o mel. As antigas veredas se fazem novas e atraentes. A Palavra torna-se viva, deleitosa, transformadora.

O verdadeiro avivamento é fundamentado na Palavra, orientado e limitado por ela. Ele tem na Bíblia a sua base, sua fonte, sua motivação, seu limite e seus propósitos. Avivamento não pode ser confundido com liturgia animada, com culto festivo, inovações litúrgicas, obras abundantes, dons carismáticos, milagres extraordinários. O reavivamento é bíblico ou não vem de Deus.

---

[9] STOTT, John. *O que Cristo pensa da igreja*, p. 79.

Em segundo lugar, ***uma volta à vigilância espiritual*** (3.2). Sardes caiu porque não vigiou. A cidade de Sardes era uma acrópole inexpugnável que nunca fora conquistada em ataque direto; mas duas vezes na história da cidade ela foi tomada de surpresa por falta de vigilância da parte dos defensores.[10] Jesus alerta a igreja que se ela não vigiar, se ela não acordar, Ele virá a ela como o ladrão de noite, inesperadamente. Para aqueles que pensam que estão salvos, mas ainda não se converteram, aquele dia será dia de trevas e não de luz (Mt 7.21-23). A igreja precisa ser vigilante contra as ciladas de satanás, contra a tentação do pecado. Os crentes devem fugir de lugares, situações e pessoas que podem ser um laço para os seus pés.

Alguns membros da igreja em Sardes estavam sonolentos e não mortos. E Jesus os exorta a se levantarem desse sono letárgico (Ef 5.14). Há crentes que estão dormindo espiritualmente. São acomodados, indiferentes às coisas de Deus. Não têm apetite espiritual. Não vibram com as coisas celestiais.

Os crentes fiéis precisam fortalecer os que estão com um pé na cova e socorrer aqueles que estão se contaminando com o mundo. Precisamos vigiar não apenas a nós mesmos, mas os outros também. Uma minoria ativa pode chamar de volta a maioria da morte espiritual. Um remanescente robusto pode fortalecer o que resta e que estava para morrer (Ap 3.4).

Precisamos vigiar e orar. Os tempos são maus. As pressões são muitas. Os perigos são sutis. O diabo não atacou a igreja de Sardes com perseguição nem com heresia, mas a minou com o mundanismo. Os crentes não estão sendo mortos pela espada do mundo, mas pela amizade com o mundo.

A igreja de Sardes não era uma igreja herética e apóstata. Não havia heresias nem falsos mestres na igreja. A igreja não sofria perseguição, não era perturbada por heresias, não era importunada por oposição dos judeus. Ela era ortodoxa, mas estava morta. O remanescente fiel devia estar vigilante para não cair em pecado e também para preservar

---

[10]LADD, George. *Apocalipse*, p. 44.

uma igreja decadente da extinção, restabelecendo sua chama e seu ardor pelo Senhor.

Em terceiro lugar, ***uma volta à santidade*** (3.4). O torpor espiritual em Sardes não tinha atingido a todos. Ainda havia algumas pessoas que permaneciam fiéis a Cristo. Embora a igreja estivesse cheia, havia apenas uns poucos que eram crentes verdadeiros e que não haviam se contaminado com o mundo. A maioria dos crentes estava vivendo com vestes manchadas, e não tendo obras íntegras diante de Deus. As vestes sujas falam de pecado, de impureza, de mundanismo. Obras sem integridade falam de caráter distorcido, de motivações erradas, de ausência de santidade.

O agente do reavivamento

Jesus é o agente do reavivamento. Ele pode trazer reavivamento para a igreja por três razões.

Em primeiro lugar, ***porque Jesus conhece o estado da igreja*** (3.1). Jesus conhece as obras da igreja. Ele conhece a nossa vida, nosso passado, nossos atos, nossas motivações. Seus olhos são como chama de fogo. Ele vê tudo e a tudo sonda.

Jesus vê que a igreja de Esmirna é pobre, mas aos olhos de Deus é rica. Ele vê que na igreja apóstata de Tiatira havia um remanescente fiel. Ele vê que a igreja que tem uma grande reputação de ser viva e avivada como Sardes, está morta. Ele vê que uma igreja que tem pouca força como Filadélfia tem diante de si uma porta aberta. Ele vê que uma igreja que se considera rica e abastada como Laodiceia não passa de uma igreja pobre e miserável. Jesus sabe quem somos, como estamos e do que precisamos.

Em segundo lugar, ***Jesus pode trazer reavivamento para a igreja, porque Ele é o dono da igreja*** (3.1). Ele tem as sete estrelas. As estrelas são os anjos das sete igrejas. Elas representam as próprias igrejas. As estrelas estão nas mãos de Jesus. A igreja pertence a Jesus. Ele controla a igreja. Ele tem autoridade e poder para restaurar a Sua igreja. Ele disse que as portas do inferno não prevaleceriam contra a Sua igreja. Ele pode levantar a igreja das cinzas. Ele tem tudo em Suas mãos. Cristo é o dono da igreja. Ele tem cuidado da igreja. Ele a exorta, consola, cura e restaura.

Em terceiro lugar, *Jesus é quem reaviva a igreja por meio do Seu Espírito* (3.1). Jesus tem e oferece a plenitude do Espírito Santo à igreja. O problema da igreja de Sardes era morte espiritual; Cristo é o que tem o Espírito Santo, o único que pode dar vida. A igreja precisa passar por um avivamento ou enfrentará um sepultamento. Somente o sopro do Espírito pode trazer vida para um vale de ossos secos. O profeta Ezequiel fala sobre o vale de ossos secos. *Filho do homem, poderão reviver esses ossos? Senhor Deus, tu o sabes* (Ez 37.3).

Uma igreja morta, enferma e sonolenta precisa ser reavivada pelo Espírito Santo. Só o Espírito Santo pode dar vida, e restaurar a vida. Só o sopro de Deus pode fazer com que o vale de ossos secos transforme-se num exército. Jesus é aquele que tem o Espírito e O derrama sobre a Sua igreja. É pelo poder do Espírito que a igreja se levanta da morte, do sono e do mundanismo para servir a Deus com entusiasmo.

Jesus é quem envia o Espírito à igreja para reavivá-la. O Espírito Santo é o Espírito de vida para uma igreja morta. Quando Ele sopra, a igreja morta e moribunda levanta-se. Quando Ele sopra, nossa adoração formal passa a ter vida exuberante. Quando Ele sopra, os crentes têm deleite na oração. Quando Ele sopra, os crentes são tomados por uma alegria indizível. Quando Ele sopra, os crentes testemunham de Cristo com poder.

A Palavra diz que devemos orar no Espírito, pregar no Espírito, adorar no Espírito, viver no Espírito e andar no Espírito. Uma igreja inerte só pode ser reavivada por Ele. Uma igreja sonolenta só pode ser despertada por Ele. Oh! que sejamos crentes cheios do Espírito de Cristo. Uma coisa é possuir o Espírito, outra é ser possuído por Ele. Uma coisa é ser habitado pelo Espírito, outra é ser cheio do Espírito. Uma coisa é ter o Espírito residente, outra é ter o Espírito presidente.

As bênçãos do reavivamento

A santidade agora, é garantia de glória no futuro (3.5). A maioria dos crentes de Sardes tinha contaminado suas vestiduras, isto é, tornaram-se impuros pelo pecado. O vencedor receberia vestes brancas, símbolo de festa, pureza, felicidade e vitória. Sem santidade não há salvação. Sem santificação ninguém verá a Deus. Sem vida com Deus aqui, não haverá vida com Deus no céu. Sem santidade na terra não há glória no céu.

Quem não se envergonha de Cristo agora, terá seu nome proclamado no céu por Cristo (3.5). Quando uma pessoa morre, tiramos o atestado de óbito. Tira-se o nome do livro dos vivos. Os nomes dos mortos não constam no registro dos vivos. O salvo jamais será tirado do rol do céu.

Aqueles que estão mortos espiritualmente e negam a Cristo nesta vida não têm seus nomes escritos no Livro da Vida. Mas aqueles que confessam a Cristo, e não se envergonham do Seu nome, terão seus nomes confirmados no Livro da Vida e seus nomes confessados por Cristo diante do Pai. Os crentes fiéis confessam e são confessados.

Nosso nome pode constar do registro de uma igreja sem estar no registro de Deus. Ter apenas a reputação de estar vivo é insuficiente. Importa que o nosso nome esteja no Livro da Vida a fim de que seja proclamado por Cristo no céu (Mt 10.32).

8

Igreja, olhe para as
oportunidades
e não para os **obstáculos**

Apocalipse 3.7-13

FILADÉLFIA ERA A MAIS JOVEM DAS SETE CIDADES. Fundada por colonos provenientes de Pérgamo sob o reinado de Átalo II nos anos de 159 a 138 a. C.[1] A cidade estava situada num lugar estratégico, na principal rota do Correio Imperial de Roma para o Oriente. A cidade era chamada a porta do Oriente. Também era chamada de pequena Atenas, por ter muitos templos dedicados aos deuses. A cidade estava cercada de muitas oportunidades. John Stott comenta que era também chamada a cidade dos terremotos. Tremores de terra eram frequentes e tinham levado muitos antigos habitantes a deixar a cidade em busca de lugar mais seguro. O violento terremoto que devastou Sardes no ano 17 d.C., quase destruiu completamente Filadélfia.[2]

Átalo amava tanto a seu irmão Eumenes que apelidou-o de *philadelphos*, o que ama a seu irmão. Daí vem o nome da cidade.[3]

Para essa jovem igreja Jesus envia esta carta e nos ensina várias lições.

---

[1] BARCLAY, William. *Apocalipsis*, p. 148.
[2] STOTT, John. *O que Cristo pensa da igreja*, p. 94.
[3] WIERSBE, Warren. *With the Word*, p. 848.

Jesus não só conhece a igreja, Ele também conhece a cidade onde a igreja está inserida

A mensagem de Jesus à igreja é contextualizada. Jesus conhecia a igreja e a cidade. Ele fazia uma leitura das Escrituras e também do povo. Sua mensagem era absolutamente pertinente e contextualizada. Ele falava uma linguagem que o povo podia entender. Ele criava pontes de comunicação.

Precisamos conhecer a Bíblia e conhecer a cidade onde estamos. Precisamos conhecer a mensagem e conhecer o povo para quem ministramos. Precisamos interpretar as Escrituras e a congregação da qual participamos. As estratégias que são boas para uma cidade podem não ser pertinentes para outra. Os métodos usados num bairro podem não ser adequados para outro. Precisamos ousar mudar os métodos sem mudar o conteúdo do evangelho.

A cidade de Filadélfia fora fundada para ser uma porta aberta de divulgação da cultura e do idioma grego na Ásia. John Stott afirma que o que a cidade tinha sido para a cultura grega era agora para o evangelho cristão.[4] Átalo criou a cidade para ser embaixadora da cultura helênica, missionária da filosofia grega,[5] mas Cristo diz para a igreja que Ele colocou uma porta aberta diante dela para proclamar não a cultura grega, mas o evangelho da salvação. A razão por que a porta permanece aberta diante da igreja é que sua chave está na mão de Cristo.[6]

A cidade fora castigada por vários terremotos e as pessoas viviam assustadas pela instabilidade. Existiam muitos terremotos e grandes tremores de terra na cidade de Filadélfia. Muitos viviam em tendas fora da cidade. Paredes rachadas e desabamentos eram coisas comuns na cidade. Era uma região perigosamente vulcânica. O terremoto do ano 17 d.C., que destruiu Sardes, também atingiu Filadélfia. Mas para a igreja assustada com os abalos sísmicos da cidade, Jesus diz: *Ao vencedor, fá-lo-ei coluna no santuário do meu Deus, e daí jamais sairá...* (3.12).

---

[4]Wiersbe, Warren. *With the Word*, p. 101.
[5]Barclay, William. *Apocalipsis*, p. 148.
[6]Stott, John. *O que Cristo pensa da igreja*, p. 102.

A cidade fora batizada com um novo nome depois de sua reconstrução. Por volta do ano 90 d.C., com a ajuda imperial, Filadélfia tinha sido completamente reconstruída. Em gratidão, passaram o nome da cidade para NEOCESARE – a nova cidade de César.[7] Mais tarde, no tempo de Vespasiano, a cidade voltou a trocar de nome, FLÁVIA, pois Flávio era o apelido do imperador. Jesus então, aproveita esse gancho cultural para falar à igreja que os vencedores teriam um novo nome: *... gravarei sobre ele o nome do meu Deus, o nome da cidade do meu Deus, a nova Jerusalém que desce do céu, vinda da parte do meu Deus, e o meu novo nome* (3.12). A igreja terá nela o nome de Deus gravado e não o nome de César.

Jesus não apenas conhece a igreja, mas apresenta-se como a **solução para os seus problemas**

Para uma igreja perseguida pelos falsos mestres, Jesus se apresenta como o Santo e o Verdadeiro (3.7). Jesus não apenas se apresenta como Deus, mas destaca que Ele é separado, possui santidade absoluta em contraste com os que vivem em pecado. Cristo é santo em Seu caráter, obras e propósitos. Ele não é a sombra da verdade, é sua essência. Ele é Deus confiável, real em constraste com os que mentem (3.9). Ele não é uma cópia de Deus, é o Deus verdadeiro. Havia centenas de divindades naqueles dias, mas somente Jesus podia reinvindicar o título de verdadeiro Deus.

Ainda hoje há seitas que se consideram os únicos salvos e os únicos fiéis que servem a Deus e não ousam atacar os crentes. Mas esses mestres mentem. Com eles não está a verdade. Devemos olhar não para suas palavras insolentes, mas para o Senhor Jesus que é santo e verdadeiro.

Para uma igreja sem forças aos olhos do mundo, Jesus a parabeniza pela sua fidelidade (3.8). A igreja tem pouca força, talvez por ser pequena; talvez por ser formada de crentes pobres e escravos; talvez por não ter influência política e social na cidade. Mas ela tem guardado a Palavra de Cristo e não tem negado o Seu nome.

---

[7] BARCLAY, William. *Apocalipsis*, p. 149.

A igreja era pequena em tamanho e em força, mas grande em poder e fidelidade. Deus na verdade escolhe as coisas fracas para envergonhar as fortes. Sardes tinha nome e fama, mas não vida. Filadélfia não tinha fama, mas tinha vida e poder. A igreja tinha pouca força, mas Jesus colocou diante dela uma porta aberta, que ninguém pode fechar. A igreja é fraca, mas seu Deus é onipotente. A nossa força não vem de fora nem de dentro, mas do alto.

Para uma igreja perseguida e odiada pelo mundo, Jesus diz que ela é a sua amada (3.9). Os judeus diziam que os crentes não eram salvos, porque não eram descendentes de Abraão, e por isso, não tinham parte na herança de Deus. Mas Jesus diz que não é a igreja que vai se dobrar ao judaismo, mas os judeus é que reconhecerão que Jesus é o Messias e virão e reconhecerão que a igreja é o povo de Deus e verão que Jesus ama a Sua igreja. A igreja será honrada. Aqui Cristo está com ela. No céu nós reinaremos com Ele e nos assentaremos em tronos para julgarmos o mundo. Nós somos o povo amado de Deus, Seu rebanho, Sua vinha, Sua noiva, a Sua delícia, a menina dos Seus olhos.

Para uma igreja que guardou a Palavra de Cristo nas provações, Ele promete guardá-la das provações que sobrevirão (3.10). A igreja foi fiel a Cristo, Cristo a guardará na tribulação. A igreja guardou a Palavra, Cristo guardará a igreja. A igreja de Filadélfia não transigiu nem cedeu às pressões. Ela preferiu ser pequena e fiel a ser grande e mundana.

Hoje muitas igrejas têm abandonado o antigo evangelho por outro evangelho, mais palatável, mais popular, mais adocicado; um evangelho centrado no homem, não em Deus. Cristo, porém, é o protetor da igreja. As portas do inferno não prevalecerão contra ela. Ele é um muro de fogo ao seu redor. Ela é o povo selado de Deus e o maligno nem seus terríveis agentes, podem tocar na igreja de Cristo. Ela está segura nas mãos do Senhor.

Jesus usa nesta carta três símbolos que regem toda a mensagem: uma porta aberta, a chave de Davi, uma coluna no santuário de Deus. É colocada diante da igreja uma porta aberta que ninguém pode fechar. Cristo é chamado como Aquele que tem a chave de Davi, enquanto o vencedor é feito uma coluna no santuário de Deus.

Jesus não apenas conhece as fraquezas da igreja, mas coloca diante dela uma **grande oportunidade** (Ap 3.8)

A primeira porta aberta é *a oportunidade da salvação*. Jesus disse em João 10.9 que Ele é a porta da salvação, da liberdade e da provisão. Ele também usou essa figura no sermão do monte: *Entrai pela porta estreita (larga é a porta, e espaçoso, o caminho que conduz para a perdição, e são muitos os que entram por ela), porque estreita é a porta, e apertado o caminho que conduz para a vida, e são poucos os que acertam com ela* (Mt 7.13-14). Vemos aqui duas portas, e ambas estão abertas: uma abre sobre uma rua larga e cheia de gente que caminha para a destruição, o inferno. A outra porta abre-se para um caminho estreito e escassamente povoado que leva à vida eterna. Jesus contrasta dois caminhos, duas portas, dois destinos. Ambas as portas estão abertas e convidando as pessoas. Para entrar pela porta estreita é preciso se curvar, não se pode levar bagagem e só pode passar um de cada vez.

A segunda porta aberta é *a oportunidade da evangelização*. As angústias da cidade, são como que o grito de socorro dos homens carentes do evangelho. Jesus fala de uma porta de oportunidade para se pregar o evangelho. Paulo via a idolatria da cidade de Atenas como uma porta aberta para falar do Deus desconhecido. Quando Paulo ficou três anos em Éfeso pregando o reino ele disse: *se abriu para mim uma porta ampla e promissora* (1Co 16.9). Quando estava preso em Roma, apesar de já ter resultados tão fantásticos, conforme relato de Filipenses 1, ele pede à igreja: *Orem também por nós, para que Deus abra uma porta para a nossa mensagem, a fim de que possamos proclamar o mistério de Cristo...* (Cl 4.3-4).

A igreja de Filadélfia, segundo John Stott, tinha três problemas para aproveitar a oportunidade dessa porta aberta:[8]

Em primeiro lugar, *a igreja era muito fraca* (3.8). Era uma congregação pequena, formada de crentes pobres e escravos, fazendo com que tivesse pouca influência sobre a cidade. Mas isso não devia detê-la no evangelismo.

---

[8] STOTT, John. *O que Cristo pensa da igreja*, p. 99-100.

Em segundo lugar, *havia oposição à igreja na cidade* (3.9). Os judeus, chamados por Jesus "sinagoga de satanás", perseguiram a igreja. No começo os crentes começaram a recuar, então Cristo disse para a igreja: *eu coloquei diante de vocês uma porta aberta que ninguém pode fechar. Aqueles que hoje os perseguem, virão e se prostrarão diante de vocês e saberão que os amei*.

Em terceiro lugar, *a ameaça de futura tribulação* (3.10). Seria aquele momento apropriado para evangelismo? Não seria um tempo para recolher-se e manter-se seguro, em vez de avançar? Cristo diz não! Ele promete guardar a igreja e a encoraja a cruzar a porta aberta sem medo. Não basta ser uma igreja que guarda a Palavra (v. 8). É preciso proclamar a Palavra. Não basta não negar o nome de Cristo (v. 8). É preciso anunciá-lo. Não basta ser uma igreja ortodoxa, é preciso ser uma igreja missionária! Assim como a cidade tinha uma missão: ser a missionária da cultura grega, a igreja devia ser a missionária do evangelho. A porta estava aberta. A porta está aberta, precisamos aproveitar as oportunidades enquanto é dia!

Jesus não apenas conhece as dificuldades da igreja, mas dá-lhe uma **grande garantia** (Ap 3.7)

Em primeiro lugar, *Jesus tem em suas mãos toda autoridade*. Quem tem as chaves tem a autoridade. Jesus tem não apenas as chaves da morte e do inferno (1.18), mas também tem a chave de Davi, a chave da salvação e da evangelização. Ninguém pode entrar até que Cristo tenha aberto a porta. Nem pode alguém entrar quando Ele a fecha. Se a porta é símbolo da oportunidade da igreja, a chave é símbolo da autoridade de Cristo.

Em segundo lugar, *Jesus tem em Suas mãos a chave da salvação*. Ninguém senão Jesus pode abrir a porta da salvação. A chave está na mão de Cristo e não de Pedro. Jesus na verdade disse a Pedro: *Dar-te-ei as chaves do reino dos céus* (Mt 16.19). E Pedro as usou. Foi por meio da sua pregação que os primeiros judeus foram convertidos no Pentecoste (At 2). Foi mediante a imposição das suas mãos e de João que o Espírito Santo foi dado aos primeiros crentes samaritanos (At 8). Foi através do Seu ministério que Cornélio e sua casa, os primeiros gentios, foram salvos (At 10). Pedro de fato abriu o reino do céu para os primeiros judeus, os primeiros samaritanos e os primeiros gentios. Mas as chaves estão agora nas mãos de Jesus.

A porta da salvação foi e ainda está aberta. Todo aquele que se arrepende e crê pode entrar. Mas um dia essa porta será fechada. O próprio Cristo a fechará. Porque a chave que a abriu irá fechá-la novamente. E quando Ele fechá-la ninguém poderá abri-la. Tanto a admissão como a exclusão estão unicamente em Seu poder.

Em terceiro lugar, *Jesus tem a chave da evangelização*. Precisamos compreender a soberania de Cristo na realização da Sua obra. Há portas abertas e portas fechadas. Quando Ele abre ninguém fecha e quando Ele fecha ninguém abre. Ninguém pode deter a igreja quando ela entra pelas portas que o próprio Cristo abriu. Cristo tem as chaves e abre as portas. Tentar entrar quando as portas estão fechadas é insensatez. Deixar de entrar quando estão abertas é desobediência. A porta aberta é símbolo da oportunidade da igreja e a chave é símbolo da autoridade de Cristo.[9]

Jesus não apenas conhece a pobreza da igreja, mas promete a ela uma **grande recompensa e uma gloriosa herança** (Ap 3.12)

Em primeiro lugar, *Jesus ordena à igreja a permanecer firme até a segunda vinda de Cristo* (3.11). Jesus envia um telegrama à igreja: *Eis que venho sem demora!* (3.11). É só mais um pouco e chegará o dia da recompensa. A herança que Ele preparou para nós é gloriosa. Cristo virá em breve. Não precisamos de nada novo. Precisamos guardar o que temos. Precisamos proclamar o que já possuímos. A coroa aqui não é a salvação, mas o privilégio de aproveitarmos as oportunidades de Deus na proclamação do evangelho. Jesus disse para a igreja de Éfeso que se ela não se arrependesse, Ele removeria o seu candeeiro, e removeu!

Em segundo lugar, *Jesus garante que o vencedor será coluna no santuário de Deus* (Ap 3.12). Se nos tornarmos peregrinos nessa vida,

---
[9]Stott, John. *O que Cristo pensa da igreja*, p. 103.

seremos uma coluna inabalável na próxima. Aqui os terremotos da vida podem nos abalar, mas no céu estaremos tão firmes e sólidos como a coluna do santuário de Deus. Os crentes de Filadélfia podem viver com medo de terremotos, mas nada os abalará quando permanecerem como colunas no céu.[10]

Em terceiro lugar, *Jesus promete que o vencedor terá gravado em sua vida um novo nome* (3.12). Esse novo nome terá o nome de Deus, da igreja, a nova Jerusalém e o novo nome de Cristo. Pertenceremos para sempre a Deus, a Cristo e ao Seu povo. Viveremos com Ele em glória.

A porta aberta representa a oportunidade da igreja. A chave de Davi, a autoridade de Cristo. E a coluna do templo de Deus, a segurança do vencedor. Cristo tem as chaves. Cristo abriu as portas. Cristo promete fazer-nos seguros como as sólidas colunas do templo de Deus. Quando Ele abre as portas nós devemos trabalhar. Quando Ele fecha as portas nós devemos esperar. Acima de tudo, devemos ser fiéis a Ele para vermos as oportunidades e não os obstáculos.

---

[10] STOTT, John. *O que Cristo pensa da igreja*, p. 108.

9

Uma convocação urgente ao **fervor** espiritual

Apocalipse 3.14-22

DE TODAS AS CARTAS ÀS IGREJAS DA ÁSIA, esta é a mais severa. Jesus não faz nenhum elogio à igreja de Laodiceia. A única coisa boa em Laodiceia era a opinião da igreja sobre si mesma e, ainda assim, completamente falsa, diz Michael Wilcock.[1]

A cidade de Laodiceia foi fundada em 250 a.C., por Antíoco da Síria.[2] A cidade era importante pela sua localização. Ficava no meio das grandes rotas comerciais. Era uma cidade rica e opulenta. William Hendriksen diz que Laodiceia era o lar dos milionários. Na cidade havia teatros, um estádio e um ginásio equipado com banhos. Era a cidade de banqueiros e de transações comerciais.[3]

A igreja tinha a cara da cidade. Em vez de transformar a cidade, a igreja tinha se conformado a ela. Laodiceia era a cidade da transigência e a igreja tornou-se também uma igreja transigente. Os crentes eram frouxos, sem entusiasmo, débeis de caráter, sempre prontos a se comprometerem com o mundo, descuidados. Eles pensavam que todos eles eram pessoas boas. Eles estavam satisfeitos com sua vida espiritual.

---

[1]WILCOCK, Michael. *A Mensagem do Apocalipse*, p. 35.
[2]BARCLAY, William. *Apocalipsis*, p. 162.
[3]HENDRIKSEN, William. *Más que Vencedores*, p. 86.

A igreja de Laodiceia é a igreja popular, satisfeita com a sua prosperidade, orgulhosa de seus membros ricos. A religião deles era apenas uma simulação. George Ladd escreve:

> A carta não menciona perseguições por funcionários romanos, dificuldades com os judeus ou qualquer tipo de falsos mestres dentro da igreja. Laodiceia era muito parecida com Sardes: um exemplo de cristianismo nominal e acomodado. A maior diferença é que em Sardes ainda havia um núcleo que tinha preservado a fé viva (3.4), enquanto que toda a igreja de Laodiceia estava tomada pela indiferença. Provavelmente muitos membros da igreja participavam ativamente da alta sociedade, e esta riqueza econômica exerceu uma influência mortal sobre a vida espiritual da igreja.[4]

A cidade de Laodiceia destacava-se por quatro características:

Em primeiro lugar, *era um centro bancário e financeiro*. Era uma das cidades mais ricas do mundo. Lugar de muitos milionários. Em 61 d.C., foi devastada por um terremoto e reconstruída sem aceitar ajuda do imperador. Os habitantes eram jactanciosos de sua riqueza. A cidade era tão rica que não sentia necessidade de Deus.

Em segundo lugar, *era um centro de indústria de tecidos*. Em Laodiceia produzia-se uma lã especial famosa no mundo inteiro. A cidade se orgulhava da roupa que produzia.

Em terceiro lugar, *era um centro médico de importância*. Ali havia uma escola de medicina famosíssima. Fabricavam-se ali dois unguentos quase milagrosos para os ouvidos e os olhos. O pó frígio para fabricar o colírio era o remédio mais importante produzido na cidade. Esse colírio era exportado para todos os centros populosos do mundo.[5]

Em quarto lugar, *era um centro das águas térmicas*. A região era formada por três cidades: Colossos, Hierápolis e Laodiceia. Em Colossos ficavam as fontes de águas frias e em Hierápolis havia uma fonte de água quente,[6] que em seu curso sobre o planalto tornava-se morna, e nesta condição fluía dos rochedos fronteiros a Laodiceia. Tanto as

---

[4]Ladd, George. *Apocalipse*, p. 50.
[5]Barclay, William. *Apocalipsis*, p. 164.
[6]Wiersbe, Warren. *The Bible Expository Commentary*. Vol. 2, p. 579.

águas quentes de Hierápolis, como as águas frias de Colossos eram terapêuticas, mas as águas mornas de Laodiceia eram intragáveis.

O diagnóstico que Cristo faz da igreja

O Cristo que está no meio dos condeeiros e anda no meio dos candeeiros, sonda a igreja de Laodiceia e chega ao seguinte diagnóstico: A igreja tinha perdido seu vigor (3.16-17), seus valores (3.17-18), sua visão (3.18b) e suas vestimentas (Ap 3.17-22). A vida religiosa da igreja de Laodiceia era frouxa e anêmica. Era como uma catarata morna. Parecia que eles tinham tomado um banho morno de religião.[7] Vejamos o diagnóstico de Cristo.

Em primerio lugar, *Jesus identificou a falta de fervor espiritual da igreja* (3.15). Na vida cristã há três temperaturas espirituais: 1) Um coração ardente (Lc 24.32); 2) Um coração frio (Mt 24.12), e 3) Um coração morno (3.16). Jesus e satanás conhecem a maré espiritual baixa da igreja. Nada se informa sobre tentação, perseguição, negação, apostasia ou abalos nessa igreja.

O problema da igreja de Laodiceia não era teológico nem moral. Não havia falsos mestres, nem heresias. Não havia pecado de imoralidade nem engano. Não há na carta menção de hereges, malfeitores ou perseguidores. O que faltava à igreja era fervor espiritual. A vida espiritual da igreja era morna, indefinível, apática, indiferente e nauseante. A igreja era acomodada. O problema da igreja não era heresia, mas apatia.

Nosso fogo espiritual íntimo está em constante perigo de enfraquecer ou morrer. O braseiro deve ser cutucado, alimentado e soprado até incendiar. Muitos fogem do fervor com medo do fanatismo. Mas fervor não é o mesmo que fanatismo. Fanatismo é um fervor irracional e estúpido. É um entrechoque do coração com a mente.[8] Jonathan Edwards disse que precisamos ter luz na mente e fogo no coração. A verdade de Deus é lógica em fogo.[9] Muitos crentes têm medo do entusiasmo. Mas

---

[7]STOTT, John. *O que Cristo pensa da igreja*, p. 114.
[8]STOTT, John. *O que Cristo pensa da igreja*, p. 115.
[9]LLOYD-JONES, Martyn. *Preating & Preachers*. Grand Rapids, Michigan: Zondervan House, 1971, p. 97.

entusiasmo é parte essencial do Cristianismo. Não podemos ter medo das emoções, e sim do emocionalismo.

Em segundo lugar, *Jesus identificou que um crente morno é pior do que um incrédulo frio* (3.15,16). Fritz Rienecker diz que o contraste aqui é entre as águas quentes medicinais de Hierápolis e as águas frias, puras, de Colossos. Dessa forma, a igreja em Laodiceia não estava oferecendo nem refrigério para o cansaço espiritual nem cura para o doente espiritual. Era totalmente ineficaz e, assim, desagradável ao Senhor.[10] É melhor ser frígido do que tépido ou morno.[11] É mais honroso ser um ateu declarado do que ser um membro incrédulo de uma igreja evangélica, diz Arthur Blomfield.[12] Charles Erdman diz que religião tépida provoca náuseas.[13] A queixa de Jesus contra os fariseus era contra a hipocrisia deles. Alguém que nunca fez profissão de fé e tem a consciência de sua completa falta de vida moral é muito mais fácil de ser ajudado que algum outro que se julga cristão, mas não tem verdadeira vida espiritual. A indiferença espiritual é pior do que a frieza.

Uma pessoa morna é aquela em que há um contraste entre o que diz e o que pensa ser, de um lado, e o que ela realmente é, de outro. Ser morno é ser cego à sua verdadeira condição.[14]

Em terceiro lugar, *Jesus identificou que a autoconfiança da igreja era absolutamente falsa* (3.17). O autoengano é uma grande tragédia. Laodiceia considerava-se rica e era pobre. Sardes se considerava viva e estava morta. Esmirna se considerava pobre, mas era rica. Filadélfia tinha pouca força, mas Jesus colocara diante dela uma porta aberta. O fariseu, equivocadamente, deu graças por não ser como os demais homens. Muitos no dia do juízo vão estar enganados (Mt 7.21-23). A igreja era morna devido à ilusão que alimentava a respeito de si mesma.

A autossatisfação também é uma grande tragédia. A igreja de Laodiceia disse: *Não preciso de cousa alguma.* A igreja de Laodiceia

---

[10]RIENECKER, Fritz e Rogers, Cleon. *Chave Linguística do Novo Testamento Grego*, p. 611.
[11]STOTT, John. *O que Cristo pensa da igreja*, p. 116.
[12]BLOMFIELD, Arthur E. *As Profecias do Apocalipse*, p. 86.
[13]ERDMAN, Charles R. *Apocalipse*, p. 50.
[14]STOTT, John. *O que Cristo pensa da igreja*, p. 116.

era morna em Seu amor a Cristo, mas amava o dinheiro. O amor ao dinheiro traz uma falsa segurança e uma falsa autossatisfação. A igreja não tinha consciência de sua condição.

A igreja de Laodiceia enfrentou a tragédia de não ser o que se projetou ser e ser o que nunca se imaginou ser (3.17c). Ela estava orgulhosa do seu ouro, roupas e colírio. Mas era pobre, nua e cega. A congregação de Laodiceia fervilhava de frequentadores presunçosos. Eles diziam: *Estou rico e abastado e não preciso de cousa alguma*. Os crentes eram ricos. Frequentavam as altas rodas da sociedade. Eram influentes na cidade. John Stott afirma que eram tão opulentos os cidadãos de Laodiceia que, quando o terremoto de 60 d.C., devastou toda a região, a cidade foi prontamente reconstruída sem qualquer apelo ao senado romano para o costumeiro subsídio.[15] A cidade era um poderoso centro médico, bancário e comercial. O orgulho de Laodiceia era contagioso. Os cristãos contraíram a epidemia da soberba. O espírito de complacência insinuou-se na igreja e corrompeu-a. Os membros da igreja tornaram-se convencidos e vaidosos. Eles achavam que estavam indo maravilhosamente bem em sua vida religiosa. Mas Cristo teve de acusá-los de cegos, mendigos e nus. Mendigos apesar de seus bancos, cegos apesar de seus pós frígios e nus apesar de suas fábricas de tecidos. São mendigos porque não têm como comprar o perdão de seus pecados. São nus porque não têm roupas adequadas para se apresentarem diante de Deus. São cegos porque não conseguem enxergar a sua pobreza espiritual.

Em quarto lugar, ***Jesus revelou que um crente morno, em vez de ser o seu prazer, provoca-lhe náuseas*** (3.16). Você só vomita o que ingeriu. Só joga fora o que está dentro. A igreja de Laodiceia era de Cristo, mas em vez de dar alegria, estava provocando-Lhe náuseas. Uma religião morna provoca náuseas. Jesus tinha muito mais esperança nos publicanos e pecadores do que nos orgulhosos fariseus. Fomos salvos para nos deleitarmos em Deus e sermos a delícia de Deus. Somos filhos de Deus, herdeiros de Deus, a herança de Deus, a menina dos olhos de Deus, a delícia de Deus. Mas, quando perdemos nossa paixão, nosso fervor, nosso entusiasmo, provocamos dor em nosso Senhor, náuseas no nosso Salvador.

---

[15] STOTT, John. *O que Cristo pensa da igreja*, p. 117-118.

Cristo repudiará totalmente aqueles cuja ligação com Ele é puramente nominal e superficial. A igreja de Laodiceia desapareceu. Da cidade só restam ruínas. A igreja perdeu o tempo da sua oportunidade.

O apelo que Cristo faz à igreja

Em primeiro lugar, *Cristo se apresenta à igreja como um mercador espiritual* (3.18). Cristo prefere dar conselhos em vez de ordens. Sendo soberano do céu e da terra, Criador do universo, tendo incontáveis galáxias de estrelas na ponta dos dedos, tendo o direito de emitir ordens para que Lhe obedeçamos, prefere dar conselhos. Ele poderia ordenar, mas prefere aconselhar.

A suficiência está em Cristo. A igreja julgava-se autossuficiente, mas os crentes deveriam encontrar sua suficiência em Cristo. *Aconselho-te que compres de mim...*

Cristo apresenta-se como mascate espiritual. Ele apresenta-se à igreja como um mercador, um mascate e um camelô espiritual.[16] Seus produtos são essenciais. Seu preço é de graça. Há notícias gloriosas para os mendigos, cegos e nus. Eles são pobres, mas Cristo tem ouro. Eles estão nus, mas Cristo tem roupas. Eles são cegos, mas Cristo tem colírio para os seus olhos. Cristo exorta a igreja a adquirir ouro para sua pobreza, vestimentas brancas para sua nudez e colírio para sua cegueira.

A preciosa mercadoria que Cristo oferece é vital . O ouro que Cristo tem é o reino do Céu. A roupa que Cristo oferece são as vestes da justiça e da santidade. O colírio que Cristo tem abre os olhos para o discernimento. Cristo está conclamando os crentes a não confiarem em seus bancos, em suas fábricas e em sua medicina. Ele os chama a Ele mesmo. Só Cristo pode enriquecer nossa pobreza, vestir nossa nudez e curar a nossa cegueira.

Em segundo lugar, *Cristo chama a igreja a uma mudança de vida* (3.19). Vemos aqui uma explanação e uma exortação: *Eu disciplino e repreendo a quantos amo. Sê, pois, zeloso e arrepende-te* (3.19). Desgosto e amor andam juntos. Cristo não desiste da igreja. Apesar da sua

---

[16] STOTT, John. *O que Cristo pensa da igreja*, p. 120; POHL, Adolf. *Apocalipse de João*. Vol. 1, p. 140.

condição, Ele a ama. Antes de revelar o Seu juízo (vomitar da sua boca) Ele demonstra a Sua misericórdia (repreendo e disciplino aqueles que amo).

Disciplina é um ato de amor. A pedra precisa ser lapidada para brilhar. A uva precisa ser prensada para produzir vinho. Inegavelmente é porque anseia salvá-los do juízo final é que os repreende e disciplina. A base da disciplina é o amor. Porque Ele ama, disciplina. Porque ama chama ao arrependimento. Porque ama nos dá oportunidade de recomeçar. Porque ama está disposto a perdoar-nos.

Arrepender-se é dar as costas a esse cristianismo de aparências, de faz de conta, de mornidão. A piedade superficial nunca salvou ninguém. Não haverá hipócritas no céu.[17] Devemos vomitar essas coisas da nossa boca, do contrário, Ele nos vomitará. Devemos trocar os anos de mornidão pelos anos de zelo.

Em terceiro lugar, *Cristo convida a igreja para a ceia, uma profunda comunhão com Ele* (3.20). Há aqui uma triste situação: Cristo, o Senhor da igreja, está do lado de fora. A igreja não tem comunhão com Ele.

Cristo faz um apelo pessoal. A salvação é uma questão totalmente pessoal. Enquanto muitos batem a porta no rosto de Jesus, outros são convidados por Ele. Cristo vem visitar-nos. Coloca-se em frente da porta do nosso coração. Ele bate. Ele deseja entrar. É uma visita do Amado da nossa alma.

Cristo mostra a necessidade de uma decisão pessoal: *Estou à porta e bato, se alguém abrir a porta entrarei...* (3.20). Jesus bate através de circunstâncias e chama através da Sua Palavra.[18] Embora Cristo tenha todas as chaves, prefere bater à porta.

Cristo revela Sua insistência. Diz Ele: *Estou à porta e bato* (Ap 3.20). De que maneira Ele bate? Através das Escrituras, de um sermão, de um hino, de um acidente, de uma doença. É preciso ouvir a voz de Jesus.

O convite é para um relacionamento pessoal com Cristo. É um convite para cear. Que Ele nos convide a vir e cear com Ele é demasiada honra; mas que Ele deseje participar da nossa humilde mesa e cear

---

[17]STOTT, John. *O que Cristo pensa da igreja*, p. 121.
[18]WIERSBE, Warren. *The Bible Expository Commentary*. Vol. 2, p. 581.

conosco é tão admirável que ultrapassa nossa compreensão finita.[19] O hóspede transforma-se em anfitrião.[20] Não somos dignos que Ele fique embaixo do nosso teto e Ele ainda vai sentar-se à nossa mesa? Somos convidados para o banquete do casamento do Cordeiro.

A promessa que Cristo faz à igreja (Ap 3.14,21,22)

A primeira coisa que temos que observar *é que Jesus tem competência para fazer a promessa* (3.14). Ele é o Amém e a Testemunha Fiel e Verdadeira. Para uma igreja marcada pelo ceticismo, incredulidade, tolerância, Jesus se apresenta como o Amém. Ele é a verdade, e fala a verdade e dá testemunho da verdade. Adolf Pohl corretamente afirma: "Deus não apenas jura, Ele próprio é um juramento. Entre Ele e Sua Palavra simplesmente não se pode meter nenhuma cunha, porque nEle não existe um *entre*".[21]

Seu diagnóstico da igreja é verdadeiro. Seu apelo à igreja deve ser levado a sério. Suas promessas à igreja são confiáveis. Em face da vida morna e indiferente da igreja, Jesus é a verdade absoluta que tudo vê, tudo sonda, tudo conhece.

Ele cumpre o que diz. Ele nunca é inconstante. É absolutamente consistente. Para uma igreja morna, inconstante, Cristo se apresenta como Aquele que é preciso e confiável.

A segunda coisa que temos que notar *é que Jesus tem autoridade para tornar a promessa realidade* (3.14). Cristo é o princípio da criação de Deus. Em face da vida caótica da igreja, Jesus é Aquele que é a origem da criação. Como colocou ordem no caos do universo, Ele pode arrancar a igreja do caos espiritual.

A terceira coisa digna de nota *é que Jesus tem poder para conduzir os vencedores ao Seu trono de glória* (3: 21,22). Cada uma das sete cartas terminou com uma promessa aos vencedores. Esses vencedores, diz Warren Wiersbe, não são um grupo de elite dentro da igreja, mas os

---

[19]Stott, John. *O que Cristo pensa da igreja*, p. 122.
[20]Pohl, Adolf. *Apocalipse de João*. Vol. 1, p. 142.
[21]Pohl, Adolf. *Apocalipse de João*. Vol. 1, p. 137.

verdadeiros crentes que confiaram em Cristo.²² Quando Cristo entra em nossa casa recebemos a riqueza do reino. Recebemos vestes brancas de justiça. Nossos olhos são abertos. Temos a alegria da comunhão com o Filho de Deus. Mas temos, também, a promessa que excede em glória a todas as outras promessas ao vencedor. Reinaremos com Ele. Assentaremo-nos em tronos com Ele. Um trono é símbolo de conquista e autoridade. A comunhão da mesa secreta é transformada em comunhão de trono pública. Como Cristo participa do trono do Pai, também participaremos do trono de Cristo. Quando abrimos a porta para Cristo entrar em nossa casa, recebemos a promessa de entrar na Casa do Pai. Quando recebemos Cristo à nossa mesa, recebemos a promessa de sentarmos com Ele em Seu trono.

---

²²WIERSBE, Warren. *With the Word*, p. 849.

10

O **trono** de **Deus**, a sala de **comando** do universo

Apocalipse 4.1-11

O FUTURO CHEGOU. A porta do céu é aberta e João é convidado a entrar. Ele já tivera a visão do Cristo da glória no meio da Sua igreja. Depois que teve essa primeira visão do Cristo exaltado que cuida de Sua igreja e a protege, começa a revelação *do que acontecerá depois destas coisas* (1.19). Cristo revelou-Se primeiro como Aquele que conhece a Sua noiva no íntimo. Ele conhece todas as virtudes e fraquezas da Sua noiva. Nenhum defeito da Sua noiva está oculto diante do Seus olhos. Contudo, o Cristo exaltado aponta para a Sua noiva o caminho de retorno e diz que Ele é o remédio para a Sua própria igreja. Ele não rejeita a Sua noiva, mas é o remédio para ela.

"O céu aberto não apenas libera acontecimentos, mas também entendimento".[1] Agora a visão que segue será das grandes tensões que a noiva enfrentará até a segunda vinda do Noivo. Esta revelação inclui a destruição dos poderes do mal. Mas, antes de serem destruídas, estas forças más se empenharão num esforço desesperado de frustrar os planos de Deus, tentando destruir o Seu povo. Essa é a grande tensão entre o reino de Deus e o reino de satanás. William Hendriksen diz

---
[1] POHL, Adolf. *Apocalipse de João*. Vol. 1, p. 143.

que somente quando miramos todas as coisas, inclusive nossas tribulações, desde o aspecto do trono, é que obtemos um verdadeiro discernimento da história.[2]

A mensagem central do livro de Apocalipse é mostrar para a noiva perseguida, que o seu Deus está no Trono do universo. Antes de o mundo perseguir a igreja (a abertura dos sete selos), e Deus visitá-lo com o Seu juízo parcial (sete trombetas) e o Seu juízo final (sete taças) é revelado a João que Deus está entronizado e governando o Seu universo. Não importa quão temíveis ou incontroláveis forças do mal pareçam agir na terra, elas não podem frustrar os desígnios de Deus nem vencer a igreja, pois Deus está governando o universo, do Seu trono.

O destino da noiva não está nas mãos dos homens, mas nas mãos de Deus. Quando o mundo está incendiado pelo ódio, guerras e conflitos; quando a terra está cambaleando, bêbada de sangue, ou sacudida por terremotos e maremotos, precisamos levantar os nossos olhos e ver o nosso Deus assentado sobre um Alto e Sublime Trono. Ele é quem governa o universo. No meio das provas e tribulações, precisamos fixar nossos olhos nAquele que é o Rei dos reis e Senhor dos senhores. Somente quando olhamos todas as coisas, inclusive nossas tribulações, desde o aspecto do trono, é que alcançamos o verdadeiro discernimento da história.

Apocalipse é **revelação do céu**, não descobrimento da terra (Ap 4.1-2)

João vê uma porta aberta no céu. O conhecimento do futuro não é alcançado mediante artes mágicas, ou leitura dos astros, nem mesmo por profecias humanas. Matthew Henry diz que nós não podemos conhecer nada do futuro, a menos que Deus o revele para nós. O futuro estará coberto por um véu, até que Deus abra a porta do céu.[3]

Como Adolf Pohl disse, o céu aberto não libera apenas acontecimentos, mas também entendimento, pois João contempla o trono,

---

[2] HENDRIKSEN, William. *Más que Vencedores*, p. 94.
[3] HENRY, Matthew. *Henry, Matthew's Commentary in one Volume*. Grand Rapids, Michigan: Zondervan, 1961, p. 1974.

antes de contemplar os dramas da história. Muitas vezes, sentimos como se o céu estivesse fechado para nós: *Tornamo-nos como aqueles sobre quem Tu nunca dominaste e como os que nunca se chamaram pelo Teu nome. Oh! se fendesses os céus e descesses!* [...] *para fazeres notório o teu nome aos teus adversários* (Is 63.19-64.2). No começo de Apocalipse aparecem as três portas mais importantes da vida: 1) A porta da oportunidade (3.8); 2) A porta do coração humano (3.20); 3) A porta da revelação (4.1).[4]

João ouve uma voz como de trombeta. Em Apocalipse 1.10, Jesus revelou-Se a ele da mesma forma. Lá bastou João voltar-se para ver Jesus (1.11). Agora, João precisa subir ao céu. Não muda apenas de posição, mas de lugar, pois agora não se trata mais de vislumbrar o presente, mas o futuro e o futuro vem sobre nós a partir do Trono de Deus.[5]

João recebe uma ordem: *Sobe para aqui e te mostrarei o que deve acontecer depois destas coisas* (4.1). João é chamado ao céu para ver não o aspecto cíclico da história, não a história sem freios e sem rumo, não a história dirigida pelos homens, mas para ver *o que deve acontecer*. O Deus que está no trono é quem determina tudo o que acontece. George Ladd diz que não importa quão temíveis ou incontroláveis as forças do mal pareçam ser na terra, elas não podem anular ou esconder o fato de que, por trás do palco, Deus está governando o universo, no Seu trono.[6] Não há acaso nem falta de controle. O futuro está nas mãos de Deus. Não precisamos temer. Tudo o que acontece sobre a terra resulta de algo que sucederá no céu. A causa está no céu, e o efeito se verifica sobre a terra.

João, imediatamente, disse: *eu me achei em espírito*. João já não vê com os olhos físicos nem escuta com os ouvidos físicos. Ninguém jamais viu a Deus. Ele habita em luz inacessível. Em carne e sangue João não suportaria contemplar o esplendor da glória. Então, ele tem uma visão.

---
[4]Barclay, William. *Apocalipsis*, p. 177.
[5]Pohl, Adolf. *Apocalipse de João*. Vol. 1, p. 144.
[6]Ladd, George. *Apocalipse*, p. 54.

Deus está assentado no **trono do universo** (Ap 4.2-7)

Algumas verdades preciosas são destacadas neste texto:

Em primeiro lugar, *João viu um Trono no céu* (4.2). O trono é um lugar de honra, autoridade e julgamento. Todos os tronos da terra estão sob a jurisdição desse trono do céu. O livro de Apocalipse é o livro da soberania de Deus, da vitória de Deus. Aquele que criou todas as coisas está no controle de tudo e levará a história para uma consumação final, onde Ele sairá vitorioso. A essência desta revelação é mostrar que todas as coisas são governadas por Aquele que está assentado no Trono.

Das 67 passagens do Novo Testamento em que aparece a palavra *trono*, 47 estão no livro de Apocalipse e 12 vezes só neste capítulo 4. Todos os detalhes estão orientados com vistas ao trono: sobre o trono, em redor do trono, a partir do trono, diante do trono, no meio do trono.[7] O trono é um símbolo da soberania inabalável de Deus. O trono é o verdadeiro centro do universo. Esse trono não está na terra, mas no céu. O universo na Bíblia não é geocêntrico, nem heliocêntrico, mas teocêntrico, diz William Hendriksen.[8] Aqui temos a verdadeira filosofia da história, os céus governam a terra. A verdadeira mente e a verdadeira vontade que dirige o universo é a mente e a vontade do Deus Todo-poderoso.[9]

Em segundo lugar, *João viu o glorioso Deus assentado sobre o Trono* (4.2). Para uma igreja perseguida, torturada, martirizada esta é uma mensagem consoladora: saber, que o seu Deus está no trono (Is 6.1; Sl 99.1).

O que João descreve não é Deus mesmo, mas o Seu fulgor, Seu esplendor, porque a Ele não se pode descrever (Êx 20.4). Não há descrição do trono nem da pessoa que está assentada nele. O que João viu quando olhou para o trono só pode ser descrito em termos de brilho de pedras preciosas. João descreve a Deus como um ser absolutamente misterioso, único, singular, ou totalmente outro. João diz que Ele é semelhante, no aspecto, a pedra de jaspe (a mais cristalina, a mais pura, sem nenhuma poluição). É o nosso diamante. Há uma abundância de luz que emana

---
[7]POHL, Adolf. *Apocalipse de João*. Vol. 1, p. 145.
[8]HENDRIKSEN, William. *Más que Vencedores*, p. 97.
[9]HENDRIKSEN, William. *Más que Vencedores*, p. 99.

dessa pedra. E de sardônio (cor vermelha, a mais translúcida que existe). João vê beleza, riqueza, abundância de luz. Deus é luz e Ele habita em luz inacessível.

A pedra de jaspe (branca) descreve a santidade de Deus e o sardônio (vermelho) o Seu juízo.[10] Tal é Deus, santo e justo!

Em terceiro lugar, **João faz uma descrição das características do trono de Deus** (4: 3-7):

O trono de Deus é um trono de Graça e Misericórdia (4.3). Ao redor do trono há um arco-íris semelhante, no aspecto, à esmeralda. O arco-íris é o símbolo da graça e misericórdia de Deus, da Sua aliança com o Seu povo, de que não mais o destruiria. Normalmente o arco-íris aparece depois da tempestade, mas aqui, ele aparece antes dela,[11] isto porque a graça sempre antecede ao julgamento. Para os filhos de Deus a tempestade já passou, porque Cristo já Se deu a Si mesmo para nos resgatar do dilúvio do juízo. Agora, temos o sol da justiça brilhando sobre nós. Ainda que o juízo venha sobre os homens, a igreja de Cristo será poupada. O que foi redimido não pode ser destruído. Ainda que o mal nos alcance, Deus fará com que todas as coisas aconteçam para o nosso bem. Antes de Deus derramar o Seu juízo sobre a terra, Ele oferece a Sua misericórdia. Antes das taças do juízo, Ele envia as trombetas de alerta.

O Trono de Deus é também um trono de Juízo (4.5). Os relâmpagos, as vozes e os trovões são evidências de juízo e ira. O arco-íris foi visto antes dos relâmpagos. A graça sempre antecede o julgamento. Aqueles que recusaram a misericórdia terão que suportar o juízo. Quem não foi purificado pelo sangue, terá que suportar o fogo do juízo divino.

Hoje os homens escarnecem de Deus, cospem no Seu rosto e zombam da Sua Palavra. A mídia diz que Deus está errado. Mas Deus está no trono e derramará o Seu juízo. Precisamos tomar posição. O arco-íris vem antes dos relâmpagos e trovões. A graça vem antes do juízo. Na primeira vinda, Jesus veio em graça, na segunda vinda virá em juízo. O Trono de Deus tem se manifestado em juízo contra os homens

---

[10] RIENECKER, Fritz e Rogers, Cleon. *Chave Linguística do Novo Testamento Grego*, p. 612.
[11] WIERSBE, Warren. *The Bible Expository Commentary*. Vol. 2, p. 582.

ímpios (Dilúvio, Sodoma, Egito, Babilônia, Jerusalém). Esse juízo de Deus muitas vezes é em resposta às orações da igreja (8.3-5). O Trono de Deus não é passivo. O cálice da ira de Deus está se enchendo. O juiz de toda a terra fará justiça. Ninguém escapará! O Espírito de Deus aqui não se manifesta como pomba, mas como sete tochas de fogo (símbolo de combate – Gideão).

O Trono de Deus, ainda, é um trono de santidade e transparência (4.6). Esse mar de vidro está em contraste com o mar de sujeira e poluição do pecado (Is 57.20). Para estar diante do Trono de Deus é preciso ser purificado, estar limpo. Não há sujeira diante do Trono de Deus. Não há corrupção. Tudo é transparente, limpo, puro. Deus é santo. No céu não entra nada contaminado. Deus não se associa com o mal. Ele abomina o mal. Embora ame a todos, não ama a tudo.

A igreja glorificada participa do **reinado e do julgamento do mundo** (Ap 4.4)

João vê que ao redor do trono, há também, 24 tronos. Esses tronos estão ao redor e não no centro. Deus está no alto e sublime trono. Ele reina sobre todos os outros tronos.

João vê assentados neles, 24 anciãos. Assentado fala de uma posição de autoridade e poder. A igreja tem a honra não apenas de ser salva, mas também de reinar no céu e ser assistente de Deus no Seu julgamento (Mt 19.27-29; 1Co 6.2). Fomos constituídos reinos e sacerdotes (1.6). Os sacerdotes estavam divididos em 24 turnos (1Cr 24.7-18). Aqui somos divididos em igrejas, denominações. Mas no céu seremos uma só igreja: os que foram lavados no sangue do Cordeiro. Os 24 anciãos representam o povo fiel de Deus, a igreja do Antigo e do Novo Testamento, a igreja dos patriarcas e apóstolos, a totalidade da igreja de Deus na história. Esses 24 anciãos são identificados por suas roupas (brancas), incumbência (assentam-se em tronos para reinar e julgar) e posição (coroas de vencedores).

João vê que os 24 anciãos estão vestidos de branco, e usando coroas de ouro. As vestiduras brancas falam da justificação. As vestiduras brancas são as vestimentas que se prometem aos fiéis (Ap 3.4). Não há redenção para os anjos, e sim, para os homens. Portanto, os 24 anciãos não são anjos, mas homens remidos. William Barclay, citando H. B. Swete afirma que o número vinte e quatro representa a igreja na sua totalidade. É uma visão não do que é, mas do que há de ser, ou seja, a igreja plena, como será na glória, adorando e louvando a Deus diante do trono, nos céus.[12]

As coroas de ouro falam da posição de honra, autoridade e prestígio dos remidos no céu. São coroas de vitória prometidas aos que permanecem fiéis mesmo diante da morte (2.10; 3.11). Arthur Blomfield diz que nos céus, os santos podem ser identificados por suas roupas, incumbência e posição. Suas vestiduras são brancas (3.5; 19.8), têm coroas (2.10; 3.11), assentam-se em tronos (2.26; 3.21).[13]

A doxologia dos quatro seres viventes
ao que está assentado no trono (Ap 4.6-8)

Quem são esses quatro seres viventes que estão no meio e ao redor do trono? Arthur Bloomfield pensa que eles representam os quatro evangelhos. O leão mostra Jesus como rei (Mateus). O novilho mostra Jesus como servo (Marcos). O homem mostra Jesus como o homem perfeito (Lucas) e a águia mostra Jesus como aquele que veio do céu e volta ao céu (João).

H. B. Swete e William Barclay pensam que eles representam a totalidade da natureza. Os quatro seres viventes representam todo o nobre, forte, sábio e rápido da natureza. Cada figura tem preeminência em sua própria esfera. O leão é supremo entre os animais selvagens, o boi entre os animais domésticos, a águia é o rei das aves e o homem o supremo entre todas as criaturas viventes. Os quatro seres viventes representam toda a grandeza, poder e beleza da natureza. Aqui vemos o mundo natural trazendo sua doxologia ao que está no trono. A natureza louva ao Criador (Sl 19.1-2; Sl 103.22; Sal 148).[14]

William Hendriksen pensa que os quatro seres viventes representam seres angelicais. Esses quatro seres viventes são querubins (Ez 10.20),

---
[12]BARCLAY, William. *Apocalipsis*, p. 182.
[13]BLOMFIELD, Arthur. *As Profecias do Apocalipse*, p. 96.
[14]BARCLAY, William. *Apocalipsis*, p. 187.

anjos de uma ordem superior.[15] Gary Larson diz que os querubins estão ligados ao serviço do trono, enquanto os serafins estão ocupados com a santidade de Deus.[16] Os querubins guardam as coisas santas de Deus (Gn 3.24; Êx 25.20). A canção deles é a canção dos anjos (Is 6.1-4). Eles são descritos como leão, novilho, homem e águia (fortaleza, capacidade para servir, inteligência, rapidez). Essas são características dos anjos (Sl 103.20,21; Hb 1.14; Dn 9.21; Lc 12.8; 15.10). Quando a Bíblia quer usar a linguagem de toda criatura, o faz com precisão em (Ap 5.13).

O que esses quatro seres viventes fazem? Eles proclamam sem cessar a santidade, a onipotência e a eternidade de Deus (Ap 4.8). O livro de Apocalipse está cheio de cânticos de exaltação a Deus (4.8,11; 5.9-13; 7.12-17; 11.15-18; 12.10-12; 15.3-4; 16.5-7; 18.2-8; 19.2-6). O céu é lugar de celebração, louvor, glorificação ao nome de Deus. Veja que eles não cessam de proclamar!

A doxologia da igreja ao que está assentado no trono (Ap 4.10-11)

João fala sobre três coisas importantes:

Primeiro, *o objeto da adoração*. Os remidos adorarão Aquele que vive pelos séculos dos séculos. Também adoram o Espírito Santo (1.4-5; 4.5). Igualmente adoram o Cordeiro (5.12,13).

Segundo, *os atos de adoração*. A igreja se prostra diante dAquele que está assentado no Trono. A glória deles é glorificar ao que está assentado no trono. Eles depositarão suas coroas diante do trono em sinal de total submissão e rendição.

Terceiro, *as palavras da adoração*. Aquele que está assentado no trono é Senhor e Deus. "Tu és digno, Senhor e Deus nosso, de receber a glória, a honra e o poder". Ele é digno de receber a glória, eles não são dignos de glorificar, por isso, se prostram e depositam suas coroas diante do trono. A visão do trono de Deus levou Haendel a escrever a Sua obra maior "Aleluia".

---

[15]HENDRIKSEN, William. *Más que Vencedores*, p. 100-101.
[16]LARSON, Gary N. *The New Unger's Bible Hand Book*. Chicago, Illinois: Moody Press, 1984, p. 656.

O que está assentado no trono é o Criador de todas as coisas. O mesmo Deus que criou tudo, sustenta tudo, levará o mundo, a história e a igreja à consumação final. João é chamado ao céu para ver o trono e o Entronizado. O trono de Deus está no centro do universo. Tudo acontece a partir do trono. Tudo está ao redor do trono. Graça e juízo emanam do trono. Todo o louvor e glória são dirigidos Àquele que está assentado no trono.

11

Para onde caminha a história?

Apocalipse 5.1-14

TODA A HISTÓRIA COMEÇA COM DEUS, está sob o controle de Deus e terminará segundo a vontade de Deus. Não são os poderosos deste mundo que determinam os rumos da história. Não são os historiadores que decifram os mistérios da história. Não são os filósofos que interpretam os segredos da história. Não são os futurólogos que retiram o véu da história.

Duas são as visões humanistas da história:

Primeiro, *a visão cíclica dos antigos gregos*. A história não se move para uma meta. Não há esperança, não há redenção. O que é, é o que foi, o que foi, será. Não há uma consumação.

Segundo, *a visão do existencialismo ateu*. A história é uma sucessão de fatos sem significado. Não há plano, não há esperança. A novela de Albert Camus *A PRAGA* descreve esse estado de desespero: "A cidade de Orán foi invadida por ratos que trouxeram a temida peste bubônica. O médico e seus associados batalharam até vencer a epidemia. Mas no final do livro, o médico disse: 'É só uma questão de tempo, os ratos voltarão'. As coisas não vão mudar."

Qual é o sentido da história? Friedrich Hagel no seu livro *Filosofia da história* diz que os povos e os governos nunca aprenderam nada da história. Winston Churchill diz que os homens cresceram em poder e conhecimento, mas não evoluíram moralmente. Sob pressão, o homem moderno praticará os mais terríveis atos. O historiador Gibbon, no seu livro *Declínio e Queda do império romano* diz que "a história é pouco mais que um registro dos crimes, loucuras e infortúnios da humanidade."

Thomas More em seu livro *Utopia* antevê um tempo na terra em que o homem construiria um paraíso por suas mãos. A brisa do otimismo chegou a soprar. O homem moderno aspergido por essa brisa, nutriu a esperança de construir com as suas próprias mãos um paraíso na terra. Mas no século XX, assistimos duas sangrentas guerras mundiais e o otimismo humanista desvaneceu. O mundo está como uma panela de pressão, quase explodindo. Há alguma esperança para a história?

O Deus que está no Trono do universo tem um **propósito para a história** (Ap 5.1)

A história tem sentido. Sua vida não está solta, ao léu, jogada de um lado para o outro ao sabor das circunstâncias. Você não caminha para um ocaso, para um fim trágico. As forças do mal não prevalecerão. Deus está no trono. Ele reina. Ele faz todas as coisas conforme o conselho da Sua vontade.

Deus tem em Sua mão direita um livro. Esse livro contém todos os decretos de Deus, as linhas gerais de todos os acontecimentos até o fim dos tempos.[1] Este livro contém o registro antecipado da história.[2] Fritz Rienecker diz que o livro aqui mencionado parece ser o livro dos decretos de Deus e contém o pleno relato do que Deus, em Sua soberana vontade, determinou quanto ao destino do mundo.[3] Deus tem um plano para cada criatura. Deus escreveu o livro da história, antes de ela acontecer. Ele conhece, controla e dirige todas as coisas para uma consumação final. O livro tem sequência e consequência. Toda a história da humanidade está na mão de Deus. Não importa a fúria de satanás ou a agitação do mundo, a história sempre estará na mão de Deus.[4]

---

[1] ERDMAN, Charles R. *Apocalipse*, p. 54-55.
[2] BARCLAY, William. *Apocalipsis*, p. 197.
[3] RIENECKER, Fritz e Rogers, Cleon. *Chave Linguística do Novo Testamento Grego*, p. 613-614.
[4] LADD, George. *Apocalipse*, p. 63.

O livro da história está escrito por dentro e por fora. Tudo está traçado, escrito e determinado. Nada foi esquecido nem omitido. O futuro está nas mãos de Deus.

O digno procurado – ninguém tem capacidade de desvendar nem de conduzir a história à sua consumação (Ap 5.2-3)

O livro está selado com sete selos (5.1). William Hendriksen diz que o rolo selado indica o plano não revelado e não cumprido de Deus. Se permanecesse selado este rolo, os propósitos de Deus não seriam realizados, nem se levaria a cabo Seu plano. Abrir aquele rolo, desatando seus selos, significa não somente revelar o plano de Deus, mas levá-lo a cabo.[5] O número sete significa completo. O livro está totalmente selado. A história sem Deus é um livro lacrado. Só Deus pode dar sentido à história e à sua vida.

Ninguém foi achado digno de abrir o livro (5.3). Primeiro, ninguém foi achado digno no céu: Miguel, Gabriel, serafins, querubins, anjos, Abraão, Moisés, Elias, Paulo, Pedro, Maria. Ninguém foi encontrado digno para dirigir a história. Segundo, ninguém foi encontrado digno na terra: nenhum homem, por mais poderoso e influente, pode decifrar o sentido da história. Terceiro, ninguém foi encontrado digno debaixo da terra: nem o diabo, nem os demônios, nem os espíritos atormentados podem revelar a você o sentido da história e da vida.

Não há ideologia, nem partido político, nem sistema econômico que possa realizar os sonhos e as esperanças do coração humano. Sozinha a humanidade não vai a lugar nenhum. Sozinha seu destino é o caos. Há uma impossibilidade radical de que o homem seja o senhor do seu próprio destino.

Há uma clara impotência humana para desvendar o futuro (Ap 5.4). Há uma grande questão: Quem é digno? Há uma grande constatação: ninguém podia abrir o livro. Há uma grande decepção: João diz, "e eu chorava muito".

---

[5]HENDRIKSEN, William. *Más que Vencedores*, p. 103.

A crise de João é a crise da impotência de todos nós. Olhamos ao nosso redor e vemos o mundo em pé de guerra, o mal triunfando, a violência crescendo, o terrorismo ameaçando, as guerras tornando-se cada vez mais encarniçadas, as famílias cada vez mais barbarizadas, os jovens cada vez mais se drogando e a nossa reação é também chorar.

Por que João chorou? Primeiro, porque isso parecia frustrar a promessa de Apocalipse 4.1. Segundo, porque a história estaria à deriva como um barco sem leme.

O digno encontrado – a solução para a história vem do céu (Ap 5.5)

Há consolo para nós: Não chores! Às vezes, choramos como João com medo do futuro. O que vem pela frente? Como será o meu amanhã, a minha velhice? A voz ecoa no céu: Não chores! Às vezes choramos por um conhecimento limitado das verdades circunstanciais. Deus tem a solução para os problemas que nos levam às lágrimas. O Senhor põe um basta à nossa angústia. Ele traz a solução: Não chores. O digno procurado é agora o digno encontrado. Há alguém capaz de dirigir a história e dar sentido à vida.

A solução da história está em Jesus (5.5-7). O livro da história está nas mãos de Jesus. Ele tem todo o poder e toda a autoridade. Jesus tem a chave da interpretação da história nas mãos. Ele venceu para abrir o livro. Jesus é o Leão de Judá e a Raiz de Davi. Ele venceu o diabo, o mundo, o pecado e a morte. Jesus só é apresentado como o Messias Vencedor, porque antes foi o Messias Sofredor. Ele só é o Leão, porque antes foi o Cordeiro.

O Jesus vencedor é o Cordeiro que foi morto. João vê sua marca: "como tinha sido morto". A Sua vitória foi conquistada na cruz. João vê Sua posição: Ele está em pé (ação e poder). João vê o seu lugar: no meio do trono (autoridade). William Hendriksen diz que agora Deus governa o universo por meio do Cordeiro. Fritz Rienecker diz que numa colocação brilhante, João relata seu tema central da revelação do Novo Testamento – a vitória mediante o sacrifício.[6] Esta é a

---

[6] RIENECKER, Fritz e Rogers, Cleon. *Chave Linguística do Novo Testamento Grego*, p. 614.

Segundo, a isso segue o coro, constituído de 24 anciãos, a igreja, que prossegue o louvor do Criador: "Tu és digno, Senhor e Deus nosso, de receber a glória, a honra e o poder, porque todas as coisas tu criaste, sim, por causa da Tua vontade vieram a existir e foram criadas".

Terceiro, então se ouvem os solistas: "Quem é digno de abrir o livro e de lhe desatar os selos?"

Quarto, vem o responso: "o Leão da tribo de Judá, a Raiz de Davi, venceu para abrir o livro e os seus sete selos".

Quinto, e quando o Cordeiro toma o livro da mão do Criador, ouvem-se em uníssono o quarteto e o coro dos anciãos, no novo cântico: "Digno és de tomar o livro e abrir-lhe os selos, porque foste morto e com o Teu sangue compraste para Deus os que procedem de toda tribo, língua, povo e nação, e para o nosso Deus os constituíste reino e sacerdotes; e reinarão sobre a terra".

Sexto, prorrompe o coro majestoso. São anjos que cantam. Vozes de milhões de milhões e milhares de milhares avolumam o canto triunfal: "Digno é o Cordeiro, que foi morto, de receber o poder, e riqueza, e sabedoria, e força, e honra, e glória, e louvor".

Sétimo, prossegue o canto num crescendo arrebatador até alcançar o clímax de grandioso final. Não somente a igreja, os serafins, os anjos se combinam, mas ouve-se "toda criatura que há no céu e sobre a terra, debaixo da terra e sobre o mar, e tudo o que neles há" louvando ao Criador e ao Redentor: "Àquele que está sentado no trono, e ao Cordeiro, seja o louvor, e a honra, e a glória, e o domínio pelos séculos dos séculos".

Por fim, quando serena o estrondo do coro universal, ouve-se grandioso "AMÉM", que parte dos lábios dos quatro seres viventes, os serafins. Segue-se um silêncio ofegante, e os anciãos (a igreja) se prostram e adoram.

É assim a música do céu: ao mesmo tempo que ela é cheia de entusiasmo, produz profundo senso de adoração, a ponto de a igreja prostrar-se! Ninguém pode contemplar o Senhor na Sua beleza e no Seu fulgor, sem se prostrar.

A igreja na terra não tem o que temer, não importando de quantos juízos esteja repleto o rolo da história humana. Porquanto o sentido da música é este: o Criador entregou ao Redendor toda autoridade no céu e na terra, e os que O seguem jamais passarão despercebidos do Seu amor e cuidado.

12

A **abertura** dos
sete selos

Apocalipse 6.1-17

OS TRÊS PRIMEIROS CAPÍTULOS DO APOCALIPSE apresentam o Cristo da glória no meio da Sua igreja, sondando, corrigindo, exortando e encorajando.

As sete cartas revelam o que as igrejas aparentam ser aos olhos dos homens e o que de fato elas são aos olhos de Cristo.

Vimos nos capítulos 4 e 5 o Deus Criador no trono, bem como o Cordeiro, o Redentor, sendo igualmente glorificado por todos os seres do universo. Vimos que o Cordeiro está com o livro da história nas mãos.

Os capítulos que temos agora apresentarão quadros dos sofrimentos da igreja, dos juízos divinos sobre os seus inimigos, e do triunfo final de Cristo. Esse tempo descreve as dores de parto. Esse tempo está sujeito à revelação da ira de Deus.

Os sete selos descrevem movimentos que caracterizarão a era ou a dispensação inteira, desde a ascensão até o regresso glorioso de Cristo. São visões de paz e de guerra, de fome e de morte, de perseguição à igreja e do juízo de Deus sobre os seus inimigos.

À medida que os selos são abertos no céu, efeitos tremendos acontecem na terra. O céu comanda a terra. Jesus abre os selos. Está encarregado de todo o programa. A história está em Suas mãos. Nos primeiros quatro selos vemos a ira de Deus misturada com graça. Mas a partir do sexto selo, há o derramamento da ira sem mistura de Deus. É o dia do juízo.

Apocalipse 6 é como um texto paralelo de Mateus 24, Marcos 13 e Lucas 21: guerras (Mt 24.6,7a e 6.4); fomes (Mt 24.7b e 6.5-8); perseguições (Mt 24.9-25 e 6.9-11); abalos do mundo (Mt 24.29 e 6.12-17); segunda vinda (Mt 24.30-31 e 6.16-17).

Aprendemos desse fato quatro verdades: Primeiro, quem está assentado no trono e o Cordeiro são adorados por todo o universo. A história não está à deriva, Deus reina. Segundo, quem tem o livro tem o controle. É Ele quem abre os selos. dEle emana a ordem dos acontecimentos. O Cordeiro governa! Terceiro, os eventos do juízo não acontecem sem Seu conhecimento, permissão ou controle. Tudo acontece porque Ele conhece, determina, permite e controla. Até os inimigos estão debaixo da autoridade e do controle do Cordeiro. Quarto, todo o universo está sob a autoridade do Cordeiro e serve aos Seus propósitos. É do trono que sai a ordem para os cavaleiros do Apocalipse. Os cavaleiros devem dar a largada para dentro da história.

Os quatro cavaleiros do Apocalipse (Ap 6.1-8)

O cavalo branco, uma figura do Cristo vencedor (Ap 6.1-3)

Adolf Pohl[1] e Warren Wiersbe[2] interpretaram o cavalo branco e seu cavaleiro como sendo o anticristo. O argumento é que o Apocalipse usa imagens duplas para fazer contrastes: duas mulheres: a mulher e a prostituta; duas cidades: Jerusalém celeste e Babilônia; dois personagens sacrificados: o cordeiro e a besta. Assim, o anticristo estava se contrapondo a Cristo.[3] Desta forma, o cavalo branco seria uma inocência encenada, fingida, de uma luz falsa: o anticristo é um deslumbrador. O anticristo apresenta-se como um pacificador. Ele terá estupendas vitórias. Ele vai ser aclamado como alguém invencível. Ele vai controlar o mundo inteiro. O senhorio do Cordeiro é que impele

---

[1] POHL, Adolf. *Apocalipse de João*. Vol. 1, p. 173.
[2] WIERSBE, Warren. *The Bible Expository Commentary*. Vol. 2, p. 587.
[3] POHL, Adolf. *Apocalipse de João*. Vol. 1, p. 173-175.

o anticristo a deixar sua posição de reserva para que se manifeste. O diabo gosta de esconder-se. O lobo predador precisa ser despido de sua pele de ovelha.

William Barclay, interpretou o Cavalo branco como as conquistas militares.[4] As grandes invasões militares do império romano conquistando o mundo e depois dele, outros impérios que se levantaram. O cavalo branco era usado pelo rei vencedor e o arco um símbolo do poderio militar. Uma conquista militar sempre traz tragédias. Nesta mesma linha de pensamento Edward McDowell diz que o cavalo branco representa todo indivíduo que se empenha em conquistar o mundo.[5]

Simon Kistemaker e George Ladd interpretaram o cavalo branco como sendo a pregação do evangelho em dimensões universais.[6] Mesmo em meio às terríveis perseguições, o evangelho tem sido pregado e será pregado vitoriosamente no mundo inteiro para testemunho a todas as nações (Mt 24.14). Sem escolas, os cristãos confundiram os letrados rabinos; sem poder político ou social, mostraram-se mais fortes que o sinédrio; não tendo um sacerdócio, desafiaram os sacerdotes e o templo; sem um soldado sequer, foram mais poderosos que as legiões romanas. E foi assim que fincaram a cruz acima da águia romana.

William Hendriksen[7] e Martyn Lloyd-Jones[8] interpretaram o cavalo branco e seu cavaleiro como sendo Jesus Cristo. Sempre que Cristo aparece, satanás se agita e assim as provas para os filhos de Deus são iminentes (os cavalos vermelho, preto e amarelo). As palavras só podem aplicar-se a Cristo: BRANCO + COROA + SAIU VENCENDO E PARA VENCER. Cabelos brancos (1.14), pedrinha branca (2.17), roupas brancas (3.4,5,18), nuvem branca (14.14), cavalos brancos (19.11,14), trono branco (20.11). Branco não pode ser usado nem para o diabo nem para o anticristo. Arthur Blomfield diz que o branco está ligado à

---

[4]BARCLAY, William. *Apocalipsis*, p. 223.
[5]McDOWELL, Edward. *A Soberania de Deus na história*, p. 79.
[6]KISTEMAKER, Simon. *Apocalipse*, p. 290-291; LADD, George. *Apocalipse*, p. 75.
[7]HENDRIKSEN, William. *Más que Vencedores*, p. 108.
[8]LLOYD-JONES, Martyn. *A igreja e as Últimas Coisas*, p. 216.

retidão – sempre.⁹ Esse primeiro selo não traz nenhuma maldição. Este texto está de acordo com o texto paralelo de Apocalipse 19.11-16, onde a descrição de Jesus Cristo em Sua gloriosa vinda é incontroversa. Este texto está de acordo com o tema geral do livro que é a vitória de Cristo.¹⁰ A ideia do Cristo vencedor é como um fio passando através de todo este livro desde o princípio até o fim.¹¹ Ele é o Leão da Tribo de Judá que venceu (5.5). ...*e foi-lhe dada uma coroa*; a palavra grega é *stephanos*. Sempre é usada em relação a Cristo ou aos santos, e jamais com relação ao anticristo.¹² A espada do cavaleiro do cavalo branco está de acordo com Mateus 10.34. Cristo vence com a Palavra. Vence com o evangelho. Subscrevemos essa posição. Entendemos que ela é mais consistente com o ensino geral das Escrituras.

O cavalo vermelho, uma figura da perseguição religiosa e da guerra (Ap 6.4)

O dispensacionalista Russell Norman Champlin crê que o cavalo vermelho é um símbolo da terceira guerra mundial.¹³

Porém, o nosso entendimento é que esse cavaleiro do cavalo vermelho representa a perseguição ao povo de Deus ao longo dos séculos. William Hendriksen diz que o cavalo vermelho se refere à perseguição religiosa contra os filhos de Deus mais que à guerra entre as nações. O cavalo vermelho pertence à categoria de sinais mais diretamente relacionados com os crentes e sua perseguição pelo mundo.¹⁴ Ricardo Mascareñas diz que ao todo, foram 249 anos de perseguições intermitentes do império romano contra os cristãos durante os quais, 129 anos foram de perseguição intensa e 120, de relativa paz. O número oficial

---

⁹BLOMFIELD, Arthur E. *As Profecias do Apocalipse*, p. 120.
¹⁰Jesus Cristo é representado muitas vezes em Apocalipse como vencedor (1.13-18; 2.26,27; 3.21; 5.5; 6.16; 7.9,10; 11.15; 12.11; 14.14-20; 17.14; 19.11; 20.4; 22.16.
¹¹HENDRIKSEN, William. *Más que Vencedores*, p. 111.
¹²BLOMFIEL, Arthur E. *As Profecias do Apocalipse*, p. 121.
¹³CHAMPLIN, Russell Norman. *Estamos entrando agora nos quarenta anos finais da terra?* São Paulo, SP: Nova Época Editorial Ltda,1975, p.152.
¹⁴HENDRIKSEN, William. *Más que Vencedores*, p. 115.

de mártires é bem impreciso. Entre 100.000 e 200.000 cristãos pagaram com suas vidas a fidelidade a Cristo.[15]

O futuro seria um período de guerras e rumores de guerras, de conflitos e perseguição até à morte. Perseguição pelos judeus, pelos romanos, pela inquisição, perseguição na pré-reforma, perseguição na pós-reforma (França, Inglaterra). Perseguição no nazismo, fascismo e comunismo. Perseguições atuais. O maior número de mártires da história foi morto no século XX.

A ideia da perseguição religiosa é fortalecida pela abertura do quinto selo. Ali são vistas as almas dos mártires que tombaram pelo testemunho da verdade.

Esse cavaleiro tinha uma grande espada. Essa espada *machaira* era o cutelo sacrificador. Martyn Lloyd-Jones diz que a palavra grega aqui para espada contém a ideia de matança.[16] Onde chega Cristo, chega também a perseguição aos que são de Cristo (Mt 5.10,11; Lc 21.12; At 4.1, 5.17. Pense em Estêvão, Paulo, Policarpo, Perpétua, Felicidade, a Inquisição, a Noite de São Bartolomeu, as perseguições movidas pelo comunismo, nazismo e islamismo radical.[17]

A paz foi tirada da terra para que os homens se matassem uns aos outros. Não há paz em parte alguma. O Príncipe da paz foi rejeitado. Há perplexidade entre as nações. Esse cavalo vermelho descreve um espírito de guerra. A guerra tem sido uma parte da experiência humana desde que Caim matou Abel.[18] Os homens perdem a paz e buscam a paz pela guerra. As guerras são insanas porque os homens se matam em vez de se ajudarem. As guerras são fratricidas. As guerras estão aumentando em número e em barbárie (as duas guerras mundiais, as guerras tribais, as guerras étnicas, as guerras religiosas e de interesses econômicos). No fundo, todos são vítimas sacrificadas sobre o altar de satanás. Com irracionalidade total investem tudo no armamento e

---

[15]MASCAREÑAS, Ricardo L. *Os Últimos Dias*. São Paulo, SPP: Editora Candeia, 2001, p. 67.
[16]LLOYD-JONES, Martyn. *A igreja e as Últimas Coisas*, p. 217.
[17]HENDRIKSEN, William. *Más que Vencedores*, p. 117.
[18]WIERSBE, Warren. *The Bible Expository Commentary*. Vol. 2, p. 588.

desconhecem o caminho da paz. Quem não quer viver sob a cruz, viverá sob a espada.[19]

Esse cavalo vermelho é um agente do dragão vermelho, que é assassino desde o princípio (12.3). A terra está bêbada de sangue e cambaleando pela guerra. Os homens se tornam loucos, feras bestiais, prontos a adorarem a besta e o dragão.

O cavalo preto, uma figura da pobreza, da escassez e da fome (Ap 6.5-6)

Esse cavalo preto representa fome, pobreza, opressão e exploração. Fome e guerra andam juntas.[20] Se a paz for tirada da terra, não poderá haver livremente comércio nem negócios.[21] O mundo inteiro sofrerá tremendas agitações. Comer pão pesado representa grande escassez, diz Adolf Pohl.[22] Há trigo, mas o preço está muito alto. Um homem precisará trabalhar um dia inteiro para comprar um litro de trigo. Normalmente ele compraria 12 litros pelo mesmo preço.[23] Esse cavalo fala do empobrecimento da população. Só pode alimentar a família com cevada, o cereal dado aos animais. O racionamento leva um homem a gastar tudo que ganha para alimentar-se.

Essa pobreza virá também pelo fato de os crentes não fazerem concessões, não aceitarem a marca da besta e não poderem comprar nem vender (13.17). Os fiéis preferirão a morte à apostasia.

A fome é um subproduto da concentração da riqueza e dos recursos, bem como da explosão populacional. Hall Lidsay diz que para alcançar o primeiro bilhão de habitantes o homem levou desde o início dos tempos até o ano 1850. De 1850 a 1930 ele alcançou a marca de dois bilhões. De 1930 a 1960 chegou aos três bilhões. E levou apenas de 1960 a 1975 para alcançar o quarto bilhão.[24] Em 2017, éramos 7,83

---

[19]POHL, Adolf. *Apocalipse de João*. Vol. 1, p. 176.
[20]WIERSBE, Warren. *The Bible Expository Commentary*. Vol. 2, p. 588.
[21]BLOMFIELD, Arthur E. *As Profecias do Apocalipse*, p. 124.
[22]POHL, Adolf. *Apocalipse de João*. Vol. 1, p. 176.
[23]LADD, George. *Apocalipse*, p. 76.
[24]LIDSAY, Hall. *Os anos 80: Contagem Regressiva para o Juízo Final*. São Paulo, SP: Editora Mundo Cristão, 1981, p.26.

bilhões de habitantes, segundo o Banco Mundial. Porém, a questão mais agravante ainda não é a explosão do crescimento populacional, mas a perversa e injusta distribuição das riquezas.

A pobreza não atinge a todos. O azeite e o vinho, produtos que descrevem vida regalada, não são danificados. Os ricos sempre sabem garantir o seu luxo, enquanto a população passa fome. Eles têm suas fontes de abastecimento, não precisando abrir mão de nada.[25] No mesmo mundo onde reina a fome, reinam também o esbanjamento, o luxo, a desigualdade. Enquanto uns morrem de fome, outros morrem de abastança.

O cavalo amarelo, uma figura da morte (Ap 6.7-8)

A figura da morte e do inferno são pleonásticas, representando uma única realidade.[26] O *hades* sempre vem atrás da morte. A morte derruba e o *hades* recolhe os mortos. A morte pede o corpo, enquanto o *hades* reclama a alma do morto.[27]

A morte e o *hades* não podem fazer o que querem. Eles estão debaixo de autoridade. Só atuam sob permissão divina. Seu círculo de ação é limitado e seu território definido: a quarta parte e não mais.[28]

A morte usa quatro instrumentos para sacrificar suas vítimas: *A espada:* Aqui não é *machaira*, mas *rhomphaia*, espada comprida usada na guerra. Aqui trata-se da morte provocada pela guerra. *A fome:* A fome é subproduto da guerra, cidades sitiadas, falta de transporte com alimentos. *Pestilência ou mortandades:* As pragas, as pestilências crescem com a pobreza, a fome, as guerras. *As bestas feras da terra:* despedaçam e devoram tudo que encontram.

O quinto selo: o clamor no céu (Ap 6.9-11)

As almas dos que morreram pela sua fé estão no céu (6.9). Com a abertura do quinto selo muda-se o cenário, da terra passa-se ao céu.

---

[25]POHL, Adolf. *Apocalipse de João*. Vol. 1, p. 177.
[26]POHL, Adolf. *Apocalipse de João*. Vol. 1, p. 177.
[27]WIERSBE, Warren. *The Bible Expository Commentary*. Vol. 2, p. 588.
[28]HENDRIKSEN, William. *Más que Vencedores*, p. 121.

Passamos da causa para o efeito. Essas pessoas foram mortas, mas ainda não ressuscitaram. Elas foram mortas e a matança prossegue. As almas sobrevivem sem o corpo e são conscientes. Elas não estão dormindo, estão no céu. Essa é nossa gloriosa convicção. Morrer é estar com Cristo. É deixar o corpo e habitar com o Senhor. É entrar na posse do reino. A morte não os havia separado de Deus.[29]

Deus não poupou essas pessoas do martírio, mas deu-lhes poder para morrerem por causa da Palavra. Enquanto os falsos crentes vão apostatar, amando o presente século, adorando o anticristo e apostatando diante da sedução do mundo ou da perseguição do mundo, os fiéis selarão com o Seu sangue o seu testemunho e preferirão a morte à apostasia. Jesus deixou isso claro no sermão profético: *Então vos entregarão à tribulação, e vos matarão, e sereis odiados de todas as gentes por causa do meu nome* (Mt 24.9,10). Muitos mártires conhecidos e desconhecidos morreram e ainda morrem por causa da sua fidelidade a Cristo e Sua Palavra.

As almas dos fiéis pedem não vingança pessoal, mas a vindicação da glória do Deus santo. Sua pergunta não é a mesma de Jesus: "Por quê?", mas "Até quando?"[30] Eles não perguntam: "Se", mas "Até quando?" Como conciliar essa pergunta com o perdão que Cristo ofereceu aos seus algozes na cruz e a atitude de Estêvão para com os seus apedrejadores? O clamor não pede vingança pessoal, mas a vindicação da justiça divina (Lc 18.7-8). Esse é o clamor da igreja diante dos massacres: arenas, piras, campos de concentração, prisões, câmaras de gás, fornos crematórios. Não é o próprio grito de lamentação, mas o lamento pela honra de Deus.

As almas dos fiéis recebem vestes brancas, representando retidão, santidade e alegria. Estar no céu é bem-aventurança, glorificação. Os réus e condenados vestiam-se de preto. Os fiéis foram condenados na terra, mas não no céu. Deus os veste de branco. Estão absolvidos, justificados, salvos.

---

[29]Pohl, Adolf. *Apocalipse de João*. Vol. 1, p. 180.
[30]O "até quando?" ressoa em muitos Salmos: Sl 6.3; 13.1-3; 35.17; 74.10; 79.5; 89.46; 94.3.

As almas dos fiéis estão descansando, não dormindo, até chegar o dia em que se completará o número dos mártires. Os crentes estão no céu descansando de suas fadigas. Lá não tem mais dor, nem pranto nem luto. O dia está determinado. O número está determinado. Até que esse número não tenha sido completado na terra, o dia do juízo não pode chegar. O Cordeiro está no controle. Nem um fio de cabelo nosso pode ser tocado sem que Ele permita. Mas, precisamos saber que nos é dada a graça não apenas de crer em Cristo, mas também de sofrer por Ele e até de dar a vida por Ele (Fp 2.17; 2Tm 4.6). Deus mostra para esses mártires que o Seu sacrifício não foi um acidente, mas um apontamento.[31] Até na morte do Seu povo, Deus está no controle. Quando o inimigo pensa estar ganhando a batalha, a igreja o vence, ao se dispor a morrer pela sua fé.

Há um limite para essa crescente enxurrada de injustiça, além do qual ela não prosseguirá. Deus anuncia esse limite intransponível. Trata-se do número completo dos mártires. Ele não é citado, mas existe. Justamente no momento em que a violência celebra seus maiores triunfos e apregoa seus mais altos índices de sucesso, sua ruína torna-se visível. Perseguições aos cristãos amadurecem o juízo sobre o mundo, apressando o seu fim.[32]

O clamor sobre a terra – o juízo chegou (Ap 6.12-17)

O juízo chegou: as portas da graça estão fechadas, é o dia da ira do Cordeiro. O sexto selo introduz o dia do juízo. O medo, o terror, o espanto e a consternação daquele dia se descrevem sob dois simbolismos: um universo sendo sacudido e os homens completamente aterrorizados, tentando se esconder.[33]

O juízo chegou: o próprio universo está abalado (6.12-14). O sol, a lua, as estrelas, o céu, os montes, as ilhas; tudo aquilo que se considerava sólido, firme, está abalado. As vigas de sustentação do universo estão

---

[31]WIERSBE, Warren. *The Bible Expository Commentary.* Vol. 2, p. 589.
[32]POHL, Adolf. *Apocalipse de João.* Vol. 1, p. 182.
[33]HENDRIKSEN, William. *Más que Vencedores,* p. 124.

cambaleando. A antiga criação está se desintegrando.³⁴ O apóstolo Pedro refere-se a esse momento assim: *Virá, entretanto, como ladrão, o dia do Senhor, no qual os céus passarão com estrepitoso estrondo e os elementos se desfarão abrasados; também a terra e as obras que nela existem serão atingidas* (2Pe 3.10). Este é um quadro simbólico do terror do dia do juízo. O simbolismo inteiro nos ensina uma só lição, a saber, que será verdadeiramente terrível a efusão final e completa da ira de Deus sobre um mundo que tem perseguido a igreja. Esse momento virá repentinamente. Será como o ladrão de noite. Os homens desmaiarão de terror. O Senhor Jesus descreve essa cena, assim:

> *Haverá sinais no sol, na lua e nas estrelas; sobre a terra, angústia entre as nações em perplexidade por causa do bramido do mar e das ondas; haverá homens que desmaiarão de terror e pela expectativa das coisas que sobrevirão ao mundo; pois os poderes dos céus serão abalados. Então se verá o Filho do Homem vindo numa nuvem, com poder e grande glória.*³⁵

O juízo chegou: os homens estão em profundo desespero (6.15-17). Há seis classes de pessoas descritas; da mesma forma que tinham seis classes de elementos abalados: reis, grandes, comandantes, ricos, poderosos, escravo e livre. João vê nessa imagem do *terror universal* todos os ímpios sobressaltados de um repentino terror, tentando fugir e se esconder do Deus irado. Os homens estão buscando um lugar para se esconder. Mas para onde o homem pode fugir e se esconder de Deus? Deus está em toda parte. Para Ele luz e trevas são a mesma cousa. O primeiro instinto do pecador é se esconder. Essa tem sido sua desesperada atitude desde o Éden.

De que estão fugindo? Dos montes que estão se desmanchando? Do universo que está em convulsão? Não, há algo mais terrível: eles estão fugindo do Deus irado. Arthur Blomfield diz que os homens saberão de onde procedem as dificuldades que tanto os assustam. Tentarão esconder-se dAquele que se assenta no trono e do Cordeiro, exclamando:

---

³⁴POHL, Adolf. *Apocalipse de João*. Vol. 1, p. 184.
³⁵Lucas 21.25-27.

"... chegou o grande dia da ira deles...".[36] Warren Wiersbe diz que a ira de Deus é a evidência do Seu santo amor por tudo o que é certo e o Seu santo repúdio por tudo o que é mau.[37] Eles buscam a morte, mas ela não os pode esconder da ira do Cordeiro. Adolf Pohl diz que a corrida pela vida torna-se súplica pela morte.[38] William Barclay, citando H. B. Swete, diz que o maior temor do pecador não é a morte, mas a manifestação plena da presença de Deus.[39] O aspecto mais terrível do pecado é que converte o homem num fugitivo de Deus. Mas agora, nem caverna, nem a morte podem escondê-los desse encontro com Deus. O tempo da graça acabou. Aqueles que não buscaram a graça, encontrarão inexoravelmente a ira de Deus. A porta está fechada. Agora é o juízo!

Posição, riqueza e poder político não puderam lhes dar proteção e segurança. Absolutamente nada pode evitar que os homens enfrentem o tribunal de Cristo. Importa que todos compareçam perante o Justo juiz de toda a terra.

O dia do juízo se aproxima.[40] Mas hoje ainda é o dia aceitável. Ainda você pode se voltar para Deus e encontrar perdão. Você quer vir a Cristo agora mesmo? Você está preparado para encontrar-se com Cristo? Você está disposto a enfrentar perseguição, pobreza, espada, fome e a própria morte por amor a Cristo e Sua Palavra?

---

[36]BLOMFIELD, Arthur E. *As Profecias do Apocalipse*, p. 128.
[37]WIERSBE, Warren. *The Bible Expository Commentary*. Vol. 2, p. 589.
[38]POHL, Adolf. *Apocalipse de João*. Vol. 1, p. 186.
[39]BARCLAY, William. *Apocalipsis*, p. 238.
[40]No Novo Testamento esse dia é chamado de dia do Senhor (2Ts 2.2), o dia de Cristo (Fp 1.10), o dia do Senhor Jesus Cristo (2Co 1.8), ou o dia do Senhor Jesus (2Co 1.14). Também é o dia da ira (Rm 2.5) e o dia da redenção (Ef 4.30). Não há distinção entre esses diferentes termos, diz LADD, George.

13

As **glórias** da igreja na glória

Apocalipse 7.1-17

O CAPÍTULO 7 DE APOCALIPSE DESCREVE a mesma cena do capítulo anterior, porém, noutra perspectiva. Ele vem depois do capítulo 6 na ordem das visões de João, mas não parece ser a sequência da ordem dos eventos. Lá, os quatro cavalos; aqui, os quatro ventos. Lá, os cavalos trazem o juízo; aqui, os ventos do juízo estão prontos para começar a sua missão destrutiva. O fato de serem quatro anjos, nos quatro cantos da terra, a segurar os quatro ventos da terra, indica que o juízo que vai desabar é universal. Ninguém escapa. O controle divino sobre os cavaleiros e os ventos assegura que a igreja será selada e ficará segura antes que os cavaleiros avancem. A destruição desabará sobre o mundo, mas a igreja é indestrutível.

Deus faz distinção entre o Seu povo e os ímpios (7.3). Antes que venha esse tempo de terror e devastação, os fiéis têm de ser marcados com o selo de Deus. Fritz Rienecker comentando sobre o selo, escreve:

> Para os contemporâneos do profeta, "selo" teria conotado a marcação de gado ou a tatuagem de escravos e soldados, especialmente os que estavam a serviço do imperador e que poderiam ser reconhecidos por sua marca, se desertassem. A marcação de um soldado, ou membro de uma guilda, na mão, ombro ou pescoço, era usada para selá-lo como um devoto religioso, isto é, como membro de uma milícia sagrada. A marca,

nesse caso, era um sinal de consagração à divindade. Poderia se referir à marca que os profetas trariam em sua fronte, pintada ou tatuada; ou poderia se referir aos filactérios carregados na fronte ou na mão.[1]

A destruição não pode dar sua largada antes de os remidos serem selados. Os selados não precisam temer o juízo. O castigo que deveria cair sobre nós, caiu sobre Jesus na cruz. Segundo William Hendriksen, o selo tem três significados: *Proteção:* Ninguém pode violar o que está selado. Foi assim que o túmulo de Jesus foi selado (Mt 27.66). *Propriedade:* Na antiguidade, escravos podiam ser selados por seu proprietário. A marca do dono era inscrita neles. Quem violava esse escravo atacava o seu dono. O selo nos dá garantia que somos propriedade exclusiva de Deus (Ct 8.6; Ef 1.13; 1Pe 2.9). *Genuinidade:* O que está selado não pode ser adulterado (Ester 3.12).[2]

Deus livra o Seu povo na tribulação e não da tribulação (7.14). Todos os textos que tratam da segunda vinda de Cristo mostram que a igreja não será arrebatada secretamente antes da grande tribulação. Ela será poupada *na* e não *da* tribulação (Mt 24.29-31; 2Ts 1.1-10).

Aqui temos a resposta à pergunta dos ímpios: *Quem poderá suster-se diante do Deus irado?* (6.17). A resposta da Bíblia é que aqueles que foram selados como propriedade de Deus, estarão em pé diante do trono, com vestes brancas e palmas nas suas mãos, celebrando a Deus eternamente. Os salvos terão três tipos distintos de glória: 1) A glória de sua aparência: vestiduras brancas e palmas nas mãos; 2) A glória do seu serviço: estarão diante de Deus em contínuo serviço litúrgico; 3) A glória do seu lar eterno: comunhão com Deus e provisão celestial. William Hendriksen, falando sobre a bem-aventurança dos remidos na glória, diz que os redimidos descansam, veem a face de Cristo, ouvem, agem, desfrutam de prazeres, vivem e reinam.[3]

William Barclay diz que há três elementos nesta visão do capítulo 7: Primeiro, *uma advertência:* Tempos difíceis estão pela frente. Será o

---

[1] RIENECKER, Fritz e Rogers, Cleon. *Chave Linguística do Novo Testamento Grego*, p. 617.
[2] HENDRIKSEN, William. *Más que Vencedores*, p. 128.
[3] HENDRIKSEN, William. *A Vida Futura Segundo a Bíblia*. São Paulo, SP: Casa Editora Presbiteriana, 1988, p. 58-59.

multiplicação de 12 por 12, o quadrado perfeito, que por sua vez é multiplicado por 1.000 para que seja ainda mais includente e completo. Longe de ser uma quantidade limitada e excludente, este número é, no imáginário judeu, a quantidade que inclui o todo, o conteúdo completo.[13]

Esse número não pode aplicar-se às tribos de Israel. Martyn Lloyd-Jones diz que é quase ridículo concluir que esse número signifique 144.000 judeus.[14] As dez tribos de Israel já haviam desaparecido no cativeiro Assírio e as duas tribos do Sul (Benjamim e Judá) haviam perdido sua existência nacional quando Jerusalém caiu no ano 70 d.C. Se o símbolo significa Israel segundo a carne, por que foram omitidas as tribos de Efraim e Dã e colocadas em seu lugar Levi e José? A ordem das tribos foi trocada e não temos nenhuma lista das tribos semelhante a esta em toda a Bíblia. Segundo Apocalipse 14.3-4, os 144.000 foram comprados por Deus de entre os da terra e não da nação judaica somente. Assim, João queria dizer que as doze tribos de Israel não são o Israel literal, mas o Israel verdadeiro, espiritual, a igreja.[15]

A igreja é o Israel de Deus: o Novo Testamento considera a igreja o verdadeiro Israel espiritual (Gl 6.16; Rm 9.6-8). Quem é de Cristo é descendente de Abraão (Gl 3.29). Abraão é o pai de todos os que creem, circuncidados ou não (Rm 4.11). O verdadeiro judeu não é o descendente físico de Abraão, mas o descendente espiritual (Rm 2.28-29). Nós que adoramos a Deus no Espírito e nos gloriamos em Cristo Jesus é que somos a verdadeira circuncisão (Fp 3.3). Em Esmirna havia judeus físicos que eram sinagoga de satanás (2.9); eram judeus de fato, mas não o Israel espiritual. A igreja é a Nova Jerusalém (21.12,14), o povo de Deus (18.4; 21.3). Concluimos que a igreja é o verdadeiro Israel espiritual. Por isso, esta interpretação é a que melhor faz jus ao sentido do texto e mostra o relacionamento que há entre as duas multidões. Elas são constituídas das mesmas pessoas, aquelas que foram seladas e guardadas por Deus.

---

[13]BARCLAY, William. *Apocalipsis*, p. 246.
[14]LLOYD-JONES, Martyn. *A igreja e as Últimas Coisas*, p. 220.
[15]HENDRIKSEN, William. *Más que Vencedores*, 130.

Na perspectiva humana (da terra) os selados são uma **multidão inumerável** (Ap 7.9-12)

De repente muda-se o cenário. O leitor é novamente transportado da terra para o céu. Agora, João vê a igreja redimida no céu. No lugar de uma tensão cheia de desgraça em vista do perigo iminente, ocorre o cântico da vitória. O céu não será apenas mudança de lugar, mas mudança de nós mesmos. No céu conservaremos a nossa individualidade. "Quem são?" São pessoas, indivíduos que vêm de lugares diferentes, mas que não perdem sua individualidade. As distinções que nos separam na terra, não nos separarão no céu. Lá não teremos ricos e pobres, nobres e servos, mas aqueles que foram lavados no sangue do Cordeiro.

Quais são as características dessa igreja glorificada?

Em primeiro lugar, *é uma igreja inumerável* (7.9). Isso é o cumprimento da promessa feita a Abraão: *Olha para os céus e conta as estrelas, se é que o podes. E lhe disse: Será assim a tua posteridade* (Gn 15.5). Conforme Hebreus 11.12 ela é para ele incontável. Essa multidão também é incontável para João (7.9). A multidão contável por Deus é incontável para João.[16]

Em segundo lugar, *é uma igreja universal* (7.9). Inclui os eleitos, os selados judeus e gentios, procedentes de todas as culturas, línguas, povos e nações, de todos os lugares e de todos os tempos. Em Abraão haveriam de ser *abençoadas todas as nações, todas as famílias da terra* (Gn 12.3; 22.18). João vê na igreja a humanidade abençoada em Abraão.

Em terceiro lugar, *é uma igreja honrada* (7.9). Estar em pé diante do trono significa ter companheirismo com o Cordeiro, servi-Lo e participar em Sua honra.

Em quarto lugar, *é uma igreja pura* (7.9). As vestes brancas apontam para a absoluta pureza da igreja. A igreja não foi purificada pelo sofrimento, mas pelo sangue. O sangue do Cordeiro exclui a glória humana. A igreja que fora liberta da condenação do pecado na justificação; do poder do pecado na santificação; agora está livre da presença do pecado

---

[16]Pohl, Adolf. *Apocalipse de João*. Vol. 1, p. 193.

na glorificação. Nada contaminado pode entrar no céu (21.27). Roupas brancas ainda indicam alegria e felicidade, além de santidade.

Em quinto lugar, *é uma igreja vencedora* (7.9). Este é um símbolo de vitória. A igreja selada por Deus, protegida por Ele, venceu e chegou ao lar, à sua pátria, ao céu. A igreja é vitoriosa a partir da roupa, das palmas e dos gritos.

Em sexto lugar, *é uma igreja que tributa a Deus a sua salvação* (7.10). Depois do símbolo da vitória, segue-se o grito de vitória. A salvação não é mérito, nem fruto das obras, nem de quem a igreja é ou faz. A salvação é de Deus, vem Deus e só Ele merece a glória.

Em sétimo lugar, *é uma igreja que une sua voz às vozes angelicais para exaltar a Deus* (7.11-12). Os anjos e os querubins se unem à igreja glorificada, prostram-se e adoram a Deus, rendendo-lhe uma sétupla atribuição de louvor.

A procedência, a identidade e a missão eterna da igreja glorificada (Ap 7.13-17)

João fala em primeiro lugar *da procedência da igreja* (7.13-14). A igreja vem da grande tribulação. Essa ideia da grande tribulação remonta a Daniel 12.1. É vista em Mateus 24.21-22, em 2 Tessalonicenses 2.3-4 e também em Apocalipse 13.7,15. Os crentes em todos os lugares e em todas as épocas enfrentaram tribulações (2Tm 3.12; At 14.22). Mas, os crentes que viverem nesse tempo do fim enfrentarão não apenas o começo das dores, mas também, a grande tribulação. A grande tribulação é caracterizada como o período da grande apostasia e também da manifestação do homem da iniquidade (2Ts 2.3-9). Nesse tempo o conflito secular entre Deus e satanás estará no seu auge. A igreja será protegida não da tribulação, mas na tribulação. Ela emergirá do meio da tribulação, como um povo selado e vitorioso.

Em segundo lugar, *João fala da identidade da igreja* (7.14). Os remidos são aqueles que lavam as suas vestiduras no sangue do Cordeiro. A base da salvação não está no mérito humano, nem na sua religiosidade, nem nos seus predicados morais, nem mesmo no seu conhecimento doutrinário. A base da salvação está na apropriação da redenção pelo sangue de Cristo. Ninguém entrará no céu por pertencer a esta ou àquela igreja ou por defender esta ou aquela doutrina. O apóstolo João diz que é o sangue de Cristo que nos limpa de todo o pecado (1Jo 1.7). Paulo diz que é o sangue de Cristo que faz propiciação pelos nossos pecados (Rm 3.25) e é por meio dEle que temos a redenção (Ef 1.7) e a paz com Deus (Cl 1.20). Pedro diz que fomos comprados pelo sangue de Cristo (1Pe 1.19).

Em terceiro lugar, *João fala da missão eterna da igreja* (7.15-17). João destaca quatro aspectos importantes: *Adoração:* A igreja prestará a Deus um serviço litúrgico (latria) incessante (7.15). A igreja glorificada é uma igreja adoradora. Ela presta um serviço cultual em contraste com um serviço escravo. *Comunhão:* Intimidade contínua com Deus. O sexto selo trouxe a visão de um céu enrolado que se recolhe e de uma humanidade apavorada num mundo sem teto (6.15-17). Aqui, porém, a cena é oposta. A igreja está numa nova realidade, cheia de paz. Deus vai armar uma tenda conosco. Ele vai acampar com a igreja. Deus mesmo habitará com a igreja (21.3). *Ausência completa de sofrimento:* João enumera três afirmações negativas: Fome, sede e calor não existem mais. Isto está de acordo com Apocalipse 21.4. Finalmente, *Presença completa da plenitude de vida.* João enumera três afirmações positivas: O Cordeiro as apascentará, o Cordeiro as guiará às fontes da água da vida e Deus lhes enxugará dos olhos toda lágrima. Os salvos gozam a felicidade mais perfeita. O Cordeiro agora é o seu pastor. O Cordeiro os guia à fonte e a fonte é Deus. O Cordeiro os traz de volta para Deus e para o paraíso. Ele então, enxugará dos nossos olhos toda lágrima. Ele nos tomará no colo e nos consolará para sempre!

O capítulo 6 termina mostrando os terrores que os ímpios enfrentarão no juízo. O capítulo 7 termina mostrando as glórias dos remidos na segunda vinda de Cristo. Enquanto os ímpios buscam a morte física, só encontram a segunda morte, a morte eterna; os remidos, mesmo enfrentando a morte física, desfrutam para sempre das bem-aventuranças da vida eterna. De que lado você está? Em que grupo você estará quando Jesus voltar?

14

As trombetas começaram a tocar

Apocalipse 8.1-13

OS SELOS FALAM DO SOFRIMENTO DA IGREJA PERSEGUIDA pelo mundo (6.9); as trombetas do sofrimento do mundo incrédulo em virtude das orações da igreja (Ap 8.4). Os selos mostram o que vai acontecer na história até o retorno de Cristo, dando particular atenção ao que a igreja terá de sofrer. As trombetas, começando no mesmo ponto, descrevem o que vai acontecer na história até o retorno de Cristo, dando ênfase ao sofrimento pelo qual o mundo irá passar, como expressão da advertência de Deus.[1] George Ladd comenta:

> É digno de nota que tanto os selos como as trombetas nos levam ao fim dos tempos. O sexto selo, como já vimos, fala de catástrofes cósmicas que identificarão a vinda do dia do Senhor (6.17). De maneira semelhante a sétima trombeta anuncia a vinda do fim. Quando o sétimo anjo a tocou, foram ouvidas vozes celestiais, dizendo: "O reino do mundo se tornou de nosso Senhor e do Seu Cristo, e Ele reinará pelos séculos dos séculos (11.15)".[2]

---

[1] Wilcock, Michael. *A Mensagem do Apocalipse*, p. 64.
[2] Ladd, George. *Apocalipse*, p. 90.

Tanto os selos (Ap 7) como as trombetas (Ap 10-11) são interrompidos por um interlúdio.

Antes de as trombetas tocarem houve silêncio e súplicas no céu (Ap 8.1-5)

O silêncio no céu pode representar duas verdades (8.1):

Primeiro, *o céu fica em silêncio para ouvir as orações dos santos*. As hostes celestiais tinham adorado o Pai e o Cordeiro com vozes altissonantes (7.10-12). Mas quando o Cordeiro abriu o sétimo selo, os céus ficaram em silêncio por trinta minutos.[3] As orações dos santos estão a ponto de serem elevadas para Deus. Quando os santos oram todo o céu faz silêncio para que se possa escutar. As necessidades dos santos significam muito mais para Deus do que todas as músicas do céu.[4] A música celestial silencia para que o clamor dos santos chegue ao trono de Deus.

Segundo, *o céu fica em silêncio como atitude de suspense e tremor diante do julgamento de Deus ao mundo*. Antes desse tempo havia apenas regozijo e música no céu. Houve a celebração da igreja, dos querubins, dos anjos e de todo o universo. Agora, toda a música cessa. Os exércitos celestiais, vendo os julgamentos de Deus que desabarão sobre o mundo, ficam em silêncio. É o silêncio da terrível expectativa dos acontecimentos que estão por vir.[5]

É extremamente consolador entender o grande valor que têm as orações dos santos (8.3-5):

Primeiro, *as orações dos santos sobem aos céus* (8.4). Orar não é apenas um exercício meditativo. Nossas orações sobem à presença de Deus. Quando oramos, unimo-nos a Deus no Seu governo moral do mundo. Assim como o juízo de Deus veio ao Egito como resposta ao clamor do povo de Israel (Êx 3.7-8), assim, também, em resposta ao clamor dos santos, Deus envia o Seu juízo aos ímpios (6.9-10; 8.3-5).

Segundo, *as orações dos santos provocam o justo juízo de Deus sobre os ímpios* (8.5). O mesmo incensário que leva as orações é o incensário

---

[3] WIERSBE, Warren. *The Bible Expository Commentary*. Vol. 2, p. 592.
[4] BARCLAY, William. *Apocalipsis*, p. 265.
[5] LADD, George. *Apocalipse*, p. 91.

que derrama o juízo e traz calamidades sobre os habitantes da terra. O mesmo fogo que queimou o incenso sobre o altar, causa destruição sobre a face da terra.[6] As orações dos santos desatam a vingança de Deus sobre os ímpios, diz William Barclay.[7] Charles Erdman diz que os juízos divinos sobrevêm como responso ao brado de Sua igreja sofredora.[8] Os trovões, vozes, relâmpagos e terremoto são sinais da advertência do julgamento de Deus que se aproxima. O mundo que perseguiu e oprimiu a igreja, agora está sendo alvo do juízo divino em resposta às orações dos santos. Quem é inimigo do povo de Deus é inimigo de Deus. Quem toca na igreja, toca na menina dos olhos de Deus. O julgamento de Deus cairá sobre o mundo em resposta às orações dos santos. *Não fará Deus justiça aos seus escolhidos, que a ele clamam dia e noite, embora pareça demorado em defendê-los? Digo-vos que, depressa, lhes fará justiça* (Lc 18.7-8). A igreja que ora faz história.

Terceiro, *as orações dos santos provam que o altar e o trono estão muito próximos*. As orações que sobem do altar chegam ao trono. Orar é algo extremamente sério. Quando oramos, estamos nos unindo ao que está assentado no trono. Altar e trono trabalham juntos. Somos cooperadores de Deus na medida em que oramos. Não podemos afastar o altar do trono.

Quarto, *as orações são de todos os santos e não apenas dos mártires* (Ap 8.3). Isso é uma forte evidência de que o Apocalipse está se preocupando com o destino de toda a igreja na terra em todas as épocas. Os julgamentos de Deus atingem a terra, em resposta às orações dos santos.[9]

As trombetas se **preparam para tocar** (Ap 8.6)

As trombetas são um símbolo das intervenções de Deus na história. O apóstolo João, como judeu, entendia bem a importância da trombeta na história de Israel. Warren Wiersbe comenta:

De acordo com Números 10, as trombetas tinham três usos importantes: eram usadas para reunir o povo (Nm 10.1-8); eram usadas para

---

[6]BLOMFIELD, Arthur E. *As Profecias do Apocalipse*, p. 143.
[7]BARCLAY, William. *Apocalipsis*, p. 267.
[8]ERDMAN, Charles R. *Apocalipse*, p. 68.
[9]LADD, George. *Apocalipse*, p. 94.

anunciar uma guerra (Nm 10.9) e eram usadas para anunciar um tempo especial (Nm 10.10). A trombeta soou no Monte Sinai quando a Lei foi dada (Êx 19.16-19) e também soou quando um rei foi ungido e colocado no trono (1Rs 1.34,39). A voz do Senhor foi como voz de trombeta aos ouvidos do apóstolo João (Ap 1.10). Foi uma voz como de trombeta que o convocou a subir ao céu (Ap 4.1). A segunda vinda de Cristo será anunciada pelo toque da trombeta de Deus (1Ts 4.13-18).[10]

As trombetas são divididas em dois grupos: catástrofes naturais e sofrimentos impostos diretamente aos homens. As quatro primeiras trombetas falam de catástrofes naturais que atingem a terra, o mar, os rios e os astros. As três últimas trombetas falam de sofrimentos impostos diretamente aos homens. Elas são chamadas também de AIS.

Em Mateus 24.4-8 e 24.13-22 encontramos uma divisão semelhante. As quatro primeiras trombetas se distribuem sobre a terra, mar, rios e astros. Deus derruba o edifício cósmico, que Ele próprio levantara (14.7). Seu habitante, o ser humano, até agora tão familiarizado com sua moradia, nela instalado de maneira tão segura, vê agora o colapso do seu habitat. Sua casa está sendo demolida de fora para dentro, o telhado descoberto de cima para baixo e o chão abalado de baixo para cima. Essa irrupção do caos anuncia a ira de Deus.

As trombetas falam dos juízos divinos que precedem a volta de Cristo. Considerar tais descrições como profecias de sentido literal, ou procurar interpretar os símbolos em termos de eventos específicos, seria enveredar pelo caminho da fantasia e do grotesco. Essas trombetas indicam uma série de calamidades que ocorrem muitas vezes durante toda esta dispensação.

As trombetas também têm o propósito de advertir os homens e chamá-los ao arrependimento. George Ladd diz que, em Sua ira, Deus não pensa só em julgamento; Seu propósito é também misericordioso.[11] O propósito desses juízos preliminares é levar os homens ao arrependimento (9.20). Antes de Deus derramar o Seu completo juízo sobre a terra, Ele oferece uma oportunidade de arrependimento aos homens.

---

[10]WIERSBE, Warren. *The Bible Expository Commentary*. Vol. 2, p. 592.
[11]LADD, George. *Apocalipse*, p. 92.

Essa é a ira misturada com a graça. Em Sua ira, Deus se lembra da misericórdia. Entretanto, o sofrimento em si não é suficiente para levar os ímpios ao arrependimento (9.20; 16.9-10). Calamidades terríveis sucedem aos ímpios com o fim de castigá-los por sua oposição à causa de Cristo e por sua perseguição aos santos. Mas, por meio desses juízos, Deus está continuamente chamando os ímpios ao arrependimento. A função das trombetas é admoestar.

As trombetas são semelhantes às pragas enviadas ao Egito. As pragas no Egito foram a manifestação do juízo de Deus em resposta ao clamor do povo de Israel oprimido no cativeiro. Assim, também, as trombetas anunciam os juízos de Deus sobre os habitantes da terra em resposta às orações dos santos. A primeira trombeta relaciona-se à sétima praga; a segunda trombeta relaciona-se à primeira praga; a terceira trombeta às águas amargas; a quarta trombeta relaciona-se à nona praga.

As trombetas mostram que os juízos de Deus são universais. Essas trombetas de juízo afetam as diferentes partes do universo: terra, mar, rios, astros. Não há em nenhuma parte refúgio para os maus. As quatro primeiras trombetas fazem dano aos maus em seu ser físico; as últimas três causam angústia espiritual: o próprio inferno é aberto.

As trombetas começam a tocar (Ap 8.7-13)

A primeira trombeta (Ap 8.7)

Há uma tempestade de granizo, fogo e sangue que atinge a terra. Ela é semelhante à sétima praga no Egito com uma chuva de pedra com fogo (Êx 9.23). Aqui, porém, acrescenta-se sangue, o que acentua o seu caráter destrutivo. Adolf Pohl escreve: "Anuncia-se algo de certa forma horrível: cidades ardendo em chamas, pessoas se esvaindo em sangue, juízo, vingança, tormentos. A impressão é apavorante".[12]

Nessa forma simbólica, o livro de Apocalipse bem como todas as Escrituras, nos dizem que calamidades tais como terremotos, vulcões e inundações estão sob a mão de Deus e são parte do Seu método de

---

[12]POHL, Adolf. *Apocalipse de João II*. Curitiba, PR: Editora Evangélica Esperança, 2001, p. 25.

castigar o pecado e de anunciar ao mundo que Ele não pode perseguir o Seu povo impunemente. Ele é Senhor e exerce punição por tais atos.

O significado é que o Senhor que está reinando afligirá os perseguidores da Sua igreja, desde a primeira até a segunda vinda, com vários desastres que sucederão na terra. Esses eventos não podem ser datados. Mas o espaço de habitação das pessoas e seu alimento são duramente atingidos.

Esses desastres "foram atirados à terra". Esses desastres são controlados no céu. São enviados por Aquele que está no trono. Todas as coisas acontecem sob o total controle de Deus. Porém, a destruição ainda é parcial. É apenas o prelúdio do fim. Ainda há chance de arrependimento.

A segunda trombeta (Ap 8.8-9)

Desde a primeira vinda de Cristo os ímpios têm perseguido a igreja. Deus tem enviado o Seu juízo sobre o mundo em forma de catástrofes, tragédias, calamidades terríveis, pestilências que atingem a terra e agora também o mar.

Esta trombeta fala das espantosas calamidades marítimas, bem como de todos os desastres que acontecem no mar. As montanhas, verdadeiras "colunas" do edifício cósmico,[13] ardendo em chamas, são atiradas no mar. Esse juízo é mais severo que o primeiro. Pois aqui não só há dano na natureza, mas também danos materiais e, por inferência, de pessoas que viajam nessas embarcações.

A ira de Deus queimará todas as seguranças deste mundo. A pesca e a navegação são submetidas a uma tragédia. Aqui, tanto o comércio como vidas estão sofrendo. São desastres ecológicos e econômicos em proporções gigantescas.

A segunda trombeta é semelhante à primeira praga no Egito, quando as águas do Nilo transformaram-se em sangue e os peixes morreram (Êx 7.20-21). Mais uma vez o juízo permanece delimitado. O juízo ainda não é total.

---

[13] POHL, Adolf. *Apocalipse de João II*, p. 25.

A terceira trombeta (Ap 8.10-11)

O juízo agora é que a água doce é transformada em água amargosa, o contrário do que aconteceu em Mara (Êx 15.25). A bênção torna-se maldição. Deus faz Sua criação retroceder.[14] Deus ataca a água potável. Estima-se que o maior problema do século XXI não será de energia nem de petróleo, mas de água potável. Os recursos naturais que sustentam a vida entrarão em colapso.

Pragas têm visitado o mundo, doenças têm provindo de rios e fontes poluídas, e inundações têm ocorrido. Pessoas têm sido destruídas nesses castigos divinos, que são a vara da ira de Deus contra um mundo hostil à Sua igreja.

Os perseguidores ímpios não encontrarão em nenhuma parte do universo descanso verdadeiro, nem tampouco gozo permanente. Não somente a terra e o mar, mas também as fontes e os rios, durante essa época, estarão contra essas pessoas malignas.

Às vezes nos esquecemos que as enchentes, as inundações são atos do juízo de Deus. Os jornais anunciam sobre tempestades, inundações e epidemias originados por essas calamidades, mas não explicam que estes juízos são a voz de Deus admoestando os ímpios. Esses desastres naturais são trombetas de Deus chamando os homens ao arrependimento.

Uma aflição amarga encherá o coração dos ímpios como resultado dessa praga indicada. Muitos homens morrem, mas nem todos. O juízo ainda não é final (8.11). Consequentemente, esse juízo é mais grave do que os outros dois primeiros, pois, aqui, a morte de pessoas é explícita. Arthur Blomfield diz: "Os homens rejeitaram a Água da Vida; zombaram do sangue de Cristo; derramaram o sangue dos santos. E agora, o seu suprimento de água se transformou em sangue venenoso".[15]

A quarta trombeta (Ap 8.12)

Os astros, o sol, a lua e as estrelas, desde as suas órbitas lutam contra os inimigos da igreja de Deus. Deus está usando os astros celestes para admoestar aqueles que não o servem e perseguem os Seus filhos.

---

[14]POHL, Adolf. *Apocalipse de João II*, p. 26.
[15]BLOMFIELD, Arthur E. *As Profecias do Apocalipse*, p. 145.

Calamidades têm vindo à humanidade como resultado das coisas que ocorrem nos céus, meteoros caindo sobre a terra, eclipses, tempestades de areia, furacões, tornados e outras calamidades terríveis vindas do céu têm visitado a terra. Essas tragédias são trombetas de Deus alertando os homens a se arrependerem. Diz Michael Wilcock que os selos mostraram a igreja sofredora clamando para que a justiça seja feita. Mas as trombetas mostram a misericórdia sendo oferecida ao mundo pervertido.[16]

A terra, o mar, os rios e os astros são trombetas de Deus que anunciam o Seu juízo e convocam os homens ao arrependimento. O ser humano encontra adversidade em quatro lados, isto é, por todos os lados. É terrível como a bênção vai abandonando uma região após a outra e como o caos vai tomando conta. Nesta visão João descreve como Deus usa as forças elementares da natureza para advertir aos homens sobre a proximidade do fim.[17]

Uma águia voando no céu, avisando sobre o **caráter trágico das últimas três trombetas** (Ap 8.13)

João vê e ouve uma águia predizendo as calamidades mais terríveis que sobrevirão aos homens como resultado das últimas três trombetas. Em outras palavras, ele está dizendo: "Se vocês pensam que as coisas que já aconteceram são terríveis, simplesmente esperem, pois coisas piores virão".

Em grande voz a águia dizia: "Ai! Ai! Ai! dos que moram na terra, por causa das restantes vozes da trombeta dos três anjos que ainda têm de tocar". A tríplice repetição é ênfase superlativa. As últimas três trombetas são denominadas "Ais", e isso demonstra que serão pragas extremamente severas. João está afirmando que o pior ainda está por vir. A quinta e a sexta pragas destruirão os homens, enquanto a sétima destruirá as obras dos homens.

Essas três últimas calamidades serão piores que as primeiras. Elas atingirão não os elementos da natureza, mas diretamente os homens.

Assim como o povo de Israel foi poupado das pragas que sobrevieram ao Egito, a igreja será poupada das pragas decorrentes das

---

[16] Wilcock, Michael. *A Mensagem do Apocalipse*, p. 70.
[17] Barclay, William. *Apocalipsis*, p. 271.

trombetas. Enquanto os selos tratam da perseguição do mundo à igreja, a grande tribulação; as trombetas falam do juízo da ira de Deus sobre o mundo. A igreja não sofrerá essa ira.

O que Deus está fazendo aqui, nessas quatro primeiras trombetas? Um dano terrível é infligido à terra e à vegetação, ao mar e seus navios, às águas que o homem bebe e à luz pela qual o homem vê – o meio ambiente, o comércio, os recursos naturais e a visão.

Mas o dano é parcial e não total; as trombetas soam para advertir e não para destruir totalmente. A maioria da raça humana sobrevive, vendo a ira de Deus manifesta contra o pecado, e tem uma chance para arrepender-se. Aqui vemos a ira misturada com graça. Esses atos de juízo são também expressões da bondade de Deus.

Os selos mostraram a igreja sofredora clamando por justiça. As trombetas mostram a misericórdia sendo oferecida ao mundo pervertido. A oferta é recusada, e o mundo, de fato, não se arrependerá (9.20).

Nunca poderemos afirmar que Deus não deu ao homem a oportunidade de arrepender-se, movendo para isso céus e terra.

15

A cavalaria do inferno

Apocalipse 9.1-12

AS TROMBETAS SÃO OS JUÍZOS DE DEUS sobre os ímpios, em resposta às orações dos santos. Esses juízos não são finais, pois visam o arrependimento. Na Sua ira, Deus se lembra da Sua misericórdia.

As quatro primeiras trombetas foram juízos que atingiram a natureza: a terra, o mar, os rios e os astros. Mas, agora, os terrores do tempo do fim vão aumentando em tensão e intensidade. Agora, não são calamidades naturais, nem terrores deste mundo, mas terrores demoníacos, que vêm do abismo, onde estão aprisionados anjos caídos, que invadem a terra para atormentar os homens.[1]

As últimas três trombetas trazem juízos mais severos e estes atingem os homens ímpios diretamente. São "ais" que lhes sobrevirão. Essa quinta trombeta fala de um tormento imposto aos homens que não têm o selo de Deus. Há inquietação no mundo. As pessoas não têm paz. Elas buscam refúgio na religião, no dinheiro, na bebida, no sexo, nas drogas, na fama, mas o vazio é cada vez maior. A degradação dos valores morais aumenta. As famílias estão se desintegrando. A imoralidade

---

[1]Para melhor compreensão deste capítulo, consulte o livro *Marcado para Vencer*, editora Candeia do mesmo autor.

campeia. A violência aumenta. Os conflitos se avolumam. Vivemos dias difíceis, ferozes (2Tm 3.1; Mt 8.28).

George Ladd fala da quinta trombeta assim:

> A quinta praga são gafanhotos diabólicos que atacam o corpo das pessoas, mas não as matam. Pano de fundo para isto é Joel 2.4-10, onde uma praga de gafanhotos precederá o dia do Senhor. Em Joel os gafanhotos se pareciam com cavalos, fazendo um estrondo como carros, avançando como um exército poderoso, escurecendo o céu. A diferença é que Joel vê gafanhotos de fato, enquanto que no Apocalipse eles simbolizam as hostes demoníacas.[2]

Para um mundo que rejeita a Deus, a maldição é receber o que deseja, os próprios demônios. Um mundo sem Deus somente pode existir como um mundo em que penetra o satânico. Deus dá aos homens o que eles querem e nisso está a sua maior ruína (Rm 1.18-32). Deus usa ainda a obra do diabo como um castigo e uma admoestação aos maus (9.20,21). Martyn-Lloyd Jones diz que há certos períodos da história em que parece que o inferno é liberado, a restrição divina é retirada e o diabo e suas forças agem livremente entre os homens e as mulheres do mundo.[3]

O rei da cavalaria do inferno (Ap 9.1,11)

Quem é o comandante dessa cavalaria do inferno?

Em primeiro lugar, *ele é uma estrela caída do céu* (Ap 9.1). Os anjos são descritos na Bíblia como estrelas (Jó 38.7). Lúcifer rebelou-se contra Deus e foi lançado para fora do céu. *Como caíste do céu, ó estrela da manhã, filho da alva! Como foste lançado por terra, tu que debilitas as nações* (Is 14.12). Jesus diz: *Eu vi a satanás como um raio, que caía do céu* (Lc 10.18). A estrela que João viu, foi a estrela *caída*. João não viu uma estrela caindo. A estrela já estava caída. A queda de satanás é fato passado. Ele é um ser caído, decadente, derrotado. Satanás, havendo se

---
[2] LADD, George. *Apocalipse*, p. 96.
[3] LLOYD-JONES, Martyn. *A igreja e as Últimas Coisas*, p. 224.

rebelado contra Deus, perdeu sua santidade, sua posição no céu e seu esplendor. Essa estrela é um ser inteligente, pois certos trabalhos lhe são distintamente atribuídos. Uma chave lhe é dada; ele a toma e a usa para abrir uma porta, permitindo que saiam, de sua prisão, os ocupantes do abismo.[4]

Em segundo lugar, **ele tem um caráter pervertido, ele é destruidor** (9.11). No Antigo Testamento Abadom já era personificado como príncipe da perdição (Jó 28.22). Os demônios que saem do poço do abismo são liderados por esse ser maligno. Ele é assassino, ladrão e mentiroso. Ele veio roubar, matar e destruir (Jo 10.10). Há um espírito gerador de crise na política, na economia e nas instituições. Há um espírito gerador de conflitos dentro do homem, entre os homens e entre as nações. Ele é o deus deste século, o príncipe da potestade do ar. O diabo é esse espírito terrível que atua nos filhos da desobediência (Ef 2.3). Arthur Blomfield diz que Cristo é chamado de Jesus por ser Ele o Salvador. Esse rei é chamado de Abadom, no hebraico, e de Apoliom, no grego, por ser um destruidor – o oposto de Salvador.[5]

Em terceiro lugar, **ele tem sua autoridade limitada** (9.1,4,5). O diabo é um ser poderoso, mas Deus é Todo-poderoso. O diabo não tem autoridade de agir a não ser que Deus o permita.

A autoridade do diabo é limitada em três aspectos: Primeiro, *ele precisa receber autoridade para abrir o poço do abismo* (9.1). O diabo não tem a chave do poço do abismo. Essa chave lhe é dada. É Jesus quem tem as chaves da morte e do inferno (1.18). Ele solta um bando de demônios que estavam presos (Jd 6). Existem dois tipos de demônios: os presos aguardando julgamento em algemas eternas e aqueles que estão em atividade. Parte daqueles que estavam presos são liberados aqui (2Pe 2.4). Nos abismos do inferno existem anjos guardados para o juízo. Agora, satanás recebe permissão para que esses demônios saiam e perturbem os homens. Segundo, *sua autoridade é limitada quanto à ação* (9.4,5). Os gafanhotos são insetos que destroem a vegetação (Êx 10.14,15; Jl 1.4). Mas esses gafanhotos aqui são seres malignos. Eles não podem causar

---

[4]BLOMFIELD, Arthur E. *As Profecias do Apocalipse*, p. 148.
[5]BLOMFIELD, Arthur E. *As Profecias do Apocalipse*, p. 149.

dano à erva da terra (Ap 9.4); eles não podem matar os homens, mas apenas atormentá-los (9.5) e eles não podem atormentar os homens selados por Deus. Terceiro, *sua autoridade é limitada quanto ao tempo* (9.5). Cinco meses não devem ser entendidos aqui como um tempo literal. Cinco meses é a duração da vida do gafanhoto, da larva à plenitude da sua ação.[6] Ele não tem poder para agir todo o tempo. Ele está limitado em sua ação e em seu tempo.

Características dos gafanhotos que saem do abismo (Ap 9.7-11)

Do abismo[7] sobem gafanhotos e eles são como cavalos preparados para a peleja (9.7) e ferroam como escorpiões. Em todo o Antigo Testamento o gafanhoto é símbolo de destruição. Originários do deserto, eles invadem áreas cultivadas em busca de comida. Podem viajar em colunas de mais de cem metros de altura e seis quilômetros de comprimento, deixando a terra nua de toda vegetação.[8] Os gafanhotos são insetos insaciáveis. Eles comem e defecam ao mesmo tempo. Quando passam por uma região devastam tudo. Em 1866 uma praga de gafanhotos invadiu a Argélia e tão grande foi a devastação que 200.000 pessoas morreram de fome nas semanas seguintes por falta de alimento.[9] Fritz Rienecker, citando o historiador Plínio, diz que esta praga dos gafanhotos é interpretada como um sinal da ira dos deuses, pois eles têm um tamanho incomum, e também voam com um barulho de asas que faz com que sejam confundidos com pássaros, e escureçam o sol, lançando as nações na ansiedade, com medo de que destruam todas as suas terras.[10]

Esses gafanhotos que João descreve, porém, não são insetos, mas demônios. O cavalo, o homem, o leão e o escorpião estão reunidos

---

[6]BARCLAY, William. *Apocalipsis*, p. 278.
[7]O termo *abismo*, no Novo Testamento, refere-se à habitação dos espíritos malignos, com a exceção de Romanos 10.6,7, onde Paulo usa o conceito para a habitação dos mortos (KISTEMAKER, Simon. *Apocalipse*, p. 365).
[8]RIENECKER, Fritz e Rogers, Cleon. *Chave Linguística do Novo Testamento Grego*, p. 619.
[9]BARCLAY, William. *Apocalipsis*, p. 276.
[10]RIENECKER, Fritz e Rogers, Cleon. *Chave Linguística do Novo Testamento Grego*, p. 620.

neles. Em certos períodos da história parece que todo o inferno é liberado para agir na terra sem restrição divina (Rm 1.18-32). Deus o permitiu. Deus os entregou. Assim, o terrível problema moral que assola o nosso século é o castigo divino aos homens que O desprezam e zombam da Sua Palavra. Deus retirou Suas restrições. Esse é o toque da quinta trombeta.

Como são esses gafanhotos? Quais são suas características?

Em primeiro lugar, *são espíritos de obscuridade* (9.2-3). William Barclay diz que quando os gafanhotos aparecem voando em bando, podem chegar a escurecer a luz do sol. Eles cobrem a terra com uma nuvem de trevas.[11] O diabo é das trevas. Ele não suporta a luz. Seus agentes também atuam onde há fumaça, onde a luz é toldada, onde o sol da verdade não brilha, onde reina a confusão. Onde prevalecem as trevas, aí os demônios oprimem. Esses agentes do inferno criam um nevoeiro na mente das pessoas com falsas filosofias, com falsas religiões. O diabo cega o entendimento dos incrédulos. O grande projeto desses demônios é manter a humanidade num berço de cegueira, numa vida de obscurantismo espiritual e depois levá-los para o inferno.

Em segundo lugar, *são espíritos de destruição* (9.11). É difícil imaginar uma praga mais devastadora do que um bando de gafanhotos (Êx 10.15; Jl 1 e 2). Esses demônios que saem do abismo têm uma ânsia destruidora. Eles são capitaneados por Abadom e Apoliom. Eles são implacáveis, impiedosos, destruidores. Os gafanhotos não têm rei, agem em bando. "*Os gafanhotos não têm rei; contudo, marcham todos em bandos*" (Pv 30.27). Esses espíritos malignos, porém, agem sob o comando de satanás e se infiltram nos lares, nas escolas, nas instituições, na televisão, no cinema, no teatro, na imprensa, nas ruas, na vida dos homens e como uma cavalaria de guerra em disparada provocam grande tormento.

Esses espíritos malignos têm atormentado vidas, arruinado lares, jogado jovens na vala repugnante das drogas, empurrado outros para a prática da imoralidade, semeado a ganância criminosa no coração de

---

[11] RIENECKER, Fritz e Rogers, Cleon. *Chave Linguística do Novo Testamento Grego*, p. 276.

homens depravados. Eles destroem a paz. Essa cavalaria do inferno em sua cavalgada pisoteia crianças, jovens, famílias, trazendo grande sofrimento por onde passam.

Em terceiro lugar, *são espíritos que têm poder e domínio* (9.7). Esses demônios atuam nos filhos da desobediência (Ef 2.3). Eles mantem no cativeiro seus escravos (Mt 12.29). Os ímpios estão sob o domínio de satanás (At 26.18) e estão no reino das trevas (Cl 1.13). O diabo é o deus deste século (2Co 4.4), é o príncipe da potestade do ar (Ef 2.2) e o espírito que atua nos filhos da desobediência (Ef 2.3). Há pessoas que vivem debaixo de um reinado de medo e terror. Há pessoas que são verdadeiros capachos de satanás, indo a cemitérios para fazer despachos. Outros são ameaçados de morte ao tentarem sair dos seus tentáculos. Esses espíritos controlam a vida daquelas pessoas que vivem na prática da mentira, pois o diabo é o pai da mentira. Esses espíritos controlam aqueles que vivem com o coração cheio de mágoa e ressentimento (Mt 18.34; 2Co 2.10-11). Eles cegam o entendimento dos incrédulos, mantendo as pessoas no cativeiro da incredulidade (2Co 4.4).

Em quarto lugar, *são espíritos que têm inteligência* (9.7). Esses espíritos malignos podem discernir os que têm o selo de Deus daqueles que não o têm. No reino espiritual anjos e demônios sabem quem é você. Encantamento não vale contra a tenda do povo de Deus. O diabo não lhe toca. O diabo e seus demônios não podem atingir você a não ser que Deus o permita. Esses espíritos possuem uma inteligência sobrenatural. Eles são peritos estrategistas. Precisamos ficar atentos contra as ciladas do diabo. Eles são detetives invisíveis. Eles armam ciladas, criam sutilezas, inventam filosofias e religiões para torcer a verdade. Esses gafanhotos invadem a imprensa, as universidades, a televisão e até os púlpitos.

Em quinto lugar, *são espíritos de sensualidade* (9.8). Devemos fugir daquela ideia medieval que pinta o diabo como um ser horrendo. Ele se dissimula. Ele aparece como anjo de luz. Ele usa uma máscara atraente.

O culto mais popular da Ásia era a Dionísio, voltado à sensualidade. Adolf Pohl diz que nesse culto, os adeptos se extasiavam loucamente, meneando o cabelo volumoso, em danças obscenas.¹² Esses espíritos despejam no mundo uma torrente de sensualidade. Não obstante a impureza proceder do nosso coração pecaminoso, esses espíritos malignos promovem toda sorte de sensualidade. A orgia, a pornografia, o homossexualismo, e toda sorte de depravação moral estão enchendo a nossa cultura como uma fumaceira que sobe do abismo. O sexo no namoro, a infidelidade conjugal e as aberrações sexuais estão se tornando coisas normais para essa sociedade decadente. A pornografia industrializou-se poderosamente sob a indiferença de uns e a conivência de outros.

Em sexto lugar, *são espíritos de violência* (9.8b). Dentes de leão falam de poder de aniquilamento (Jl 1.6). Dentes como de leão retratam o poder destrutivo e devastador desses demônios. Eles não brincam, não descansam, não tiram férias. Eles são atormentadores. Agem com grande violência. Eles estão por trás de fascínoras como Hitler. Estão por trás de gangues de narcotráfico. Estão por trás do execrado e nefasto crime organizado. Essa cavalaria do inferno por onde passa deixa um rastro triste de violência e destruição.

Em sétimo lugar, *são espíritos inatingíveis* (9.9). Esses espíritos são seres invisíveis, inatingíveis que não podem ser atacados por armas convencionais (Jl 2.7-9). Eles não podem ser detidos em prisões humanas. Eles não podem ser destruídos por bombas. Precisamos enfrentar essas hordas com armas espirituais. Não podemos enfrentar esses gafanhotos na força da carne. Não podemos entrar nesse campo sem o revestimento do poder de Deus. Esses gafanhotos têm couraças de ferro. São como os esquemas de corrupção do crime organizado que se instalam nas instituições e que resistem à ação repressiva da lei.

A missão principal desses gafanhotos que saem do abismo (Ap 9.4-6,10)

A missão principal desses demônios é atormentar os homens (9.4-5). João vê que, ao ser aberto o abismo, sobem imediatamente do poço

---

¹²Pohl, Adolf. *Apocalipse de João*. Vol. 2, p. 32.

colunas de fumaça, semelhantes à fumaceira de uma grande fornalha. É a fumaceira da decepção e do erro, do pecado e do vício, da violência e degradação moral. Tão lôbrego é esse fumo, que são entenebrecidos o sol e o ar. Isso é símbolo da terrível cegueira moral e espiritual provocada por essas forças terríveis que agem na terra (9.3).

Essa estrela caída é um dragão cheio de cólera (12.12). Esses gafanhotos são como uma cavalaria infernal que pisoteia e faz trepidar a terra e como escorpiões que ferroam os homens com o seu terrível veneno.

João está falando de uma invasão extraterrestre, de forças cósmicas do mal invadindo a terra. Há um cerco de demônios em volta da terra. Os homens estão cercados pelos gafanhotos do inferno.

Esses gafanhotos tornam a vida dos homens um pesadelo. Eles despojam os homens de toda perspectiva de felicidade. Eles tornam a vida humana um palco de dor e um picadeiro de angústias infernais. Eles ferroam os homens como escorpiões cheios de veneno (9.5,10). George Ladd diz que os escorpiões eram, como as cobras, criaturas hostis ao homem, tornando-se, desta forma, um símbolo das forças espirituais malignas (Lc 10.19).[13]

Esses gafanhotos tiram a paz da terra. O homem vive atormentado, inquieto. Não há paz para o ímpio. Não há paz nas famílias. O mundo está em conflito. Nesse desespero existencial, os homens buscam a fuga no misticismo, nas drogas, no alcoolismo, mas não encontram alívio.

O sofrimento que esses gafanhotos provocam não é imaginário, mas real. Não é apenas espiritual, mas também físico. Não é apenas um sofrimento escatológico, mas histórico, presente.

Outra missão desses demônios é causar dano aos homens (9.4,10). Esses seres malignos receberam poder (9.3), para causar dano aos homens (9.4,10). Ah! Quantos danos eles têm causado aos homens! Quantas perdas, quantas lágrimas, quanta vergonha, quanta dor, quanta angústia nos lares arrebentados, quantas vidas iludidas, quantas pessoas com a esperança morta. O diabo é um falsário. Ele promete prazer, mas só dá desgosto. Promete vida, mas provoca a morte. Onde ele age, há danos e perdas.

---

[13] LADD, George. *Apocalipse*, p. 97.

O tormento que eles causam é pior do que a morte (9.6). Como em Apocalipse 6.15-16, as pessoas buscam a morte em lugar de Deus (9.6). Cerca de cinquenta por cento das pessoas já pensaram, equivocadamente, em suicídio como uma saída para as tensões da vida. São muitos aqueles que flertam com a própria morte com medo ou tédio da vida. Essas pessoas não têm nenhuma disposição para o arrependimento (9.20). Adolf Pohl diz que o espírito da época consiste de saturação da vida e de um medo estranho de viver, atraído misteriosamente pelo jogo com o desespero. O ser humano desperdiça-se, sem livrar-se de si mesmo. Ele transforma-se no suplício em pessoa.[14]

O tormento causado por esses gafanhotos é tão grande que os homens buscarão a morte a fim de encontrar alívio para a agonia que sentem, mas nem mesmo a morte lhes dará alívio.

Hoje, muitos flertam com a morte e preferem-na à vida. Pior que qualquer ferida é querer morrer e não poder fazê-lo. Os homens verão a morte como alívio, mas até mesmo a morte não lhes trará alívio, mas tormento eterno. A morte não consegue matar esse desespero. Esse tormento é pior do que a morte. William Barclay, citando o escritor latino Cornélio Gallo, diz: "pior que qualquer ferida é querer morrer e não poder fazê-lo".[15]

Soren Kierkegaard, diz Russell Norman Champlim, retratou isso bem:

> O tormento do desespero é exatamente esse, não ser capaz de morrer. Quando a morte é o maior perigo, o homem espera viver; mas, quando alguém vem a conhecer um perigo ainda mais terrível que a morte, esse alguém espera morrer. E, assim, quando o perigo é tão grande que a morte se torna a única esperança, o desespero consiste no desconsolo de não ser capaz de morrer.[16]

O sofrimento é tal que a morte seria preferível. Os homens verão a morte como um alívio. Mas nem a morte pode livrá-los desse

---

[14]POHL, Adolf. *Apocalipse de João*. Vol. 2, p. 31.
[15]BARCLAY, William. *Apocalipsis*, p. 278.
[16]CHAMPLIN, Russell Norman. *O Novo Testamento Interpretado*. Vol. 6, p. 500.

indescritível sofrimento. Jó fala desse sentimento: *Por que se concede luz ao miserável e vida aos amargurados de ânimo, que esperam a morte, e ela não vem? Eles cavam em procura dela mais do que tesouros ocultos* (Jó 3.20,21).

A condição do povo de Deus diante dessa cavalaria do inferno (Ap 9.4b)

O diabo e seus demônios conhecem aqueles que são de Deus e não lhes tocam. Quando você pertence à família de Deus, você se torna conhecido no céu, na terra e no inferno. Quem é nascido de Deus, o maligno não lhe toca (1Jo 5.18). Aquele que está em nós é maior do que aquele que está no mundo (1Jo 4.4). Nenhuma arma forjada contra nós prosperará (Is 54.17). Porque Deus é por nós, ninguém poderá ser contra nós e nos destruir (Rm 8.31). Agora estamos nas mãos de Jesus (Jo 10.28).

O povo de Deus é distinguido dos ímpios pelo selo de Deus. A igreja é o povo selado de Deus (7.4). Aqueles que receberam o selo de Deus são protegidos do ataque desse bando de gafanhotos (9.4b).

O selo de Deus é o Espírito Santo que recebemos quando cremos. O Espírito Santo é o selo e o penhor da nossa redenção (Ef 1.13-14). Somos propriedade exclusiva de Deus (1Pe 2.9). Somos o povo genuíno de Deus. Somos invioláveis. O diabo não pode nos tocar.

Os selados estão livres dos tormentos. Aqueles que estão debaixo do abrigo do sangue do Cordeiro não estão debaixo do tormento dos demônios. *A maldição do Senhor habita na casa do perverso, porém a morada dos justos Ele abençoa* (Pv 3.33).

16

O Juízo de Deus
sobre os ímpios

Apocalipse 9.13-21

VIMOS, NO CAPÍTULO ANTERIOR, que na quinta trombeta satanás recebeu autoridade para abrir o poço do abismo e de lá saíram demônios para atormentar os homens, não podendo estes, porém, atacar aqueles que tinham recebido o selo de Deus.

Agora, na sexta trombeta, vamos observar como o juízo de Deus avança para um desfecho final e como as coisas se agravam. O horror dessa cena aumenta. A quinta trombeta trouxe sofrimento, a sexta traz morte.

O juízo de Deus que desaba sobre os ímpios é resultado das **orações dos santos** (Ap 9.13-15)

As grandes operações de Deus na terra vêm em resposta às orações do povo de Deus. Foi assim no Êxodo (Êx 3.7,8). Tem sido assim ao longo da história. Sobretudo, o livro de Apocalipse revela essa conexão entre o altar e o trono. Apocalipse 6.9-11 revela as orações dos mártires e o resultado está descrito em Apocalipse 6.12-17, na cena do juízo.

Apocalipse 8.3-5 mostra as orações dos santos subindo do altar ao trono e descendo do trono em termos de juízos de Deus conforme Apocalipse 8.5-6. Agora, novamente, em Apocalipse 9.13-14 somos informados que a voz procedendo dos quatro ângulos do altar de ouro, o altar da oração é que desencadeia a soltura dos quatro anjos do juízo sobre os ímpios. Quando a igreja ora, ela se une ao Deus soberano em Seus atos de justiça na história. Quando a igreja ora, Deus se manifesta. Adolf Pohl corretamente interpreta:

> Os santos suplicam pela restauração da honra de Deus nesse mundo, não por guerras, as quais acontecem de imediato e para a satisfação deles. As guerras resultam da resistência contra a honra de Deus e do Cordeiro. Elas são anticristãs. Significam sempre: quem não quiser ouvir, terá de sofrer! Quem não dá ouvidos aos mandamentos de Deus e pratica o mal, experimentará que o mal não vai bem – porque Deus vive.[1]

O juízo de Deus **é executado pelos quatro anjos que estão atados junto ao rio Eufrates (Ap 9.14)**

Esses anjos são agentes da justiça divina. Eles são anjos maus, anjos caídos, que executam o juízo de Deus sobre o mundo. Eles se agradam de precipitar os homens à guerra. Quatro é o número do mundo. O mundo inteiro aqui está em vista.

Esses anjos estão atados junto ao rio Eufrates. Foi justamente aqui no rio Eufrates, onde ficava o Éden, que os poderes satânicos, levaram nossos pais à queda. Havia uma previsão profética de invasão de cavalos vindos do Norte (Ez 38.14; Is 5.26-30; Jr 6.22-26). João transformou essa expectativa militar em uma invasão de hordas de demônios. O Eufrates torna-se materialização de uma barreira, atrás da qual se represam tragédia e juízo, barrados por Deus ou liberados por Ele com ira.[2] O Eufrates é o limite oriental da terra prometida, onde estavam os terríveis inimigos do povo de Deus: a Assíria e a Babilônia. Assim, este rio representa a Assíria e a Babilônia, ou seja, o mundo ímpio. O profeta Isaías diz: *O Senhor fará vir sobre eles as águas do Eufrates, fortes e impetuosas, isto é, o rei da Assíria...* (Is 8.7). Isaías descreve uma invasão desses inimigos como se fosse uma enchente do Eufrates. Uma

---

[1] POHL, Adolf. *Apocalipse de João*. Vol. 2, p. 38.
[2] POHL, Adolf. *Apocalipse de João*. Vol. 2, p. 38.

enchente quebra barreiras, seguindo-se a destruição.³ George Ladd diz que uma enchente de poderes demoníacos vai transbordar sobre o mundo civilizado.⁴

O ponto central aqui não é a geografia do Eufrates. Eufrates é apenas um símbolo. Esses cavalos da destruição virão de toda parte, do mundo inteiro.

O juízo desencadeia-se no **tempo determinado por Deus** (Ap 9.15)

A soberania de Deus controla os agentes, o espaço e o tempo. Deus está no trono. Nada acontece sem Sua permissão. Ele está no controle. É Ele quem dá autoridade para satanás abrir o poço do abismo. É Ele quem ordena, em resposta às orações dos santos, soltar os quatro anjos do juízo. É Ele quem determina de onde esses anjos procedem. É Ele quem determina o tempo exato da ação desses anjos do juízo.

Esses anjos do juízo não são livres para agir da forma que querem e quando querem. Eles estão debaixo de autoridade. Eles foram preparados para essa hora definida. Eles só podem agir no tempo estabelecido por Deus. George Ladd diz que no Apocalipse não encontramos um determinismo rígido. O tempo está sob o controle de Deus; o tempo do fim e todos os acontecimentos finais se desenrolam de acordo com o propósito divino.⁵

No tempo que Deus determinar, esses duzentos milhões de cavalos serão soltos, e uma enchente de poderes demoníacos vai transbordar sobre o mundo civilizado. O fato de serem soltos representa a liberação da ação punitiva no prazo previsto por Deus. Ao permitir que esses anjos sejam desatados, Deus usa a guerra como uma voz de admoestação aos maus (9.20). A guerra também está incluída no decreto de Deus, havendo sido determinada a sua hora.

---

³Erdman, Charles R. *Apocalipse,* p. 72.
⁴Ladd, George. *Apocalipse,* p. 101.
⁵Ladd, George. *Apocalipse,* p. 102.

O juízo desencadeado pela sexta trombeta é **mais severo** do que o anunciado pela quinta trombeta (Ap 9.15)

Em primeiro lugar, *os juízos vão se intensificando à medida que a história caminha para o seu fim* (9.15b). Os gafanhotos que saíram do poço do abismo tinham limites bem definidos sobre o que podiam e o que não podiam fazer. Os demônios estão debaixo da autoridade absoluta de Deus. Até eles estão sob as ordens de Deus e precisam cumprir os propósitos soberanos de Deus. Eles não podiam destruir a vegetação, nem matar os homens, nem tocar nos selados de Deus. Mas, agora, eles recebem poder para matar uma terça parte dos homens.

Há uma semelhança entre os gafanhotos da quinta trombeta e os cavalos da sexta trombeta: em ambos os casos a natureza demoníaca dos seres torturadores é vista em figura de escorpiões (9.3,5) e em figura de serpentes (9.19). Em ambos os casos o poder desses seres reside na cauda. Sua atividade é causar dano (Ap 9.4,19). São comparados com leões (9.8,17) e cavalos de batalha (9.7,16). Ambos os textos falam de fumaça infernal (9.2, 17,18). Mas a intensificação do flagelo na sexta trombeta é inegável; no lugar de tortura (9.5) aparece agora a matança (9.15,18,20).

Em segundo lugar, *os juízos descritos na sexta trombeta descrevem a guerra* (9.15). Não é uma guerra particular, mas todas as guerras, passadas, presentes e futuras, diz William Hendriksen.[6] Sobretudo, a sexta trombeta fala daquelas guerras espantosas que abalarão o mundo à medida que avançamos para o fim. A guerra aqui não é apenas um castigo, mas também, uma voz de admoestação de Deus aos ímpios. As guerras resultam da resistência contra a honra de Deus e do Cordeiro. Elas são anticristãs. Significam sempre: quem não quiser ouvir, terá de sofrer! Quem não dá ouvidos aos mandamentos de Deus e pratica o mal, experimentará que o mal não vai bem, porque Deus vive!

Em terceiro lugar, *os agentes do juízo são uma multidão incontável* (9.16). João não vê o exército, ele ouve o seu número: vinte mil vezes dez milhares, ou seja, um exército com duzentos milhões de cavalos.

---

[6] HENDRIKSEN, William. *Más que Vencedores*, p. 146.

Esse número é simbólico, representa uma multidão incontável. É uma espécie de invasão demoníaca com sede de sangue que invade a terra. Essa cavalaria não apenas atormenta, mas também mata uma terça parte dos homens. Torna os homens seres ferozes, malignos, violentos.

Em quarto lugar, *os agentes do juízo transformam-se em máquinas assassinas* (9.17-19). Eles são seres anatingíveis (9.17). Eles têm couraça de fogo. Não podem ser destruídos com armas convencionais. Eles são seres mistos (cavalo, leão e serpente). Eles são seres ferozes (9.17b). Eles parecem leões, símbolo de força, ferocidade e poder destruidor. Eles são peçonhentos como serpentes (9.19). Esses cavalos têm um grande poder destruidor. São altamente letais e venenosos. Eles não são cavalos ordinários, eles simbolizam máquinas e instrumentos de guerra de toda classe: tanques, canhões, aviões de combate, bombas, armas nucleares, químicas e biológicas. Eles flagelam e matam os homens (9.18). Esses espíritos malignos agem nos homens e através dos homens e os atormentam e matam.

Três flagelos são mencionados: fogo, fumaça e enxofre. O fogo queima, a fumaça tira a visibilidade, o enxofre polui. O propósito deles é destruir. Por meio deles matam uma terça parte dos homens. Isso fala das guerras em sua truculência, ferocidade e poder destruidor. Essas guerras sangrentas têm o poder de matar uma terça parte dos homens. Quando os homens tentam se desvencilhar de Deus, começam a lutar uns contra os outros e a destruir uns aos outros em grande número. Eles têm o controle da imprensa (9.19). O poder desses agentes destruídores está na boca. Eles têm a comunicação em seu poder. Eles dominam a imprensa. Eles controlam o mundo pela sua filosofia. O poder está na boca e a peçonha na cauda. Eles têm poder quando falam e através da cauda destilam letal peçonha.

O juízo de Deus na sexta trombeta, por mais **dramático** é ainda **limitado** (Ap 9.15,18,20,21)

A ira de Deus ainda está misturada com a misericórdia. Deus impõe um limite. Esse limite não pode ser ultrapassado. É uma terça parte dos homens e nada mais. Deus está no controle, mesmo quando os agentes do juízo estão em ação na história.

Essa trombeta é a última chamada de Deus aos ímpios antes do juízo completo chegar. A sexta trombeta é a última advertência aos habitantes da terra. A advertência é a morte de uma terça parte dos homens. Um terço da raça humana é destruído, com o objetivo de levar os outros dois terços ao arrependimento. Quando chegar a sétima trombeta, será tarde demais. A cena da sétima trombeta é a cena do juízo final. Então, não haverá mais chance (11.15-18). As sete taças falam da consumação da cólera de Deus (15.1).

O propósito da sexta trombeta é dar aos homens uma chance de arrependimento antes do fim. As tragédias que desabam sobre a história não são fruto do acaso, nem apenas desastres naturais. Elas são trombetas de Deus, chamando os homens ao arrependimento. As guerras, na sua fúria e lealdade, são trombetas de Deus convocando os homens a se voltarem para Deus. As guerras que têm destruído vidas não são apenas provocadas por problemas econômicos e políticos, mas Deus falando à humanidade, punindo o mundo de homens e mulheres que não Lhe dão ouvidos. Não obstante, eles ainda não se arrependerão. Muitos cristãos pensam que se houver uma guerra, um terremoto, as multidões voltar-se-ão para Deus e haverá um grande reavivamento. Muitos pensaram assim no final da Segunda Guerra Mundial. Mas isso é um ledo engano. Só o Espírito de Deus pode levar uma pessoa ao verdadeiro arrependimento.

Os juízos mais severos **não produzem o arrependimento** dos ímpios (Ap 9.20-21)

Os ímpios desperdiçam suas últimas oportunidades. Eles são cegos para perceberem a mão de Deus nos juízos sobre a história. Eles veem os ímpios morrendo na sua impiedade e não se apercebem de que Deus está lhes embocando a sua trombeta, chamando-os ao arrependimento. Em vez de se voltarem para Deus, eles continuam na prática de seus abomináveis pecados (9.20,21). Não apenas não se voltam para Deus e continuam nos seus pecados, mas se rebelam ainda mais contra Deus (16.9-11). O mesmo refrão chocante perpassa em Amós 4.6,8-11, bem como no coração cada vez mais endurecido de Faraó. A impenitência é a causa não somente do derramamento das taças da ira final (Ap 15 e 16), mas também é a razão da culminação desta ira no juízo final.

O pecado da impiedade conduz ao pecado da perversão, ou seja, a idolatria produz a imoralidade (9.20-21). A falsa religiosidade, produz a falsa moralidade. A teologia determina a ética. A idolatria promove a imoralidade. Esse é o ensino de Paulo em Romanos 1.18-32.

A idolatria conduz ao pecado da adoração de demônios (9.20). Os ídolos são obras das mãos do homem: são feitos de ouro, prata, cobre, pedra e pau. Eles não podem ver, nem ouvir, nem andar. Eles precisam ser carregados. Eles podem ser quebrados. Eles não são nada (1Co 8.4). Mas por trás do ídolo estão os demônios (1Co 10.19-20). Os homens adoram os demônios que estão nos ídolos. As pessoas passam a confiar em ídolos feitos por suas próprias mãos e são enganadas por um espírito de prostituição (Os 4.12).

Os ímpios quebram as duas tábuas da lei de Deus (9.20-21). Eles deixam de adorar o Deus vivo para se prostrarem diante de ídolos, quebrando os dois primeiros mandamentos da primeira tábua da lei (9.20). Esse tempo do fim é marcado por intensa religiosidade, mas uma religiosidade falsa: adoração de ídolos e demônios. Eles quebram o sexto, o sétimo e o oitavo mandamentos da segunda tábua da lei (9.21).

Os ímpios encharcam-se de perversão e transformam a sociedade em um caos (9.21). Não há respeito à vida. As pessoas perdem o respeito pela dignidade da vida. Acontecem assassinatos cruéis, brutais. A vida se torna sem valor. Não há respeito à lucidez. Feitiçarias vêm de *farmakeia*, de onde vêm drogas. É uma geração entorpecida, drogada. Não há respeito à pureza moral. Os homens não respeitam o casamento, nem a castidade. A imoralidade é aplaudida. É uma sociedade pansexual. Não há respeito à propriedade privada. Impera nessa sociedade caotizada a exploração, o roubo, o furto, a desonestidade, a corrupção dos valores morais.

Ódio às pessoas, mesclado de venenos intelectuais, infidelidade e exploração do ser humano pelo ser humano, esse é o semblante de uma sociedade, contra a qual se dirigem a ira do Cordeiro e todos os flagelos de Deus, diz Adolf Pohl.[7]

---

[7] POHL, Adolf. *Apocalipse de João*. Vol. 2, p. 44.

O objetivo sempre presente de Deus, no entanto, é chamar o homem ao arrependimento. O que mais nos choca neste capítulo 9 de Apocalipse não é tanto o severo juízo de Deus sobre os ímpios, mas a sua persistência em continuarem pecando contra Deus enquanto Ele os está julgando. Em lugar de voltar-se para Deus, acontecem iniciativas cada vez mais precipitadas de afastar-se dEle. Essa é uma época em que a pregação de arrependimento se torna notoriamente difícil, notoriamente rara e notoriamente urgente!

Ainda aprendemos com esse texto que o sofrimento, a calamidade e as tragédias da vida, por si mesmas, não podem levar sequer uma pessoa à conversão. Muitos cristãos pensam que se houver uma guerra, um terrível terremoto ou algum desastre natural, as pessoas serão sensibilizadas e se voltarão para Deus e haverá um grande avivamento. Martyn Lloyd-Jones diz que muitos pensaram assim no final da Segunda Guerra Mundial. Mas isso é impossível. Precisa-se do Espírito Santo para salvar uma alma. Portanto, não devemos esperar das guerras, das calamidades e das pestilências. Essas coisas parecem endurecer e enfurecer ainda mais os homens e as mulheres.[8]

---

[8]LLOYD-JONES, Martyn. *A igreja e as Últimas Coisas*, p. 226.

17

O **prelúdio** da sétima trombeta

Apocalipse 10.1-11

ESTAMOS TRATANDO A RESPEITO DAS SETE TROMBETAS. Soaram as seis primeiras, e agora, aguardamos a sétima. As últimas três trombetas foram anunciadas como "ais" que viriam. A quinta trombeta fala dos gafanhotos saídos do abismo que vieram para atormentar os homens que não têm o selo de Deus. A sexta trombeta fala de uma cavalaria inumerável que mata uma terça parte dos homens impenitentes.

Quando a sétima trombeta tocar, não haverá mais chance para os pecadores. A sétima trombeta aponta para o juízo final. Então, será tarde demais.

Os capítulos 10 e o 11.1-14 são um interlúdio antes do juízo final. Assim como entre o sexto e o sétimo selo houve uma mensagem de consolo para a igreja, mostrando os santos em glória, também entre a sexta e a sétima trombeta haverá um interlúdio, com a mensagem do anjo forte, trazendo o livrinho aberto em sua mão. O primeiro interlúdio salientou a segurança e a glória do povo de Deus perseguido. Esta, agora, descreve uma mistura de doce e amargo.

A descrição do **anjo forte** (Ap 10.1-7)

Há mais de sessenta referências aos anjos no livro de Apocalipse. Eles são o exército de Deus enviado para realizar o Seu propósito na terra.

Raramente pensamos neles como espíritos ministradores em nosso favor (Hb 1.14), mas um dia no céu iremos aprender tudo o que eles fizeram por nós.[1]

Os anjos são valorosos em poder (Sl 103.20), mas há anjos mais poderosos que outros. Aqui temos um anjo forte e sua descrição tem grandes semelhanças com o próprio Deus e com o Cordeiro.

Alguns estudiosos entendem que esse anjo forte seja uma descrição do próprio Cristo glorificado.[2] Conforme Ele se apresentou a João no capítulo 1 de Apocalipse. Outros, entretanto, creem que ele seja um anjo que vem direto da presença de Deus e do Cristo ressurreto.

Há semelhanças estreitas entre esse anjo e o próprio Cristo. Contudo, no Apocalipse, anjos são sempre anjos; Cristo nunca é chamado de anjo. Esse anjo não recebe adoração. O Apocalipse nunca confunde o Senhor que está assentado no trono com os Seus emissários que descem à terra.[3]

Esse anjo anunciará a sétima trombeta, então, virá o fim (1Co 15.52). Vejamos a descrição que o texto faz desse anjo:

Em primeiro lugar, *esse anjo desce do céu envolto em nuvem* (10.1). Deus é geralmente identificado com nuvens. Deus conduziu o povo de Israel através de uma nuvem luminosa (Êx 16.10). Nuvens escuras cobriram o Sinai quando a lei foi dada (Êx 19.9). Quando Deus apareceu a Moisés foi numa nuvem de glória (Êx 24.15; 34.5). Deus faz das nuvens a Sua carruagem (Sl 104.3). Uma nuvem recebeu Jesus quando Ele foi assunto ao céu (At 1.9) e quando voltar, Ele virá entre nuvens (Ap 1.7). Aqui temos uma operação da santidade de Deus simbolizada pelo rosto do anjo, do juízo indicado pela nuvem (Sf 1.15) e da misericórdia e fidelidade ao Seu pacto com o Seu povo expressada pelo arco-íris.

Em segundo lugar, *esse anjo tem um arco-íris por cima da sua cabeça* (Ap 10.1). O arco-íris aparece ao redor do trono de Deus (4.3). Fala que o trono de Deus é um trono de misericórdia, antes de ser um trono

---

[1] WIERSBE, Warren. *The Bible Expository Commentary*. Vol. 2, p. 596.
[2] BLOMFIELD, Arthur E. *As Profecias do Apocalipse*, p. 157.
[3] POHL, Adolf. *Apocalipse de João*. Vol. 2, p. 45.

de juízo. Deus Se lembra da Sua misericórdia na Sua ira. O arco-íris é o símbolo da aliança de Deus.

Em terceiro lugar, *esse anjo tem o rosto como o sol* (10.1). Esta é a mesma descrição de Jesus Cristo dada no início(1.16). Quando Jesus apareceu em glória na transfiguração, Seu rosto brilhava como o sol. Ninguém podia olhar no rosto dEle.

Em quarto lugar, *esse anjo tem as pernas como colunas de fogo* (10.1). Esta descrição é semelhante à que descreve o Cristo glorificado em Apocalipse 1.15. Onde Ele pisa, queima e purifica.

Em quinto lugar, *esse anjo tem na mão um livrinho* (10.2). A palavra grega para livrinho (10.2) é diferente da usada em (5.1). Livrinho não dá a ideia de rolo. O livrinho está aberto, no sentido de que seu conteúdo é conhecido. O rolo (5.1) contém a revelação do propósito da redenção e justiça que Deus executa na história humana; o livro pequeno deve contar uma parte deste propósito divino. Outros identificam esse livrinho como a Palavra de Deus que deve ser comida e pregada ao mundo (10.11). Ezequiel e Jeremias também receberam ordens semelhantes (Ez 2.9; 3.3; Jr 15.16-17). Ambos comeram o livro e pregaram. O livro era a Palavra de Deus: julgamento e castigo a um povo rebelde. Assim também João é chamado a comer o livro e pregar. A igreja é chamada a comer o livro e pregar para uma geração que se aproxima do fim. A Palavra de Deus é doce e amarga; contém doces promessas e amargas profecias de julgamento. Não existe nada mais doce neste mundo do que o evangelho da graça redentora, mas tão logo você se torna um cristão, surgem os problemas.[4]

Em sexto lugar, *esse anjo tem o pé direito sobre o mar e o esquerdo sobre a terra* (10.2). Deus manifesta Sua reinvindicação de propriedade sobre o mundo inteiro[5], pois foi Ele quem o criou (10.6). Nas seis primeiras trombetas apenas parte da criação era o alvo. Agora está em jogo toda a criação. Isso descreve que Ele exerce poder em todo o mundo e Sua Palavra é para o mundo inteiro. O mar e a terra representam a totalidade do universo criado.

---

[4] LLOYD-JONES, Martyn. *A igreja e as Últimas Coisas*, p. 226-227.
[5] POHL, Adolf. *Apocalipse de João*. Vol. 2, p. 46.

Em sétimo lugar, *esse anjo tem voz como de leão* (10.3). A voz do leão é a voz do juiz que se aproxima. A plenitude do juízo se aproxima. Esta descrição é semelhante àquela dada a Jesus Cristo em Apocalipse 5.5. A voz de Deus é semelhante ao rugido do leão (Am 3.8). O Antigo Testamento comumente fala de "o anjo do Senhor" como uma referência a Cristo (Êx 3.2; Jz 2.4; 6.11-12; 2 Sm 24.16). Isto era uma temporária manifestação para um propósito especial, e não uma permanente encarnação. O leão é o rei dos animais. Quando ele ruge não tem animal que pie. Todos se silenciam. Quando Cristo bradar, todos vão ouvir a Sua voz. Quando Cristo bradar os sete trovões, todos os trovões, a artilharia do céu, estarão prontos a agir.

Em oitavo lugar, *esse anjo, ao falar, se ouvem sete trovões* (10.3-4). Não nos é informado por que João agora não pode escrever sobre o conteúdo dos sete trovões. Esses trovões são semelhantes à voz poderosa de Deus que é como o trovão (Sl 29.3). Esse número precisaria ser sete, visto que há em torno do trono sete espíritos, sete tochas, sete chifres e sete olhos. Esses trovões estão dirigidos aos inimigos de Deus. O contexto pode nos ajudar a entender por que sempre que a palavra "trovões" aparece em Apocalipse é para falar de um aviso de iminentes manifestações da ira de Deus (8.5; 11.19; 16.18). O juízo está se aproximando, mas João não tem autorização para falar sobre o seu conteúdo. Essa revelação, semelhante àquela que Paulo teve no céu, não pode ser anunciada (2Co 12.4). João a entendeu, mas não recebeu autorização para escrevê-la. Não devemos especular o que Deus não nos revelou. A voz de Deus é geralmente comparada a trovões (Sl 29; Jó 26.14; 37.5; Jo 12.28-29). O significado da ordenança para João guardar segredo sobre as vozes dos sete trovões é a seguinte: não podemos nunca saber nem descrever todos os fatores e agentes que determinam o futuro. Sabemos o significado dos sete candeeiros, dos sete selos, das sete trombetas, das sete taças. Mas não nos foi dado saber sobre o significado da mensagem dos sete trovões (10.4). Isso, porque há outras forças trabalhando; há outros princípios que estão operando neste universo. Portanto, tenhamos cuidado em fazer previsões a respeito do futuro. O anjo está anunciando que não haverá mais tempo antes que o fim venha. O fim não será mais adiado. Está na hora de responder às orações dos santos. O propósito divino será alcançado plenamente.

Em nono lugar, *esse anjo posiciona-se como um conquistador universal* (Ap 10.2,5). A postura do anjo é a de um conquistador tomando posse do seu território. Ele reinvindica o mundo inteiro (Js 1.3). Obviamente só Jesus pode fazer esse reclamo. Em breve o anticristo vai reivindicar seu domínio no mundo inteiro e vai querer que o mundo inteiro se submeta ao seu controle. Mas somente Jesus recebeu do Pai essa herança (Sl 2.6-9). Satanás ruge como leão para espantar as suas presas (1Pe 5.8), mas Jesus ruge como leão para proclamar a Sua vitória.

A declaração do anjo (Ap 10.5-7)

Três fatos são dignos de destaque aqui:

Em primeiro lugar, *a solenidade com que o anjo declara a sua palavra* (10.5-6). Esta declaração enche-nos de espanto não somente por causa do que diz, mas também pela forma como diz. Esta é uma cena solene. O anjo levanta a sua mão direita ao céu e faz um juramento. Mas, se este anjo é Jesus, como faz um juramento em nome de Deus? Deus colocou-Se sob juramento quando fez Seu pacto com Abraão (Hb 6.13-20). Deus também jurou por Si mesmo quando prometeu a Davi que o Cristo viria de sua família (At 2.29-30). O juramento é feito ao Deus Criador (10.6).

Em segundo lugar, *o conteúdo do juramento deixa claro que já não haverá mais demora para a chegada do juízo* (10.6). Vários julgamentos já haviam vindo sobre a terra, o mar, os rios, os astros, os homens. Mas, mais julgamentos ainda estavam para vir. Por que a demora? Por que Deus parece demorar? Deus tem adiado o Seu julgamento para que os pecadores perdidos tenham tempo para se arrependerem (2Pe 3.1-9). Esse foi o propósito da sexta trombeta (9.20-21). Mas, agora, Deus irá acelerar o Seu julgamento e realizar Seus propósitos. Os santos martirizados estavam clamando por justiça e questionando a demora de Deus (6.10-11). Os próprios ímpios, escarnecerão de Deus e da Sua Palavra em virtude da demora de Deus em Seu julgamento (2Pe 3.4).

Mas agora não haverá mais prazo, mais tempo, mais demora para o arrependimento e a conversão. O juízo está chegando. No confronto entre Deus e os Seus inimigos, Sua vitória será esmagadora. A história avança para o inevitável triunfo de Deus, e ainda que pareça que o mal esteja florescendo, não é possível que no fim ele triunfe. Essa palavra "Não haverá mais demora (cronos)" significa também que a paciência de Deus tem limite. O soar das seis trombetas representa todas as oportunidades que Deus dá ao homem para que se arrependa. Mas, aqui o caso é diferente. O homem chegou num ponto tal de insensibilidade e endurecimento que não há mais possibilidade de arrependimento. É aí que o anjo jura que não haverá mais demora para a sétima trombeta.

Em terceiro lugar, *quando a sétima trombeta tocar haverá o desvendamento total do mistério de Deus* (10.7). O mistério de Deus aqui tem a ver com o velho problema do mal no mundo. Por que o mal natural e moral existem ainda no mundo? Por que Deus não faz alguma coisa a esse respeito? É óbvio que sabemos que Deus fez, sim, algo a esse respeito no Calvário, que Jesus se fez pecado por nós e experimentou em Sua carne a ira de Deus pelo mundo pecador. Nós sabemos que Deus está permitindo que o mal aumente até o mundo ficar maduro para o juízo (2Ts 2.7ss; Ap 14.14-20). Desde que Deus já pagou o preço pelo pecado, Ele é livre para adiar o julgamento.

Mas, esse adiamento está chegando ao fim. Quando o anjo tocar a sétima trombeta, o juízo virá (11.15-19). Então, será o tempo da consumação da ira de Deus (15.1). O v. 7 não diz no momento em que soar a trombeta, mas nos diz da voz do sétimo anjo. A ideia é clara. A sétima trombeta não será tocada só por um instante, mas isso simboliza um período de tempo. A sétima trombeta inclui as sete taças ou sete flagelos (Ap 16.1-21), que levam diretamente ao julgamento final. Logo, o povo de Deus receberá Sua gloriosa herança final, Sua plena salvação conforme a promessa anunciada aos Seus servos, os profetas.

A ordem do anjo (Ap 10.8-11)

Vários aspectos aqui são dignos de destaque:

Em primeiro lugar, *João recebe a ordem para comer o livrinho* (10.8-9). Este episódio revela a necessidade de assimilarmos a Palavra de Deus e fazê-la parte da nossa vida interior. Não era suficiente para João ver o livrinho ou mesmo conhecer o livrinho. Ele precisava comê-lo. Quem não come o livro não pode pregar o livro. O profeta não pode ser um autômato. A Palavra de Deus é sua alegria, seu prazer. É preciso interiorizar a mensagem, assimilá-la. A mensagem de Deus tem que se encarnar em nós. A Palavra de Deus é comparada a comida: ela é como pão (Mt 4.4), leite (1Pe 2.2), carne (1Co 3.1-2) e mel (Sl 119.103). Jeremias e Ezequiel receberam a ordem de comer a Palavra antes de pregá-la aos outros (Jr 15.16; Ez 2.9-3.4). A Palavra precisa fazer-se carne (Jo 1.14), antes que possamos dá-la àqueles que dela necessitam. Ai do pregador e do professor que ensinam a Palavra sem encarná-la em suas próprias vidas. Só quando nos apropriamos da Palavra é que podemos proclamar as promessas ou os juízos de Deus com fervor.

Em segundo lugar, *esse livrinho é doce ao paladar e amargo no estômago* (10.9-10). Quando um menino judeu aprendia o alfabeto escrevia as letras numa tabuleta de farinha e mel.[6] O professor ensinava o valor fonético de cada letra. Quando o menino era capaz de repetir o som das letras, tinha a permissão de comer as letras uma a uma, à medida que recordava de modo correto. O alfabeto era, assim, como o mel em sua boca. A Palavra de Deus é doce como o mel. Não existe nada mais doce no mundo do que o evangelho de Cristo. Mas, logo que alguém se torna um cristão começam os problemas. Vem o sofrimento, a perseguição (os sete selos). Quem quiser viver piedosamente em Cristo será perseguido (2Tm 3.12). Não deem ouvidos àqueles que dizem que os problemas acabam quando você é convertido. A doçura não acaba, mas ela é seguida de amargura. A conversão desemboca em perseguição do mundo. O evangelho é doce quando o experimentamos, mas amargo quando vemos suas implicações na vida daqueles que o rejeitam. Jesus chorou sobre Jerusalém. Davi, Jeremias e Paulo igualmente choraram.

Em terceiro lugar, *João é intimado a continuar profetizando* (10.11). Este verso 11 determina o significado do pequeno livro: ele é uma reafirmação do ministério de João. O fim ainda não veio, mas está às portas. A época final, os dias da sétima trombeta, estão para começar. Neste período, a cólera de Deus será manifestada em proporções nunca vistas, e à vista disto a missão de João é mais uma vez confirmada. Após digerir o conteúdo do livrinho, João precisará profetizar. É impossível

---

[6] BARCLAY, William. *Apocalipsis*, p. 284.

comer o livro e ficar calado. É impossível guardar essa boa nova apenas para nós.

O anjo comissionou João a profetizar novamente. Sua obra ainda não tinha terminado. Ele deveria profetizar não a vários povos, nações, línguas e reis, mas sobre ou a respeito de muitos povos, raças, línguas e reis (5.9). A profecia de João deve alcançar o mundo inteiro. O versículo 11 revela que o trabalho da igreja continua. Este evangelho precisa ser pregado ao mundo inteiro com rapidez porque o juízo já se aproxima e não tardará. A tarefa é urgente, porque o juízo se aproxima.

18

A igreja **selada**, perseguida e glorificada

Apocalipse 11.1-19

O CAPÍTULO 11 DE APOCALIPSE É AINDA O INTERLÚDIO antes do toque da sétima trombeta. Vimos no capítulo 10 sobre o anjo forte com o livrinho na mão e como João recebeu a ordem de comer o livro e depois profetizar.

A igreja precisa interiorizar a Palavra, comê-la e proclamá-la. Essa Palavra é doce e também amarga. Doce para quem a proclama, amarga para quem a rejeita. Ela traz vida e também o juízo.

No capítulo 11 veremos de forma viva a missão da igreja no mundo, sua proteção, proclamação, perseguição, triunfo e então, o surgimento triunfante e vitorioso do reino de Deus.

Este capítulo pode ser analisado através de alguns quadros ou cenas:

A igreja é representada pelo **santuário de Deus** sendo medido (Ap 11.1-2)

Há aqui uma clara separação entre o povo de Deus e o mundo ímpio (11.1-2). O que simboliza esse santuário? Simboliza a igreja verdadeira, ou seja, todas as pessoas salvas, todos os verdadeiros filhos de Deus que O adoram em espírito e em verdade. Os dispensacionalistas acreditam que João esteja falando de um santuário literal que será reerguido em

Jerusalém, um santuário físico. Os pré-milenistas acreditam que este capítulo esteja falando da salvação dos judeus e não da igreja.

O que simboliza essa medição do santuário? William Hendriksen diz que conforme o contexto (21.15) e passagens do Antigo Testamento (Ez 40.5; 42.20; 22.26 e Zc 2.1), essa medição significa apartar o povo de Deus do povo profano, para estar completamente seguro e protegido de todo dano.[1] Medida é imunidade contra danos (21.15-17). Esta figura é a mesma que aparece dos 144.000 selados (7.4), dos homens que receberam o selo de Deus (9.4). Esses que são medidos são os verdadeiros adoradores, o verdadeiro Israel de Deus, a verdadeira igreja em contraste com os gentios, aqueles que permanecem na sua impiedade, e vão perseguir a igreja e adorar o anticristo. Essa proteção não se estende a todos os que se dizem cristãos (11.2). Os santos vão sofrer severamente, mas nunca perecerão, serão protegidos do juízo final. Mas, os membros da igreja que amam o mundo, estarão sem essa proteção.

O que simbolizam esses 42 meses? Esse período não é literal. Ele fala da perseguição do mundo durante todo o período da igreja, da primeira à segunda vinda de Cristo. Obviamente, à medida que o tempo avança para o fim, essa perseguição torna-se mais renhida. Esse período de 42 meses e 1.260 dias não pode ser entendido literalmente, pois o tempo dos gentios (Lc 21.24) deveria começar no ano 70, quando Jerusalém foi destruída pelos romanos. No livro de Apocalipse esse tempo representa: o tempo em que a cidade santa é oprimida (11.2), o tempo em que as duas testemunhas executam o seu testemunho (11.3), a mulher celestial, a igreja, será preservada no deserto (12.6,14), e o tempo que a besta tem permissão para exercer sua autoridade (13.5).[2] Esse é o período que satanás exerce o seu poder no mundo, especialmente nos últimos dias, com a atuação do anticristo. Esse período é um símbolo como a cruz vermelha ou a suástica, uma forma taquigráfica para indicar um período durante o qual as nações, os incrédulos parecerão dominar o mundo, no qual o povo de Deus manterá o seu testemunho, diz Michael Wilcock.[3]

---

[1]HENDRIKSEN, William. *Más que Vencedores*, p. 151.
[2]LADD, George. *Apocalipse*, p. 114.
[3]WILCOCK, Michael. *A Mensagem do Apocalipse*, p. 80.

Quais são os argumentos que contribuem para o entendimento de que esse santuário é espiritual e não físico?

Em primeiro lugar, *o Novo Testamento ensina que o santuário de Deus é a igreja e não um prédio*. Deus mora na igreja por meio do Seu Espírito. Portanto, a igreja é Seu santuário (1Co 3.16,17; 2Co 6.16,17; Ef 2.21).

Em segundo lugar, *o santuário representa as pessoas que oferecem o incenso da oração* (11.1), ou seja, um símbolo de todos os verdadeiros cristãos.

Em terceiro lugar, *o santuário refere-se aos fiéis enquanto os que estão no átrio exterior não recebem proteção* (11.2). Tanto o santuário como o átrio exterior referem-se a pessoas e não a edifício físico.

Em quarto lugar, **todos os salvos são contados, selados e protegidos** (7.4; 22.4). Tanto o contar, como o selar e o medir são figuras da proteção da igreja. Assim, a verdadeira igreja na terra, o santuário espiritual, é simbolizado pelo santuário terrenal de Israel, assim como Israel físico é símbolo da igreja verdadeira.

Em quinto lugar, **esta interpretação concorda com o simbolismo do Antigo Testamento** (Ez 43, 47). Ezequiel fez uma representação da igreja como Corpo de Cristo. Assim na figura do santuário, a igreja é o povo que adora a Deus e na próxima figura, a figura das duas testemunhas, a igreja é o povo que proclama a Palavra de Deus perante as pessoas. A igreja é o povo que fala a Deus e aos homens.

A igreja é representada pelas duas testemunhas (Ap 11.3-14)

Quem são essas duas testemunhas? Uns entendem que elas falam de Enoque e Elias. Alguns acreditam assim, em virtude de que esses foram os dois homens que foram para o céu sem experimentarem a morte. Outros entendem que elas falam de Moisés e Elias. Essa descrição tem um rico simbolismo. Na verdade, João vê essas duas testemunhas com características desses dois profetas. Elias é representado nos versos 5 e 6 e Moisés é representado no verso 6b. Ainda outros entendem que elas falam do Antigo e do Novo Testamento; assim pensa

Martyin Lloyd-Jones.[4] Concordo com William Hendriksen e Simon Kistemaker que entendem que elas falam do testemunho da igreja.[5]

Moisés e Elias (a lei e os profetas) representam toda a igreja; essas duas testemunhas são o povo de Deus na terra, a igreja de Deus no mundo, o povo de Deus entre as nações, aqueles para quem o evangelho é doce em meio àqueles para os quais o evangelho é amargo.[6]

O povo de Deus é chamado em Apocalipse de: doze tribos, sete candeeiros, reis e sacerdotes, noiva do Cordeiro, Jerusalém celeste. Agora é chamado de santuário de Deus e também de duas testemunhas. Duas testemunhas era o método usado por Cristo para o testemunho ao mundo (Lc 10.1). Uma questão só recebia validade pelo testemunho de duas pessoas. Essas duas testemunhas falam da igreja como uma poderosa agência missionária durante toda a época evangélica presente. Isso pode ser provado como segue:

Primeiro, as duas testemunhas são duas oliveiras e dois candeeiros (11.4). Estas duas figuras são encontradas em Zacarias 4.1-7, referindo-se a Josué e Zorobabel que anunciam a Palavra no poder do Espírito para restaurar a Israel. Essas duas oliveiras e esses dois candeeiros são símbolos da Palavra de Deus, proclamada pela igreja.

Segundo, assim como os missionários eram enviados de dois em dois, assim a igreja cumpre a sua missão no mundo.

Terceiro, assim como o fogo do juízo e condenação saíram da boca de Jeremias (Jr 5.14), devorando os inimigos de Deus, assim também a igreja anuncia os juízos de Deus aos ímpios.

Quarto, assim como Elias orou e o céu fechou-se e Moisés recebeu autoridade para converter a água em sangue, assim também quando o mundo rejeita a mensagem da igreja, ele se expõe ao juízo de Deus. Somos perfumes de vida para a vida e aroma de morte para a morte (2Co 2.16).

João passa a falar agora sobre cinco verdades solenes:

---

[4]LLOYD-JONES, Martyn. *A igreja e as Últimas Coisas*, p. 227.
[5]HENDRIKSEN, William. *Más que Vencedores*, p. 156-158; KISTEMAKER, Simon. *Apocalipse*, p. 419-420.
[6]WILCOCK, Michael. *A Mensagem do Apocalipse*, p. 79.

Em primeiro lugar, *a igreja será indestrutível até cumprir cabalmente a sua missão* (11.7). A igreja será indestrutível até completar o seu trabalho. Ninguém poderá destruir a igreja de Deus até ela completar a sua carreira.[7] A igreja é provada, mas, não desamparada. As testemunhas são preservadas até concluírem o seu testemunho (11.5-7). A proclamação do evangelho é aquilo que mantém a igreja de pé. Sua vocação é adorar a Deus (santuário) e proclamar a Palavra (testemunha). Satanás não pode deter o avanço da igreja. Ele não pode impedir que os eleitos sejam salvos. O valente está amarrado. As testemunhas seguem proclamando.

Em segundo lugar, *a igreja será perseguida e sofrerá a morte* (11.7b-9). O espírito do anticristo sempre esteve no mundo (1Jo 2.18-22). Mas esse espírito de oposição vai se encarnar na pessoa da besta no último tempo e vai perseguir terrivelmente a igreja. O anticristo vai fazer guerra contra os santos e os vencer (13.7). Ele é o homem da iniquidade (2Ts 2.3-9). Ele vai querer ser adorado como Deus (Dn 9.27; Ap 13.8). Bem próximo ao fim da história, haverá uma terrível matança contra a igreja e ela dará todas as evidências de estar por baixo. Jesus disse que se esse tempo não fosse abreviado a igreja não suportaria (Mt 24.11ss). A igreja sofrerá, mas continuará indestrutível. Os crentes, ao morrerem, vencerão o diabo e o anticristo (12.11). A palavra "testemunhas" é *martyria*, que traz o significado de proclamador e mártir. Era uma e a mesma coisa. Nem mesmo essa matança fica fora do desígnio de Deus, pois ao anticristo é dado vencer (13.7). O diabo e seus agentes só podem agir sob a permissão de Deus.

Em terceiro lugar, *a vitória do mundo sobre a igreja será passageira e infundada* (11.8-11). Essa cidade não é literal (11.8); não é nem Jerusalém nem Roma, e contudo, em certo sentido, é tanto Jerusalém como Roma. É a cidade desta ordem terrestre, que inclui todos os povos e tribos, línguas e nações. Essa cidade é o mundo hostil a Deus e à igreja. O mundo sempre teve a pretensão de destruir a igreja de Cristo. As perseguições desde o começo visaram banir a igreja e calar a sua voz. Os homens ímpios odeiam a Palavra de Deus.

---

[7] WIERSBE, Warren. *With the Word*, p. 855.

Várias perseguições intentaram acabar com a igreja: em 1572, na Noite de São Bartolomeu na França, setenta mil huguenotes foram mortos por ordem de Catarina de Médice e o aplauso do papa; em 1789, na Revolução Francesa, milhares de cristãos foram mortos; na Revolução Russa de 1917 o comunismo se fortaleceu e até seu colapso em 1989, ele abocanhou um terço da população mundial, levando à morte milhões de cristãos em quase todo o mundo. Muitas vezes o mundo pensou que a igreja estava morta. No século XVIII os enciclopedistas profetizaram a decadência da igreja na Inglaterra. Mas, chegou o reavivamento e a igreja emergiu das cinzas. Muitas vezes a igreja tornou-se como um cadáver na praça. Ezequiel 37 fala de um vale de ossos secos. O júbilo dos adversários, porém, é uma alegria transitória. Deus terá sempre a última palavra. O mundo celebra o martírio dos santos (11.10). Mas o mundo é néscio e seu gozo prematuro. O mundo vai festejar seu massacre sobre a igreja, achando que está livre dela e de sua mensagem. Mas, a igreja ressurgirá, ascenderá e se assentará no trono para julgar o mundo. Os acusados (11.10) são transformados em terror dos acusadores.[8]

Em quarto lugar, *a ressurreição gloriosa da igreja* (11.11). Esses três dias e meio também representam um número simbólico. A igreja que experimentou a comunhão no sofrimento de Cristo, agora experimenta o poder de Sua ressurreição. Em conexão com a segunda vinda de Cristo, serão restituídos à igreja vida, honra, poder e influência, mas para o mundo a hora da oportunidade terá passado para sempre. A vinda de Cristo e a ascensão da igreja serão visíveis para o mundo (1.7; 11.12). Não há aqui menção de um arrebatamento secreto. Cristo desce e a igreja sobe na mesma nuvem de glória. Isso está de acordo com o ensino de 1Ts 4.16-17 e 1Co 15.52. Todos os santos e mártires têm sido encorajados com a certeza da ressurreição, do arrebatamento e da glória celestial. Esta é a nossa bendita esperança.

Em quinto lugar, *o terror indescritível dos ímpios* (11.13-14). A alegria do mundo transforma-se rapidamente em grande temor. A terra está tremendo. É o mesmo quadro de Apocalipse 6.12. O terremoto aqui

---

[8] POHL, Adolf. *Apocalipse de João*. Vol. 2, p. 66.

também precede o juízo final. Os ímpios são cobertos de terror. Eles dão glória a Deus não porque se convertem. São como Nabucodonosor, que muitas vezes deu glória a Deus, mas não era convertido. O mundo está maduro para o juízo, porque apesar da sua impenitência, ainda rejeitou o testemunho da igreja e perseguiu e matou os fiéis (11.7).

O anjo toca a sétima trombeta: **a alegria dos remidos e o pavor dos ímpios** (Ap 11.15-18)

João destaca aqui quatro verdades importantes:

Em primeiro lugar, **um anúncio de vitória**. O céu prorrompe em vozes de exaltação a Cristo (11.15). Na abertura do sétimo selo houve silêncio no céu em virtude dos terríveis juízos que desabariam sobre os homens. Agora, com a sétima trombeta houve grandes vozes no céu.[9] É que chegou a parousia, com a irrupção total da glória de Deus e o triunfo final da igreja. E com a chegada da Noiva na Casa do Pai, os céus prorrompem em gritos de alegria e exaltação ao Noivo da igreja (11.15). Lembremo-nos que a sétima trombeta aponta o fim das oportunidades, e não é um dia, mas "dias" (10.7), visto que a sétima trombeta traz os sete flagelos ou sete taças da ira de Deus (15.1). George Ladd diz que o soar da sétima trombeta inicia não o fim, mas o tempo do fim.[10]

Em segundo lugar, *o reinado vitorioso e eterno de Deus e do seu Cristo é proclamado pelos anjos* (11.15). O reino de Deus está presente, mas ainda não na sua plenitude. Deus sempre reinou. Cristo jamais deixou de ter todo poder e toda autoridade. Jesus ensinou claramente que o reino de Deus já estava presente em Seu ministério (Mt 12.28; Lc 17.20-21). Algumas parábolas de Jesus deixam claro que o seu reino já está presente (Mt 13.44-46; Lc 14.28-33). Mas esse poder e essa autoridade que Ele exerce no universo nem sempre se manifestou, diz William Hendriksen.[11] Cristo despojou-Se de Sua glória. Fez-se servo. Morreu na cruz. Foi sepultado. Ressuscitou. Voltou ao céu. Mas, quando Ele

---
[9]ERDMAN, Charles R. *Apocalipse*, p. 79.
[10]LADD, George. *Apocalipse*, p. 119.
[11]HENDRIKSEN, William. *Más que Vencedores*, p. 158.

vier com grande poder e muita glória, então, assentar-se-á no Seu trono e Seu reinado será pleno, vitorioso, completo, cabal. Às vezes, parece que satanás é o governante supremo, mas uma vez chegado o dia do juízo, o esplendor real da soberania de Deus será revelado em sua totalidade, porque naquele tempo toda oposição será suprimida e o reinado de Cristo será pleno. O reinado de Cristo será vitorioso e eterno. Essa é a mensagem do "Messias de Haendel". Cristo vai reinar até colocar todos os seus inimigos debaixo dos Seus pés, então, entregará o reino ao Deus e Pai e aí será o fim (1Co 15.23-26). Antony Hoekema diz que o reino de Deus é uma realidade tanto presente como futura.[12] O reino de Deus já chegou, mas não ainda em sua plenitude.

Em terceiro lugar, *uma aclamação de louvor*. A igreja glorificada e honrada se prostra e adora a Deus (11.16-17). A igreja não apenas está na glória, mas também no trono. Os anciãos deixam os seus próprios tronos e se prostram em adoração diante do trono de Deus. Eles dão graças por três bênçãos especiais: 1) Que Cristo reina supremamente (11.17); 2) Que Cristo julga justamente (11.18). O cordeiro é também o leão; 3) Que Cristo recompensa graciosamente (11.18).[13] Em Apocalipse 4.10-11, os anciãos louvam o Criador; em Apocalipse 5.9-14, eles adoram o Redentor. Aqui a ênfase é sobre o conquistador e rei (11.17-18).

Em quarto lugar, *a igreja anuncia as cenas do juízo final, onde as glórias da igreja serão contrastadas com o tormento dos ímpios* (11.18). Enquanto os santos estão dando graças, os ímpios estão enfurecidos. Em Apocalipse 11.2 os ímpios estão perseguindo a igreja. Em Apocalipse 11.9 eles estão se alegrando por matar os membros da igreja. Mas em Apocalipse 11.18, os ímpios estão furiosos porque a igreja está na glória. Os ímpios não ouviram as testemunhas, não escutaram a voz de advertência, nem abandonaram seus pecados, por isso quando chega o juízo estão cheios de fúria, enquanto a igreja está dando graças e adorando a Deus.

Enquanto os santos recebem galardões, os ímpios são destruídos. Os santos ressuscitam para a vida, para a glória, mas os ímpios

---

[12]HOEKEMA, Antony. *La Bíblia y el Futuro*, p. 65.
[13]WIERSBE, Warren. *The Bible Expository Commentary*. Vol. 2, p. 600.

enfrentam o juízo e serão exterminados, ou seja, banidos para sempre da face de Deus.

O dia do juízo será dia de glória para os santos, mas o dia da ira de Deus para os ímpios. Esse dia já está determinado. Ele será dia de trevas e não de luz para todos aqueles que desprezaram a Jesus e perseguiram a Sua igreja. Será o dia da ira de Deus (6.16-17). Essa sétima trombeta é proclamada como o último ai. Isso, porque as chances acabaram e não há mais apelação.

A igreja no céu em **comunhão íntima** com Deus em contraste com os ímpios sendo atormentados (Ap 11.19)

O santuário aberto no céu é um símbolo da profunda comunhão dos remidos com Deus (11.19). O santuário está aberto de par em par. Não há nada encoberto ou escondido. A arca é o lugar do encontro com Deus, onde a glória de Deus está presente. Ela é símbolo da comunhão superlativa, íntima e perfeita entre Deus e o Seu povo.[14] Aqui se cumpre Apocalipse 21.3: *Eis o tabernáculo de Deus com os homens, Deus mesmo habitará com eles.* Também Apocalipse 21.22: *Nela, não vi santuário, porque o seu santuário é o Senhor, o Deus Todo-poderoso, e o Cordeiro.* Essa comunhão é baseada na expiação. Os salvos estão diante do trono da graça. Os salvos estão desfrutando de todas as bênçãos da aliança da graça em toda a sua doçura.

Para os ímpios aquela mesma arca, símbolo da graça de Deus, é um símbolo de ira (11.19b). A ira de Deus agora revela-se plenamente aos ímpios (11: 19b). Eles estão em completo e eterno desamparo, enquanto a igreja está completa e eternamente desfrutando da bem-aventurança eterna.

Quem você é? Santuário de Deus ou átrio exterior? Quem você é? Testemunha fiel ou amante do mundo? Onde você estará quando a sétima trombeta tocar? Você estará no santuário aberto de Deus ou atormentado pelos flagelos? O tempo da oportunidade é agora. Amanhã pode ser tarde demais. Volte-se para o Senhor enquanto é tempo e busque-O enquanto Ele está perto.

---

[14] HENDRIKSEN, William. *Más que Vencedores*, p. 159.

19

O **dragão** ataca a igreja

Apocalipse 12.1-18

O LIVRO DE APOCALIPSE TEM duas grandes divisões: Apocalipse 1-11 fala da perseguição do mundo contra a igreja e os juízos de Deus aos ímpios em resposta às orações dos santos; Apocalipse 12-22 fala da perseguição cruel do quarteto do mal que ataca a igreja: satanás, o anticristo, o falso profeta e a grande Babilônia e a vitória retumbante de Cristo e Sua igreja sobre esses inimigos.

Na primeira divisão (1-11) tivemos três seções: os sete candeeiros (1-3), os sete selos (4-7) e as sete trombetas (8-11). Na segunda divisão (12-22), teremos quatro seções: o quarteto do mal (12-14), as sete taças da ira de Deus (15-16), a vitória retumbante de Cristo sobre a Grande Babilônia, o Antricristo e o Falso Profeta (17-19) e a vitória final de Cristo sobre o diabo, os ímpios e a morte e os novos céus e nova terra (20-22).[1]

Em cada seção, cobre-se todo o período que vai da primeira à segunda vinda de Cristo. Tendo visto a cena do juízo final no prelúdio do sétimo selo e no prelúdio das sete trombetas, agora, em Apocalipse 12, voltaremos ao início da história, na primeira vinda de Cristo. William Hendriksen sintetiza essa verdade assim:

---
[1] LLOYD-JONES, Martyn. *A igreja e as Últimas Coisas*, p. 209-245.

Como em cada uma das seções anteriores, assim também aqui voltaremos ao princípio de nossa dispensação atual para recorrer ao mesmo terreno. Em cada visão fazemos uma viagem que nos leva através do curso inteiro desta era, desde a primeira até a segunda vinda de Cristo. Por meio de um simbolismo inequívoco, o vidente nos transporta até o momento do nascimento e da ascensão de Cristo (12.1-5). Não se termina a visão desta quarta seção (12-14) até que vemos *sentado um semelhante ao Filho do Homem, que tem em Sua cabeça uma coroa de ouro, e em em Sua mão uma foice afiada* (14.14-20). Chegou novamente o dia do juízo.[2]

O tema principal da segunda divisão do livro (12-22) é o mesmo da primeira (1-11): a vitória de Cristo e de Sua igreja. Contudo, aqui a luta do diabo e seus anjos contra a igreja será mais renhida. Edward McDowell diz que daqui em diante a história do livro do Apocalipse é a história do conflito entre a soberania de Deus em Jesus Cristo e a pretensa soberania de satanás atuando nos governantes do mundo.[3]

O capítulo 12 do livro de Apocalipse revela-nos três cenas. O dragão realiza três lutas: 1) Contra Deus e Seu Messias (v. 1-6); 2) contra Miguel (v. 7-12); 3) contra a mulher (v. 13-18).[4] Em todas as três lutas ele sai derrotado.

A descrição da **mulher perseguida** (Ap 12.1-2,6)

João destaca seis aspectos dessa mulher:

Em primeiro lugar, ***essa mulher é um símbolo da igreja*** (12.1-2).[5] A igreja Católica Romana entende que essa mulher seja um símbolo de Maria.[6] Os dispensacionalistas creem que essa mulher seja um símbolo da nação de Israel.[7] Mas, a interpretação mais coerente é entendê-la como um símbolo da igreja.[8] Em ambas as dispensações, a igreja é uma

---

[2]HENDRIKSEN, William. *Más que Vencedores*, p. 162.
[3]McDOWELL, Edward. *A Soberania de Deus na história*. 1980: p. 111.
[4]POHL, Adolf. *Apocalipse de João*. Vol. 2, p. 77.
[5]HENDRIKSEN, William. *Mas que Vencedores*, p. 164.
[6]POHL, Adolf. *Apocalipse de João*. Vol. 2, p. 79.
[7]WALVOORD, John F. *The Revelation of Jesus Christ*. Chicago: Moody, 1966, p. 188.
[8]KISTEMAKER, Simon. *Apocalipse*, p. 450-451.

só, um só povo escolhido em Cristo, uma só vinha, uma só família, um só rebanho, um só corpo, uma só esposa, uma só nova Jerusalém.[9]

Em segundo lugar, *essa mulher está vestida do sol, ou seja, ela é gloriosa e exaltada* (12.1).[10] A igreja reflete a beleza de Cristo. Ela reverbera o brilho da glória de Deus. Assim como o ouro cobria as tábuas de acácia do tabernáculo, a glória de Deus cobre a igreja. A beleza de Deus está estampada na igreja. A glória de Deus refulge na e através da igreja.

Em terceiro lugar, *essa mulher tem debaixo dos pés a lua, ou seja, ela exerce domínio* (12.1).[11] O cabeça da igreja é Aquele que tem todo poder e toda autoridade no céu e na terra. A igreja está em Cristo. Ela está entronizada com Ele. Ela é a noiva do Cordeiro. Ela está assentada com Ele acima de todo principado e potestade. A igreja recebeu autoridade sobre o diabo e suas hostes. A autoridade da igreja foi dada por Jesus. O domínio da igreja não é político nem econômico, mas espiritual.

Em quarto lugar, *essa mulher tem em sua cabeça uma coroa de doze estrelas, ou seja, ela é vitoriosa* (12.1).[12] A igreja é vencedora. Ela está em Cristo. A vitória de Cristo é a Sua vitória. A exaltação de Cristo é a sua exaltação. A igreja é mais do que vencedora (Rm 8.31-39). A igreja triunfa com Cristo. Na mesma nuvem em que Cristo vem, a igreja vai (11.12). A igreja se assentará em tronos para julgar o mundo e os anjos (1Co 6.2).

Em quinto lugar, *essa mulher está grávida, ou seja, sua grande missão é dar à luz Cristo segundo a carne* (12.2).[13] Deus preparou um povo especial para ser o veículo da chegada do Messias ao mundo. Esse processo foi doloroso, sofrido. Houve muita dor e lágrimas. Muitas forças hostis e muitas artimanhas do Dragão tentaram frustrar esse plano e destruir essa criança. Ao longo da história narrada no Antigo Testamento houve muitas perseguições tentando impedir a vinda do Messias prometido. Mas Deus protegeu o Seu povo e na plenitude dos tempos Jesus nasceu.

---

[9] HENDRIKSEN, William. *Más que Vencedores*, p. 164.
[10] HENDRIKSEN, William. *Más que Vencedores*, p. 164.
[11] HENDRIKSEN, William. *Más que Vencedores*, p. 164.
[12] HENDRIKSEN, William. *Más que Vencedores*, p. 164.
[13] HENDRIKSEN, William. *Más que Vencedores*, p. 164.

Em sexto lugar, *essa mulher é protegida por Deus da fúria do dragão* (12.6,14). A igreja é protegida por Deus. Ela tem sido sustentada por Deus no deserto. O deserto aqui não é um lugar geográfico, identificado no mapa. A igreja pode ser protegida até mesmo em Pérgamo, onde está o trono de satanás e apesar disso vencer (2.13,17) sem emigrar. O mundo não é o habitat da igreja. Somos peregrinos aqui. Não estamos em casa aqui. Durante 1260 dias, um símbolo de todo o período da igreja, ela é protegida por Deus: às vezes não da morte, mas na morte (12.11). De acordo com Apocalipse 7.3 e 9.4 a igreja recebeu um selo. De acordo com Apocalipse 11.1 ela recebeu uma medida. Agora, ela recebe asas (12.14). Todos esses símbolos evidenciam que Deus protege o Seu povo do poder do mal.

A descrição do **Filho da mulher perseguida** (Ap 12.5)

O apóstolo João oferece quatro características do Filho da mulher perseguida. Em primeiro lugar, *o Filho da mulher é o Messias vencedor* (12.5,10). A descrição do Filho não é de Sua humilhação, mas de Sua exaltação. O Filho que nasceu é o Rei que tem o cetro nas mãos. Seu reinado é universal e irresistível.

Em segundo lugar, *o Filho da mulher é o Messias que completou a Sua obra* (12.5). O versículo não menciona a Sua obra expiatória, porém, sabemos à luz das Escrituras que a exaltação é um resultado da Sua humilhação até à morte e morte de cruz (Fp 2.5-11). Jesus, na cruz, triunfou sobre os principados e potestades (Cl 2.15).

Em terceiro lugar, *o Filho da mulher é o Messias que subiu ao céu para assentar-se no trono* (12.5). Ele venceu o dragão na cruz (Gn 3.15). E agora, está no trono, governando os céus e a terra (Mt 28.18). Ele vai reinar até colocar todos os Seus inimigos debaixo dos Seus pés (1Co 15.25). A ascensão de Cristo é a vitória judicial sobre satanás, o pecado e a morte. Os dispensacionalistas entendem que esse filho arrebatado ao trono seja uma figura da igreja invisível que será arrebatada,[14] porém, essa visão está em desacordo com o ensino geral das Escrituras e com o contexto deste capítulo.

---

[14] BLOMFIELD, Arthur E. *As Profecias do Apocalipse*, p. 177-178.

Em quarto lugar, *a vitória do Filho e a expulsão do dragão provocam proclamação de alegria no céu* (12.10,12). A vitória de Cristo, agora, é vista e publicada. Embora, Cristo esteja reinando hoje, os agentes do mal ainda estão operando. Mas, então, essa vitória será reconhecida plenamente.

A descrição do **dragão** (Ap 12.3-16)

O apóstolo João elenca várias características do dragão.

Em primeiro lugar, *o dragão é um ser pessoal* (12.9). Ele não é um mito, uma figura lendária ou folclórica. Ele não é um ser impessoal, uma energia negativa. Ele é um anjo caído, um ser que tem vontade, planos e estratégias. Ele tem sentimentos, pois está cheio de cólera (12.12) e permanentemente irado contra a igreja (12.17). Ele tem inteligência, pois é capaz de seduzir (12.4). Ele tem objetivos claros, perseguir o Messias (12.4) e Sua igreja (12.13). Sua grande obsessão é devorar Jesus (12.4). O verdadeiro alvo do dragão não é a mulher, mas sim o Filho. Quando a igreja sofre aflições, o dragão quer atacar o Filho na igreja (At 9.4). A luta contra Cristo na igreja é a obsessão do dragão, porque ele é vencido pelo sangue do Cordeiro e pela palavra do testemunho (12.11). Adolf Pohl comenta assim:

> Quando a igreja sofre aflições, jamais é a igreja em si que está em jogo, jamais necessariamente a religião, a fé em Deus, orações e atos litúrgicos. O dragão, o príncipe desse mundo, consegue conviver com tudo isso. Ele sempre visa atingir o Cristo na igreja. É por isso que Cristo interpela Saulo, que persegue a igreja, com: "Por que me persegues?" (At 9.4). Ou seja, a luta é pelo Cristo na igreja e, em decorrência, pelo testemunho desse Cristo, pelo apego ao Seu nome e pela fidelidade a Ele (2.13). Somente pelo testemunho persistente de Cristo é que o dragão será vencido (12.11).[15]

Em segundo lugar, *o dragão é um inimigo que exerce influência universal* (12.3,9).[16] Ele tem sete cabeças. Isso representa que ele exerce

---
[15] POHL, Adolf. *Apocalipse de João*. Vol. 2, p. 81.
[16] HENDRIKSEN, William. *Más que Vencedores*, p. 165.

poder e grande autoridade de forma universal. Ele é o deus deste século, o príncipe da potestade do ar, que atua nos filhos da desobediência. Ele é o pai daqueles que vivem para fazer sua vontade (Jo 8.44). Ele é o sedutor de todo o mundo (12.9). Ele tem dez chifres. Isso simboliza sua capacidade destruidora. Ele é o Abadom e o Apolion, o destruidor. Jesus o chama de homicida (Jo 8.44). Ele é o ladrão que veio para matar, roubar e destruir (Jo 10.10). Ele tem sete diademas, simbolizando que o seu governo é universal. Sua influência não se limita a um povo ou nação. Ele tem um reino (Cl 1.13; At 26.18) e possui súditos em toda a terra (Lc 11.19-20).

Em terceiro lugar, *o dragão é um inimigo destruidor* (12.3). Chamá-lo de um dragão grande, evidencia que ele é um inimigo terrível, perigosíssimo, destruidor. Chamá-lo de vermelho, denota a sua capacidade de provocar destruição e morte. Essa descrição revela que o dragão é assassino, sanguinário, cruel.

Em quarto lugar, *o dragão é um inimigo sedutor* (12.4,9). Ele foi sedutor no mundo angelical (12.4). Era perfeito até que se achou iniquidade em seu coração (Ez 28.15). Ele conseguiu enredar uma terça parte dos anjos que foram expulsos do céu (12.4). Esses anjos, em vez de espíritos ministradores de Deus (Hb 1.14), tornaram-se vassalos do diabo. Ele foi também sedutor de todo o mundo (12.9). Foi o protagonista da queda de Adão e Eva no Éden. Para tentar nossos primeiros pais, ele usou o disfarce, a dúvida, a inversão e a negação da Palavra de Deus, a exaltação do homem e a acusação contra Deus. Ele ainda usa essas mesmas artimanhas para seduzir as pessoas hoje. A serpente de Gênesis 3 é o dragão de Apocalipse 12 que ao longo dos séculos tentou destruir "a semente da mulher", a fim de que o Messias não nascesse na plenitude dos tempos. Agora, cheio de cólera, persegue a igreja, o corpo de Cristo. Portanto, seu esforço para destruir a mulher é na realidade outro aspecto da sua ira contra o Filho dela, diz William Hendriksen.[17]

Em quinto lugar, *o dragão é um inimigo acusador* (12.9,10). O dragão é mentiroso e acusador. Ele acusou Jó (Jó 1.9,10). Ele acusa os nossos irmãos (12.10). Sua acusação é ininterrupta (12.10b). Ele não descansa,

---

[17] HENDRIKSEN, William. *Más que Vencedores*, p.171.

não dorme, nem tira férias. É perseverante. Ele tentou destruir o Filho da mulher (12.5), agora, quer destruir a mulher (12.13). Ele pesquisa a nossa vida, e não perde oportunidade para nos acusar (Rm 8.34).

Em sexto lugar, *o dragão é um inimigo opositor* (12.9). Satanás significa opositor, adversário. Foi ele quem se opôs a Moisés através dos magos no Egito (Êx 7.20-22; 8.6-7,16-18). Foi ele quem se opôs ao sumo sacerdote Josué (Zc 3.1). Foi ele quem se opôs a Paulo e barrou-lhe o caminho (1Ts 2.18).

Em sétimo lugar, *o dragão é um inimigo cheio de cólera* (12.12). Ele está cheio de cólera porque foi expulso do céu e sabe que lhe resta pouco tempo. Ele está cheio de cólera porque não pôde destruir o Filho da mulher (12.5). Ele está cheio de cólera porque sabe que a igreja é protegida por Deus (12.6). O dragão já se irou contra o Messias (12.4), contra Miguel (12.7), contra os moradores da terra (12.12), e agora e reiteradamente contra a mulher (12.17).

Em oitavo lugar, ***o dragão é um inimigo limitado (12.7-9,12-13,16). Ele tem limitação de espaço*** (12.8,9,13). O dragão não encontrou mais lugar no céu. Ele não pode tentar mais ninguém que está no céu. Foi atirado para a terra e com ele os seus anjos. Charles Erdman diz que esse destronamento de satanás já foi executado pelo nascimento, ministério, morte, ressurreição e ascensão de Cristo. É este o sentido da "peleja no céu", quando "foi expulso o grande dragão, a antiga serpente, que se chama diabo e satanás, o sedutor de todo o mundo, sim, foi atirado para a terra e, com ele, os seus anjos."[18] Ele tem *limitação de tempo* (12.12). O diabo é uma serpente golpeada na cabeça que está furiosa, no estertor da morte, sabendo que pouco tempo lhe resta e que sua sentença já foi lavrada. Em breve será lançado no lago do fogo (20.10). O diabo *sabe* que está derrotado, mas luta para que os homens não o saibam. Ele tem *limitação também de poder* (12.7,8,16). Hoje muitos superenfatizam o poder do diabo. A demonologia está em alta. Mas o diabo foi vencido por Jesus (12.5), é vencido pelos anjos (12.7-8) e pela igreja (12.11).

---

[18] ERDMAN, Charles R. *Apocalipse*, p. 83.

A intervenção de Deus em favor da igreja nesta batalha contra o dragão

Três coisas são destacadas aqui.

Em primeiro lugar, *a ação protetora de Deus* (12.6,14,16). A igreja está no mundo, mas não é do mundo. Ela é protegida no mundo. Deus preparou para ela um lugar no deserto (12.6). O deserto não aponta um lugar geográfico. Não é um ponto específico do mapa.[19] As duas asas são como o selo de Deus que protegem a igreja contra a fúria do dragão (Ap 12.14). Adolf Pohl diz que João vê a terceira metáfora da preservação da igreja. De acordo com Apocalipse 7.3 ela recebeu um selo, e com Apocalipse 11.1 uma medida. Agora recebe asas.[20] Havendo fracassado em seu esforço para derrotar Cristo, o dragão vai perseguir a igreja e lançar contra ela um rio de mentiras e perseguição (12.16). O dragão cheio de cólera vai pelejar contra os fiéis (12.17). Muitas vezes Deus os livrará na morte e não da morte (12.11).

Em segundo lugar, *a ação interventora dos anjos* (12.7-8). A Bíblia diz que os anjos são valorosos em poder e executam as ordens de Deus (Sl 103.20). O arcanjo Miguel e seus anjos lutaram contra o dragão e seus anjos (12.7). Nessa peleja no reino espiritual, o dragão e seus anjos foram derrotados (12.8). O dragão e seus anjos não foram apenas derrotados, mas também expulsos do céu, ou seja, ele perdeu o posto de acusador dos nossos irmãos. Por causa da obra de Cristo na cruz, as acusações do dragão não têm nenhuma base legal (Rm 8.33). Essa luta no céu requer ser justaposta com uma segunda luta aqui na terra, em Apocalipse 19.19. Ambas as lutas terminam com a precipitação de satanás. No presente texto é satanás que cai do céu para a terra (12.9), lá ele cai da terra para o abismo (20.3). Em ambos os casos o juízo é executado por meio de um anjo. Ainda hoje os anjos são ministros de Deus que trabalham em nosso favor (Hb 1.14).

Em terceiro lugar, *a ação intercessória de Cristo* (12.5). Cristo ascendeu ao céu e assentou-Se no trono. Somos informados que Ele está

---
[19] POHL, Adolf. *Apocalipse de João*. Vol. 2, p. 83.
[20] POHL, Adolf. *Apocalipse de João*. Vol. 2, p. 95.

no céu intercedendo por nós (Hb 7.25). Sua intercessão é plenamente eficaz (Rm 8.34). Nenhuma acusação pode prosperar contra os eleitos de Deus, por quem Cristo morreu.

As armas da vitória da igreja sobre o dragão

A igreja vence o dragão *por causa do sangue do Cordeiro* (12.11). A morte de Cristo é a nossa vitória. O sangue de Cristo é a nossa arma mais poderosa. Seu sacrifício na cruz desfez toda a possibilidade de satanás triunfar sobre o povo de Deus (2Co 5.21). Por meio do que eles venceram? Através de Miguel? De suas próprias realizações? Não. Por meio do sangue do Cordeiro. O motivo da vitória sobre o dragão acusador é o sangue do Cordeiro. Não é o conhecimento do Cordeiro, nem a crença intelectual no Cordeiro, mas o sangue do Cordeiro.

A igreja vence o dragão também *por causa da palavra do testemunho* (12.11). A igreja vence o dragão quando testemunha de Cristo mesmo em face da perseguição e da morte. Ela prefere ser uma igreja mártir a ser uma igreja apóstata. Prefere morrer a negar o nome de Jesus. Ela, assim, mesmo morrendo, vence a satanás. Quem traz Cristo no coração, também traz uma cruz nas costas. Não é a crença intelectual no Cordeiro, nem o louvor interno do Cordeiro que significa vitória, mas somente a palavra do testemunho diante de ouvidos estranhos. A igreja que vence é a comunidade de testemunhas.[21] Em tempos difíceis a igreja passa por uma grande tentação: hibernar, suspender seu testemunho, esconder-se numa toca e viver de seus estoques até que voltem a raiar tempos melhores. Mas não é a igreja que hiberna que será vencedora, mas a igreja testemunha. Ninguém jamais subirá dos alojamentos cristãos de inverno. A igreja vitoriosa é aquela que não ama a própria vida. Mas o que é que esta igreja ama, então? A morte? Não! Ela ama o Cordeiro até à morte.[22]

Acaso é necessário, pergunta Adolf Pohl, que ao sangue do Cordeiro também seja acrescentado o sangue do martírio? De modo algum o

---

[21]POHL, Adolf. *Apocalipse de João*. Vol. 2, p. 92.
[22]POHL, Adolf. *Apocalipse de João*. Vol. 2, p. 92.

dragão teme sangue de mártires, mas lambe-o avidamente (17.6). Enxurradas de sangue humano não o atormentam. Somente o sangue do Cordeiro o derrota.[23] O diabo e seus agentes, em sua fúria, vão perseguir e matar os santos, mas estes vencerão o diabo e seus anjos, no próprio ato de morrer por amor a Cristo.

Embora o dragão seja grande, vermelho, sedutor, temido, ele está derrotado. A vitória está assegurada. Caminhamos não para um final trágico ou incerto. Caminhamos para a consumação gloriosa de Cristo e de Sua noiva.

---

[23] POHL, Adolf. *Apocalipse de João*. Vol. 2, p. 92.

20

o anticristo, o agente de satanás

Apocalipse 13.1-18

O CAPÍTULO 13 DE APOCALIPSE NOS MOSTRA os agentes ou instrumentos usados pelo dragão em seu ataque contra a igreja. São descritas duas bestas. A primeira é um monstro horrível, a segunda está disfarçada. A primeira é a mão de satanás, a segunda, a mente do diabo. A primeira representa o poder perseguidor de satanás operando em e por meio das nações deste mundo e seus governos, a segunda simboliza as religiões e filosofias falsas deste mundo.[1]

Satanás, embora derrotado, conforme vimos no capítulo anterior, ainda recebe permissão para perseguir a igreja com sua fúria mais terrível. O anticristo será uma espécie de encarnação de satanás. Embora o mistério da iniquidade já esteja operando no mundo (2Ts 2.7), o anticristo, que encarnará o poder dos reinos ímpios e também todo o poder de satanás, emergirá no breve tempo do fim. A Bíblia descreve esse tempo de várias formas: a) A apostasia (2Ts 2.3); b) A grande tribulação (Mt 24.21-22); c) A revelação do homem da iniquidade (2Ts 2.3); d) O pouco tempo de satanás (20.3).

---

[1] HENDRIKSEN, William. *Más que Vencedores*, p. 174-175; KISTEMAKER, Simon. *Apocalipse*, p. 491.

As várias facetas do anticristo

A palavra *anticristo* significa um cristo substituto ou um cristo rival.[2] Ele será um adversário jurado de Cristo. No livro de Daniel o anticristo é representado inicialmente não como uma pessoa, mas como quatro reinos (leão, urso, leopardo e outro animal terrível), numa descrição clara dos impérios da Babilônia, Medo-Persa, Grego e Romano (Dn 7.1-6,17-18). Outro símbolo do anticristo no livro de Daniel é Antíoco Epifânio, que profanou o templo, quando o consagrou ao deus grego Zeus e mais tarde sacrificou porcos em seu altar (Dn 11.21,25).

No ensino de Jesus, o anticristo é visto como o imperador romano Tito que no ano 70 d.C., destruiu a cidade de Jerusalém e o templo (Mt 24.15-20), bem como um personagem escatológico (Mt 24.21-22). A profecia bíblica vai se cumprindo historicamente e avança para a sua consumação final (Mt 24.15-28).

Nas cartas de João o termo *anticristo* é usado em um sentido impessoal (1Jo 4.2-3). Ele referiu-se também ao anticristo de forma pessoal. Mas João vê o anticristo como uma pessoa que já está presente, ou seja, como alguém que representa a um grupo de pessoas. Assim, o anticristo é um termo utilizado para descobrir uma quantidade de gente que sustenta uma heresia fatal (1Jo 2.22; 2Jo 7). João fala ainda tanto do anticristo que virá como do anticristo que já está presente. Assim, João esperava um anticristo que viria no tempo do fim. Os anticristos são precursores do anticristo (1Jo 2.18). Para João, o anticristo sempre esteve presente nos seus precursores, mas ele se levantará no tempo do fim como expressão máxima da oposição a Cristo e Sua igreja.

Na teologia do apóstolo Paulo, o anticristo é visto como o homem do pecado (2Ts 2.1-12). Ele surgirá da grande apostasia (2Ts 2.3); será uma pessoa (2Ts 2.3); será objeto de adoração (2Ts 2.4); usará falsos milagres (2Ts 2.9); só pode ser revelado depois que aquilo e aquele que o detém for removido (2Ts 2.6,7) e será totalmente derrotado por Cristo (2Ts 2.8).

---

[2] HOEKEMA, Antony. *La Biblia y el Futuro*, p. 180-181.

A descrição do anticristo (Ap 13.1-18)

O apóstolo João fala sobre seis aspectos do anticristo.

Em primeiro lugar, ***sua ascensão se dará num tempo de muita turbulência*** (13.1). *Vi emergir do mar uma besta* (13.1). O que isso significa? As águas do mar são multidões, ou seja, as nações e os povos na sua turbulência político-social (17.15). Fritz Rienecker, citando o conceituado comentarista Swete diz que o mar é um ótimo símbolo da superfície agitada da humanidade não regenerada e, especialmente, do turbilhão da vida social nacional do qual surgem os grandes movimentos históricos do mundo.[3] As águas são símbolo das nações não regeneradas em sua agitação (Is 57.20). Antes do levantamento do anticristo, o mundo estará em desespero, num beco sem saída. Ele emerge desse caos. Charles Erdman diz que o mar deve ser símbolo da situação social e política conturbada e tormentosa, de onde comumente irrompem tiranias.[4] O pequeno chifre de Daniel, o homem de desolação citado por Jesus, o homem da iniquidade citado por Paulo, o anticristo citado por João e a besta que emerge do mar são a mesma pessoa. William Hendriksen diz que a besta que sobe do mar simboliza o poder perseguidor de satanás incorporado em todas as nações e governos do mundo através de toda a história.[5] Esse personagem encarnou-se na figura dos imperadores (Dominus et Deus) e também em outros reis e reinos despóticos, mas se apresentará no fim como o anticristo escatológico. Ele, com seu grande poder, vai seduzir as pessoas e conquistar as nações.

Ele se levantará num contexto de grandes convulsões naturais: terremotos, epidemias e fomes. Ele aparecerá num tempo de grande convulsão social. Será um tempo de guerras e rumores de guerras, onde reinos se levantarão contra reinos. O mundo será um campo de guerra. Ele surgirá num tempo de profunda inquietação religiosa. Brotará do ventre da grande apostasia. Os homens obedecerão a ensinos de demônios.

---

[3] RIENECKER, Fritz e Rogers, Cleon. *Chave Linguística do Novo Testamento Grego*, p. 625.
[4] ERDMAN, Charles R. *Apocalipse*, p. 86.
[5] HENDRIKSEN, William. *Más que Vencedores*, p. 176.

Os falsos mestres e os falsos cristos estarão sendo recebidos com entusiasmo. Nesse tempo haverá duas igrejas: a apóstata e a fiel. Ele surgirá oferecendo solução aos problemas mundiais. O mundo estará seduzido pelo seu poder. Os homens estarão dizendo: "Paz, paz", quando lhes sobrevirá repentina destruição. O historiador Arnold Toynbee disse: "O mundo está pronto para endeusar qualquer novo César que consiga dar à sociedade caótica unidade e paz". Ele surgirá num tempo de profunda desatenção à voz do juízo de Deus (Mt 24.37-39). Esse tempo será como nos dias de Noé.

Em segundo lugar, **ele incorpora todo o poder, força e crueldade dos grandes impérios do passado** (13.2). Daniel viu quatro animais ferozes, representando quatro reinos. A força anticristã foi vista por Daniel como quatro reinos que dominaram o mundo (Babilônia, Medo-Persa, Grécia e Roma). O anticristo incorpora todo o poder dos impérios anticristãos. O anticristo é o braço de satanás, enquanto o falso profeta é a mente de satanás. Ele será um ser totalmente mau, prodigiosamente conquistador. Ele terá a ferocidade do leão, a força do urso e a velocidade do leopardo. A besta que sobe do mar simboliza o poder perseguidor de satanás incorporado em todas as nações e governos do mundo através de toda a história. Essa besta toma diferentes formas. No fim se manifestará na pessoa do homem da iniquidade.

Em terceiro lugar, **ele agirá no poder de satanás** (13.2-4; 2Ts 2.9,10). O anticristo vai manifestar-se com um grande milagre (13.3). Ele vai distinguir-se como uma pessoa sobrenatural, por um ato que será um simulacro da ressurreição. Esse fato é tão importante que João o registra três vezes (Ap 13.3,12,14). Certamente não será uma genuína ressurreição dentre os mortos, mas será o simulacro da ressurreição, produzido por satanás. O propósito dessa misteriosa transação será conceder a satanás um corpo. Satanás governará em pessoa. O anticristo será uma espécie de encarnação de satanás. A maioria dos estudiosos vê nessa figura a lenda do Nero redivivo.[6] Nero se suicidou em 68 d.C. Em apenas um ano, no meio de vários golpes, surgiram quatro imperadores: Galba, Oto, Vitélio e, finalmente, Vespasiano. Depois, surgiu a lenda de

---

[6]BARCLAY, William. *Apocalipsis*, p. 327.

que Nero não havia morrido, mas escapado para o Oriente, e que voltaria em triunfo. No tempo de João, Domiciano foi chamado o segundo Nero. Adolf Pohl fazendo referência a essa lenda, escreve:

Em 9 de junho do ano 68 este famigerado imperador, estando politicamente acabado, ordenou que um escravo o matasse. No entanto, a morte deste homem terrível não obteve crédito em toda parte. Primeiramente dizia-se que na verdade ele teria apenas fugido à terra dos partos e de lá retornaria à frente de hordas de partos para vingar-se, trazendo horrores ainda maiores. Depois que transcorreram décadas sem que Nero voltasse, sua morte forçosamente tinha de obter crédito. Mas, por volta da virada do século, a lenda havia adquirido um novo formato: Nero torna a viver e vem vindo![7]

O anticristo vai realizar grandes milagres. Diz o apóstolo Paulo: *Ora, o aparecimento do iníquo é segundo a eficácia de satanás, com todo poder, e sinais e prodígios da mentira* (2Ts 2.9,10). Hoje vivemos numa sociedade ávida por milagres. As pessoas andam atrás de sinais e serão facilmente enganadas pelo anticristo. Ele vai ditar e disseminar falsos ensinos (2Ts 2.11). Nesse tempo, os homens não suportarão a sã doutrina (2Tm 4.3), mas obedecerão a ensinos de demônios (1Tm 4.1). As seitas heréticas, o misticismo e o sincretismo de muitas igrejas pavimentam o caminho para a chegada do anticristo.

O anticristo vai governar na força de satanás. *Deu-lhe o dragão o seu poder, o Seu trono e grande autoridade* (13.2). Na verdade quem vai mandar é satanás. Os governos subjugados por ele vão estar sujeitos a satanás. Esse vai ser o período da história denominado por João, "o pouco tempo de satanás". Esse será o tempo da grande tribulação. O governo do anticristo vai ser universal, pois satanás é o príncipe deste mundo. O mundo inteiro jaz no maligno (1Jo 5.19). Aquele reino que satanás ofereceu a Cristo, o anticristo o aceitará. Ele vai dominar sobre as nações. *Deu-se-lhe ainda autoridade sobre cada tribo, povo, língua e nação* (13.7). O governo universal do anticristo será extremamente cruel e controlador (13.16,17). O seu poder será irresistível (13.4). A grande pergunta será: "Quem é semelhante à besta? Quem pode pelejar contra ela?"

---

[7]Pohl, Adolf. *Apocalipse de João*. Vol. 2, p. 104.

O anticristo vai se tornar irresistível (13.4). Ele será singular e irresistível. Terá a aparência de um inimigo invencível. Vai blasfemar contra Deus e os santos que estão no céu (13.6). Contra a igreja que estará na terra, vai perseguir e matar (13.7,15b).

Em quarto lugar, *o anticristo será objeto de adoração em toda a terra* (13.3,4,8,12; 2Ts 2.4). A adoração ao anticristo é o mesmo que adoração a satanás (13.4). Adoração é um tema central no livro de Apocalipse: a noiva está adorando o Cordeiro, e a igreja apóstata está adorando o dragão e o anticristo. O mundo está ensaiando essa adoração aberta ao anticristo e satanás. O satanismo e o ocultismo estão em alta: as seitas esotéricas crescem. A Nova Era proclama a chegada de um novo tempo, em que o homem vai curvar-se diante do "Maitrea", o grande líder mundial. A adoração de ídolos é uma espécie de adoração de demônios (1Co 10.19,20). A necromancia é uma adoração de demônios. O grande e último plano do anticristo é levar seus súditos a adorarem a satanás (13.3,4). Esse será o período da grande apostasia. Nesse tempo os homens não suportarão a verdade de Deus e obedecerão a ensinos de demônios. O humanismo idolátrico, o endeusamento do homem e sua consequente veneração é uma prática satânica. Adoração ao homem e adoração a satanás são a mesma coisa.[8]

O anticristo fará forte oposição a toda adoração que não seja a ele mesmo (2Ts 2.4). Ele vai se opor e se levantar contra tudo que se chama Deus, ou objeto de culto. Assim agiram os imperadores romanos que viam no culto ao imperador o elo de união e fidelidade dos súditos do império. Deixar de adorar o imperador era infidelidade ao Estado. O anticristo também se assentará no templo de Deus, como Deus, fazendo-se passar por Deus. Ele vai usurpar a honra e a glória só devidas a Deus.

A adoração do anticristo será universal (13.8,16). Diz o apóstolo João que *adorá-Lo-ão todos os que habitam sobre a terra, aqueles cujos nomes não foram escritos no livro da vida do Cordeiro.* Satanás vai tentar imitar Deus também nesse aspecto. Ao saber que Deus tem os seus selados, ele também selará os seus com a marca da besta (13.8, 16-18).

---

[8] BLOMFIELD, Arthur E. *As Profecias do Apocalipse*, p. 192.

Todas as classes sociais se acotovelarão para entrar nessa igreja apóstata e receber a marca da besta (13.16).

O anticristo perseguirá de forma cruel aqueles que se recusarem a adorá-Lo (Ap 13.7,15). Esse será um tempo de grande angústia (Jr 30.7; Dn 12.1; Mt 24.21-22). A igreja de Cristo nesse tempo será uma igreja mártir (13.7,10). Mas os crentes fiéis vão vencer o diabo e o anticristo, preferindo morrer a apostatar (12.11).

Em quinto lugar, *o anticristo fará oposição aberta a Deus e à igreja de Cristo* (13.6,7; 2Ts 2.4). Ele será um opositor consumado de Deus (Dn 7.25; 11.36; 2Ts 2.4; 1Jo 2.22; Ap 13.6). "Proferirá palavras contra o Altíssimo"[9]; "contra o Deus dos deuses, falará coisas incríveis".[10] O apóstolo Paulo diz que ele "se opõe e se levanta contra tudo que se chama Deus, ostentando-se como se fosse o próprio Deus".[11] João declara: "e abriu a sua boca em blasfêmias contra Deus, para lhe difamar o nome".[12] Diz ainda: "Este é o anticristo, o que nega o Pai e o Filho".[13] O anticristo vai usar todas as suas armas para ridicularizar o nome de Deus. Ele vai fazer chacota com o nome do Altíssimo. O anticristo fará violenta e esmagadora oposição contra a igreja (Dn 7.25; 7.21; Ap 12.11; 13.7). "Ele magoará os santos do Altíssimo e cuidará em mudar os tempos e a lei; e os santos lhe serão entregues nas mãos".[14] "Ele fará guerra contra os santos e prevalecerá contra eles".[15] Mas, mediante a morte os santos o vencerão (12.11). João diz: *Foi-lhe dado também que pelejasse contra os santos e os vencesse* (13.7). O anticristo se levantará contra a igreja, contra o culto e contra toda expressão de fidelidade a Deus. Esse será o ponto mais intenso da grande tribulação (Mt 24.15-22).

Em sexto lugar, *o anticristo será apoiado pela segunda besta, o falso profeta* (13.11-18; 16.13; 19.20).[16] A segunda besta é serva da primeira e seduzirá o mundo inteiro a adorar a primeira besta (13.11-15). Se a

---

[9]Daniel 7.25.
[10]Daniel 11.36.
[11]2Tessalonicenses 2.4.
[12]Apocalipse 13.6.
[13]1João 2.22.
[14]Daniel 7.25.
[15]Daniel 7.21.
[16]HENDRIKSEN, William. *Más que Vencedores*, p. 179.

primeira besta é o braço de satanás, a segunda é a mente de satanás. Ela é o falso profeta. A primeira besta age no campo político, a segunda no campo religioso.[17] Os pré-reformadores John Wycliff, John Huss e os reformadores Lutero e Calvino consideravam o papa como o anticristo.[18] De igual forma, assim se posicionaram os teólogos que escreveram A Confissão de Fé de Westminster.[19] O ex-sacerdote católico romano, padre Anibal Pereira Reis, também aponta o papa como o anticristo.[20] O falso profeta vai preparar o terreno para o anticristo e vai preparar o mundo para adorá-Lo. A primeira besta será conhecida pelo seu poder conquistador, pela sua força (13.4). A segunda besta será conhecida pelo seu poder sobrenatural de fazer grandes milagres (13.13-16). Adolf Pohl comentando sobre a segunda besta, diz:

> Este personagem é uma criação direta de satanás, assim como foi a primeira besta. Dessa forma, essas três figuras se reúnem numa trindade satânica, para um simulacro da Trindade divina. O dragão é o antideus, a besta vinda do mar é o anticristo e a besta vinda da terra é o antiespírito [...]. Assim como o Espírito Santo conduz à adoração de Cristo, assim essa besta conduz adoradores ao anticristo.[21]

A segunda besta usará também a arma do controle para garantir a adoração da primeira besta (13.16-18). Esse será um tempo de cerco, de perseguição, de controle, de vigilância, de monitoramento das pessoas, no aspecto político, religioso e econômico. Todo regime totalitário busca controlar as pessoas e tirar delas a liberdade. A recusa na adoração à primeira besta implica a morte (13.15b).

A segunda besta usará um selo distintivo para os adoradores da primeira besta (13.18; 14.9-11). Assim como a noiva do Cordeiro recebe

---

[17] ERDMAN, Charles R. *Apocalipse*, p. 88.
[18] SCHAFF, David S. *Nossa Crença e a de Nossos Pais*. São Paulo, SP: Imprensa Metodista, 1964, p. 244-245.
[19] SCHAFF, David S. *Nossa Crença e a de Nossos Pais*, p. 246.
[20] REIS, Anibal Pereira. *A Imagem da Besta*. São Paulo, SP: Edições Caminhos de Damasco Ltda, 1980, p.19.; *Pedro Nunca Foi Papa Nem o Papa é Vigário de Cristo*. São Paulo, SP: Edições Caminhos de Damasco, 1975, p. 226.
[21] POHL, Adolf. *Apocalipse de João*. Vol. 2, p. 113.

um selo (7.3; 9.4), também os adoradores da besta recebem uma marca (13.16). Então só haverá duas igrejas na terra, aquela que adora a Cristo e aquela que adora o anticristo. Assim como os que recebem o selo de Deus terão a vida eterna, os que recebem a marca da besta vão perecer eternamente (14.11; 20.4).

A manifestação do anticristo

Há quatro coisas importantes sobre a manifestação do anticristo:

Em primeiro lugar, *sua presente dissimulação e futura revelação* (2Ts 2.6-8). Diz o apóstolo Paulo que o anticristo está sendo detido por ALGO (2Ts 2.6) e por ALGUÉM (2Ts 2.7). *E, agora, sabeis o que o detém, para que ele seja revelado somente em ocasião própria. Com efeito, o mistério da iniquidade já opera e aguarda somente que seja afastado aquele que agora o detém* (2Ts 2.6-7). O que é esse ALGO? Quem é esse ALGUÉM? A maioria dos estudiosos entende que o ALGO é a lei e que o ALGUÉM é aquele que faz a lei se cumprir. É por isso que o anticristo vai surgir no período da grande apostasia, quando os homens não suportarão leis, normas nem absolutos. Então, eles facilmente se entregarão ao homem da ilegalidade, o filho da perdição.[22]

Em segundo lugar, *vejamos o número de sua identificação* (13.18; 2Ts 2.3). O anticristo, no seu cumprimento profético, foi representado por vários governos anticristãos e totalitários que perseguiram a igreja ao longo dos séculos. De igual forma, o falso profeta simboliza as religiões e as filosofias falsas deste mundo que desviaram os homens de Deus para adorarem o anticristo e o dragão. Ambas as bestas se opõem à igreja durante toda a dispensação. Mas, o anticristo aponta para um personagem escatológico que reunirá toda a maldade dos impérios e governos totalitários.

O anticristo será uma pessoa, ele é o homem da iniquidade, o filho da perdição, o abominável da desolação, a besta que emerge do mar, a encarnação de satanás. Os cristãos primitivos entenderam que ele era Nero. Os reformadores entenderam que ele era o papa romano.

---

[22] HENDRIKSEN, William. *Más que Vencedores*, p. 142.

Estudiosos modernos disseram que foi representado por Napoleão, Hitler e Mussolini.

Seu número é 666. William Barclay diz que as interpretações com respeito ao número 666 são infinitas.[23] Wim Malgo, um dos expoentes do dispensacionalismo, editor da Revista *Chamada da Meia-Noite*, faz referência a diversos significados do número 666, mencionando desde o computador até os grupos mais famosos da música *rock* como *Beatles, KISS, Black Sabbath, ACDC*.[24] Michael Wilcock acredita que todas as especulações para marcar algum personagem da história ou instituição com esse número estão erradas. Diz ele: "O sem-número de comentários dedicados a explicar o significado do número da besta cheira a lamparina e poeira de biblioteca".[25] Arthur Blomfield, por sua vez, entende que o número 666 representa uma trindade maligna: o diabo, o anticristo e o falso profeta.[26] Charles Erdman sugere que esse número seja simbólico.[27] Sete é o número perfeito, enquanto, seis é o número imperfeito. Seis é o número do homem, o número incompleto, imperfeito, o número do pecado. Simon Kistemaker diz que o número seis aponta para o juízo: no final do sexto selo, a sexta trombeta e a sexta taça.[28] William Hendriksen, nessa mesma linha de pensamento, diz que 666, o número do anticristo, é fracasso, sobre fracasso, sobre fracasso.[29] Ele incorporará a plenitude da imperfeição, a consumação da maldade. Assim, 666 é o número representativo da maior encarnação concebível da depravação e do mal.[30]

Vejamos em terceiro lugar, *a limitação do anticristo* (13.5). O anticristo tem um poder limitado, visto que pode matar os santos, mas não vencê-los (12.11; Ap 20.4). Os verdadeiros crentes preferirão a morte à apostasia (13.8), vencendo assim a besta (15.2). Eles não temem aquele

---

[23] BARCLAY, William. *Apocalipsis*, p. 341.
[24] MALGO, Wim. *O Controle Total*. Porto Alegre, RS: Chamada da Meia-Noite, p. 13-75.
[25] WILCOCK, Michael. *A Mensagem do Apocalipse*, p. 101.
[26] BLOMFIELD, Arthur E. *As Profecias do Apocalipse*, p. 198.
[27] ERDMAN, Charles R. *Apocalipse*, p. 87.
[28] KISTEMAKER, Simon. *Apocalipse*, p. 502.
[29] HENDRIKSEN, William. *Más que Vencedores*, p. 182.
[30] ERDMAN, Charles R. *Apocalipse*, p. 87.

que só pode matar o corpo e não a alma. O anticristo também não pode fazer nada contra Deus e contra os remidos na glória, a não ser falar mal (13.6). O anticristo tem um tempo limitado (13.5). Quando o seu tempo acabar, ele mesmo será lançado no lago do fogo (19.20).

Em quarto lugar, *vejamos sua total destruição*. Jesus o matará com o sopro da sua boca e o destruirá pela manifestação da sua vinda (2Ts 2.8). Ele será quebrado sem esforço de mãos humanas (Dn 8.25). Jesus vai tirar o domínio do anticristo para o destruir e o consumir até o fim (Dn 7.26). O anticristo será lançado no lago do fogo que arde com enxofre (19.20). Cristo colocará todos os seus inimigos debaixo dos seus pés (1Co 15.24-25).

A igreja selada por Deus (9.4) preferirá a morte à apostasia e assim vencerá o dragão e o anticristo (12.11). Aqueles cujos nomes estão no livro da vida não adorarão o anticristo (13.8). Esses reinarão com Cristo para sempre.

21

A glorificação dos salvos e a condenação dos ímpios

Apocalipse 14.1-20

O CAPÍTULO 14 ENCERRA A QUARTA SEÇÃO paralela do livro de Apocalipse. Já vimos sobre os sete candeeiros, os sete selos, as sete trombetas e agora estamos vendo sobre o quarteto do mal que se levanta contra Cristo e Sua igreja.

Cada seção cobre todo o período que vai da primeira à segunda vinda de Cristo. Assim, vemos repetidamente a cena da segunda vinda de Cristo e do juízo final.

Neste capítulo, veremos mais uma vez a cena dos remidos na glória e a condenação dos ímpios no juízo final. Há aqui várias cenas que descrevem o tempo do fim:

A igreja está **com Cristo no céu** (Ap 14.1-5)

Três fatos são dignos de nota:

Em primeiro lugar, *a igreja selada está em pé com o Cordeiro no Monte Sião* (14.1). Sião é a zona da soberania de Deus, tornando-se uma expressão de salvação desvinculada da geografia (Hb 12.22).[1] Os 144.000 são o mesmo grupo que foi selado em (7.9-17). Eles

---
[1] POHL, Adolf. *Apocalipse de João*. Vol. 2, p. 126.

representam a totalidade dos redimidos. Eles são os remidos, e sabem a canção dos remidos. Eles fazem o contraste com os adoradores da besta que foram marcados para a condenação. Os remidos recebem também uma marca, o nome de Deus e do Cordeiro. Aquela marca descrita em Apocalipse 7.3 continua válida. Agora, recebem a marca do Pai e do Filho.

Embora esses 144.000 sejam os mesmos do capítulo 7, representando a totalidade dos redimidos,[2] há mais detalhes sobre eles aqui: 1) João não está apenas ouvindo os selados, mas também pode vê-los; 2) Aqui há uma definição de lugar "Monte Sião"; 3) Agora, revela-se a marca deixada pelo selo. As duas igrejas, a verdadeira e a falsa, agora, estão nitidamente contrapostas; 4) Aqui os selados estão ligados não apenas a Deus, mas também ao Cordeiro.

O Monte Sião aqui não é na terra, mas no céu. Trata-se da Cidade Santa, a Nova Jerusalém, a Sião Celeste (Hb 12.22). Os 144.000 foram remidos da terra (14.3), foram selados por Deus (14.1), para glorificarem a Deus no céu (14.2-3).

Em segundo lugar, *a igreja está cantando no céu enquanto os adoradores da besta blasfemam* (14.2-3). A besta e os seus adoradores blasfemam contra Deus (13.6 e 16.10-11), mas os remidos do Senhor estão no céu cantando um novo cântico. Aqui na terra, os crentes sofrem e choram. Mas Deus lhes enxugará dos olhos toda lágrima e então a alegria da igreja será completa e ela cantará um novo cântico que ninguém poderá aprender, senão os remidos.

Em terceiro lugar, *a igreja é o povo redimido por Deus, totalmente separado do mundo* (14.4-5). Os remidos não se prostituíram com a grande meretriz (14.4). A expressão *não se contaminaram com mulheres e castos* não se trata de celibato. Devemos ter aqui uma compreensão figurada da virgindade.[3] A palavra grega (*parthenoi*) traduzida "castos" é a mesma que significa "virgens".[4] A Bíblia não considera o sexo no

---

[2]LADD, George. *Apocalipse*, p. 141.
[3]POHL, Adolf. *Apocalipse de João*. Vol. 2, p. 129.
[4]LADD, George. *Apocalipse*, p. 141.

casamento uma contaminação; ao contrário, ela exalta o casamento como imagem da mais elevada dignidade (Ap 19-22). A palavra "castos" neste contexto é uma expressão que denota pureza espiritual. João fala diversas vezes da idolatria da besta como prostituição (*porneia*) (14.8; 17.2; 18.3,9; 19.2). A igreja é uma virgem pura apresentada ao seu noivo, Cristo (2Co 11.2). Assim, os 144.000 são virgens e castos no sentido de terem se recusado a se manchar, participando da prostituição que é adorar a besta, mantendo-se puros em relação a Deus.[5]

Os remidos são os seguidores do Cordeiro (14.4). Eles não seguiram a besta como todos os demais (13.8), mas seguiram o Cordeiro (14.4). Seguiram o Cordeiro, ainda que para a morte (12.11). Os remidos são discípulos de Cristo. Eles ouvem a voz do Pastor e o seguem (Jo 10.3-4). Eles negaram-se a si mesmos, tomaram a cruz de Cristo e seguiram ao Senhor.

Os remidos são os eleitos de Deus (14.4). Eles seguem o Cordeiro, porque não pertencem a si mesmos. Eles foram redimidos pelo sangue do Cordeiro (5.9). Eles foram escolhidos dentre os homens. Foram escolhidos pela graça.

Os remidos são primícias para Deus (14.4). Primícias aqui não são um grupo seleto da igreja, mas toda a igreja: toda a igreja é a igreja dos primogênitos (Hb 12.23). Os cristãos são chamados de *primícias das Suas criaturas* (Tg 1.18). Israel era chamado de "primícias da Sua colheita" (Jr 2.3).

Os remidos são puros de lábios e de vida (14.5). Enquanto os ímpios blasfemam e se contaminam com a meretriz, seguindo uma mentira, a besta e seus falsos milagres, os redimidos não têm mentira na sua boca nem mácula em sua vida. Adolf Pohl interpreta corretamente quando diz:

> Estes lábios santos apontam mais uma vez, como figura oposta, para o capítulo 13. Ali ressaltou-se nos versículos 2,5,6 a boca blasfema da besta, que levou todas as bocas do mundo a blasfemarem (v. 4). Do mesmo modo a palavra mentira aponta para o capítulo 13, a saber, para a atuação da segunda besta, do "profeta da mentira". No atual contexto, mentira

---
[5] LADD, George. *Apocalipse*, p. 142.

é consentir na adoração diante da besta: "Quem é igual à besta?" Deste modo a besta se transformava, pela mentira, em deus, em senhor sobre todas as coisas. Era em relação a isso que os comprados se conservavam imaculados. Sua boca não negou. Num mundo que ressoava cheio de apostasia e idolatria, eles sustentaram um testemunho límpido de Deus e do Cordeiro.[6]

O juízo é anunciado aos moradores da terra (Ap 14.6-7)

Os moradores da terra são exortados a temerem a Deus e darem glória a Ele (14.6-7). O capítulo 13 se encerra com uma nota triste. A pergunta que ecoa em todo mundo é: "Quem é como a besta, quem pode pelejar contra ela?" (13.4). Somos informados de que a besta tinha autoridade sobre cada tribo, povo, língua e nação (13.7). Mas, agora, o anjo proclama as boas novas de alguém mais forte, o Todo-poderoso Deus. Ele sim, deve ser temido. A Ele sim, deve ser dada toda a glória. Enquanto durar o tempo, os homens têm a oportunidade de se arrependerem e se voltarem para Deus. Somente Deus é digno de ser adorado (14.7), porque Ele é o Deus Criador. Ele é a origem de todas as coisas.

Os moradores da terra são alertados sobre a chegada do juízo (14.7). Antes do juízo, Deus alerta, avisa, e conclama ao arrependimento. As trombetas do juízo sempre visaram levar o homem ao arrependimento (9.20-21; 16.8). Os ímpios vivem como se o juízo jamais fosse chegar (2Pe 3.4). Eles vivem desapercebidamente (Mt 24.37-39). Mas, agora, o juízo é chegado: é a hora da queda da Babilônia (14.8), da ira de Deus (14.10), do lago do fogo (14.11), a hora da foice, da lagaragem (14.16,19,20), portanto, nenhuma hora de misericórdia.

A queda da Babilônia é proclamada (Ap 14.8)

A grande Babilônia é a grande meretriz. A verdadeira igreja está no céu e a falsa igreja está arruinada. Ela é grande, mas está perdida. Ela seduziu, enganou, mas agora está caída. A grande Babilônia é o sistema mundano, a religião prostituída que vai estar a serviço da besta e de

---
[6]POHL, Adolf. *Apocalipse de João*. Vol. 2, p. 131.

satanás no mundo. George Ladd, escrevendo sobre a Babilônia, diz:
Babilônia era o grande inimigo de Israel nos tempos do Antigo Testamento (Is 21.9; Jr 50.2; 51.8), e aqui representa a capital da civilização apóstata dos últimos dias, o símbolo da sociedade humana organizada política, econômica e religiosamente em oposição e desafio a Deus.[7]

A grande Babilônia age na terra com sedução e perseguição. A grande Babilônia é uma meretriz que seduz e engana (17.5; 18.3), mas também ela é uma mulher embriagada com o sangue dos santos (17.6; 18.24). Sua sedução é universal (14.8). Martyn Lloyd-Jones comentando sobre essa grande meretriz, escreve:
Quando o diabo não consegue desanimar o povo de Deus por meio de perseguição ativa e militante, ele tem conseguido afastá-lo por meio das seduções do mundo. Na história da igreja houve homens e mulheres que estavam prontos a encarar a morte numa estaca, e puderam enfrentar oposição aberta, mas que se tornaram vítimas do amor pela riqueza, ou o amor pela ociosidade, ou pelo prazer, ou pelo conforto, por alguma coisa que pertence a este mundo, e sem discernir que estavam sendo feitos cativos.[8]

A ruína da grande Babilônia é completa e definitiva. Ela caiu, ela está derrotada. A igreja que foi perseguida e martirizada é vencedora, mas a igreja que perseguiu e matou os santos de Deus é agora destruída.

A condenação dos adoradores da besta (Ap 14.9-12)

Os adoradores da besta beberão o cálice da ira de Deus sem mistura (14.9-10). Até então, a ira de Deus veio misturada com misericórdia, mas quando o juízo chegar, os ímpios terão que beber o cálice da ira de Deus sem mistura, ou seja, sem oportunidade de arrependimento (Jo 3.36). Todos aqueles que estão unidos a este mundo perecerão com o mundo. Quem escolher servir a satanás vai ter que sofrer as consequências. Eles serão atormentados com fogo e enxofre. Isso fala da intensidade do tormento. George Ladd comentando sobre a ira de

---
[7] LADD, George. *Apocalipse*, p. 144.
[8] LLOYD-JONES, Martyn. *A igreja e as Últimas Coisas*, p. 237.

Deus, escreve:
> Duas palavras são usadas para descrever o julgamento de Deus: cólera (*thumos*) e (*orge*). *Orge* é o tipo de ira que parte de uma disposição já tomada, enquanto que *thumos* representa uma ira mais passional. Na maior parte do Novo Testamento é usada a palavra *orge* para a ira divina; fora do Apocalipse *thumos* aparece só uma vez em Romanos 2.8 [...]. Em qualquer caso, a ira de Deus não é uma emoção humana; é a reação preestabelecida da Sua santidade à pecaminosidade e rebelião humanas [...]. João enfatiza no Apocalipse a ira de Deus mais que qualquer outro livro do Novo Testamento (14.8,10,19; 15.1; 16.19; 19.15) [...]. Qualquer interpretação da mensagem do Novo Testamento que não inclua a ira de Deus está atenuada e mutilada.[9]

Os adoradores da besta serão atormentados eternamente (14.11). Os adoradores da besta jamais terão descanso (Mt 25.46; Mc 9.48). Os remidos que foram perseguidos e torturados até à morte estão no céu, mas os adoradores da besta estão no tormento eterno. O tormento sem cessar dos ímpios está em contraste com a felicidade eterna dos salvos (Ap 4.8; 14.13). Isso fala não apenas da intensidade do tormento, mas também da perenidade. Os adoradores da besta estão condenados, mas os que guardaram os mandamentos de Deus e a fé em Jesus e não cederam à pressão da besta estão seguros (14.12). É melhor suportar perseguição pacientemente do que escapar dela agora e ser atormentado por toda a eternidade.

A bem-aventurança dos que morrem em Cristo (Ap 14.13)

O verso supracitado, revela-nos um grande paradoxo: os mortos em Cristo são felizes. Isso não é voz da terra, mas do céu. Essa revelação não é passageira, deve ser escrita. Aqueles que morrem ou mesmo os que são martirizados pela besta ou pela grande meretriz são muito felizes. Não são todos os mortos que são felizes, mas os que morrem no Senhor.

Os mortos em Cristo descansam. Há grande contraste entre os ímpios atormentados (14.11) e os remidos descansando (14.13). Aqueles que morrem em Cristo, não morrem, dormem. Eles não vivem vagando, não

---
[9] LADD, George. *Apocalipse*, p. 145.

vão para o purgatório nem para o túmulo. Eles vão para o paraíso, para o Lar, para o céu, para o Seio de Abraão. Vão habitar com Cristo, o que é incomparavelmente melhor. Harold B. Allison diz que é errada a opinião que diz que as almas, tanto dos justos como dos ímpios, dormem entre a morte física e a ressurreição. As Escrituras tão somente dizem que os mortos "dormem" (Dn 12.2; Mt 9.24; Jo 11.11; 1Co 11.30; 15.51; 1Ts 4.14; 5.10). Essa linguagem aplica-se somente ao corpo.[10]

Os mortos em Cristo não são levados para o céu pelas obras, mas levam as suas obras para o céu. Não somos salvos pelas obras, mas para as boas obras.[11] Elas não abrem nosso caminho para o céu, mas nos acompanham no céu. Não ficaremos sem recompensa.

A segunda vinda de Cristo **para a colheita dos justos** (Ap 14.14-16)

Cristo vem gloriosamente e vencedoramente nas nuvens (14.14). Ele virá fisicamente, pessoalmente, visivelmente, gloriosamente, vitoriosamente. Ele virá como subiu, em uma nuvem (At 1.9-11). Ele virá com as nuvens (1.7).

Cristo vem para a colheita das primícias, ou seja, reunir os Seus eleitos (14.15-16). Virá para julgar. A coroa da vitória estará em Sua cabeça e a foice em Sua mão. Ele virá para reunir os Seus escolhidos dos quatro cantos da terra (Mt 24.29-31) e então se assentará no trono para julgar (Mt 25.31-46). A colheita é o fim do mundo (Mt 13.39). "A seara está madura". Isso significa que a história desenrola-se sob a soberania de Deus. Tanto Cristo como os anjos são os ceifeiros. A colheita das primícias é para o Senhor. Os remidos serão reunidos como o trigo no celeiro, mas os ímpios como joio na fornalha (Mt 13.40-43).

A segunda vinda de Cristo **para o castigo final dos ímpios** (Ap 14.17-20)

O juízo para os ímpios será como uma vindima (14.18). A ideia aqui não

---

[10]ALLISON, Harold B. *A Doutrina das Últimas Coisas*. São Paulo, SP: Imprensa Batista Regular, 1971, p.22.
[11]Efésios 2.10.

é de uma colheita dos frutos, mas de um lagar, onde as uvas são pisadas e esmagadas. Nos tempos bíblicos as uvas eram pisadas com os pés, num lagar que tinha um duto ligando-o a um receptáculo inferior no qual era juntado o suco. O pisar das uvas era uma figura familiar para a execução da ira divina sobre os seus inimigos.[12] Essas uvas que são pisadas são os incrédulos. Assim como as uvas são pisadas e esmagadas, assim também os iníquos vão ser destruídos e castigados eternamente.[13] Essa é uma ideia clara do furor da ira de Deus contra os ímpios que blasfemaram do Seu nome e perseguiram a Sua igreja (Is 63.1-6). O apóstolo João descreve o próprio Cristo pisando o lagar: *...e pessoalmente pisa o lagar do vinho do furor da ira do Deus Todo-poderoso* (19.15).

O lagar é fora da cidade, ou seja, os salvos não participarão desse juízo (14.19-20). Esse é o lagar da cólera de Deus. Os remidos não sofrerão esse juízo (Jo 5.24). Os remidos serão a delícia de Deus, a noiva do Cordeiro, enquanto os ímpios serão o alvo da ira pura e consumada de Deus.

O juízo de Deus será completo sobre todos os ímpios em todos os lugares (14.20). A extensão de 1.600 estádios é igual a 360 Km, ou seja, a distância do Norte ao Sul da Palestina, de Dã a Berseba. O sangue vai até aos freios dos cavalos, ou seja, 1,5 metro de altura. Esse mar de sangue é sem dúvida um símbolo do completo e total juízo de Deus que alcança os ímpios plenamente e em todos os lugares. George Ladd diz que a ideia é clara: o julgamento é radical, destruindo qualquer vestígio de maldade e hostilidade contra o reinado de Deus.[14]

Na humanidade só há dois grupos: os salvos e os perdidos. Os adoradores da besta e os adoradores do Cordeiro, os que estarão com Cristo no Monte Sião e os que serão atormentados de dia e de noite. Aqueles que estarão cantando e descansando no céu e aqueles que estarão atormentados para sempre. Na humanidade só há duas igrejas: a igreja verdadeira, os 144.000 selados, redimidos, primícias para Deus e

---

[12]RIENECKER, Fritz e Rogers, Cleon. *Chave Linguística do Novo Testamento Grego*, p. 628.
[13]HENDRIKSEN, William. *Más que Vencedores*, p. 187.
[14]LADD, George. *Apocalipse*, p. 150.

a igreja apóstata que seguirá a besta e receberá sua marca.

De que lado você está? Você tem o selo de Deus na sua vida? Sua vida é pura? Seus lábios são puros? Você está preparado para o dia do juízo? Hoje ainda é dia de oportunidade. Logo o juízo chegará e então, será tarde demais!

22

A preparação para as taças da ira de Deus

Apocalipse 15.1-8

NOS CAPÍTULOS 1 A 3, vimos que por meio da pregação da Palavra, aplicada ao coração pelo Espírito Santo, igrejas são estabelecidas. Estas são candeeiros, portadoras de luz ao mundo que está em trevas. Elas são abençoadas pela contínua presença espiritual de Cristo.

Nos capítulos 4 a 7 vimos que o povo de Deus é perseguido repetidas vezes pelo mundo, e exposto a muitas provas e aflições. São a abertura dos sete selos.

Nos capítulos 8 a 11 os juízos de Deus visitam repetidas vezes o mundo perseguidor, mas este não se arrepende de seus pecados. São as sete trombetas da ira de Deus.

Nos capítulos 12 a 14 vimos que este conflito entre a igreja e o mundo torna-se mais intenso, mostrando um combate entre Cristo e satanás, entre a semente da mulher e o dragão.

Agora, nos capítulos 15 e 16 surge uma pergunta: quando na história, as trombetas do juízo, as pragas iniciais, não conduzem os homens ao arrependimento e conversão, o que lhes sucede? Permitirá Deus que esses homens ímpios continuem impunes? O cálice da ira de Deus tem um limite? Ele se encherá? A resposta é: quando os ímpios não se arrependem com as trombetas do aviso de Deus, segue a efusão final da ira, ainda que não completa até o dia do juízo.[1] Essas taças da ira de Deus são as últimas. Não há mais tempo para arrependimento (Pv 29.1). Aos ímpios endurecidos, a morte os precipitará inevitalmente nas mãos do Deus irado. Mesmo antes de morrer, eles poderão ter cruzado a última linha da esperança entre a paciência de Deus e Sua ira[2] (Mt 12.32; 1Jo 5.16).

A conexão entre as sete taças da ira de Deus e as sete trombetas de Deus (Ap 15.1)

As trombetas advertem, as taças consumam a cólera de Deus (15.1). Através de toda a história do mundo se manifesta repetidas vezes a ira final de Deus; ora toca a essa pessoa, depois aquela. A ira de Deus se derrama sobre os impenitentes (9.21; 16.9). As trombetas advertem, as taças são derramadas. Esses impenitentes são aqueles que receberam a marca da besta (13.16; 16.2). Esses são aqueles que adoram o dragão e são dominados pelas duas bestas e pela Babilônia, a grande meretriz. Nas trombetas apenas um terço da terra, do mar, dos rios, do sol, dos homens são atingidos, mas nas taças a ira de Deus se consuma (15.1).

Tanto as trombetas como as taças referem-se ao mesmo período. Já temos visto que todas as sete seções paralelas referem-se ao mesmo período, ou seja, o tempo que vai da primeira à segunda vinda de Cristo. À medida que avançamos para o fim, as cenas vão se tornando mais fortes e o juízo de Deus mais claro.

Tanto as trombetas como as taças terminam com uma cena do juízo final. No capítulo 14.14-20, vimos a cena da colheita do trigo e a vindima dos ímpios esmagados no lagar da ira de Deus. No capítulo 16.15-21 temos uma clara cena do juízo final. As seis primeiras taças se referem a uma série de acontecimentos que precedem o juízo final.

Tanto a quarta seção, quanto a quinta começam de forma muito semelhante (12.1; 15.1). Se a quarta seção começa com o nascimento de Cristo e avança até a cena do juízo final, então, somos levados a crer

---

[1] HENDRIKSEN, William. *Más que Vencedores*, p. 189-190.
[2] HENDRIKSEN, William. *Más que Vencedores*, p. 190.

que a quinta seção (15-16), também cobre todo o período da primeira à segunda vinda de Cristo.

Tanto a quarta seção, quanto a quinta, tratam dos mesmos inimigos da igreja. As mesmas forças de maldade que encontramos nos capítulos 12 a 14: o dragão, a besta que sobe do mar e a besta que sobe da terra, o falso profeta, são os inimigos que a igreja está enfrentando aqui nesta quinta seção (16.13). Portanto, somos levados a crer que essa seção das sete taças atravessa o mesmo período da história abrangido pelas outras seções.

Não obstante, as sete taças compreendam todo o período da igreja, elas apontam e aplicam-se especialmente ao dia do juízo e às condições que o precedem imediatamente. As trombetas são juízos parciais, alertas de Deus. São avisos solenes de Deus que, na sua ira, lembra-se da misericórdia. Mas as taças falam da ira sem mistura, da consumação da cólera de Deus.

Uma visão da igreja na glória antes da descrição terrível dos ímpios debaixo da ira de Deus (Ap 15.2-4)

O apóstolo João vê os sete anjos preparados para derramar sobre o mundo as sete taças da sua ira consumada (15.1). Sete é o número da perfeição de Deus. São sete anjos, com sete taças. Esses são anjos do juízo. Eles trazem os últimos flagelos para os ímpios. Agora não é mais tempo de oportunidade. A medida dos ímpios transbordou. Chegou o juízo. É a consumação da ira de Deus.

Antes dos anjos derramarem os flagelos finais sobre os ímpios, João vê a igreja na glória (Ap 15.2). João vê um mar. Na praia, ele vê uma multidão vitoriosa. Essa multidão é composta dos vencedores da besta e eles estão cantando, enquanto os seguidores da besta estão atormentados (15.2; 16.10,11).

Onde está esse mar de vidro? Diante do trono, no céu (4.6). A igreja está no céu, na glória. Esse mar de vidro simboliza a retidão transparente de Deus revelada por meio de Seus juízos sobre os ímpios.

Quem é essa multidão? Os vencedores da besta. Eles venceram a besta sendo mortos por ela. Se tivessem conservado a vida e sido infiéis na fé teriam sido derrotados. Assim, os vencedores da besta são aqueles que amaram mais o Senhor do que suas próprias vidas. "Viva te vencerei, morta vencer-te-ei ainda mais", respondeu Blandina ao seu carrasco. Quem é essa multidão? São todos os remidos ao longo dos séculos. São os 144.000 (Ap 7.4) ou a multidão inumerável (7.9). Jesus disse que quem quiser salvar a sua vida, perdê-la-á.[3]

O que essa multidão está fazendo? Ela está com harpas de Deus, entoando um hino de glória ao Senhor, o Deus Todo-poderoso (5.8). Essa música é o mesmo novo cântico que ninguém podia aprender, senão os 144.000 (14.3). No céu há muita música. A música do céu glorifica tão somente o Senhor. Vamos nos unir aos coros angelicais e cantar ao Senhor para sempre.

Que música essa multidão está cantando? O cântico de Moisés e do Cordeiro. O êxodo é um símbolo e tipo da redenção que temos em Cristo. Assim como Moisés triunfou sobre Faraó e suas hostes, a igreja triunfa sobre o diabo e suas hostes. Esse é um cântico de vitória! Assim como Moisés tributou a vitória a Deus (Êx 15.1-3), os remidos também o fazem (15.3-4).

Antes de João escutar as blasfêmias dos ímpios, ele ouve o cântico dos remidos (15.3-4; 16.10-11). Quais são as características do cântico vitorioso dos remidos? Os mártires não cantam sobre si mesmos e como venceram a besta. Antes, eles estão totalmente concentrados em glorificar a Deus. O céu é o lugar onde os homens são capazes de esquecerem de si mesmos, de seus títulos, conquistas e vitórias e recordar somente a Deus.[4] Quando você contempla a Deus na Sua glória, nada mais importa. Diante da glória de Deus, os mártires esquecem-se de si mesmos e exaltam somente o Senhor. No céu entenderemos que nada mais importa, exceto Deus.

Como é esse cântico dos remidos?

Em primeiro lugar, *ele exalta a Pessoa de Deus. Deus é o Senhor Todo-poderoso* (15.3). Isto está em contraste ao trono do Dragão, seu poder e autoridade (13.2) e o grande e universal poder da besta (13.4,7,8). O diabo é poderoso, mas só Deus é o Senhor Todo-poderoso. Só Ele

---
[3] Mateus 10.39.
[4] BARCLAY, William. *Apocalipsis*, p. 364.

recebe exaltação para sempre. Deus é o Rei das Nações (15.3). O rei das nações não é a besta (13.7), mas o Senhor Todo-poderoso (15.3). Deus é temível e digno de glória (15.4). A grande pergunta era "quem é como a besta?" Agora, a questão é: "quem não temerá e não glorificará o Teu nome?" Esse é o temor irrestrito, acima de qualquer respeito a governantes terrenos (At 4.19; 5.29). Deus é Santo (15.4). A santidade de Deus é única, singular e é ela que atrai todas as nações.

Em segundo lugar, *esse cântico exalta as obras de Deus. Elas são grandes e admiráveis* (Ap 15.3). O universo está nas mãos do Senhor. Ele é quem redime o Seu povo e quem castiga os ímpios. Deus é inescapável. Quando Ele age ninguém pode impedir a Sua mão. Os atos de justiça de Deus se fizeram manifestos (15.4). Deus vindicou a Sua justiça quando remiu os Seus eleitos por meio do sacrifício do Seu Filho e vindicou Sua justiça condenando os impenitentes à condenação eterna.

Em terceiro lugar, *esse cântico exalta os caminhos de Deus. Eles são justos e verdadeiros* (15.3). Os caminhos de Deus são a forma de Ele agir. Ele nunca pode ser acusado de injustiça nem de meios ilegítimos. Seus caminhos são justos e verdadeiros tanto na salvação dos eleitos, como na punição dos impenitentes. Os ímpios foram avisados pelas trombetas, mas não se arrependeram. Assim, os flagelos finais sobre os ímpios serão absolutamente justos.

Em quarto lugar, *esse cântico exalta o triunfo final de Deus. Todas as nações virão e adorarão diante dEle* (15.4). Isto está em contraste com a adoração universal da besta (13.7-8). As nações vão se prostrar diante do Deus Todo-poderoso. Todo joelho vai se curvar diante de Jesus (Fp 2.8-11). Só Ele é exaltado eternamente.

Os anjos dos últimos flagelos se preparam para agir (Ap 15.5-8)

Os sete anjos do flagelo saem do Santuário de Deus (15.5-6). O santuário era o lugar da habitação de Deus com o povo (Êx 25.8). No lugar santíssimo ficava a arca com as Tábuas da Lei. Isso significa que os anjos saem do lugar onde ficava a Lei de Deus. Saem para demonstrar como funciona a Lei de Deus. Saem para demonstrar mediante a vingança divina que nenhum homem ou nação pode desafiar impunemente a vontade de Deus. Ninguém pode desobedecer à Lei de Deus sem sofrer o castigo da Lei. Aqui *santuário* designa a morada de Deus, o céu. Esses anjos vêm da presença de Deus e servem a Deus quando derramam os juízos. A igreja jamais deve duvidar disso.

Os sete anjos são ministros agentes de Deus (15.6b). As vestimentas dos anjos simbolizam três coisas: Primero, essas vestes eram peculiares dos sacerdotes. O sacerdote era uma espécie de intermediário entre Deus e os homens. Ele representava Deus diante dos homens. Esses anjos vêm ao mundo como representantes da ira vingadora de Deus. Segundo, essas vestes eram peculiares dos reis. Esses anjos vêm à terra para derramar os flagelos finais da ira de Deus com o poder do Rei dos reis. Terceiro, essas vestes eram peculiares dos habitantes do céu. Os anjos são habitantes do céu que vêm à terra para executar os decretos de Deus.

Os cálices de ouro que os anjos trazem estão cheios da ira de Deus (15.7). Essas sete taças da ira de Deus estão cheias e atingem o mundo inteiro: a terra, o mar, os rios, os astros, os homens, o ar. Ninguém pode esconder-se do Deus irado. Esse dia será dia de trevas e não de luz. Os homens desmaiarão de terror. A justiça de Deus é vingar as injustiças dos homens e ninguém pode deter esse juízo nem desviá-lo. Aqui não são catástrofes naturais nem os anjos maus que afligem os ímpios, mas o próprio Deus irado.

Os anjos do juízo saem do santuário cheio da fumaça inacessível da glória de Deus (15.8). Quando o tabernáculo ficou pronto no deserto, a glória de Deus o encheu (Êx 40.34-35), e Moisés não pôde entrar. Quando o templo de Salomão foi consagrado, a glória de Deus o encheu (1Rs 8.10-11) e os sacerdotes não puderam entrar. Quando Isaías viu a Deus no santuário, a glória de Deus o encheu (Is 6.4), e as bases do limiar se moveram. Quando Ezequiel viu a glória de Deus encher o templo, ele caiu com o rosto em terra (Ez 44.4). O santuário cheio de fumaça, sugere duas ideias: Primeiro, os propósitos de Deus serão obscuros para os homens. Eles não podem entender nem penetrar nos inescrutáveis planos de Deus. Segundo, a glória de Deus torna-se inacessível. Agora Deus está inacessível para tudo o mais. O mesmo templo que era lugar de encontro com Deus, agora está fechado, inacessível.

Agora não tem mais tempo. Não há mais intercessão. Chegou a hora final. É a consumação da cólera de Deus. É o dia do juízo, quando a ira sem mistura será derramada sobre os ímpios (14.10). Qualquer oposição à Sua glória será destroçada.

Estes flagelos são a resposta de Deus ao último e maior esforço de satanás para derrubar o governo divino. Aqueles que parecem escapar agora do juízo dos homens e de Deus, jamais escaparão do juízo final de Deus. Devemos nos voltar para Deus agora, enquanto é tempo, enquanto Ele está perto.[5] Chegará o dia em que será tarde demais. Enquanto os ímpios estão maduros para o juízo, o mundo de Deus, a Palavra de Deus, e o povo de Deus estão cheios de canções de adoração ao Senhor. A criação foi celebrada com música. O nascimento de Jesus foi celebrado com música. A volta de Jesus também será celebrada com música.

---

[5] Isaías 55.6.

23

Os sete flagelos da ira de Deus

Apocalipse 16.1-21

AS SETE TAÇAS DA IRA DE DEUS têm uma grande semelhança com as dez pragas sobre o Egito, bem como uma profunda conexão com as sete trombetas.[1] Enquanto as trombetas eram alertas de Deus ao mundo ímpio, as taças falam da cólera consumada de Deus. As trombetas são uma advertência, enquanto as taças falam da consumação da ira de Deus sobre os ímpios. Nas trombetas a ira de Deus estava misturada com a misericórdia, mas nas taças vemos a ira de Deus sem mistura. Quem se recusa a ser admoestado pelas trombetas do juízo (Ap 8-11), é destruído pelas taças da ira (Ap 15-16). William Hendriksen diz que para um indivíduo, uma certa calamidade pode ser uma trombeta de juízo, enquanto que para outro, aquele mesmo evento, pode ser uma taça da ira. Assim, a enfermidade que arrojou o rei Herodes Agripa ao inferno serviu de advertência para os outros.[2]

É um princípio constantemente repetido e enfatizado nas Escrituras, que Deus sempre adverte antes de finalmente punir (dilúvio, Sodoma, Egito, Jerusalém, juízo final). Enquanto as trombetas atingem primeiramente o ambiente onde vive o homem, as taças atingem desde o

---

[1] HENDRIKSEN, William. *Más que Vencedores*, p. 193.
[2] HENDRIKSEN, William. *Más que Vencedores*, p. 194.

início os homens. Enquanto as trombetas causam tribulações parciais, objetivando trazer ao arrependimento os impenitentes, as taças mostram que a oportunidade de arrependimento está esgotada. As trombetas atingem apenas um terço da natureza e dos homens, as taças trazem uma destruição completa. Enquanto nos selos e nas trombetas há um interlúdio antes da cena do juízo, agora não há mais interlúdio, as taças são derramadas sem interrupção.

Os flagelos não devem ser analisados literalmente, mas descrevem o total desamparo dos ímpios no juízo, quando a igreja já está no céu, junto ao trono. A ceifa precede a vindima.

A humanidade está dividida entre os selados de Deus e os selados da besta, entre os seguidores do Cordeiro e os seguidores do dragão, entre os que estão diante do trono e aqueles que serão atormentados eternamente.

Esta quinta seção paralela, assim como todas as outras, compreende também toda a dispensação da igreja, e termina com a cena da igreja na glória e os ímpios sob o juízo divino, na segunda vinda de Cristo.

O primeiro flagelo: **A terra é atacada** (Ap 16.1-2)

Esse primeiro flagelo não é mais advertência, mas punição. Todos aqueles que não têm selo de Deus, são marcados pela besta. Não há meio termo. Quem não é por Cristo, é contra Ele. Não há neutralidade em relação a Deus. No tempo do fim a religião não será mais algo nominal: todo mundo terá de declarar lealdade a Cristo ou ao anticristo.[3] Os adoradores da besta recusaram ouvir as advertências; agora, eles estão sofrendo inevitavelmente as consequências: são atormentados.

Com respeito aos crentes em Cristo, as aflições da carne não são taças da ira de Deus (Rm 8.28). Essas aflições só atingem os adoradores da besta.

O segundo flagelo: **O mar é atacado** (Ap 16.3)

Se no primeiro flagelo temos o tormento dos homens, agora temos a destruição completa. O mar se torna em sangue. A destruição não é

---

[3] LADD, George. *Apocalipse*, p. 155.

apenas parcial, mas total. A destruição não é apenas ambiental, mas a vida acaba-se no mar. Para esse flagelo não há limites, todas as criaturas do mar morrem.

Este flagelo não fala de um acontecimento literal, mas de um símbolo patético, dramático, que representa o colapso da natureza, no dia do juízo.

O terceiro flagelo: **Os rios são atacados** (Ap 16.4-7)

As fontes das águas e os rios transformam-se em fontes de sangue. A última aparição do altar foi no quinto selo, quando as almas dos santos clamavam debaixo do altar pela vindicação da justiça divina. A primeira parte da resposta de Deus àquela oração foi enviar, no lugar de punição, uma advertência com as trombetas. Mas, agora, a Sua resposta se completa literalmente com uma vingança. Novamente nesse flagelo não há limites. Deus é apresentado como o Juiz Onipotente, Justo, Eterno, Santo e Vingador (16.5-7). O julgamento dos que martirizaram os santos corresponde ao mal que fizeram. Recebem somente o que merecem.

O julgamento de Deus atingiu um mundo rebelde, para justiça dos que foram martirizados (Ap 6.9), em resposta às orações dos santos perseguidos (13.7).

O quarto flagelo: **O céu é atacado** (Ap 16.8-9)

Os pecadores que não se arrependeram quando o sol escureceu são agora punidos mediante a intensificação do calor do sol. O escurecimento do sol eles podiam perceber e ignorar; quanto ao calor, nada podem fazer a não ser senti-lo. Nessas circunstâncias, a presença de Deus é reconhecida, mas somente para ser blasfemada e não para ser reverenciada.

Deus admoesta que quando suas advertências não são ouvidas, sua punição será sentida. As pessoas atingidas reconheceram tratar-se de uma ação divina; mas seus corações são tão endurecidos que aos invés de caírem de joelhos diante de Deus, eles blasfemam o Seu nome e teimosos se recusam a se arrependerem e Lhe darem glória.

Os homens não são santificados por meio do sofrimento, ao contrário, se fazem ainda mais iníquos e blasfemam contra Deus.

O quinto flagelo: **O tormento** (Ap 16.10-11)

Deus punirá os homens que não se arrependerem através da terra e do mar, através da água e do fogo, mas Ele fará mais do que isso. Quando o quinto flagelo é derramado, todo o sistema humano é lançado em completa desordem.

O trono da besta é o maior golpe de satanás. Ele invadiu toda a estrutura da sociedade humana, fazendo uma sociedade sem Deus. O reino da besta está em oposição ao reino de Cristo. É sobre essa imponente estrutura que o quinto flagelo é derramado e daí a confusão.

Os seguidores da besta sofrerão, mas não calados; eles blasfemarão. Os ímpios não são transformados por meio do sofrimento, ao contrário, se fazem ainda mais iníquos.[4] Novamente não há qualquer traço de arrependimento. Eles preferem morder a língua a gritar: nós pecamos![5] Quanto mais severos os juízos, tanto mais duros os corações.

Existe somente um único caminho de volta para Deus: *ninguém vem ao Pai senão por mim*, disse Jesus (Jo 14.6). Quem não vem pela graça, não vem de modo nenhum.

O sexto flagelo: **A destruição** (Ap 16.12-16)

Apocalipse 16.12 fala que as águas do rio Eufrates secaram, abrindo o caminho para a invasão do inimigo. Os versículos 13-14 nos informam sobre a tríade do mal: o dragão, a besta e o falso profeta no seu esforço de seduzir e ajuntar os reis da terra contra o Senhor. Quando satanás e o mundo se armarem na sua luta mais terrível contra a igreja, Cristo aparecerá para livrar o Seu povo e triunfar sobre os Seus inimigos. Esses espíritos imundos representam ideias, planos, projetos, métodos satânicos introduzidos dentro da esfera do pensamento e ação. Essa batalha das nações contra Cristo e Sua igreja é de inspiração satânica.

Apocalipse 16.15 nos fala que a derrota final do inimigo será manifestada na volta inesperada e gloriosa de Cristo. A segunda vinda será repentina e inesperada. Quando João diz que Jesus vem como ladrão,

---

[4]HENDRIKSEN, William. *Más que Vencedores*, p. 195.
[5]POHL, Adolf. *Apocalipse de João*. Vol. 2, p. 158.

a ideia não é de astúcia nem de surpresa. O ponto de destaque, diz George Ladd, é que a segunda vinda de Jesus não é esperada.[6] Isso para os ímpios, visto que os filhos da luz estarão esperando (1Ts 5.4-6). A igreja precisa estar vigiando, esperando a volta do Senhor (Mt 24.42). Jesus ilustra o caráter imprevisto da Sua volta (Mt 24.43-44; 1Ts 5.2-3).

Apocalipse 16.16 nos fala do Armagedom: lugar de muitas batalhas decisivas em Israel. Armagedom é um símbolo, mais do que um lugar. Fala da batalha final, da vitória final, quando Cristo virá em glória e triunfará sobre todos os Seus inimigos.

O sexto flagelo é o último estágio da punição divina. Quando satanás percebe que a sua derrota é inevitável, ele incita as nações contra Deus. Nessa batalha final Jesus esmaga todos os inimigos debaixo dos Seus pés. É o fim. É o Armagedom. Armagedom é quando os homens que rejeitaram a Cristo terão que vê-lo na Sua majestade. Eles lamentarão sobre Ele. William Hendriksen faz a seguinte exposição acerca do Armagedom:

> Armagedom é o símbolo de todas as batalhas nas quais, quando a necessidade é maior e os crentes são oprimidos, o Senhor manifesta de repente Seu poder a favor de Seu povo angustiado e vence o inimigo [...]. Mas a verdadeira, grande e final batalha do Armagedom coincide com aquele período quando satanás será solto [...], quando o mundo, sob a direção de satanás, do governo anticristão e da religião anticristã, o dragão, a besta, o falso profeta se congregam contra a igreja para a batalha final, e a necessidade é maior; quando os filhos de Deus, oprimidos por todos os lados, clamam por socorro, então Cristo aparecerá de repente e dramaticamente para livrar o Seu povo. Aquela tribulação final, aquela aparição de Cristo em nuvens de glória para livrar o Seu povo é o Armagedom. É por esta razão que o Armagedom é a sexta taça. A sétima é o dia do juízo.[7]

Assim, o sexto flagelo fala do ARMAGEDOM, a segunda vinda de Cristo. O sétimo flagelo fala do dia do juízo.

---

[6]LADD, George. *Apocalipse*, p. 159.
[7]HENDRIKSEN, William. *Más que Vencedores*, p. 197.

O sétimo flagelo: **O mundo não mais existe** (Ap 16.17-21)

O derramamento do sétimo flagelo remove o tempo e a história e os substitui pela eternidade. Quando aquele dia vier, não são somente as ilhas e as montanhas da terra criadas por Deus que desaparecerão, mas as cidades, a civilização, que são a conquista do orgulho humano, inspirado por satanás, também entrarão em colapso. Com isso, a punição divina estará feita (16.17). O sexto flagelo traz a destruição total; o sétimo traz a extinção total. Quanto mais severos os juízos, tanto mais duros os corações. O sofrimento por si mesmo não pode levar o homem a Deus. Existe somente um caminho de volta para Deus: *ninguém vem ao Pai senão por mim* (Jo 14.6). Assim, encerra-se a série das taças com o bombardeio de cima e a gritaria de baixo.[8]

A vitória de Cristo é completa, final e esmagadora. O trono do dragão e o reinado da besta parecem invencíveis. Mas os reinos deste mundo cairão, os inimigos serão vencidos. A igreja triunfará. Cristo virá em glória e a história fechará suas cortinas. O fim terá chegado!

---

[8]Pohl, Adolf. *Apocalipse de João*. Vol. 2, p. 165.

24

Ascensão e queda da grande meretriz

Apocalipse 17.1-18

ESTAMOS INICIANDO A SEXTA SEÇÃO PARALELA (17-19). Mais uma vez veremos que ela culmina, e agora, de forma mais clara, na segunda vinda de Cristo, com Sua vitória triunfal sobre Seus inimigos: o dragão, a besta que sobe do mar, a besta que se levanta da terra, a grande meretriz e os homens que têm a marca da besta. O capítulo 17 de Apocalipse fala da natureza da grande meretriz. O capítulo 18 mostra o caráter inevitável, completo e irrevogável da queda da Babilônia e o capítulo 19 introduz o regozijo no céu por causa da completa derrota da grande meretriz, bem como o lançamento das duas bestas no lago de fogo.[1]

Nessa seção uma forte ênfase é dada à grande Babilônia. Isso, porque esse foi e é um tema fundamental para a igreja de Cristo. Adolf Pohl diz que o fato de essa ser a mais longa de todas as visões do Apocalipse revela a importância que o tema "Babilônia" tinha e tem para as igrejas.[2] O livro de Apocalipse nos mostra cinco inimigos de Cristo: o dragão, o anticristo, o falso profeta, a grande meretriz e os homens que têm a marca da besta. Esse quadro é apresentado nos capítulos 12 a 14.

---

[1] HENDRIKSEN, William. *Más que Vencedores*, p. 200.
[2] POHL, Adolf. *Apocalipse de João*. Vol. 2, p. 167.

Agora vamos ver a queda desses inimigos em ordem decrescente: No capítulo 17 vemos a história da grande meretriz. No capítulo 18 a sua queda completa. No capítulo 19 vemos Cristo triunfando sobre todos os Seus inimigos em Sua segunda vinda.

O capítulo 17 nos aponta três quadros: o primeiro faz uma descrição da grande meretriz. O segundo, descreve a besta. O terceiro, fala da vitória de Cristo e da Sua igreja.

A descrição da grande meretriz (Ap 17.1-6,18)

Seis fatos são dignos de destaque nessa descrição da grande meretriz.

Em primeiro lugar, *vejamos o contraste entre a noiva e a meretriz; entre a nova Jerusalém e a grande Babilônia.* (Ap 17.1). João recebe uma visão e ele pode contrastar essa visão com outra (21.9). Ele é chamado para ver a queda da falsa igreja e o triunfo da igreja verdadeira.

O diabo sempre tentou imitar a Deus. Assim é que temos o contraste entre a noiva e a meretriz, a cidade santa e a grande Babilônia. A noiva fala da igreja verdadeira, a meretriz da igreja apóstata. A Babilônia fala da cidade do mundo, a nova Jerusalém da cidade de Deus. As duas figuras representam a mesma coisa: a mulher e a cidade. Ambas as figuras representam a falsa igreja. A mulher aqui descrita é o sistema eclesiástico de satanás. Todos os sistemas idólatras são meretrizes, suas filhas. A grande Babilônia não é apenas uma cidade, mas também é a grande meretriz. A Babilônia já havia sido mencionada (14.8; 16.19). Em ambas sua queda já havia sido prevista.

Em segundo lugar, *a grande meretriz é conhecida pela sua influência mundial* (17.1,15). A religião prostituída está presente em todos os povos. Onde Deus tem uma igreja verdadeira, satanás levanta a sua sinagoga. A Babilônia não é apenas cultura sem Deus, mas também cultura contra Cristo. Ela sempre entra em conflito com os seguidores do Cordeiro. Ela sempre tomará um rumo anticristão se a igreja for verdadeiramente igreja.

Em terceiro lugar, *a grande meretriz é conhecida pela sua riqueza* (17.4). Suas vestes são de escarlate. Está adornada de ouro, pedras preciosas e pérolas. Ela segura em sua mão um cálice de ouro. A religião prostituída, o mundo, faz ostentação da sua riqueza e do seu luxo. Este quadro é uma descrição perfeita do mundo à parte de Cristo, blasonando sobre sua riqueza, alimentação, banquetes, carros, equipamentos, vestuário e toda a sua beleza e glória. A meretriz é atraente e repulsiva ao mesmo tempo. Martyn Lloyd-Jones comenta:

> Pensem no mundo, pensem no mundanismo, vejam-no nas ruas de qualquer cidade grande. Vejam-no e ponderem-no nos noticiários. Vejam-no nos asssim chamados informes da sociedade e, então, uma vez feito isso, venham e leiam estes capítulos reveladores. Vejam o adorno, a riqueza, a luxúria, a própria devassidão do mundo; vejam a ostentação de si mesmo e de seus grandes homens e mulheres. Eis toda a sedução do mundo, o resultado da ação da grande meretriz que chama e atrai reis, príncipes, ricos mercadores e igualmente pessoas comuns. É-nos fornecido um quadro perfeito do mundo à parte de Cristo, blasonando de sua riqueza, blasonando de sua alimentação, de seus banquetes, de seus carros, de seu equipamento, de seu vestuário e de toda a sua beleza e Sua glória. Mas logo em seguida leiam o que lhe acontecerá. Leiam como será destruído total e absolutamente. Oh, se ao menos compreendêssemos esse ensino, jamais nos sentiríamos tentados outra vez pelo mundanismo![3]

Em quarto lugar, *a grande meretriz é conhecida pela sua sedução* (17.2,4,5). A igreja falsa sempre se uniu aos reis e governos mundanos numa relação promíscua e devassa. O estado sempre procurou se unir à religião para conseguir os seus propósitos. Essa meretriz não se prostitui apenas com os reis, mas dá a beber do vinho da sua devassidão a todos os habitantes da terra. Ela é uma religião popular. Ela atrai as multidões. Ela não impõe limites. As heresias, o liberalismo e o sincretismo são expressões dessa grande meretriz que seduz os homens a viverem na impiedade e na devassidão. William Hendriksen diz que a Babilônia simboliza a concentração do luxo, do vício, e do encanto deste mundo. É o mundo visto como a personificação da *concupiscência da carne, a concupiscência dos olhos e a soberba da vida* (1Jo 2.16).[4]

---

[3]LLOYD-JONES, Martyn. *A igreja e as Últimas Coisas*, p. 242-243.
[4]HENDRIKSEN, William. *Más que Vencedores*, p. 202.

O copo é de ouro, mas no interior do copo tem devassidão (17.4b). O que isso significa? As revistas pornográficas, o luxo, a fama, o poder mundano, as concupiscências da carne. Os governos anticristãos não destroem todos os edifícios da igreja, ao contrário, mudam alguns deles em lugares de diversão mundana. O mundo ao mesmo tempo que seduz os ímpios, persegue os cristãos. A ordem de Deus para os fiéis é sair do meio dela (18.4).

Em quinto lugar, *a grande meretriz é conhecida pela sua violência* (17.6). A meretriz que vive no luxo tem duas armas: sedução e perseguição. Ela seduz, mas também mata. Ela atrai, mas também destrói. Ela está embriagada não de vinho, mas do sangue dos santos e dos mártires. Não podemos fazer distinção entre o sangue dos santos e o sangue dos mártires. Eles são santos porque pertencem a Deus; são mártires porque morreram por Ele.[5] A Babilônia não é apenas cultura sem Deus, mas também cultura contra Cristo.[6] A Babilônia foi Roma, é a Roma papal, o mundo em todo tempo, em todo lugar, que seduz e destrói aqueles que amam a Deus. A meretriz é aquela que sempre se opõe à Noiva.

A meretriz sempre quis destruir a Noiva do Cordeiro. Ela tem perseguido e matado muitos crentes ao longo da história. Essa meretriz era Roma nos dias de João (17.18). Os santos eram despedaçados em seus circos para a diversão e passatempo do público.

Depois vieram as fogueiras inquisitoriais do catolicismo romano e os massacres dos governos totalitários. Desde o princípio da Ordem dos Jesuítas em 1540, supõe-se que 900.000 pessoas tenham perecido sob a crueldade papal. O papado ao longo da história foi quem orquestrou muitas perseguições sanguinárias: Em 1208 por ordem do papa foram exterminados os cristãos Albigenses na França. Na Espanha foram mais de 300.000 martirizados e banidos. Carlos I (1500-1550) eliminou por ordem do papa 50.000 cristãos alemães. O papa Pio V nos anos 1566 a 1572 exterminou 100.000 anabatistas. O papa Gregório XIII em 1572 organizou com os jesuítas o extermínio dos protestantes da França. No

---

[5] LADD, George. *Apocalipse*, p. 166.
[6] POHL, Adolf. *Apocalipse de João*. Vol. 2, p. 171.

dia 24 de agosto de 1572, a famigerada Noite de São Bartolomeu, por ordem da rainha Catarina de Médice e o apoio do papa foram mortos 70.000 huguenotes na França.

Paul Johnson, tratando sobre a perseguição dos comunistas ateus no século XX, escreve:

> Muito mais pessoas foram assassinadas pelos comunistas ateus só neste século do que em todos os séculos anteriores somados! O mundo esperou até este século para que o termo "genocídio" fosse cunhado. Os estados totalitários do século XX (todos os quais foram ateus e anticristãos) mostraram ser os maiores assassinos de todos os tempos.[7]

James Kennedy, ilustre pastor da igreja Presbiteriana de Coral Ridge, em Fort Lauderdale, Flórida, a maior igreja presbiteriana dos Estados Unidos da América, citando dr. Barret, diz que desde o início da igreja até os dias de hoje, houve cerca de quarenta milhões de mártires cristãos. A maioria dessas mortes ocorreu no século XX. Mais mártires foram mortos nas últimas nove décadas do que em todos os 19 séculos anteriores somados.[8]

Em sexto lugar, *a grande meretriz está associada com a besta* (17.3). A igreja apóstata vai se aliar à besta. Ela está sentada sobre os povos (Ap 17.1) e sobre a besta (17.3), sobre os quais a besta governa (13.7-8). A besta é o movimento perseguidor anticristão durante toda a história, personificado em sucessivos impérios mundiais. A besta é passada, presente e futura. A meretriz representa o mundo como o centro de sedução anticristã em qualquer momento da história. Adolf Pohl diferenciando a Babilônia da besta escreve:

É preciso diferenciar a Babilônia da besta, caracterizada por violência, guerra e subjugação. Cultura e violência podem convergir, mas também separar-se novamente (17.3,16). A besta sozinha, sem a bela cavaleira, seria uma afronta. É por isso que ela gosta de se servir da cultura e de

---
[7] JOHNSON, Paul. *Modern Times*. New York, NY: Harper and Row, 1983, p. 729.
[8] KENNEDY, James. *As Portas do Inferno não Prevalecerão*. Rio de Janeiro, RJ: CPAD, 1998, p. 250.

seus recursos inebriantes. Esta é, portanto, a solução perfeita: em primeiro plano a mulher fascinante, no fundo os dentes arreganhados da besta, caso os seres humanos se tornem atrevidos demais. Os ideais ressoam nas grandes praças, porém nas ruas laterais a tropa de choque está de prontidão. Isso é o máximo que se pode oferecer sem Deus.[9]

Essa meretriz é personificada como a cidade de Roma na época de João (17.18). A cidade imperial atraía com seus prazeres os reis das nações. Roma era uma cidade louca pelos prazeres. No fim, a besta vai se voltar contra essa própria igreja apóstata para destruí-la, visto que desejará ser adorada como se fosse Deus (17.16).

A descrição da **besta** (Ap 17.7-17)

A besta que João vê é a mesma que emergiu do mar (17.7-8). Essa besta recebe o trono do dragão, seu poder e autoridade. Essa besta é temida e ninguém é considerado capaz de enfrentá-la. Essa besta recebe adoração de pessoas de todos os povos e nações. Essa besta é um sistema de governo anticristão e uma pessoa. A besta é uma expressão de todo o governo anticristão que persegue a igreja ao longo dos séculos e será um homem escatológico que receberá o poder do dragão para governar por um breve tempo.

A besta tem algumas características distintivas. Ela era, não é, está para emergir do abismo e caminha para a destruição (17.8). A besta foi a personificação dos grandes impérios do passado. Já não é, porque esses impérios caíram. Está para emergir porque antes da segunda vinda, o anticristo se levantará para caminhar para a destruição. As sete cabeças da besta são sete montes e também sete reis (17.9). Ao mesmo tempo, João descreve tanto o anticristo como a meretriz como Roma (17.9,18). A Roma imperial era a expressão do governo anticristão, que agia com sedução e violência. Mas, João olha para o anticristo e vê nele também sete reis, ou sete reinos mundiais anticristãos: Egito, Assíria, Babilônia, Pérsia, Grécia, império romano, reino do anticristo. Cinco reinos caíram, um existe, e outro ainda não chegou e quando chegar

---
[9]KENNEDY, James. *As Portas do Inferno não Prevalecerão*, p. 171.

terá que durar pouco (17.10). Os cinco primeiros impérios já tinham caído. João viu o império romano. Mas o reino do anticristo escatológico ainda não chegou e quando chegar vai durar pouco. Os reformadores entenderam que essa sétima cabeça é o papado romano. Os dez chifres são dez reis (17.12-13). Esses reis são um símbolo de todos os reinos do mundo que darão suporte para o levantamento do anticristo, para se levantar contra Cristo e Sua igreja.

A besta se voltará contra a meretriz para destruí-la (17.16). Aqui o quadro muda. Por uma razão não explicada se forma uma espécie de guerra civil na sede da besta. A besta e os dez reis se voltam contra a meretriz para devastá-la. É uma espécie de caos entre os inimigos de Deus, quando eles se levantam para se destruirem (Ez 38.21). O mundo vai destruir a si mesmo. O reino de satanás vai estar dividido contra si mesmo e não vai prevalecer. Os homens estarão desiludidos com os seus próprios prazeres.

Babilônia será despida, ridicularizada e exibida em toda a sua imundícia como bruxa que ela realmente é. A maquiagem e o adorno serão tirados, e ela será exibida em sua terrível nudez e imundícia. A Babilônia vai cair! (18.2). Os homens vão estar enfatuados com seus prazeres, mas também não se voltarão para Deus e por isso serão destruídos. Os prazeres do mundo passam. Eles não satisfazem a alma.

O sistema do mundo entrará em colapso. Os dez reis marcharão primeiro com a besta para a batalha final contra o Cordeiro. Batidos pelo Cordeiro (17.14), eles se voltam com fúria cega contra a mulher, a fim de dilacerar aquela que até aqui carregaram com admiração (17.2). A derrota diante de Cristo, portanto, é seguida da autodestruição do mundo anticristão.[10] Assim, o mundo em discórdia contra o Cordeiro, cai em discórdia contra si mesmo.

A soberania de Deus domina até mesmo sobre os seus inimigos (17.17). A soberania de Deus é absoluta no universo. Os reis da terra e até mesmo a besta estão debaixo da soberania absoluta de Deus. Ele traz esses inimigos com anzóis em seus queixos para que eles bebam do cálice da sua ira e sofram a sentença do Seu juízo eterno.

---

[10] KENNEDY, James. *As Portas do Inferno não Prevalecerão*, p. 183.

A descrição da **vitória de Cristo** e da igreja (Ap 17.8,14)

A vitória de Cristo é devida ao Seu sacrifício (17.14). Cristo é o Cordeiro. O Cordeiro foi morto e comprou com o Seu sangue aqueles que procedem de toda tribo, povo, língua e nação (5.9). A igreja vence o dragão pelo sangue do Cordeiro (12.11). O Cordeiro de Deus é vencedor em todas as batalhas. Cristo saiu vencendo e para vencer.

A vitória de Cristo é devida à Sua suprema posição (17.14). Ele é o Rei dos reis e o Senhor dos senhores. Seu nome é acima de todo nome. Diante dEle todo joelho precisa se dobrar. Quando Ele vier na Sua glória vai matar o anticristo com o sopro da Sua boca (11.11-19; 16.14-21; 19.11-21; 2Ts 2.8). Pode parecer que durante algum tempo as forças anticristãs pareçam estar ganhando o domínio (11.7; 13.7), mas quando o anticristo estiver parecendo vitorioso, sua derrota será repentina, fragorosa e final.

A vitória de Cristo será completa sobre todos os Seus inimigos (17.8-11, 12-14, 15-16). A felicidade dos ímpios revela-se como uma felicidade falsa. João vê o fim da besta (17.8-11), o fim dos dez reis (17.12-14) e o fim da mulher meretriz (Ap 17.15-16). Apocalipse 19.20 mostra que tanto o anticristo como o falso profeta serão lançados no lago de fogo.

A igreja vencerá junto com Cristo (17.8,14). A igreja é a Noiva do Cordeiro. Ela é a cidade santa. A igreja vence o dragão, a meretriz e a besta. A igreja é mais do que vencedora. Embora, algumas vezes, é uma igreja mártir; mas, sempre, também, é uma igreja vencedora!

A besta tem os seus selados, mas esses perecerão com ela. Cristo também tem os Seus selados, cujos nomes estão escritos no Livro da Vida e estes vão reinar para sempre com Ele. A igreja não é apenas um grupo de chamados e eleitos, mas também de fiéis. A prova da eleição é a fidelidade a Cristo. Quem não é fiel não dá provas de que é eleito.

Os prazeres do mundo terminam em desilusão, fracasso, ruína, derrota e perdição eterna. Aqueles que se deixam seduzir pela riqueza, prazeres do mundo, ao fim, estarão fascinados pela besta em vez de serem seguidores do Cordeiro. Aqueles cujos nomes estão escritos no Livro da Vida enfrentarão vitoriosamente tanto a sedução do mundo como a sua violência. Eles vencerão com o Cordeiro, pois a vitória de Cristo é completa e final!

25

As vozes da queda da Babilônia

Apocalipse 18.1-24

CHARLES ERDMAN DIZ QUE A LITERATURA DO MUNDO possui poucas páginas que se comparem, em força dramática, à cena da queda da Babilônia apresentada pelo apóstolo João.[1]

A Babilônia é mais um símbolo do que um lugar. Babilônia refere-se à Babilônia dos tempos de Babel, à Babilônia de Nabuconodosor, a senhora do mundo; a Roma dos Césares, a Roma dos papas e a todos os impérios do mundo que se levantaram contra Deus e Sua igreja. A Babilônia aqui não é apenas a Babilônia escatológica, mas a Babilônia atemporal, o mundo como centro de sedução em qualquer época.

Babilônia aqui é um símbolo da rebelião humana contra Deus. É o sistema do mundo que se opõe contra Deus. No capítulo 17, Babilônia era a grande meretriz, a religião apóstata, em contraste com a Noiva do Cordeiro, a igreja verdadeira.

No capítulo 18, a Babilônia é o mundo, a cidade da luxúria, a morada dos demônios, em contraste com a Nova Jerusalém, a cidade santa, a morada de Deus.

---

[1] ERDMAN, Charles R. *Apocalipse*, p. 110.

Warren Wiersbe, em seu comentário sobre Apocalipse, diz que João ouviu quatro vozes que sintetizam a queda da Babilônia: a voz da condenação, a voz da separação, a voz da lamentação e a voz da celebração.[2]

A voz da **condenação** (Ap 18.1-3)

A queda da Babilônia é um fato consumado nos decretos de Deus (18.2). A queda registrada aqui não é a da Babilônia histórica, prevista por Isaías e Jeremias (Is 13.19-22; Jr 51.24-26). De igual forma, a queda aqui não é apenas a previsão da queda de Roma, a Babilônia simbólica (17.18), mas é a queda da Babilônia escatológica, o sistema religioso, econômico e político sem Deus e antiDeus (18.2). Essa queda já havia sido declarada (14.8; 17.16). A queda da Babilônia é um fato consumado na mente e nos decretos de Deus, como o é a nossa glorificação.

A Babilônia, torna-se morada de demônios enquanto a igreja é a morada de Deus (18.2). A igreja, a Noiva do Cordeiro, é a habitação de Deus (21.3), enquanto a Babilônia, a grande meretriz, torna-se habitação de aves imundas, símbolo dos demônios (Mt 13.31-32). Enquanto prostituta, ela contracenou com a mulher celestial no capítulo 12, ou com a noiva celestial do capítulo 19. Enquanto cidade ela é imagem oposta à Jerusalém celestial do capítulo 21.[3] Isso significa um lugar totalmente destituído de Deus, da Sua Palavra e do Seu povo.

A queda da Babilônia é em razão da sua devassidão moral, espiritual e econômica (18.2-3). O sistema religioso e econômico da Babilônia poluiu o mundo todo. Esse sistema intoxicou as pessoas do mundo inteiro, levando as pessoas a adorarem o dinheiro e se prostrarem diante de outros deuses. Os homens tornaram-se mais amantes dos prazeres do que de Deus (2Tm 3.4). O dinheiro é o maior senhor de escravos do mundo. Ele é mais do que uma moeda ou um instrumento de transação comercial, ele é um deus. Os homens embriagados pelo espírito da Babilônia amaram o mundo e as coisas que há no mundo. Foram dominados pela concupiscência dos olhos, da carne e

---

[2] WIERSBE, Warren. *The Bible Expository Commentary*. Vol. 2, p. 614-616.
[3] POHL, Adolf. *Apocalipse de João*. Vol. 2, p. 186.

pela soberba da vida (1Jo 2.15-17). Mas esses prazeres jamais puderam satisfazer o coração dos homens. No dia em que esse sistema cair, eles ficarão totalmente desolados.

A voz da **separação** (Ap 18.4-8)

A ordem de Deus é para Sua igreja sair desse sistema do mundo (18.4). Em todo o tempo, a igreja de Deus deve apartar-se do mal, do sistema do mundo, da falsa religiosidade.[4] No pecado nunca existe verdadeira comunhão. Não ganhamos o mundo sendo igual a ele.

Esse êxodo ou sair não é geográfico, assim como essa Babilônia não é geográfica. Essa Babilônia não é nenhuma cidade específica da terra, visto que o povo de Deus está espalhado por todo o mundo. Essa Babilônia tem dimensões mundiais, diz Adolf Pohl.[5] Estamos no mundo, mas não somos do mundo. Sair da Babilônia significa não participar dos seus pecados, não ser enganado por suas tentações e seduções. Deus mandou Abraão sair da sua terra e do meio da sua parentela para conhecer e servir ao Deus vivo (Gn 12.1). Deus mandou Ló deixar Sodoma antes de ela ser destruída pelo fogo (Gn 19.14). Deus mandou Israel sair do Egito e não se misturar com as nações pagãs nem adorar os seus deuses. Deus ordenou à Sua igreja a afastar-se desse sistema religioso e mundano (2Co 6.14-7.1).

Deus não apenas ordena à igreja sair da Babilônia, mas dá razões para isso (18.4-8):

Em primeiro lugar, *para que a igreja não se torne cúmplice de seus pecados* (Ap 18.4). Participar da Babilônia significa ser igual a ela e afundar-se com ela.[6] O crente não pode tornar-se participante dos pecados do mundo.[7] Ele é santo, separado, diferente. Ele é sal e luz. Ele foi resgatado do mundo. Está no mundo, mas não é do mundo. Agora é luz no meio das trevas.

---

[4]A admoestação para sair da Babilônia é feita ao povo de Deus em todos os tempos (Is 48.20; 52.11; Jr 50.8; 51.54; Zc 2.7; 2Co 6.16-18).
[5]POHL, Adolf. *Apocalipse de João*. Vol. 2, p. 189.
[6]POHL, Adolf. *Apocalipse de João*. Vol. 2, p. 189.
[7]Veja At 2.40; 1Co 6.18; 1Co 10.14; 2Co 6.17; 1Tm 6.11; 2Tm 2.22.

Em segundo lugar, *para que a igreja não participe dos flagelos que sobrevirão à Babilônia* (Ap 18.4). Deus pacientemente suportou os pecados da Babilônia. Mas o dia do juízo virá e então, ela sofrerá os flagelos da ira de Deus. Deus a julgará quando o cálice de seus pecados transbordar (18.5). Os que põem seu coração no mundo sofrerão terríveis consequências. Vão ser condenados com o mundo.[8] A Babilônia semeou, ela vai colher!

Em terceiro lugar, *para que a igreja entenda quais são os critérios do julgamento divino* (18.6-8). Quais são os pecados específicos que Deus julgará? 1) Orgulho (18.7). A soberba é a porta de entrada da tragédia. O culto a si mesmo é abominável para Deus. Ela não deu a Deus a glória e agora está sendo destruída. O mundo está sempre ostentando sua riqueza, seus banquetes, suas festas, seu brilho. Mas Deus resiste ao soberbo; 2) O culto ao prazer e à luxúria (18.7). O sistema do mundo enxerga os bens materiais e os prazeres do mundo como as coisas mais importantes da vida. Os homens trocam Deus pelo prazer. Amam mais os prazeres do que a Deus.[9] Mas no dia final esses prazeres não poderão satisfazer nem darão segurança.

Em quarto lugar, *para que a igreja entenda que o juízo de Deus virá repentinamente* (18.8). O povo de Deus não pode demorar-se em sair desse sistema do mundo, porque o juízo de Deus cairá sobre ele repentinamente e o desmantelará num só dia (Is 47.9; Jr 50.31). Quando chegar o dia do juízo não haverá escape da ira de Deus. Como diz a Escritura: *Horrenda coisa é cair nas mãos do Deus vivo* (Hb 10.31).

A voz de **lamentação** (Ap 18.9-19)

Esse parágrafo mostra o lamento dos reis, dos mercadores e dos marinheiros ao verem a derrocada da Babilônia e a futilidade de seus investimentos. Ao mesmo tempo, mostra o grito de vitória da igreja de Deus no céu (18.20).

Em primeiro lugar, *vejamos o lamento dos reis e dos homens poderosos, homens de influência na terra* (18.9-10). Esses reis são os políticos

---

[8] 1Coríntios 11.32.
[9] 2Timóteo 3.4.

e aqueles que se renderam às tentações da Babilônia e desfrutaram de seus deleites. Babilônia ou Roma aqui é vista como o sistema político que se associou com o mundo. Os políticos, governados pela luxúria, ganância e soberba vão ficar amedrontados quando esse sistema entrar em colapso e vão chorar e lamentar em alta voz (18.9,10). Roma era o centro do comércio e da política nos dias de João. Era conhecida pela sua extravagância e luxúria. Política e economicamente as pessoas eram dependentes de Roma.

Em segundo lugar, *vejamos o lamento dos mercadores* (18.11-16). Os mercadores aqui sãos os empresários, negociantes e todos aqueles que têm colocado o coração nas mercadorias e deleites do mundo. Eles choram porque de repente suas mercadorias vão ficar sem valor (Lc 12.16-21). De repente tudo aquilo que lhes proporciona prazer vai desaparecer. Aquilo em que confiavam e em que tinham prazer não vai poder salvá-los.

A Babilônia, o mundo louco pelo prazer, vai ficar completamente desamparada. João cita aqui trinta artigos de luxo. Na contagem o número quatro desempenha um papel importante:[10] 1) Quatro artigos de joias (18.11-12) – mercadoria de ouro, de prata, de pedras preciosas, de pérolas; 2) Quatro tecidos de luxo (18.12) – linho finíssimo, púrpura, seda, escarlata. Foi assim que a meretriz se vestiu (Ap 17.4), mas essas coisas não têm valor permanente; 3) Quatro artigos para ornamentação (18.12) – toda espécie de madeira odorífera, todo gênero de objeto de marfim, toda qualidade móvel de madeira preciosíssima, de bronze, de ferro e de mármore; 4) Quatro artigos cosméticos (18.13) – canela de cheiro, incenso, unguento e bálsamo; 5) Quatro artigos de cozinha (18.13) – vinho, azeite, flor de farinha e o trigo; 6) Quatro artigos de mercadoria viva (18.13) – gado e ovelhas, escravos e almas humanas. Os mercadores negociam até mesmo os homens escravos como se fossem mercadoria. No império romano havia 60 milhões de escravos. Faziam tudo e qualquer coisa com o fim de se enriquecerem. Adolf Pohl, citando Foerster, escreve:

---

[10]POHL, Adolf. *Apocalipse de João*. Vol. 2, p. 195.

Não ter escravo era considerado tão ruim como não possuir roupa ou abrigo. Cidadãos pobres tinham somente de três a quatro escravos. Dez perfazia um número apenas suficiente. Somente 200 escravos era considerado um número grande para uma casa. Algumas famílias possuíam em suas propriedades rurais e em instalações semelhantes a fábricas até dez mil escravos. Segundo uma estimativa, no primeiro século havia 23 escravos para cada homem livre.[11]

Essa lista de carregamentos que pertencem à Babilônia e perecem inclui: 1) *reino mineral*: ouro, prata, pedras e pérolas; 2) *reino vegetal*: linho, seda, púrpura e escarlata; 3) *reino animal*: gado, ovelhas e cavalos; 4) *reino humano*: os corpos e as almas dos homens. Por isso quando a Babilônia perece, o caos econômico é completo. Aqui está a queda de todas as Babilônias. É a queda final do reino do anticristo. É o fim de todas as coisas.

Em terceiro lugar, **vejamos o lamento dos homens de navegação** (18.17-19). Mencionam-se quatro classes: os pilotos, os passageiros dispostos a negociar, os marinheiros e os que ganham a vida no mar, a saber, os exportadores, os importadores, os pescadores e os mergulhadores em busca de pérolas. Vemos aqui, o desespero dos ímpios que colocaram sua confiança na riqueza e nos prazeres do mundo. Posto que os homens ímpios colocam toda a sua esperança nas riquezas e prazeres desta vida, quando o mundo e as coisas que há nele passarem, eles perecerão juntos. A única coisa que vai lhes restar é um doloroso lamento (18.18-19).

A voz da **celebração** (Ap 18.20-24)

Em contraste com o lamento dos ímpios, a igreja no céu está celebrando a vindicação da justiça divina (18.20). A Babilônia que se embriagou com o sangue dos santos e perseguiu a igreja, agora está completamente desamparada. A justiça de Deus foi vindicada. O mundo passa. A Babilônia cai, mas a igreja de Cristo canta. Esta

---

[11]POHL, Adolf. *Apocalipse de João*. Vol. 2, p. 197.

celebração não é o grito da vingança pessoal, mas o regozijo pelo justo julgamento de Deus.

A ruína total da Babilônia é demonstrada (18.21). Assim como uma pedra arrojada no fundo do mar, Babilônia cairá para não mais se levantar. Depois da morte vem o juízo[12] e depois do juízo vem a condenação eterna.[13]

A Babilônia torna-se o lugar onde todas as coisas boas estarão ausentes (18.22-23). Primeiro, não tem música: lá só se ouve voz de lamento, e não voz de harpistas. Segundo, não tem arte criadora: lá não tem artífice. Terceiro, não tem suprimento: Os moinhos já não moem mais. No passado, Babilônia era o mercado do mundo. Agora está como deserto. Quarto, não tem luz: as trevas são um símbolo da efusão final da ira de Deus. Deus é luz. Condenação eterna é ir para as trevas eternas, trevas exteriores. Essas trevas espessas durarão eternamente. Quinto, não tem relação de amor: não tem casamento, nem poesia, nem sonhos.

Babilônia, o sistema destruído do mundo, é um símbolo da oposição a Deus e à Sua igreja (18.23b-24). Babilônia é a sede da feitiçaria, o espírito que substitui Deus por magias e também o centro de perseguição à igreja, onde os profetas e santos foram mortos. Charles Erdman, escrevendo sobre a queda da Babilônia, afirma:

A Babilônia não é a antiga capital às margens do Eufrates, nem é a cidade do Tigre, materialmente falando, mas é Roma como símbolo espiritual, Roma que reproduz a crueldade, o poder e a luxúria de Nabucodonosor; Roma como encarnação de tudo quanto é pagão, apóstata e oposto a Cristo. Deste modo compreendida, a vemos, em parte, concretizada na Roma imperial, na Roma papal, em outras cidades ímpias e em movimentos e sistemas anticristãos.[14]

O ponto principal que devemos observar é que este mundo arrogante e sedento de prazer, a Babilônia, perecerá com todas suas riquezas e prazeres sedutores, com toda a sua cultura e filosofia anticristãs, com suas multidões que têm abandonado a Deus e vivido conforme os

---

[12]Hebreus 9.27.
[13]Mateus 25.41-46.
[14]ERDMAN, Charles R. *Apocalipse*, p. 113.

desejos da carne. Os ímpios sofrerão penalidade eterna. Assim Deus disse, assim Deus fará.

A grande pergunta é: Você é um cidadão da grande Babilônia, a cidade condenada ou cidadão da Nova Jerusalém, a cidade celestial?

26

Os céus celebram o **casamento** e a vitória do Cordeiro de Deus

Apocalipse 19.1-21

ESTAMOS CHEGANDO AO MOMENTO CULMINANTE da história da humanidade. Em Apocalipse 1-11 vimos a perseguição do mundo sobre a igreja e como Deus enviou seus juízos sobre ele. Em Apocalipse 12-16, vimos como esta batalha se torna mais renhida e agora o dragão, o anticristo, o falso profeta e a grande meretriz se juntam para perseguir o Cordeiro e a Sua igreja.

Nos capítulos 17 e 18 de Apocalipse vimos como o sistema do mundo, representado pela religião falsa e os sistemas político e econômico entram em colapso.

Agora João tem a visão da alegria do céu pela queda da Babilônia, a alegria do céu pelas bodas do Cordeiro e a visão da gloriosa vinda de Cristo e Sua vitória retumbante sobre Seus inimigos.

Os céus celebram o **triunfo final** de Deus sobre a grande meretriz (Ap 19.1-6)

A meretriz que corrompia a terra e matava os servos de Deus está sendo julgada (19.2). A condenação eterna do mal e dos malfeitores é um julgamento justo e verdadeiro. Deus não pode premiar o mal. Ele é ético. Quando a Babilônia caiu, a ordem foi dada no céu: *Exultai sobre ela ó céus, e vós, santos, apóstolos e profetas, porque Deus contra ela julgou a vossa causa* (18.20). Jesus está julgando a meretriz, a falsa igreja, e casando-se com Sua noiva, a verdadeira igreja. Ao mesmo tempo que a religião prostituída diz: Ai, Ai; a noiva do Cordeiro, a igreja, diz: Aleluia!

O poder do mundo, que é transitório, está caindo (19.1). A grande meretriz, o sistema religioso, político e econômico que dominou o mundo e ostentou sua riqueza, poder e luxúria entra em colapso. O mundo passa. Na segunda vinda de Cristo esse sistema estará completamente destruído.

Os céus se regozijam porque Deus está julgando os Seus inimigos. Deus está no trono. dEle são a salvação, a glória e o poder. O poder da falsa religião caiu. As máscaras da falsa religião caíram. A grande meretriz, o falso sistema religioso, é condenada por dois motivos: Primeiro, ela corrompeu a terra com a sua prostituição (19.2). Ela levou as nações a se curvarem diante de ídolos. Ela desviou as pessoas do Deus verdadeiro. Ela ensinou falsas doutrinas. Ela se esforçou para produzir apóstatas em vez de discípulos de Cristo. Segundo, ela matou os servos de Deus (19.2). A falsa religião sempre se opôs à verdade e perseguiu os arautos da verdade. Ela matou os santos, os profetas, os apóstolos e muitos mártires ao longo da história.

A condenação desse sistema do mundo é eterna (19.3). Não apenas o mal será vencido, mas os malfeitores serão atormentados eternamente. A Bíblia fala sobre penalidades eternas. Não existe nada de aniquilação, mas de tormento sem fim.

A igreja e os anjos adoram a Deus porque Ele está reinando (19.4-6). Deus sempre esteve no trono. O inimigo sempre esteve no cabresto de Deus. Mas agora chegou a hora de colocar todos os inimigos debaixo dos Seus pés. Agora chegou o dia do Deus Todo-poderoso julgar. Todos os inimigos serão lançados no lago de fogo.

O livro do Apocalipse é o livro dos tronos. Deus agora conquista os tronos da terra. O trono do diabo, do anticristo, do falso profeta, da Babilônia, dos poderosos do mundo estarão debaixo dos pés de Jesus. Os impérios poderosos cairão. As superpotências econômicas cairão. Os déspotas cairão. Todo joelho vai se dobrar diante do Senhor. Aleluia porque só o Senhor reina! O coro celestial é unânime: *Aleluia! Pois reina o Senhor, nosso Deus, o Todo-poderoso* (19.6).

Os céus celebram o **casamento da noiva** com o seu noivo, o Cordeiro de Deus (Ap 19.6-10)

A meretriz é julgada, enquanto a esposa é honrada (19.7-8). Enquanto a meretriz, a falsa igreja, é julgada, a verdadeira igreja, a esposa do Cordeiro, é honrada. Enquanto a meretriz tem suas vestes manchadas de prostituição e violência, as vestes da esposa do Cordeiro são o mais limpo, o mais puro e o mais fino dos linhos.

A esposa se atavia, mas as vestes lhe são dadas. A igreja se santifica, mas essa santificação vem do Senhor. A igreja desenvolve a sua salvação, mas é Deus quem opera nela tanto o querer como o realizar.

Os bem-aventurados convidados para as bodas e a esposa são a mesma pessoa (19.9). Essa é uma sobreposição de imagens. A noiva é a igreja e os convidados para as bodas são todos aqueles que fazem parte dela. Os convidados e a noiva são uma e a mesma coisa. A igreja é o povo mais feliz do universo. A eternidade será uma festa que nunca acaba.

O noivo é descrito como Cordeiro (19.7). Ele quer ser lembrado pelo Seu sacrifício pelo pecado. Como Noivo da igreja, Jesus quer ser amado e lembrado como aquele que deu a vida por Sua amada, a igreja.

As bodas falam da consumação gloriosa do relacionamento de Cristo com Sua igreja (19.7). O casamento de Cristo com Sua igreja será um casamento perfeito, sem crise, sem divórcio. A palavra "esposa" é a tradução correta (*gene*), e não "noiva" (*numphe*).[1]

As bodas do Cordeiro podem ser melhor compreendidas quando examinamos a cultura dos hebreus. O costume matrimonial dos hebreus tinha quatro fases distintas:[2] Em primeiro lugar, *o noivado*. Era algo mais profundo do que o significado de um compromisso de noivado para nós. A obrigação do matrimônio era aceita na presença de testemunhas e a bênção de Deus era pronunciada sobre a união. Desde esse dia o noivo e a noiva estavam legalmente casados (2Co 11.2).

Em segundo lugar, *o intervalo*. Durante o intervalo, o esposo pagava ao pai da noiva um dote. Nesse tempo, também, a noiva se preparava e

---

[1] LADD, George. *Apocalipse*, p. 182.
[2] HENDRIKSEN, William. *Más que Vencedores*, p. 215-216.

se ataviava para receber o seu noivo. Ela devia apresentar-se a ele como noiva santa, pura, sem mácula.

Em terceiro lugar, *a procissão para a casa da noiva*. Ao final do intervalo, o noivo saía em procissão para a casa da noiva. O noivo em seu melhor traje, era acompanhado de seus amigos que cantavam levando tochas e seguiam em direção à casa da noiva. O noivo recebia a noiva e a levava em procissão ao seu próprio lar.

Em quarto lugar, *as bodas propriamente ditas*. As bodas incluem a festa que durava sete ou quatorze dias. Agora a igreja está desposada com Cristo. Ele já pagou o dote por ela. Ele comprou a sua esposa com Seu sangue. O intervalo é o período que a noiva tem para se preparar. Ao final desse tempo, o noivo vem acompanhado dos anjos para receber a Sua Noiva, a igreja. Agora começam as bodas. O texto registra esse glorioso encontro: *Alegremo-nos e exultemos e demos-Lhe glória, porque são chegadas as bodas do Cordeiro, cuja esposa a si mesma já se ataviou* (19.7). As bodas continuam não por uma semana, mas por toda a eternidade. Oh dia glorioso será aquele!

Os céus se abrem para a **vinda triunfal do noivo**, o Rei dos reis (Ap 19.11-21)

Há vários aspectos nesse texto, dignos de nota e destaque.

Em primeiro lugar, *a aparição do Noivo, o Rei dos reis* (19.11). João vê Jesus vindo vitoriosamente do céu. O céu se abre. Desta vez o céu está aberto não para João entrar (4.1), mas para Jesus e Seus exércitos saírem (19.11). A última cena da história está para acontecer. Jesus virá para a última batalha. É o tempo da grande tribulação. Satanás estará dando suas últimas cartadas. O anticristo e o falso profeta estarão seduzindo o mundo e perseguindo a igreja. Mas Jesus aparece como o supremo conquistador. Ele aparece repentinamente em majestade e glória!

Em segundo lugar, *a descrição do Noivo, o Rei dos reis* (19.11-13,15-16). Ele é fiel e verdadeiro (19.11), em contraste com o anticristo que é falso e enganador. Ele é Aquele que a tudo perscruta (19.12). Seus olhos são como chama de fogo. Nada ficará oculto de Seu profundo julgamento. Ele vai julgar suas palavras, obras e os segredos do seu coração.

Aqueles que escaparam do juízo dos homens não escaparão do juízo de Deus. Ele é o vencedor supremo (19.12b). *Na Sua cabeça há muitos diademas*. Ele tem na Sua cabeça a coroa do vencedor e do conquistador. Quando entrou em Jerusalém, Ele montou um jumentinho. Ele entrou como servo. Mas agora Ele cavalga um cavalo branco. Ele tem na Sua cabeça muitas coroas, símbolo da Sua suprema vitória. Ele é insondável em Seu ser (19.12c). Isso revela que nós jamais vamos esgotar completamente o Seu conhecimento. Ele é a Palavra de Deus em ação (19.13). Deus criou o universo através da Sua Palavra. Agora Deus vai julgar o mundo através da Sua Palavra. Jesus é o grande Juíz de toda a terra. Ele é o amado da igreja e o vingador de Seus inimigos (19.13,15). Seu manto está manchado de sangue, não o sangue da cruz, mas o sangue dos Seus inimigos (Is 63.2-3). Ele vem para o julgamento. Ele vem para colocar os Seus inimigos debaixo dos Seus pés. Ele vem para recolher os eleitos na ceifa e pisar os ímpios como numa lagaragem (14.17-20). Ele vem para julgar as nações (Mt 25.31-46). Ele é o Rei dos reis e o Senhor dos senhores (19.16). Deus o exaltou sobremaneira, deu-Lhe o nome que está acima de todo nome. Diante dEle todos os Seus inimigos devem se dobrar: o diabo, o anticristo, o falso profeta, os reis da terra, os ímpios.

Em terceiro lugar, *os exércitos ou acompanhantes do Noivo, o Rei dos reis* (19.14). O rei virá em glória, ao som retumbante da trombeta de Deus. Cristo descerá do céu, todo o olho o verá. Ele virá pessoalmente, fisicamente, visivelmente, audivelmente, poderosamente, triunfantemente. O Rei virá com o Seu séquito: os anjos e os remidos (Mt 24.31; Mc 13.27; Lc 9.26; 1Ts 4.13-18; 2Ts 1.7-10). Um exército de anjos descerá com Cristo. Os salvos que estiverem na glória virão com Ele entre nuvens, como vencedores, montados em cavalos brancos. Todos estarão trajando vestiduras brancas. Outrora, a nossa justiça era como trapos de imundícia, mas agora, vamos vestir vestiduras brancas. Somos justos e vencedores.

Em quarto lugar, *a derrota dos inimigos pelo Rei dos reis é descrita em toda a sua hediondez* (19.17-18). Enquanto os remidos são convidados para entrar no banquete das bodas do Cordeiro, as aves são convidadas a se banquetearem com as carnes dos reis, poderosos, comandantes, cavalos e cavaleiros. Há um contraste entre esses dois banquetes:

O primeiro é o banquete da ceia nupcial do Cordeiro, ao qual todos os santos são convidados (19.7-9). O segundo, o banquete dos vencidos, ao qual todas as aves de rapina são convocadas. Isso indica que todo o poder terreno chegou ao fim. A vitória de Cristo é completa!

Em quinto lugar, *o Rei dos reis triunfa sobre Seus inimigos na batalha final, o Armagedom* (19.19-21). Essa será a peleja do Grande Dia do Deus Todo-poderoso (16.14). Os exércitos que acompanham a Cristo não lutam. Mas, Jesus Cristo destruirá o anticristo com o sopro da Sua boca pela manifestação da Sua vinda (2Ts 2.8). Todas as nações da terra o verão e lamentarão sobre Ele (1.7). Quando os inimigos do Cordeiro se reunirem, então, sua derrota será total e final (19.19-21). Esta batalha Jesus a vence não com armas, mas com a Palavra, a espada afiada que sai da Sua boca (19.15).

Aquele dia será dia de trevas e não de luz para os inimigos de Deus. Ninguém poderá escapar. Aquele será o grande dia da ira do Cordeiro e do juízo de Deus. O anticristo e o falso profeta serão lançados no lago de fogo, onde a meretriz também estará queimando (19.3,20). Eles jamais sairão desse lago. Serão atormentados pelos séculos dos séculos (20.10). As duas bestas são derrotadas e lançadas no lago de fogo. Os poderes seculares e todas as falsas religiões serão lançados no lago de fogo e destruídos para sempre.[3] Enquanto os inimigos de Deus estarão sendo atormentados por toda a eternidade, a igreja desfrutará da intimidade de Cristo nas bodas do Cordeiro para todo o sempre.

Em breve Cristo voltará como o Rei dos reis e Senhor dos senhores. É Cristo o senhor da sua vida hoje? Você está preparado para se encontrar com Cristo? Vigie para que aquele grande dia não apanhe você de surpresa.

---

[3] LLOYD-JONES, Martyn. *A igreja e as Últimas Coisas*, p. 244.

27

o milênio
e o juízo final

Apocalipse 20.1-15

ESTE É O CAPÍTULO MAIS POLÊMICO do livro de Apocalipse. Não há consenso entre os estudiosos sobre sua interpretação. Os prémilenistas creem que o milênio relatado no capítulo 20 de Apocalipse sucede cronologicamente à segunda vinda de Cristo, descrita no capítulo 19. Os amilenistas creem que o capítulo 20 é o início de outra seção paralela e não sucessão cronológica do capítulo 19. William Hendriksen coloca isso da seguinte maneira:

Apocalipse 19.19-21 nos tem levado ao final da história, ao dia do juízo final. Em Apocalipse 20 regressamos ao princípio da dispensação atual. Assim, a conexão entre os capítulos 19 e 20 é semelhante à que existe entre os capítulos 11 e 12. Apocalipse 11.18 anuncia "o tempo dos mortos, para que sejam julgados". O fim havia chegado. Todavia, em Apocalipse 12 volvemos ao princípio do período neotestamentário, porque Apocalipse 12.5 descreve o nascimento, a ascensão e a coroação de nosso Senhor [...]. Uma vez vista esta "ordem de eventos" ou "programa da história", não é difícil de entender Apocalipse 20. Somente é necessário recordar a ordem de sucessão: a primeira vinda de Cristo é seguida por um longo período no qual satanás permanece atado; por sua vez isso é seguido pelo "pouco tempo" de satanás; e o pouco tempo de satanás é seguido pela segunda vinda de Cristo, ou seja, vinda para o juízo. Deve ficar claro para qualquer um que leia com cuidado Apocalipse 20, que os "mil anos" antecedem à segunda vinda de nosso Senhor para o juízo.[1]

A ideia de um milênio literal na terra foi fortemente combatida por Agostinho de Hipona. Os reformadores seguiram a mesma interpretação de Agostinho. A Confissão Luterana de Augsburgo condena o quiliasmo (milênio) como "opiniões judaicas" e a Confissão Helvética, da igreja reformada, como "devaneios judaicos". A interpretação de Agostinho mantém-se até hoje.[2]

Apocalipse 19.19-21 nos leva ao final da história, ao dia do juízo. Apocalipse 20 retorna ao começo da dispensação atual. Assim, a conexão entre os capítulos 19 e 20 é semelhante à conexão dos capítulos 11 e 12. Apocalipse 11.18 anuncia o dia do juízo e Apocalipse 12.5 descreve o nascimento, ascensão e coroação de Cristo.

Assim, o milênio antecede a segunda vinda de Cristo, e não sucede a ela. O capítulo 12 introduz os cinco inimigos da igreja: o dragão, a besta, o falso profeta, a meretriz e os selados da besta. Todos caem juntos. Apenas as cenas são descritas em telas diferentes.

A interpretação de um milênio literal enfrenta várias dificuldades:

Primeiro, não encontramos essa ideia de um milênio terrenal após a segunda vinda de Cristo nos evangelhos e nas epístolas paulinas e gerais.

Segundo, o Novo Testamento ensina uma única volta de Cristo, e não duas.

Terceiro, uma interpretação literal desse número, em um livro de simbolismos, especialmente neste capítulo saturado de símbolos, é um obstáculo considerável.

Quarto, o milênio fala de Cristo reinando fisicamente aqui neste mundo, enquanto o Seu ensino mostra que o Seu reino é espiritual.

Quinto, a ideia de um milênio na terra e a posição de preeminência dos judeus, reintroduz aquela distinção entre judeus e gentios já abolida (Cl 3.11; Ef 2.14,19). Só existe uma igreja e uma noiva, formada de judeus e gentios.

---

[1] HENDRIKSEN, William. *Más que Vencedores*, p. 222-223.
[2] POHL, Adolf. *Apocalipse de João*. Vol. 2, p. 234-235.

Sexto, a ideia do milênio terrenal ensina que haverá pelo menos duas ressurreições, uma de crentes antes do milênio e outra de ímpios depois do milênio e isto está em oposição ao que o restante da Bíblia ensina (Jo 5.28-29; Jo 6.39,40,44,54; 11.24).

Sétimo, a ideia do milênio cria a grande dificuldade da convivência do Cristo glorificado com os santos glorificados vivendo com homens ainda na carne (Fp 3.21).

Oitavo, como conceber a ideia de que as nações estarão sob o reinado de Cristo mil anos e depois elas se rebelam totalmente contra Ele (20.7-9)?

Nono, a cena descrita por João em Apocalipse 20 de forma alguma ocorre na terra; é uma cena celestial.

Décimo, todo o ensino do Novo Testamento é que o juízo é universal e segue imediatamente à segunda vinda, mas a crença no milênio terrenal, o juízo acontece mil anos depois da segunda vinda e só para os incrédulos.

Arthur Lewis diz que constitui-se um obstáculo intransponível a ideia pré-milenista que ensina a permanência de pecadores convivendo com os santos glorificados durante o reino milenar de Cristo na terra.[3] Nesta mesma linha W. J. Grier fala dos paradoxos de um reinado terreno de mil anos: 1) Os santos glorificados estarão em uma terra ainda não "glorificada" ou renovada, isto é, ainda não purificada pelo fogo; 2) Santos, com corpos glorificados, se misturarão com santos e com pecadores que não terão corpos glorificados; 3) satanás será acorrentado para que não mais engane as nações; apesar disso, elas continuarão, realmente, inimigas de Cristo, prontas para obedecer a satanás e a guerrear contra os santos, tão logo termine o milênio. Os rebeldes parecem até mais numerosos que os justos, ao se findar esse período, pois são "como a areia do mar", enquanto que os santos se reúnem em um "arraial" e em uma "cidade" e só fogo vindo do céu salva o frágil agrupamento.[4] O próprio dr. Russell Shedd, um dos mais respeitados

---

[3] LEWIS, Arthur H. *The Dark Side of the Millennium*. Grand Rapids, Michigan: Baker, 1980, p. 21-25.
[4] J. W. GRIER. *Os Últimos Acontecimentos*, p. 90.

estudiosos do Novo Testamento, diz: "Nós não temos suficiente informação na Bíblia para responder a todas as perguntas levantadas. O que fica bem assentado é a esperança que João coloca no fim de seu livro. Haverá um período (se 'mil anos' é literal ou não, não nos preocupa) de paz e segurança total".[5]

O que, pois, são os mil anos? Martyn Lloyd-Jones responde:

> Sugiro-lhes que é uma figura simbólica com o intuito de indicar a perfeita extensão de tempo, conhecida de Deus, e unicamente de Deus, entre a primeira e a segunda vinda. Não são mil anos literais, mas a totalidade do período enquanto Cristo está reinando até que seus inimigos sejam feitos estrado de seus pés e Ele regresse para o juízo final.[6]

O capítulo 20 de Apocalipse pode ser dividido em quatro quadros distintos:

A prisão de satanás (Ap 20.1-3)

Quatro perguntas nos chamam a atenção:

Em primeiro lugar, *o que significa a prisão de satanás?* Segundo Apocalipse 9.1,11; 11.7; 20.1-3, podemos concluir que o poço do abismo tem uma tampa (Ap 9.1) que pode ser aberta (Ap 9.2), fechada (20.3) e selada (20.3). João vê que o anjo tem a chave do abismo e uma grande corrente (20.1). Diz que ele prendeu a satanás por mil anos (20.3). E que o fechou no abismo até completarem os mil anos. Isso tudo é um simbolismo. Um espírito não pode ser amarrado com corrente. Prendeu, fechou e selou são termos que denotam a limitação do seu poder. Satanás está limitado em sua ação de três formas: algemas, chave e selo. Nem no próprio abismo, nem sobre a terra, nem no céu ele tem poder para agir livremente. Satanás só pode ir até onde Deus permite (Jó 1.12; 2.6). Ele está mantido sob freio.[7]

---

[5]SHEDD, Russell P. *A Escatologia do Novo Testamento*, p. 61.
[6]LLOYD-JONES, Martyn. *A igreja e as Últimas Coisas*, p. 273.
[7]KISTEMAKER, Simon. *Apocalipse*, p. 672.

Isso significa que a sua autoridade e seu poder foram restringidos. Satanás não pode mais enganar as nações. A evangelização dos povos foi ordenada e Deus vai chamar os Seus eleitos![8] A prisão de satanás não significa que ele está inativo, fora de cena. Ele está na corrente de Deus. Essa corrente é grande. Mas ele é um inimigo limitado.

Em segundo lugar, *o que significa que satanás não pode mais enganar as nações?* A prisão de satanás tem a ver com a primeira vinda e não com a segunda vinda. Vários textos bíblicos comprovam isso. Em Mateus 12.29 lemos: *Ou como pode alguém entrar na casa do valente e roubar-lhe os bens sem primeiro amarrá-lo? E, então, lhe saqueará a casa.* Em Lucas 10.17-18 está escrito: *Então, regressaram os setenta, possuídos de alegria, dizendo: Senhor, os próprios demônios se nos submetem pelo Teu nome! Mas Ele lhes disse: Eu via satanás caindo do céu como um relâmpago.* De igual forma em João 12.31-32 está registrado: *Chegou o momento de ser julgado este mundo, e agora o seu príncipe será expulso. E eu, quando for levantado da terra, atrairei todos a mim mesmo.* Colossenses 2.15 diz: *E, despojando os principados e as potestades, publicamente os expôs ao desprezo, triunfando deles na cruz.* Hebreus 2.14 afirma: *...para que, por sua morte, destruísse aquele que tem o poder da morte, a saber, o diabo.* 1Jo 3.8 ainda afirma: *...Para isto se manifestou o Filho de Deus: para destruir as obras do diabo.* Finalmente, lemos em Apocalipse 12.5-17 que a expulsão de satanás foi o resultado da coroação de Cristo. Assim, a amarração de satanás começou na primeira vinda de Cristo e isso é o que provavelmente Apocalipse 20.2 significa.

Simon Kistemaker, elucidando a questão da razão da prisão de satanás, escreve:

> Por toda a era veterotestamentária, somente a nação de Israel recebeu revelação de Deus (Rm 3.2). Embora nomes de indivíduos não judeus fossem inscritos nos registros divinos e adotados em sua família (Sl 87.4-6), as nações gentílicas estavam destituídas de Sua Palavra. Mas tudo isso mudou depois que Cristo ressurgiu, quando instruiu Seus seguidores a fazer discípulos de todas as nações (Mt

---
[8] Romanos 8.30; João 6.37; 10.16.

28.19-20). Desde a ascensão de Jesus, a satanás se tornou impossível deter o avanço do evangelho da salvação. Ele tem estado preso e destituído de autoridade, enquanto as nações do mundo ao redor do globo têm recebido as alegres boas-novas. O Filho de Deus tomou posse dessas nações (Sl 2.7-8) e privou satanás de desencaminhá-las durante esta era evangélica. Cristo está atraindo para Si pessoas de todas as nações, e dentre elas os eleitos de Deus serão salvos e atraídos ao Seu reino.[9]

A prisão ou restrição do poder de satanás tem a ver com a obra de Cristo na cruz e com a evangelização das nações, de onde Deus chama eficazmente todos os Seus eleitos. Satanás está restrito em seu poder no sentido de que não pode destruir a igreja (Mt 16.18) nem pode impedir que os eleitos de todas as nações recebam o evangelho e creiam (Rm 8.30). Satanás é impotente para evitar a expansão da igreja entre as nações por meio de um trabalho missionário ativo. A igreja é internacional. O particularismo da antiga dispensação (judeus) deu lugar ao universalismo da nova (igreja).[10]

Precisamos voltar a esse ponto e deixar bem claro que a prisão de satanás não significa sua inatividade. Satanás está vivo e ativo no planeta terra. Mais uma vez William Hendriksen é oportuno em seu comentário:

> O diabo não está atado em todo o sentido. Sua influência não está destruída completamente. Pelo contrário, dentro da esfera em que se lhe permite exercer sua influência para o mal, ele brama furiosamente. Um cão atado firmemente com uma longa coleira pode fazer muito dano dentro do círculo da sua prisão. Porém, fora daquele círculo o cão não pode causar nenhum dano. Apocalipse 20.1-3 nos ensina que o poder de satanás está refreado e sua influência restringida a respeito de uma esfera definida de atividade: "para que não mais engane as nações". Claro está que o diabo pode fazer muito durante este período de mil anos. Mas há uma coisa que ele não pode fazer durante este período! A respeito dessa coisa ele está amarrado definida e firmemente. Não

---

[9] KISTEMAKER, Simon. *Apocalipse*, p. 673.
[10] HENDRIKSEN, William. *Más que Vencedores*, p. 228.

pode destruir a igreja como uma poderosa organização missionária, publicadora do evangelho a todas as nações, e não pode fazê-lo até que se cumpram os mil anos.[11]

Em terceiro lugar, *o que significa o pouco tempo em que satanás será solto depois do milênio?* William Hendriksen diz que esse pouco tempo retrata o mesmo período da grande tribulação, a apostasia e o reinado do anticristo. Esse é o tempo que antecede à segunda vinda de Cristo.[12]

Em quarto lugar, *o que significam os mil anos durante os quais satanás é preso?* Este capítulo usa várias figuras simbólicas. O abismo, a corrente, a prisão, e também o milênio. O número mil sugere um período de completude, um período inteiro. Sugere um longo período, um período completo, o número dez cubicado. Mil anos é o tempo que vai da primeira vinda de Cristo até o tempo da grande tribulação, da apostasia, do aparecimento do homem da iniquidade, do período chamado "pouco tempo" de satanás, que precede à segunda vinda de Cristo. É o período que Cristo está reinando até colocar todos os inimigos debaixo dos Seus pés (1Co 15.23-25). Esse período do milênio precede o juízo e o juízo no ensino geral das Escrituras segue imediatamente à segunda vinda (Mt 25.31; Rm 8.20-22).

Nessa mesma linha de pensamento, o conhecido estudioso dessa matéria Antony Hoekema, afirma acerca dos mil anos:

> Sabemos que o número dez significa plenitude, e visto que mil é dez elevado à terceira potência, podemos pensar que a expressão "mil anos" é uma representação de um período completo, um período muito longo, de duração indeterminada. Coerentemente com o que foi dito anteriormente a respeito da estrutura do livro, e à luz dos versos 7-15 deste capítulo 20 (que descrevem o "pouco tempo" de satanás, a batalha final e o juízo final), podemos chegar à conclusão de que este período de mil anos se estende desde a primeira vinda de Cristo até muito pouco tempo antes da segunda.[13]

---

[11]HENDRIKSEN, William. *Más que Vencedores*, p. 229-230.
[12]HENDRIKSEN, William. *Más que Vencedores*, p. 137.
[13]HOEKEMA, Antony. *La Biblia y el Futuro*, p. 257.

O reinado dos salvos com Cristo no céu (Ap 20.4-6)

Esse reinado não é na terra, mas no céu (20.4). João diz que viu tronos. A palavra *tronos* aparece 67 vezes no Novo Testamento e 47 vezes no Apocalipse. Apenas três vezes o trono está na terra e sempre se fala do trono de satanás e do anticristo (2.13; 13.2; 16.10). Sempre que a palavra aparece em Apocalipse, esse trono está no céu. O trono de Cristo e da igreja em Apocalipse está sempre no céu.[14] Não existe neste capítulo nenhuma referência à terra nem muito menos a Palestina ou Jerusalém. A cena ocorre no céu e não na terra.

Também são as almas que estão reinando. Portanto, esse reinado não pode ser na terra. João vê almas e não corpos. Simon Kistemaker diz que João é descritivo e preciso em seu vocabulário, pois não está escrevendo a expressão *almas* como sinônimo de pessoas; ele se refere às almas sem os corpos.[15] Essas almas são as mesmas descritas em Apocalipse 6.9. As almas reinam durante todo o tempo entre a morte e a ressurreição que se dará na segunda vinda de Cristo no céu. Esse tempo é chamado de período intermediário.[16] Depois da ressurreição, os salvos reinarão com corpo e alma (22.5).

Jesus está no céu e não na terra e as almas estão reinando com Ele. Os pré-milenistas creem que Cristo desceu do céu (19.11-16) e que esse reinado sucede à segunda vinda. Contudo, o ensino geral das Escrituras e o contexto do livro de Apocalipse provam o contrário. O crente quando morre vai morar com Jesus no céu (Fp 1.23; 2Co 5.8).

Qual é a missão daqueles que estão reinando com Cristo? Eles estão assentados em tronos para julgar. Os santos vão julgar as doze tribos de Israel (Mt 19.28), o mundo (1Co 6.2) e os anjos (1Co 6.3). Jesus prometeu aos vencedores que se assentariam com Ele no trono (3.21). Os salvos estão com Ele no Monte Sião (14.1), cantam diante do trono (Ap 14.3; 15.3) e verão Sua face (22.3-4). Eles participarão da glória

---

[14] (Ap 1.4; 3.21; 4.2,3,4,5,6,9,10; 5.6,7,11,13; 6.16; 7.9,10,11,15,17; 8.3; 12.5; 14.3,5; 16.17; 19.4,5; 20.4,11; 21.5; 22.1,3).
[15] KISTEMAKER, Simon. *Apocalipse*, p. 676.
[16] Para uma melhor compreensão a respeito do período intermediário, consulte *La Inmortalidad* de BOETTNER, Loraine.

de Cristo, pois reinarão com Ele. Os salvos estarão no céu com Cristo em glória (7.9-17). Estas almas celebram a vitória de Cristo sem cessar. Quem são esses que estão reinando com Cristo? Todos os salvos, os mártires e todos aqueles que morreram em sua fé. Os outros mortos, ou seja, os incrédulos, não tornarão a viver até que os mil anos sejam cumpridos. Nesse período entram na segunda morte.[17]

Qual é o significado da primeira ressurreição e da segunda morte? Simon Kistemaker diz que a primeira ressurreição é uma ressurreição espiritual em linha com a segunda morte, que é espiritual.[18] Aqueles que nascem somente uma vez, pelo nascimento físico, morrem duas vezes, uma física e outra eternamente. Os que nascem duas vezes morrem somente uma vez, pela morte física. Estes últimos são os remidos.[19] A regeneração é uma espécie de ressurreição espiritual (Jo 5.24; Jo 11.25-26; Rm 6.11; Ef 2.6; Cl 3.1-3). Essa é a primeira ressurreição. Ela é espiritual. Quem não passa por essa ressurreição espiritual, morre duas vezes, física e eternamente. Todos quantos são regenerados ressuscitaram com Cristo, e essa é a primeira ressurreição. A ressurreição do corpo é posterior, essa é a segunda ressurreição. A frase "primeira ressurreição", refere-se à ressurreição espiritual, uma forma de escrever "o novo homem" em Cristo que foi regenerado. Assim, quando um crente morre, sua alma imediatamente entra na glória e começa a reinar com Cristo (Fp 1.21,23; 2Tm 2.12; Ap 3.21).

A derrota final de satanás (Ap 20.7-10)

Essa batalha final é a mesma já descrita no capítulo anterior (20.7-9). É um equívoco pensar que a batalha final seja distinta de outras batalhas já descritas no livro de Apocalipse (16.14-21; 19.19-21; 20.7-9). O Armagedom, a batalha final aqui descrita, é a mesma descrita noutros textos. Essas não são três diferentes batalhas. Temos aqui a mesma batalha. Nos três casos é a batalha do Armagedom. É o ataque final das

---

[17]HENDRIKSEN, William. *Más que Vencedores*, p. 232-233.
[18]KISTEMAKER, Simon. *Apocalipse*, p. 679.
[19]BOETTNER, Loraine. *La Inmortalidad*. Grand Rapids, Michigan: TELL, s/d, p. 26.

forças anticristãs à igreja. Armagedom (16.16) e Gogue e Magogue são a mesma batalha. É a derrota final dos inimigos de Deus.

Embora os inimigos de Deus sejam derrotados em descrições diferentes, eles caem todos no mesmo momento. A queda da Babilônia, do anticristo, do falso profeta, de satanás, dos ímpios e da morte acontecem ao mesmo tempo, ou seja, na segunda vinda de Cristo, embora os relatos sejam em cenas diferentes.

As figuras usadas por João ensinam lições claras: Gogue e Magogue descrevem a batalha final contra o povo de Deus (Ez 38-39; Ap 20.7-8). Essa é uma descrição da última batalha contra o Cordeiro e Sua noiva. É o Armagedom. Os exércitos inimigos são numerosos (Ap 20.8). Todo o mundo iníquo vai perseguir a igreja. A perseguição será mundial. É o último ataque do dragão contra a igreja. Essa realidade corrige dois erros: Primeiro, otimismo irreal. O mundo no tempo do fim não será de paraíso, mas de tensão profunda; segundo, pessimismo doentio. Não importa a fúria ou a força numérica do inimigo, a vitória é do Cordeiro e de Sua igreja.

A derrota dos inimigos será repentina e completa (20.9-10). Essa derrota imposta ao inimigo é uma ação direta de Deus. O apóstolo Paulo diz que Cristo matará o homem da iniquidade com o sopro da sua boca na manifestação da segunda vinda (2Ts 2.8). O apóstolo João diz que o anticristo e o falso profeta são lançados no lago de fogo (19.20). Ainda diz que satanás foi lançado no lago de fogo (20.10). Eles três são lançados juntos! São atormentados juntos para sempre!

A derrota de satanás será o ápice da vitória de Cristo (20.10). Como satanás é o agente principal do mal, sua derrota é descrita em último lugar. Sua condenação será eterna. Satanás não é rei nem no lago de fogo. O fogo eterno foi preparado para ele e para os seus anjos (Mt 25.41). Satanás será atormentado pelos séculos dos séculos. William Hendriksen, comentando sobre esse episódio, escreve:

> O lago de fogo é um lugar de sofrimento tanto para o corpo como para a alma depois do dia do juízo, onde estão a besta e o falso profeta. O significado não é que a besta e o falso profeta foram realmente lançados no inferno antes de satanás, senão que já se havia descrito o castigo da besta e do falso profeta (19.20). Todos caem juntamente: satanás,

a besta, o falso profeta. Isso tem que ser verdade, porque a besta é o poder perseguidor de satanás, e o falso profeta é a religião anticristã de satanás. Onde quer que se encontre satanás, ali estão os outros dois também. Nesse lago de fogo e enxofre os três são atormentados para sempre e sempre (Mt 25.46).[20]

O juízo final (Ap 20.11-15)

Há vários pontos dignos de destaque aqui:

Em primeiro lugar, *Cristo assenta-se no trono como juiz* (20.11). O trono branco fala da santidade e da justiça do juiz e do julgamento. Diante dEle o próprio universo se encolhe. A terra será redimida do seu cativeiro. A terra não será destruída, mas transformada (2Pe 3.10; At 3.21; Rm 8.21). Jesus é o juiz diante de quem todos vão comparecer (Ap 20.11; At 17.31; Jo 5.22-30). Aqueles que rejeitaram Jesus como advogado vão ter que comparecer diante dEle como juiz.

Em segundo lugar, *os mortos ressuscitam para o julgamento* (20.12-14). Aqui não se trata apenas dos mortos ímpios, mas de todos os mortos, de todos os tempos, de todos os lugares. A ideia de duas ressurreições físicas não tem base bíblica consistente (Dn 12.2; Jo 5.28-29; Jo 6.39,40,44,54; Jo 11.24; At 24.15). Aqui é a única ressurreição geral de todos os mortos, de todos os tempos, que acontece no último dia.[21] Crentes e ímpios ressuscitam no mesmo dia.[22] William Hendriksen diz que em nenhuma parte da Bíblia lemos de uma ressurreição dos corpos dos crentes, seguida, depois de mil anos, por uma ressurreição dos corpos dos incrédulos.[23] Ainda diz Hendriksen que a morte, ou seja, a separação da alma do corpo, e o hades, o estado de separação, deixam de existir. Depois da segunda vinda de Cristo para o juízo, não haverá mais nenhuma separação entre o corpo e a alma, nem no novo céu e na nova terra nem mesmo no inferno. Portanto, falando simbolicamente,

---

[20]HENDRIKSEN, William. *Más que Vencedores*, p. 236.
[21]Esta única ressurreição geral acontece no último dia (Jo 6.39,40,44,54; At 24.15; Mt 22.31; At 24.21; Hb 6.2).
[22]Daniel 12.2; João 5.28-29.
[23]HENDRIKSEN, William. *Más que Vencedores*, p. 237.

a morte e o hades, agora personificados, são lançados no lago de fogo.[24] O julgamento será universal e também individual (20.13). Um por um será julgado segundo as suas obras. Ninguém escapará.

Em terceiro lugar, *os mortos serão julgados segundo as suas obras* (20.12). Esse julgamento será justo e universal.[25] Os livros serão abertos e todos serão julgados segundo o que está escrito nos livros: seremos julgados pelas palavras, obras, omissão e pensamentos. A graça de Deus e a responsabilidade humana caminham juntas. Pelas obras ninguém poderá ser justificado diante de Deus. Pelas obras todos serão indesculpáveis. O juízo final será diferente dos tribunais da terra: lá terá um juiz, mas não jurados; acusação, mas não defesa; sentença, mas não apelo. A única maneira de escapar desse julgamento é confiar agora no Senhor Jesus Cristo (Jo 5.24).

Em quarto lugar, *o critério para a salvação não são as obras, mas a graça* (20.15). Ninguém pode ser salvo pelas obras, por isso o Livro da Vida é aberto. Quem tem o nome escrito nele não é lançado no lago de fogo. Isso já nos mostra que os salvos estão participando desse julgamento (2Co 5.10; Rm 14.10). Os que não têm o nome escrito no Livro da Vida são lançados dentro do lago do fogo, a segunda morte. Somente os salvos terão seus nomes no Livro da Vida (Fp 4.3; Ap 13.8; 17.8; 20.15; 21.27; Lc 10.20).

Em quinto lugar, *a própria morte e o inferno serão lançados no lago de fogo* (20.14). A morte é o estado e o hades é o lugar. Esses dois andam conectados (6.8). Quando a morte e o inferno são lançados no lago de fogo,[26] finda também a autoridade que exerciam no tempo cósmico. O lago de fogo é o lugar onde os ímpios viverão para sempre separados do Deus vivo e sofrerão eternamente os tormentos do inferno.[27] É o lugar onde os ímpios passarão a eternidade. A morte é o último inimigo a

---

[24]HENDRIKSEN, William. *Más que Vencedores*, p. 237.
[25]ERDMAN, Charles R. *Apocalipse*, p. 128.
[26]A frase *lago de fogo* ocorre somente no Apocalipse, e isso num total de seis vezes (19.20; 20.10,14[duas vezes], 15; 21.8).
[27]Na linguagem comum da Escritura é que o inferno é um lugar de fogo (Is 33.14; 66.24; Mt 5.22; 13.40,42,50; 18.8,9; 25.41; Mc 9.43-48; Lc 16.19-31; Jd 7; Ap 14.10; 19.20; 20.10,14,15; 21.8).

ser vencido; o inferno é lugar onde os ímpios são atormentados. Assim, como já dissemos, depois da segunda vinda e do juízo não haverá mais separação entre o corpo e a alma nem no céu nem no inferno. A vitória de Cristo sobre os seus inimigos será completa afinal.

Em sexto lugar, *os tormentos dos inimigos de Deus e dos ímpios serão eternos* (20.10,15). A Bíblia não ensina universalismo nem aniquilacionismo; antes, fala de penalidades eternas. Loraine Boetner diz corretamente que a morte eterna não é a supressão do ser, mas sim, do ser feliz.[28] O sofrimento dos ímpios no lago de fogo é indescritível (Lc 16.19-31). Ali será um lugar de choro e ranger de dentes (Mt 13.50; 22.13). Jesus diz que o tormento será eterno (Mt 25.46). O apóstolo Paulo diz: *Estes sofrerão penalidade de eterna destruição, banidos da face do Senhor e da glória do seu poder* (2Ts 1.9). Rene Pache diz que são várias as imagens que a Bíblia usa para descrever esse lugar de tormento: fogo, verme que morde sem cessar, vergonha eterna, choro e ranger de dentes, trevas, perdição e exclusão.[29]

O lago de fogo é estado e lugar. Enquanto os salvos têm seus nomes no Livro da Vida e deleitar-se-ão em Deus e reinarão com Cristo pelos séculos dos séculos, os ímpios serão banidos da presença de Deus e lançados no lago de fogo para serem atormentados por toda a eternidade. Rene Pache, em suma, diz que a vida eterna consiste em obter o conhecimento de Deus e em morar em Sua presença; a morte eterna, ou a segunda morte, significa ver-se definitivamente privado da presença de Deus.[30]

Você está preparado para o dia do juízo? De que lado você estará naquele tremendo dia? Você está seguro, debaixo do sangue do Cordeiro ou ainda está sob o peso e condenação dos seus pecados? Hoje é o tempo oportuno; hoje é o dia da salvação!

---

[28]BOETTNER, Loraine. *La Inmortalidad*. p. 144.
[29]PACHE, Rene. *Existe el Infierno?* Grand Rapids, Michigan: TELL, 1957, p. 48-49.
[30]PACHE, Rene. *Existe el Infierno?*, p. 50.

28

As bênçãos do novo céu e da nova terra

Apocalipse 21.1-8

A HISTÓRIA JÁ FECHOU AS SUAS CORTINAS. O juízo final já aconteceu. Os inimigos do Cordeiro e da igreja já foram lançados no lago de fogo. Os remidos já estão na festa das Bodas do Cordeiro.

Este texto é a apoteose da revelação. O paraíso perdido é agora o paraíso reconquistado. O homem caído é agora o homem glorificado. O projeto de Deus triunfou. O tempo cósmico se converteu em eternidade.

Winston Churchill disse que a decadência moral da Inglaterra era devido ao fato de que os pregadores tinham deixado de pregar sobre o céu e o inferno.

A pregação sobre o céu traz profundas lições morais para a igreja hoje: 1) Jesus alerta para ajuntarmos tesouros no céu;[1] 2) Paulo diz que devemos pensar no céu;[2] 3) Jesus ensinou que devemos orar: "Seja feita Tua vontade na terra como no céu";[3] 4) O céu nos estimula à santidade;[4] 5) O céu nos ajuda a enfrentar o sofrimento;[5] 6) O céu nos ensina

---

[1]Mateus 6.20.
[2]Colossenses 3.1.
[3]Mateus 6.10.
[4]2Pedro 3.14.
[5]Romanos 8.18.

a renunciar agora em favor da herança futura;⁶ 7) O céu nos livra do medo da morte.⁷ W. A. Criswell, um dos maiores pregadores batistas do século XX, diz: "O céu é um lugar preparado para aqueles que foram preparados para ele".⁸ Diz ainda: "Não há dor na terra que o céu não possa curar".⁹

Vejamos as principais lições deste glorioso texto:

O que são o **novo céu e a nova terra**?

A redenção alcançou não só a igreja, mas todo o cosmos (21.1). A natureza está escravizada pelo pecado (Rm 8.20-21). Ela está gemendo aguardando a redenção do seu cativeiro. Quando Cristo voltar, a natureza será também redimida e teremos um universo completamente restaurado.

Deus não vai criar novo céu e nova terra, mas vai fazer do velho um novo (21.1). O novo céu e a nova terra não são um novo que não existia, mas um novo a partir do que existia (Is 65.17 e 66.22). Assim como nosso corpo glorificado é a partir do nosso corpo, assim será o universo. O céu e a terra serão purificados pelo fogo (2Pe 3.12-13). Não é aniquilamento, mas renovação. Não é novo de edição, porque há continuidade entre o antigo e o novo.

Não vai mais existir separação entre o céu e a terra (21.1,3). O céu e a terra serão a habitação de Deus e de Sua igreja glorificada. Então, se cumprirão as profecias de que a terra se encherá do conhecimento do Senhor, como as águas cobrem o mar (Hc 2.14). Esse tempo não vai durar apenas mil anos, mas toda a eternidade. De acordo com Apocalipse 21.3, a totalidade da igreja glorificada descerá do céu à terra. Ela vem como a noiva do Cordeiro para as bodas (19.7). Assim, aprendemos que a igreja glorificada não permanecerá apenas no céu, mas passará a eternidade também na nova terra. À luz de Apocalipse 21.3,

---

⁶Hebreus 11.10,26.
⁷Filipenses 1.21,23.
⁸CRISWELL, W. A. & PATTERSON, Paige. *Heaven*. Wheaton, Illinois: Tyndale House Publishers, 1991, p. 60.
⁹CRISWELL, W. A. & PATTERSON, Paige. *Heaven*, p. 62-63.

aprendemos que a morada de Deus já não está longe da terra, mas na terra. Onde Deus está, ali é céu. Assim, a igreja glorificada estará vivendo no novo céu e a nova terra.

Alguns estudiosos aceitam o conceito da aniquilação do atual cosmos e de uma descontinuidade absoluta entre a antiga terra e a nova. A despeito dos eventos cataclísmicos que acompanharão o juízo sobre esta terra, rejeitamos o conceito de aniquilação total a favor da renovação com base nos seguintes argumentos:

Em primeiro lugar, **tanto 2Pedro 3.13 como Apocalipse 21.1 usam o vocábulo kainós e não neós.** O primeiro é novo em natureza ou em qualidade. Assim, a expressão "novos céus e nova terra" significa não a aparição de um cosmos totalmente diferente do atual, mas a criação de um universo que, apesar de haver sido gloriosamente renovado, mantém continuidade com o presente.

Em segundo lugar, **o argumento do apóstolo Paulo em Romanos 8.20-21.** Paulo afirma que a criação espera com anelo ardente a revelação dos filhos de Deus para ser libertada da escravidão da corrupção. Obviamente Paulo está dizendo que é a presente criação a que será liberta da corrupção e não alguma criação totalmente diferente.

Em terceiro lugar, **a analogia existente entre a nova terra e os corpos que receberemos na ressurreição** (1Co 15.35-49). Em relação à ressurreição haverá tanto continuidade como descontinuidade entre o corpo presente e o corpo da ressurreição. As diferenças entre nossos corpos atuais e nossos corpos da ressurreição, não tiram a continuidade. Serão nossos corpos que serão ressuscitados e somos nós que estaremos para sempre com o Senhor. Por analogia é lógico esperar que a nova terra não será totalmente diferente da presente, mas será a presente terra maravilhosamente renovada.

Em quarto lugar, **se Deus precisasse aniquilar o cosmos atual, satanás teria tido uma grande vitória.** Deus revelará a dimensão total dessa terra sobre a qual satanás enganou a raça humana, e então, tirará todos os resultados e vestígios do pecado.

O apóstolo João diz que não haverá mais nenhuma contaminação (21.1): *E o mar não mais existirá.* Isso é um símbolo. Aqui o mar é o que separa. João foi banido para a ilha de Patmos. Quando João diz que o mar já não mais existirá, está afirmando que nossa comunhão no céu será perfeita, plena e eterna. O mar aqui, ainda, é símbolo daquilo que contamina (Is 57.20). Também, o mar é símbolo daquilo que ameaça a harmonia do universo. Por isso, do mar emerge a besta que perseguirá a igreja (13.1). Ausência do mar, é ausência de qualquer coisa que interfira com dita harmonia. No novo céu e nova terra não haverá mais rebelião, contaminação e pecado. Adolf Pohl diz: "O mar significa aqui o local de gestação do satânico, da rebelião contra Deus e sua boa criação. Do 'mar' ergueu-se a besta com sua blasfêmia, sedução, perseguição e assassinato. Essa fonte maligna nunca mais jorrará da nova criação".[10]

Quem não vai estar no novo céu e na nova terra? (Ap 21.8)

Em primeiro lugar, *vão ficar de fora os que são indiferentes ao evangelho* (21.8a). Os covardes falam dos indecisos, daqueles que temem o perigo e fogem das consequências de confessar o nome de Cristo.[11] Os covardes, embora convencidos da verdade preferem não se comprometer. Eles têm medo de perder os prazeres deste mundo. Têm medo de ser perseguidos. Não têm coragem de assumir que são de Jesus. Os incrédulos são aqueles que buscam outro caminho para a salvação e rejeitam a oferta gratuita do evangelho. Os incrédulos são aqueles que buscam a religião e não a Cristo e entram pelo atalho das obras, pensando receber através delas a vida eterna. No mundo multiplicam-se as religiões e escasseia a fé salvadora, pois largo é o caminho que leva à perdição.

Em segundo lugar, *vão ficar de fora os que são moralmente corrompidos* (21.8b). Os abomináveis são aqueles que perderam a vergonha, o pudor e se entregaram abertamente ao pecado e aos vícios do mundo. São aqueles que escarnecem da santidade, festejam a desonra, aplaudem o vício, zombam da virtude, vituperam o sagrado e escarnecem de Deus. Os assassinos são aqueles que desrespeitam a sacralidade da vida e atentam contra o próximo para tirar-lhe a vida. Os impuros são aqueles que se entregam a toda sorte de luxúria, lascívia e perversão

---

[10]POHL, Adolf. *Apocalipse de João*. Vol. 2, p. 254.
[11]KISTEMAKER, Simon. *Apocalipse*, p. 704.

moral. A depravação moral está chegando a limites quase insuportáveis nesses dias. A indústria pornográfica prolifera assustadoramente. A infidelidade conjugal cresce vertiginosamente. O sexo pré-marital é recomendado como prova de amor. A sociedade contemporânea faz Sodoma e Gomorra sentirem-se por demais puritanas.

Em terceiro lugar, *vão ficar de fora os que são religiosamente desobedientes* (21.8c). Os feiticeiros são aqueles que vivem na prática da feitiçaria, ocultismo e espiritualismo. São aqueles que invocam os mortos, os demônios, e desprezam o Senhor. São aqueles que creem que são dirigidos pelos astros. São aqueles que são viciados em drogas *(farmakeia)*. Os idólatras são aqueles que adoram, veneram e se prostram diante de ídolos e são devotos de santos.

Em quarto lugar, *vão ficar de fora os que não são confiáveis na palavra* (21.8d). Os mentirosos são aqueles que falam e não cumprem o que falam. Falam uma coisa e fazem outra. São aqueles em quem não se pode confiar. A nossa sociedade é sociedade da mentira, do engano, do engodo, da farsa, da propaganda falsa, da balança enganosa, do comércio pirata, da sonegação fiscal, dos conchavos políticos vergonhosos, dos acordos escusos, dos embustes sórdidos, dos subornos criminosos, da impunidade imoral. A mentira procede do maligno. Os mentirosos são aqueles que encobrem seus erros. Deus coloca fora dos portões da Nova Jerusalém aqueles que amam mais o pecado do que a Deus.

O que não vai entrar no novo céu e na nova terra? (Ap 21.4)

No novo céu e na nova terra não haverá dor (21.4). A dor é consequência do pecado. Dor física, moral, emocional, espiritual não vão entrar no céu. Não haverá mais sofrimento. Não haverá mais enfermidade, defeito físico, cansaço, fadiga, depressão, traição, decepção. O céu é céu por aquilo que não vai ter lá. As primeiras coisas já passaram. O que fez parte deste mundo de pecado não vai ter acesso lá. Aquilo que nos feriu e nos machucou não vai chegar lá.

No novo céu e na nova terra não haverá mais lágrimas (21.4). Não haverá choro nas ruas da nova Jerusalém. Este mundo é um vale de lágrimas. Muitas vezes encharcamos o nosso leito com nossas lágrimas. Choramos por nós, por nossos filhos, nossa família, nossa igreja, nossa nação. Entramos no mundo chorando e saímos dele com lágrimas, mas no céu não haverá lágrimas. Deus é quem vai enxugar nossas lágrimas. Não é autopurificação. Deus é quem toma a iniciativa.

No novo céu e na nova terra não haverá luto nem morte (21.4). A morte vai morrer e nunca vai ressuscitar. Ela será lançada no lago de fogo. Ela não pode mais nos atingir. Fomos revestidos da imortalidade. No céu não há vestes mortuárias, velórios, enterro, cemitério. No céu não há despedida. No céu não há separação, acidente, morte, hospitais. Na Babilônia se calam as vozes da vida (18.22-23), mas na Nova Jerusalém se calam as vozes da morte (21.4)!

Quem vai estar no novo céu e na nova terra? (Ap 21.2)

A cidade santa, a nova Jerusalém, a noiva adornada para o seu esposo é quem vai habitar o novo céu e a nova terra (21.2). A igreja glorificada, composta de todos os remidos, de todos os lugares, de todos os tempos, comprada pelo sangue do Cordeiro, amada pelo Pai, selada pelo Espírito Santo é a cidade santa, a nova Jerusalém em contraste com a grande Babilônia, a cidade do pecado. Ela é noiva adornada para o seu esposo em contraste com a grande meretriz. O Senhor só tem um povo, uma igreja, uma família, uma noiva, uma cidade santa.

Essa cidade desce do céu, é do céu, vem de Deus (21.2). Não se constrói de baixo para cima. Toda construção que partia da terra para cima levou à Babilônia, nunca à cidade de Deus.[12] A Babilônia tentou chegar ao céu por seus esforços e foi dispersa em Babel. Mas a cidade santa, vem do céu, tem sua origem no céu, foi escolhida, chamada, amada, separada, santificada e adornada por Deus para o Seu Filho. Deus é o seu arquiteto e construtor (Hb 11.10).

Essa noiva foi adornada para o seu esposo (21.2). O próprio Noivo a purificou, a lavou, a adornou para que a noiva fosse apresentada a Ele pura, santa, imaculada, sem ruga e sem defeito. A noiva foi amada, comprada, amparada, consolada, restaurada, glorificada.

---

[12] POHL, Adolf. *Apocalipse de João*. Vol. 2, p. 256.

Por que a noiva vai morar no novo céu e na nova terra? (Ap 21.6-7)

Três são as razões elencadas pelo apóstolo João:

Em primeiro lugar, *a igreja, a noiva do Cordeiro, vai estar no novo céu e na nova terra porque Deus já completou toda a obra da redenção* (21.6). Escreve o apóstolo: "Feito está". Esta é a terceira vez que Cristo usa esta expressão: 1) João 19.30: o preço da redenção foi pago; 2) Apocalipse 16.17: o flagelo final na segunda vinda de Cristo; 3) Apocalipse 21.6: quando Cristo houver de entregar a Deus Pai o reino. Tudo está feito. Tudo provém de Deus. Não há aqui sinergismo. Não cooperamos com Deus para a nossa salvação. Ele fez tudo. Ele planejou, executou e aplicou a salvação. Deus é o começo e o fim. De eternidade a eternidade Ele está comprometido com a nossa salvação.

Em segundo lugar, *a igreja, a noiva do Cordeiro, vai estar no novo céu e na nova terra por causa da graça de Deus* (21.6b). Os sedentos bebem de graça da água da vida. Todos os que têm sede podem saciá-la. Todos os que buscam encontram. Todos os que vêm a Cristo, Ele os acolhe, não por seus méritos, não por suas obras, mas pela graça. É de graça!

Em terceiro lugar, *a igreja, a noiva do Cordeiro, vai estar no novo céu e na nova terra, porque permaneceu fiel* (21.7). Todo crente deve lutar diariamente contra o pecado, o diabo e o mundo. O vencedor é o que crê, o que persevera, o que põe a mão no arado e não olha para trás.

Por que o novo céu e a nova terra serão lugares de bem-aventurança eterna? (Ap 21.2,3,7)

O apóstolo João nos oferece quatro razões:

Em primeiro lugar, *porque a vida no novo céu e na nova terra será como uma festa de casamento que nunca termina* (21.2). As bodas passavam por quatro fases: 1) Compromisso; 2) Preparação; 3) A vinda do noivo; 4) A festa. O céu é uma festa com alegria, celebração e devoção. Exaltaremos para sempre o noivo. Deleitar-nos-emos em Seu amor. Ele se alegrará em nós como o Noivo se alegra da Sua noiva.[13] Esta festa nunca vai acabar!

---

[13] Isaías 62.5.

Em segundo lugar, *porque o novo céu e a nova terra serão profundamente envolvidos pela presença de Deus* (21.3). O céu é céu porque Deus está presente. Depois que o véu do templo foi rasgado de alto a baixo Deus não habita mais no templo, mas na igreja. O Espírito Santo enche não o templo, mas os crentes. Agora somos o santuário onde Deus habita.[14] Agora somos um reino de sacerdotes. Veremos Cristo face a face. Vê-lo-emos como Ele é. Ele vai morar conosco. Não vai haver mais separação entre nós e Deus. A glória do Senhor vai brilhar sobre nós. O Cordeiro será a lâmpada da cidade santa.

Em terceiro lugar, *porque no novo céu e na nova terra teremos profunda comunhão com Deus* (21.3b). Deus habitará com eles. Eles serão povos de Deus. Aqui caem as divisas não só do Israel étnico, como das denominações religiosas. Lá não seremos um povo separado, segregado, departamentalizado. Lá não seremos presbiterianos, batistas, assembleianos ou qualquer outro segmento religioso. Seremos a igreja, a noiva, a cidade santa, a família de Deus, o povo de Deus. Jesus disse que o céu é a casa do Pai, o nosso lar (Jo 14.2), um lar com muitas moradas, um lugar de segurança, um lugar de descanso, um lugar de perfeito entendimento e amor, um lugar de permanência.[15]

Em quarto lugar, *porque no novo céu e na nova terra desfrutaremos plenamente da nossa filiação* (21.7). A igreja é noiva do Cordeiro e filha do Pai. Tomaremos posse da nossa herança incorruptível. Desfrutaremos das riquezas insondáveis de Cristo. Seremos coerdeiros com Ele. Seremos filhos glorificados do Deus Todo-poderoso e reinaremos com o Rei dos reis!

Segundo Warren Wiersbe, podemos ver neste parágrafo uma síntese de gloriosas verdades: A primeira revelação – A cidade de Deus (v. 2); a segunda revelação – a habitação de Deus (v. 3); a terceira revelação – O mundo de Deus renovado (versículos 4,5a); a quarta revelação – O trabalho de Deus validado (v. 5b); a quinta revelação – O trabalho de Deus terminado (v. 6a); a sexta revelação – A última bênção (v. 6b) e a sétima revelação – A última maldição de Deus (v. 8).

---

[14] 1Coríntios 3.17; 6.19.
[15] HENDRIKSEN, William. *Más que Vencedores*, p. 240-241.

29

O esplendor da Nova Jerusalém, a noiva do Cordeiro

Apocalipse 21.9-22; 22.1-5

EM APOCALIPSE 17.1-3, João é convidado para ver a queda da grande meretriz, Babilônia, a cidade do pecado. A falsa igreja, foi consumida pelo fogo. Agora, João é chamado pelo mesmo anjo para ver o esplendor da Nova Jerusalém, a cidade santa, a noiva do Cordeiro (21.9,10). No Apocalipse, o nome *Jerusalém* ocorre somente aqui e em 3.12. É uma alusão não à capital de Israel, mas à cidade espiritual de Deus.[1] A cidade eterna não é somente o lar da noiva, ela é a noiva.[2] A cidade não são os edifícios, mas, pessoas. A cidade é santa e celestial. Ela desce do céu. Sua origem está no céu. Ela foi escolhida por Deus.

João vai, agora, contemplar o esplendor da Nova Jerusalém, a noiva do Cordeiro. Diz Russell Shedd que tanto a noiva (21.9) como a "cidade santa" (21.2) são figuras para representar a igreja.[3] Ele fala de seu fundamento, de suas muralhas, de suas portas, de suas praças, de seus habitantes:

---

[1] KISTEMAKER, Simon. *Apocalipse*, p. 697.
[2] WIERSBE, Warren. *The Bible Expository Commentary*, p. 623.
[3] SHEDD, Russell P. *A Escatologia do Novo Testamento*, p. 64.

A Nova Jerusalém **é bonita por fora** – ela reflete a glória de Deus (Ap 21.11)

Quando João tentou descrever a glória da cidade, a única coisa que pôde fazer foi falar em termos de pedras preciosas, como quando tentou descrever a presença de Deus no trono (4.3).

A glória de Deus habitava no Santo dos santos no tabernáculo e no templo. Agora, a glória de Deus habita nos crentes. Mas a igreja glorificada, a noiva do Cordeiro, terá sobre si a plenitude do esplendor de Deus. A shekiná de Deus vai brilhar sobre ela eternamente.

Assim como a lua reflete a luz do sol, a igreja vai refletir a glória do Senhor. Essa glória é indescritível (21.11), como indescritível é Deus (4.3). A igreja é bela por fora. Ela é como a noiva adornada para o seu esposo. Não tem rugas. Suas vestes estão alvas.

A Nova Jerusalém **é bonita por dentro** (Ap 21.19-20)

A Nova Jerusalém não é bonita só do lado de fora, mas também do lado de dentro. Ninguém coloca pedras preciosas no fundamento. Mas no alicerce dessa cidade estão doze espécies de pedras preciosas. Há beleza, riqueza e esplendor no seu interior. Não há coisa feia dentro dessa igreja. Não há nada escondido, nada debaixo do tapete. Essa igreja pode passar por uma profunda investigação. Ela é bonita por dentro!

A Nova Jerusalém **é aberta a todos** (Ap 21.13,25)

A cidade tem doze portas: ela tem portas para todos os lados. Isso fala da oportunidade abundante de entrar nesse glorioso e maravilhoso companheirismo com Deus.[4] Venham de onde vierem, as pessoas podem entrar. Os habitantes dessa cidade são aqueles que procedem de toda tribo, povo, língua e nação. São todos aqueles que foram comprados com o sangue do Cordeiro. Não há preconceito nem acepção de pessoas. Todos podem vir: pobres e ricos, doutores e analfabetos, religiosos e ateus, homens e mulheres.

---

[4] HENDRIKSEN, William. *Más que Vencedores*, p. 247.

A cidade é aberta a todos. Há portas para todos os lados. O Noivo convida: Vem! A noiva convida: Vem! Quem tem sede recebe a água da vida! Nesta cidade os santos do Antigo e do Novo Testamento estarão unidos. A cidade é formada de todos os crentes da antiga dispensação (21.12) e da nova dispensação (21.14). Nenhum daqueles que foram remidos ficará de fora dessa gloriosa cidade.

A Nova Jerusalém **não é aberta a tudo** (Ap 21.12,27)

A cidade tem uma grande e alta muralha. A muralha fala de proteção, de segurança. Embora haja portas (21.13) e portas abertas (21.25), nem todos entrarão nessa cidade (21.27). Embora as portas estejam abertas, em cada porta há um anjo (21.12). Assim como Deus colocou um anjo com espada flamejante para proteger a árvore da vida no Éden, assim, também, há um anjo em cada porta. O muro demarca a santidade da cidade (Ap 21.10), separando o puro do impuro (21.27). Deus é o muro de fogo que protege Sua igreja (Zc 2.5). A igreja está segura e nada pode perturbá-la na glória.

O pecado não pode entrar na Nova Jerusalém (21.27a). O diabo também não pode entrar na Nova Jerusalém, visto que já foi lançado no lago do fogo. Embora a igreja seja aberta a todos, não é aberta a tudo. Muitas vezes a igreja, hoje, tem sido aberta a tudo, mas não aberta a todos.

Aqueles que se mantêm no seu pecado não podem entrar na Jerusalém celeste, mas somente aqueles cujos nomes estão no Livro da Vida (21.27b). Somente os remidos, os perdoados, os lavados, os arrependidos, os que creem podem entrar pelas portas da cidade santa.

A Nova Jerusalém está construída sobre o **fundamento da verdade** (Ap 21.14)

O fundamento dos apóstolos fala da teologia da igreja. A igreja está edificada sobre o fundamento dos apóstolos (Ef 2.20). Isso refere-se à doutrina apostólica, à verdade recebida e proclamada pelos apóstolos. A pedra sobre a qual a igreja está edificada não é Pedro nem nenhum papa.[5] Jesus

---

[5] Marques, João Antonio. *Pedro Nunca Foi Papa*. Lisboa: Publicações Bereia, 1984, p. 81.

Cristo é o único fundamento da igreja (1Co 3.11). A igreja do céu, a noiva do Cordeiro, a Nova Jerusalém, está edificada sobre o fundamento dos apóstolos, sobre a verdade revelada, sobre as Escrituras. Assim, a Nova Jerusalém não está edificada sobre Pedro, sobre visões e revelações forâneas às Escrituras. A Palavra de Deus é sua base. Não é uma igreja mística nem liberal. Ela é logocêntrica!

A Nova Jerusalém **tem espaço para todos os remidos** (Ap 21.15-17)

A cidade é quadrangular: comprimento, largura e altura iguais. A cidade tem doze mil estádios, ou seja, 2.200 Km de comprimento, de largura e de altura. Não existe nada parecido no planeta. É uma cidade que vai de São Paulo a Aracaju. Na Nova Jerusalém, a maior montanha da terra, o pico Everest, desaparece mais de duzentas e quarenta vezes.[6] Essa cidade é um verdadeiro cosmos de glória e santidade. É óbvio que esses números representam a simetria, a perfeição, a vastidão e a totalidade ideais da Nova Jerusalém.[7]

Não existem bairros ricos e pobres nessa cidade. Toda a cidade é igual. Não há casebres nessa cidade. Existem, sim, mansões, feitas não por mãos.[8] Deus é o arquiteto e fundador dessa cidade.

A muralha da cidade mede 144 côvados, ou seja 70 metros de altura. A medida da cidade é um símbolo da Sua majestade, magnificência, grandeza, suficiência. Essas medidas indicam a perfeição da cidade eterna. Nada está fora de ordem ou fora de equilíbrio.

A Nova Jerusalém é lugar onde **se vive em total integridade** (Ap 21.18,21b)

Não apenas a cidade é de ouro puro, mas a praça da cidade, o lugar central, onde as pessoas vivem é de ouro puro, como vidro transparente.

---

[6]POHL, Adolf. *Apocalipse de João*. Vol. 2, p. 270.
[7]LADD, George. *Apocalipse*, p. 210.
[8]2Coríntios 5.1.

Tudo ali vive na luz. Tudo está a descoberto. Nada escondido. Nada escamoteado. A integridade é a base de todos os relacionamentos.

A Nova Jerusalém é o lugar de **plena comunhão com Deus** (Ap 21.22)

No Antigo Testamento a presença de Deus estava no tabernáculo, depois no templo. Mas, depois que o véu do templo foi rasgado, Deus veio para habitar na igreja. O Espírito Santo enche agora não um edifício, mas os crentes.

Na Nova Jerusalém não haverá templo, porque a igreja habitará em Deus e Deus habitará na igreja. Hoje Deus habita em nós, então, vamos habitar em Deus. Isso é plena comunhão! A vida no céu será marcada não por religiosidade, mas por comunhão com Deus.

A Nova Jerusalém é o lugar da **manifestação plena da glória de Deus** (Ap 21.23-24)

A cidade será iluminada não mais pelo sol ou pela lua. A glória de Deus a iluminará. A lâmpada que reflete a glória de Deus é o Cordeiro. Cristo será a lâmpada que manterá a luz da igreja sempre acesa. A noiva do Cordeiro não é como a meretriz que se prostituiu com os reis da terra. Os reis da terra é que vieram a ela para conhecer a glória do seu Noivo e depositar aos seus pés as suas coroas. Esta igreja não está a serviço dos reis, ela está a serviço do REI.

A Nova Jerusalém é o **paraíso restaurado**, onde corre o **rio da vida** (Ap 22.1-2)

A Nova Jerusalém é uma cidade, um jardim, uma noiva. O jardim perdido no Éden é o jardim reconquistado no céu. Lá o homem foi impedido pelo pecado de comer da árvore da vida; aqui ele pode se alimentar da árvore da vida. Lá ele adoeceu pelo pecado; aqui é curado do pecado. Lá ele foi sentenciado de morte; aqui ele toma posse da vida eterna.

No Jardim do Éden havia quatro rios. Nesse jardim celestial, há um único rio, o Rio da Vida. Ele flui do trono de Deus. Ele simboliza a vida eterna, a salvação perfeita e gratuita, o dom da soberana graça de Deus.[9] Por onde passa, traz vida, cura e salvação. O rio da vida simboliza a vida abundante na gloriosa cidade.

A Nova Jerusalém é onde **está o trono de Deus** (Ap 22.3-4)

O trono fala da soberania e do governo de Deus. O Senhor governa sobre essa igreja. Ela é comandada por Aquele que está no trono. Ela é submissa e fiel. Esse é um trono de amor. Os súditos também são reis. Eles obedecem prazerosamente.

A igreja pode estar situada onde está o trono de satanás, como em Pérgamo; mas, o trono de Deus está no coração da igreja.

Na Nova Jerusalém vamos ter propósito: "Os seus servos O servirão". Nosso trabalho será deleitoso. Vamos servir Àquele que nos serviu e deu Sua vida por nós. Os salvos entrarão no descanso de Deus (Hb 4.9). Os salvos descansarão de suas fadigas (14.13), não porém de seu serviço.

Na Nova Jerusalém vamos ter intimidade com o Senhor: "Contemplarão a Sua face...". O que mais ambicionamos no céu não são as ruas de ouro, os muros de jaspe luzentes, não são as mansões ornadas de pedras preciosas, mas contemplar a face do Pai! Céu é intimidade com Deus. Esta é a esperança e a meta da salvação individual em toda a Escritura: a contemplação de Deus!

A Nova Jerusalém é onde **os remidos vão reinar com Cristo eternamente** (Ap 22.5)

Deus nos salvou não apenas para irmos para o céu, mas para reinarmos com Ele no céu.[10] Ele não apenas nos levará para a glória, mas também para o trono. Nós seremos não apenas servos no céu, mas também reis. Reinaremos com o Senhor para sempre e sempre. Cristo vai compartilhar com a Sua noiva, a Sua glória, Sua autoridade e Seu poder. Nós iremos reinar como reis no novo céu e na nova terra. Que honra! Que graça! Que glória será!

---

[9] HENDRIKSEN, William. *Más que Vencedores*, p. 248.
[10] WIERSBE, Warren. *The Bible Expository Commentary*. Vol. 2, p. 624.

Você já é um habitante dessa cidade santa? Você já tem uma casa nessa cidade? Seu lugar já está preparado nessa cidade? Onde você tem colocado o seu coração: na Nova Jerusalém ou na grande Babilônia? A qual igreja você pertence: à Noiva ou à grande meretriz? Qual é o seu destino: o paraíso ou o lago do fogo? Para onde você está indo: para a casa do Pai, onde o Cordeiro será a lâmpada eterna ou para as trevas exteriores? Onde está o seu prazer: em servir a Deus ou deleitar-se no pecado? Hoje é o dia da sua escolha, da sua decisão! Escolha a vida para que você viva eternamente!

30

Os desafios dos cidadãos da Nova Jerusalém

Apocalipse 22.6-21

O CÉU É MAIS DO QUE O NOSSO DESTINO; é a nossa motivação. O conhecimento de que vamos morar no céu deve mudar nossa vida aqui e agora. A visão da cidade celestial motivou os patriarcas na forma de eles andarem com Deus e O servirem (Hb 11.10,13-16).

A garantia do céu deve nos levar não ao descuido espiritual, mas a uma vida plena e abundante aqui e agora. Este texto tem alguns desafios para os habitantes da Nova Jersusalém:

Os habitantes da Nova Jerusalém devem **guardar a Palavra do seu Senhor** (Ap 22.6-11,18,19)

O apóstolo João diz em primeiro lugar, *que a revelação do Apocalipse é absolutamente confiável* (22.6). João trata aqui da indisputável confiabilidade do Livro de Apocalipse. Este livro não é o Apocalipse de João, mas é o Apocalipse de Jesus. É revelação a partir do céu. É Palavra de Deus, por isso, absolutamente fiel e verdadeira. O Apocalipse, verdadeiramente, é um livro de origem divina. O mesmo Deus que revelou Sua Palavra aos profetas, também revelou a mensagem do Apocalipse a João, através do Seu anjo (22.6). Deus está autenticando o Apocalipse como um livro absolutamente inspirado, canônico.

Em segundo lugar, *a observância da revelação do Apocalipse produz bem-aventurança* (22.7b). *Guardar* significa aceitar o conteúdo como legítimo, não mudar, não acrescentar nem subtrair nada a ele (Dt 4.2; Pv 30.5-6). Isso é valorizar a integridade do texto. *Guardar* também significa obeceder, praticar, observar. Isso é valorizar a importância do texto. As profecias do Apocalipse não foram escritas para satisfazerem a curiosidade intelectual quanto ao futuro; mas foram escritas para que a igreja seja capaz de viver dentro da vontade de Deus.[1] A profecia não é apenas para informar sobre o fim, mas para preparar um povo santo para o fim.

Em terceiro lugar, *a mensagem do Apocalipse vem de Deus, é sobre Jesus, por meio do anjo a João, para a igreja* (22.8,9). Deus é a fonte revelatória do livro. Apocalipse 22.6 nos informa que o Senhor foi quem enviou o Seu anjo para mostrar a João as coisas que em breve devem acontecer. Jesus é o conteúdo da mensagem do livro. O livro trata da revelação de Jesus Cristo, Sua glória, Sua mensagem, Sua noiva, Sua vitória. O anjo foi o instrumento que Deus usou para mostrar a João o conteúdo do livro. O anjo não é a fonte da revelação, mas apenas seu instrumento. João foi a testemunha ocular e o recipiente da revelação. Ele ouviu e viu. Essas coisas foram tão esmagadoras que ele caiu como morto aos pés de Cristo e agora se prostra diante do agente. Cristo o levantou e o anjo rejeitou sua adoração. A igreja foi a destinatária do livro. A mensagem foi enviada às sete igrejas da Ásia, bem como a todas as igrejas em todos os lugares em todos os tempos.

Em quarto lugar, *a mensagem do Apocalipse não deve ser selada, mas proclamada* (22.10). A Daniel foi ordenado selar o livro até ao tempo do fim. A João foi ordenado não selar as palavras da profecia deste livro. O fim chegou em Cristo. Desde a primeira vinda de Cristo, o tempo do fim se iniciou. A mensagem da vitória de Cristo e da Sua igreja precisa ser publicada, anunciada, pregada, a todo o povo.

Em quinto lugar, *a mensagem do Apocalipse precisa ser mantida íntegra* (22.18,19). Dois perigos atacam a igreja nesse sentido: O primeiro deles é o liberalismo. O liberalismo nega a inerrância da Bíblia, o seu caráter divinamente inspirado. Ele tenta tirar algo da Escritura.

---

[1] LADD, George. *Apocalipse*, p. 216.

Nenhum homem tem autoridade para retirar nada da Palavra de Deus. Os liberais se levantam para dizer que os milagres não existiram, que o registro da criação foi apenas um mito. Eles se levantam para dizer que muita coisa que está na Bíblia é interpolação. Não podemos negar a origem divina das Escrituras. Não podemos negar o caráter divinamente inspirado deste livro.

O segundo perigo é o misticismo. O misticismo nega a suficiência da Bíblia. Ele tenta acrescentar algo à Escritura. O misticismo tenta acrescentar algo novo à revelação. Paulo diz que ainda que venha um anjo do céu para pregar outro evangelho deve ser rejeitado (Gl 1.8).

Os habitantes da Nova Jerusalém **devem estar preparados** para o julgamento do Senhor (Ap 22.12-15)

O apóstolo João registra aqui cinco pontos dignos de destaque.

Em primeiro lugar, *Jesus virá como Aquele que julga retamente* (22.12). Ele vem julgar. Ele tem o galardão. Ele vem retribuir a cada um segundo as suas obras. Jesus é o juiz que se assentará no trono para julgar as nações (Mt 25.31-46).

Em segundo lugar, *Jesus é o juiz que tem credencial para julgar retamente* (22.13). Ele está no começo e no fim. Ele conhece tudo. Ele é o Pai da eternidade, a origem e a consumação de todas as coisas. DEle, por meio dEle, e para Ele são todas as coisas. Ninguém poderá escapar naquele dia. Ninguém poderá fugir. Ninguém poderá subornar o Seu juízo. Os homens ímpios vão se desesperar (6.16-17).

Em terceiro lugar, *o critério para a salvação não são as obras, mas a obra vicária de Cristo na cruz* (22.14). Os santos não são justos por causa das suas boas obras, mas por causa do sangue do Cordeiro (7.14). Os habitantes da Nova Jerusalém, entrarão na cidade pelas portas, não por causa das suas obras, mas por causa do sangue do Cordeiro (22.14). Não são as nossas boas obras que nos levarão para o céu; nós é que as levaremos para o céu (14.13). Os lavados no sangue do Cordeiro vencem o maligno (12.11), comem dos frutos da árvore da vida e entram na cidade pelas portas (22.14).

Em quarto lugar, *todos aqueles que não foram lavados pelo sangue do Cordeiro ficarão fora da cidade santa* (22.15). Este verso contrasta o destino dos perversos com o destino dos salvos. Os remidos entram na cidade pelas portas. Os perversos são deixados fora da cidade. Aqueles que não foram lavados no sangue do Cordeiro ficarão não apenas fora da cidade, mas serão lançados no lago do fogo (20.15). Os pecados mencionados em Apocalipse 22.15 são os pecados de impiedade (relacionamento com Deus – feitiçaria e idolatria) e perversão (relacionamento com homens – cães, impuros, assassinos e mentirosos). Esses pecados já foram mencionados em Apocalipse 21.8,27.

Em quinto lugar, *depois do juízo é impossível mudar o destino das pessoas* (22.11). Em Gênesis 2.1-2 a obra da criação foi concluída. Em João 19.30 a obra da redenção foi consumada. Em Apocalipse 21.6, a consumação de todas as coisas é declarada. Agora, o destino final das pessoas é selado (22.11). A primeira e a terceira sentenças de Apocalipse 22.11 falam dos feitos de alguém, enquanto a segunda e a quarta falam do caráter da pessoa. Só há dois grupos na humanidade: os que fazem injustiça e são imundos e os que praticam justiça e são santos. Não existe aqui nenhuma solicitação geral para que se continue pecando. Essas palavras do texto dizem que o destino das pessoas no juízo não poderá ser alterado. O que for, será para sempre. Não haverá mais arrependimento nem apostasia. O julgamento é o fim e anuncia o estado final de justiça e injustiça permanentes. Haverá uma hora que será tarde demais para o arrependimento. A Palavra de Deus está dizendo que as pessoas que se recusaram a ouvir e a obedecer, continuarão em seu estado de rebeldia eternamente, enquanto aqueles que receberam vida nova em Cristo, terão esta vida eternamente. Não há maior juízo do que Deus entregar as pessoas ao seu próprio estado, e isso eternamente.

Os habitantes da Nova Jerusalém devem **aguardar ansiosamente a vinda do seu Senhor** (Ap 22.7,12,16,17,20)

O Senhor da glória é identificado (22.13,16). Jesus é o começo e o fim (22.13). Ele é Deus de eternidade a eternidade. Tudo vem dEle e é para Ele. Jesus é o ascendente e o descendente de Davi (22.16). Ele é a raiz e também a geração de Davi. Ele é filho e também Senhor de

Davi. Ele abarca toda a história. Jesus é a brilhante estrela da manhã (22.16). Ele anuncia o alvorecer da eternidade, anunciando que esta vida é apenas um prelúdio da vida real no mundo porvir. Jesus é o Salvador Divino-humano.

O Senhor da glória promete vir buscar Sua noiva sem demora (22.7,12,20). Jesus, como Noivo da igreja, já assumiu Seu compromisso de amor com ela. Ele já pagou o dote na cruz. Agora, a noiva deve se preparar, se ataviar. Em breve Ele virá ao som de trombetas para buscar Sua noiva. Mas, se Ele prometeu voltar em breve, por que já tem mais de dois mil anos e Ele não voltou ainda? Por que alguns julgam Sua vinda demorada (2Pe 3.9)? Pedro responde o porquê. Deus deseja dar ao homem a oportunidade de arrepender-se para que seja salvo (2Pe 3.9). O livro de Apocalipse é o outdoor de Deus, anunciando que Jesus vai voltar em breve! A promessa da vinda de Jesus sem demora mostra como a comunidade cristã deve viver sempre na expectativa da vinda iminente do Senhor. Ninguém sabe o dia nem a hora (Mt 24.36). Cada geração deve estar desperta, como se a vinda do Senhor estivesse às portas (Mt 24.42-44).

A Noiva do Cordeiro deve clamar ansiosamente para que o seu Noivo venha (22.17). O grande anseio de uma noiva não é ter uma casa, mas um esposo. Seu coração não está em coisas, mas no seu Amado. Ela anseia não apenas pelo paraíso, mas pelo Amado da sua alma. O clamor da Noiva é: Vem! Ela sempre ora: Maranata, ora vem Senhor Jesus! (1Co 16.22). A oração da igreja é: Senhor Jesus, leva a bom termo o Teu plano na história com vistas à Tua vinda. Esta é uma oração fervorosa da igreja inspirada pelo Espírito Santo. A igreja clama pela vinda de Cristo. O anseio da igreja é pela chegada do seu Noivo para entrar no lar eterno. A última palavra da igreja é: Vem, Senhor Jesus! (22.20).

A Noiva do Cordeiro clama insistentemente para os sedentos virem a Jesus (22.17b). A igreja não apenas aguarda o Noivo, mas ela chama os sedentos para conhecerem o seu Amado. A igreja proclama que Jesus satisfaz. Ele tem a água da vida. O mundo não satisfaz, só Jesus pode saciar a nossa sede. Só nEle há vida eterna. A igreja proclama o evangelho da graça e não um evangelho de obras ou méritos. Uma igreja que anseia pela volta de Jesus é uma igreja comprometida com evangelismo.

A última promessa das Escrituras diz: *Certamente venho sem demora*; e a última oração: *Amém. Vem, Senhor Jesus!* (22.20).² Quando será esse glorioso dia? O Senhor Jesus disse que será em breve, mas não podemos marcar nenhum tempo ou época que o Senhor reservou pela sua exclusiva autoridade. W. J. Grier citando Agostinho, diz: "Aquele dia está escondido para que todos os dias estejamos alertas".³ Russell Shedd alerta para o fato de que seis parábolas de Jesus frisam a importância de vigiar.⁴ A igreja vigiando quer dizer que os membros estão orando, evangelizando, crescendo em conhecimento da Palavra e santidade.⁵

Após essa fervorosa oração de anseio pela segunda vinda de Cristo, segue a bênção: *A graça do Senhor Jesus seja com todos.* Amém (22.21)! A graça é o único fundamento sobre o qual uma pessoa pode permanecer para a eternidade. Em tempo nublado ou à luz do sol, dia e noite, em todos os tempos e circunstâncias, a graça de Jesus é o apoio e o sustento dos remidos de Deus. É graça do princípio ao fim!⁶

---

²BLOMFIELD, Arthur E. *As Profecias do Apocalipse*, p. 262.
³GRIER, W. J. *O Maior de todos os Acontecimentos*, p. 106.
⁴ (Mc 13.35-37; Mt 24.43-44; Mt 24.45-51; Mt 25.1-12; Mt 25.14-30; Mt 25.31-45).
⁵SHEDD, Russell P. *A Escatologia do Novo Testamento*, p. 70.
⁶RIENECKER, Fritz e Rogers, Cleon. *Chave Linguística do Novo Testamento Grego*, p. 639.